LA
RÉVOLUTION
FRANÇAISE
ET
L'EUROPE
1789-1799

***

Galeries nationales du Grand Palais, Paris
16 mars - 26 juin 1989

LA RÉVOLUTION FRANÇAISE ET L'EUROPE 1789-1799

* * *

XXᵉ exposition du Conseil de l'Europe

Ministère de la Culture, de la Communication
des Grands Travaux et du Bicentenaire
Editions de la Réunion des musées nationaux

ISBN : 2-7118-2214-1 (édition complète brochée)
ISBN : 2-7118-2266-4 (tome 3)
ISBN : 2-7118-2273-7 (édition complète reliée)
ISBN : 2-7118-2276-1 (tome 3)

TROISIÈME PARTIE

LA RÉVOLUTION CRÉATRICE

XXII
LES DROITS
DE L'HOMME

La Déclaration des droits de l'homme est sans doute l'événement révolutionnaire qui éveille le plus d'écho dans le monde contemporain. Non pas que le texte décrété par l'Assemblée constituante le 26 août 1789 soit considéré comme immuable : sous la Révolution même trois rédactions successives virent le jour ; au cours du XIXᵉ siècle et plus encore au XXᵉ siècle les insuffisances, voire les contradictions, du texte de 1789 ont été dénoncées ; ni la Déclaration universelle des droits de l'homme du 10 décembre 1948, ni la Convention européenne du 4 novembre 1950 ne font totalement l'unanimité du côté des défenseurs des droits sociaux comme chez ceux pour qui les progrès des sciences, et en particulier ceux de la biologie, ont déjà rendu caduque la définition traditionnelle de l'individu humain.

Sous la Révolution l'iconographie des droits de l'homme est, élémentairement, celle qui s'organise autour du texte lui-même. Mais le texte devient rapidement attribut entre les mains d'allégories parmi lesquelles la figure dominante est celle de la Liberté, plus ou moins assimilée à la République elle-même. Plus que la Fraternité, tard venue dans la triade des Vertus révolutionnaires, l'Égalité doit être associée à une abondante série d'images qui s'étendent avec complaisance sur l'égalité des trois ordres de l'Ancien Régime, et soulignent d'abord généreusement, mais parfois mensongèrement, l'égalité avec les hommes de couleur ; avec eux comme avec les femmes, la Révolution ne saura pas ou ne voudra pas appliquer ses propres principes. L'abondance iconographique ne saurait dissimuler ces échecs ; à l'inverse la pénurie d'images ne doit faire oublier que l'égalité des droits accordés aux juifs est un des mérites incontestables de la Révolution.

Calendrier des femmes libres (cat. 894).

846
Allégorie sur la Déclaration des droits de l'homme

par Jean-Baptiste REGNAULT

Huile sur toile, esquisse. H. 0,555 ; L. 0,920.
Inscription : sur le ballot à droite : « Regnault De Rome/1790 » ; sur le parchemin au centre : « Les Droits de l'homme » ; sur le socle du buste du roi : « Louis XVI.../Roi d'un peuple/libre » ; sur la banderole : « vive le père des Français » ; sur l'architrave : « Temple de la Li(berté). »
Historique : legs Charles Vatel à la bibliothèque municipale de Versailles, 1883.
Exposition : 1986, Vizille, nº 16.
Bibliographie : Bordes, 1982, pp. 56 et 109.

Versailles, musée Lambinet (inv. 743).

Au centre de la composition Minerve, assise sur le seuil du temple de la Liberté, achève la rédaction de la Déclaration des droits de l'homme, dont le texte est posé sur un cippe. La Prudence et la Justice la conseillent ; Hercule aide la France, assise sur son trône, à placer sur un piédestal un buste de Louis XVI que contemplent le Commerce et l'Abondance aux pieds de laquelle est représenté le Génie des arts. La Renommée proclame la nouvelle et le Temps dévoilant la Vérité, d'où émane une lumière éclatante, apparaît dans le ciel. À droite, accoudé sur le cippe, un personnage (identifié par Philippe Bordes comme Sieyès) semble indiquer à La Fayette l'allégorie de l'Histoire (?) assise sur le sol à ses pieds. Derrière La Fayette on distingue quelques constituants, et surtout une foule, immense et armée, d'hommes et de femmes, conduite par un soldat, monté sur un canon et levant une pique chargée d'un bonnet phrygien, de clés de cadences de chaînes et d'une lettre de cachet (?). Cette foule surgit d'une sombre nuée d'où émerge une tour de la Bastille en train de s'effondrer. À gauche Bailly, tenant le gouvernail et les clés, observe la scène, appuyé au dossier du siège de la Ville de Paris qui terrasse du pied un homme nu enchaîné, gisant sur une porte de prison (?), et qui a laissé échapper son épée brisée.
Philippe Bordes a identifié cette esquisse avec celle que Regnault présenta en mars 1790 à la Commune de Paris, espérant obtenir la commande en grand de cette allégorie qui mettait en valeur le rôle de Paris et de son maire. Sa demande fut acceptée en novembre 1791 mais bien des éléments de la composition (exaltation de Louis XVI, rôle de Bailly et de La Fayette) n'étaient déjà plus en accord avec l'évolution de la situation et il semble que l'œuvre ne fut jamais peinte.
L'esquisse est en tout cas intéressante par ses contradictions mêmes. L'apparence de la composition est tout à fait traditionnelle avec une riche iconographie allégorique assez simple à déchiffrer. Mais la place accordée au peuple insurgé — avec des allusions à peine déguisées aux premières violences de la Révolution — est une innovation, sinon formelle (les scènes de foule à l'arrière-plan des allégories sont relativement nombreuses) du moins idéologique.

Tout aussi remarquable est l'importance donnée aux instruments agricoles, déposés au premier plan comme un trophée d'armes, et qui peuvent signifier que la Liberté est le meilleur garant de l'approvisionnement de la Ville de Paris.

847
La Déclaration des Droits de l'Homme

attribué à Guillaume BOICHOT

Plume et encre sur papier, léger rehaut de lavis. H. 0,27 ; L. 0,40.
Inscription : sur le montage, « Boichot. »
Historique : acquis en 1860.
Bibliographie : Destailleur et Paté, pp. 33-37 ; Guillermin, pp. 23 et 78, nº 4.

Chalon-sur-Saône, musée Denon (inv. D. 9).

Le dessin attribué à Guillaume Boichot représentant la Déclaration des droits de l'homme correspond parfaitement à la description donnée par Quatremère de Quincy du bas-relief fait en pierre par Boichot (et dont plusieurs fragments du modèle en plâtre ont été récemment retrouvés au Panthéon) et placé autrefois au-dessus de la principale porte d'entrée du Panthéon : « Le bas-relief de Boichot a pour sujet la Déclaration des Droits. C'est la Nature, sous la forme d'une femme moitié vêtue, pour exprimer que jamais homme ne la connaîtra tout entière, qui occupe le milieu de la Composition. Elle tient une corne d'abondance, emblème de la production. Le vautour, emblème de la destruction, est à ses pieds. Son autre main s'appuye sur la table des Droits de l'Homme, qu'elle présente à la France étonnée. La Nature mène à sa suite ses deux compagnes, l'Égalité et la Liberté. La Renommée se voit en l'air : elle annonce à tous les peuples le réveil de la France et le règne de la Liberté. » L'artiste s'était engagé, le 2 juin 1792, à exécuter cette œuvre moyennant 7 000 livres, le modèle en plâtre devant être compris dans cette somme pour 2 000 livres. Le dessin du musée Denon à Chalon-sur-Saône est donc, très probablement, un dessin préparatoire pour le grand bas-relief décrit par le directeur général des travaux faits au Panthéon en octobre 1793. Avec ce travail et avec l'exécution d'un *Hercule* de quinze pieds de proportion, placé auprès de cette même porte principale (dont un petit modèle en bronze se trouve au Los Angeles County Museum of Art), Boichot avait reçu, à côté du bas-relief sculpté par Moitte au fronton du Panthéon, la commande la plus importante parmi la vingtaine de sculpteurs engagés pour la nouvelle décoration du Panthéon. Le cabinet des Estampes de la Bibliothèque nationale possède un dessin presque identique fait à la plume et lavé à l'encre par J.-G. Moitte (H. 0,193 ; L. 0,282 ; repr. dans Vovelle, 1986, t. II, p. 299). Les deux compositions représentent la même allégorie se ressemblent tellement qu'il ne peut pas s'agir de projets rivaux inventés indépendamment par les deux sculpteurs. La parfaite concor-

dance entre les deux dessins qui ne se distinguent que stylistiquement et par quelques attributs ajoutés dans le projet de Boichot, fait supposer que celui-ci n'était pas libre dans l'invention de la nouvelle allégorie imposée par le programme iconographique de Quatremère de Quincy. Le travail difficile de traduire la conception philosophique et pédagogique de l'érudit, sans modèle dans l'histoire de l'art, dans un langage compréhensible, conforme aux « règles du goût » et à la « bienséance de l'endroit », ne devait pas être confié, selon Quatremère de Quincy, à une vingtaine d'artistes différents qui travaillaient au Panthéon. Il demanda un « stile uniforme » et un « certain rapport de symetrie » dans l'exécution du programme sculptural dont la traduction par la plume fut d'abord confiée, comme il semble, à son ami Moitte. Non seulement le dessin de la Bibliothèque nationale mais aussi les quatre génies de l'*Amour de la Patrie* du musée Carnavalet, dessinés également par Moitte (inv. D.5806-D.5809), représentent une sorte d'« exécution préalable » qui fut présentée au commanditaire (le Directoire du département de Paris) et servit de modèle pour l'exécution des bas-reliefs confiés à Boichot et à S.-L. Bocquet. « Loin de nous l'idée de vouloir mettre au génie de l'artiste trop d'entraves », écrit Quatremère en 1791, « en assujettissant ses conceptions à un module uniforme & monotone d'invention ; mais l'intérêt de l'art, du monument & des convenances peut lui prescrire des bornes & circonscrire le cercle de ses compositions ». Le dessin de Boichot montre bien le conflit de l'artiste soumis à un programme dicté en même temps qu'il cherche à réaliser l'idéal de la « Liberté du Genie » demandé par les artistes de l'époque révolutionnaire. G.Gr.

848
Déclaration des Droits de l'Homme et du Citoyen
décrétés par l'Assemblée nationale le vingt-six août 1789

Papier peint (montage : huit bandes pour le texte, encadrement, nœuds). H. 2,26 ; L. 1,30.
Inscription : en bas à droite : « Agrée par l'Assemblée nationale le 20 novembre 1791/ Se vend à Paris, chez Windsor, rue de la Feuillade nº 3/ Prix 6 ll. en feuille. »
Exposition : 1986, Vizille, nº 11.

Colmar, musée d'Unterlinden.

Destiné aux « lieux ou le patriotisme réunit les citoyens », ce type de papier peint semble avoir été assez largement répandu. Philippe Bordes (cat. exp. : Vizille, 1986, p. 22) a noté que l'allégorie coloriée à l'imitation du bronze et placée autour du titre est reprise d'une estampe de Le Barbier l'Aîné (Bruel, 1914, t. II, nº 4222) : à gauche la France qui a brisé ses fers, à droite la Loi indique du doigt les droits de l'Homme et de son sceptre « l'œil suprême de la Raison qui vient de dissiper les nuages de l'erreur qui l'obscurcissaient. »

llégorie sur la Déclaration des droits de l'homme (cat. 846).

La Déclaration des Droits de l'Homme, projet pour le bas-relief du Panthéon (cat. 847).

Le texte est celui de la « première » Déclaration des droits de l'homme, texte en fait inachevé, lorsque le 27 août 1789 l'Assemblée jugea à l'unanimité que l'élaboration de la Constitution devenait la tâche prioritaire ; mais il fut aussitôt diffusé et son retentissement fut considérable. Le précédent de la *Déclaration d'indépendance américaine* domina une bonne partie des débats qui aboutirent aux dix-sept articles promulgués, mais moins comme un modèle à imiter que comme un exemple à dépasser.

Trente projets furent élaborés au sein de la seule Assemblée constituante sans compter les projets extérieurs (dont le plus important est celui dû à Condorcet). Mais l'idée d'une « Déclaration des droits pour tous les hommes, pour tous les temps, pour tous les pays » (discours de Duport, 18 août 1789) finit par s'imposer comme la seule voie pour concilier l'instauration de la souveraineté nationale et le respect d'un certain ordre social : l'universalité permettait d'échapper en partie aux contingences nées de l'existence du pouvoir royal, de la « Grande Peur » de l'été 1789, et du débat sur les formes à donner à la représentation nationale.

849
Tables des Droits de l'Homme
agréées par la Convention Nationale

Papier peint (montage : huit bandes pour le texte encadrement). H. 2,26 ; L. 1,30.
Inscription : en bas à gauche : « Déclaration des droits de l'homme et du citoyen décrétés par la Convention nationale en 1793 v.s. » ; en bas à droite : « Se trouve chez les citoyens Daguet à leur manufacture de papiers peints boulevard du temple/Vis à vis l'ambigu Comique la Maison ayant une entré rue Vendôme n° 27 à Paris. »
Historique : proviendrait de la salle de la Convention.
Exposition : 1968-1969, Paris, musée Carnavalet, n° 12.

Paris, musée Carnavalet (inv. 87. Car. 5955).

Il est possible que ce papier peint soit celui-là

même dont Daguet fit hommage à la Convention. Il contient la Déclaration en trente-cinq articles qui formaient le préambule à l'acte constitutionnel du 24 juin 1793 (Constitution de l'an I). On sait que cette seconde Déclaration, sans imposer de restrictions au droit de propriété si fermement affirmé dans la Déclaration de 1789, innovait dans de nombreux domaines : liberté de conscience et non plus simple tolérance, souveraineté du Peuple et non de la Nation (ce qui impliquait le suffrage universel), droit à l'instruction, droits civils mieux définis (en particulier pour les domestiques), droit aux « secours » pour ceux qui ne peuvent travailler, droit au travail pour les autres.

L'allégorie placée en tête du texte a été modifiée en fonction des nouvelles conditions politiques : la France est coiffée d'un bonnet phrygien et non plus couronnée ; au-dessus du triangle de la Raison sont placés deux drapeaux tricolores (avec la devise « Liberté, Égalité, Fraternité ou la Mort ») et en dessous l'inscription « Unité, Indivisibilité de la République ».

850
Mirabeau donnant à Frédéric le Grand un écrit intitulé « Droit de l'homme »

par Nicolai ABILDGAARD

Plume et encre noire, lavis noir et gris sur mine de plomb. H. 0,125 ; L. 0,159.
Inscription : en bas à droite : « Mirabeau et Fr. II » ; sur le rouleau : « droit de l'homme ».
Exposition : 1978, Copenhague.
Bibliographie : Skovgaard, 1978, fig. 39 ; Sass, 1986, p. 149.

Copenhague, musée royal des Beaux-Arts, cabinet des Estampes (inv. 538.25).

Comme tous les États d'Europe, le Danemark accueillit avec enthousiasme la chute de la Bastille. Le philosophe Henrik Steffens devait évoquer plus tard comment son père, apprenant

la nouvelle, réunit ses fils autour de lui en leur disant : « Mes enfants, vous avez de la chance. Quelle glorieuses période s'ouvre devant vous ! Si vous ne réussissez pas à vous faire une place libre et indépendante, ne vous en prenez qu'à vous-mêmes. Toutes les classes sociales, toutes les chaînes contraignantes de la pauvreté vont disparaître, le plus petit luttera à égalité avec celui qui jusqu'ici était le plus puissant, un combat à armes égales, sur un terrain égal. » Ces sentiments étaient incontestablement partagés par Abildgaard. Passionné de politique, il avait lu, avant la Révolution, une abondante littérature des Lumières prônant les réformes politiques et sociales, écrite par des auteurs comme Antonio Genovesi et Cesare Beccaria, Adam Smith et John Cary, Linguet et Necker, la Grande Catherine et Frédéric II. Durant les premières années de la Révolution, ses lectures allaient révéler une conscience aiguë de l'importance capitale des événements de France. Au début de 1793 il avait déjà acquis la majorité des contributions anglaises favorables ou hostiles aux *Reflexions on the Revolution in France* (1790) de Burke. Parmi ces écrivains, il ne cachait pas sa grande estime pour le Jacobin américain Thomas Paine. De même qu'il se sentait très proche des Nordiques et des Allemands favorables à la Révolution : outre les écrits de son ami, Peter Andreas Heiberg (cat. 832) il possédait la fameuse protestation de Peter Clauers contre la coalition anti-révolutionnaire, *Kreuzzug gegen die Franken*. Il se procura enfin les ouvrages de Rousseau et de Voltaire (qu'il voulait illustrer), les pamphlets de Calonne, de Collot d'Herbois, de Pétion, les lettres et discours de Robespierre et de Mirabeau.

Abildgaard avait très probablement entendu son ami sir Hugh Elliot, ambassadeur de Grande-Bretagne à Copenhague de 1783 à 1791, évoquer ses souvenirs personnels de Mirabeau. Il était souvent question au Danemark des réformes du roi Frédéric en Prusse — et le peintre lui-même avait visité Berlin durant l'hiver de 1787-1788. Même si la vérité historique n'est pas tout à fait respectée (Frédéric était mort au moment de la Proclamation des droits de l'homme), l'idée de souligner le contraste entre les deux grands personnages, l'un tenant du despotisme éclairé, l'autre du réformisme démocratique, était riche de sens. D'une manière presque allégorique, le dessin préfigure les œuvres ultérieures d'Abildgaard, dans lesquelles il célèbre « la nouvelle aurore de l'humanité » : Mirabeau désigne du doigt un avenir meilleur, tandis que le soldat à l'arrière-plan se montre attentif à ces brillantes perspectives.

L'œuvre peut être datée vers 1789-1792. Son verso comporte une esquisse pour la *Colonne de la Liberté* (cat. 881). P.Kr.

851
Les Droits de l'Homme et du Citoyen

par T. KONING, d'après J. Van Meurs
Gravure. H. 0,465 ; L. 0,395.

Mirabeau donnant à Frédéric le Grand un écrit intitulé « Droit de l'homme » (cat. 850).

Déclaration des Droits de l'Homme et du Citoyen décrétés par l'Assemblée nationale le vingt-six août 1789 (cat. 848).

Tables des Droits de l'Homme agréées par la Convention Nationale en 1793 (cat. 849).

Les Droits de l'Homme et du Citoyen, proclamés en république batave (cat. 851).

Les Droits de l'Homme et du Citoyen, proclamés en république batave (cat. 852).

« Aux Français libres et à leurs amis ». Déclaration des Droits de l'Homme de la république helvétique (cat. 853).

Caricature anglaise : Fox priant devant la Déclaration des Droits de l'Homme (cat. 854).

La Liberté et l'Égalité (cat. 855).

La République (cat. 856).

Bibliographie : Muller Atlas, 1876, t. III, n° 5342b.

Amsterdam, Rijksprentenkabinet, Rijksmuseum (inv. FM 5342b).

Cette gravure (1795) comporte les dix-neuf articles des Droits de l'homme et du citoyen qui furent proclamés en République batave le 31 janvier 1795, à La Haye, par les représentants provisoires du peuple de Hollande.

On peut voir des représentations allégoriques de la Liberté (en haut, à gauche), de l'Égalité (en bas, à gauche) et de la Fraternité (en bas, à droite).   B.K. et M.J.

852
Les Droits de l'Homme et du Citoyen 1795

par L.A. CLAESSENS

Gravure. H. 0,46 ; L. 0,26.
Bibliographie : Muller Atlas, 1879, t. III, n° 5342a.

Amsterdam, Rijksprentenkabinet, Rijksmuseum (inv. F.M. 5342a).

Les « Droits » énoncés dans les dix-neuf articles furent proclamés le 31 janvier 1795 à La Haye par les représentants provisoires du peuple de Hollande. Des estampes portant le texte des « Droits » furent réalisées et éditées à l'occasion de cet événement historique. Cette gravure montre une représentation allégorique de la Liberté, de l'Égalité et de la Fraternité défendues par la Loi. En haut (de gauche à droite), le Temps, les Lumières et la déesse guerrière Minerve.   B.K. et M.J.

853
Aux Français libres et à leurs amis

par Henri COURVOISIER-VOISIN

Gravure au pointillé. H. 0,513 ; L. 0,407.
Expositions : 1968-1969, Paris, n° 209 ; 1986, Vizille, n° 12 (comme anonyme).

Berne, Bibliothèque nationale suisse (inv. 26.K.525).

Proche par sa conception de certains dessins de Jean-Guillaume Moitte (*Réponse de Louis XVI à La Fayette,* Lille, musée des Beaux-Arts ; *Projet de Monument en l'honneur des Droits de l'Homme et du Citoyen,* B.N., Est., Rés. B.11), la gravure de Courvoisier-Voisin crée un encadrement emblématique au texte suisse de la Déclaration des droits. Surmontée d'un fusil faisant office de pique, coiffé d'un bonnet de la Liberté, véritable pilier de l'univers, ayant à sa base l'aigle (la puissance) et la cigogne (la maternité), la table des Droits est encadrée par Hercule (la force) et par la Justice qui montre le texte à la Vérité. En bas, des putti ont resversé une idole, et brisé les chaînes de l'esclavage. Cette gravure date de 1798, année de la création de la République helvétique.   J.Be.

854
Autel à St Ann's Hill
(Shrine at St Ann's Hill)

par James GILLRAY

Aquatinte coloriée. H. 0,343 ; L. 0,248.
Inscription : « Pub^ed May 26th 1798 by H. Humphrey, St Jamess Street. »
Bibliographie : cat. British Museum, n° 9217.

Londres, British Museum (inv. 1868.8.8.6742).

Charles James Fox, chef de l'aile radicale du parti aristocrate whig, connut une baisse de popularité en raison de ses sympathies pour la Révolution française et des réformes constitutionnelles qu'il introduisit en Angleterre. Le nombre de ses partisans diminuant de jour en jour, en 1797 il cessa de participer aux débats de la Chambre des communes et ce, pendant près de cinq ans. Retiré de la vie politique chez sa maîtresse Mrs. Armistead à St Ann's Hill, près de Chertsey dans le Surrey (en réalité, il l'avait épousée en 1795, mais le mariage a été tenu secret jusqu'en 1802), c'est à contre-cœur qu'il dut retourner à Londres ; cette année-là, au cours d'un dîner, il porta un toast à la santé « Notre Souverain, le Peuple », qui entraîna son expulsion du Conseil privé du roi. Il se sentait merveilleusement heureux à l'écart de la politique.

La présente caricature, éditée le 26 mai 1798 par H. Humphrey, suggère que telle était sa religion : révolution, libre pensée et athéisme. Robespierre et Bonaparte, dont les bustes sont posés sur l'autel, représentent l'anarchie et la cruauté. Gillray traduit avec son habituelle férocité l'horreur que suscitèrent chez les Anglais les événements de France, après l'exécution de Louis XVI et l'hostilité à l'égard de la *Déclaration des droits de l'homme,* dénoncée par Burke comme une imposture.   C.B.-O.

855
La Liberté et l'Égalité

par Joseph CHINARD

Bas-relief, plâtre. H. 0,64 ; L. 0,54 ; Pr. 0,03.
Inscription : « DROITS/DE L'HOMME - LOIX/REPUBLICAINES » ; « LIBERTÉ-ÉGALITÉ ».
Historique : acquis en 1925.
Bibliographie : La Chapelle, 1897, p. 43 ; Rosenthal, 1925, pp. 209-210 ; Rocher Jauneau, 1978, pp. 30-32 ; Bordes, cat. exp. Vizille, 1986, sous n° 35.

Lyon, musée des Beaux-Arts (inv. B 1359).

Cette œuvre de Chinard est le reflet d'une commande importante et hautement symbolique dans la carrière du sculpteur.

Au début d'avril 1793, l'artiste propose à la municipalité de Lyon, tenue par Chalier et ses amis de remplacer au fronton de l'hôtel de ville le bas-relief représentant Louis XIV par Chabry, détruit après la chute de la monarchie. Durant la séance du 11 avril (M. Rocher-Jauneau, *op. cit.,* p. 30), le conseil de la ville accepte de substituer à la figure royale la double effigie

de la Liberté et de l'Egalité. Le conseil agrée le projet présenté le 5 juin ; l'inauguration a lieu au début de septembre et le nouveau bas-relief est décrit dans le bulletin du département Rhône-et-Loire des 3-4 septembre (*cf.* Rosenthal, p. 209). L'œuvre monumentale était en plâtre ; elle subsista jusqu'en 1810, date à laquelle elle fut remplacée par une effigie d'Henri IV. Le plâtre du musée de Lyon est vraisemblablement le modèle qui fut soumis au conseil de la ville et exposé pendant quinze jours chez les représentants du peuple.

L'iconographie est clairement lisible : devant les deux plaques des « Droits de l'homme » et des « Lois républicaines », la Liberté à gauche, tenant la couronne civique, installe au-dessus du faisceau de la Justice une pique surmontée du bonnet ; celle-ci se place derrière le triangle présenté par l'Égalité, le niveau se superposant dans un exact alignement avec la pique. Cette composition apparemment scrupuleusement codifiée se heurta pourtant à l'opposition de quelques-uns. « Le comédien Dorfeuille accusa [Chinard] d'avoir représenté la Liberté se mettant une couronne « sur les f... » au lieu de la tendre en avant » (Germain Bapst, préface au *Catalogue des sculptures par Joseph Chinard formant la collection du comte de Penha-Longa,* vente Petit, Paris, 1911, p. 8). Chinard fut ainsi accusé de sacrilège, renouvellement cocasse de la situation qu'il avait connue en 1792 à Rome à propos de deux candélabres de Van Risemburgh (cat. 704). L'incarcération du sculpteur suivit cette affaire, sans que l'on puisse déterminer clairement aujourd'hui si elle en avait été la seule cause directe.

Stylistiquement, Chinard se montre une fois encore débiteur de l'Antiquité. La *Liberté* en effet reprend littéralement la figure à l'extrême droite du bas-relief des *Danseuses Borghèse,* visible à Rome à la villa Borghèse, une des œuvres les plus louées au XVIIIe siècle, en particulier par Winckelmann (*cf.* Haskell et Penny, *Taste and the Antique,* Yale, 1982, p. 195, fig. 101) ; la référence donne à l'allégorie révolutionnaire ce mouvement dansant et une certaine coquetterie vestimentaire – en particulier l'épaule droite dénudée –, que reprend à moindre échelle *l'Égalité,* plus statique ; la fantaisie de l'étoffe dépliée au vent dans le dos des figures se trouve dans le bas-relief Borghèse, de même que le bras posé très en arrière, et le jeu des draperies transparentes dégageant le profil des jambes. Nous sommes loin ici du décorum imposé par la vertu républicaine. Chinard comprend la leçon à sa sortie de prison en concevant la *République* en avril 1794 (cat. 856) : pareillement encadrée par les plaques des Droits de l'homme et des Lois, l'austère déesse assise est un désaveu complet des allégories trop gracieuses et libertines de 1793.   G.Sc.

856
La République

par Joseph CHINARD

Statuette, terre cuite. H. 0,35 ; L. 0,277 ; Pr. 0,164.

Inscription : à gauche, « Chinard inv. et fe^{t.} 23 jerminal l'an 2^m de la R.f. u et ind. » ; devant : « DROITS DE L'HOMME/LOIX » ; au dos : « UNION/LIBERTÉ/ FORCE. »

Historique : atelier de l'artiste, puis M. de Vrégil, héritier ; collection Parguez ; don D. David-Weill au musée en 1926.

Expositions : 1939, Paris, Carnavalet, n° 1140 ; 1968-1969, Paris, Archives nationales, n° 317 ; 1986, Vizille, n° 35.

Bibliographie : La Chapelle, 1897, p. 142 ; Vitry, 1926, p. 117 ; Vovelle, 1986, t. III, p. 218.

Paris, musée du Louvre, département des Sculptures (inv. R.F. 1883).

Cette œuvre de Chinard correspond vraisemblablement à un projet de monument à l'honneur de la République, bien qu'on ne puisse préciser lequel. L'artiste, on le sait, fut employé avec une certaine constance, malgré quelques aléas, par la ville de Lyon (de la fête de la Fédération à celle de l'Être suprême, et au-delà). Cette œuvre, datée du 23 germinal an II (12 avril 1794), se situe au moment où Chinard, libéré de prison depuis février, se montre le plus militant.

La République, identifiée ici par le bonnet que porte l'en-tête de nombreux papiers officiels, dévoile la table des Droits de l'homme ; « en même temps, elle couvre l'autre table d'une branche de chêne, comme pour infuser sa propre force aux lois, pour en adoucir les rigueurs en l'ornant d'un encadrement naturel » (Philippe Bordes dans cat. exp. Vizille, *op. cit.,* p. 34). Divers symboles explicitent l'iconographie au revers : derrière les Droits de l'homme, la massue et une guirlande de chêne (la Force) ; derrière les Lois, le faisceau (la Justice) et le serpent qui se mord la queue (l'Éternité).

La figure strictement frontale – ceci est accentué par la présence des deux tables qui l'encadrent – est une reprise des matrones antiques, en particulier *Agrippine assise* du Capitole, célébrée à partir du milieu du XVIIIe siècle (en particulier par Caylus, *cf.* Haskell et Penny, *Taste and the Antique,* Yale, 1982, p. 133, fig. 69). Chinard reprend la coiffure en petites boucles juxtaposées, les gros plis parallèles du chiton sur la poitrine et sur les pieds, de même que les larges plis du drapé sur les jambes ; il s'inspire également littéralement de la pose (en l'inversant) du bras gauche d'Agrippine qui s'appuie nonchalamment sur le haut du dossier de son siège. On retrouve ici cette fascination de l'antique de la part du sculpteur qui trouve souvent son inspiration première dans les grands modèles vus à Rome, ces derniers à peine adaptés aux nouveaux sujets traités par l'artiste.   G.Sc.

LIBERTÉ-ÉGALITÉ

857
La Liberté et l'Égalité

par Paolo BERNARDI, d'après G. Guizzardi et Guido Reni

Eau-forte et burin. H. 0,390 ; L. 0,280.

Inscription : « La Libertà, e l'Eguaglianza/Dall'Originale di Guido Reno presso il Attard° Ferd° Marescalchi/disegnato da G. Guizzardi e inciso da Paolo Bernardi./Ha ottenuto il Premio Curlandese l'Anno VI Rep°/1798 V(ecchio) S(tile). »

Bibliographie : Arrigoni Bertarelli, 1932, n° 6061.

Milan, Castello Sforzesco, Raccolta civica di Stampe Achille Bertarelli (cart.m. 30-67).

L'Égalité assise tient dans la main droite le niveau et pose sa main gauche sur l'épaule de la Liberté assise à ses côtés. Celle-ci, les yeux au ciel, montre le sol de l'index droit et élève dans sa main gauche le bonnet phrygien. Ces deux figures sont des copies assez exactes des allégories de l'*Air* et du *Feu* peintes par Guido Reni, vers 1614-1615, dans une salle du Palazzo Orlandini (anciennement Marescalchi) à Bologne (communication de J.-P. Cuzin). Mais G. Guizzardi a copié en fait une estampe de P. Bernardi, datée de 1778 où les attributs de ces deux figures avaient déjà été « modifiées » pour représenter la Peinture et la Sculpture. Il est vrai que sur la fresque les objets tenus en main par l'Air et le Feu sont peu distincts, ce qui a favorisé de tels détournements.

858 A
La Liberté

Bois de fil gravé, colorié au pochoir. H. 0,435 ; L. 0,335.

Inscription : « La Liberté / A Orléans / chez Letourmy. »

858 B
L'Égalité

Bois de fil gravé, colorié au pochoir. H. 0,437 ; L. 0,332.

Inscription : « L'Egalité / A Orléans / chez Letourmy » ; sur la tablette « Déclaration/des droits/ de l'Homme/et du/ Citoyen//le Peuple Français, convaincu que l'oubli et le mépris des droits/naturels de l'homme sont les seu-/les causes des maleurs du monde... »

Expositions : 1955, Paris, musée des Arts et Traditions populaires, n° 329 ; 1980, Paris, Grand Palais, n° 81.

Bibliographie : Desnoyers, 1898, p. 18 ; Martin, 1928, p. 92 ; Vovelle, 1986, t. I, pp. 301 et 307.

Paris, musée national des Arts et Traditions populaires, iconothèque (inv. 55.31.3 et 4D).

Le texte de l'inscription sur la tablette tenue par l'Égalité et qui reproduit les premiers mots du préambule de l'acte constitutionnel de l'an I permet de dater ces deux pièces entre le 10 août 1793, date de la promulgation de cet acte, et le 23 septembre 1795, date de la proclamation de la Constitution de l'an III, dont le préambule était différent. Les deux allégories sont représentées assises. La Liberté tient un bonnet phrygien et a terrassé avec sa massue l'hydre du despotisme. L'Égalité tient le niveau et la table des Droits dont le caractère « naturel » est souligné par la statuette placée à sa droite (une allégorie de la Nature). De l'autre côté, on voit un faisceau de licteur autour d'une pique. Ce dernier attribut paraît ici plus spécifiquement lié à la notion d'égalité mais son origine romaine en fait surtout un attribut de la République. Il est possible que ces deux estampes populaires soient de libres interprétations de modèles plus savants, par exemple des gravures de Janinet d'après Jean Guillaume Moitte, datées de 1792 (Aubert et Roux, 1921, t. III, n° 6050-3) où l'on retrouve une *Égalité* assez semblable par sa pose, flanquée d'une statue de la Nature, et qui tient une tablette avec le début de la Déclaration des droits de l'homme dans sa rédaction de 1789. Pour faire plus « républicain », le graveur de Letourmy aurait ajouté une écharpe tricolore et un faisceau.

859
La République

par Antoine-Jean GROS

Huile sur toile. H. 0,73 ; L. 0,61.

Inscription : au dos : « Peint par Gros à Gênes an 2. »

Historique : modello ou réplique réduite de l'écusson de la République commandé à Gros par la légation de Gênes ; collection Lachèze ; le tableau fut offert à Louis-Philippe par le fils de Lachèze, consul à Gênes, et entra au Louvre en 1841 ; envoyé à Versailles en 1899.

Bibliographie : Soulié, 1881, n° 5498 ; Constans, 1980, n° 2170, p. 66 (attribué à) ; Bordes, 1980, pp. 221-240.

Versailles, musée national du Château (inv. LP. 4869, MV 5498).

En 1794-1795, A.-J. Gros se trouvant à Gênes, peignit pour la légation de cette ville une figure de *La République.* Ce tableau, sans doute de très grandes dimensions, est aujourd'hui perdu, mais le souvenir nous en est conservé par cette petite toile du musée de Versailles. En 1980, Philippe Bordes écrivit une intéressante étude qui remit à l'honneur ce tableau toujours tenu à l'écart, et considéré comme peu flatteur dans l'œuvre si brillante de Gros ; nous ajouterons ici que quelques raideurs et un pinceau parfois un peu lourd peuvent être pardonnés à un artiste tout juste âgé de vingt-trois ans. Gros ne fut, du reste, pas satisfait de son œuvre, comme l'atteste une lettre à sa mère

La Liberté et l'Égalité (La Libertà e l'Eguaglianza)
(cat. 857).

L'Égalité (cat. 858 B).

La Liberté (cat. 858 A).

La République (cat. 859).

La République (cat. 860).

Le Peuple français sous les traits d'Hercule (cat. 861).

La Liberté couronnant le Peuple français (cat. 862).

Plat de faïence avec la devise «Liberté - Égalité» (cat. 864).

Gobelet avec la devise «Liberté - Egalité» (cat. 863).

datée du 16 mars 1795 : « Ma grande figure de la Liberté ou République française est terminée ; on en paraît content. Il est vrai que dans ce pays il n'y a pas de juges sévères en peinture ; je crois cependant que ce n'est pas du plus noble style. Elle est au moins passable ; enfin j'ai fait ce que j'ai pu. » Il faut toutefois penser que cette figure très sculpturale dont la lourdeur des traits est indéniable, était faite pour être vue dans un très grand format ; ainsi comprend-on mieux sa frontalité imposante et massive.

Fidèle à l'iconographie républicaine, l'allégorie est représentée avec ses attributs traditionnels : la pique surmontée du bonnet phrygien, symbole de la Liberté, et sur sa gauche, les symboles de l'Égalité avec le niveau posé sur un faisceau de licteur entouré de feuilles de chêne (l'union et la force). Vêtue à l'antique, elle porte une tunique courte et le casque guerrier de Minerve, à l'image des anciennes allégories de Rome.   B.Ga.

860
Figure allégorique de la République

par un auteur anonyme

Gouache sur papier. H. 0,265 ; L. 0,205.
Inscription : « Freiheit. Gleichheit/Brüderliche/oder/ Tod// Tod/dem/Tyrannen//Heil/den/Völkerne// 1792. »

Colmar, musée d'Unterlinden.

La présence du coq atteste que cette allégorie avec son faisceau de licteur et sa pique sommée d'un bonnet phrygien incarne bien la République française, malgré la traduction en allemand des devises révolutionnaires.

861
Le Peuple français sous les traits d'Hercule

par Augustin DUPRÉ

Pierre noire. H. 0,455 ; L. 0,356.
Inscription : en bas à gauche : « Augⁿ Dupré. »
Exposition : 1982, Paris, musée Carnavalet, n° 36.
Paris, musée Carnavalet (inv. D. 8926).

Hercule, jeune et imberbe, est entièrement nu, mais coiffé du bonnet phrygien. Il est armé d'une massue et tient dans sa main droite un globe surmonté des deux figures ailées de la Liberté (avec la pique sommée du bonnet) et l'Égalité (avec son niveau). Derrière lui, paraissent sortir du sol, une figure égyptisante, le corps gainé de bandelettes et la tête couverte d'un voile, croise les bras sur sa poitrine en pressant ses seins.
Le costume et l'attitude de cette figure paraissent renvoyer à l'image de la Nature telle qu'elle avait été personnifiée dans la « fontaine de la Régénération » érigée sur la place de la Bastille pour la fête du 10 août 1793, et doit

donc avoir la même signification. L'idée de figurer le Peuple français sous l'aspect d'un Hercule remonte à une vieille tradition déjà bien représentée sous la monarchie et liée sans doute aux spéculations des érudits de la Renaissance sur le culte de l'Hercule gaulois (*Hercules gallicus*).
Sous la Révolution on projeta l'érection d'un monument colossal sur ce thème à la pointe du Pont-Neuf. Mais le dessin de Dupré, irréalisable en sculpture, ne peut être mis en rapport avec ce projet et doit plutôt être rapproché des revers de médailles et modèles d'assignats conçus par l'artiste.

862
La Liberté couronnant le Peuple français

par Joseph CHINARD

Groupe, terre cuite. H. 0,655 ; L. 0,35 ; Pr. 0,35.
Inscription : sur la ceinture de la femme : « LIBERTE » ; sur le baudrier barrant le torse de l'homme : « LE PEUPLE FRANÇAIS » ; sur la plinthe : « DROITS DE L'HOMME »/« médaille du 10 août. »
Historique : acquis par le musée en 1902.
Bibliographie : La Chapelle, 1897, pp. 45-46 ; Vitry, 1909, p. 14 ; Lami, 1910, p. 202.

Paris, musée Carnavalet (inv. 926).

Cette œuvre importante de Chinard représente la Liberté couronnant le Peuple français, comme l'indiquent très explicitement les inscriptions. L'athlète foule aux pieds « les instruments du despotisme », Bible, crucifix, fleurs de lys. Sur le socle en forme de colonne arrondie se déroule un cortège burlesque dans la pure tradition de la déchristianisation : en tête, deux femmes, puis un homme avec chasuble et bonnet phrygien, tenant en guise de canne une croix renversée, puis un char couvert des attributs de la Religion, un sans-culotte brandissant une crosse ; vient ensuite la promenade de l'âne revêtu d'habits sacerdotaux et coiffé d'une mitre ; puis des soldats portant baïonnette – un tel détail accrédite la thèse selon laquelle l'armée révolutionnaire fut une importante propagatrice de la déchristianisation –, l'un d'entre eux boit dans un calice ; un autre le précède, revêtu d'une chape et brandissant l'ostensoir ; enfin apparaît le nouveau culte qui se substitue à l'ancien : des sans-culottes exposant sur un brancard agrémenté de draperies solennelles le buste de Chalier (et non Marat, comme le pense La Chapelle ; il s'agit ici d'une évocation de l'Apothéose de Chalier telle qu'elle eut lieu). L'ensemble de la composition de Chinard, comme une colonne triomphale, écrase divers animaux rampants, une tiare et des chaînes sur la terrasse. Le sens d'un tel groupe apporte une justification à ces cortèges burlesques plus ou moins spontanés qui irritaient la Convention et le Comité de Salut public. C'est en référence aux droits de l'homme et à la liberté qui en découle que le peuple français peut écraser « l'hydre de la Religion » et substituer aux

processions catholiques ridiculisées les nobles cortèges des héros morts pour avoir défendu les vraies valeurs. Stylistiquement l'œuvre se rapproche d'une composition antérieure (1790) de Chinard, *L'Amour de la Patrie* (terre cuite, Lyon, musée des Beaux-Arts) que M. Rocher-Jauneau pense avoir été un projet de monument à Louis XVI, roi constitutionnel (*cf.* Rocher-Jauneau, 1978, p. 20, groupe reproduit p. 19). On retrouve en effet avec le *Peuple français* le même type physique – corps athlétique, cheveux bouclés – déjà développé avec le *Persée* de la délivrance d'Andromède qui date de son premier séjour romain. L'élan de l'homme, la jambe gauche en avant, dans un geste de précipitation, est presque identique dans les trois groupes. Le sculpteur était fasciné par l'antique, et on peut penser qu'il fut influencé par deux modèles virils, le *Paetus* de la collection Ludovisi (aujourd'hui Musée national romain, Haskell et Penny, *Taste and the Antique*, Yale, 1982, fig. 149, p. 283) et l'*Alexandre et Bucéphale* (ou *Dioscure*) du Quirinal (Haskell et Penny, *op. cit.*, fig. 71, p. 137). Quant à la figure de la *Liberté*, elle rappelle très nettement les *Victoires* antiques. L'idée de représenter un héros tenant une figure plus petite peut venir, selon Jean-René Gaborit, d'une œuvre représentant *Diomède enlevant le Palladium* (statue de Pallas-Athéna protégeant la ville de Troie). Le thème fut en particulier traité par Sergel, lequel réalisa un marbre énergique (daté 1774, musée de Stockholm) qui fut très admiré. On daterait volontiers le groupe de Chinard du printemps 1794. Le sculpteur, en effet, sortit de prison le 28 février (cat. 825). L'heure était venue pour lui de donner des gages républicains dès lors qu'il avait été suspecté de modérantisme. Alors que Hennequin concevait son grand tableau de *l'Allégorie de la rébellion lyonnaise* (cat. 721) en y incluant bien entendu Chalier, et que d'autre part le printemps 1794 vit une seconde vague de déchristianisation (*cf.* Vovelle, 1988, p. 164), les conditions semblaient réunies pour proposer un tel monument ; on comprendrait mieux ainsi les reptiles écrasés : assimilés aux rebelles royalistes, ils sont vaincus par le Peuple français couronné par une Liberté aux allures de Victoire. L'apologie des droits de l'homme se trouve ainsi doublée par une allégorie au sens spécifiquement lyonnais.   G.Sc.

863
Gobelet avec devise républicaine

Verre gravé. H. 0,08 ; Diam. 0,06.
Inscription : « Liberté - Egalité - G.C.H. » (Initiales patronymiques ?)

Colmar, musée d'Unterlinden.

Ce gobelet est un objet usuel mais il est remarquable par quelques détails inhabituels dans la symbolique républicaine : si le faisceau autour d'une hache est déjà moins fréquent que la pique, le bonnet phrygien à la pointe d'une épée semble rarissime et le niveau de l'Égalité a été remplacé par les balances de la Justice.

864
Plat à devise patriotique

Fabrique de Saint-Porchaire.
Faïence grand feu. Diam. 0,257.
Inscription : « Liberté-Egalité. »
Bibliographie : Fillon, 1861, p. XX.
Thouars, musée Henri-Barré (inv. 298.01.331).

Les « faïences patriotiques » sont un type d'objet, largement répandu, qui a été recherché avec passion par les collectionneurs (d'où une production importante de pièces apocryphes) et qui doit faire l'objet en 1989 de plusieurs expositions particulières (notamment dans les musées d'Amiens, de Nevers et de Roanne). Modeste par la sobriété de son décor (devise, feuilles de chêne, coq dans un médaillon, pique avec bonnet phrygien), ce plat porte des traces d'usage. Par son lieu de fabrication et sa provenance, c'est un témoin intéressant de la pénétration de tels symboles dans les régions de l'ouest de la France, considérées souvent comme globalement contre-révolutionnaires, alors que la petite bourgeoisie des villes (clientèle potentielle d'une telle production céramique) était en fait très attachée à la République.

LE SERMENT
À LA LIBERTÉ

865
Le Serment à la Liberté

par Jean-Louis-Joseph HOYER
Huile sur toile. H. 0,975 ; L. 0,870.
Historique : donné en 1870 au musée municipal de Soissons par l'abbé Congnet, chanoine de la cathédrale de Soissons.
Bibliographie : Collet, 1894, pp. 35-36, n° 66.
Soissons, musée municipal (inv. 2713).

Dans son testament, l'abbé Congnet nous dit de ce tableau : « La scène se passe sur la place Saint-Pierre. Presque toutes les figures sont des portraits des personnes du temps dont on a les noms. C'est le seul dessin (sic) qui nous reste de l'église de l'abbaye royale de Notre-Dame de Soissons. »
C'est donc au milieu de cette place Saint-Pierre que se dresse une statue de la Liberté portant de la main droite le bonnet phrygien et de l'autre une lance ; sur le socle qui la supporte, et sur lequel est posé un buste de Marat, on peut lire : « Liberté Égalité ou la Mort. » Autour de la statue se pressent des individus de toutes conditions et de tout âge : un vieillard lui prête serment, une femme lui tend son bébé, deux enfants lui offrent des fruits et une gerbe de blé.

Au premier plan, on distingue les emblèmes de l'Ancien Régime en train de brûler ; outre une couronne, un sceptre et la croix de Saint-Louis, le haut clergé est symbolisé par une mitre d'évêque ; la crosse quant à elle sert irrespectueusement à attiser le feu dont un jeune homme active la flamme en soufflant dessus.
Dans sa description du tableau, Émile Collet, auteur du catalogue de 1894, identifie de nombreux personnages : « Tous les patriotes de la ville sont là : Brayer, le brasseur, Vallot, le serrurier, Lecerf, le cordonnier, Lavoine, le père de la déesse Raison, la femme Herbin, la femme Baudrier, etc. Sont là aussi, et bien en évidence, le marquis de Pujol saluant avec son épée et le marquis de X. embrassant un simple citoyen. »
Le côté « historique » de la scène, qui pourrait se situer le 10 août 1793, avec sa galerie de portraits des habitants de Soissons qui, marquis et roturiers, prêtent tous serment à la Liberté, nous rend attachant ce tableau, par ailleurs assez maladroit dans sa touche et dans sa composition.   B.Ga.

866
Le Serment à la Liberté

par Jean-Jacques KARPFF, *dit* Casimir
Huile sur toile, ovale. H. 0,85 ; L. 0,69.
Inscription : sur les tables, « acte/...tutionnel/..793/...Août » ; sur la tablette du génie, « Miscend(um)/utile/dulci. »
Bibliographie : Fleurent, 1893-1902, p. 89.
Colmar, musée d'Unterlinden.

Dans un paysage idyllique et avec des personnages vêtus à l'antique, le tableau de Karpff est identique, par le sujet, à celui de Hoyer (cat. 865) : une foule de toutes conditions (soldats, jeunes gens, mères de famille, vieillards, paysans) prête serment à une statue de la Liberté assise, appuyée sur l'acte constitutionnel du 10 août 1793 (Constitution de l'an I), munie d'une pique sommée d'un bonnet phrygien et pointant une épée. Le socle est orné d'un relief représentant un serment militaire autour d'un autel. La sentence inscrite sur la tablette du génie qui accompagne la figure allégorique (« Il faut mêler l'utile à l'agréable ») définit sans doute la « fête républicaine » qui n'est pas un vain amusement mais un acte fondamentalement utile, accompagné de tout ce qui peut le rendre beau et agréable.

867
Allégorie de la Liberté

par Felice GUASCONE
Huile sur toile. H. 0,385 ; L. 1,04.
Historique : acquis en 1927.
Exposition : 1975, Gênes.
Bibliographie : Neri, 1915.
Gênes, museo del Risorgimento (inv. 80).

C'est sans doute vers 1797 que Felice Guascone, peintre presque inconnu du néo-classicisme ligurien, exécuta cette toile qui est un des rares témoignages iconographiques de la république jacobine de Gênes. En dépit de la médiocre qualité picturale et du caractère populaire du tableau, le thème révolutionnaire est traité d'une façon qui mérite notre attention. L'association d'éléments allégoriques (le Temps, avec faucille et sablier, qui apparaît derrière le drapeau tricolore soutenu par des anges), hérités de la culture figurative traditionnelle, et de scènes populaires représentant des bourgeois et des paysans en liesse exprime bien le caractère exceptionnel de cette composition. La représentation centrale est particulièrement intéressante et sa signification mérite d'être approfondie : on voit une statue allégorique (la République ?) sous la forme d'une Minerve grossièrement traitée, avec un faisceau de licteur et un bâton surmonté du bonnet phrygien ; à ses pieds, une mère allaite deux enfants (la Charité ?). Une autre figure allégorique féminine, pieds nus, longs cheveux défaits (la Révolution ?) s'appuie sur le piédestal qui supporte la statue : elle semble regarder avec réprobation les deux personnages inférieurs (des militaires ?) qui sont en train de s'emparer d'un trésor (les richesses de la ville ?). La menace qui pèse sur la plèbe est également exprimée par les deux hommes à l'allure inquiétante du groupe de droite : l'un d'eux intime à l'autre l'ordre de se taire tandis qu'un diable (figure de l'iconographie populaire), surgi de sous son manteau, s'agrippe à lui. A l'extrême droite, un homme regarde avec méfiance la statue de la République ; il s'agit peut-être d'un vieux patricien génois comme le laissent supposer sa perruque poudrée et son élégante redingote.   R.Ci.

868
Jeunes filles en prière devant une statue de la Liberté

par Jean MATHIEU, d'après Pierre François Delauney

Eau-forte. H. 0,43 ; L. 0,68.
Bibliographie : Vovelle, 1986, t. IV, p. 166.
Paris, Bibliothèque nationale, cabinet des Estampes (inv. AA3).

On connaît un certain nombre d'exemples d'estampes dont le cuivre, pour des raisons idéologiques, a été retouché ou modifié au cours de la Révolution, afin de suivre le cours des événements. L'exemple le plus souvent cité est une gravure d'Augustin Legrand, d'après Debucourt célébrant la visite de Louis XVI à l'Hôtel de Ville le 17 juillet 1789, puis le décret du 18 floréal an II (7 mai 1794) sur le culte de l'Être suprême, et enfin les préliminaires de paix de Leoben du 29 germinal an V (18 avril 1797) (*cf.* exp. 1973, Paris, A.T.P. n°s 97-99). Le cas de l'estampe de Mathieu est plus curieux : au Salon de la jeunesse de 1788, le jeune Pierre François Delauney (élève de Vincent et qui devait mourir l'année suivante),

Le Serment à la Liberté (cat. 865).

Scène allégorique italienne (cat. 867).

Allégorie de la Liberté et de la Fraternité (cat. 869).

Le Serment à la Liberté (cat. 866).

Jeunes filles en prière devant une statue de la Liberté (cat. 868).

exposa un tableau intitulé *Le Pèlerinage des filles à marier à Saint-Nicolas* qui montrait une foule de jeunes personnes, en prière et offrant des fleurs, devant une statue de saint Nicolas, pittoresquement nichée dans un portail gothique en ruine. Un vol d'amours, cachés derrière la statue et une grande abondance de nuées donnaient à cette œuvre une tonalité à la fois galante et romantique, du moins si l'on en juge par l'estampe exécutée par Jean Mathieu d'après le tableau (mais peut-être Mathieu s'est-il laissé influencer par *L'Offrande à l'amour* de Fragonard qu'il avait aussi gravée). Est-ce l'église en ruine et la statue de saint mutilée, gisant au premier plan, qui suggéra la transformation de l'estampe en une scène révolutionnaire ? C'est en tout cas à une statue de la Liberté que s'adressent dans cette seconde version les prières et les regards implorants des jeunes filles. Mais le caractère ironique demeure et on peut se demander si, à une époque où la guerre appelait tant de jeunes hommes aux frontières, les supplications de ces filles à marier ne traduisent pas surtout une aspiration à la paix.

Il ne semble pas que cette transformation puisse être attribuée à Mathieu lui-même, car celui-ci était, en 1789, à Florence et, en 1797, à Graz, ce qui laisse supposer qu'il avait, sinon émigré, du moins préféré rester hors de France.

869
Allégorie de la Liberté et de la Fraternité

attribué à Jean-Frédéric SCHALL

Huile sur bois. H. 0,29 ; L. 0,21.
Historique : ancienne collection Fournier, 1814.
Bibliographie : cat. Nantes, 1903, p. 6, n° 20.

Nantes, musée des Beaux-Arts (inv. 712).

Il n'est pas douteux que la statue juchée au sommet de la colonne qui domine la composition soit celle de la Liberté avec ses attributs habituels. La signification des deux enfants nus qui s'embrassent est moins évidente. L'iconographie traditionnelle utilisait ce motif pour symboliser l'Amour fraternel. Quelques représentations révolutionnaires de la Fraternité ont repris ce motif sous la forme d'une femme qui abrite sous son manteau un enfant blanc et un enfant noir qui s'embrassent en écrasant le serpent de l'Envie. Mais ici les deux enfants sont blancs. Il est possible que le sujet du tableau soit, en fait, sinon contre-révolutionnaire, du moins « indulgent » au sens politique donné à ce terme à partir du début de 1794 et prêche la réconciliation. Loin de la Montagne, mais au sein de la Nature, tandis que les nuages s'éloignent, il faut mettre fin aux querelles sous le signe de la Liberté.

En l'absence actuelle de toute précision sur les circonstances exactes qui auraient amené Guillaume Schall (artiste qui semble par ailleurs avoir été assez opportuniste) à exécuter cette œuvre, cette interprétation doit être considérée comme une hypothèse de travail, tout comme, d'ailleurs, l'attribution à Schall.

LA LIBERTÉ
« DIVINITÉ DU SIÈCLE »

870
La Liberté

par Nanine VALLAIN

Huile sur toile. H. 1,280 ; L. 0,970.
Historique : saisi à la fermeture du club des Jacobins, rue Saint-Honoré, en novembre 1794 ; transféré au musée du Louvre (INV. 8258) ; déposé au musée de la Révolution française en 1986.
Exposition : 1976-1977, Los Angeles, fig. 25, p. 47.
Bibliographie : Furcy-Raynaud, 1912, p. 294 ; Sterling-Adhémar, 1961, t. IV, n° 1945 ; cat. Louvre, 1972, p. 379 ; Rosenberg-Raynaud-Compin, 1974, n° 827, repr. ; Agulhon, 1979, p. 50, note 19 ; Compin-Roquebert, 1986, t. IV, p. 258, repr.

Vizille, musée de la Révolution française (inv. D.86.4).

Réputé (par un ancien inventaire du Louvre) peint en l'an II (1793-1794), ce tableau fut saisi au club des Jacobins au moment de sa fermeture le 22 brumaire an III (12 novembre 1794) et fut envoyé dans les collections nationales. Œuvre d'un artiste élève de David et de Suvée, il est hautement symbolique du ralliement des femmes au jacobinisme, au moment de la Terreur, après les excès du Club des femmes républicaines de Rose Lacombe.
Bien que très restauré (le bonnet phrygien en particulier est une reconstitution complète), le tableau représente l'un des premiers efforts pour donner forme à une idée proprement révolutionnaire. Sur fond de pyramide d'éternité se détache la figure de la Liberté, très inspirée de Suvée dans son dessin, son costume et son assise (cf. *Cornélie, mère des Gracques*, 1795, musée du Louvre, et cat. 428). Brandissant la pique et le bonnet rouge des sans-culottes, elle tient à la main la *Déclaration des droits* et foule aux pieds les chaînes de l'esclavage et la couronne royale. Derrière elle une urne voilée porte l'inscription « A nos frères morts pour elle ».
Si nous ne connaissions le titre du tableau, il serait impossible de distinguer cette Liberté d'une République dont elle possède tous les attributs (cf. la *République* de Gros, 1794, cat. 859).
Œuvre assez large dans sa conception, la *Liberté* de Nanine Vallain mêle des éléments contemporains, comme les emblèmes sans-culottes, à une volonté assez marquée de voir perdurer l'idée support de l'image.

J.Be. et B.Ga.

871
La Liberté terrassant le despotisme

par Charles-Antoine CALLAMARD
Statuette, terre cuite. H. 0,495 ; L. 0,23 ; Pr. 0,195.

Inscription : gravée dans la terre à l'arrière du socle : « Callamard / a Rouen L'an / 3e de la Rép. f. »
Historique : don anonyme au musée des Beaux-Arts de Rouen, 1988.
Bibliographie : Jeune, 1988, pp. 235-239.

Rouen, musée des Beaux-Arts (inv. 988.5.1).

Cette statuette, signée, datée et localisée à Rouen en l'an III (1794-1795), donne en quelque sorte l'image réduite, non mutilée, de ce que fut la grande statue de la Liberté érigée en cette ville pour la fête du 14 Juillet de l'an II (cat. 872) : effigie terrassant les attributs du despotisme, ici le joug, le sceptre et la couronne, armée de la pique et du faisceau. Son auteur, le sculpteur Callamard, l'exécuta lors d'un séjour à Rouen qui constitue un intermède dans ses années de formation, interrompues très vraisemblablement par le cours de la Révolution ; alors qu'il avait obtenu le deuxième grand prix de Rome en 1792, on le trouve domicilié et documenté à Rouen entre 1793 et 1795 où il offre ses services de sculpteur et où il signe en l'an III plusieurs terres cuites encore conservées de nos jours ; la *Minerve* du musée du Louvre, une allégorie de l'*Architecture* (ancienne collection Seligmann) et un *Buste de l'avocat Thiery* (collection particulière) s'ajoutent à la statuette ici présentée.
La première mention de Callamard à Rouen le montre introduit à la Société populaire, à laquelle il offre en décembre 1793 une statuette de la Liberté (bien différente de celle-ci car assise sur un cube, et munie du foudre et du rameau d'olivier) ; c'est une proposition pour un grand monument, saluée par l'enthousiasme des membres de la société, mais finalement repoussée par la commune révolutionnaire. Cela témoigne de ce que l'artiste, s'il a des partisans, n'est pas vraiment reconnu dans la ville ; des détracteurs le soupçonnent même de chercher à échapper à la conscription... (*cf.* F. Clérembray, *La Terreur à Rouen d'après des documents inédits*, Paris et Rouen, 1901, pp. 318-319, et E. Chardon, *Cahiers des Procès-verbaux des séances de la Société populaire à Rouen (1790-1795)*, Rouen, 1909, pp. 186, 230, 246).
Peut-on déterminer à quelle fin fut réalisée cette statuette si bien localisée et datée ? En l'absence de documents la concernant précisément (parmi tous ceux que l'on connaît à Rouen), on est amené à formuler des hypothèses. On ne peut exclure, assurément, qu'en cette fin du XVIIIe siècle elle ne s'adresse à des amateurs auprès de qui les Slodtz et les Clodion ont mis à l'honneur le goût de la petite terre cuite. Cependant, la vocation de ce type d'œuvre « de plastique », et particulièrement de cette œuvre-ci, avec la proportion de ses volumes et leur franche articulation, tend plutôt à une transposition monumentale en pierre pour une destination publique. Si sa date n'y faisait obstacle, on serait tenté d'y voir un projet pour la grande statue de la fête du 14 Juillet de l'an II (1794). C'est exclu. On ne peut pas non plus la considérer comme une réplique de cette statue, car dans ce cas la parenté stylistique (sensible dans le canon corporel, le choix de l'attitude, la chute des plis ou des boucles) serait beaucoup plus servile. Deux hypothèses

restent à envisager dans l'actualité de Rouen à cette époque. La première est assez improbable. Il s'agirait de la statue de la Liberté offerte à la Société populaire pour la fête des Victoires en l'an III (30 vendémiaire, 22 octobre 1794). Mais rien ne dit qu'elle fût de Callamard ; et l'on sait que lors du saccage du local de la société, deux mois après, « la » statue de la Liberté y fut renversée (de La Querière, *Rouen sous la Révolution*, manuscrit, Rouen, bibliothèque municipale, folio 269). Il se peut cependant qu'il y ait eu là plusieurs statues... La seconde hypothèse ramène à nouveau du côté de la grande statue du 14 Juillet : Callamard en avait été partiellement l'auteur, mais dans des conditions si mauvaises que l'œuvre était loin d'être sienne (cat. 872). L'artiste pouvait donc souhaiter remplacer cette statue par une œuvre d'un style plus affirmé et tout à fait personnel. Après Thermidor, il devait même se sentir en droit d'espérer une telle commande : car on constate qu'on accusa alors le grand ordonnateur des fêtes de la Terreur à Rouen, N.L. Lamine, de l'avoir précisément dépossédé un jour d'une commande de statue de la Liberté (F. Clérembray, *op. cit.*, p. 433). Si cette hypothèse est fondée, le projet n'a toutefois pas abouti. Callamard devait bientôt retrouver à Paris le cursus académique : en 1797, il est lauréat du prix de Rome.

L'œuvre présentée ici n'en est que plus intéressante. Avant l'apprentissage romain et l'adoption d'un néo-classicisme plus soucieux d'élégance et de canons académiques, elle révèle chez l'artiste des qualités vigoureuses d'équilibre dans le balancement plastique, de composition, dans l'alternance des plages lisses ou animées, et une grande autorité dans le maniement du « ciseau » – une plume d'oie ? – qui découpe et creuse les plis. S'il y a des chances pour que le modèle antique ait inspiré cette effigie (outre le costume, on pourrait retrouver des exemples d'une même pondération « dynamique » ou d'une semblable coiffure de boucles), néanmoins des données de nature lui confèrent sa présence singulière : la rudesse de cette femme athlétique, avec sa poitrine altière et généreuse, ses bras musclés, son large cou et ses jambes puissantes, témoigne d'une appréhension personnelle et déterminée de la figure humaine. L'artiste aboutit là à la création d'un type, bien conforme à son époque, symbole de la Révolution en marche. M.Je.

872
La Liberté

attribué à Charles-Antoine CALLAMARD et E. FOUQUET

Statue, pierre. H. 2,20 (avec la base) ; L. 0,855 ; Pr. 0,645.
Inscription : au niveau de la jambe : « statue de la loi 1792, découverte en 1871 dans les jardins de Saint-Ouen. Don de la Ville. »
Historique : trouvée en 1871 derrière l'église Saint-Ouen de Rouen lors de travaux de nivellement des jardins de l'hôtel de ville ; don de la ville de Rouen au musée des Antiquités ; en dépôt dans le hall de

la préfecture de Seine-Maritime depuis le 6 octobre 1965.
Bibliographie : *Journal de Rouen*, 24 messidor an II, p. 105 ; *idem*, 4 brumaire an III, p. 135 ; La Querière, f° 230 à 235 ; *Journal de Rouen*, 16 mai 1871 ; Cochet, 1875, p. 44 ; Clérembray, 1901, pp. 318, 319, 320, 433 ; Reinach, 1904, t. III, p. 194, n° 1 ; Chardon, 1909, pp. 186, 230, 231, 246 ; Chardon, 1911, pp. 150-151 ; Espérandieu, 1911, t. IV, p. 179, n° 3077 ; Vesly, 1911, p. 11 et pp. 83-87 ; Jeune, 1988, pp. 235-239.
Rouen, musée départemental des Antiquités de Seine-Maritime (inv. 1340).

Cette œuvre fut découverte au mois de mai 1871 à l'occasion du réaménagement du jardin de Saint-Ouen derrière l'hôtel de ville de Rouen ; elle fut alors recueillie en morceaux par les soins de l'abbé Cochet, directeur du musée des Antiquités, et affectée à ce musée. Le savant la fit restaurer et la publia dans le catalogue du musée en 1875 : « Cette image représente-t-elle la République ou la Loi ? C'est ce que nous ne saurions décider, mais les attributs indiquent 1793. Vers cette époque, dans un jour de réaction, elle fut brisée et enfouie où nous l'avons trouvée. » La statue se présente composée de trois tronçons, ayant perdu ses bras, avec le nez refait ; elle devait tenir de la main droite une haste ou une pique dont on aperçoit l'impact dans le socle ; à gauche, légèrement en arrière, se dresse le faisceau de licteur, et, plus en avant la table des lois, portant l'inscription apposée au moment de la découverte ; l'élément sur lequel s'appuie le pied droit paraît bûché ; il n'est pas exclu que l'œuvre ait subi un remaniement, notamment au niveau de la coiffure. Malgré la datation révolutionnaire retenue par l'abbé Cochet, son successeur au musée des Antiquités, Léon de Vesly, suivi avec quelques réserves par Émile Espérandieu dans son répertoire général de la Gaule romaine, la fit remonter à l'âge gallo-romain, sous influence hellénique, arguant du caractère rigoureusement antiquisant du drapé (qui superpose tunique et « stola »), de l'ovale du visage, du dessin des yeux, et, à un moindre degré, de la coiffure ; à partir de ce moment-là, elle a longtemps figuré dans le voisinage des œuvres gallo-romaines du musée des Antiquités, avant d'être présentée dans le hall de la préfecture de la Seine-Maritime où on lui a rendu son attribution révolutionnaire.
À la lumière de documents retrouvés, il semble qu'on puisse affiner la thèse de l'abbé Cochet. Cette statue pourrait bien être, en effet, celle de la Liberté qui fut inaugurée à Rouen sur le cours de l'Égalité (cours de la Reine, sur la rive gauche) au beau milieu de la fête du 14 Juillet 1794... Pour le programme de cette fête – que la Convention avait décrétée fastueuse dans toute la France –, la commune révolutionnaire de Rouen avait adopté une proposition de N.L. Lamine (1750-après 1795), l'un de ses membres les plus ardents, Jacobin convaincu, sculpteur, qui alors s'employait à l'organisation des fêtes ; ce dernier avait conçu le projet d'« un nouveau monument à élever sur le cours de l'Égalité » (archives de la période révolutionnaire, I 6-2, « Fêtes et cérémonies », Rouen, bibliothèque municipale). Ce monument fut bien réalisé. Le *Journal de Rouen* le

décrit lorsqu'il donne le programme de la fête deux jours avant son déroulement : au cours d'une vaste scénographie collective, après un simulacre de prise de la Bastille, on voit s'élever « majestueusement une statue de la Liberté terrassant l'hydre du despotisme et de ses infâmes attributs », qui, d'une main, tient « une pique, de l'autre un faisceau, symboles de la force et de l'union des français ». On reconnaît le faisceau et la pique présents sur notre statue – ils sont, au demeurant, d'une grande banalité comme en témoignent les vignettes des actes révolutionnaires à Rouen –, les attributs du despotisme, à ses pieds, ont dû être bûchés, comme il semble ; et la présence des tables de la loi, comme attribut complémentaire, reste un peu problématique. Mais d'autres éléments confirment que c'est bien l'œuvre de pierre et non une fragile œuvre de fête qui fut inaugurée ainsi : la statue se dressait, en effet, sur un imposant piédestal de 56 toises de circonférence (soit 33,4 mètres), fait des pierres du vieux palais de Rouen (on venait juste de détruire cette forteresse chargée de symboles). On sait, de plus, que Lamine la commanda à deux sculpteurs, Callamard et Fouquet, à qui il avança de l'argent et dont on a conservé les mémoires d'un montant de 600 livres chacun ; le premier était redevable de la conception et du modèle de l'œuvre dont tous les deux se partagèrent l'exécution. Cette participation de Callamard est un argument de poids pour garantir l'identification de la statue qui, en effet, offre des parentés avec ses terres cuites de l'an III : la *Minerve* du musée du Louvre et la *Liberté* du musée des Beaux-Arts de Rouen (cat. 871) reprennent le même canon corporel, la même pondération énergique (jambe libre fortement repliée), traitent avec une même franchise l'agencement du drapé ou la chute des plis ; la statuette du musée de Rouen a le même port de tête sur un large cou, et une coiffure de boucles très voisine ; elle reprend la même iconographie (plus précise vu son meilleur état) ; si elle porte en outre le bonnet phrygien, celui-ci a bien pu coiffer autrefois la statue de pierre – qui, apparemment, fut ultérieurement modifiée. Reste qu'une fois établie la parenté de ces deux œuvres, un double problème reste en suspens : quelle part revient à Callamard dans la statue de la fête ? Une raison a-t-elle pu l'amener à proposer en l'an III le nouveau modèle d'une statue érigée en l'an II ? Ces deux questions trouvent une réponse à la lumière des rivalités qui durent exister autour du monument. Il est intéressant de noter, tout d'abord, quels sentiments contradictoires suscitent la statue après la fête dans l'espace des quatre mois qui ont suivi son installation : en septembre on veut la déplacer (près de la caserne Saint-Sever) pour qu'elle soit mieux en vue des voyageurs qui entrent dans Rouen (délibération du conseil général de la commune de Rouen, 19 vendémiaire an III) ; en octobre elle est victime de déprédations – pour des raisons sans doute politiques – mais elle est en outre elle est critiquée pour son style, ses qualités d'exécution et la hâte qui y a présidé, cela « de l'avis de ceux qui l'ont faite », au point que l'on suggère d'en ériger une autre... (*Journal de Rouen*, 4 brumaire, an III). Cette statue, érigée à peu

La Liberté, tableau ayant orné le club des Jacobins à Paris (cat. 870).

«La Divinité du Siècle», caricature suisse d'une allégorie de la Liberté (cat. 87

Vase avec décor révolutionnaire (cat. 873).

Liberté terrassant le despotisme (cat. 871).

Statue de la Liberté inaugurée à Rouen le 14 juillet 1794 (cat. 872).

de frais, et en peu de temps, dans un matériau médiocre (avec ses trois tronçons de pierre), pouvait assurément déplaire aux artistes qui l'avaient réalisée, au moment même où, pour les populations, elle devenait le symbole d'une époque désavouée. Callamard devait être singulièrement intéressé à proposer un nouveau monument : tout juste arrivé à Paris en décembre 1793, et ayant obtenu une commande de statue de la Liberté, il se l'était vu retirer par la suite sans beaucoup d'explications... Il se pourrait bien que Lamine ait voulu le supplanter en profitant de l'occasion de la fête pour obtenir lui-même le monument. Mais trop occupé par ses fonctions d'organisateur, il aurait employé le jeune artiste de Paris en lui adjoignant son vieux partenaire Fouquet, avec lequel il a maintes fois collaboré à des travaux de sculpture autour de Rouen. Néanmoins, la statue de la fête revient largement à Callamard selon les termes de son mémoire qui précise qu'il en « a conçu le projet » et « fait le modèle » tandis qu'il n'est dû à Fouquet qu'un travail d'exécution.

On peut se demander ce qu'il advint de cette statue dans les années qui suivirent sa désaffection sur le cours de l'Égalité à Rouen. On mentionne sur le Champ-de-Mars de cette ville, pour la fête des Victoires, anniversaire du 9 thermidor, en l'an IV (27-28 juillet 1796), une statue de la Liberté surmontant un monument de la tyrannie triumvirale, statue aux pieds de laquelle on arrive par des degrés de marbre blanc ornés de balustres d'or. Mais rien n'atteste un remploi de notre sculpture. On sait d'autre part que le premier musée de peinture de Rouen, installé dans l'ancienne chapelle du collège des jésuites de la ville en 1799, comportait, dans les bras du transept, les deux statues allégoriques de la *Liberté* et de la *République* (Rouen, archives départementales, L 1183 ; et E. Pommier, « A propos de deux documents inédits sur le musée de Rouen... » dans *Bulletin de la Société de l'histoire de l'art français* (1985), Paris, 1987, pp. 181-183). Mais là encore rien n'est confirmé. On retiendra pour finir que l'œuvre a été retrouvée enterrée dans les jardins de Saint-Ouen, c'est-à-dire très précisément dans le quartier des sculpteurs de la ville, et notamment de Lamine. On ne peut exclure qu'elle ait été récupérée par lui-même ou par l'un d'entre eux pour être mise à l'abri, ou pour être resculptée et réaffectée.   M.Je.

873
Vase balustre

par SAUVAGEAU

Porcelaine dure à décor polychrome et or. H. 0,327 ; L. 0,182 ; D. 0,149.
Inscription : sur la base : « FABRIQUE DANS LE Dépt. du MORBIHAN PAR SAUVAGEAU A LORIENT. »
Bibliographie : Chavagnac et Grollier, 1906, p. 624.

Sèvres, musée national de la Céramique (inv. M.N.C. 10388).

En 1790, le sieur Chaurey fonda à Lorient une manufacture de porcelaine dure, avec pour directeur Sauvageau qui en devint rapidement propriétaire et le resta jusqu'à sa mort le 25 pluviôse an XIII. La manufacture ferma en 1808.

On n'en connaît que de rares pièces, dont ce vase qui porte fièrement la marque de son auteur. Les motifs exécutés en or (arabesques, palmes, frises) relèvent d'un vocabulaire décoratif habituel à la fin du XVIIIe siècle en France. Le trophée républicain représenté au revers du vase et le décor figuré sur la face, qui évoquent la défense de la Patrie et l'œuvre de l'Assemblée constituante, sont eux tout à fait originaux.   A.Ha.

874
La Divinité du Siècle

par Balthasar Anton DUNKER

Plume, encre noire et aquarelle. H. 0,285 ; L. 0,220.
Inscription : voir *infra*.

Berne, Kunstmuseum (inv. A 5720).

Non sans un certain humour, Dunker a représenté ici une allégorie de la Liberté, présentée à la manière d'une Vierge folle. Très animée, la figure est loin de symboliser la Raison, comme cela est habituellement le cas. Dunker était-il opposé à la République helvétique ? Ne se faisait-il pas d'illusions sur la réalité de ce nouvel État ? Sa figure le laisse penser. Coiffée d'un casque à queue de renard ou d'hermine, portant deux ailes de chauve-souris, deux ailes démoniaques, et une queue de dragon, la Liberté brandit une torche (lumière ou discorde ?).

Assise sur un canon, prédicateur de sa religion, elle foule aux pieds la Bible et tient une sorte de bouclier-médaillon, fort intéressant par son iconographie. Auprès des profils de Voltaire et de Montesquieu (?), on relève ces mots : « Émile » (référence à Rousseau), et des termes qui en disent long sur les idées que sous-tendent notre figure : « La Justice », « Nature ». Une phrase écrite autour d'une pique couronnée d'un bonnet phrygien synthétise ces idées : « Il n'y a qu'un Dieu, ce Dieu est la Nature. » Ainsi se trouvent mêlées en une seule figure les notions de Liberté, Raison, Justice et Nature, le tout débouchant sur cette nouvelle religion laïque, née en France en 1793.

Mais cette femme effrontée (« séduction ») qui regarde le spectateur apparaît en fait comme la négation même de celle qu'elle revendique. Comparée à la Liberté de Nanine Vallain (cat. 870), l'allégorie de Dunker trahit l'opinion politique et le scepticisme de son auteur, tandis que l'œuvre française répond à une notion de nécessité, bien compréhensible en 1794. Le dessein de Mme Vallain était d'imposer la nouvelle déesse, non de la parodier.   J.Be.

875
La Liberté française

par un auteur anonyme

Gravure comportant un poème imprimé de quatre vers. H. 0,25 ; L. 0,19.
Bibliographie : Muller Atlas, 1876, t. II, n° 5224b.

Amsterdam, Rijksmuseum (inv. FM 5224b).

Faisant allusion à la Terreur, l'auteur anonyme de cette estampe (1793) mettait en garde contre le meurtre, le pillage et la violence qui allaient de pair avec la « liberté française ».
    B.K. et M.J.

L'ÉGALITÉ
DES DROITS

876
L'Union des trois ordres

par Nicolas PERSEVAL

Huile sur toile. H. 1,282 ; L. 0,830.
Historique : acquis par le musée en 1868.
Exposition : 1929, Reims, n° 392.
Bibliographie : Jadart, 1908, pp. 6-13 ; Gosset, 1902, p. 222.

Reims, musée Saint-Denis (inv. 868.9.1).

Le thème de l'Union des trois ordres, l'un des plus féconds dans l'imagerie des débuts de la Révolution a un caractère fédérateur et optimiste : il définit une révolution déjà achevée qui a corrigé les abus sans modifier la structure sociale. Dans cette « comédie des trois ordres » (Poinssot, 1988, p. 285) les représentants de la noblesse et du clergé se distinguent parfois du représentant du tiers état par le luxe de leur costume. Mais une tendance inverse se manifeste dans d'autres images où seuls quelques détails significatifs permettent de reconnaître aisément l'ordre auquel appartient chaque personnage.

Tel est le parti choisi par Nicolas Perseval dans ce curieux tableau qui, en dépit de sa facture un peu esquissée, est en fait un triple portrait. L'union de ces trois personnages se fait dans l'égalité et sous le signe de la franc-maçonnerie comme indique le « Temple » placé à l'arrière-plan : la porte ouverte, précédée de neuf degrés, a un linteau frappé de l'équerre et du compas ; elle est flanquée de deux colonnes dont une marquée de la lettre B (« Boaz » ou colonne féminine) est visible ; sur son socle sont sculptées trois figures avec les lettres V.P.S.

Le rôle de la franc-maçonnerie dans les origines de la Révolution a fait l'objet de controverses passionnées qui prirent forme dès 1798 avec les *Mémoires pour servir à l'histoire du jacobinisme* de l'abbé Barruel. Ce livre dénonce le « complot maçonnique » qui avait préparé les événements de 1789. Augustin Cochin, sans adopter ce point de vue extrême, a mis en valeur au début du XXᵉ siècle la filiation, bien réelle, entre les loges de l'Ancien Régime et les clubs et sociétés populaires de la Révolution. D'autres historiens ont montré comment Philippe-Égalité, grand-maître de la maçonnerie française, avait espéré – mais en vain – mettre le réseau des loges au service de ses ambitions. En fait, sous la Révolution les francs-maçons apparaissent singulièrement divisés. La propagande révolutionnaire a pu être véhiculée par les contacts entre francs-maçons de divers pays, mais ces liens ont favorisé aussi certaines négociations de la Contre-Révolution (Dumouriez). Ce qui demeure certain c'est que les francs-maçons français étaient de tendance fortement égalitariste, ce qui justifie la forme donnée à l'*Union des trois ordres* dans le tableau de Perseval.

877
Les trois ordres avec leurs attributs, sous le niveau

par un auteur anonyme

Aquatinte. H. 0,134 ; L. 0,237.
Inscription : « A Paris chés Crepy rue St-Jacques à St-Pierre. »
Historique : ancienne collection Liesville.
Bibliographie : Bruel, 1914, t. II, n° 20 ; Chagny, 1988, p. 273.

Paris, musée Carnavalet (inv. HIST PC 9 A).

Le gigantesque niveau, dont le fil à plomb vertical garantit la parfaite horizontalité, repose sur la tête du noble, l'épée levée, du prélat, portant les saintes espèces et du bourgeois.
Le sens des attributs qui les accompagnent (forteresse, canons et drapeaux ; ciboire et crosse ; outils, ancre, branche de chêne, corne d'abondance et vaisseau) est complété par les deux médaillons ovales, car la vue du palais Bourbon suggère que l'Égalité s'étend aussi aux princes du sang, et celle de Notre-Dame de Paris que le haut clergé n'en est pas exempt. La divinité qui dans le ciel soutient, d'une main légère, le niveau embrasse un faisceau de licteur (symbole d'Union et d'Égalité) et élève dans sa main gauche trois cœurs unis et enflammés, tandis que derrière elle le soleil perce les nuages.
C'est une image optimiste qui établit l'égalité entre les plus puissants et les plus riches ; et aussi une image mensongère puisque le palais Bourbon avait été déserté par son propriétaire le prince de Condé, l'un des premiers à émigrer. Mais le niveau n'a pas encore pris ici la signification inquiétante qu'il prendra ultérieurement.

878
« Ici on s'honore du titre de citoyen »

Placard imprimé.
Paris, musée Carnavalet.

L'Union des trois ordres (cat. 876).

Les trois Ordres avec leurs atributs, sous le niveau.
A Paris chés Crépy rue St Jacques à St Pierre

Les Trois Ordres avec leurs attributs, sous le niveau de l'Égalité (cat. 877).

Dans la société de l'Ancien Régime la hiérarchie des appellations était subtilement réglée par un protocole dont seuls les «titres de courtoisie» atténuaient la rigueur. L'abolition des titres nobiliaires ne fut décrétée que le 19 juin 1790 et le 20 juin furent supprimés à leur tour les armoiries, livrées et ordres militaires. L'appellation «citoyen», employée d'abord par les patriotes dans les écrits et discours de 1788-1789, puis consacrée par la Déclaration des droits de l'homme, tendit à se généraliser. Mais c'est une motion de la Convention du 10 brumaire an II (31 octobre 1793) qui interdit l'usage des termes «Monsieur» ou «Madame» et imposa le tutoiement. Il est difficile de savoir dans quelle mesure cet aspect, mineur certes mais vécu quotidiennement de la «révolution culturelle de l'an II» fut accepté. L'utilisation du terme «citoyen» subsista jusqu'à la fin du Directoire aussi bien dans la vie courante que dans les correspondances officielles.

UN PRÉCÉDENT NÉCESSAIRE : LA FIN DU SERVAGE

879
Louis XVI abolissant le servage dans le domaine royal

par Guillaume BOICHOT

Dessin, plume et lavis. H. 0,28; L. 0,55.
Inscription : en bas à droite : «Boichot».
Historique : acquis en 1860.

Chalon-sur-Saône, musée Vivant-Denon (inv. D4).

Par l'édit du 8 août 1779, et sur les suggestions de Necker, Louis XVI avait aboli le servage dans les domaines de la couronne, mais par manque de moyens financiers (il aurait fallu indemniser les titulaires de seigneuries) et de volonté politique, les serfs relevant d'autres domaines ne furent pas libérés.

Comparé au dynamisme de l'esquisse d'Abildgaard sur un sujet analogue (cat. 880), on peut dire que le dessin de Boichot reflète la timidité de ces mesures. Fortement influencée par l'art des sarcophages romains et aussi par certaines œuvres de la Renaissance (*cf.* le dessin du trône et le costume du personnage à l'extrême droite), période pour laquelle Boichot semble avoir manifesté un intérêt précoce, la composition se présente de façon très traditionnelle : le roi signe l'édit que lui présente Minerve ; les bénéficiaires, voûtés par leur labeur, s'avancent humblement vers lui. Deux détails sont cependant révélateurs d'un esprit nouveau. Au centre une femme tenant une baguette tend au serf libéré le bonnet des affranchis, c'est-à-dire le fameux bonnet rouge ou phrygien dont on sait à quelle fortune il était destiné. A ses côtés un soldat (qui dissimule une Renommée bien modeste) montre au fond un château en flammes.

Il est possible que ce dessin ait été un projet de bas-relief pour un monument à Louis XVI. Un tel sujet se retrouvait sur le monument de Port-Vendres (cat. 352) mais de Wailly avait banni l'allégorie – pour représenter cet épisode de la vie de Louis XVI – au profit d'une rencontre entre le roi et les serfs affranchis, tout aussi fictive, mais touchante comme un tableau de Greuze.

880
L'abolition de la « résidence forcée » en 1788

par Nicolai Abraham ABILDGAARD

Huile sur toile. H. 0,625; L. 0,37.
Inscription : en bas à gauche : «N. Abildgaard».
Historique : tableau acheté en 1849 provenant de la collection de la veuve d'Abildgaard.
Expositions : 1809, Copenhague, n° 3; 1843, Copenhague, n° 2; 1978-1979, Frederiksborg, n° 34.
Bibliographie : Swane, 1926, pp. 37, 45; *Kunstmuseets Aarsskrift* XXIV, 1937, p. 12, repr.; Skovgaard, 1961; cat. Copenhague, 1970, n° 598; Kai Sass, 1986, p. 149, fig. 151; Kryger, 1986, p. 23, fig. 14.

Copenhague, musée royal des Beaux-Arts (inv. 598).

Vers 1790, le peintre Nicolai Abraham Abild-gaard achevait les décorations de la salle du banquet au château de Christiansborg à Copenhague. Ces peintures illustraient les différents règnes des rois de la maison d'Oldenbourg.

Comme beaucoup de citoyens de Copenhague, Abildgaard se félicita de l'aboliton de la résidence forcée en 1788. Cette loi obligeait tous les paysans mâles de quatre à quarante ans à rester attachés à leur exploitation, officiellement pour des raisons militaires mais en réalité pour garantir les bénéfices des propriétaires. Les habitants de Copenhague virent dans cette abolition l'amorce de plus amples réformes qui leur assureraient des droits politiques d'ordre général.

Ce tableau montre le roi Christian VII sur son trône, brisant un joug, tandis qu'un paysan s'agenouille devant lui. Derrière le roi, se trouvent deux allégories représentant le Danemark et la Norvège. Cette dernière apparaît sous la forme d'une femme qui symbolise probablement l'élevage, car elle porte sur son diadème un taureau, emblème que l'on ne retrouve sur aucun blason des provinces dépendant de la couronne danoise. L'esquisse d'Abildgaard fut rejetée notamment parce que l'on trouva indécent de représenter un simple paysan dans une salle de banquet.

En remplacement, Abildgaard peignit un autre événement : l'accord entre le Danemark et la Russie concernant le duché d'Holstein. Son choix de l'abolition de la résidence forcée comme fait le plus significatif et important du règne de Christian VII était loin d'être fortuit. Peu après le rejet du projet, il prit l'initiative, avec d'autres citoyens, d'élever à Copenhague la colonne de la Liberté afin de le commémorer. Le monument fut élevé en 1792-1797. K.Kr.

881
Réduction de la colonne de la Liberté

réalisée par Jesper Johansen HOLM

Porcelaine. H. 0,87.
Historique : offerte en 1892 par la comtesse de La Gardie (Suède), qui la tenait sans doute de son oncle, Jacob de La Gardie, envoyé à Copenhague en 1798, ami du sculpteur suédois Johan Tobias Sergel. L'artiste était également l'ami de Nicolai Abraham Abildgaard.
Exposition : 1979, Frederiksborg, n° 21.
Bibliographie : Kunstmuseets Aarsskrift, 1924-1925, pp. 171-75; Fredstrup, 1939, p. 1949.

Frederiksborg, Det Nationalhistoriske Museum (inv. B 578).

L'administration de la manufacture royale de porcelaine de Copenhague envisagea de mettre en vente des réductions de la colonne de la Liberté. Pour des raisons que nous ignorons, aucune production ne semble avoir eu effectivement lieu. Seules cette maquette du monument en biscuit (vers 1798) ainsi que quelques copies des Vertus nous sont parvenues.

Cette réduction a pour particularité intéres-

Louis XVI abolissant le servage dans le domaine royal (cat. 879).

L'abolition de la « résidence forcée » pour les paysans par le roi du Danemark Christian VII (cat. 880).

Réduction de la colonne de la Liberté, monument commémorant l'abolition de la « résidence forcée » pour les paysans danois (cat. 881).

La Liberté

A Paris, chez Basset, rue Jacques au coin de celle des Mathurins

La Liberté brisant un joug sur son genou (cat. 883).

« La Libération », maquette d'un des bas-reliefs de la colonne de la Liberté (cat. 882).

sante le remplacement des Vertus du monument définitif par de jeunes paysans et paysannes. Les filles portent des barattes à beurre, les garçons des fourches, alors qu'ils jouent de la flûte – geste qui semble peu vraisemblable. Les bas-reliefs sont en revanche les mêmes que sur le monument.

Cette maquette est en outre un véritable chef-d'œuvre d'artisanat, l'une des réalisations les plus ambitieuses pour l'époque de la manufacture royale de porcelaine de Copenhague.

K.Kr.

882
La Libération

par Andreas WEIDENHAUPT, d'après N.A. Abildgaard

Bas-relief en médaillon, plâtre. D. 0,55.
Historique : dans l'inventaire de l'Académie royale des arts en 1826 ; transféré, en 1879, au musée royal des Beaux-Arts.
Exposition : 1794, Copenhague, Salon, n° 25.
Bibliographie : Kryger, 1986, p. 75, fig. 42 ; cat. Copenhague, 1977.

Copenhague, Statens Museum for Kunst (inv. 5009).

On connaît deux croquis de Nicolai Abraham Abildgaard pour le bas-relief de l'abolition sur la colonne de la Liberté. Sur le premier, on identifie clairement trois personnages : un esclave, la Prudence et le Danemark. Sur le second, Abildgaard rend la composition plus explicite en supprimant la Prudence, ce qui crée davantage d'intimité entre l'esclave et la figure du Danemark. Le Danemark touche l'esclave, qui représente ici le paysan danois devant son libérateur. La scène s'inspire de la cérémonie romaine d'affranchissement d'un esclave. Le bas-relief trouve pleinement son sens dans la signification d'ensemble du monument.

Cette maquette (1794) est la réduction de moitié du bas-relief en marbre placé sur le monument. Mais elle permet d'apprécier mieux que l'original avec quelle maîtrise Weidenhaupt a su réaliser l'idée d'Abildgaard ; en effet, à cause de l'usure du marbre, les finesses de traits voulues par le sculpteur ont en grande partie disparu.

Ce bas-relief évoque non seulement la confiance et l'estime mais aussi les droits réciproques du citoyen et de l'État. Bien que le monument ait été élevé à la gloire d'un monarque absolu, les idées exprimées sont profondément inspirées des idéaux de l'ancienne République romaine.

K.Kr.

883
La Liberté

par DEMONCHY, d'après Louis Simon Boizot

Gravure au pointillé. Ovale. H. 0,195 ; L. 0,150.
Inscription : « Dessiné par Boizot - Gravé par la Cne Demonchy/ A Paris, chez Basset, rue Jacques au coin de celle des Mathurins. »
Bibliographie : Aubert et Roux, 1921, t. III, n° 6061.

Paris, Bibliothèque nationale, cabinet des Estampes (inv. Qb¹, 1793-M.102.573).

Coiffée du bonnet phrygien, élégamment drapée dans un péplum ceint d'un ruban tricolore, les épaules couvertes d'une chlamyde, la Liberté brise un joug sur son genou en posant le pied sur un bloc de pierre où est scellée une chaîne, elle aussi brisée.

Boizot renoue dans ce dessin avec une tradition iconologique différente de celle suivie par la plupart des artistes contemporains et met l'accent sur l'acte libérateur plus que sur l'état de Liberté. C'est cette même tradition que suivit Abildgaard pour célébrer l'abolition de la « résidence forcée » au Danemark (cat. 880).

Frihedsstøtten ou la colonne de la Liberté

C'est le prince héritier, le futur Frédéric VI qui, le 31 juillet 1792, posa la première pierre de Frihedsstøtten (colonne de la Liberté). Le monument commémore le décret du 20 juin 1788 affranchissant les paysans danois de ce que l'on appelait le Stavnsbånd (résidence forcée). Pour des raisons militaires, cette loi attachait le paysan de quatre à quarante ans à sa terre natale. L'assignation à résidence a été abolie pour permettre aux paysans bénéficiant désormais de leur liberté personnelle, d'organiser leur propre vie et de devenir de meilleurs citoyens, également sur le plan militaire.

Le régent du Danemark, le jeune prince héritier, s'était emparé du pouvoir par un coup d'État à l'âge de 16 ans en 1784. Son père, Christian VII, déséquilibré mentalement, était incapable de gouverner. Les conseillers dont s'entoura alors le prince étaient des idéalistes. Ils entreprirent un certain nombre de réformes portant notamment sur l'agriculture et la liberté individuelle. L'abolition de la résidence forcée fut applaudie par les citoyens et la noblesse progressiste qui entrevoyaient le début de changements politiques d'ordre général. En 1790, cependant, quelques propriétaires plus réactionnaires, tentèrent d'inciter le prince à renoncer à ces réformes. Ce fut un échec. Mais il entraîna la prise de conscience qu'au sein de la société danoise, certains cherchaient par tous les moyens à freiner l'évolution des lois. Pour répondre aux opposants et souligner le fait que l'abolition de la résidence forcée ainsi que la politique de réformes restaient en vigueur, les habitants de Copenhague entreprirent en 1791 une collecte pour élever un monument rappelant les bénéfices que faisait le roi aux dépens de la paysannerie laborieuse et honnête (c'était jusqu'alors le roi qui dictait les lois). Les citoyens s'allièrent à la maison royale pour lutter contre tous ceux qui s'opposaient à la libération.

Le mémorial illustre la loi par des figures personnifiant les vertus civiques — on serait tenté de dire les vertus républicaines — dans l'antique acception du terme.

Il s'agit d'un obélisque de grès rouge reposant sur un piédestal de marbre gris. Aux quatre angles, un socle supporte les statues sym-bolisant respectivement : la Fidélité, la Bravoure, les Travaux agricoles et les Vertus civiques. Sur la face ouest se trouve un médaillon représentant le génie de la Justice ; sur la face est, un autre médaillon comportant le Danemark libérant un esclave. Il était prévu à l'origine d'y graver un extrait du décret du 20 juin 1788. En définitive fut inscrit un texte plus poétique, composé pour l'occasion en liaison avec l'iconographie et qui dit à peu près ceci : un gouvernement juste, qui accorde la liberté au citoyen est en droit d'attendre de celui-ci qu'il soit fidèle à son pays, qu'il travaille avec zèle pour le bien de tous et en vue d'enrichir ce pays et qu'il soit prêt à le défendre au risque de sa vie.

Sur les premiers croquis du Frihedsstøtten apparaissait un médaillon représentant le génie de la Liberté brisant un joug tandis que la Liberté — « Libertas » — était personnifiée par une femme coiffée du bonnet phrygien. Or, la Liberté est souvent représentée en train de briser un joug. Si ce n'est pas le cas sur le Frihedsstøtten, c'est probablement parce que lors de la conception du monument en 1791, la Liberté était associée à la Révolution française. Par ailleurs, le motif de la Liberté au bonnet phrygien avait déjà été employé à la gloire de la maison royale. L'université l'avait notamment choisi comme thème de décoration en 1790, pour célébrer l'entrée à Copenhague du prince héritier et de son épouse, la princesse Marie Frederikke. Mais, en 1791, les concepteurs du Frihedsstøtten n'ont pas osé reprendre cette figure, craignant que les détracteurs — qui étaient assez nombreux — ne qualifient le monument de trop républicain.

Plusieurs artistes ont travaillé à la construction du Frihedsstøtten sous la direction de N.A. Abildgaard et en collaboration avec les sculpteurs Johannes Wiedewelt, Nicolaj Dajon et Andreas Weidenhaupt.

Outre les qualités artistiques de l'ouvrage, les artistes ont su mettre en lumière, par le travail collectif auquel ils ont participé, les concepts qui sous-tendent le monument : harmonie et solidarité entre les citoyens.

Karin Kryger

LES DROITS DES HOMMES DE COULEUR

884
« Am I not a Man and a Brother ? »
(Ne suis-je pas un Homme et un Frère ?)

par William KACKWOOD pour la manufacture de Wedgwood

Médaillon en jaspe artificiel. H. 0,036 ; L. 0,033 ; Pr. 0,005.
Historique : don de M. et Mme Isaac Falcke en 1909.
Exposition : 1976, Washington, pp. 11-17.
Bibliographie : Kelly, 1975, pp. 45-46.

Londres, British Museum Department of Mediaeval and Later Antiquities (inv. MLA.1909,12-1,261).

« Il fit d'une manufacture primitive et insignifiante un art élégant et une partie importante du Commerce national » (inscription figurant sur le monument funéraire de Josiah Wedgwood, due à John Flaxman, 1795). La connaissance scientifique, le goût et le sens des affaires de son fondateur sont à l'origine du succès

« Am I not a Man and a Brother ? » (cat. 884).

« Ne suis-je pas un Homme ? un Frère ? » (cat. 885).

considérable, voire mondial, de la fabrique. Josiah Wedgwood (1730-1795), le plus grand céramiste anglais, était par ailleurs un homme aux idées libérales et humanitaires avancées, un ardent défenseur de la Révolution française et un avocat de l'abolition de l'esclavage.

L'un des gestes humanitaires de Wedgwood a été de confier à l'un de ses modeleurs, William Kackwood, le projet d'un médaillon représentant un esclave enchaîné à genoux. Ces camées furent exécutés par milliers et distribués gratuitement à toutes les personnes concernées par la propagande antiesclavagiste. Le dessin fut adopté comme sceau par la Société pour

l'abolition de l'esclavage en Angleterre. Réalisé dans des dimensions différentes, ce sceau sera également utilisé pour des épingles à chapeaux, des boutons et des anneaux.

Le 15 mai 1787, Benjamin Franklin écrivait pour remercier Wedgwood de l'envoi d'un paquet de ces médaillons « ... que j'ai distribués à tous mes amis ; à l'expression de leurs visages, j'ai pu constater à quel point ils étaient émus à la vue du Suppliant (de facture admirable), si bien que je suis convaincu que cette figure pourrait produire le même effet que la brochure la mieux rédigée en faveur de ces gens opprimés ».

C.B.-O.

Vers le droit des Noirs à l'Égalité

La mise en lumière du combat des esclaves noirs et des mulâtres des colonies pour la liberté et l'égalité des droits est relativement récente, et c'est tout le mérite des historiens contemporains — à commencer par le livre d'Yves Benot, *la Révolution française et la fin des colonies,* Paris, 1988, dont nous nous sommes largement inspirés lors de la rédaction des lignes qui vont suivre ; une des expositions du Bicentenaire d'autre part est annoncée aux Antilles — à avoir osé lever le voile sur quelques contradictions et silences embarrassés. L'attitude de Desmoulins, Robespierre et même Marat, en effet, fut on ne peut plus ambiguë, de même qu'il est difficile d'interpréter les mutismes de Mathiez, Guérin et Soboul, historiens de gauche pourtant. Seul Jaurès fait exception. « La lutte antiesclavagiste ou anticolonialiste en France même a été systématiquement dévalorisée » (Benot, p. 215). Le problème en effet était fort complexe, mêlant raison d'État (raison économique) et principes de droit (l'Égalité). Il se limita essentiellement au domaine colonial des Antilles, et surtout à la partie française de Saint-Domingue qui, avec une population de 600 000 à 700 000 habitants environ, ne comptait que 30 000 blancs. Ces derniers, les colons, étaient partie prenante du célèbre triangle commercial qui reliait les ports de l'ouest de la France (les navires étaient chargés de biens de consommation courante), les comptoirs africains (les navires négriers après débarquement des marchandises les troquaient contre les esclaves indigènes) et les colonies (on substituait aux Noirs les denrées exotiques — sucre, café, indigo, coton, rhum, tabac, cacao... — à destination du continent). Il n'est nul besoin d'insister sur le caractère lucratif de cette opération qui faisait bénéficier aux propriétaires, mais également aux intermédiaires, d'une main-d'œuvre au rendement permanent et hors de tout contrôle.

Il serait injuste de dire que la question coloniale ne fut pas posée avant la Révolution. La colonisation fut condamnée sans restriction par Damilaville dans l'*Encyclopédie* (article *Population*, 1767) avec des arguments de droit ; les physiocrates et Adam Smith la critiquèrent

pour des raisons d'efficacité économique (les monopoles nationaux détruisent l'initiative privée et la liberté des échanges). *L'An 2440* de Sébastien Mercier (1771) suivi par l'*Histoire des Deux-Indes* de Raynal et les *Réflexions sur l'esclavage des nègres* (1781) de Condorcet revendiquaient le prochain affranchissement des esclaves. La Société des amis des Noirs fut fondée le 19 février 1788, avec comme principaux membres Concordet, La Fayette, Grégoire, Mirabeau et Brissot, mais également des aristocrates privilégiés (Clermont-Tonnerre, La Rochefoucauld) et des propriétaires coloniaux comme les Lameth. Il s'agissait d'une « académie négrophile » comme le dit plaisamment Yves Benot, voulant obtenir l'abolition de la traite (en accord avec les autres puissances colonisatrices, principalement l'Angleterre) et l'abolition graduelle de l'esclavage. Le chemin sera long jusqu'au 4 février 1794.

En effet se mit en place rapidement à la Constituante un puissant groupe de pression animé principalement par Barnave qui se faisait le défenseur de la bourgeoisie des ports, évidemment favorable au *statu quo,* comme l'était également la majorité des colons blancs. A ce combat entre abolitionnistes et esclavagistes se mêlait celui des mulâtres (rejetons métissés des colons et des femmes noires) qui avaient été affranchis et étaient devenus citoyens libres. Entreprenants économiquement parlant, numériquement nombreux (à la veille de la Révolution à Saint-Domingue, ils étaient presque à parité avec les Blancs), ils étaient sujets à de multiples vexations de la part des Blancs, exclus en particulier de toute assemblée ; autrement dit, ils n'avaient aucun droit politique. « La contradiction entre ces deux sortes de possédants, mulâtres et Blancs, devenait tout aussi aiguë que la contradiction entre les privilégiés et la bourgeoisie industrielle et commerçante en France » (Benot, p. 61). Le combat pour l'égalité des droits des mulâtres va servir de prétexte à de nombreux Blancs pour esquiver et retarder le débat essentiel portant sur l'abolition de la traite et de l'esclavage, lequel remettait en cause profondément les structures du commerce colonial.

En décembre 1789 l'abbé Grégoire évoqua la possibilité d'une alliance ▶

entre mulâtres et Noirs, préface à un embrasement généralisé des colonies. Les mulâtres allaient en fait être pris entre deux camps, celui des Blancs hostiles à tout compromis, et celui des esclaves dont les révoltes ne pouvaient que leur nuire à court terme. La loi promulguée le 4 avril 1792 reconnaissant la pleine égalité politique des mulâtres fut votée après les doubles insurrections des mulâtres et des esclaves

Girodet, *Jean-Baptiste Belley*
Musée national du château de Versailles.

en été 1791, provoquées par le climat de guerre civile entretenu par les colons blancs ; mais son application se heurta à une hostilité générale. Alors que Marat était favorable au principe de l'abolition graduelle de l'esclavage, les *Révolutions de Paris* où écrivaient Chaumette et le futur commissaire civil Sonthonax appelaient à une alliance avec les insurgés et une abolition sans condition. Au moment où les Girondins étaient au pouvoir et lançaient leurs déclarations de guerre, la question de l'esclavage passait au second plan des préoccupations, et c'est ici que se manifesta le dérapage de la gauche révolutionnaire — en particulier de la part de Desmoulins, alors proche de Robespierre — ; elle assimila bourgeoisie des ports-intérêts coloniaux-insurrections pour mieux accabler Brissot en faisant de lui le fossoyeur de l'intérêt général, c'est-à-dire de la paix et de la prospérité des colonies. Le 4 juin 1793 la délégation noire et blanche conduite par Chaumette à la Convention, appuyée par Grégoire, afin de réclamer l'abolition, ne déboucha sur aucun résultat concret ; l'assimilation de l'insurrection noire à la Vendée révoltée et manipulée brouilla les pistes et condamna les abolitionnistes à la prudence. C'est peut-être en ayant en mémoire ces divers entrecroisements — l'insurrection noire aux Antilles frappait l'économie et causa notamment une pénurie de sucre et des émeutes à Paris et en province ; les désordres étaient une arme pour abattre Brissot et ses amis ; les Anglais après avoir récupéré la Martinique envahissaient Saint-Domingue — que l'on peut expliquer l'attentisme du gouvernement révolutionnaire de l'an II. Le Comité de Salut public en effet accueillit froidement les trois députés de Saint-Domingue — dont un Noir, Belley, que Girodet peignit devant un buste de l'abbé Raynal (château de Versailles) — élus en septembre 1793 grâce à Sonthonax. Le soutien de la Convention fut provoqué par les initiatives de Chaumette et de la Commune. Cette dernière reçut solennellement les députés, et le décret de l'abolition enfin voté le 4 février 1794 fut fêté dans le temple de la Raison, salué par le *Père Duchesne* et *les Révolutions de Paris*. Ce décret va permettre le ralliement à la cause de la République des insurgés noirs conduits par Toussaint Louverture, et permettre la reconquête de l'île sur les Anglais et les Espagnols. L'égalité des Noirs et des Blancs ne dura qu'un temps : Bonaparte rétablit en 1802 la traite et l'esclavage.

Guilhem Scherf

885
Nègre enchaîné dans l'attitude de la prière

Manufacture de Sèvres

Bas-relief en médaillon, biscuit de porcelaine tendre partiellement émaillé. D. 0,084 ; Ep. 0,007.
Inscription : autour du médaillon : « NE SUIS-JE PAS UN HOMME ? UN FRERE ? » Marque : deux « L » entrelacés et au-dessous la lettre « g ».
Historique : collection Gasnault.
Bibliographie : Garnier, 1981, p. 225, n° 1269 ; Brunet et Préaud, 1978, p. 234.

Limoges, musée national Adrien-Dubouché (inv. ADL 1342).

Ce petit médaillon est le rare témoignage d'une production de la manufacture de Sèvres qui fut explicitement censurée pour des raisons politiques. En effet, ce nègre enchaîné, qui se détache avec netteté sur un fond blanc, prononçant la phrase « Ne suis-je pas un homme, un frère ? », était fort subversif en 1789. Les archives de Sèvres conservent une lettre datée du 8 avril 1789 rendant compte de la volonté

du comte d'Angiviller – qui s'intéressait de très près à la manufacture – d'interrompre la fabrication du médaillon : « On lui a appris que quelqu'un fait exécuter à la manufacture des médailles fond blanc, représentant un nègre à genoux et enchaîné, avec cette légende : *Ne suis-je pas un homme, ne suis-je pas votre frère ?* Sans doute le motif est bon, il est dicté par l'humanité, mais de pareilles médailles portées dans les colonies pourraient, vues par des nègres, y exciter du mouvement. M. le comte me charge enfin de vous marquer qu'il défend absolument d'aller plus en avant sur cet objet et, si la médaille est faite, de n'en délivrer aucune. C'est une réquisition que fait le comité d'administration [des] colonies à laquelle il est impossible de se refuser... Vous pourrez juger du danger qu'il y aurait à ce que ces médailles parvinssent dans nos colonies par ce qui est arrivé dans quelques colonies anglaises où, sur l'avis que le Parlement d'Angleterre s'occupait de la liberté des nègres, ils se sont révoltés aussitôt dans diverses habitations et ces révoltes ne se passent pas sans que tous les blancs soient massacrés » (cité dans Garnier, *op. cit.*, p. XXVI).
Le médaillon est une reprise de celui réalisé

par Wedgwood avec la même inscription en anglais (cat. 884). Un net mouvement en faveur des esclaves noirs s'était développé en effet en Angleterre à partir des années 1770, même si les décisions officielles (abolitions de la traite en 1807, et de l'esclavage en 1834-1837) se firent attendre. La Société des amis des Noirs de Londres fut fondée un an avant celle de Paris. Le décret du 4 février 1794 fut illustré par une iconographie relativement abondante ; on connaît notamment un groupe de Boizot portant sur la plinthe l'inscription « Moi égale à toi, moi libre aussi » (Lami, 1910, t. I, p. 90 ; reproduit dans P. Vitry, « Un buste de négresse par Houdon au musée de Soissons », *Revue de l'art ancien et moderne*, 1ʳᵉ année, n° 4, 10 juillet 1897, p. 352). Destiné à la manufacture de Sèvres – dont Boizot avait dirigé l'atelier de sculpture de 1774 à 1785 – il décrit un couple de Noirs enlacés, lui portant le bonnet de la Liberté, elle le triangle au niveau de l'Égalité, image positive d'un droit enfin conquis.

G.Sc.

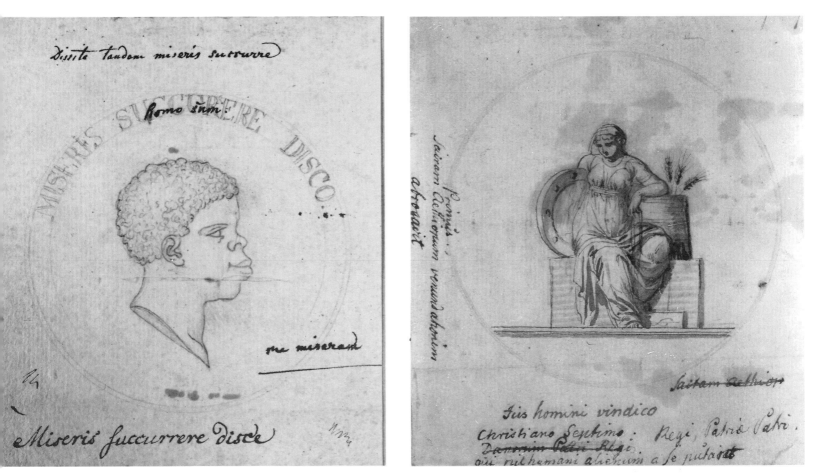

ojet danois pour la médaille sur l'abolition de la traite des esclaves (cat. 886). (cat. 886, recto). (cat. 886, verso).

L'Égalité accordée aux Noirs (cat. 887).

886
Projet pour la médaille sur l'abolition de la traite des esclaves

par Nicolai Abraham ABILDGAARD

Mine de plomb. H. 0,144 ; L. 0,123.
Inscription : «MISERIS SUCCUR [R] ERE DISCO/ homo sum / me miserum / Discite tandem miseris succurre *[sic] et* Miseris succurrere disce. »
Historique : croquis d'une médaille exécutée par P.L. Gianelli en 1792 ; appartenant à la collection royale de dessins et gravures.
Exposition : 1978, Copenhague.
Bibliographie : Swane, 1926, p. 153 ; Skovgaard, 1978, repr. 48 ; pour une interprétation des inscriptions et du dessin, voir Kragelund, 1982, p. 60 ; Kragelund, 1987, 169 ; Honour, t. IV (à paraître).

Copenhague, musée royal des Beaux-Arts, cabinet des Estampes (inv. 538,13).

Le Danemark a été la première nation occidentale à interdire l'acquisition d'esclaves pour ses colonies, le 16 mars 1792 et au début de 1803. Mais l'opposition des propriétaires d'esclaves retarda l'application du décret jusqu'en 1807 et l'esclavage ne sera aboli dans les colonies danoises qu'en 1848.
Cette réforme fut bien sûr le fruit de considérations d'ordre économique et de l'aversion de plus en plus répandue, grâce aux Lumières, pour l'esclavage en tant que tel. Mais, à l'origine, avait eu lieu le débat sur la traite des esclaves au Parlement britannique. A la fin de 1791, une commission dirigée par le comte Ernst Schimmelmann fut créée. Elle parvint à la conclusion que si l'esclavage ne pouvait encore être aboli, l'interdiction de la traite améliorerait grandement la condition des esclaves. Abildgaard a appuyé de façon décisive le projet de commémorer l'événement par une médaille. Financée par une souscription publique, elle fut réalisée en 1792 par son élève Gianelli. Abildgaard entendait, à la lumière des événements survenus en France, faire de cette abolition une revendication des Droits de l'homme en faveur des esclaves. L'avers de la médaille ne comporte pas, comme le voulait la coutume, le portrait du roi, mais celui d'un esclave. Et, sur le revers, Némésis affirme les droits de celui-ci par son geste de briser un joug. Cette médaille, à l'instar de l'éthique d'Emmanuel Kant, développe l'idée d'une communauté utopique à l'échelle de toute l'humanité.
Sur les croquis, Abildgaard suggère différentes légendes reprenant les aphorismes connus de Virgile, tels que *[non ignara mali] miseris succurrere disco ; l'Homo Sum* de Térence sert à titre d'exhortations contre toute discrimination raciale. La misère de l'esclave vient de l'inhumanité de son maître. Or ce qui distingue l'homme est précisément qu'il « considère que rien de ce qui est humain lui est étranger » *(humani nil a me alienum puto).*
Pour le choix de ses citations, Abildgaard s'est probablement inspiré, en outre, dans le climat antiesclavagiste de l'époque, d'un des plus célèbres réquisitoires contre l'esclavage : le *Voyage à l'Isle de France* de Bernardin de Saint-Pierre (1773). Son choix était d'ailleurs parfaitement justifié. En effet, la Didon de Virgile était reine d'un pays que les Romains appelaient Africa et Térence était un esclave affranchi dont le *cognonem* Afer trahissait l'origine africaine.
Abildgaard s'est toujours beaucoup intéressé aux problèmes de l'esclavage. On trouva dans ses papiers une copie de la proclamation française de la liberté aux esclaves des Antilles et, plus tard, en 1801-1804, il réalisa dans ses appartements de l'Académie royale une série de peintures d'après une comédie de Térence, *Andria.* Certainement en souvenir de sa médaille, c'est sous les traits d'un Noir qu'il a représenté le poète esclave, fait absolument original et sans précédent. P.Kr.

887
L'Égalité accordée aux Noirs

par un auteur anonyme

Eau-forte coloriée. H. 0,316 ; L. 0,467.
Inscription : «les Mortels sont Égaux. Ce n'est pas La naissance/ C'est La Seule Vertu qui fait La Différence » ; « La raison Caractérisée par une femme Ayant sur la tête Le feu Sacré/De l'Amour De La patrie, met De niveau L'homme blanc et L'homme/De Couleur. Derrière Lui Est une Corne D'abondance un bananier/Et Des campagnes fertiles il s'appuye Sur les Droits de l'homme Et/tient De l'autre main le Décret Du 15 Mai Concernant Les gens/De Couleur. La raison Est poussée par la Nature qui est Couronnée - De fruits ayant 14 Mammelles Elle est montée Sur un Outre De peau Du/quel Sortent Le Demon De L'aristocratie L'égoisme qui par Son Avarice/Veut tout Avoir. L'injustice Le Démon De La Discorde ou De L'insurrection prêt à traverser la mer qui fait Le fonds. »
Bibliographie : Aubert et Roux, 1921, t. III, n° 6031.
Paris, musée Carnavalet (inv. HIST. G.C. 007).

Malgré les vers de Voltaire qui servent de titre à cette estampe célèbre, la solution apportée au problème de l'esclavage dans les colonies françaises fut une des entorses majeures faites par la Constituante elle-même aux principes de la Déclaration des droits de l'homme. Le décret du 15 mai 1791 qui mit fin à un long débat sur l'esclavage ne supprime nullement celui-ci et abandonne la définition de la condition politique des hommes libres de couleurs (Noirs et mulâtres) à la décision des colons blancs. Devant une telle inadéquation entre la réalité et son traitement par l'image (rendue très explicite par le long commentaire), on peut se demander dans quelle mesure une estampe préparée à l'avance n'a pas été actualisée par l'addition de la date du décret qui ne fut aussi défavorable que grâce aux ultimes manœuvres du «lobby» colonial. On notera que le niveau a pris ici l'aspect d'une règle munie de fils à plomb à chaque extrémité, système moins précis que le niveau triangulaire. Cette dernière forme est cependant évoquée par le triangle rayonnant orné de trois fleurs de lys qui, durant la fin de la Constituante et la monarchie constitutionnelle, remplace les armoiries royales.

Buste de Négresse (cat. 888).

888
Figure de négresse

d'après Jean-Antoine HOUDON

Buste, bronze. H. 0,205.
Historique : legs Carle Dreyfus.
Expositions : 1928, Versailles ; 1968, Bregenz.
Bibliographie : Vitry, 1931, p. 8 ; Réau, 1964, t. II, n° 11 ; Arnason, 1975, p. 59.

Paris, musée des Arts décoratifs (inv. 37621).

Cette œuvre en bronze nous conserve l'image de l'une des sculptures les plus célèbres de Houdon, le buste de *Négresse,* qui fut notamment édité par Barbedienne «en deux dimensions » (catalogues de 1880 et 1884).
Houdon avait réalisé pour le duc de Chartres, futur Philippe-Égalité, une fontaine dans son parc de la plaine Monceau : une baigneuse en marbre était assise et se lavait les jambes tandis qu'une négresse en plomb lui versait de l'eau sur les épaules. Le groupe fut exposé au Salon de 1783. Il fut dispersé pendant la Révolution (la *Baigneuse* est aujourd'hui conservée au Metropolitan Museum de New York) ; la statue de la *Négresse,* saisie comme bien d'émigré, resta un temps au dépôt de Nesle avant d'être vraisemblablement fondue. Houdon utilisa un buste en plâtre teinté de son ancienne création – il avait déjà exposé au Salon de 1781 un «Buste de négresse en plâtre imitant le bronze antique » – en rajoutant sur le piédouche une inscription qui célébrait l'affranchissement des esclaves noirs. L'œuvre, au musée de Soissons, fut gravement endommagée en 1918 lors des bombardements de la ville (on connaît des pho-

tographies de son état antérieur) ; seule la tête put être sauvée. Un buste en bronze du musée Nissim de Camondo (H. 0,75 ; L. 0,48 ; Pr. 0,30 ; avec la mention « Houdon f. Fondu et ciselé par Thomire », sans doute un hommage tardif du bronzier qui avait été initié dans la fonderie de Houdon) reprend le plâtre de Soissons tel qu'il était avant le bombardement, et nous restitue notamment l'inscription du pié-douche : « Rendue à la Liberté et à l'Égalité par la Convention nationale le 16 pluviôse, deuxième de la République une et indivisible. » Cette dernière n'apparaît pas sur la réduction du musée des Arts décoratifs que Arnason attribue à l'atelier de Houdon.

Doit-on suivre l'hypothèse de Paul Vitry (« Un buste de négresse par Houdon au musée de Soissons », dans *Revue de l'art ancien et moderne*, 1re année, no 4, 10 juillet 1897, p. 353) selon laquelle Houdon, en perte d'influence sous le gouvernement de l'an II et la domination de David – il fut convoqué par le Comité de Salut public qui lui reprocha la tiédeur de son zèle au service de la Révolution – aurait essayé d'attirer l'attention sur sa bonne volonté – à l'heure où il espérait réaliser le monument à Jean-Jacques Rousseau – en offrant le buste à la Convention ? On sait qu'il transforma une statue de sainte Scholastique en allégorie de la *Philosophie soutenant les Droits de l'homme* destinée précisément à une des salles de séances de la Convention. Son buste de *Négresse* avec l'inscription qui en souligne habilement l'actualité pouvaient représenter la femme citée par Cambon à la tribune de l'Assemblée qui s'était évanouie le 4 février (le fait est rapporté par *le Moniteur*). Le réemploi de la figure de *Négresse* par Houdon montre en tout cas son attachement à l'une de ses créations les plus originales. Le buste dégage une sérénité altière proche de la *Diane* (l'exemplaire du Louvre fut fondu en 1790). Le sculpteur présente ici une alternative de beauté féminine en gommant toute trace de pittoresque exotique, et en idéalisant avec subtilité les particularités ethniques   G.Sc.

LES JUIFS : DE L'ÉMANCIPATION À L'ÉGALITÉ

889
L'Abbé Grégoire

attribué à Pierre-Joseph-Célestin FRANÇOIS
Huile sur toile. H. 1.30 ; L. 0,98.
Inscription : « H.J. François, an IX. »
Nancy, Musée lorrain.

La personnalité de l'abbé Grégoire (1750-1831) est probablement l'une des plus attachantes de la Révolution. Prêtre irréprochable, mais lecteur des philosophes, ayant des sympathies pour le jansénisme et à ce titre plutôt réticent à l'égard du pouvoir pontifical, il avait acquis dans sa modeste cure d'Embermenil l'expérience de la vie rurale française et de ses dures réalités ; il joua un rôle décisif dans le ralliement du bas clergé au tiers état, les 13 et 14 juin 1789.

Son activité, comme Constituant d'abord, puis comme Conventionnel fut si diverse que son portrait aurait pu figurer dans de nombreuses sections de cette exposition : problèmes religieux, éducation, protection des œuvres d'art, réforme de la métrologie, création du Conservatoire national des arts et métiers, etc.

Mais sa place se justifie dans la section consacrée à l'Égalité, non seulement pour son *Mémoire en faveur des gens de couleur* (1790) et son rôle comme président de la Société des amis des Noirs, mais surtout pour son *Essai sur la régénération physique, morale et politique des juifs*, couronné en 1788 par la Société royale de Metz (cat. 890). Si l'opinion était relative-

ment bien disposée à l'égard de la communauté sépharade du sud-ouest de la France, pourvue de lettres patentes depuis 1776 et qui avait voté lors des élections aux États généraux, la communauté ashkenaze d'Alsace et de Lorraine était en général considérée comme inassimilable. La citoyenneté lui fut d'abord refusée par le décret du 28 janvier 1790 puis lui fut accordée, malgré l'opposition de certains Jacobins de l'est de la France, le 27 septembre 1791. Le rôle de l'abbé Grégoire fut décisif lors de la discussion finale.

D'autres expositions évoqueront en 1989 à Nancy, à Blois et au musée des Granges de Port-Royal, les divers aspects de la vie de l'abbé Grégoire, curé lorrain, évêque constitutionnel de Blois, opposant à l'Empire (mais respecté par l'empereur) et janséniste nostalgique.

L'attribution de ce portrait au peintre namurois Pierre Joseph Célestin François reste un peu problématique dans la mesure où les initiales de la signature ne correspondent pas exactement. La date d'exécution précède de peu le moment où Grégoire, non rallié au Concordat, va être démis de son siège d'évêque constitutionnel de Blois.

890
Essai sur la Régénération physique, morale et politique des Juifs

par l'abbé GRÉGOIRE
Manuscrit, papier, 160 p. H. 0,225 ; L. 0,185.
Historique : collection Wiener ; entré au musée en 1936-1937.
Nancy, musée Lorrain.

Le texte proprement dit occupe les 120 premiers feuillets du manuscrit qui comprend à la fin diverses lettres.
L'Essai reçut le 23 août 1788, le deuxième prix

L'émancipation des juifs en Europe

La Révolution française a joué un rôle moteur dans l'émancipation des juifs de toute l'Europe. Celle-ci a néanmoins connu des fortunes fort inégales. En France même, l'émancipation ne fut acquise qu'après une lutte acharnée de plus de deux ans, qui divisa la Constituante. Notons en passant que les juifs, qui aspiraient à l'émancipation, mais inquiets des conséquences néfastes résultant des troubles, n'ont pas su discerner d'emblée les bienfaits de la Révolution.

L'exemple de l'émancipation allait se répandre sur toute l'Europe. Les pays conquis par la France : la Belgique, les Pays-Bas, l'Italie, une partie de l'Allemagne ont accordé aux juifs les droits civiques. D'autres pays ont suivi, avec plus ou moins d'effet, plus ou moins de durée. Presque partout, l'émancipation est devenu un sujet de débat public.

La chute du premier Empire a entraîné des régressions notables. En France, lors de la Restauration, l'émancipation des juifs n'a pas été remise en question. En Autriche-Hongrie et en Italie, on en était revenu aux lois du Moyen Âge, qui faisaient de nouveau des juifs des parias.

Lors des mouvements révolutionnaires, notamment en 1848, de nouveaux régimes avaient rétabli les droits des juifs en tant que

citoyens : mais leur chute a ramené la situation précédente. Ainsi, l'émancipation des juifs en Italie ne date que de 1870. En Autriche-Hongrie le processus s'est engagé très lentement. Les lois d'émancipation, révoquées en 1848, ont été rétablies petit à petit. Mais c'est seulement vers 1880 que les juifs y sont devenus des citoyens à part entière.

La situation était plus complexe en Allemagne, où leur situation était fonction de la volonté de tel ou tel roi ou prince. Au moment de l'unification de l'Allemagne en 1870, la plupart des provinces avaient déjà accordé à leurs juifs les droits de citoyen ; l'Allemagne unifiée les a ratifiés.

D'autres pays comme la Suisse ou les pays scandinaves, ont accordé aux juifs les droits de citoyens dans le cadre d'un processus égalitaire concernant l'ensemble de leur population. D'autres, comme la Bulgarie ou la Serbie ne l'ont fait que sous des pressions internationales. Il faut remarquer que la situation des juifs, forts nombreux en Europe centrale et orientale, était restée bloquée.

Le XIXe siècle, qui est celui du libéralisme politique, économique et philosophique était propice à la réalisation de l'émancipation. Priver les juifs de leurs droits était contraire au principe des *droits naturels* ▶

L'*Abbé Grégoire* (cat. 889).

«*Essai sur la Régénération physique, morale et politique des Juifs*»,
manuscrit de l'abbé Grégoire (cat. 890).

de la société royale des Sciences et des Arts de Metz, fondée en 1760, et couramment désignée sous le nom d'académie de Metz ; il fut imprimé en 1789.

L'exposé de l'abbé Grégoire peut être considéré comme le point d'aboutissement de la réflexion du siècle des Lumières sur les juifs : le point de vue exprimé sur leur mentalité, leur obscurantisme et même leur aspect physique est critique et peut même paraître choquant ; mais l'auteur développe surtout l'idée que les juifs sont fondamentalement des victimes de l'into-lérance et du système qui les maintient dans une condition inférieure. Libérés et considérés comme les égaux des autres hommes ils seront «régénérés», c'est-à-dire retrouveront leurs droits naturels et pourront accéder enfin à des conditions de vie normales. Le but implicite de l'abbé Grégoire est une intégration des juifs au reste de la Nation ; leur religion constituerait alors la seule différence, parfaitement inté-grable elle-même dans le cadre plus large de la tolérance et de la liberté des cultes.

L'abbé Grégoire revint sur le problème dans sa *Motion en faveur des juifs... précédée d'une Notice historique sur les persécutions qu'ils vien-nent d'essuyer en divers lieux, notamment en Alsace et sur l'admission de leurs députés à la barre de l'Assemblée nationale*, publiée en 1789.

▶ de l'homme, parmi lesquels le droit d'entreprendre. La nécessité d'intégration des juifs dans la société était soulignée par leurs amis, qui ne manquaient pas de mettre en valeur les capacités des juifs dans divers domaines du savoir, des sciences et des techniques, dans lesquels ils étaient capables d'enrichir leur pays.

Il convient toutefois de rappeler que si les juifs ont bénéficié d'un courant intellectuel et philosophique favorable, ils se sont eux-mêmes activement employés à réclamer leurs droits. L'exemple d'Issac Cerf-Beer en France est resté célèbre. Dans tous les pays, des hommes responsables ont préconisé l'émancipation. Mais certains considéraient qu'il s'agissait d'un problème sans grande importance, alors qu'à d'autres l'émancipation paraissait inadmissible.

Initiée par le siècle des Lumières, réalisée et exaltée à la suite de la Révolution française et de ses idéaux, l'émancipation des juifs n'en était pas pour autant accomplie à travers les seuls actes législatifs. En France même, où les juifs ont participé en tant qu'hommes de troupe ou même officiers aux guerres révolutionnaires et napoléo-niennes, on ne peut parler de réelle entrée des juifs dans la société que vers 1830. Il a fallu qu'une génération puisse accéder aux études universitaires pour pouvoir assumer des responsabilités à tous les niveaux.

En d'autres lieux, notamment en Allemagne, en Autriche et en Italie ce processus allait prendre presque un siècle. C'est seulement à la veille du XXᵉ siècle que l'on peut parler d'une émancipation complète des juifs en Europe et de leur capacité légale de prendre pleinement part à la vie dans tous les domaines de leurs pays respectifs.

Léon Abramowicz

LES FEMMES ET LE RÊVE ÉGALITAIRE

891 A et B
Les Femmes des trois ordres

Deux eaux-fortes coloriées. H. 0,46 et 0,3,; L. 0,30 et 0,233.
Inscription : A. « A faut esperer qu'eu se jeu la Finira bentot. »; B. « J'savois ben Qu'jaurions not tour - Vive le Roi. Vive la Nation. »
Bibliographie : Vovelle, 1986, t. I, pp. 212-213.

Paris, musée Carnavalet
(inv. HIST PC 008 A et G 14404).

La première de ces estampes qui montre une paysanne en sabots succombant sous le poids d'une religieuse en prière et d'une aristocrate fort élégante est bien connue d'après une annotation manuscrite de l'exemplaire de la Biblio-thèque nationale sous le titre de *La Fermière en corvée.*
Elle a été reprise par Villeneuve avec comme légende *Le Grand Abus* et n'est qu'une version féminisée d'une estampe attribuable au mystérieux A.P. (Johann Anton de Peters ?) où l'on voit un abbé et un noble sur le dos d'un paysan avec la même légende et un commentaire qui mettaient l'accent sur le caractère fondamentalement fiscal de l'injustice dénoncée.
C'est également d'une estampe signée A.P. que dérive la seconde estampe où la fermière, heureuse mère, est portée par l'aristocrate appuyée sur la religieuse. Plus encore que celles avec le paysan, les estampes avec la fermière pour héroïne apparaissent comme des versions politisées du vieux thème du « monde à l'envers ».

892
Manon Jeanne Phlipon,
Madame Roland (1754-1793)

par Claude Jean-Baptiste HOIN

Mine de plomb et lavis, rehauts d'aquarelle et traits de sanguine. H. 0,166 ; L. 0,116.
Inscription : signé et daté en bas à droite : « C de Hoin fecit 1790. »
Historique : collection Feuillet de Borsat ; acquis le 8 décembre 1919 à la vente de la collection Lasquin, n° 31.
Expositions : 1927, Paris, n° 96 ; 1934, Paris, n° 48 ; 1963, Dijon, n° 72.
Bibliographie : Bourlard-Collin, n° 131 bis.

Marseille, musée Borély (inv. 68-92).

Au moment de la Révolution, l'artiste s'était engagé politiquement en gravant une *Apothéose de Mirabeau* (1792), et il est très possible qu'il se soit rapproché du groupe des Girondins, ce qui lui permit de dessiner ce portrait de Mme Roland. La lourde chevelure bouclée est très caractéristique des coiffures adoptées par les femmes durant les premières années de la Révolution.
Ce portrait a-t-il été exécuté au physionotrace ? Cela est probable, d'autant que cette technique, imaginée par le graveur Chrétien en 1786, connut un prodigieux succès durant la décennie révolutionnaire. Nous aurions dans ce cas l'un des portraits les plus fidèles de l'égérie des

Les femmes dans la Révolution française

La Révolution a permis aux femmes de passer du discours aux actes, de l'expression à l'action. Mais malheureusement leur participation n'a provoqué qu'un renforcement de leurs « chaînes », de leur assujettissement ; le Code civil mit un terme en 1800 à leurs revendications pour une juste égalité.

On peut se demander si cet échec ne vient pas en partie du hiatus entre la participation effective des femmes aux grandes journées révolutionnaires, et l'image « rousseauiste » que le siècle avait d'elles, reposant sur cette idée que la Nature a posé des limites, que la femme ne peut être à la fois révolutionnaire et nourricière.

L'éclosion des idées féministes
Des écrits essentiels virent le jour à la veille ou durant la Révolution ; des journaux même, que l'on peut déjà qualifier de féministes, connurent une existence éphémère.

« Féministe au masculin », Condorcet, dès la Constituante, dans sa *Déclaration des droits*, consacre une partie importante aux femmes. Dans l'*Admission des femmes au droit de cité*, très court article paru dans le *Journal de la société*, en 1790, il reprend les idées déjà abordées dans les *Lettres d'un bourgeois*, et l'*Essai sur la constitution*. Pour la première fois, Condorcet se place sur le plan de la différence des sexes et non plus seulement sur celui des classes, pour faire admettre le droit de cité aux femmes. Il insiste pourtant essentiellement sur les droits civils (droits à l'instruction, droits juridiques), et passe sous silence les droits politiques.

C'est à Olympe de Gouges que revient le mérite d'avoir affirmé, dans *les Droits de la Femme et de la Citoyenne*, la nécessité de la participation constante des femmes à la vie politique. « La femme a le droit de monter sur l'échafaud ; elle doit avoir également celui de monter à la Tribune. » Féministe intégrale, Olympe de Gouges est une solitaire ; elle est toujours restée à l'écart des clubs, et des actions de groupe, telles que la rédaction de pamphlets et journaux.

On a dénombré plus d'une trentaine de brochures féministes, traitant, en ce début de la Révolution, de l'égalité des hommes et des femmes : égalité dans le domaine familial, économique, politique. *Mémoires* anonymes *sur le divorce, Pétition des femmes du Tiers État au Roi*, mais aussi *Requête des Dames pour leur admission aux États généraux*, et même demande par une Mlle Jodin de tribunaux exclusivement féminins. D'autres développent l'argument selon lequel les femmes, payant des impôts, doivent avoir le droit de suffrage. Toutes ces revendications trouveront leur forme définitive dans la déclaration des *Droits de la Femme et de la Citoyenne* d'Olympe de Gouges.

Des journaux, également, jusqu'en 1791, se multiplient, soutenant la cause des femmes. Le *Courrier de l'Hymen* est le seul journal rédigé par des hommes et réellement soucieux du sort des femmes, sur le plan de ce qu'on pourrait appeler la presse du cœur. Mais des journaux politiques s'intéressent également aux revendications des femmes : le *Journal de la Société*, auquel collabora Condorcet, *la Bouche de fer*.

La pionnière du journalisme politique fut Louise-Félicité de Keralio qui fonda le *Journal de l'État et du Citoyen*. Beaucoup d'autres journaux enfin furent l'émanation de groupes de femmes, et notamment *les Étrennes nationales des Femmes*, qui publieront des quantités de propositions de décrets, allant jusqu'au principe de la liberté sexuelle.

Participation des femmes aux événements
Les citoyennes ne se contentèrent pas de réfléchir, elles voulurent également agir. Leur participation aux grandes journées a été démontrée : la prise de la Bastille, où l'on relève le nom de Marie Charpentier, « estropiée au feu en cette occasion ». Les journées de Versailles, des 5 et 6 octobre, ont été des manifestations de femmes ; les citoyennes aident aux travaux préparatoires des fêtes de la Fédération de 1790 ; elles sont présentes dans tous les défilés de Paris et de la province.

Ces mouvements que l'on peut qualifier de populaires ne sont inspirés par aucune « stratégie » féministe ; les femmes suivent leurs compagnons, mais cherchent à se présenter, ce faisant, comme des citoyennes à part entière. Leur participation à la vie politique ne se sépare pas d'ailleurs de la vie quotidienne.

▶

▶ A partir de 1793, elles se retrouvent aux côtés des sans-culottes dans les assemblées de sections. Sept sociétés populaires au moins les ont considérées comme membres de droit et de fait, titulaires de cartes, pouvant participer aux discussions, voter et siéger au bureau. Leur engagement est cependant moins politique, leur organisation plus informelle. Les marchés, les queues aux portes des boulangers, la rue étaient pour elles des tribunes politiques.

Les citoyennes, fin mai 1793, prennent une part active dans la lutte contre les Girondins. Proches des sans-culottes, elles restent particulièrement sensibles aux problèmes de la subsistance ; elles entourent Hébert et les Montagnards proches du peuple. Les insurrections de germinal et prairial commencent par leurs manifestations, causées le plus souvent par des problèmes alimentaires.

Certaines femmes enfin comprirent vite que ce n'était pas en suivant toujours les hommes qu'elles obtiendraient la satisfaction de leurs revendications. Devant les difficultés d'entrée dans les clubs politiques, de nombreux clubs à participation féminine se constituèrent dès 1790. D'abord limités au domaine philanthropique (éducation), après la déclaration de guerre du 11 juillet 1792, ces clubs s'ouvrirent à de nouvelles formes d'action : la lutte armée et la lutte contre l'ennemi intérieur.

Des femmes à Paris servirent dans la garde nationale, mais en province, cent cinquante-quatre légions d'amazones se constituèrent. La Convention ne supporta pas de les voir jouer un rôle dans l'armée ; les femmes trouvèrent alors un nouveau champ d'action dans la lutte contre la subversion intérieure : c'est dans ce but que fut créé le seul club exclusivement féminin à Paris : *le Club des citoyennes républicaines révolutionnaires*. Présidé par Claire Lacombe et Pauline Léon, il s'allia, toujours dans un souci de lutte contre la vie chère, au parti des Enragés. A cause de cet extrémisme, son existence, éphémère, ne dura que cinq mois ; une violente campagne antiféministe se déchaîna alors et entraîna, en 1793, la suppression des clubs féminins. C'en était fini du rôle des femmes dans la Révolution. Les militantes étaient désormais considérées comme des monstres qui dérogeaient à leur rôle de mères et d'épouses douces et fidèles.

La misogynie des révolutionnaires ne connut plus de bornes : leurs discours reflètent bien la phallocratie qu'ils partageaient avec les monarchistes et plus tard les bonapartistes. Amar, Gorsas, Lanjuinais traitent les femmes de « bacchantes », de « tigresses », de « cannibales femelles ». Sylvain Maréchal, ami de Babeuf, demande, en 1801, que l'on statue sur son projet intitulé *Sur l'interdiction d'apprendre à lire aux filles*. Théroigne de Méricourt sombre dans la folie, Olympe de Gouges est guillotinée, Claire Lacombe emprisonnée en avril 1794.

Les femmes sont ramenées à des préoccupations maternelles ; elles sont invitées à ne plus se soucier que d'éducation et de toilettes. C'est le débordement des « Incroyables ». Les rigueurs du Code civil napoléonien vont consacrer cette grande défaite féminine.

Les femmes n'ont pas réussi à démontrer aux hommes la nécessité de dépasser la vision rousseauiste de leur rôle dit « naturel ». Reléguées dans leur foyer, considérées comme des mineures, la Convention leur ôtera tout droit politique, même celui du port de la cocarde. Même échec dans l'obtention de l'égalité des droits civils. Le divorce est certes institué en septembre 1792, mais les garçons au-delà de sept ans sont confiés au père. Éternelle infantilisation de la femme ! Dans cet échec, les Jacobins portent une lourde responsabilité. Le Directoire, et encore plus le Consulat, avec le retour à l'ordre, détruisent ce qui ne fut qu'un rêve d'émancipation féminine.

Odile Krakovitch

Bibliographie

M. Albistur et D. Armogathe, *Histoire du féminisme français*, Paris, 1977 ; D. Godineau, « Vision de la participation des femmes à la Révolution française (1793 - an III) », dans *Mouvements populaires et conscience sociale*, Paris, 1985, pp. 573-581 ; M. Vovelle, *La Révolution française. Images et récits*, Paris, 1986, t. III, pp. 116-133.

A faut esperer q'eu se jeu la Finira bentot

J'savois ben Qu'jaurions not tour

Les Femmes des trois ordres (cat. 891 A et B).

Le Club des femmes patriotes (cat. 893).

Manon Phlipon ou *Madame Roland* (cat. 892).

Calendrier des femmes libres (cat. 894).

Girondins, charmante figure qui annonce les délicates effigies exécutées par Hoin après 1800, quand il se trouvait à Dijon.

Un portrait de profil, inversé par rapport à notre dessin, mais très proche, dû à Bonneville, se trouve conservé à la Bibliothèque nationale (coll. Hennin, n° 11713).   J.Be.

893
Le Club des femmes patriotes

par THÉRIEUX (?)

Aquarelle. H. 0,41; L. 0,55.
Historique : collection Destailleur.
Bibliographie : Vovelle, 1986, t. III, pp. 126-127; Gengembre, 1988, p. 52.

Paris, Bibliothèque nationale, cabinet des Estampes (inv. Ve 53g, t. 5, n° 909).

L'irruption des femmes dans la vie politique qui, à partir des 5 et 6 octobre 1789, caractérise la Révolution française a suscité, si l'on en juge par les témoignages figurés, plus de sarcasmes que d'enthousiasme : les tricoteuses, les jeunes filles chargées d'incarner la déesse Raison lors des fêtes révolutionnaires, les clubs féminins sont les principales cibles des opposants à la Révolution et ce jusqu'à une date avancée du XIXe siècle.

L'image ici présentée est une satire particulièrement méchante d'un club féminin (institution dont l'une des célèbres aquarelles découpées de Lesueur nous a laissé une image plus sympathique, *cf.* exp.: Paris, Carnavalet, 1982, n° 74). L'assemblée se tient dans une église transformée en amphithéâtre; l'ancien banc d'œuvre sert de tribune à la présidente qui agite sa cloche; devant elle, les secrétaires de séance dont l'une compulse un livre, sans doute le procès-verbal des séances de la Convention; en face, la chaire est occupée par une oratrice. Mais le dessinateur s'est surtout attaché à décrire les mimiques des mégères vociférantes et détailler certains visages dans un auditoire qui est, d'ailleurs, en partie masculin.

L'attitude des révolutionnaires à l'égard de l'engagement des femmes dans la politique fut fluctuante : si l'importance de celles-ci dans les « journées » des 5 et 6 octobre fut reconnue (mais ne disait-on pas aussi qu'il y avait parmi les émeutières un certain nombre d'hommes travestis), elles furent aussi dénoncées comme les principales responsables de nombreuses violences (comme l'assassinat de Simonneau, maire d'Étampes et champion malheureux du libéralisme économique). Peut-être est-ce la Société des républicains révolutionnaires que ce dessin veut stigmatiser? Le radicalisme de ce club, fondé par Anne Pauline Léon, contribua à déconsidérer Théroigne de Méricourt et à faire arrêter Olympe de Gouges, puis inquiéta les Jacobins eux-mêmes par ses liens avec les « Enragés » de Jacques Roux. En octobre 1793, les clubs féminins furent fermés et après les « journées de prairial » (20 et 23 mai 1795) les femmes n'eurent plus accès aux tribunes de l'Assemblée.

Malgré sa violence, ce dessin pourrait être considéré comme plus spécifiquement antiféministe que contre-révolutionnaire. On ne sait rien du signataire de ce dessin, Thérieux, auquel on ne peut refuser une certaine truculence. Il a donné par ailleurs une image sans doute exacte des dispositions matérielles d'un club populaire.

894
Calendrier des femmes libres

par Marguerite CHATTÉ

Dessin aquarellé.
Inscription : « Calendrier des femmes libres – Unité/ et/indivi/sibileté/de la Répub/ligue – Liberté/Égalité/Fratern^{té}/ou/la/Mort – Dessiné par la citoyenne Marguerite Chatté rue Jacques, n° 256 - 1795. »
Bibliographie : Vovelle, 1986, t. III, p. 117.

Paris, musée Carnavalet (inv. D 04711).

Calendrier de type perpétuel à monter; il suffit de faire apparaître dans le rectangle à gauche le nom du mois inscrit sur un disque mobile.

Il semble que la citoyenne Chatté, dont le domicile suggère qu'elle a pu être liée aux marchands d'estampes, nombreux dans la « ci-devant rue Saint-Jacques », se soit contentée de modifier un calendrier existant dont le frontispice était de caractère militaire et « masculin » en y ajoutant deux vignettes reprises de gravures célèbres, à gauche *La Jeune Française allant au Champ-de-Mars faire l'exercice* (Vovelle, 1986, t. III, p. 122), à droite *L'Amazone nationale (id.)* dont les culottes bouffantes ont été remplacées par un tablier.

Il est remarquable que ce calendrier porte la date de 1795, période où le mouvement des « femmes libres » au sens politique du terme était en singulière régression.

LES AMIS
DE LA LIBERTÉ

895
Réunion des réfugiés ci-devant Liégeois

par Joseph DREPPE

Lavis rehaussé de bistre, d'aquarelle et de blanc. H. 0,94; L. 0,68.
Inscription : le nom de l'artiste figure trois fois : au bas de l'autel de la Patrie : « J. Dreppe. Peintre de Liège »; sur une colonne renversée : « Dreppe »; à la fin de la légende explicative : « J. Dreppe. Peintre de la Municipalité de Liège »; inscriptions sur le socle où trône la France : « Liberté Égalité/Fraternité/Unité indivisibilité de la République/ou la Mort »; texte en dessous du dessin coupé en deux par la représentation du temple de l'Immortalité surmonté d'un œil :

« Assise sur un socle élevé, au milieu d'une gloire rayonnante, entourée des vertus républicaines./ appuyée sur le faisceau départemental, d'où sort une pique surmontée du bonnet de la liberté,/et soutenant l'équerre de l'égalité et la balance de la justice, la France reçoit et accueille la/ville de Liège. Celle-ci lui présente ses enfans, se jurant de nouveau union et fraternité. Des / groupes nombreux de citoyennes, des mères, des épouses, des enfants s'embrassent avec trans/port, et témoignent à leur mère adoptive les sentiments républicains qui remplissent leur / ame. L'encens fume sur l'autel de la Patrie, et tout annonce la fête de la Liberté //
De l'autre côté, sur le socle, la Vérité foudroye et précipite dans le néant la calomnie, le désespoir, / la discorde, l'envie, la perfidie et toute la horde infernale des vices conjurés contre l'union, / qui fait la force de la République et peut seule balayer à jamais ses ennemis. Sur un(e) montagne élevée brille le temple de l'Immortalité : les signes du zodiaque paraissent dans / les airs, et un vaste chêne, arbre de la Liberté, couronne de son ombrage le lieu où se passe / cette scène intéressante, si chère aux ci-devant Liégeois. /
Offert à l'Assemblée générale des Réfugiés, pro J. Dreppe / Peintre de la Municipalité de Liège. »
Historique : donation Brabant-Veckmans.
Expositions : 1964, Liège, p. 26; 1983, Liège, n° 18.

Liège, musée de l'Art wallon.

Relégué au second plan derrière le peintre Léonard Defrance qui reçoit les honneurs du prince-évêque « philosophe » Velbruck (1772-1784), Joseph Dreppe, devenu un des peintres les plus en vue de la cité mosane, n'en collabore pas moins en 1779 à la création de la Société d'émulation, envoie des œuvres à ses Salons et participe à ses concours. A l'avènement du prince-évêque despotique et contesté Hoensbroeck (1784-1794), il est nommé directeur et professeur de l'Académie de peinture et reçoit le titre honorifique de premier peintre de Son Altesse. Cela ne l'empêchera cependant pas d'adhérer aux principes des démocrates, lors de la révolution liégeoise (août 1789) et de réaliser des gravures allégoriques de circonstance. La première invasion française lui fournit l'occasion de réaliser un nouveau dessin politique, *Le Retour des réfugiés liégeois, le 10 avril 1793.* Contraint de fuir avec les troupes françaises après la victoire autrichienne de Neerwinden en mars 1793, il se retrouve parmi les révolutionnaires liégeois qui reçoivent dans la capitale française un accueil fraternel. Des fêtes sont organisées en leur honneur. Un dessin intitulé *Les Liégeois chassés par les tyrans adoptés par la France* (Liège, musée d'Armes) commémore ces événements. Très vite cependant des dissensions surgissent au sein des réfugiés liégeois. Le 15 juillet, une assemblée générale populaire des citoyens du ci-devant pays de Liège écarta la frange dite des « girondins » à laquelle Dreppe fut assimilé. Toutefois, après plusieurs tentatives de rapprochement, une réconciliation de principe de tous les émigrés liégeois eut lieu en février 1794. Sans doute est-ce cette « réunion » que célèbre ce très beau dessin de Dreppe.   A.Ja.

896
Jean-Baptiste, dit Anacharsis Cloots (1755-1794)

par Jean DUPLESSI-BERTAUX
Gravure à l'eau-forte. H. 0,470; L. 0,290.
Inscription : «Jean-Baptiste Anacharsis Clootz/orateur du genre humain à l'Assemblée Nationale de France le 19 juin 1790/décapité le 3 germinal l'an 2. Duplessi-Bertaux inv. et del./l'an 7 de la Répub./Duplessi-Bertaux aqua forti.»
Bibliographie : Roux, t. VIII, p. 327, n° 413.

Paris, Bibliothèque nationale, cabinet des Estampes (inv. N²).

Personnage étrange... Robespierre voyait en lui une fripouille. Comment la Révolution fit-elle de ce richissime baron prussien – encore n'était-il Prussien que par accident, son lieu de naissance, le duché de Clèves, en Rhénanie, appartenait à la Prusse – l'agitateur, le conventionnel, le parasite que l'on sait ? Dès 1789, il se lance dans la tourmente, écrivant des brochures et des pamphlets, dans un charabia grandiloquent. Cloots s'octroie des titres ronflants, «magistrat de la voix et de la plume», «orateur du genre humain». Il est partout, il juge et proteste, ainsi que le lui permet sa qualité, dont chacun rit sous cape.
Devenu Français, on le vit à la Convention. Ses origines le firent soupçonner d'être un agent prussien. On le guillotina, plutôt pour se débarrasser d'un gêneur qui nuisait à la respectabilité de la République, que par nécessité véritable.
J.Be.

897
Johann Reinhold Forster (1729-1798) et Johann Georg Forster (1754-1794)

par Daniel BERGER
Gravure. H. 0,165; L. 0,10.
Inscription : «Von D. Berger.»
Exposition : 1976, Francfort, Brême, p. 115.
Bibliographie : Bertschinger, 1987, p. 14.

Nuremberg, Germanisches Nationalmuseum (inv. Mp 7447).

Johann Georg Forster était l'un des plus ardents partisans de la Révolution française en Allemagne. Son enthousiasme pour les événements en France se traduisit non seulement par des écrits mais aussi par une activité politique effective durant la brève période de la république de Mayence (cat. 671 et 672). La gravure de Daniel Berger montre Forster en compagnie de son père Johann Reinhold Forster, tourné de profil vers la droite. Père et fils avaient participé de 1772 à 1775 au voyage de James Cook autour du monde et Georg Forster avait écrit en 1777 le journal de ce voyage en s'aidant des notes prises par son père. «Globe-trotters» et chercheurs naturalistes, ils furent souvent représentés côte à côte ; l'œuvre la plus connue est le tableau peint à l'huile par J.-F. Rigaud montrant le père et le fils à Tahiti, intensément plongés dans leurs études.
Cette gravure montre Johann Georg Forster à l'âge de vingt-huit ans. Il était alors professeur à Vilna. Six ans plus tard, il fut nommé bibliothécaire de la bibliothèque universitaire de Mayence. A partir de 1789, il suivit avec un grand enthousiasme les événements révolutionnaires dans le pays voisin. Un mois après l'entrée des troupes de l'armée révolutionnaire française, il adhéra au club jacobin de Mayence et en prit la présidence à la fin de la même année. Vice-président de l'administration générale, il organisait les prestations de serment et les élections. En mars 1793, il fut nommé vice-président de la Convention nationale des États allemands du Rhin et, fort de cette fonction, partit le même mois pour Paris afin de demander le rattachement de Mayence à la France. Les événements de la guerre l'empêchèrent de rentrer. Bien que témoin de la Terreur à Paris, il resta fidèle aux idées de la Révolution jusqu'à sa mort en 1794.
K.Ku.

898
Filippo Mazzei (1730-1816)

école de David, dernière décennie du XVIIIe siècle
Miniature sur ivoire. H. 0,145; L. 0,140.
Historique : appartenait à la famille Mazzei de Pise ; acquis en 1976.
Bibliographie : Bordes, 1983.

Florence, Biblioteca nazionale centrale.

Filippo Mazzei, remarquable représentant de la culture cosmopolite de la fin du siècle des Lumières, devint, très jeune, médecin en Asie mineure avant de se fixer à Londres où il fut commerçant, professeur d'histoire, et rencontra Benjamin Franklin.
Sur les conseils de ce dernier, il partit pour la Virginie où il obtint une concession agricole et put donner libre cours à ses idées indépendantistes. En 1788, il fut nommé représentant du roi de Pologne à Paris où il demeura jusqu'en 1791. Au cours de cette période, il rédigea d'intéressants rapports sur la Révolution française : *Recherches historiques et politiques sur les États-Unis de l'Amérique septentrionale* (quatre volumes, édités en 1788), *Memorie della vita e delle peregrinazioni del fiorentino Filippo Mazzei* (deux volumes, publiés en 1845-1848) ; il s'est surtout rendu célèbre en traduisant et en faisant

Citoyens français d'autres nations

À l'issue de la guerre d'Indépendance certains États d'Amérique avaient accordé le titre de citoyen à des combattants non américains. Cinq États donnèrent par décret ce titre à La Fayette.

Dès le 8 juin 1792, François de Neufchâteau avait demandé qu'une mesure analogue soit prise en faveur du savant anglais Priestley dont la maison avait été brûlée au cours d'une émeute, le 14 juillet 1791, alors qu'il présidait à Birmingham un banquet donné pour l'anniversaire de la prise de la Bastille. Cette proposition fut reprise et élargie par Marie-Joseph Chénier et le 26 août l'assemblée législative accorda le titre de citoyen français aux Anglais Joseph Priestley, Jérémie Bentham, William Wilberforce (défenseur des Noirs), Thomas Clarkson (anti-esclavagiste), James Mackintosh (pour sa réponse à Burke), David William, aux Allemands Anacharsis Cloots, Johann Henri Campe, Friedrich G. Klopstock, Friedrich von Schiller, au Polonais Adam Kosciuszko, au Hollandais Cornélius de Pauw, à l'Italien Gorani et aux Américains George Washington, Alexander Hamilton, James Madison et Thomas Paine.

Priestley, Paine et Cloots, devenus ainsi citoyens français, furent élus à la Convention mais Priestley ne vint pas siéger.

Le 17 février 1793 le même titre fut décerné au poète Joël Barlow.

A des titres divers, tous ces hommes méritaient le titre d'« amis de la Liberté » et leurs portraits auraient pu figurer dans cette exposition. On peut regretter que les circonstances n'aient pas, en particulier, permis d'évoquer aux yeux du visiteur la personnalité de Thomas Paine, à l'aide d'une caricature anglaise prévue à l'origine mais qui n'a pu être finalement présentée à Paris.

La liste de la Législative n'était pas cependant exhaustive : les femmes en étaient exclues ce qui avait écarté entre autres Mary Wollstonecraft qui avait elle aussi répondu à Burke par sa *Vindication of the Rights of Man*, Helen Maria Williams, Anglaise venue se fixer à Paris par admiration pour la Révolution ou la Napolitaine Eleonòra de Fonseca Pimental, publiciste encore peu connue il est vrai en 1792.

Peut-être aurait-on pu faire aussi figurer sur cette liste nombre d'aristocrates comme le comte de Schlabendorff, J.G. von Archenholtz ou le jeune prince Paul Stroganov. Mais ces noms relativement illustres ne doivent pas faire oublier les milliers de personnages plus modestes, petits bourgeois éclairés, enseignants, avocats ou membres du clergé qui, souvent en secret, suivirent avec enthousiasme puis parfois angoisse et déception la marche de la « Grande Révolution ».

Réunion des révolutionnaires liégeois, chassés par les Autrichiens en mars 1793, à Paris (cat. 895).

Anacharsis Cloots (cat. 896).

Johann Reinhold Forster
et Johann Georg Forster (cat. 897).

Filippo Mazzei (cat. 898).

José Liberato Freire de Carvalho (cat. 899).

Un patriote polonais (cat. 900).

publier dans un journal italien la *Lettera Mazzei,* reçue de son ami Thomas Jefferson le 24 avril 1796, dans laquelle ce dernier critiquait les tendances monarchistes des chefs fédéraux des États-Unis.

La miniature exposée ici, que Philippe Bordes attribue au célèbre miniaturiste Jean-Baptiste Isabey, élève de David, a été exécutée d'après le portrait de Mazzei peint précisément par David (musée du Louvre, inv. MI 1050). Le diplomate florentin eut en effet de fréquents contacts avec ce dernier pour le compte du roi de Pologne qui souhaitait enrichir ses collections. R.Ci.

899
José Liberato Freire de Carvalho
(1772-1855)

attribué à Gregorio Francisco de QUEIROS
Gravure au pointillé. H. 0,41 ; L. 0,495.

Lisbonne, Biblioteca nacional (inv. E.145 V).

De son vrai nom José Freire de Carvalho, il y ajouta le vocable « Liberato » après avoir abjuré les vœux religieux prononcés à l'âge de quinze ans chez les augustins de Coimbra. Francmaçon, il appartint à la loge « Fortaleza ». Bon écrivain, il fit du journalisme, notamment à Londres où il s'était réfugié pour échapper à l'Inquisition. C'est là qu'il fonda deux importants périodiques, *O Investigador Portuguez* en 1813 et *O Campeão Portuguez* en 1819. Il ne revint au Portugal qu'après la révolution libérale de 1820, et fut alors député aux Cortes.
                    M.-H.C.d.S. et A.M.-D.S.

900
Portrait d'un patriote polonais

par Jean-Pierre NORBLIN DE LA GOURDAINE
Huile sur toile. H. 0,79 ; L. 0,63.
Inscription : dans l'ovale à droite : « Concordia res parvae crescunt, 1789. »
Historique : don du fils de l'artiste au musée.
Bibliographie : O'Neill, 1980, n° 128 (avec bibliographie antérieure).

Orléans, musée des Beaux-Arts (inv. 681).

Selon une lettre du donateur, le modèle serait un certain « Gurowski, député de l'opposition à la dernière diète de Pologne ». Mais selon les recherches de J. Michalowski, il faudrait plutôt y reconnaître Marcin ou Stanislas Ledochowski (d'après une indication portée sur un dessin préparatoire, conservé au musée de Vinnitsa, en Ukraine).

Mais peut-être l'identité exacte du modèle importe-t-elle moins que la signification du portrait lui-même : le contraste entre ce jeune homme plein d'enthousiasme et l'aspect des gentilhommes qui l'entourent et qui, de la goinfrerie à l'envie, paraissent incarner tous les vices. Le bloc de pierre (?) sur lequel il s'appuie porte l'image d'un bonnet phrygien surmontant un faisceau de flèches avec une devise tirée de Salluste selon laquelle « la concorde fait grandir ce qui est petit », allusion évidente au rôle joué par les dissensions internes (et par le « liberum veto ») dans la destruction progressive du royaume polonais. La date de 1789 inscrite sous ces symboles est-elle celle du tableau ? Le fils de l'artiste en fixait l'exécution en 1794. La date de 1789 serait alors une référence aux événements de France et si le tableau était contemporain du soulèvement dirigé par Kosciuszko on comprendrait mieux l'intention satirique à l'égard de la noblesse polonaise.

A défaut d'un portrait de Kosciuszko lui-même,

il a paru intéressant de présenter dans cette exposition celui de cet « ami de la liberté » polonais, peint par un Français qui, installé en Pologne dès 1774, ne cacha jamais ses sympathies pour les patriotes dont il dessina les combats.

901
La Liberté française

par un auteur anonyme
Gravure à la roulette et à l'aquatinte, imprimée en couleurs. H. 0,245 ; L. 0,22.
Inscription : « Que faites-vous ? – Je chante la Liberté –/ la Liberté !
Mon cher vous êtes exalté –/ Pourquoi ? – dans cet état !
Oh ! mais ne vous déplaise/ C'est que je chante...
Eh ! bien. La Liberté française » ; dans le champ de l'estampe, sur un drapeau : « Vive/la Liberté. »
Bibliographie : Bruel, 1914, t. II, n° 1638 ; Vovelle, 1986, t. III, p. 39.

Paris, musée Carnavalet (inv. Ha 019 f. 006).

La figure du prisonnier enchaîné associée à l'image de la Bastille est un thème important de l'imagerie de 1789. Le dialogue entre l'oppresseur et l'opprimé en est un autre. Le type du « seigneur » est ici insolite : fines moustaches, boucles d'oreille, bonnet à plumet, long manteau fourré sans manches ; le bonnet du personnage assis n'est pas moins inhabituel. Bruel, commentant l'exemplaire de la collection de Vinck, identifiait le personnage debout comme un Turc (par allusion au despotisme « oriental » ?). Vovelle a suggéré que cette estampe fût polonaise ; même s'il est peu vraisemblable que l'œuvre ait été exécutée en Pologne même, il s'agit certainement du dialogue entre un magnat et un serf et d'une évocation des insurrections de Pologne vers 1793-1794.

« Que faites-vous ? - Je chante la Liberté française » (cat. 901).

XXIII
LES CONSTITUTIONS
À L'ESSAI

Entre 1789 et 1799, la France a « usé » trois Constitutions dont la deuxième, celle de l'an I, ne fut jamais appliquée et dont la troisième, celle du Directoire, ne put être officiellement maintenue qu'en étant constamment détournée ou violée. En 1789, pourtant, pour beaucoup de bons esprits, plus encore en Europe qu'en France même, la cause paraissait entendue : une Constitution « à l'anglaise », plus ou moins aménagée mais avec, en tout cas, chambre haute et « communes » était la solution toute trouvée aux problèmes français. La réalité fut autre : en contradiction avec la Déclaration des droits de l'homme qui lui servait de préambule, la Constitution, enfin votée le 3 septembre 1791, établit un régime censitaire, qui tentait d'équilibrer la souveraineté nationale et la prérogative royale en concentrant la première en une assemblée unique et en accordant au roi le droit de « veto ». Les débats, très longs, ont engendré une imagerie abondante qui privilégiait le rôle joué par Target, député par ailleurs assez obscur, auquel l'opinion fit l'honneur d'attribuer la paternité de la Constitution. Plus significatives, diverses tentatives furent faites pour solenniser et populariser le serment prêté, de fort mauvaise grâce et en toute mauvaise foi, par Louis XVI à cette Constitution.

La Constitution de l'an I, la plus démocratique admet-on le plus souvent qui ait jamais été rédigée en France, a pris la forme d'un acte constitutionnel promulgué le 24 juin 1793. L'application en fut différée « jusqu'à la paix » ; comme l'iconographie qui s'y attache, elle relève plus du domaine du mythe et de l'allégorie que de la réalité.

Quant à la très longue Constitution de l'an III, débattue pendant cinq mois par un conseil constitutionnel obsédé par l'équilibre des pouvoirs et par la crainte de l'insurrection populaire, elle fut votée le 22 août 1795 ; elle accentuait considérablement le caractère censitaire du droit de vote et instaurait le bicamérisme. Cinq années durant, tous les Français purent en observer les défauts mais les milieux politiques estimaient que quelques retouches suffiraient à l'améliorer et cherchèrent à tester ces améliorations possibles en rédigeant les Constitutions de certaines républiques sœurs.

Il faut noter que la période cruciale de la Révolution, celle de la Convention, se situe en fait hors de tout contexte constitutionnel : après le 10 août 1792 et la suspension du roi, l'Assemblée législative prit acte du caractère inapplicable de la Constitution de 1791 et convoqua une nouvelle Assemblée constituante : celle-ci nommée « Convention » par référence au précédent américain, assuma en fait le gouvernement de la France pendant trois ans.

La Constitution française, l'Égalité, la Loi (cat. 903, détail).

903
La Constitution française, l'Égalité, la Loi

par Pierre-Paul PRUD'HON

Mine de plomb, crayon noir et blanc, plume, sur papier verdâtre; partie supérieure: H. 0,29; L. 0,46; cartouches de droite et de gauche: H. 0,055; L. 0,11; cartel du milieu: H. 0,55; L. 0,18.

Inscription: dans le cartel du milieu: «Constitution française. La Sagesse unit la Loy avec la Liberté et celle-ci appelle à cette union la Nature avec tous ses droits.»

Historique: coll. Prud'hon fils (vente 18-19 décembre 1829, n° 107); Constantin; Marcille; famille Marcille-Jahan-Chévrier.

Expositions: 1860, Paris, n° 49; 1874, Paris, n° 248; 1879, Paris, n° 644; 1884, Paris, n° 520; 1889, Paris, n° 482; 1922, Paris, n° 176; 1958, Paris, n°s 69-72; 1959, Dijon, n°s 47-49.

Bibliographie: Clément, 1872, p. 213, Goncourt, 1876, n° 67, pp. 153-155; Guiffrey, 1924, n°s 388-390; Levis-Godechot, 1988, pp. 262-264.

Paris, collection particulière.

Cette admirable et célèbre allégorie révolutionnaire de Prud'hon est également connue par un dessin au trait conservé au musée de Dijon et qui n'en diffère que par le bonnet de la Liberté (plume et encre de Chine; legs Anatole Devosge; inv. CA. 706) et par la gravure largement diffusée par Copia.
Nous reproduisons ici la description qu'en donne Guiffrey complétée de quelques détails que nous fournit E. de Goncourt: «Au milieu, Minerve ("couverte d'un casque et d'une cuirasse sur lesquels brille le Soleil de la Vérité") debout sur une marche, appuie les bras sur les épaules de la Liberté et de la Loi, qui se serrent la main. La Liberté foulant aux pieds un joug et des chaînes, appelle la Nature, qui tient par la main ses enfants, portant une bêche et le triangle de l'Égalité. («Un animal qui dans l'état de domesticité n'a jamais pu être réduit à l'état de servitude, un chat, emblème de l'Indépendance, est assis aux pieds de la Liberté.») La Loi tient un sceptre surmonté d'un coq ("le sceptre de la Vigilance"), près d'elle, un enfant porte une branche de chêne et une tablette sur laquelle est écrit: LA LOI SÛRETÉ DE TOUS; des génies conduisent en laisse un lion et un agneau. Au-dessous de ce groupe, sont disposés deux cartouches. Dans celui de gauche, l'Égalité, assise, partage une orange entre trois enfants; dans celui de droite, la Loi protège un enfant contre le Meurtre qui se précipite, le poignard levé. Ces deux compositions sont traitées à l'imitation de bas-reliefs (...).»
Notons que la grande réussite de cette allégorie, au message immédiatement perceptible et dont la beauté plastique n'est plus à démontrer, fit qu'elle devint une œuvre intemporelle qui, de révolutionnaire et en l'honneur de la Constitution, put être facilement détournée à la gloire de Napoléon Ier. En effet, le cinquième état de la gravure de Copia portait sur le cartel, non plus le texte donné par Prud'hon sur son dessin, mais celui-ci: «Cette allégorie est consacrée au génie immortel de Napoléon Ier.» Les autres inscriptions furent également modifiées. B.Ga.

904
Louis XVI jurant fidélité à la Constitution

attribué à Nicolas-Guy BRENET

Huile sur toile. H. 0,605; L. 0,465.

Historique: legs de Silguy au musée de Quimper en 1864.

Exposition: 1987, Paris, mairie du 5e arr., n° 81.

Bibliographie: Gauguet-Hombron, 1873, n° 574; Bordes, 1983, repr. p. 29; Vovelle, 1986, t. II, p. 305; Levêque, 1987, repr. p. 20.

Quimper, musée des Beaux-Arts (inv. 873-1-436).

Parmi les nombreux serments civiques de l'époque révolutionnaire, celui du 4 février 1790 correspond au serment des députés de l'Assemblée nationale en présence du roi et non à un serment du roi lui-même (le titre de ce tableau a parfois été accompagné de la date du 4 février 1790). Ici le roi, prêtant effectivement serment, apparaît comme le personnage central autour duquel s'ordonne la composition. Aussi, nous pensons que cette esquisse allégorique peut tout à fait être en rapport avec la fête de la Fédération, le 14 juillet 1790, où chacun, comme on le voit ici, dans l'allégresse générale et toutes classes mêlées, gentilhomme, roturier, militaire, membre du clergé, «jura d'être fidèle à la Nation, à la Loi et au Roi» et de «maintenir la Constitution du royaume décrétée par l'Assemblée nationale»; le roi lui-même jura «à la Nation de maintenir et faire exécuter les Lois» dont on voit les tables présentées sur l'autel de la Patrie; au premier plan, la Justice, tenant sa balance, contemple la scène. Par la suite, la Constitution française fut proclamée le 3 septembre 1791 et, le 14 septembre suivant, le roi y prêta serment devant l'Assemblée nationale.
On notera avec intérêt à quel point cette œuvre particulièrement enlevée et d'un esprit encore très XVIIIe siècle dans le traitement de l'allégorie peut être éloignée de l'allégorie telle que l'entendait Prud'hon «qui privilégie toujours l'idée, le concept» (N. Levis-Godechot, 1988, p. 263) comme le prouve sa *Constitution française* (cat. 903).
L'attribution à Brenet de cette œuvre de qualité, loin d'être récente, remonte à une tradition ancienne contemporaine de Silguy qui, collectionneur averti, jugea bon de la maintenir et la fit figurer dans son manuscrit (où elle figure sous le n° 1060) comme étant «signé Brenet», ce qui correspond à une inscription ancienne au dos de la toile.
L'œuvre est effectivement celle d'un artiste à la fois ouvert aux idées nouvelles mais qui n'en reste pas moins attaché à l'Ancien Régime, tant par le style que par le sujet lui-même.
Notons enfin que fut avancé à tort, comme auteur de ce tableau, le nom de François Valentin, artiste breton et révolutionnaire modéré (nous remercions M. André Cariou de cette communication). B.Ga.

905
Le Triomphe de la République, ou de la Constitution de l'an I

par Joseph-Marie VIEN

Plume et encre noire, lavis gris et brun avec rehauts de gouache blanche sur traits de pierre noire; traces de mise au carreau. H. 0,340; L. 0,480.

Inscription: en bas à gauche: «Vien».

Historique: destiné au concours de l'an III; coll. de l'artiste; coll. Chanlaire; vente Chanlaire, Paris, 1860, n° 304; coll. Chennevières, 1re vente Chennevières, Paris, 1898, n° 189; vente, Paris, 1976, n° 9; donné par M. Moatti en 1981 au musée du Louvre.

Expositions: an III (1794), Paris, Louvre; 1889, Paris; 1984, Paris, n° 84, pp. 56-57.

Bibliographie: Chennevières, 1896, t. XII, pp. 29-31; Guillaume, 1901, t. IV, p. 672; Orlander, 1980, t. I, p. 24; Lugand, 1980, p. 180, note 7; Cantarel Bresson, 1981, t. I, p. 111, et t. II, p. 188, note 291; Gaehtgens-Lugand, 1988, n° 142, p. 252.

Paris, musée du Louvre, cabinet des Dessins (inv. R.F.38.804).

Dans une lettre adressée au Comité d'instruction publique en date du 1er messidor an II (19 juin 1794), Vien demande à exposer au Louvre son dessin du *Triomphe de la République*: «J'ai essayé à soixante-dix-huit ans de tracer le triomphe de la République; mais je n'ai pu terminer mon dessin dans les délais prescrits et je vous en donne donc connaissance, sans aucune prétention, mais seulement pour savoir de vous si je puis l'exposer. C'est un hommage que je m'empresse de rendre à la Loi et un exemple que, sur mes vieux ans, je crois devoir donner à la jeunesse. Salut et Fraternité. Vien.» (Arch. Louvre, X, Salon.) Les artistes désirant participer au Concours de l'an II avaient en effet déposé leurs œuvres entre le 8 et le 20 prairial an II (27 mai - 8 juin 1794) (la plupart les 9 et 10 prairial). Vien renonça donc de lui-même au concours, mais il obtint l'autorisation d'exposer son dessin; celui-ci fut donc enregistré dans le registre de dépôt où devaient figurer toutes les œuvres exposées au Louvre (A.N. D* XXXVc-1, n° 1657).
Chennevières à qui appartient le dessin raconte avec humour que David pressa le vieil artiste à composer une œuvre en l'honneur de la Révolution afin de prouver la ferveur de son patriotisme mais rien n'établit la véracité de cette anecdote. La mise en place du concours et surtout son jugement, initialement prévu pour le 10 thermidor an II (28 juillet 1794), fut évidemment troublé par la journée du 9 et la chute de Robespierre. De nombreux membres du jury changèrent alors et le 9 frimaire an III (29 novembre 1794) un nouveau jury est établi par décret; Vien se trouva alors désigné comme président de ce second jury. Le 16 brumaire précédent (6 novembre 1794), Vien avait demandé à retirer son dessin de

Allégorie de la Constitution de 1791 (cat. 903).

Louis XVI jurant fidélité à la Constitution (cat. 904).

Le Triomphe de la République, ou de la Constitution de 1793 (cat. 905).

La Liberté présentant la Constitution de 1795 (cat. 906).

Allégorie du Directoire, tableau représentant autrefois *Le Martyre de sainte Ursule* (cat. 907).

l'exposition sous le prétexte de lui donner un pendant (arch. Louvre, BB2, pièce 38). On sait que le jugement de ce concours, auquel Vien n'obtint donc pas de prix, fut finalement prononcé le 13 germinal an III (2 avril 1795).

Ce *Triomphe de la République* est une adaptation des «Triomphes» de l'Antiquité à l'idéologie révolutionnaire; il est également très proche du célèbre *Triomphe du peuple français* de David (deux dessins conservés, Paris, musée du Louvre, vers 1792-1793; Paris, musée Carnavalet, 1794). Vien reprend au dessin de David l'idée du char de triomphe, la disposition en frise du cortège et la représentation du peuple français en Hercule portant sa massue, que l'on voit ici tirant le char. La figure portée en triomphe, vêtue à l'antique, ne porte effectivement pas les attributs donnés habituellement à la République ou à la Révolution. Elle amène ici la Paix et l'Abondance comme l'indiquent la branche d'olivier et la corne d'abondance, et pourrait tout à fait symboliser la Constitution de 1793 dont le char vient de passer sous l'arche triomphal; derrière elle, également vêtues à l'antique, sont figurées l'Égalité et la Fraternité, puis le génie ailé de la Raison qui semble expliquer au peuple l'importance de l'événement. Au premier plan, la Nature agenouillée est accompagnée de ses enfants et au-dessus du cortège la Renommée accompagne ce «Triomphe».

L'importance des éléments architecturaux du second plan et la façon de distribuer dans l'espace les différents groupes de personnages se retrouvent identiques dans d'autres dessins de Vien de datation proche comme le *Triomphe d'une danseuse*, 1794 (Berlin, Staatliche Museen, Kupferstichkabinett) appartenant à la série des *Jeux des nymphes et des amours* et *Le Départ des prisonniers*, 1795 (Rome, coll. part.) ou encore le *Renversement de la statue d'un tyran*, 1795 (Berlin, Staatliche Museen, Kupferstichkabinett), tous deux faisant partie de la série des *Vicissitudes de la Guerre*. Notons enfin qu'un dessin analogue à celui-ci, rapidement ébauché à la plume, est conservé au musée de Béziers.   B.Ga.

906
La Liberté présentant la Constitution de l'an III

par Luc BRETON

Statuette, terre cuite. H. 0,685; L. 0,34; Pr. 0,19.
Inscription: sur la tablette: «Constitutio/De/L'an 3.»
Historique: don de l'école des Beaux-Arts de Besançon en 1849.
Bibliographie: cat. Besançon, 1865, p. 111, n° 520; cat. Besançon, 1886, p. 241, n° 917; Gauthier, 1899, pp. 670 et 674; Lami, 1910, p. 134.

Besançon, musée des Beaux-Arts et d'Archéologie (inv. 849-35-10).

La Constitution de l'an III (22 août 1795) fut rédigée par la Convention avant que celle-ci ne se sépare. Toujours précédée de la Décla-

ration des droits de l'homme, elle marque pourtant, dans son souci démocratique, un net recul par rapport, bien sûr, à la Constitution de 1793, mais également à celle de 1789. Les droits et devoirs liés à la propriété et à son maintien sont clairement soulignés (article 8), en liaison avec le choix des électeurs. La phrase célèbre de Boissy d'Anglas, un des principaux rédacteurs du texte, en révèle l'esprit: «Un pays gouverné par les propriétaires est dans l'ordre social, celui où les non-propriétaires gouvernent est dans l'état de nature.» Les électeurs étaient choisis par les citoyens actifs (tout Français âgé de vingt et un ans payant un impôt direct) selon les critères suivants: il fallait être propriétaire d'un bien rapportant un revenu de deux cents journées de travail ou être locataire d'une habitation d'un loyer de cent cinquante journées. Les électeurs étaient environ trente mille pour l'ensemble du pays. Les Thermidoriens, craignant la dictature d'une assemblée ou d'un homme, entourèrent l'organisation des pouvoirs publics d'un luxe de précautions (renouvellements annuels de la moitié ou du tiers des assemblées administratives) qui permit cependant, à terme, l'infiltration du bonapartisme au sein d'un pouvoir éclaté (législatif avec le bicamérisme du conseil des Cinq-Cents et du conseil des Anciens, exécutif avec le Directoire composé de cinq membres), rapidement désuni et bientôt désarmé.

Luc Breton, important sculpteur bisontin, après un long séjour à Rome, fut principalement actif à Besançon; il y créa en 1774 avec le peintre Wyrsch une école gratuite de peinture et de dessin qui resta ouverte jusqu'en 1792. Malgré ses liens avec l'aristocratie locale, il continua de travailler pendant la Révolution, réalisant un monument à Mirabeau à Pontarlier, en 1791, et le buste du président du tribunal révolutionnaire de Besançon. Il sculpta une statue de la *Loi* en pierre de Tonnerre (1794) pour la salle du conseil de la commune, à l'hôtel de ville; une terre cuite au musée de Besançon nous en garde le souvenir. De même la statue de la *Liberté*, également en pierre de Tonnerre, qui se trouvait dans la grande salle du palais de justice de Besançon (celle des fêtes décadaires, selon Gauthier), n'est plus connue que par le petit modèle en terre cuite, ici exposé. Ces deux œuvres furent imposées à Luc Breton comme condition du replacement dans l'église Saint-Pierre de sa *Vierge de Pitié*, expulsée au temps de la déchristianisation. L'esquisse en terre cuite nous présente le style puissant et volontiers monumental du sculpteur. La Liberté, simplement drapée, est coiffée du bonnet phrygien; à ses pieds est déposé le faisceau de la Justice.   G.Sc.

907
Allégorie du Directoire
autrefois *Martyre de sainte Ursule*

attribué à FEURE ou FEVRE et complété par un peintre anonyme

Huile sur toile. H. 2,45; L. 1,60.

Inscription: sur le châssis: «FEURE» ou «FEVRE».
Historique: saisie révolutionnaire du couvent des Ursulines de Tours en 1794; appartient à l'ancien fonds du musée; déposée en 1965 à la chapelle Saint-Michel de l'ancien couvent des Ursulines.
Bibliographie: B. Lossky, 1965, pp. 181-182.

Tours, musée des Beaux-Arts (inv. 64-6-1).

Cette curieuse et intéressante *Sainte Ursule* fait partie des tableaux dont les sujets furent détournés à l'époque révolutionnaire. L'histoire du tableau nous est connue par un ancien inventaire conservé aux Archives nationales (F^{17} 1270 A, pièce 164) dont Boris Lossky a publié les différents éléments en rapport avec ce tableau. Cette *Sainte Ursule* représentée «debout, vêtue de blanc, une de ses compagnes morte à ses pieds, un soldat tenant une hache dont il vient de frapper la martyre» dut en l'an II (l'inventaire est daté du 7 prairial de l'an II, soit le 26 mai 1794) orner la «ci-devant chapelle (aujourd'hui salle des États) du musée, servant de salle d'exercice et de distribution des récompenses» non sans avoir, au préalable, subi quelques transformations: «Ce tableau bien conservé a été mis à l'ordre du jour allégorique représentant la France montrant au soldat le vaisseau pavillon anglais; au bas de la femme morte l'on a mis une couronne brisée et les chartes de privilège jetées dans un marais.» La sainte ainsi transformée en allégorie de la France se vit de plus coiffée de tricolore. Mais les bouleversements politiques de cette époque troublée valurent d'autres transformations à cette sainte Ursule qui devint alors *Le Directoire sous les traits de la Concorde qui clôt l'ère de la Terreur*, la couronne et le pavillon anglais ayant été recouverts et un caducée placé dans la main de la sainte.

                                    B.Ga.

908
Carabine au chiffre de Barras

par Nicolas-Noël BOUTET

Manufacture d'armes de Versailles.
Canon en acier bleui, ciselé et doré, fût de noyer sculpté et gravé, plaque d'argent. L. 0,98.
Inscription: poinçons au tonnerre du canon: «CE. NB. LC»; sur le canon: «Boutet, Directeur, artiste»; sur la platine: «Manuf^{re} à Versailles.»
Historique: exécuté pour le conventionnel et directeur Paul-Jean-François-Nicolas de Barras (1755-1829); legs Georges Ruffin, 1934.
Bibliographie: Charles, dans *Armes anciennes...*, 1974, n° 11.

Paris, musée du Louvre, département des Objets d'art (inv. OA 8253).

Lorsque, fin 1792, des ateliers d'armes se créèrent un peu partout en France, Nicolas Boutet, «arquebusier ordinaire du Roy», se vit confier par Pierre Bénézech, futur ministre de l'Intérieur du Directoire, la direction d'un atelier pour le district de Versailles, qui devint la manufacture d'armes de Versailles le 22 août 1793, à l'égal des anciennes manufactures royales. A partir de septembre 1794, Boutet,

Carabine au chiffre de Barras (cat. 908).

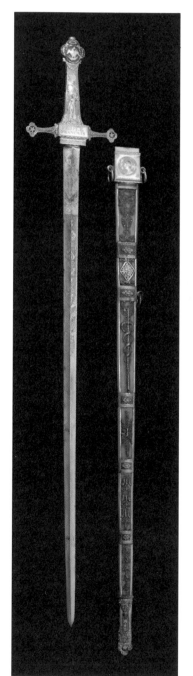

(cat. 909, détail).

(cat. 910, détail).

Glaive de directeur de Sieyès et son fourreau (cat. 909).

Glaive de directeur de Reubell et son fourreau (cat. 910).

Toge de représentant du peuple ayant appartenu à Reubell (cat. 911).

en plus de la fabrication de carabines destinées à l'armement des officiers et sous-officiers, s'occupa de celle des armes de luxe qui lui valurent rapidement une réputation européenne; parmi ces armes certaines furent offertes comme récompenses militaires ou comme prix pour les courses à pied, à cheval, et les courses de chars lors de la première exposition des produits de l'industrie (1798) et de l'anniversaire du 14 Juillet an VIII (1799). Le Consulat donna en concession pour dix-huit ans la manufacture à Boutet qui devint le fournisseur privilégié de l'Empire. En 1815, il reprit le titre d'«arquebusier ordinaire du Roi», mais en 1818 il n'obtint pas le renouvellement de son contrat. Boutet mourut dans la gêne en 1833. La carabine aux armes de Barras porte des poinçons qui ont été identifiés comme antérieurs à 1800 et un décor très raffiné encore exécuté dans le style de Louis XVI. Barras, nommé en octobre 1795 membre du Directoire, chargé de la police, était un grand amateur d'armes. Il posséda plusieurs fusils et paires de pistolets, provenant de la manufacture de Versailles, qui avaient pu lui être donnés par le Directoire exécutif car on sait que ce dernier offrit au directeur Reubell, chargé des Affaires étrangères, une carabine et un fusil double.

A.Le.

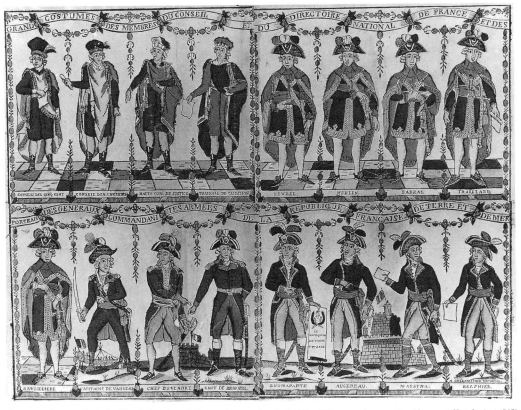

Portraits des membres du Directoire, des généraux des armées de la République, costumes et uniformes officiels (cat. 912).

909
Glaive de directeur de Sieyès et son fourreau

Bronze doré, fourreau en bronze et velours rouge.
L. totale 1,003; L. glaive 0,952; L. fourreau 0,822.
Historique: achat du musée en 1986.
Bibliographie: *Art et Curiosité*, février-avril 1983, pp. 98-111.

Vizille, musée de la Révolution française (inv. 86.241; glaive: 86.241.1; fourreau: 86.241.2).

910
Glaive de directeur de Reubell et son fourreau

Acier, or, laiton, fourreau en bronze et velours rouge.
L. totale 0,960 (manque la bouterolle); L. fourreau 0,632.
Historique: don testamentaire de J.-J. Reubell en 1929.
Bibliographie: Baschford, 1929.

Colmar, musée d'Unterlinden (inv. 232).

De même que les représentants du peuple portaient un costume conçu à partir des dessins de David, les directeurs revêtaient un habit rouge à larges revers et parements blancs brodés d'or, une tunique blanche galonnée d'or avec ceinture-écharpe azur à effilés d'or, une chemise à large col Louis XIII, des bas blancs, des chaussures à nœuds et un bicorne à plumes tricolores. Ces costumes nous sont connus par le recueil de Duplessi-Bertaux, publié par Bon-

neville, et par ceux d'Alix publié par Chéreau, et de Labrousse par Basset. Un glaive standardisé rappelait l'officialité de la fonction de directeur. Ils portaient au nœud de croisière le mot «UNITÉ». La lame était gravée sur une face de l'inscription «POUR LE SALUT DE LA PATRIE», et sur l'autre «POUR RAMENER LA PAIX». Des motifs décoratifs ornaient le pommeau, la fusée (la Justice) et la lame. Le glaive de Sieyès, semblable en tous points à celui de Reubell, servit au révolutionnaire en 1799 lorsqu'il entra au Directoire, précisément en remplacement de Reubell, élu dès le premier scrutin de 1795.

J.Be.

911
Toge de représentant du peuple ayant appartenu à Jean-François Reubell

Casimir et lainage rouge orné d'une grecque noire.
Historique: legs de Mlle Reubell en 1925.

Colmar, musée d'Unterlinden.

Le costume fut un souci constant pour les révolutionnaires. Chaque catégorie sociale avait le sien, véritable signe de reconnaissance, pour les sans-culottes comme pour les Jacobins. Ce fut sous l'influence de Lesueur que la Société des artistes, créée en 1793, publia une *Considération sur les avantages de changer le costume français,* dans laquelle furent gravés les projets de l'artiste. Pourtant, sous la Convention, les députés ne portaient pas de costume spécifique à leur fonction. La simplicité républicaine seule était de mise.
Mais un décret du 3 brumaire an IV (25 octobre 1795) fixa les uniformes des nouvelles autorités, celles du Directoire. Ce décret

était l'aboutissement des souhaits formulés dès 1793 par le Comité de Salut public. Le 25 floréal an II (14 mai 1794), David avait été chargé de présenter des projets de costume de représentant du peuple (dessins aquarellés, conservés au Louvre et au musée Carnavalet). Les députés portèrent ainsi des toges et des tuniques à la romaine, et se coiffèrent de toques emplumées. Certains de ces vêtements ont subsisté. Le musée de Lunéville conserve ainsi une toque du conseil des Anciens. Le grand manteau de Reubell, qui fut directeur dès les origines jusqu'au 25 floréal an VII (14 mai 1799) nous a été également conservé. Il date très certainement de 1799, Reubell ayant été élu au conseil des Anciens aussitôt après avoir quitté le Directoire.

J.Be.

912
Portraits des membres du Directoire, des généraux des armées de la République, costumes et uniformes officiels

par un auteur anonyme

Gravure sur bois de fil coloré au pochoir. Deux feuilles collées. H. 0,660; L. 0,860.
Inscription: «Grands costumes des Membres du Conseil et du Directoire national de France et des/ portraits des Généraux commandant les armées de la République française de terre et de mer»; sous les figures: «Conseil des cinq cents - Conseil des anciens - Haute-cour de Justice - Tribunal de Cassation - Reubell - Merlin - Barras - Traillard Reveillière - Capitaine de vaisseau - Chef d'escadre - Chef de brigade - Buonaparte - Augereau - Masséna - Berthier»; sur un papier placé dans la main de

Costume de représentant du peuple aux armées (cat. 914 A).

Habit civil du citoyen français (cat. 914 B).

Officier municipal avec l'écharpe (cat. 914 C).

Habit du citoyen français « dans l'intérieur » (cat. 914 D).

Bonaparte : «le vainqueur/de toute/l'Italie.» - «A Orléans chez Letourmi.»

Historique : ancienne collection Louis Ferrand.
Exposition : 1987-1988, Paris, A.T.P., nos 153-154.
Bibliographie : Martin, 1928, nº 107 ; Saulnier, 1945, pp. 90 et 95.

Paris, musée national des Arts et Traditions populaires (E. 987.40.2).

D'après les noms des directeurs on peut situer l'exécution de cette estampe entre le 15 mai 1798, date à laquelle Treilhard (écrit Traillard) remplaça François de Neufchâteau, et le 16 mai 1799 où Sieyès fut élu en remplacement de Reubell (La Revellière-Lépeaux et Merlin de Douai seront contraints de démissionner le 18 juin, le lendemain de la cassation de l'élection de Treilhard). Tout aussi significatif, le texte mis entre les mains de Bonaparte (alors en Égypte) annonce les prochains bouleversements politiques qui entraîneront, entre autres, la disparition des costumes «à l'antique» des membres des Conseils et des hauts magistrats.

913
Costumes des représentants du peuple français, des directeurs, des magistrats et de divers fonctionnaires sous le Directoire

---

Estampe en couleurs. H. 0,370 ; L. 0,290.
Inscription : «Abiti dei Rappresentanti del Popolo Francese/In Nizza presso la Calcografia Nazionale, 1796 e in Italia presso i principali Mercanti di Stampe» ; dans le champ de l'estampe au centre : «Sala del Consiglio dei Cinquecento» ; tout autour : «Membre del Consiglio/degli Anziani-Membro del Direttorio/Esecutivo in Gala - Segretario del Direttorio/esecutivo-Membre de Dirett° Esecutivo/in Abito Giornaliere - Membre del Consiglio/dei Cinquecento - Ministro-Messaggiero di Stato - Membro dell'Alta Corte/di Giustizia - Membro del Tribunale/di Cassazione - Membro del Tribunal/Criminale - Tesoriere - Agente del Dirett° Esecutivo/presso le Colonie fran-

cesi - Giudice del Tribunal/Correttivo-Usciere del Dirett° Esecutivo/del Corpo/Legislativo-Presidente dell' Amministraz./Municipale-Membro del Tribunal/Civile - Guidice di Pace - Commissario del Dirett° Execut./presso i Tribunali - Membro dell'Amminuistraz.ne/Dipartimentale.»
Bibliographie : Arrigoni-Bertarelli, 1932, nº 1692.

Milan, Castello Sforzesco, Raccolta civica di Stampe Achille Bertarelli (inv. Cart. m. 10.67).

Tableau très complet et hiérarchique des principales fonctions politiques et judiciaires du système issu de la Constitution de l'an III qui témoigne d'un effort de propagande officielle pour faire connaître ces institutions dans le comté de Nice, annexé dès 1793, et en Italie. Cette estampe pourrait dater de la période 1796-1797.

---

914 A, B, C, D, E, F et G
Costumes républicains

---

par Dominique Vivant DENON, d'après Jacques-Louis David

A. *Représentant du Peuple aux Armées*
Eau-forte coloriée. H. 0,388 ; L. 0,250.
«David inv./Denon Scul.» (AD XXᶜ 94-95, pièce 24).

B. *Habit civil du Citoyen François*
Eau-forte. H. 0,401 ; L. 0,258.
«David inv./Denon Scul.» (AD XXᶜ 94-95, pièce 47).

C. *Officier municipal avec l'écharpe*
Eau-forte. H. 0,402 ; L. 0,260.
«David inv./Denon Scul.» (AD XXᶜ 94-95, pièce 71).

D. *Habit du Citoyen Français dans l'intérieur*
Eau-forte. H. 0,402 ; L. 0,257.
«David inv./Denon Scul.» (AD XXᶜ 94-95, pièce 91).

E. *Le Législateur en fonction*
Eau-forte. H. 0,402 ; L. 0,263.
«David inv./Denon Scul.» (AD XXᶜ. 94-95, pièce 115).

F. *Représentant du Peuple François en fonction*
Eau-forte. H. 0,433 ; L. 0,290.
«David inv./Denon Scul.» (AD XXᶜ 94-95, pièce 125).

G. *Habit militaire*
Eau-forte coloriée. H. 0,438 ; L. 0,291.
«David inv./Denon Scul.» (AD XXᶜ 94-95, pièce 170).

Bibliographie : Hould, 1988, pp. 30-32.

Paris, Archives nationales (inv. XXᶜ 94-95).

Le 25 floréal an II (14 mai 1794), le Comité de Salut public chargeait David, membre du Comité de Sûreté générale, «de présenter ses vues et projets sur les moyens d'améliorer le costume actuel et de l'approprier aux mœurs républicaines et du caractère de la Révolution». Dix jours plus tard, l'artiste présentait sa série de costumes dessinés (deux conservés au musée Carnavalet, quatre à Versailles et un à la Bibliothèque nationale). Ces vêtements ne furent pas adoptés, mais le 24 mai, «David avait été autorisé à faire graver et colorier divers projets d'habillement national (...) pour en être distribué un exemplaire à chacun des membres de la Convention au nombre de 20 000 pour le modèle de l'habillement civil et 6 000 de chacun des autres» (*cf.* A. Aulard, *Actes du Comité de Salut public*, 1889-1933, t. XIII, p. 715).

Denon, qui avait déjà travaillé avec David (gravure du *Serment du Jeu de paume*), accepta de tirer ces épreuves (62 000 selon Claudette Hould) pour prouver son civisme. Toutes ne furent pas coloriées ainsi qu'il ressort des exemplaires conservés aux Archives nationales. Ces costumes étaient inspirés par les modèles antiques, toges, toques, et prônaient le dépouillement spartiate. Rien n'était laissé au goût personnel. La signification primait l'esthétique. Ces projets influenceront grandement les costumes des autorités du Directoire.   J.Be.

stume du législateur en fonction

Costume du représentant du peuple en fonction

Habit militaire (cat. 914 G).

Costume de ministre d'État, caricature anglaise (cat. 915 A).

Costumes des membres du Conseil des Anciens, caricature anglaise (cat. 915 B).

Costumes des membres du Conseil des Cinq-Cents, caricature anglaise (cat. 915 C).

915 A, B et C
Tenues françaises (French Habits)

par James GILLRAY

A. *Le Ministre d'État.*

B. *Les Membres du Conseil des Anciens.*

C. *Les Membres du Conseil des Cinq-Cents.*

Gravures colorées. H. 0,220 ; L. 0,165.

Bibliographie : cat. British Museum, n° 9196-8.

Londres, British Museum (inv. 9196, 186, 187).

Cet ensemble de planches, publiées le 18 avril 1798 par Humphrey, réunies sous le titre *Habits of New French Legislators and other Public Functionaries* (Tenues des nouveaux législateurs français et autres fonctionnaires) est une double satire, caractéristique chez Gillray. On y voit, outrés, les vêtements à la mode du Directoire, tels qu'ils sont portés par les hommes d'État. Mais, ici, ils le sont par les membres de l'opposition whig. Charles James Fox est ainsi représenté, ventripotent et mal rasé, en costume de ministre d'État, en train de piétiner les armes royales. Les aristocrates whig : Lansdowne, Norfolk et Grafton sont en costume du conseil des Anciens, tandis que

Derby, Lauderdale, M.A. Taylor et Grey portent l'habit du conseil des Cinq-Cents. Un recueil sur les costumes du Directoire avait été publié en Angleterre par E. & S. Harding, en 1796, dans une édition qui reprenait l'ouvrage de J. Grasset de Saint-Sauveur. Il se peut que le sujet des caricatures soit dû à George Canning, fondateur du journal *The Anti-Jacobin*, car on sait qu'il s'est entretenu par écrit avec Gillray à leur propos. C.B.-O.

916
Les Singes ou
La Majorité directoriale

Eau-forte. H. 0,178 ; L. 0,217.

Inscription : « Tenier px. ».

Bibliographie : Vovelle, 1986, t. V, p. 25.

Paris, musée Carnavalet (inv. Ha 025 D. 006).

Sous l'apparence anodine d'une estampe d'après Téniers (sans doute d'après la peinture conservée au musée de Chartres), cette représentation des cinq singes a été détournée contre le système directorial : trois d'entre eux boi-

vent, mangent et fument tandis que les deux autres (la minorité) sont tenus à l'écart. Les brillants costumes des directeurs sont assimilés aux chapeaux à plumes extravagantes, aux capes et aux ceintures (plus larges encore que dans la peinture) dont Téniers le Jeune avait affublé ses singes. On a proposé de reconnaître dans cette caricature une allusion à la crise du 18 fructidor an V : à gauche Barras, Reubell et La Revellière-Lépeaux constituent la majorité alors que Carnot et Barthélemy sont éliminés. Le fait que l'un des « minoritaires », qui joue le rôle de sommelier, soit habillé d'un froc de moine (aux bandes visiblement colorées dans la peinture, et qui paraît ici uni) suggère cependant l'hypothèse que cette estampe pourrait être plus tardive ; le seul membre défroqué du clergé parmi les directeurs était Sieyès, ancien grand vicaire de l'évêché de Chartres. Élu le 16 mai 1799, Sieyès réussit un mois plus tard à faire écarter Treilhard, La Revellière-Lépeaux et Merlin de Douai, restant maître du jeu politique avec l'appui, au moins passif, de Barras. On notera la prudence de cette « charge » allusive et indirecte du temps contre le Directoire qui contraste avec le caractère violent des premières caricatures de l'époque révolutionnaire.

Les Singes ou *La Majorité directoriale* (cat. 916).

XXIV
L'ORGANISATION ADMINISTRATIVE DE LA FRANCE ET DES RÉPUBLIQUES SŒURS

En remettant en cause les principes mêmes sur lesquels s'était lentement édifiée la monarchie française, la Révolution ruinait les fondements de toute autorité liée à l'institution monarchique ; compte tenu du processus de centralisation qui s'était développé depuis plusieurs siècles autour de la personne du roi, toute l'organisation du royaume, qu'elle soit d'origine féodale, issue de l'alliance entre le roi et ses « bonnes villes », née de l'action de légistes ou due à l'émergence tardive du pouvoir absolu, était remise en cause. Rien n'est plus frappant en ce sens que la rapide suppression par l'Assemblée constituante des Parlements que la monarchie n'avait pu en deux siècles ni réformer, ni limiter, ni remplacer.

Mais la disparition de tout l'ancien système laissait intact quoique partiellement inutile, un réseau très dense de limites territoriales, de compétence entre les diverses instances civiles, judiciaires, militaires et ecclésiastiques qui avaient fonctionné ou subsistaient encore dans le royaume. L'unification de ces limites fut une des œuvres les plus durables de la Constituante. Précédée de discussions passionnantes, la division en départements peut être considérée malgré quelques bévues comme une des victoires de la Raison – mais de la Raison pratique. Même la contre-révolution, en popularisant le terme de la Vendée, nom inconnu dans la nomenclature de l'Ancien Régime, rendit une sorte d'hommage à la démarche des Constituants. Le système départemental – et toutes les institutions qui en dépendaient et qui, elles, furent loin d'être immuables – fut à des dates diverses étendu aux diverses régions conquises ou satellisées par la « Grande Nation ».

Souvent définis à la hâte et sans tenir compte (à la différence de ce qui avait été fait en France) des réclamations d'origine locale fondées sur de bons arguments, ces départements ne durèrent, sauf sur le territoire de la Belgique actuelle, que ce que dura l'occupation française.

L'Assemblée nationale à La Haye (cat. 926, détail).

917 A
Anciennes et nouvelles circonscriptions administratives de la France

Carte imprimée en 24 feuilles et une carte d'assemblage. H. 0,585 ; L. 0,44 (pour chaque feuille). Éch. 1/350 000.
Inscription : « Carte de la France dédiée au Roi par les Directeurs et associés de la Carte de France réduite sur l'échelle d'une ligne pour 400 toises d'après les 180 feuilles de la grande carte de la France levée géométriquement par ordre du Roi sur l'échelle d'une ligne pour 100 toises... Capitaine, ingénieur géographe, 1790. »
Bibliographie : Rochat-Le Moël, 1978, n° 120.

Paris, Archives nationales (inv. NN5, 1 à 25).

Cette carte superpose les anciennes divisions en généralités et élections, et la nouvelle division en départements. Elle a été établie sur la base de la carte de Cassini.
Elle a aussi été éditée sous forme d'Atlas. L. Capitaine a également établi entre autres une carte des routes de postes (entre 1793 et 1797).

917 B
Les quatre-vingt-dix-huit départements français

Carte manuscrite coloriée. H. 2,20 ; L. 2,34. Éch. 1/500 000.
Inscription : « Carte contenant la division politique de la France en départemens y compris les pays réunis à son ancien territoire et la situation de ses principales villes... R. Prony, au bureau du cadastre. »
Bibliographie : Rochat-Le Moël, 1978, n° 267.

Paris, Archives nationales (inv. NN 61/1).

Établie en 1796, cette carte montre les limites des départements et des districts. La légende indique la superficie et la population des départements.

LA DÉPARTEMENTALISATION DE L'ANCIEN DUCHÉ DE LUXEMBOURG

LA FORTERESSE de Luxembourg, point stratégique des Pays-Bas autrichiens et de la politique habsbourgeoise face à la France, capitule le 7 juin 1795 devant les armées républicaines, après un long blocus et un siège de plusieurs mois. Cette capitulation entraîne plus que le traditionnel transfert de souveraineté auquel s'attendent les bourgeois de la ville. C'est à un véritable changement de régime qu'ils assisteront.

Les nouvelles autorités françaises représentent aux yeux des Luxembourgeois la Révolution française, mais elles la représentent sous la forme du Directoire : ce n'est plus le régime de la Terreur, c'est le triomphe des conceptions bourgeoises sur l'organisation de la société. Le nouveau régime ne sera pas populaire. Cela s'explique par la maladresse des dirigeants, mais aussi par la faiblesse numérique de la bourgeoisie dans un pays encore largement rural. Le transfert de souveraineté se fait dans l'ordre grâce à la discipline de l'armée révolutionnaire. Mais les militaires ont besoin d'argent : nombreuses et lourdes sont les contributions de guerre et les réquisitions qui sont imposées aux Luxembourgeois ; plus tard ce sera le tour des emprunts forcés.

La première tâche des autorités républicaines est de créer une nouvelle administration à l'image de celle installée en France. S'inspirant de considérations rationnelles et peu respectueuses de l'acquis du passé, les autorités démembrent l'ancien duché de Luxembourg. La majeure partie (environ les deux tiers) formera *le département des Forêts* avec Luxembourg comme chef-lieu. Le nord du duché passe au département de l'Ourthe (chef-lieu : Liège) et le nord-ouest à celui de Sambre-et-Meuse (chef-lieu : Namur). Le département est divisé en arrondissements et en cantons, toujours sur le modèle français.

En quelques semaines disparaissent d'un trait de plume tous les organes traditionnels de gouvernement : les États de Luxembourg, le conseil provincial, le magistrat de la ville de Luxembourg, les corporations, les justices seigneuriales. Ainsi s'écroule le régime seigneurial-féodal et du même coup la prééminence sociale des anciens notables et seigneurs.

À la place des anciennes institutions est installée une administration rationnelle qui entraîne une centralisation très poussée : « administration centrale » composée de cinq membres. « Administration municipale » par canton et au-dessous d'elle les différentes agences (communes).

Les membres de l'administration centrale et des administrations municipales sont élus au suffrage censitaire à deux degrés. Le Directoire contrôle ces organes administratifs par des commissaires nommés auprès des administrations centrales et municipales. Ces commissaires sont « l'œil du gouvernement ».

Au début les autorités supérieures françaises nomment d'office les membres des différentes administrations. À l'administration centrale quatre membres sur cinq sont des étrangers, c'est-à-dire des « Français de l'intérieur ». Mais au niveau des cantons les Luxembourgeois prédominent pour ainsi dire complètement. Il en est de même des commissaires du Directoire : tous les commissaires centraux du Directoire qui se suivent au département des Forêts de 1795 à 1799 sont des Français. Les deux tiers des commissaires cantonaux en revanche sont des Luxembourgeois. La plupart de ces fonctionnaires luxembourgeois sont pris entre le marteau et l'enclume, entre les exigences des autorités supérieures et la réticence de leurs concitoyens.

L'organisation de la justice correspond au même schéma : en bas, au niveau cantonal, il y a des justices de paix, au niveau de l'arrondissement, des tribunaux correctionnels et au sommet un tribunal criminel.

Tout compte fait – et après un difficile rodage – cette administration n'a pas trop mal fonctionné, surtout quand, à partir de 1796, les responsabilités sont complètement passées des militaires aux civils. Luxembourg est restée ville de garnison. Mais la forteresse a perdu de son importance par le fait que la frontière établie sur le Rhin en a fait une place de l'arrière.

La plupart des réformes visent à adapter la société aux exigences du monde moderne et à rationaliser l'administration. D'autres réformes n'ont même pas pour elles cet argument et sont ressenties comme de simples chicanes, la plupart issues de la politique anticléricale et antireligieuse des nouvelles autorités. Le régime heurte les convictions religieuses de la grande majorité de la population et se rend vite impopulaire, faisant oublier aux administrés les bienfaits de la plupart des réformes.

La lutte entre la France révolutionnaire et l'Europe est de nature idéologique. Aussi le nouveau régime ne recherche-t-il pas seulement une acceptation passive, mais une adhésion active de la part des Luxembourgeois. De là toute une série de fêtes républicaines, de là aussi l'idée d'imposer des serments de loyauté à ses serviteurs. Le serment de haine (à la royauté), introduit à partir de 1797, accepté sans trop de difficulté par

les administrateurs et les fonctionnaires, divise profondément le clergé : d'un côté les « jureurs », de l'autre les « réfractaires ».

Au début la population est exaspérée par les exigences continuelles des militaires : argent, fournitures en nature (réquisitions) et services (transport de matériaux, parfois très loin, jusqu'au Rhin). Au printemps de 1796, à la suite de nouvelles exigences des autorités militaires, les paysans du Bas-Luxembourg (canton de Virton) manifestent ouvertement leur mécontentement. De là, le mouvement gagne les cantons wallons d'Etalle, de Florenville et de Neufchâteau (« guerre des cocardes »). Des armes apparaissent dans les foules excitées qui, toutefois, se dispersent dès que les forces françaises surgissent. Il y aura de nombreuses arrestations. Tous les accusés seront acquittés par les tribunaux.

Les troubles qui éclatent en automne 1798 dans le département des Forêts et dans d'autres départements des Pays-Bas belges sont bien plus graves (« guerre des paysans », appelée « Klepelkrich » par la tradition). Au Luxembourg les habitants des campagnes sont poussés à bout par l'introduction de la conscription en septembre 1798 et l'aggravation de la persécution religieuse, notamment contre les prêtres réfractaires.

L'effervescence est surtout vive dans les cantons de l'Oesling (Ardennes). Finalement le mouvement prend l'allure d'une véritable insurrection. Face aux soldats (de la France) aguerris, les paysans armés de fourches et de gourdins ne font pas le poids ; les engagements se terminent par de lourdes pertes paysannes, alors que celles des Français sont légères. La répression n'en est pas moins très dure. La paix religieuse (rétablie sous le Consulat) a un effet d'apaisement dans le département des Forêts. Bien que la conscription subsiste intégralement et malgré les lourds sacrifices qu'elle impose, le régime français est peu à peu accepté par la population luxembourgeoise.

Gérard Thill et Gilbert Trausch

918
Carte du duché du Luxembourg

par F.J.J. von REILLY

Estampe. H. 0,308 ; L. 0,388.

Luxembourg, musée national d'Histoire et d'Art (inv. 9-30).

Gravée d'après plusieurs cartes antérieures et corrigée d'après celles du comte Ferraris, cette carte de 1791, éditée à Vienne, tient compte de l'annexion par la France, en 1659 (« paix des Pyrénées »), de la partie sud de l'ancien duché, comprenant notamment les places fortes de Thionville, de Montmédy et de Damvillers, légèrement modifiée par la convention frontalière de 1779 entre la France et l'Autriche.
G.Th.

919
Carte du département des Forêts

par M. HUSS

Estampe. H. 0,50 ; L. 0,60.

Luxembourg, musée national d'Histoire et d'Art (inv. 11-18).

Le département des Forêts était divisé en quatre arrondissements et vingt-huit cantons.
G.Th.

L'ORGANISATION ADMINISTRATIVE DES DÉPARTEMENTS RÉUNIS

C'EST entre 1795 et 1797 que furent mises en place « au milieu de la stupeur des uns et de la résistance passive des autres » les structures administratives et judiciaires de l'État moderne qui devait, une trentaine d'années plus tard, se rendre indépendant sous le nom de Belgique. Le coup d'envoi fut donné par le décret du 9 vendémiaire an IV (1er octobre 1795) qui rendit officielle l'annexion des Pays-Bas autrichiens à la France. Après avoir été « libérés » par les sans-culottes, les départements nouvellement réunis étaient désormais soumis à la Constitution de l'an III, issue de la réaction thermidorienne. Achevée en France, la Révolution commençait dans ces provinces conquises : plus rapide, moins sanguinaire, mais non moins radicale.

Coup sur coup furent promulguées les lois qui supprimaient la féodalité, les dîmes, le retrait lignager, les substitutions, les maîtrises et les jurandes. Abolition des titres de noblesse, des corporations de métier, des entraves que le droit coutumier impose à la mobilité du sol : tous les groupements juridiques, sociaux et professionnels, qui garantissaient les privilèges des uns et protégeaient les droits acquis des autres disparaissaient, et la propriété devenait un bien commerçable comme un autre.

Usés par quelques années de révoltes et de querelles qui avaient pour origine des réformes bien moins radicales esquissées par la monarchie autrichienne, les habitants assistèrent impuissants aux bouleversements qui en résultèrent et qui, mettant feu à l'Ancien Régime, préludèrent aussi à la mise au pillage du pays. Dans un premier temps, ils participèrent à peine à la réorganisation administrative des départements réunis, qui fut quasi exclusivement l'œuvre des Français.

On reste étonné par l'esprit méthodique de celui qui, dès le mois de novembre 1795, présida à l'exécution des volontés du peuple français, sans rien dissimuler des buts poursuivis : « La ci-devant Belgique est la véritable ressource pour la restauration de nos finances », écrivait le citoyen Bouteville, commissaire général des départements réunis nommé par le Directoire. « Si nous ne savons pas nous assurer la mine féconde qu'elle nous ouvre, alors et seulement alors, pourrions-nous concevoir de véritables craintes sur l'affermissement de la République (2). »

La division départementale, préparée par le Comité de Salut public dès le 31 août 1795, tant l'annexion était prévisible, donne à la nouvelle organisation administrative et judiciaire sa nomenclature de base. Neuf départements redécoupent les anciennes provinces qu'ils démembrent en abolissant les frontières intérieures. Divisés eux-mêmes en cantons qui se partagent les débris des seigneureries, châtellenies, bailliages, ammanies ou quartiers, les départements sont pourvus chacun d'un chef-lieu. Malgré les difficultés de tout ordre, en moins d'un an tout le personnel des administrations départementales, des tribunaux, des municipalités sera recruté. Personnel électif, qui sera cependant désigné d'office par le commissaire général des départements réunis, tant les Français se méfient de l'obscurantisme de leurs nouveaux concitoyens.

L'organisation judiciaire telle qu'elle était sortie de la Convention de l'an III prévoyait dans sa limpide clarté des tribunaux de paix, de département et de commerce pour le civil et des tribunaux de simple police, des tribunaux correctionnels et criminels ainsi que la Haute Cour pour la justice répressive. Par département il y aura donc, outre les tribunaux de paix et de simple police installés dans les cantons, un tribunal civil, des tribunaux correctionnels, un tribunal criminel et des tribunaux de commerce. Pour le département de la Dyle, deux tribunaux de commerce, l'un installé à Bruxelles, l'autre à Louvain ; le tribunal criminel fixé à Bruxelles juge en appel les décisions des tribunaux correctionnels. La Haute Cour a son siège à Paris.

À l'architecture complexe des tribunaux de l'Ancien Régime, dont les compétences étaient aussi variées que le nombre, s'est substituée une organisation judiciaire centralisée et efficace. Dès le 15 décembre 1795, le code des délits et des peines, qui remplaçait par l'uniformité de la législation la variété des coutumes et des jurisprudences, entre en vigueur.

Mais « ce ne serait pas assez d'avoir formé des corps administratifs, d'avoir nommé des juges, si, à côté de ces autorités, on ne plaçait pas la force exécutive, pour avec le pouvoir civil imprimer le mouvement à tous les rouages de la machine politique (3) ». « Composée d'hommes qui à un patriotisme épuré joindront l'aptitude, l'amour de l'ordre, des lois dont ils

1. H. Pirenne, *Histoire de Belgique*, t. VI, Bruxelles, 1926, p. 72 et sq.

2. Archives générales du Royaume, correspondance Bouteville, n° 56.

3. Archives générales du Royaume, Archives du Tribunal criminel de Bruxelles an II - an IV, Circulaire « Les représentants du peuple, Commissaires du gouvernement dans les départements réunis à la République par le décret du 9 Vendémiaire aux citoyens administrateurs des départements de l'Ourthe, de la Meuse inférieure, des Forêts, des Deux-Nèthes, de la Dyle, de Sambre-et-Meuse, de Jemappes, de l'Escaut et de la Lys.

seront les agents et de la discipline dont ils devront donner l'exemple (4) », la gendarmerie nationale comprendra en tout 985 hommes, Français pour la plupart, soigneusement recrutés par le général Wirion, adjoint à partir de novembre 1795 aux commissaires du gouvernement. Dès le milieu de l'année suivante, les 197 brigades étaient constituées et distribuées dans trois garnisons se partageant les neuf départements et leurs cantons. Il importait en effet « de comprimer dans le principe les malveillants qui voudraient s'opposer à l'exécution des lois et empêcher l'établissement du régime républicain (5) ».

Lois qui, implacablement, les unes après les autres, sont promulguées pour démanteler méthodiquement l'Ancien Régime et construire à sa place les bases d'un nouvel ordre socio-économique. Les marchandises y circuleront librement : 8 octobre 1795, suppression de toutes les douanes intérieures ; 20 décembre 1795, application du tarif douanier français ; 30 décembre 1796, loi sur le timbre et l'enregistrement. Chacun pourra y devenir entrepreneur : 16 juin 1796, loi sur les patentes en matière de commerce et d'industrie. Chacun y sera égal face à l'impôt : 14 novembre 1796, abolition des anciennes impositions directes, aides, tailles, etc, et entrée en vigueur des impôts de la République. L'État prend désormais en charge, au détriment de l'Église, le contrôle que celle-ci exerçait sur les individus : 15 juin 1796, institution de l'état civil et avec lui du divorce par consentement mutuel. L'accès à la propriété y est entouré de garanties sûres : 15 février et 22 mai 1796, pro-

4. *id.*
5. *id.*

mulgation du régime hypothécaire et du notariat. Une nouvelle conception du citoyen et de la propriété se fait jour.

Enfin survient la plus importante de toutes, celle que préparaient toutes les autres et qui porte le coup le plus décisif à l'ancien ordre des choses, la loi du 1er septembre 1796 qui supprime toutes les maisons conventuelles conformément à la Constitution qui ne reconnaissait « ni vœux religieux ni aucun engagement contraire aux droits naturels de l'homme ». Tandis qu'une dizaine de milliers de religieux sont invités à se présenter devant les administrations municipales et à y faire connaître leurs « nom, âge, profession future, résidence et moyen d'existence sous peine d'être regardés comme vagabonds, gens sans aveu et traités comme tel » – et le code des délits et des peines a tout prévu à cet égard –, dès la fin de l'année, l'administration des domaines, chargée depuis 1794 de la régie des domaines nationaux et des propriétés séquestrées au profit de la République, procède à la vente des biens de l'Église.

C'est ainsi que commence un des plus vastes transferts de biens qu'ait jamais vus l'histoire : réticents tout d'abord, les acheteurs se feront de plus en plus nombreux parmi les bourgeois qui seront désormais les premiers bénéficiaires et les plus fermes appuis du nouveau régime. La transformation économique qui se dessinait depuis le milieu du XVIIIe siècle va s'accélérer brusquement, devant ces conditions favorables à l'essor d'un capitalisme marchand et industriel, et faire de la Belgique la deuxième puissance industrielle du monde derrière l'Angleterre. Et c'est en 1830 que les enfants de cette même bourgeoisie proclameront l'indépendance de ce pays dont les Français ont jeté les bases administratives et juridiques.

Pierre Loze

920
Allégorie des neuf départements réunis

par Pierre-Antoine-Joseph GOETSBLOETS
Illustration du volume IV du *Tydsgebeurtenissen*, manuscrit de deux cent soixante-deux feuillets.
H. 0,33 ; L. 0,215.
Reliure en maroquin vert ; trois signets de soie verte.
Historique : l'ensemble des dix volumes de la série a été acquis de M. Lambertini, à Bruxelles, le 10 février 1892.
Bibliographie : Van den Gheyn, 1907, VII, n° 5238, p. 649 f.

Bruxelles, Bibliothèque royale Albert-Ier, cabinet des Manuscrits (inv. Ms 11.1492).

Tydsgebeurtenissen, que l'on peut traduire en français par « les Événements », est un volumineux manuscrit non publié en dix volumes de deux cents à trois cents feuillets chacun. Il s'agit pour l'essentiel de son contenu d'un formidable recueil de transcriptions et copies de documents datant des années 1793-1797 et se rapportant à l'occupation française de la Bel-

gique sous la Convention, patiemment rassemblés par l'Anversois P.-A.-J. Goetsbloets violemment hostile au régime imposé par les révolutionnaires français aux Pays-Bas. Classés chronologiquement, ces documents, parmi lesquels plusieurs pièces authentiques furent insérées, comme des certificats de résidence, des billets de logement de gardes nationaux, des laissez-passer, ont été sélectionnés pour leur intérêt historique. Nous trouvons ainsi copies des décrets de la Convention touchant la Belgique, de nombreux articles de presse, notamment du *Courrier Belgique* et de *l'Impartial Européen*, de placards, une foule de documents sur la circonscription, les assignats, l'organisation administrative, financière et judiciaire du pays, les fêtes révolutionnaires, l'enseignement, la saisie des biens ecclésiastiques, des transcriptions de calendriers, d'almanachs, de romances en vers et pièces de théâtre patriotiques ou républicaines, d'articles enfin sur des personnalités du siècle, comme Voltaire, Rousseau, Franklin, ou encore sur des problèmes de société tel le divorce. Un grand nombre de dessins de circonstances,

peints à l'aquarelle et sans doute réalisés par Goetsbloets lui-même ainsi que plusieurs gravures ornent les textes et les illustrent. Conscient de la valeur objective du document historique et ne s'investissant pas au-delà de la sélection des documents récoltés, Goetsbloets n'a semble-t-il rien rédigé personnellement. La mise en pages et le titrage soignés ainsi que la présence d'index laissent supposer qu'il entrait peut-être dans les intentions de Goetsbloets de publier cette chronique. Par le regard aigu d'un témoin silencieux des événements – profondément démocrate, insurgé contre toute forme d'intolérance ou de violence et soucieux de comprendre le sens de la marche de l'histoire qui en cette fin de siècle s'est brusquement accélérée –, *Tydsgebeurtenissen* est un document d'étude remarquable et passionnant sur la réalité quotidienne en Belgique durant les années de la Convention.　　　　A.Ja.

Allégorie des neuf Départements Réunis, composant l'actuelle Belgique (cat. 920).

Panneau ayant orné la façade de l'hôtel de ville de Malines pendant l'occupation française (cat. 922).

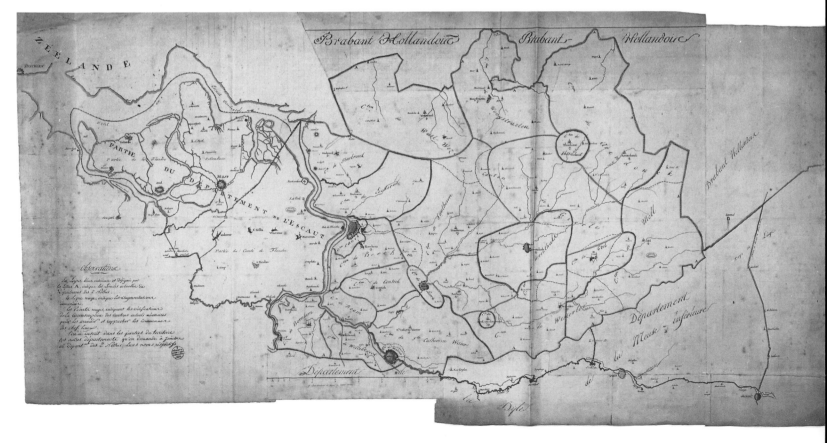

Département des Deux-Nèthes, dont le chef-lieu était Anvers, avec ses cantons (cat. 921).

921
*Département des Deux-Nèthes
avec ses cantons*

Carte manuscrite ; plume encre noire et aquarelle sur plusieurs feuillets accolés. H. 0,795 ; L. 1,562.
Paris, Archives nationales (inv. N. III).

À la suite de la conquête de la Belgique, annexée à la République le 1er octobre 1795, le pays fut découpé selon le modèle français en neuf départements. Le département des Deux-Nèthes, avec Anvers pour chef-lieu, fut divisé lui-même en cantons, dont la création datait du 11 octobre 1795.   J.Be.

922
Faisceaux, hache et bonnet phrygien

Bas-relief, bois. H. 0,310 ; L. 0,570.

Historique : ornait la façade de l'hôtel de ville de Malines pendant l'occupation française.
Malines, Musée communal (inv. B/167).

Le 9 vendémiaire an IV (1er octobre 1795), après seize mois d'une occupation féroce et dramatique de la Belgique, la Convention décréta la réunion à la France de cette dernière ainsi que du pays de Liège, reconnut à leurs habitants les droits politiques des citoyens français, et supprima la ligne des douanes qui les séparait de la République. Ce décret du 1er octobre, a écrit Pirenne, faisait bien plus qu'annexer la Belgique à la France : il l'y absorbait. « En proclamant deux millions et demi de Belges citoyens français, il poussait jusqu'à ses plus extrêmes conséquences le droit de la conquête. À la nationalité des vaincus, il substituait la nationalité des vainqueurs. Il anéantissait un peuple en le fusionnant avec un autre peuple. Et c'est en cela qu'apparaît sa nature essentiellement révolutionnaire » (VI, p. 72). L'organisation territoriale fut la première mesure, prise avant même le vote du décret du 9 vendémiaire, imposé par la nécessité d'em-

boîter la Belgique dans l'administration française. Un ensemble de neuf départements se substitua désormais aux anciennes principautés, base cadre d'une réforme municipale radicale qui anéantissait les particularismes politiques et territoriaux sur lesquels la Belgique avait été construite. Sous l'Ancien Régime, la ville de Malines était le chef-lieu de la seigneurie de Malines, l'une des dix-sept antiques provinces des Pays-Bas, à l'origine une enclave liégeoise en Brabant. Elle était dotée d'une fiscalité propre et d'un corps représentatif séparé, bien que celui-ci appartînt aux organes de la ville de Malines, alors que la partie de la seigneurie située en dehors de la franchise urbaine comportait, en plus de divers hameaux, plusieurs villages, certains isolés au cœur du Brabant. D'un trait, ce système quasi féodal fut supprimé. En 1795, toute la principauté fut englobée dans le département des Deux-Nèthes avec la ville d'Anvers comme préfecture. Malines devint une sous-préfecture. Sur la façade de l'ancien hôtel de ville, devenu mairie, fut suspendu ce bas-relief aux motifs républicains.   A.Ja.

LA RÉPUBLIQUE BATAVE, 1795-1798 (1801) : UNE RÉVOLUTION RÉUSSIE

L'INVASION de la république des Provinces-Unies par l'armée française, pendant l'hiver 1794-1795, avait été longuement préparée par les patriotes hollandais réfugiés en France après la révolution manquée de 1787. L'écho de cet échec n'avait pas manqué d'émouvoir les Français soucieux de changement, tels La Fayette et Mirabeau. Ce dernier rédigea dès 1788 un pamphlet intitulé *Aux Bataves, sur le Stathoudérat*, fournissant en particulier une traduction du célèbre libelle *Au Peuple des Pays-Bas*, appel anonyme lancé en 1781 par le baron Van der Capellen.

Le long exil forcé avait, bien sûr, ravivé de vieilles dissensions parmi les patriotes bataves, dont les plus actifs s'étaient retrouvés à Paris autour de leaders comme le professeur destitué Valckenaer, le banquier Abbema, le juriste et patricien Huber, le journaliste Dumont-Pigalle, le médecin Van Hoey, et surtout Herman Willem Daendels, juriste de formation mais avant tout homme d'action et en tant que tel engagé dans tous les coups révolutionnaires. En mai 1792, un comité révolutionnaire batave fut formé à Paris, puis, quelques mois plus tard, une « légion franche étrangère », composée surtout de

Bataves exilés. Après la défaite de Neerwinden, cette légion batave fut dissoute, mais les Néerlandais continuèrent de servir dans l'armée française sous Daendels, promu général de brigade. Cependant, leur zèle et la complexité du jeu des alliances politiques faillirent être fatals aux patriotes hollandais. Ainsi, l'ancien bourgmestre De Cock et quelques autres Bataves perdirent leur tête lors de l'élimination de la faction hébertiste.

Quand, à la fin de 1794, l'armée française conduite par Pichegru se mit en route pour libérer la République hollandaise du joug des Orangistes, Daendels et ses compatriotes furent aux premières lignes. Les Pays de la Généralité les accueillirent comme libérateurs, notamment le Brabant, dont la population majoritairement catholique détestait le régime quasi colonial que les protestants hollandais lui avaient imposé. Sans grande difficulté, Français et patriotes bataves purent avancer jusqu'au cœur même de la Hollande, sur les lacs et canaux couverts d'une épaisse couche de glace en cet hiver terrible. A la mi-janvier, il ne restait pratiquement plus qu'à libérer Amsterdam – ville qui, à défaut d'être la capitale, incarnait à la fois la gloire de la toute jeune République, celle que les ancêtres des patriotes bataves avaient opposée au régime oppressif du monarque espagnol, et l'horreur du pouvoir oligarchique concentré aux mains de quelques familles oisives richissimes. L'envoi à Amsterdam du colonel Krayenhoff, par le général Daendels, afin d'y renverser l'oligarchie orangiste, fut ressenti comme un acte symbolique et un moment historique, l'un des rares qui inspirèrent les peintres de l'époque.

Cependant, si la présence des troupes françaises s'avéra être un appui décisif pour les patriotes désireux de changer le régime, cette seconde révolution batave n'était pas, à proprement parler, un simple sous-produit de la Révolution française. Là encore, les événements d'Amsterdam sont éclairants. Fort de l'arrivée imminente de l'armée française, un comité révolutionnaire s'y forma le 18 janvier 1795, sous la présidence de Rutger Jan Schimmelpenninck, qui sera plus tard (en 1805) Premier ministre de la République. De façon pacifique, le comité obtint la passation des pouvoirs dès avant l'occupation de la ville par les troupes. Un peu partout, une cascade de petites révolutions locales et régionales suivit le même schéma. Les patriotes locaux, souvent renforcés par d'anciens exilés, se prévalurent de l'appui français pour prendre le pouvoir et instaurer un comité de vigilance révolutionnaire, puis une municipalité patriotique.

Dans ses créations et ses acquis, cette seconde révolution – réussie cette fois – empruntera également aux deux sources, française et néerlandaise. Elle s'inspirera directement de l'exemple français dans sa Déclaration des droits de l'homme et du citoyen (traduite en néerlandais dès 1790) comme dans nombre de ses actes, rites et symboles : citons, pêle-mêle, l'arbre de la Liberté, la fête révolutionnaire, le nouveau découpage départemental. Mais elle suivra une voie nationale lorsque, par exemple, elle proclamera la liberté de tous les cultes et l'émancipation juridique des juifs (1796). Nulle velléité d'athéisme ou d'une quelconque répression religieuse en Hollande. Rien d'étonnant à cela, d'ailleurs, étant donné la présence massive de dissidents religieux (mennonites, catholiques, luthériens), mais tout aussi bien de pasteurs réformés appartenant à l'Église établie, dans les rangs des patriotes bataves. Les Lumières hollandaises, on le sait, avaient été avant tout des Lumières chrétiennes.

Le traité de La Haye (16 mai 1795) scella l'alliance franco-batave. Mais ce pacte, souhaité en principe par beaucoup de patriotes, révéla en même temps un malentendu qui allait grever lourdement les rapports franco-hollandais et assombrir,

à terme, l'image même des Français et de leur Révolution. En effet, si les Français avaient été appelés en libérateurs, ils se comportèrent en conquérants. En annexant les régions frontalières et en exigeant un tribut de cent millions de florins (près de cinquante florins par habitant), ils traitèrent la République batave en nation soumise.

Pour le moment, cependant, la présence française donnait le coup de pouce nécessaire à l'élan de la révolution batave. L'Assemblée nationale, élue au suffrage universel (quoique limité à ceux qui avaient prêté serment en faveur de la souveraineté populaire), se réunit le 1er mars 1796. Bientôt l'opposition entre les protagonistes d'une république à structure fédérale (comme l'avait été l'ancienne république renversée) et les défenseurs d'une structure politique unitaire éclata au grand jour, provoquant en 1797 le rejet populaire du premier projet de constitution. La deuxième Assemblée nationale, réunie le 1er août 1797, fut placée sous le signe d'une recrudescence des oppositions politiques, les modérés ayant été éliminés sur ces entrefaites. Dès le 22 janvier 1798, un coup d'État organisé par les unitaires les plus radicaux (parmi lesquels le fabricant de drap, Pieter Vreede, et le prédicateur mennonite, Wybo Fijnje, ancien réfugié en France) força la main à l'Assemblée : les fédéralistes furent arrêtés, tous les députés durent prêter serment contre le stathoudérat, l'aristocratie et le fédéralisme.

On peut estimer que cette date marqua la naissance de l'État unitaire moderne des Pays-Bas. Dès avril, la nouvelle constitution unitaire fut adoptée, un Directoire de cinq personnes assisté de huit ministres (« agents nationaux ») fut nommé, des conseils départementaux et locaux furent élus. Le 12 juin, un nouveau coup d'État sous l'impulsion des modérés, au premier rang desquels nous retrouvons Daendels, empêcha le Directoire, tout en conservant les acquis essentiels de l'unitarisme, de glisser vers la dictature. Le processus révolutionnaire proprement dit était dès lors terminé. L'échec de l'invasion anglo-russe en 1799 souligna la maturité du nouvel édifice politique. Par la suite, les agissements des Français (par exemple lors du coup d'État du général Augereau en septembre 1801) ramèneront la vieille classe politique au pouvoir, mais n'arriveront plus à rompre l'armature de l'État unitaire et centralisateur, rapidement renforcée par de grandes réformes structurelles : celles des impôts, de la justice, des postes, des corporations de métier, de l'enseignement élémentaire, du système médical et des soins de santé.

Willem Frijhoff

923
Temple pour les Pays-Bas

par J.G. VISSER
Gravure. H. 0,53 ; L. 0,70.

Bibliographie : Muller Atlas, 1876, t. II, n° 5249. Amsterdam, Rijksmuseum (inv. F. M. 5249).

On a rassemblé sur cette estampe (1794) tous les événements, personnages et concepts importants pour les patriotes. La Liberté batave occupe la place centrale ; à ses côtés se trouvent un Batave armé et la Religion. À l'avant-plan, deux Bataves gardent le temple ; ils sont accompagnés du lion (néerlandais) et du petit chien (symbole patriote). Les colonnes du temple sont tapissées des portraits de héros des XVIe et XVIIe siècles et de ceux des patriotes contemporains, puis des représentations des actes héroïques qui ont été réalisés aux XVIe et XVIIe siècles et à l'époque des patriotes.

B.K. et M.J.

924
«Au secours, au secours, je dois fuir»

par un auteur anonyme

Gravure. H. 0,147; L. 0,221.
Bibliographie: Muller Atlas, 1876, t. II, n° 5305.
Amsterdam, Gemeentelijk Archievedienst (Service des archives communales) (inv. Hist. K).

Cette caricature illustre la fuite de Guillaume V en Angleterre lorsque les Français pénétrèrent en République le 18 janvier 1795.
A droite sur l'estampe, on voit Guillaume V en train de fuir; deux aigles, la Prusse et l'Autriche, volent au-dessus de lui mais ne peuvent lui venir en aide; la divinité suprême, le dieu grec Zeus, darde ses rayons mortels sur eux et sur l'oranger qui est arraché par un patriote. À gauche de l'arbre, on aperçoit le coq français qui chasse le chien anglais. Finalement, le Français offre un arbre de la Liberté à la vierge batave qui se trouve dans un jardin, symbole de la République.

B.K. et M.J.

925
L'Alliance conclue entre la France et la République batave

attribué à D. WOLFF

Verre; masse vitreuse incolore et transparente; gravure au diamant, technique au pointillé. H. 0,174; Diam. 0,085.
Bibliographie: Ritsema Van Eck, t. I; cat. Rijksmuseum, 1988.
Amsterdam, Rijksmuseum (inv. NM 10754 - 80).

L'«amitié éternelle» entre les deux pays est symbolisée par le serpent qui se mord la queue et les deux cœurs liés tenus par le Batave et le Français. On voit, en haut, la pique de la Liberté avec le bonnet et en bas, les faisceaux. Le Batave est accompagné du lion néerlandais écrasant du pied un joug; le Français, accompagné du coq, écrase une couronne et un sceptre.
Le «traité de La Haye», traité de paix et d'alliance entre la France et la République, fut conclu le 16 mai 1795.

B.K. et M.J.

926
L'Assemblée nationale à La Haye

par G. KOCKERS

Gravure en couleurs. H. 0,69; L. 0,61.
Bibliographie: Muller Atlas, 1879, t. III, n° 5455b.
Amsterdam, Rijksprentenkabinet, Rijksmuseum (inv. F.M. 5455b).

L'Assemblée nationale se réunit dans l'ancienne salle de bal du stathouder. La première réunion de l'Assemblée nationale eut lieu le 1er mars 1796. Sa première tâche fut de préparer une constitution pour le peuple batave. Tous les membres de l'Assemblée portaient une écharpe sur laquelle on pouvait lire «représentant», c'est-à-dire représentant du peuple batave. La gravure de Kockers date de 1797.

B.K. et M.J.

927
Écharpe d'un représentant de la République batave
env. 1798

Flanelle, soie et fils d'or. H. 0,10; L. 1,71.
Inscription: «représentant.»
Amsterdam, Rijksmuseum (inv. NG 651).

Cette écharpe appartenait à J. Couperus (1755-1833), suppléant pour la ville de Gouda à l'Assemblée nationale en 1796 et membre de la commission chargée d'établir une constitution. En 1798, Couperus devint membre du Sénat, le corps représentant qui possédait le pouvoir législatif.

B.K. et M.J.

928
Nouvelle Carte de la République batave
1796

Ed. Mortier, Covens en Zn., Amsterdam.
Eau-forte, en couleurs. H. 0,54; L. 0,66.
Bibliographie: Stolk, 1906, n° 5387.
Rotterdam, Fondation Atlas Van Stolk (Historisch Museum) (inv. V. S. 5387).

La nouvelle organisation de l'État de la République batave eut pour conséquence la division du pays en cent vingt-six districts (repérables sur la carte par des chiffres et des couleurs) qui furent également des districts électoraux. En 1798, le pays allait être divisé en huit départements possédant des frontières tout à fait différentes de celles qui s'étaient formées historiquement; en 1801, les anciennes frontières des provinces vont réapparaître. B.K. et M.J.

929
Ruban patriote

Soie tissée et imprimée, en bleu-blanc-rouge. H. 0,035; L. 0,503.
Inscription: «Alliance - Liberté - Égalité - le 19 janvier - Année 1795 - première année - de Liberté - et Patrie.»
Amsterdam, Rijksmuseum (inv. NG 695 - 48).

930
Rosette

Soie, papier, cuivre, verre. D▸0,07.
Inscription: «Droit de l'Homme / La Liberté.»
Amsterdam, Rijksmuseum (inv. NG 695 - 52).

Insigne (vers 1795) portant l'image de la Liberté assise.

931
La Liberté

Assiette en faïence, bord vernis en brun, décor bleu monochrome. D. 0,226.
Inscription: «Liberté.»
Dordrecht, Museum Mr. Simon Van Gijn (inv. 945).

Cette assiette (vers 1800) prit le rang de symbole politique parce qu'elle avait pour décor la Liberté portant le bonnet phrygien au bout de la lance.

B.K. et M.J.

932
Leçons pour l'instruction et l'information

Travaux de la Société d'utilité publique d'Amsterdam.
Amsterdam, Gemeentelijk Archiefdienst (Service des archives communales) (inv. 1357).

Eelhart le philanthrope ou *Leçons familières pour l'instruction et l'information*, notamment du paysan. Ce type d'éditions avait pour but d'inculquer au commun des mortels une connaissance éclairée utile dans tous les domaines de la vie courante. Dans ces publications (celle-ci date de 1804), on utilisait souvant la technique du dialogue ou celle des questions-réponses. *Eelhart, le philanthrope*, traite par exemple de «la nécessité de se nourrir sainement», de «l'utilité de la vaccination anti-variolique» et de «l'amélioration de l'enseignement».

B.K. et M.J.

Allégorie du patriotisme batave (cat. 923).

« *Au secours, au secours, je dois fuir* », *caricature de la fuite de Guillaume V d'Orange en Angleterre* (cat. 924).

L'Alliance conclue entre la France et la République batave (cat. 925).

L'Assemblée nationale à La Haye (cat. 926).

Ruban patriote batave
(cat. 929).

Écharpe d'un représentant de la République batave (cat. 927).

Insigne patriote batave (cat. 930).

Assiette décorée d'une allégorie de la Liberté (cat. 931).

LA RÉPUBLIQUE HELVÉTIQUE

A LA FIN DU XVIIIᵉ SIÈCLE, la Confédération helvétique n'est qu'une mosaïque de territoires aux statuts divers et aux liens complexes. Les treize cantons forment le noyau de ce que le langage diplomatique appelle le Corps helvétique, soit autant de petites républiques souveraines (les cantons) qui entretiennent, pour elles-mêmes ou en accord avec leurs voisines, des rapports étroits avec d'autres petits États souverains, les Alliés. Parmi ces derniers, des confédérations (les Républiques du Valais et des Grisons), des villes (Genève, Saint-Gall, Mulhouse) et des principautés (Neuchâtel, l'évêché de Bâle, l'abbaye de Saint-Gall). Par ailleurs, les treize cantons administrent en commun des territoires conquis, véritables colonies appelées bailliages. Enfin, à l'intérieur même des républiques suisses, qu'elles soient urbaines ou qu'elles appartiennent à la catégorie des *Länder* (pays), des inégalités opposent les villes et territoires détenteurs de la souveraineté aux simples pays sujets (Vaud et l'Argovie en particulier, sujets de Berne, puissante république urbaine).

Une telle complexité structurelle laisse supposer d'emblée l'ampleur des transformations que la Révolution porteuse d'égalité imposera à la Suisse, alors simple réalité géographique sans véritable consistance politique. A la fin du XVIIIᵉ siècle, en outre, le fonctionnement politique du Corps helvétique paraît figé par les impasses institutionnelles. Les diverses républiques ont vécu intensément le lent processus d'aristocratisation des structures sociales qui a permis à des élites, terriennes, militaires ou marchandes selon les cas, de s'accaparer les charges lucratives et de contrôler à leur profit les rouages de l'État. Le phénomène est général, touchant aussi bien les cantons ruraux de la Suisse centrale (Uri, Schwyz, Unterwald notamment) que les cantons-villes. Le processus prend bien sûr des formes extrêmes dans les républiques de Berne, Fribourg, Soleure et Lucerne où des « patriciats » très fermés imitent les usages des monarchies et des noblesses étrangères.

C'est dire que partout en Suisse des catégories sociales privilégiées se sont arrogé des prérogatives politiques et sociales importantes. Leur domination est de plus en plus mal tolérée par les exclus du pouvoir, si bien qu'on assiste, durant tout le XVIIIᵉ siècle, à une succession de conflits dont l'enjeu est l'élargissement ou la modification de la base sociale de l'élite dirigeante. Ces rivalités se combinent souvent avec un autre type de troubles à caractère antiétatique, fréquent en Suisse depuis le XVᵉ siècle, qui mettent en cause la modernisation de l'appareil administratif et l'unification territoriale et empêchent une évolution, courante en Europe, celle de l'avènement d'un État central efficace. Parmi les similitudes des deux variantes,

l'échec, suivi d'une répression sévère qui jette sur les chemins de l'exil de nombreux bannis. Paris rassemble ainsi une colonie de proscrits qui verront dans la politique d'expansion militaire de la République française une occasion de revanche. Autre trait commun à ces revendications : leur caractère utopique non révolutionnaire. Nombreuses sont celles qui évoquent le bon temps où les libertés du peuple étaient respectées. Toutes réclament le respect de droits anciens qui auraient été en vigueur avant leur usurpation par l'État et les oligarchies régnantes.

Sur la contestation antiétatique, les idées des Lumières n'ont guère de prise. Un abîme sépare les aspirations paysannes et urbaines des solutions que tentera de réaliser le régime né de la Révolution pour sortir de l'impasse politique. Cela ne signifie pas l'absence de culture politique chez les élites. Au-delà des antagonismes, la bourgeoisie éclairée et le patriciat participent à l'élan de sociabilité qui marque le siècle. Près de cent sociétés savantes, littéraires, économiques, politiques sont créées entre 1760 et 1798. Leur organisation démocratique et républicaine contraste avec le fonctionnement aristocratique de l'État. Ces laboratoires de l'apprentissage politique créent des liens entre les différents ordres de la société qu'ils contribuent à décloisonner. La Société helvétique, en particulier, la seule à tisser un réseau de contacts à l'échelle supracantonale, incarne le modèle de la sociabilité des Lumières. Fondée en 1763, elle regroupe des patriciens, magistrats, robins, officiers, négociants, membres du clergé, médecins et professeurs, dont plusieurs joueront un rôle en vue sous la Révolution. Or, les discours et publications de la Société témoignent d'une attitude critique, parfois même acerbe, envers le système politique et les faiblesses institutionnelles du Corps helvétique. On y célèbre l'histoire de la Suisse héroïque, les mythes fondateurs et la conscience républicaine. S'il est question de liberté, c'est au sens ancien d'indépendance du pays vis-à-vis de l'étranger. Les velléités de réforme ne vont jamais jusqu'à une remise en cause de l'ordre social établi et les inégalités sociales et territoriales paraissent aller de soi.

Dans les treize cantons et leurs pays sujets, la confrontation avec la Révolution française va d'abord être idéologique. En 1790-1791, les patriotes suisses de Paris regroupés dans un éphémère Club helvétique font campagne pour libérer deux galériens fribourgeois condamnés pour délit politique. L'accueil triomphal réservé aux forçats par le peuple parisien, le destin de leur bonnet rouge devenu emblème des Jacobins, contribuent à fixer durablement l'image de régimes aristocratiques suisses, usurpateurs des libertés. Les exilés prolongent leur action en essayant de diffuser à l'intérieur des cantons des libelles subversifs. D'une manière générale, les résonances favorables aux événements de France se limitent aux pays sujets et à certains alliés aux marges de la Confédération. Ailleurs, l'accueil est plutôt froid.

Néanmoins, et pour un certain temps, la « croisade » de 1792 va mettre à l'ordre du jour l'émancipation par la force des peuples opprimés. En Suisse, les inquiétudes sont vives. Après 1793, cependant, l'apaisement est de rigueur et, en 1796, les cantons vont même renouer officiellement les relations diplomatiques, rompues après la journée du 10 août 1792 où périrent de nombreux soldats suisses du régiment de la garde. Reste que les classes dirigeantes des cantons, dans leur grande majorité, se déclarent convaincues de la nécessité de préserver le peuple contre la contagion révolutionnaire, voire, comme le dit un magistrat bernois, de « faire passer aux sujets les grimaces démocratiques ». La présence de nombreux émigrés français (quelque six mille, dans les cantons patriciens spécialement) contribue à la diffusion des grands thèmes contre-révolutionnaires, telle par exemple l'idée jugée « monstrueuse » de la souveraineté populaire. Censure, surveillance des personnes susceptibles de sympathie pour les patriotes, pastorale qui stigmatise les dangers encourus par la religion, voilà les moyens mis en œuvre. Pourtant, en 1794-1795, les campagnes zurichoises vont entrer en effervescence. Les références aux nouvelles idées ont contaminé jusqu'au cœur le pouvoir des cantons. Les discussions d'une banale société de lecture des bords du lac de Zurich aboutissent à la rédaction d'un *Mémorial* où l'on retrouve, à côté des revendications traditionnelles (rétablissement des anciennes libertés), une insistance nouvelle à l'égalité et à la liberté définies en référence aux droits inaliénables de l'homme. Après la condamnation des auteurs de ce texte, l'affaire va connaître des rebondissements dans plusieurs localités, à Stäfa en particulier. Des arbres de la Liberté surmontés d'un bonnet rouge sont érigés ; des assemblées populaires au nom de « Convention » se tiennent spontanément. On exhibe aussi des chartes du XVe siècle pour authentifier l'existence des anciens droits. La répression est sévère. Le mouvement révèle toutefois que les événements de France sont suivis attentivement dans les campagnes industrielles ; la terminologie et les symboles révolutionnaires sont familiers à ceux qui fréquentent les sociétés de lecture où l'on lit, en français, les ouvrages de Voltaire, Rousseau et Montesquieu.

A partir de l'an III, la politique de la France prend une allure plus agressive. Le Directoire tolère mal les activités contre-révolutionnaires des émigrés dont l'animateur est le ministre britannique en Suisse, William Wickham. Mais c'est après Fructidor, au moment où Bonaparte peut imposer sa politique italienne, que le sort des cantons est scellé. En effet, l'option méditerranéenne du général et la constitution de la République cisalpine transforment la Suisse en clef du dispositif militaire. Bien que des liaisons sûres à travers les Alpes soient indispensables, en 1797, le choix de l'intervention armée pour réaliser les objectifs stratégiques ne fait pas encore l'unanimité au sein du Directoire. L'insistance des patriotes suisses finira, sinon par le convaincre, du moins par lui fournir le prétexte commode de répondre aux aspirations du peuple. En mission officielle pour négocier une question territoriale, le Bâlois Pierre Ochs est à Paris à la fin de l'année. A ses interlocuteurs, il ne cache pas qu'une révolution spontanée est peu probable ; très favorable à la France, il accepte de rédiger un projet de constitution unitaire pour la Suisse. Quant à Frédéric-César de La Harpe, réfugié à Paris, il sollicite l'intervention française pour libérer le pays de Vaud du joug des Bernois : il argumente de manière fantaisiste sur la garantie qu'aurait accordée la France aux libertés vaudoises en 1565 !

« Le monde entier se transforme et nous prétendrions conserver nos institutions surannées ! » En 1797 encore, cet avis d'un observateur clairvoyant, l'historien Johannes von Müller, contraste avec l'inertie politique de l'ancienne Confédération. Pourquoi modifier des rapports sociaux consacrés par des siècles d'histoire ? La gravité des menaces provoque la convocation extraordinaire de la Diète (sorte de conférence des ambassadeurs des cantons), fin décembre. Le seul acquis de la réunion est le renouvellement solennel et désuet du serment des alliances (25 janvier 1798), une cérémonie interrompue depuis la Réforme. Entre-temps, la révolution a commencé spontanément. En effet, la ville de Bâle reconnaît la liberté et l'égalité des habitants des campagnes (20 janvier), tandis qu'une assemblée nationale prépare l'avènement d'un régime représentatif.

Les événements prennent une autre tournure en pays de Vaud. Le Directoire a proclamé sa volonté de répondre aux « amis de la liberté » et dépêche aux frontières lémaniques une division de l'armée d'Italie prête à les soutenir. Les arbres de la Liberté et les cocardes se multiplient. L'indépendance vaudoise est proclamée et la révolution accomplie sans recours à la France. Le 28 janvier 1798, après un incident qui sert de prétexte, l'armée française entre dans le pays de Vaud et occupe Lausanne.

Suite aux événements vaudois, la révolution va se répandre rapidement dans toute la Suisse et accentuer la faiblesse du lien fédéral. Chaque canton est pratiquement livré à lui-même. Un peu partout, dans les campagnes sujettes, on commence à enlever les emblèmes du pouvoir (les écussons frappés de l'ours bernois par exemple) et à planter des arbres de la Liberté au sommet desquels le chapeau de Guillaume Tell remplace le bonnet phrygien. Les élites des petites villes prennent en main la direction des affaires publiques : organisation d'assemblées populaires, rédaction d'actes d'affranchissement. La pression populaire et la peur d'une révolution violente déterminent les classes dirigeantes à des concessions rapides. En quelques semaines, de fin janvier au début avril 1798, les territoires sujets sont affranchis, obtenant ce que les aristocraties au pouvoir leur avaient obstinément refusé durant des années. Si les villes s'organisent selon les principes de la démocratie représentative, les campagnes affranchies imitent le modèle de démocratie directe des cantons du centre de la Suisse ; elles instituent des assemblées de tous les citoyens *(Landsgemeinde).* Par là se réalise un idéal venu de la fin du Moyen Âge, celui de la communauté paysanne autonome. Toutes ces communautés sont imprégnées d'une conscience historique séculaire et croient appartenir à un ensemble, la Confédération helvétique, formée désormais d'une quarantaine de petits États. Intolérable à la République française, un tel anachronisme politique ne pouvait être viable à long terme.

De plus, malgré une « semi-réforme » hâtive et octroyée, selon un rapport diplomatique français, sous l'emprise de la peur, les patriciats de Berne, Fribourg et Soleure donnèrent l'impression d'être les seuls à résister à la volonté populaire. C'est donc contre les *oligarques* de ces trois États que va s'organiser l'intervention française. L'ordre en est donné par le Directoire le 25 février. Aux habitants du canton de Berne, le général Brune, commandant de l'armée d'Helvétie, proclame le 1er mars : « Guillaume Tell sort de sa tombe vénérée, il vous crie : enfants, brisez vos chaînes ; les Français sont vos frères ; Suisses de tous les cantons unissez-vous ! » Les trois villes tombent début mars. Leur territoire est mis en coupe réglée. Les troupes vivent sur le pays et l'occupant prélève contribution sur contribution en même temps qu'il ordonne de lourdes réquisitions et multiplie les mesures vexatoires. En avril-mai, l'occupation sera étendue aux cantons de Zurich, Zoug, Lucerne, et partiellement à la Thurgovie et au Valais.

La France cherche à imposer une organisation constitutionnelle complètement nouvelle, sur le modèle unitaire élaboré par Ochs à Paris. Le sort de la Suisse n'a rien d'exceptionnel mais s'inscrit dans une logique d'expansion qui annexe les républiques sœurs, sorte d'États satellites soumis politiquement et exploités économiquement. Les Républiques batave et cisalpine viennent d'être réorganisées ; des départements sont créés sur la rive gauche du Rhin comme sur les marges de la Suisse. Le Corps helvétique et la multitude de liens complexes qui le caractérisait est donc supprimé au profit d'une République helvétique centralisée. Sur le principe de l'égalité des droits civiques et de la souveraineté populaire, le nouveau régime est une démocratie représentative avec un législatif bicaméral et un Directoire exécutif de cinq membres. Le territoire est découpé en vingt-deux cantons : les treize anciens d'une part, neuf nouveaux d'autre part, issus du dépeçage de Berne et de la promotion des territoires ci-devant sujets. A vrai dire, les cantons ne sont plus que des arrondissements administratifs sur le modèle des départements français. Le 12 avril 1798, lors de la proclamation de la République, seuls douze cantons ont obtempéré à l'ordre des autorités d'occupation. Plusieurs régions prétendent encore s'organiser de manière autonome. L'est et le centre du pays vont donc s'opposer violemment au « livret infernal » (la Constitution) et l'armée française d'occupation devra opérer leur « pacification ».

La mise sous tutelle de la République helvétique prend forme avec l'alliance offensive et défensive d'août 1798, qui met fin à l'état de belligérance entre les deux pays. Toutefois, les troupes françaises vont rester en Suisse par la force des choses. D'abord, un nouveau soulèvement agite la Suisse primitive à la fin de l'été ; ensuite l'Autriche occupe la vallée du Rhin à l'automne. Enfin, le petit protectorat va être entraîné dans la guerre de la seconde coalition puisque le contrôle des passages stratégiques des Alpes est l'un des objectifs du conflit. La Suisse sera le théâtre des combats durant l'année 1799. Une bonne partie du territoire échappe momentanément au contrôle des autorités de la jeune république pour être dévastée par les armées étrangères. C'est naturellement au régime qu'on attribue la responsabilité des calamités. Son impopularité est désormais incontournable. Bien qu'ayant applaudi à la Révolution, la grande masse de la population, trompée dans ses espérances, bascule du côté de la contre-révolution.

Après le 18 Brumaire et l'instauration du Consulat, l'instabilité politique prend des allures chroniques en Suisse. Une série de coups d'État et plusieurs projets de constitution jalonnent la période qui va de décembre 1799 à juin 1802. L'instauration de l'ordre nouveau passe par deux étapes. La première voit l'élimination progressive de la tendance dure, celle des patriotes plutôt jacobins et francophiles, au profit d'une tendance modérée, celle des républicains réformistes et indépendantistes. La seconde oppose, à l'intérieur du courant républicain, les unitaires, partisans d'une Suisse unifiée et forte, et les fédéralistes, attachés à une formule constitutionnelle dans laquelle les cantons retrouveraient une partie de leur souveraineté. Par souci de stabilité et parce que la France a tout à gagner d'une Suisse indépendante mais politiquement faible, le Premier consul paraît rapidement acquis à la solution fédéraliste, tout en jouant habilement les partis les uns contre les autres. En pratique, le pays redevient un État fédératif au milieu de l'année 1801 et les cantons organisent leurs institutions selon les principes d'un conservatisme éclairé. Ce sont néanmoins les unitaires qui font adopter la Constitution du 25 mai 1802, suite à un coup de force. Soumise au peuple, elle est acceptée : on a pris la précaution de compter parmi les acceptants les suffrages non exprimés. L'ordre institutionnel ainsi rétabli, Bonaparte décide de retirer ses troupes. Les jours de la République helvétique sont comptés.

En cinq ans d'expérience révolutionnaire, la Suisse a vécu sous neuf exécutifs successifs aux dénominations diverses. L'instabilité et les conditions difficiles de fonctionnement du régime rendent aléatoire l'établissement d'un véritable bilan. D'une manière générale, la République a souffert d'un manque d'élites rompues aux affaires publiques. Le zèle des hommes nouveaux qui peuplent les conseils législatifs n'a pas suffi à les rendre crédibles. Quant au petit groupe de vingt-huit personnes qui constituent les nombreux gouvernements, il est piquant de rappeler que, malgré le discours hostile aux « ci-devant oligarques », malgré l'attitude anti-urbaine souvent proclamée, ces hommes représentent tout de même l'élite réformiste éclairée des villes-capitales. Aux deux tiers nés dans les anciennes classes dirigeantes, ils ont été, pour certains d'entre eux, magistrats. Douze membres des exécutifs ont participé, avant la Révolution, aux activités de la Société helvétique.

Néanmoins, par l'introduction de la séparation des pouvoirs et même de la séparation entre gouvernement et administration, le nouveau régime a résolument rompu avec les pratiques d'avant 1798, quoique ses innovations n'aient eu que des effets limités. La première a été biaisée par la primauté de l'exécutif. La seconde a entraîné la prolifération des fonctions bureaucratiques qui, alliée au manque de ressources financières, a paralysé le processus décisionnel. Mais, dans nombre de domaines, l'Helvétique a su amorcer des politiques sur le principe desquelles on ne reviendra pas ensuite. Le régime inaugure une politique agraire en encourageant les perfectionnements techniques. Pour cela, il tente de s'attaquer aux vieux usages communautaires qui entravaient notamment l'enclôture des terres. Surtout, il donne le branle à la longue procédure qui aboutira à l'abolition des redevances féodales. Après tergiversations, c'est un système de rachat, et non pas une suppression pure et simple, qui est adopté. Déçus de la révolution qui, dans un premier temps, les avait gagnés à sa cause en faisant miroiter la perspective d'une abolition complète, les paysans ne cachèrent pas leur mécontentement et refusèrent de verser les redevances. En 1802, ceux du pays de Vaud firent même la « guerre aux papiers » en détruisant les archives féodales des châteaux et des villes.

La politique financière et économique s'est aussi heurtée à des résistances. Dans un pays exsangue, la perception nouvelle d'un impôt direct tenait de la gageure. L'unification économique, par le déclassement des douanes intérieures, n'aboutit pas non plus. Dans ses efforts pour libéraliser le commerce et l'industrie, le régime a été plus heureux : il abolit les privilèges urbains et corporatifs. L'introduction d'une monnaie unique, le franc de Suisse, figure parmi les innovations durables tout comme la suppression du calendrier julien encore en vigueur dans certaines régions protestantes. Sur le plan juridique, le statut de sujet et les inégalités territoriales sont définitivement abolies ; les tentatives de codification inspirées du modèle français demeurent partielles. De l'Helvétique, les Suisses ont hérité un curieux système d'indigénat qui les rattache à une commune d'origine. Dans le domaine culturel enfin, le régime a voulu concrétiser les postulats rationalistes en diffusant l'instruction. L'école est déclarée obligatoire et plusieurs projets pédagogiques visent à former une nouvelle élite de citoyens responsables. Les tentatives d'introduire une panoplie de fêtes factices, calquées sur le calendrier français, n'ont guère eu d'audience dans un pays où les traditions patriotiques étaient vives. Par contre, les grandes idées révolutionnaires sur l'État et la Nation ont imprégné l'esprit public, plus durablement en tout cas que ne le laisse supposer l'éphémère floraison de feuilles périodiques bientôt entravée par la censure.

L'apparent respect de l'indépendance helvétique qui soustend le retrait des troupes d'occupation en juillet 1802 n'est que calcul politique. Sans l'appui des baïonnettes françaises, l'Helvétique ne pouvait survivre et il n'y a rien d'étonnant à ce que l'effervescence insurrectionnelle s'étende rapidement à tout le pays. Voilà le moment choisi par Bonaparte pour s'imposer en médiateur. Ce que l'on appelle « l'acte de médiation », remis aux délégués suisses par le Premier consul à Saint-Cloud, comprend dix-neuf constitutions cantonales ainsi qu'un acte fédéral qui énumère les compétences et définit l'organisation d'un faible pouvoir fédéral. La fin de l'Helvétique marque, assurément, la restauration partielle des anciennes structures politiques et sociales. L'âge des révolutions ne se termine pas pour autant. Après l'intermède stable de la « paix napoléonienne », après une période d'inspiration réactionnaire sous la Restauration, la genèse de l'État national qui aboutit en 1848 à la Constitution fédérale et aux institutions actuelles de la Suisse s'opère dans un climat de tensions intérieures et de luttes politiques virulentes. Même si l'on préfère taire la période de l'Helvétique, sorte de parenthèse gênante de l'histoire, parce que la Suisse est asservie, il demeure évident que les options définies alors vont nourrir le débat politique du XIXᵉ siècle. En ce sens, la République helvétique est bien le creuset de la modernité.

François Walter

933
La République de Genève

par Jean-Pierre SAINT-OURS
Huile sur panneau de forme ogivale. H. 0,958 ; L. 0,495.
Historique : collections de Mme Nicolas Céard, née Fanny Saint-Ours ; M. Hippolyte Gosse ; Mme Hector Maillart, née Élisabeth Gosse ; Mme Paul Boissonnas, née Noémie Maillart ; Mme God-Borel, née Ninon Boissonnas ; acquis en 1985.

Bibliographie : Plan, 1902, p. 15, repr. ; Baud-Bovy, 1903, t. I, pp. 92, 154, 170, 174, repr. p. 92.
Genève, musée d'Art et d'Histoire (inv. 1985-240).

Dans son *Compte de mes ouvrages depuis mon arrivée en 1792. Tableaux et portraits payés,* Saint-Ours notait en 1794, pour la somme de soixante livres, une *Figure de la République,* qui lui fut commandée par le Conseil législatif de Genève, pour décorer l'église Saint-Pierre. Image très caractéristique des innombrables allégories qui fleurirent sous la Révolution, cette *République* fut l'une des très rares (avec celle de Gros à Versailles) à avoir été représentées en grandes dimensions. Le tableau définitif (H. 3,850 ; L. 1,510) se trouve conservé au musée d'Art et d'Histoire de Genève (inv. N. 705). Il devait être exposé en 1794 dans la cathédrale de Genève, devenue temple des Lois, mais fut en fait discrètement accroché en mars 1795, à l'occasion de la visite d'un émissaire français. Il resta à sa place jusqu'en 1798, date de l'annexion de Genève à la France. On pensa l'envoyer à Paris. En fait, il entra en 1886 au musée Rath et ne quitta plus les musées genevois. L'œuvre exposée est une étude préparatoire pour la grande peinture. La république de Genève, coiffée d'une couronne crénelée, symbole de la cité, est assise sur un mur orné de caducées, symboles du commerce et de la médecine. De sa main gauche appuyée sur une urne, elle désigne le bas-relief de Rousseau, tandis que sa main droite brandit une enseigne romaine portant la devise genevoise « POST TENEBRAS LUX », au sommet de laquelle est fixé, dans l'œuvre définitive, un chapeau emplumé avec une cocarde.

La seule différence idéologique existant entre l'esquisse et la peinture concerne le pied gauche de la République, posé sur une mitre d'évêque. Ce détail anticlérical a disparu de l'œuvre définitive. S'agit-il d'une attitude de prudence de la part de Saint-Ours, ou bien d'une transformation ultérieure ?

La peinture apparaît comme l'aboutissement des recherches de Saint-Ours, effectuées à Rome de 1780 à 1792, date de son retour à Genève. En effet, on connaît plusieurs dessins qui ont pu servir de modèles à l'artiste lors de la réalisation de son œuvre. Saint-Ours copia des figures de Rome, de Minerve, dont les attitudes sont très semblables à celles de la République (Genève, musée d'Art et d'Histoire).

En tout état de cause, cette allégorie, sorte d'image sacrée, est l'une des rares représentations « triomphantes » de la République. Excepté sur les supports modestes (papiers à en-tête, vignettes), la vision de la République était fréquemment conçue chez les Français comme plus agressive. J.Be.

934
Projet de costumes pour les magistrats de Genève

par Jean-Pierre SAINT-OURS

Plume et aquarelle. H. 0,395 ; L. 0,520.
Historique : legs Rigaud de Constant en 1902.
Exposition : 1967, Coppet, n° 562.

Genève, bibliothèque publique et universitaire (inv. 41 G. Rig.1610).

Ce dessin non répertorié dans les monographies concernant Saint-Ours est identifié grâce à une lettre d'Albert Hentsch, ancien propriétaire de l'œuvre, adressée à un syndic de Genève (Jean-Jacques Rigaud ?), le 16 novembre 1829 : « C'est un dessin original de Saint-Ours représentant les costumes qu'il désirait donner aux magistrats pendant la Révolution ; une note explicative toute de sa main rend le morceau plus digne d'intérêt. »

A l'instar de Lesueur ou de David, Saint-Ours fournit une étude, très néo-classique de conception, des costumes, nous pourrions dire des uniformes qu'il entendait donner aux représentants de la République de Genève. Très inspiré des modèles français – peut-être Saint-Ours avait-il eu l'occasion de consulter l'ouvrage de Lesueur, *Considération sur les avantages de changer le costume français,* ou de voir les gravures d'après les projets de David ? –,

ces études peuvent être datées avec vraisemblance de 1794. On retrouve, comme dans les aquarelles de David, le chapeau emplumé, la toge et les insignes des fonctions des magistrats. La hampe portée par un représentant rappelle en tous points celle que Saint-Ours peignit dans sa figure de *La République de Genève.* J.Be.

935
Insigne de procureur général

Plaque en argent doré gravé. Diam. 0,107.
Genève, musée du Vieux-Genève (inv. N.809).

Cet insigne vaut surtout par son symbolisme. Sans aucune inscription, il est cependant hautement significatif du rôle des procureurs républicains. Issu du répertoire iconographique de la franc-maçonnerie, l'œil rayonnant évoque la lumière, la raison, et par là même la vigilance de la justice. J.Be.

936
Aux mânes des victimes du Tribunal révolutionnaire de Genève

par un auteur anonyme

Eau-forte aquarellée. H. 0,465 ; L. 0,610.
Historique : legs Rigaud de Constant, 1902.

Genève, bibliothèque publique et universitaire (inv. 28 M Rig.1519).

Avec l'appui des troupes françaises, les démocrates de 1782, devenus révolutionnaires, avaient pris le pouvoir à Genève en décembre 1792. Mais ils ne purent le garder longtemps. Grâce à Barthélemy, chargé d'affaires français, le principe de la neutralité suisse fut relativement respecté jusqu'en 1798. Un tribunal révolutionnaire fut cependant mis en place, les luttes entre factions éclatant dès 1790.

Sur cette gravure contre-révolutionnaire sont représentés les tombeaux des victimes de ce tribunal, devant lesquels pleurent les familles, tandis que la Vérité, la Justice et Minerve apparaissent dans le ciel pour les venger. Les Furies du tribunal brandissent une pique sommée du bonnet phrygien et ornée d'un drapeau sur lequel on peut lire : « COMITE DES VII/ ADMINISTRATION DE 1791/TRIBUNAL/REVOLUTIONNAIRE » ; vaincues, elles sont précipitées dans les flammes de l'Enfer.

937
« République française - Armée en Helvétie »

par un auteur anonyme

Estampe. H. 0,127 ; L. 0,223.
Inscription : « Liberté/Égalité/République Françoise/Armée en Helvétie. »

Zurich, Musée national suisse (inv. LM 29483).

Cette gravure allégorique représente sur fond d'invasion militaire l'alliance de la Suisse, symbolisée par Guillaume Tell, et de la France, symbolisée par la République tenant une pique avec un bonnet phrygien. Ces deux figures, déjà mises en parallèle durant la Terreur – Guillaume Tell étant perçu comme l'un des premiers héros de la Liberté – se rencontrèrent naturellement au moment de la création de la République helvétique (1798). J.Be.

Alliance de la France et de la Suisse (cat. 937).

La République de Genève, étude préparatoire pour le tableau destiné au décor de la cathédrale de Genève (cat. 933).

Projet de costumes pour les magistrats de Genève (cat. 934).

Insigne de procureur-général (cat. 935).

x mânes des victimes du Tribunal révolutionnaire de Genève, gravure contre-révolutionnaire (cat. 936).

Réquisitions des troupes françaises en Suisse (cat. 938).

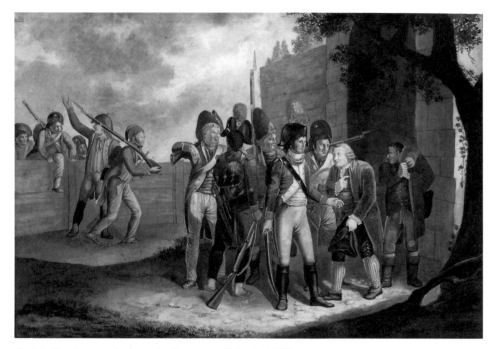

Contribution de guerre levée par les Français en Suisse (cat. 939).

« Installation dans le pays », *excès commis par les troupes françaises victorieuses en Suisse* (cat. 940).

Proclamation de la République d'Helvétie (cat. 941).

« Le Règne de la Liberté est celui des Arts » (cat. 943).

938
Réquisitions des troupes françaises en Suisse

par Balthasar Anton DUNKER
Eau-forte. H. 0,080 ; L. 0,143.
Berne, Bibliothèque nationale suisse
(inv. 05.ST. 7844).

Soucieux de s'assurer le contrôle des cols alpins, et après que le chargé d'affaires français, Barthélemy, eût été appelé au Directoire en juin 1797, le gouvernement de la République intervint en Suisse et créa une République helvétique, en juin 1798. Dès février, les pillages avaient commencé. Brune, à la tête de l'armée d'Helvétie, avait enlevé le trésor de Berne. Lorsque la seconde coalition se forma, Masséna fut nommé en remplacement de Brune. En deux étapes – première (4 juin 1799) et seconde (25-27 septembre 1799) batailles de Zurich – il parvint à conserver ses positions. André Masséna, plus tard maréchal d'Empire, était célèbre pour son avarice et sa cupidité ; « L'enfant chéri de la Victoire », était devenu pour le Parisien « l'enfant pourri de la Victoire ».
C'est aux pillages et aux vols commis par les Français que fait référence cette gravure de Dunker, datant de 1799 : trésors, bétail, tout est réquisitionné au profit de l'armée. Sur le drapeau, l'inscription « Armée Helvet. et du Danube » rappelle que la seconde armée, aux ordres de Jourdan, s'était rapprochée de celle, victorieuse, commandée par Masséna.
Ces excès avaient été ordonnés par le commissaire du Directoire, Rapinat. On murmurait :
« On se demande
Si Rapinat vient de rapine
Ou rapine de Rapinat. »   J.Be.

939
Contribution de guerre levée par les Français en Suisse

par un auteur anonyme
Gouache. H. 0,650 ; L. 0,500.
Historique : ancienne collection Vanson.
Paris, musée de l'Armée (inv. Fb. 195).

Semblable par son sujet à la gravure de Dunker, *Réquisitions des troupes françaises en Suisse* (cat. 938), ce dessin anonyme montre de façon anecdotique comment les soldats de l'armée d'Helvétie aux ordres de Brune, démunis de tout, s'introduisaient chez les habitants, autant pour prendre leur or, destiné à renflouer le trésor du Directoire, que pour s'enrichir ou tout simplement se nourrir.   J.Be.

940
« Installation dans le pays »

par Davis HESS
Etampe colorée. H. 0,225 ; L. 0,305.
Inscription : « Einquartierung auf dem Lande » ; signé en bas à droite : « D.H. »
Zurich, Musée national suisse (inv. LM 18576).

Cette gravure, datant vraisemblablement de 1798, relate crûment l'installation des troupes françaises victorieuses en Suisse. Tandis qu'un dragon et un fantassin festoient sur le compte d'un paysan en le brutalisant, d'autres soldats tentent d'abuser d'une jeune fille.   J.Be.

941
Proclamation de la République d'Helvétie

Placard imprimé. H. 0,420 ; L. 0,266.
Zurich, Musée national suisse (inv. CN.4566).

En janvier 1798, le général Brune pénétrait en Suisse par le pays de Vaud et créait une République alémanique. Berne capitulait le 5 mars. En avril, une assemblée proclamait la République helvétique, annoncée par affiches dès le 29 ventôse an VI (19 mars 1798). Aux douze cantons prévus se substituèrent bientôt dix-neuf cantons, relevant d'un directoire central formé de cinq membres et de deux chambres législatives. Dans son placard, Brune invite les habitants des cantons à se réunir en assemblée primaire pour élire des députés, dont sont exclus pour une année les membres des anciens conseils de Berne, Fribourg, Soleure et Zurich (art. 9).   J.Be.

942
Le Serment à la Constitution

par Johann Heinrich MEYER
Eau-forte. H. 0,195 ; L. 0,278.
Inscription : « Helvetische Eidlestung/auf dem Lindenhof in Zurich./am XVI Aug.MDCC XC VIII/im I.Iahr der Untheilbaren Helv.Republic. » ; à gauche : « Joh.Heinrich Meyer del. et sculps. »
Berne, Bibliothèque nationale suisse
(inv. 98 ST 5145).

Née en avril 1798, la République helvétique fut mise en place en juin, suivant la Constitution élaborée par le Bâlois Ochs ; ce dernier entra au Directoire, imposé par Rapinat. Le 16 août 1798, le serment à la nouvelle Constitution était prêté par les autorités révolutionnaires mises en place par la France.
La gravure de Meyer, purement descriptive, relate l'événement sans mettre en avant le geste symbolique du serment civique, essentiel dans le mythe révolutionnaire.   J.Be.

943
Le Règne de la Liberté est celui des Arts

par un auteur anonyme
Eau-forte. H. 0,213 ; L. 0,180.
Inscription : « LE REGNE DE LA LIBERTE EST CELUI DES ARTS » ; dessous : « MUSIQUE/NATIONALE. »
Berne, Bibliothèque nationale suisse
(inv. 03.ST.3635).

Cette gravure fut vraisemblablement réalisée en 1798, année de naissance de la République helvétique. Assise sous un dais formé d'éléments décoratifs de goût pompéien, la Liberté, coiffée du bonnet phrygien, accueille la Musique et ses enfants. Sous son trône est suspendu le triangle de l'Égalité.   J.Be

Le Serment à la Constitution de la République helvétique (cat. 942).

LES RÉPUBLIQUES SŒURS D'ITALIE

LA CRÉATION en Italie de républiques sœurs répondait à une double mais contradictoire nécessité : il fallait d'une part administrer des régions conquises qu'il ne paraissait ni possible ni souhaitable d'annexer à la France mais dont il était essentiel d'exploiter les ressources afin de subvenir aux besoins considérables du gouvernement du Directoire ; il était d'autre part légitime et prudent de répondre aux aspirations des patriotes locaux, soucieux d'inscrire une liberté, parfois conquise par l'insurrection, dans le cadre d'une constitution intégrant les droits de l'homme et les acquis de la Révolution française.

Le Directoire fut loin d'être toujours favorable à de telles créations, marquant parfois nettement sa préférence pour une pure et simple occupation militaire qui présentait de substantiels avantages économiques et lui laissait les mains libres pour une éventuelle politique de « compensations » dans ses négociations avec les divers membres de la première coalition. De plus, la nécessité d'un « glacis stratégique » se faisait moins sentir de l'autre côté des Alpes que sur le Rhin.

Mais par ailleurs l'intervention de la France en Italie bouleversait un équilibre fragile entre des principautés territoriales souvent rivales. Le Directoire lui-même était divisé sur l'attitude à prendre à l'égard de l'Église catholique en général, omniprésente dans la péninsule, et plus particulièrement du Saint-Siège que certains voulaient détruire (« Vous ferez chanceler la tiare au prétendu chef de l'Église universelle », précisaient les instructions remises à Bonaparte) tandis que d'autres, qui reconnaissaient dans la défense de la religion le meilleur atout de la contre-révolution, étaient partisans d'une solution négociée.

Dans un pays morcelé et dont l'unification ne semblait pas alors d'actualité, les solutions ne pouvaient être que diverses. C'est pourquoi, plus qu'ailleurs, les républiques sœurs se multiplièrent en Italie, aussi nombreuses et aussi soudaines que des .« champignons républicains » mais aussi éphémères. Toutes furent pourvues d'une constitution, tantôt démocratiquement discutée, tantôt imposée.

La notion de constitution était, il est vrai, familière aux juristes italiens et seule l'opposition de la cour de Vienne avait empêché en 1788 l'archiduc Léopold, futur empereur et alors grand-duc de Toscane, d'en promulguer une. Le Florentin Filippo Buonarotti, qui avait été lié à Léopold avant de devenir un partisan enthousiaste de la Révolution, avait même préparé un projet assez proche de la Constitution française de l'an I. Son action ne fut pas négligeable et explique le caractère relativement démocratique des constitutions de certaines républiques sœurs de la péninsule.

Chronologiquement, la première république italienne qui fut pourvue d'une constitution fut la république de Bologne : si le préambule du texte était directement inspiré de celui de la Constitution française de l'an III et de sa Déclaration des droits et des devoirs de l'homme et du citoyen, la Constitution elle-même comprenait plusieurs dispositions originales et, peut-être plus par référence aux institutions municipales du Moyen Âge que pour rappeler la République romaine, le pouvoir exécutif était confié à des consuls.

La Constitution bolonaise, démocratiquement votée par des représentants élus, le 4 décembre 1796, aurait pu être étendue à d'autres régions. Mais les rivalités entre cités n'étaient pas mortes et le congrès qui, à la fin de décembre 1796, réunit d'abord à Reggio puis à Modène les députés des populations « libérées » de l'ancien duché de Modène, de l'Émilie et de Ferrare, décida la mise en chantier d'une constitution pour une nouvelle république voulue par Bonaparte, la République cispadane (qui absorbait l'éphémère République bolonaise).

Promulguée le 27 mars 1797 cette constitution pouvait paraître sur certains points en régression sur la Constitution française de l'an III ; placée sous l'invocation de Dieu, elle faisait du catholicisme la religion d'État, tolérait le judaïsme, prohibait le protestantisme. Mais elle instaurait le suffrage universel, pondéré par un système de vote à trois degrés.

La conclusion des préliminaires de paix de Leoben amena Bonaparte à incorporer la République cispadane dans un ensemble territorial plus vaste comprenant aussi la Lombardie, la Valteline et une partie de la « terre ferme » vénitienne. Après l'avis, tout théorique d'ailleurs, d'un comité italien désigné par ses soins, il promulgua le 9 juillet 1797 la Constitution de cette République cisalpine, calquée sur la Constitution française de l'an III, modifiée dans un sens passablement autoritaire ; pour plus de sécurité, les élections étaient différées d'un an et le régime de la dictature militaire maintenu presque intégralement.

La République ligure naquit d'une insurrection et d'un compromis : le 22 mai 1797 les démocrates génois tentèrent d'imposer au Sénat de cette antique république patricienne une réforme de ses institutions. Le mouvement fut réprimé mais, menacé de représailles par Bonaparte, le Sénat de Gênes accepta de signer avec lui la convention de Mombello (6 juin) : une nouvelle Constitution fut rédigée par une commission législative et votée le 11 novembre 1797 ; des clauses particulières y garantissaient la franchise du port, les intérêts de la Banque de Saint-Georges et les droits des indigents (fussent-ils d'anciens nobles).

L'occupation de Rome en février 1798 entraîna la création d'une République romaine qu'une commission de quatre membres nommés par le Directoire (Daunou, Faipoult, Florent et Morige) dota d'une Constitution qui se borna à habiller « à l'antique » la Constitution de l'an III : les directeurs portent le titre de « consuls », les assemblées sont appelées « sénat » et « tribunat », sans doute parce que les Romains eux-mêmes avaient utilisé ces titulatures en organisant le gouvernement provisoire de leur République. Les élections étaient différées et la promulgation des lois soumise au général commandant les troupes françaises à Rome. Dès le 10 septembre 1798, une nouvelle Constitution fut donnée autoritairement à la République cisalpine : elle était, à quelques dispositions près et sans les titres à l'antique, identique à la Constitution de la République romaine.

Le général Championnet joua dans la naissance de la République parthénopéenne (hommage à l'ancien nom grec de Naples) un rôle encore plus important que Bonaparte dans celles de la République ligure et de la République cispadane et sensiblement différent de l'attitude adoptée lors de la création de la République cisalpine : le jour même de son entrée dans la ville insurgée contre les Bourbons, il laissa les patriotes napolitains proclamer la République et adopter une Constitution préparée par le philosophe Mario Pagano, aussi remarquable par l'originalité de son préambule que par le pouvoir de contrôle accordé au tribunal des « censeurs » sur la vie sociale, voire privée, des citoyens que par la prééminence de l'assemblée des « éphores » sur le corps législatif et la législation.

L'intérêt de ces « constitutions jacobines » (pour reprendre la terminologie usuelle de l'historiographie italienne) est considérable pour l'histoire des théories politiques. Il est beaucoup plus mince sur un plan strictement historique car leur durée d'application fut en général très brève. On a déjà vu que la République cispadane avait duré moins de six mois, absorbée par la République cisalpine, qui ne disparut théoriquement qu'en 1802, transformée en République italienne mais qui avait été entièrement occupée par les Autrichiens dès le mois de mai 1799. La République ligure réduite peu à peu à la seule ville de Gênes ne survécut pas à la prise de la ville le 7 juin 1800 par les Autrichiens qui l'évacuèrent peu après. L'histoire de la République romaine fut encore plus mouvementée : dès le

novembre 1798, les troupes napolitaines occupèrent la ville provoquant l'intervention du général Championnet qui non seulement reconquit Rome (13 décembre) mais s'empara de Naples permettant comme on l'a vu, la création de la République parthénopéenne ; le 5 mai 1799, l'armée de la Sainte-Foi dirigée par le cardinal Ruffo reprit la ville. Tandis que « Sanfedistes » venus du sud, et « Viva Maria » venus de Toscane parcouraient la campagne durant l'été 1799, l'armée française quitta la ville, emmenant avec elle les plus notables des patriotes « jacobins ».

Nées de la victoire française sur la première coalition, affaiblies par leur dépendance totale à l'égard de la France et plus encore (surtout en Ligurie et dans la Cisalpine) par les exigences financières du Directoire, les républiques sœurs italiennes disparurent donc lors de la grande offensive de la seconde coalition. Ce qui se passa à ce moment-là en Italie peut donner une idée des conséquences qu'aurait eu en France un triomphe de la contre-révolution. En Italie du Nord, les Autrichiens, bien loin de rétablir les anciennes institutions, tentèrent de récupérer à leur profit l'unité territoriale qui résultait de la création de la République cisalpine. À Rome, le gouvernement pontifical fut restauré mais les clauses de la capitulation furent respectées. Il n'en alla pas de même à Naples. Le cardinal Ruffo entré en vainqueur avec ses Sanfedistes avait néanmoins signé une convention permettant aux patriotes napolitains de quitter la ville avec la garnison française ; la reine Marie-Caroline obtint de l'amiral Nelson, dont l'escadre après la bataille d'Aboukir était venue mouiller dans le port de Naples, la dénonciation de cette convention. Les patriotes napolitains, et avec eux l'élite intellectuelle de la ville, soupçonnée de sympathie pour les « jacobins » et les francs-maçons, furent pourchassés, jugés et le plus souvent exécutés. Naples qui avait été une des villes les plus brillantes de l'Europe du XVIIIᵉ siècle ne se releva que très lentement de cet épisode sanglant.

Cette page de l'histoire de la contre-révolution n'ajoute rien à la gloire de Nelson ; si l'on songe que la reine Marie-Caroline était la sœur de Marie-Antoinette, on peut en conclure que les craintes manifestées en France après la publication du manifeste de Brunswick n'étaient point vaines ; Louis XVIII ne s'était guère montré plus rassurant dans sa « proclamation de Vérone » (juin 1794). De ce point de vue, l'histoire des républiques sœurs d'Italie contribua à faire accepter Bonaparte comme un moindre mal à beaucoup de Français.

Événements de Pologne, d'Italie et de Suisse (cat. 944).

944
Événements de Pologne, d'Italie et de Suisse

par Balthasar Anton DUNKER

Eau-forte. H. 0,197; L. 0,37.

Inscription : sur le bouclier du génie ailé : « PRO/FIDE/REGS/ET/LEG »; au fond : « Litthauen »; sur le livre sous la patte du "lion de St-Marc" : « Pax/*tibi* Mar/ce/ev »; sur le sol en bas : « 84e Dép. »; dans la marge : « D ».

Berne, musée d'Histoire (inv. 23.791. 1/2).

Dunker, dans un style à la fois symbolique et humoristique, semble vouloir comparer dans cette estampe le sort de trois pays d'Europe. En haut un génie ailé (Kosciuszko, originaire de Lituanie ?) tente d'arracher le blason (fantaisiste d'ailleurs au point de vue héraldique) de la Pologne à trois aigles couronnés (Prusse, Russie, Autriche) qui le déchirent tandis qu'un quatrième (Stanislas Poniatowski ?) tenu à l'écart perd ses plumes.

Au centre, cinq personnifications de villes ayant rompu la chaîne qui les liait aux griffes du lion de Saint-Marc, courent vers un faisceau couronné d'un bonnet phrygien, qui peut signifier plutôt la République cispadane que la République cisalpine et faire allusion à l'occupation de certaines localités de la « Terre ferme » vénitienne dès 1796.

En bas, une femme couronnée de fleurs balaie les « signes de la féodalité » (blasons, couronne, crosse, croix et parchemins) pour débarrasser le sol du « 84e département », celui du Mont-Terrible annexé en 1793 à la République française aux dépens de l'évêché de Bâle après la suppression d'une éphémère République de Rauracée.

L'estampe de Dunker, difficile à dater puisqu'elle réunit des faits étalés de 1793 à 1796, semble comparer le sort de ces divers pays dans un sens plutôt favorable à la Révolution. Elle doit être antérieure aux « Pâques véronaises » (avril 1797) qui entraînèrent la fin de la République de Venise.

945
La Liberté de l'Italie dédiée aux hommes libres

par Philippe-Auguste HENNEQUIN

Plume, encre noire et lavis gris sur traits de pierre noire, sur deux feuillets. H. 0,450; L. 0,333.

Inscription : en bas à gauche : « Ph. Au. hennequin. »

Historique : legs Hennin à la Bibliothèque nationale en 1883.

Bibliographie : Duplessis, 1884, t. IV, p. 186, no 12314; Saunier, 1917, p. 7.

Bibliothèque nationale, cabinet des Estampes, collection Hennin (inv. 12314).

En 1917, Charles Saunier écrivait à propos de ce dessin : « Moins féru, peut-être, du régime impérial, il [Hennequin] avait, dans la composition d'une pièce allégorique qui fut gravée,

La Liberté de l'Italie dédiée aux hommes libres (cat. 945).

La Liberté de l'Italie dédiée aux hommes libres, apporté cependant son précoce témoignage d'admiration au jeune général Bonaparte. » Républicain convaincu, l'artiste voyait en effet en Bonaparte, à cette époque, moins un ambitieux qu'un ambassadeur de la Liberté. Il devait cependant rapidement déchanter, lors du coup d'État de Brumaire; ami de Topino-Lebrun, il fut poursuivi après la conspiration de l'Opéra montée contre le Premier consul (1800).

Exécutée après la libération d'Hennequin (1797), emprisonné à la suite de l'affaire du camp de Grenelle (23-24 fructidor an IV - 9-10 septembre 1796), ce dessin fait référence aux victoires de Bonaparte en Italie. Mêlant habilement l'allégorie et la réalité, il représente le Peuple sous les traits d'Hercule, et la Sagesse embrassée par le général qui brandit une statuette de l'Égalité, et foulant aux pieds l'aigle biface de l'Autriche, vaincue par Bonaparte, et la croix du pape, tandis que dans le ciel planent la Victoire et la Renommée.

Hennequin procède à la manière de Wicar dans son *Allégorie du traité de paix entre la France et la Toscane* (cat. 697) en introduisant dans son œuvre, pour une meilleure compréhension, un personnage réel. Tout se passe comme si l'allégorie, pourtant perçue à l'époque révolutionnaire comme seule apte à substituer une idéologie nouvelle à l'ancienne, s'éloignant trop de la réalité, nécessitait sa réintégration.

Cela provient surtout du fait que les artistes, bousculés par la trop rapide succession des faits de la décennie, ne savaient plus faire la part des choses entre l'iconographie proprement idéologique et la représentation événementielle.

L'œuvre fut préparée par un autre dessin, conservé au musée de Providence aux États-Unis (inv. 58.077) ; la gravure conservée dans la collection Hennin (B.N., Est. inv. CXL 16, n° 12313) est due à Antoine-Maxime Monsaldy (Paris, 1768-1816).   J.Be.

946
Bonaparte donnant une constitution à la République ligurienne

par Jean-Baptiste WICAR

Plume et encre noire sur papier blanc. H. 0,24 ; L. 0,27.

Inscription : « Bonaparte donnant la constitution à la Rép^{que} ligurienne qui la reçoit avec/reconnaissance.lui montre la Liberté, la justice sur lesquels elle est fondée Ainsi/que mercure pour le commerce et Neptune dieu des mers, tous deux s'empressent/par leurs actions de témoigner leur joye. Aux pieds de Neptune on voit/des Nayades ou des Tritons qui sont aux bords de la mer et qui se/réjouissent à leur manière. Les Beaux Arts composent le même groupe// [barré : Bonaparte] La Victoire et la paix qui la suit planent/ sur Bonaparte : le génie de la Victoire tient le casque et les armes de Bonaparte. Qui est habillé en consul pour faire voir qu'il/a laissé un moment la guerre pour gouverner ; il aura même à ses côtés un génie tenant un gouvernail//Du côté opposé et précisément derrière la Ligurie/reconnaissante [barré : on voit les Beaux Arts qui s'unissent à des /leurs sentiments]

et pour exprimer que cette reconnaissance est/unanime on a placé en un seul grouppe tous les âges et les/conditions exprimant leur joye reconnaissante.// Dans le fond du tableau on [barré : devine] apperçoit / Christophe Colomb etc... // la Sculpture tient une statue de Bonaparte et celle de/Christophe Colomb- On verrait le môle/et les forts de Genes/la mer et les/montagnes/Le génie de l'immortalité/sur la tête de Bonaparte/un génie unit/les deux Nations. »
Historique : legs Wicar à la Société des sciences, 1865.

Lille, musée des Beaux-Arts (inv. Be 140).

Faut-il regretter que les circonstances politiques n'aient pas permis à Wicar de peindre la toile dont il a donné sous forme de croquis la composition générale et par écrit le programme encore incertain ? L'existence de la République ligurienne fut brève et le rôle de Bonaparte fut effectivement décisif dans l'élaboration de sa Constitution. Celle-ci, quoique très proche de celle du Directoire, contenait des dispositions spécifiques sur le plan commercial et sur celui de l'enseignement public qui expliquent la place accordée aux divinités maritimes d'une part et aux génies des Beaux-Arts de l'autre. On notera enfin que Bonaparte apparaît ici en consul (et il est probable que le croquis isolé à gauche précise son costume et son attitude) avec une référence explicite — et prémonitoire — au double aspect militaire et civil de la fonction consulaire.

A l'époque où il conçoit cette ambitieuse composition historique et allégorique, Wicar était membre de la Commission de recherche des objets des sciences et des arts en Italie.

947
Proclamation de la République romaine sur la place du Capitole

par DUPLESSI-BERTAUX, d'après Carle Vernet
Eau-forte. H. 0,33 ; L. 0,425.

Inscription : « Proclamation de la République romaine, le 27 pluviose an VI. Dessiné par Carle Vernet - Gravé à l'eau-forte par Duplessi-Bertaux - Terminé par Delaunay Jeune. »
Exposition : 1961, Rome, Palazzo Braschi, n° 814.
Bibliographie : Vovelle, 1986, t. V, p. 280.

Rome, museo Napoleonico
(inv. museo di Roma G.S. 3275).

Dans un style assez proche des *Tableaux historiques de la Révolution,* Carle Vernet entreprit en 1802 la publication des *Tableaux de la campagne d'Italie.* On y retrouve le même souci d'exactitude topographique, le même sens un peu plus conventionnel du détail pittoresque, la même aptitude à créer une image vraisemblable à défaut d'être absolument vraie.

Ici la proclamation de la République romaine le 25 février 1798, située sur la place du Capitole devant le palais du Sénat, a toutes les apparences d'une prise d'armes ; on sait pourtant que le général Berthier dont les troupes avaient, à la suite du meurtre du général Duphot (27 décembre 1796), commencé, dès le 13 février, à occuper la ville, n'y assistait pas, mais quelques jours plus tard il apportait avec lui une constitution déjà préparée.

On notera la forme très particulière de l'arbre de la Liberté qui affecte la forme d'une sorte d'autel surmonté d'un trophée couronné de deux palmes et non du bonnet phrygien. La statue de Marc Aurèle, demeurée intacte, ne subit pas le sort du *Regisole* de Pavie ou du *Niccolo' d'Este* de Ferrare, renversées et détruites par les troupes françaises comme monuments monarchiques.

948
Drapeau de la garde nationale de la République romaine

Soie peinte. H. 1,000 ; L. 1,000.
Inscription : peintes sur l'avers : « Repubblica Romana/ Liberta. Eguaglianza » ; sur le revers : « Guardia Nazionale di Roma/ Liberta o Morte/ Primo Battaglione. »
Historique : donation du prince de la Moscova en 1929.

Paris, musée de l'Armée (inv. Ba 95).

La République romaine avait été créée le 15 février 1798, à la suite de l'assassinat du général Duphot, attaché d'ambassade dans les États du pape (28 décembre 1797). Les « jacobins » romains constituèrent un gouvernement provisoire de sept consuls et mirent sur pied une garde nationale, à l'image de celle de la France. Chaque bataillon avait son propre drapeau. Celui du 1er bataillon présente sur l'avers l'aigle romaine, reprise des modèles antiques. Le revers montre une symbolique plus traditionnelle, faisceau et bonnet phrygien, inspirée de l'iconographie républicaine française.

                                        J.Be.

Bonaparte donnant une constitution à la République ligurienne (cat. 946).

PROCLAMATION DE LA RÉPUBLIQUE ROMAINE, LE 27 PLUVIOSE, AN VI.

Proclamation de la République romaine sur la place du Capitole (cat. 947).

Drapeau de la garde nationale de la République romaine (cat. 948).

XXV
LA FÊTE
RÉVOLUTIONNAIRE

Les fêtes de la Révolution ont été très diversement jugées. Elles sont apparues aux uns comme les créations peut-être les plus originales de cette période dans la mesure où elles consacraient l'union des arts mis au service du peuple sous l'impulsion du gouvernement révolutionnaire. Elles sont jugées par d'autres totalement artificielles, ridicules par certains de leurs prétextes, odieuses par les comportements qu'elles révèlent : les fêtes de la Raison en particulier, par leur caractère profane au sens le plus fort du terme, ont été, surtout au XIXᵉ siècle, le support de fantasmes révélateurs qui ont transformé ces cérémonies assez austères et placées sous le signe de la vertu en autant d'orgies crapuleuses.

Il est parfois difficile de saisir la réalité de ces fêtes : ni les comptes rendus, souvent emphatiques, ni même les représentations figurées ne permettent de juger de l'affluence et de l'intérêt réel des spectateurs. Peut-être faut-il faire une relative distinction entre les fêtes conçues comme un grand spectacle qui se déroulait en un lieu donné et les cortèges où les participants – le peuple – se donnaient en spectacle à eux-mêmes.

Ce qui n'est pas douteux, c'est le caractère spontané et enthousiaste des premières fêtes. C'est aussi le fait que pour solenniser l'événement on fit longtemps appel (faute de mieux ?) à la liturgie catholique : l'autel de la Patrie demeurait un autel chrétien. Mais surtout les fêtes de la Révolution furent sur le plan artistique l'occasion, parfois unique, pour les architectes de mettre en œuvre leurs conceptions sous une forme certes éphémère mais moins abstraite que le simple projet dessiné.

Dans cette présentation – et compte tenu d'autres manifestations où le thème de la fête révolutionnaire sera très amplement exploité – l'accent a surtout été mis sur les fêtes de la Fédération, qui furent les plus belles et les plus chaleureuses de toutes, et aussi sur le rite de la plantation de l'arbre de la Liberté tant en France que dans les divers pays d'Europe.

Mais ce que l'exposition ne peut évoquer ce sont les rumeurs, les cris, et surtout les chants qui firent des fêtes de la Révolution – même lorsque celle-ci fut « glacée » selon le mot de Saint-Just – une forme accomplie de spectacle total.

Fête de la Liberté (cat. 974, détail).

950

*Plan des aménagements
du Champ-de-Mars*
*pour la fête de la Fédération
du 14 juillet 1790*

par MEUNIER et GAUCHER

Plume et encre, lavis.
Inscription : légendes des vignettes : « Vue perspective de la loge du Roi et de l'amphithéâtre couvert, plour (sic) l'Assemblée Nationale// Vue perspective de l'Arc de Triomphe et du Pont/ Vue perspective de l'Autel de la Patrie » en haut : « Explication du plan... » ; en bas : « Serment/de la Nation/inscrit sur le soubassement de l'autel. Serment/du Roi. »
Historique : collection Destailleur.
Bibliographie : Jacques-Mouilleseaux, 1988, p. 40 (estampe).

Paris, Bibliothèque nationale, cabinet des Estampes (inv. Ve 53f, Res., n° 564).

Ce plan, quoique sans échelle (mais des dimensions sont indiquées dans la légende), éclaire le tableau d'Hubert Robert présenté à sa suite et permet de se rendre compte de l'importance des travaux entrepris pour la fête de la Fédération : pont de bois de 20 mètres de large, sur la Seine, arc de triomphe d'environ 25 mètres de haut sur 50 mètres de large, « cirque » de 800 mètres de long bordé de levées de terre (d'où l'importance de la « journée des brouettes », le 13 juillet, la veille même de la fête). On notera aussi le soin avec lequel la loge royale s'inscrit dans la façade de l'École militaire.

Décidée à la suite d'une adresse du district Saint-Eustache et sur un rapport de Talleyrand du 7 juin, la fête de la Fédération avait pour but de réunir des délégations de toutes les gardes nationales du royaume, à raison d'un homme sur deux cents choisis par un collège de six délégués pour cents hommes réunis en présence du directoire de chaque chef-lieu de district, ou à défaut du corps municipal du chef-lieu.

Le cirque devait donc être assez vaste pour que plus de 50 000 hommes et que deux à trois fois plus de spectateurs assistent à la fête. Les travaux furent menés sous la direction de l'administrateur des Ateliers publics, J.-B. Plaisant, et la dépense fut de 346 689 francs. Le projet architectural est en général attribué à Mandar, Blondel et Cellerier. On peut le considérer comme la première et la plus vaste tentative pour concrétiser la conception grandiose de l'architecture publique qui se développe dans la seconde moitié du XVIIIe siècle.

951

*Fête de la Fédération
au Champ-de-Mars*

par Hubert ROBERT

Huile sur toile. H. 0,520 ; L. 0,960.
Inscription : signé et daté en bas à droite : « Hubert Robert 1790. »

Historique : don Auguste Couder au roi Louis-Philippe pour le musée de Versailles en 1847.
Expositions : 1925, Paris, n° 290 ; 1931, Paris, n° 69 ; 1939, Paris, n° 155 ; 1955, Versailles, n° 422 ; 1957, Paris, n° 265 ; 1962, Versailles-New York-Chicago-Toledo-Los Angeles-San Francisco, n° 86.
Bibliographie : Nolhac, 1910, p. 78 ; Réau, 1927, p. 217 ; Goulinat, 1930, p. 116, n° 100 ; Isorla, 1953, p. 32 ; Constant, p. 115, n° 3957.

Versailles, musée national du Château (inv. 7655 - MV 4603).

Tout comme Lesueur ou Jean-Louis Prieur, Hubert Robert fut un témoin incomparable des événements révolutionnaires. Dès 1789, il s'attachait à peindre la Bastille. L'année suivante, il représentait dans ce petit tableau cette grande fête de l'unité française, où les délégations venues de tous les départements communiaient, à l'occasion du premier anniversaire de la prise de la Bastille, dans la même ferveur et la même foi dans le roi et dans la Nation.
La cérémonie s'était déroulée sur le Champ-de-Mars à Paris. Au fond à droite, on voit l'École militaire, construite par Gabriel à partir de 1752, tandis que sur le ciel se détache la silhouette du dôme des Invalides. Baigné par la lumière le centre du tableau met en valeur l'amphithéâtre aménagé pour la circonstance, avec en son centre l'autel de la Patrie dressé sur une estrade, sur laquelle Talleyrand, évêque d'Autun, célébra la messe. A gauche se dresse l'arc de triomphe provisoire, sans doute dessiné par l'architecte Cellerier, couronné d'une terrasse accessible aux spectateurs, exemple de ces arcs de triomphe à l'antique que le néo-classicisme devait remettre à l'honneur.
Œuvre splendide de monumentalité, ce tableau, s'il témoigne avant tout de la grandeur de conception d'Hubert Robert, est aussi un témoignage de son adhésion à la Révolution du compromis. Il existe une esquisse préparatoire de cette peinture dans une collection particulière.
Tout comme la prise de la Bastille, la fête de la Fédération suscita une très importante iconographie : citons le tableau de Thévenin, récemment acquis par le musée Carnavalet, le dessin de Swebach (musée Carnavalet), les gravures de Janinet (Salon de 1791, n° 301) et de Helman (Salon de 1793, n° 423), le tableau de De Machy (Salon de 1793, n° 159), sans oublier le tableau anonyme du musée Carnavalet représentant La Fayette prêtant serment sur l'autel de la Patrie.   J.Be.

952

La Fête de la Fédération à Besançon

par Jean CORNU

Gouache sur papier. H. 0,418 ; L. 0,537.
Inscription : « Dédié à Monsieur le M^quis^ de Toulongeon commandant général des troupes de ligne en Franche-Comté — Peint a gouache par J. Cornu/ 1790 — Par son très humble et très obéissant/ serviteur Cornu. »
Bibliographie : Vovelle, 1986, t. II, p. 106.

Besançon, musée d'Histoire, palais Granvelle (inv. D. 3327).

Avant d'aboutir à la gigantesque fête du 14 Juillet 1790 sur le Champ-de-Mars, le mouvement fédératif s'était d'abord manifesté par des célébrations locales, dues à des initiatives particulières. La première « fédération » eut lieu à l'appel du naturaliste Faujas de Saint-Fond et de Ducluseau de Chabreuil ancien officier ; elle réunit le 29 novembre 1789 les milices patriotiques du Dauphiné et du Vivarais venues des deux rives du Rhône. Une seconde fédération du Dauphiné eut lieu à Grenoble en avril. On cite ensuite celles des vallées pyrénéennes de Pontivy (21 février 1790), puis en mai et juin, celles de Dijon, de Lyon, d'Orléans, de Lille (dont un tableau de Watteau de Lille, malheureusement non présenté dans l'exposition, conserve le souvenir) et de Besançon, ici figurée, qui eut lieu le 16 juin.
L'ensemble de la composition est dominé par l'autel de la Patrie (sur lequel on distingue la croix et les chandeliers) abrité par une « tholos » d'ordre corinthien dont l'architecture semble très soignée. Les personnages vêtus de blanc qui l'entourent sont sans doute, non des jeunes filles, mais de jeunes garçons en tenue de lévite dans un costume comparable à celui porté par l'assistant qui hisse la bannière tricolore dans le tableau anonyme représentant le *Serment de La Fayette* (musée Carnavalet).
Le peintre a surtout voulu mettre en valeur le rigoureux alignement des membres des milices patriotiques et leur bonne tenue autour de l'autel, malgré le temps incertain que suggèrent certains détails (parapluie retourné, effets de nuage).

953

La Fête de la Fédération à Guéret

par PARMENTIER

Huile sur toile. H. 0,765 ; L. 0,685.
Historique : entré au musée avant 1889.
Bibliographie : Monnet, 1889, n° 50 ; Chatreix, 1955, fig. p. 64.

Guéret, musée (inv. 889-1.1).

Même dans une ville assez modeste comme Guéret, la fédération des gardes nationales donna lieu à un effort remarquable dans le domaine du décor. L'autel de la Patrie est placé sous un pavillon carré dont le toit est surmonté d'un Hercule, symbole du Peuple français. L'instant représenté est celui où le commandant prête serment l'épée nue et levée devant le prêtre célébrant. Au premier plan un artilleur vient mettre le feu à sa pièce.

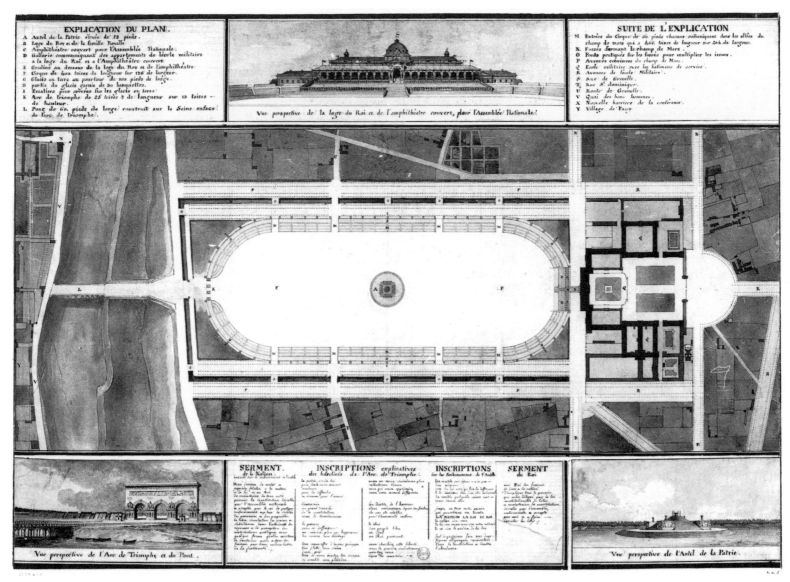

Plan des aménagements du Champ-de-Mars pour la fête de la Fédération du 14 juillet 1790 (cat. 950).

Fête de la Fédération au Champ-de-Mars (cat. 951).

La Fête de la Fédération à Besançon (cat. 952).

La Fête de la Fédération à Guéret (cat. 953).

La Fête de la Fédération à Toulouse (cat. 954).

Stations de la fête du 10 août 1793 à Paris (cat. 955).

Autel de la Patrie, placé dans le temple décadaire d'Angers (cat. 956).

Fragments du décor de la fête de l'Être suprême célébrée à Montignac-sur-Vézère le 20 prairial an II (cat. 957).

La fête de l'Être suprême à Paris

L'histoire des fêtes révolutionnaires est, comme l'a montré Mona Ozouf (*la Fête révolutionnaire*, Paris, 1976) parcourue par une tension, rarement avouée, entre une tendance spontanée souvent violente et volontiers burlesque qui s'apparente par bien des aspects, et en particulier par ses itinéraires, à la «journée» révolutionnaire, et une tendance ordonnée, au sens littéral du terme, qui comporte un programme préétabli, un décor, un parcours et un horaire fixés à l'avance. Les mascarades antireligieuses, certaines fêtes de la Raison, parfois même des plantations d'arbre de la Liberté répondent à la première tendance; les grandes fêtes préparées à l'avance, à date fixe et dont le thème correspond à une orientation gouvernementale, parfois mal perçue ou même rejetée, sont une réplique de la deuxième tendance. Mais parfois la fusion s'opère comme pour la première fête de la Fédération, comme semble-t-il aussi pour la fête du 10 Août 1793, dite de l'Unité et de l'Indivisibilité.

Ce fut le cas pour la fête de l'Être suprême, le 20 prairial an II (8 juin 1794); décidée le 18 floréal (7 mai) à la suite du discours dans lequel Robespierre avait dénoncé l'athéisme, elle était conçue comme une arme de combat contre les séquelles de l'hébertisme.

Le programme en fut élaboré par le Comité de Salut public et la réalisation confiée à David: amphithéâtre de verdure dans le Jardin national (jardin des Tuileries) avec tribune, au sommet de laquelle était placé le fauteuil (les opposants diront le trône) du président de la Convention, c'est-à-dire Robespierre élu le 4 juin; devant la tribune une effigie de l'Athéisme entouré de l'Ambition, de l'Égoïsme et de la Discorde était réalisée en étoupe et dissimulait une statue incombustible de la Sagesse. Puis au champ de l'Unité (Champ-de-Mars) la seconde partie de la fête se déroula autour et sur la « Montagne » qui servait de soubassement à un arbre de la Liberté.

Des représentations assez nombreuses permettent d'imaginer assez précisément l'aspect de cette « sainte montagne » dont le symbolisme était si évident qu'il ne pouvait échapper à aucun spectateur. Un certain nombre de mémoires de maçonnerie (Arch. nat. F¹ᶜ I.84) permettent de restituer en partie les dispositions de cette construction qui subsistait encore en l'an III mais menaçait déjà ruine et disparut en l'an IV.

En fait la « Montagne » de l'an II avait été construite sur l'autel de la Patrie du 14 juillet 1790, complété depuis le 10 août 1793 par une haute colonne dorique qui à l'origine était surmontée d'une pique et d'un bonnet et qui supportait désormais une statue du peuple français. Les formes géométriques rigoureuses de l'autel de 1790 était entièrement dissimulées par de faux rochers en «moellonage» et plâtre sur des châssis de bois. Les quatre massifs cubiques des angles ainsi revêtus servaient de base à de grandes cassolettes. Mais les volées

d'escaliers entre les massifs avaient été laissées en grande partie dégagées et, soit à ciel ouvert, soit en passant sous des voûtes de rochers factices, permettaient d'accéder à la plate-forme de l'autel. Celle-ci servait de base à un rocher; au sommet était ménagé une sorte de belvédère muni de balustrades et au milieu duquel s'élevait l'arbre de la Liberté. Un escalier extérieur qui tournait autour du rocher en permettait l'accès.

Autour des cassolettes et semble-t-il sur les flancs mêmes du rocher avaient été ménagées des terrasses suffisamment larges pour que les représentants des quatre catégories de participants (dix pour chaque section parisienne) puissent y prendre place : les vieillards et les adolescents d'une part, les mères de famille et les jeunes filles d'autre part. Le sommet de la Montagne était réservé aux membres de la Convention; un espace accueillait les musiciens.

La plupart des représentations figurées exagèrent considérablement la hauteur et l'escarpement de cette « Montagne ». La plate-forme supérieure se situait à un niveau un peu moins élevé que la colonne de 1793, haute elle-même de cinquante pieds; elle devait donc se situer à une douzaine de mètres du sol. Le document le plus fiable paraît être un dessin de la collection Destailleur (Paris, Bibliothèque nationale) qui porte l'inscription, nettement postérieure «D'après nature par Michel Croquis de la Montagne élevée dans le Champ-de-Mars pendant la Révolution. J'y étais et je garantis le croquis exact (Note de Duplessi-Bertaux à qui ce Dessin appartenait.) »

Le croquis de Martin montre non seulement la « Montagne » mais plus loin sur le Champ-de-Mars le monument funèbre des guerriers morts pour la Patrie (cat. 955) élevé pour la sixième station du 10 août 1793, complété comme il était prévu dans le rapport de David par une pyramide.

Ce monument désigné aussi comme temple de l'Immortalité apparaît aussi sur la peinture de Demachy (musée Carnavalet). En floréal an IV, il menaçait ruine et une partie du bois de la construction avait même été volé. Il fut démoli peu après.

La « Montagne » de la fête de l'Être suprême avait eu des précédents dont le plus ancien était sans doute l'énorme rocher sur lequel trônait la statue de la Liberté lors de la fête de la Fédération le 30 mai 1790 à Lyon. Il est même possible de soutenir qu'elle trouvait sa source dans la scénographie de l'opéra du XVIIIᵉ siècle qui elle-même avait directement influencé le décor des fêtes de la Raison. Dans nombre d'églises on avait élevé au fond du chœur, à cette occasion, une « montagne » symbolique. Mais la Montagne du 20 prairial an II inspira à son tour d'autres décors, à commencer par celui élevé sur la place Saint-Pierre à Rome le 20 mars 1798 (cat. 961).

Michel, croquis de la « Montagne » élevée pour la fête de l'Être suprême. Paris, Bibliothèque Nationale.

954
La Fête de la Fédération à Toulouse

par Joseph ROQUES

Huile sur toile. H. 0,582 ; L. 1,013.
Historique : don de l'artiste, 1843.

Toulouse, musée des Augustins (inv. Ro. 243).

La mise en scène de la fédération toulousaine, par comparaison avec ce que l'on peut observer dans d'autres villes, paraît avoir été assez sommaire : l'autel abondamment garni de candélabres est ici placé sur un podium élevé de forme très simple. La fête toulousaine est d'ailleurs rarement mentionnée.
Roques semble avoir été surtout sensible à l'effet produit par les très nombreux drapeaux tricolores et par la densité de la foule où seules quelques silhouettes sont individualisées. Mais on notera aussi l'importance accordée aux arbres et au cadre champêtre ; l'artiste s'inscrit par là dans une tradition picturale bien établie ; mais les fêtes de la Fédération, célébrées en plein air, furent une première étape vers les cultes républicains où l'hommage à la Nature jouait un rôle considérable.

955
Stations de la fête du 10 août 1793 à Paris

Aquatinte. H. 0,20 ; L. 0,28.
Inscription : « Vue des six différentes stations de la Fête de l'Unité et de l'Indivisibilité de la République. » Légendes des médaillons : « 1ère Station/Fontaine de la Régénération élevée sur les ruines de la Bastille — 2ème Station/Arc de triomphe à la Gloire des Héroïnes du 5 et 6 Octobre 1789 sur le Boulvar Italien — 3ème station/ La Liberté assise sur les Ruines de la Tyrannie Place de la Révolution — 4ème Station/Le Peuple français terrassant le Fédéralisme. Figure Colossale élevée sur la forme des Invalides — 5ème Station/Autel de la Patrie. Le Président y annonce l'acceptation unanime de l'acte Constitutionnel — 6ème Station. Monument Funèbre des Gueriers (sic) mort pour la Patrie élevé au Champ de Mars. » « A Paris chez Villeneuve Graveur. Rue Zacharie. St Séverin. Maison du Passage N° 72. »
Bibliographie : Aubert et Roux, 1921, t. III, n° 6171 ; Biver, 1979, pp. 69 sq., fig. 32.

Paris, Bibliothèque nationale, cabinet des Estampes (inv. Qb¹, 1793, 10 août - M.102.174).

La fête du 10 août 1793 fut la plus caractéristique et peut-être la plus élaborée des fêtes de la Révolution. Elle célébrait à la fois le premier anniversaire de la chute de la monarchie et la promulgation de la Constitution de l'an I. Le soin de créer le décor fut confié à David mais le programme semble avoir été conçu par Hérault de Séchelles, qui signa le procès-verbal. Le budget atteignit deux millions.
Par son long parcours, de la Bastille au Champ-de-Mars en passant par la Concorde, cette fête prenait l'aspect d'un pèlerinage aux lieux de naissance de la Révolution. Mais elle était aussi un échantillonnage assez étonnant

des diverses tendances du goût néo-classique : égyptisant avec la statue de la Nature à la Bastille (et deux termes imitant le porphyre, sur le Champ-de-Mars, non représentés par Villeneuve, *cf.* Jacques-Mouilleseaux, 1988, p. 153) ; romain avec l'arc de triomphe en l'honneur des femmes ; colossal jusqu'à la démesure dans le monument au Peuple français ; austère comme la colonne dorique lisse et sans base ajoutée à l'autel de la Patrie ; métaphorique enfin avec une colonnade dont les colonnes étaient surmontées de têtes en relief représentant les guerriers morts pour la Patrie.
Il faut souligner le caractère entièrement laïque de la fête parisienne (alors qu'en province, certaines fêtes incorporèrent encore le chant d'un *Te Deum*) et aussi les circonstances dans lesquelles elle fut célébrée : insurrection fédéraliste à Lyon, Bordeaux, Marseille et Toulon, insurrection royaliste dans l'Ouest, menaces sur la frontière du Nord et de l'Est.

956
Autel de la Patrie

par Pierre-Louis DAVID

Bois sculpté et peint. H. 1,25 ; L. 1,15.
Historique : placé dans le temple décadaire d'Angers sous la Révolution ; entré au musée en 1839.
Bibliographie : Chesneau, 1934, n° 1230.

Angers, musée des Beaux-Arts (inv. MBA 736 J 1881).

L'*Autel de la Patrie* d'Angers, qui paraît le seul à avoir subsisté en France, a probablement été conservé en raison de la personnalité du fils de l'artiste qui l'a exécuté : cet élégant meuble, du meilleur « style Louis XVI » fut en effet sculpté par le père de Pierre-Jean David d'Angers, qui fut un républicain convaincu comme en témoigne sa carrière militaire dans l'armée de l'Ouest.
La forme de l'autel est directement inspirée des cippes antiques (notamment pour les cannelures striées) mais le décor ne comporte aucun attribut.

957
Fragments du décor d'une fête de l'Être suprême

par un artisan local

Balustrade en équerre ornée de motifs révolutionnaires découpés dans des panneaux de bois. H. 0,82 ; L. 1,40. Partie inférieure d'une « statue » de Brutus : planche découpée sur laquelle est collée une feuille de papier peint. H. 0,80 (avec socle 1,40).
Historique : fragments du décor de la fête de l'Être suprême célébrée à Montignac-sur-Vézère le 20 prairial an II ; donnés au musée par Léo Borne en 1910.
Bibliographie : Le Roy, pp. 164-166 ; guide Périgueux, 1971, p. 69, repr.

Périgueux, musée du Périgord (inv. A.4539).

Rares sont les accessoires des fêtes républicaines qui ont survécu aux changements de régime politique. La balustrade de bois de Montignac, en dépit ou peut-être à cause de sa modestie, est donc un objet très précieux. Le décor très simple réunit quelques éléments de la symbolique républicaine : le bonnet phrygien, le niveau transformé en motif répétitif et les piques utilisées comme pilastres aux angles. Une silhouette en bois découpé et peinte en grisaille à l'effigie de Brutus demeure associée à cette balustrade mais seule la partie inférieure en est conservée. Elle porte l'inscription « A la mort que l'on mène mes fils ».

958
Décorations à l'occasion de la fête de la Liberté à Amsterdam

par un auteur anonyme

Gravure en couleurs comportant un texte imprimé ; chaque gravure : H. 0,50 ; L. 0,40.
Bibliographie : Mullet Atlas, 1879, t. III, n° 5408.

Amsterdam, Rijksprentenkabinet, Rijksmuseum (inv. F.M. 5408).

Ces deux estampes ont pour thème les festivités qui animèrent la ville d'Amsterdam en de nombreux endroits lors des fêtes de 1795. Elles sont l'expression de la joie qui résultait de l'alliance conclue avec la France.   B.K. et M.J.

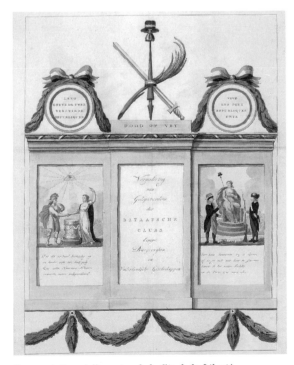

Ornementations à l'occasion de la fête de la Liberté à Amsterdam, 1795 (cat. 958).

Vue de la régate organisée à Venise le 14 Juillet 1797 (cat. 960).

Vue du théâtre de la Fenice lors de la fête publique l'an I. de la nouvelle république de Venise (cat. 959).

Autel de la Patrie sur la place Saint-Pierre à Rome (cat. 961).

Fête anniversaire de la proclamation de la République romaine (cat. 962).

959
Vue du théâtre de la Fenice
lors de la fête publique
l'an I de la libération de Venise

Gravure aquarellée. H. 0,300 ; L. 0,415.
Exposition : 1978, Venise.
Bibliographie : Mangini, 1974 ; Romanelli, 1977.

Venise, museo del Risorgimento (inv. Gherro 878).

Environ quinze jours après la proclamation de la République démocratique, un spectacle public fut organisé dans la soirée du 28 mai 1797 pour commémorer l'événement. Cette gracieuse gravure d'un peintre anonyme illustre la mise en scène déployée à cette occasion. Son auteur, se refusant au baroque tardif, a choisi une composition d'une extrême sobriété, issue des nouvelles valeurs de la Révolution. La balustrade aux motifs entrelacés d'une couronne de laurier et d'un carré, élément caractéristique de l'architecture vénitienne, est utilisée comme élément rythmique de l'espace scénique ; au centre, sur un piédestal, s'élève une colonne traversée par un cube au sommet de laquelle se dresse un faisceau de licteur surmonté d'une couronne. L'idéologie révolutionnaire ayant repris les éléments traditionnels de l'iconographie maçonnique, on comprend la présence de ces symboles : la colonne représente la stabilité, le cube la probité. Les éléments empruntés au baroque (putti, figures allégoriques voltigeantes) et les inscriptions à la gloire de la Révolution et des libérateurs français qui figurent sur les cartouches, donnent une puissance particulière à cette mise en scène. Les silhouettes dansantes au premier plan et les musiciens sur la balustrade apportent une note de grâce et de goût bourgeois. Ce décor théâtral s'intègre dans un autre : celui des montagnes qui dans le lointain dominent le lieu « public » de la cité, et constituent cadre et « coulisses » de la symbolique culturelle. R.Ci.

960
Vue de la régate organisée
à Venise le 14 juillet 1797

Gravure aquarellée. H. 0,284 ; L. 0,424.
Inscription : en haut : « Vue de la Régate vers la Machine fait lan premiere de la Liberté Italiene le 14 juillet 1797 » ; en bas : « Veduta della Veneta Regatta verso la machina fatta l'anno 1797 nel mese di Luglio, primo della Libertà Italiana. »
Exposition : 1978, Venise.

Venise, museo del Risorgimento.

La chute de la République aristocratique de Venise, le 12 mai 1797 et l'instauration d'un gouvernement démocratique furent célébrés par une régate le 14 juillet de la même année. Cette gravure apporte de précieux renseignements iconographiques sur l'événement ; la médiocrité du dessinateur-graveur et le français approximatif utilisé pour traduire le thème de la gravure laissent supposer que celle-ci était destinée à un public populaire. Les gondoles se dirigent vers un décor éphémère, placé sur la gauche de la scène : un arc de triomphe corinthien avec une seule arcade sur laquelle un médaillon représente la traditionnelle allégorie de la Liberté : une figure de femme brandissant un bâton surmonté du bonnet phrygien. Cette gravure est intéressante à la fois par sa facture française et vénitienne : la « machine », qui doit représenter l'apothéose de la manifestation, est d'inspiration classique et illustre les choix de l'iconographie française de la Révolution ; elle s'insère pourtant dans une scénographie à la vénitienne, c'est-à-dire riche en éléments orientalisants, vestiges de la culture rococo (gondoliers masqués à la chinoise, gondoles parées de plumes, masques et ombrelles dans le style pagode) à travers lesquelles s'exprime le caractère local et « populaire » de la fête. R.Ci.

961
Autel de la Patrie
sur la place Saint-Pierre à Rome

par Felice GIANI

Huile sur bois. H. 0,38 ; L. 0,54.
Inscription : au revers, de la main de l'artiste : « Festa della Federazione fatta dalla Repubblica Romana al Vaticano l'anno 1797. Arca della Nazione Francese, Popolo Spettatore o Truppa e questa sulla Gran Piazza di S. Pietro a Roma. »
Historique : acquis de Teresa Maggliolini Meneghini, 1930.
Exposition : 1961, Rome, n° 831.
Bibliographie : Vovelle, 1986, t. V, p. 32.

Rome, museo di Roma (inv. MR 165).

Deux panneaux de Felice Giani conservent le souvenir de la fête de la Fédération, célébrée à Rome le 30 ventôse an VI (20 mars 1798) au lendemain de graves incidents au cours desquels l'armée française s'était rebellée contre ses chefs Berthier et Masséna.
L'autel avait été érigé sur les dessins de Giuseppe Camporese, d'Andrea Vici et de Paolo Bargigli, sous la direction de l'archéologue Ennio Quirino Visconti, ministre de l'Intérieur de la République romaine. Entre les quatre colonnes doriques surmontées de Renommées, on aperçoit l'autel circulaire, orné d'un bas-relief dû à Giambattista Maderno (*la France foule aux pieds l'Imposture et prend par la main Rome opprimée et lui présente la Liberté, le Tibre, les Vertus cardinales, deux génies enlacés et les Arts libéraux*) et surmonté d'un groupe de Luigi Acquisti (*Rome entre la Liberté et l'Égalité*).

962
Fête anniversaire de la proclamation
de la République romaine

par PIROLI, d'après un dessin d'Humbert de Superville

Aquatinte. H. 0,221 ; L. 0,280.
Bibliographie : Previtali, 1964 ; Pinelli, 1978.

Rome, museo Napoleonico (inv. MN 689).

Cette gravure a été exécutée à partir d'un dessin d'Humbert de Superville, artiste d'origine hollandaise qui rejoignit la République romaine en 1798 et se battit avec bravoure aux côtés des républicains lorsque les troupes du roi de Naples occupèrent la ville, le 29 novembre 1798, pour la restituer au pape ; fait prisonnier au cours des affrontements, il fut enfermé dans la forteresse de Civitavecchia. La gravure représente les structures éphémères installées devant la basilique de Constantin et Maxence sur le forum le 15 février 1799, quelques semaines après le retour à Rome des Français. Sur une estrade cantonnée de blocs surmontés de l'aigle romaine, s'élève une colonne surmontée d'une statue de la Liberté. Plus loin à droite, s'élève un cénotaphe aux patriotes romains et français tués dans les combats contre les Napolitains. Cette scénographie fut réalisée par l'architecte Paolo Bargigli qui chercha à intégrer son projet dans les vestiges grandioses du forum, encore partiellement enseveli. R.Ci.

963
François-Joseph Gossec (1734-1829)

par Antoine VESTIER

Huile sur toile. H. 1,18 ; L. 0,89.
Inscription : sur les partitions : « Marche lugubre/ pour les honneurs funéraires qui/doivent être rendus au Champ de la Fédération/le 20 7bre 1790 aux Manes des Citoyens/morts à l'Affaire de Nancy - Fédération/ du 14 juillet 1790 au/Champ de Mars à Paris/Te Deum » ; en bas à gauche : « Vestier Pt/1791. »
Historique : donné au Conservatoire de musique en 1865 par Mme veuve Anceaume.
Expositions : 1969, Dijon, n° 31 ; 1982, Paris, mairies des IIIe et XIIIe arrondissements, n° 161.
Bibliographie : Mirimonde, 1967, pp. 83-85 ; Sueur, 1974, cat. n° 106.

Paris, Bibliothèque nationale, département de la Musique (dépôt du musée du Louvre, INV. 20.147).

Rien ne prédisposait Gossec à devenir, avec Méhul, le musicien des fêtes et cérémonies de la Révolution. Né dans le Hainaut d'une famille de fermiers, il était venu à Paris à l'âge de quinze ans et avait été protégé par le fastueux La Poupelinière, puis par le prince de Condé. Il avait créé il est vrai, en 1770, le « concert des Amateurs » plus novateur, plus libre que le Concert spirituel. Mais dans sa production antérieure à 1789 — essentiellement de la musique de chambre et de petites œuvres lyriques — rien, sauf peut-être sa *Messe*

*rançois-Joseph Gossec, musicien des fêtes et cérémonies
e la Révolution* (cat. 963).

L'ARBRE
DE LA LIBERTÉ

964
Projet d'un char
pour le transport d'un arbre de la Liberté

par MORTREUIL

Plume et encre, rehauts d'aquarelle. H. 0,343;
L. 0,518.
Inscription : en bas à gauche : «Mortreuil inv. et
feat. »; dans la marge inférieure, signatures : «Vai-
negardelle, E. Brandela, Courderc, Chevallier, Jn Jh
Zimmermann/, Bezombes, Jiery. »
Historique : legs Paul-Dupuy.
Bibliographie : Mesuret, n° 81.

Toulouse, musée Paul-Dupuy (inv. 178).

Il est vraisemblable que ce projet de char a été
effectivement réalisé pour le transport d'un
arbre de la Liberté. Les signatures apposées
en bas du dessin et qui sont celles d'officiers
municipaux en charge entre le 26 octobre 1793
et le 5 décembre 1794 permettent en tout cas
de le dater sans doute de l'an II.
Le programme iconographique est assez ambitieux : au-dessus du timon du char une sphère
est surmontée d'une pique sommée du bonnet
de la Liberté; puis sur une série d'éléments en
forme de socles et de grandeur décroissante on
trouve successivement un autel en forme de
colonne tronquée sur lequel est posé un livre
(probablement les Droits de l'homme), une cas-
solette, puis des portraits en médaillon qui sont
probablement ceux de philosophes (on croit
reconnaître dans les deux derniers, Voltaire et
Rousseau); une « bastille » ruinée et renversée
termine le char, laissant traîner à terre des
chaînes.
Une jeune femme entretient le feu de la cas-
solette et des gardes nationaux armés de piques
(et pour le dernier, d'une rondache) sont installés sur le char.
Il est probable que la forme usuelle de ce char
de parade (ceux-ci sont habituellement inclinés
en sens inverse) a sans doute été imposée par
la nécessité de placer la motte de terre de l'arbre
à transplanter dans la partie antérieure du
char.

965
Panneau destiné
à un arbre de la Liberté

Bois peint. H. 0,97; L. 0,64; Pr. 0,04.
Inscription : «Au/10 aoust/Honneur aux Braves/qui
renversèrent le Trône/Les François/ne reconnois-
sent plus/d'autres Maîtres/Que les Lois. »
Bibliographie : cat. Charleville, 1933, t. I, p. 81, t. II,
p. 22.

Charleville-Mézières, musée de l'Ardenne
(inv. 26313).

Ce « cartel » est un des rares exemples conservés de panneau destiné à être accroché aux
arbres de la Liberté lors de leur plantation ou
de fêtes ultérieures. D'après son texte, celui-ci
a dû être utilisé pour la célébration de l'anniversaire de la chute de la monarchie qui durant
toute la période révolutionnaire fut la principale fête républicaine; la tradition le rattache
à celle du 10 août 1796.

966
Vue de la Place Royale de Bruxelles
avec l'arbre de la Liberté

par un auteur anonyme

Huile sur toile. H. 0,70; L. 0,97.
Historique : acquis de Mme Hachel de Bruxelles, en
1947.
Expositions : 1980, Bruxelles, n° 247; 1985-1986,
Ixelles, n° 318.

Bruxelles, Musée communal (maison du Roi)
(inv. K.1947/5 - anc. B 1138).

Au milieu de la place, entouré d'un haut gril-
lage protecteur, se dresse l'arbre de la Liberté,
planté en 1794 par les révolutionnaires français
à l'emplacement qu'occupait depuis 1774 la
statue de Charles de Lorraine, gouverneur
général des Pays-Bas autrichiens (1744-1780).
L'endroit choisi pour planter l'arbre symbolique, la Place Royale de Bruxelles, n'était pas
fortuit. Construite entre 1766 et 1784, à l'emplacement de l'ancien palais ducal, non loin du
palais du gouverneur, cette place était sous
l'Ancien Régime le symbole du pouvoir; aussi
fallait-il en quelque sorte l'exorciser. Outre la
plantation de l'arbre de la Liberté, la place fut
rebaptisée place de la Liberté et l'église Saint-
Jacques-sur-Coudenberg, que l'on voit à droite
sur la toile et dans laquelle avait eu lieu toute
les cérémonies importantes, devint le 20 brumaire an III (10 novembre 1794) temple de la
Raison, puis de l'Être suprême, enfin, temple
de la Loi le 18 thermidor an III (5 août 1795).
Le culte décadaire y fut également célébré. En
1797 on détruisit le bas-relief du fronton, œuvre
du sculpteur Olivier de Marseille représentant
Le Sacrifice de la messe et que l'on voit encore
sur notre tableau, ce qui donne la date *ante
quem* pour la réalisation de cette œuvre. Le
29 ventôse an IV (18 mars 1796), un second
arbre de la Liberté fut dressé à Bruxelles, cette
fois sur la Grand-Place en face de l'hôtel de
ville, symbole de l'autonomie communale. Il ne
s'agissait pas d'un cas isolé. Dans plusieurs
villes des Pays-Bas, un premier arbre avait été
planté pour marquer l'arrivée des troupes
républicaines. Par la suite, on procéda à la replan-
tation solennelle d'un nouvel arbre plus somp-
tueux (Anvers, 10 ventôse an IV; Louvain,
19 frimaire an IV, etc.) dans le cadre des fêtes
organisées par les autorités républicaines. Le
but de ces cérémonies était de détourner l'attention de l'opinion publique des réquisitions,
contributions et autres exactions dont les habitants étaient accablés pour les plonger dans
une atmosphère de mysticisme faite de réminiscences classiques et de théories rous-

des morts, n'annonçait les développements de
son style. En 1789 il devint maître de musique
de la garde nationale parisienne (où il était
lieutenant). Avec l'aide du capitaine Sarrette,
il avait réuni quarante-cinq bons musiciens, ce
qui offrait des possibilités remarquables sur le
plan orchestral. Il fut l'auteur du *Te Deum* de
la fête de la Fédération et d'une *Marche lugubre*
jouée lors de la cérémonie organisée par la
garde nationale de Paris à la mémoire des victimes de la rébellion des régiments de Nancy
et jouée à nouveau pour les obsèques de Mirabeau et l'apothéose de Voltaire. On lui doit
aussi une *Offrande à la Liberté* et, en 1793, un
Triomphe de la République.
Si Gossec n'a pas eu, comme Méhul, la chance
de survivre dans une œuvre comme le *Chant
du départ*, il est peut-être plus représentatif
encore que son rival de la mutation musicale
consécutive à la Révolution, par la transformation de son style et l'importance de son
œuvre didactique.
Au Salon de 1791, Vestier exposa les portraits
de Sarrette et de Gossec, destinés à être placés
dans la salle de répétition du corps de musique.
Dans une communication de 1965, demeurée
inédite, Albert Pomme de Mirimonde avait mis
en doute la date du tableau exposé : il lui avait
paru en effet que Gossec était déjà revêtu de
l'habit de membre de l'Institut (fondé en 1795)
et que la partition de la *Marche lugubre* était
conforme à la première édition, parue seulement en l'an III.

seauistes. L'arbre de la Liberté de la Place Royale de Bruxelles fut abattu en février 1814. Dans le tableau, on aperçoit encore, de droite à gauche, l'hôtel de Flandre, situé à côté de l'église, le portique de Borgendael, l'hôtel Bellevue, séparé de l'hôtel de Spangers par une belle échappée sur le parc et enfin l'hôtel de l'Europe. A.Ja.

967
Vue de Nice depuis la hauteur du Mont-Alban

attribué à Jean-Baptiste MALLET

Encre et lavis. H. 0,41; L. 0,615.

Inscription : «Vue de Nice depuis la hauteur / de Mont-Alban.»

Nice, musée Masséna (inv. 3226).

Au premier aspect rien dans la vue de Nice attribuée à J.-B. Mallet et qui présente les mêmes qualités de légèreté de touche qui caractérisent ses gouaches et ses aquarelles n'évoque spécialement la période de la Révolution. Mais au centre de la place carrée régulièrement ordonnancée, à droite de la colline du «château», on distingue un arbre de la Liberté. Ce qui date l'œuvre après le 29 septembre 1792, date de l'entrée des troupes françaises dans la ville, prélude d'abord à l'établissement d'un gouvernement populaire puis à l'annexion après plébiscite prononcée le 31 janvier 1793. La plantation d'un arbre de la Liberté était souvent l'un des premiers actes de l'armée révolutionnaire après une nouvelle conquête.

968
Serment à la nouvelle Constitution helvétique

par Balthasar Anton DUNKER

Eau-forte. H. 0,175; L. 0,132.

Berne, Musée historique (inv. 23'791.6/3).

Créée artificiellement en juin 1798 par les armées du Directoire, soucieux de s'approprier les richesses financières de la Suisse dont la France avait le plus grand besoin, la République helvétique fut dirigée par un Directoire exécutif de cinq membres, parmi lesquels figuraient le Bâlois Ochs, et La Harpe, fondateur à Paris d'un Club helvétique. Rapidement les caractères propres à la Révolution française furent imposés aux Suisses. On planta des arbres de la Liberté tels que celui représenté par Dunker. L'arbre «sacré» érigé dans un

Les arbres de la Liberté

La plantation des «arbres de la Liberté» fut une des manifestations les plus populaires et les plus révélatrices de l'enthousiasme révolutionnaire. A l'inverse l'arrachage ou la mutilation de ces arbres fut un acte typiquement contre-révolutionnaire.

La filiation entre «l'arbre de la Liberté» et «l'arbre de Mai» que l'on plantait au printemps en de nombreuses régions est manifeste. Mais dès l'an II l'abbé Grégoire, dans son *Histoire patriotique des arbres de la Liberté* remontait au-delà de ce précédent immédiat, et soulignait que «le choix d'un arbre ou d'un arbuste pour servir d'emblème religieux politique ou moral» avait un caractère «naturel» et se retrouvait «chez tous les peuples anciens et modernes». Il citait à l'appui de sa théorie aussi bien l'olivier de Minerve et le chêne de Jupiter que le lotus égyptien ou le palta du Pérou et rappelait que les insurgents de Boston avaient pris pour symbole de la Liberté un arbre vigoureux que les Anglais s'étaient empressés de couper.

Mais contrairement aux idées de l'abbé Grégoire pour qui l'arbre de la Liberté devait être un arbre bien vivant, le plus considérable et le plus vigoureux possible (et de préférence un chêne parce que tout est bon dans cet arbre majestueux et qu'on récolte le kermès dont on

tire une teinture rouge), l'arbre de la Liberté était souvent en fait un simple tronc d'arbre partiellement ou totalement dégarni de ses feuilles et de ses branches, et coiffé d'un bonnet rouge : sa silhouette évoquait alors celle d'une gigantesque pique, autre symbole révolutionnaire, probablement spontané mais qui trouvait sa justification historique dans le récit d'Appien sur la mort de César (qui affirme que les tyrannicides promenèrent à travers Rome un bonnet d'affranchi au bout d'une épée en signe de liberté) et dans une célèbre médaille frappée à la même occasion. La transplantation d'un arbre vivant, il est vrai, était plus conforme aux idées nouvelles dans la mesure où elle associait les notions de nature et de liberté ; statistiquement les plantations tardives n'ont cependant pas davantage utilisé des arbres vifs que des arbres morts, notamment dans les pays conquis.

Il semble que le premier «arbre de la Liberté» ait été planté à Saint-Gaudent près de Civray (département de la Vienne) à l'initiative du curé Norbert Pressac et à l'occasion de l'installation de la nouvelle municipalité en mai 1790. C'était un petit chêne «vif» et la cérémonie fut placée sous le signe de l'unanimité et de la réconciliation, y compris sur un plan immédiatement pratique puisque plusieurs procès – l'un des fléaux de la France rurale sous l'Ancien Régime – furent ce jour-là réglés par arbitrage. Malgré l'écho favorable que cet événement trouva dans la presse, l'exemple fut peu imité et ce fut seulement deux ans plus tard que la France se couvrit d'arbres de la Liberté : on estime à soixante mille le nombre de ceux qui furent plantés au cours de l'année 1792. La Convention avait prescrit un arbre de la Liberté par commune : le décret fut largement dépassé. Dans les plus petites communes ce symbole patriotique devint un point de ralliement et joua dans certaines cérémonies (y compris les enterrements) le rôle dévolu auparavant au calvaire paroissial.

Qu'il soit fait d'un tronc d'arbre coupé, comme un mât ou d'un arbre vif, l'arbre de la Liberté fut une des cibles préférées de la contre-révolution. Simple mât, décoré du bonnet rouge, il pouvait faire dire qu'un chapeau sans tête et un arbre sans racines était une absurdité (cat. 983). Mais transplanté hors saison il pouvait dépérir ou, même en cas de reprise, être abattu ou déraciné. Dans le Midi nombre d'arbres furent ainsi victimes de l'insurrection fédéraliste.

Sauf dans les pays conquis par l'armée française il semble que l'on n'ait plus guère planté de nouveaux arbres de la Liberté sous le Directoire. Ceux qui avaient survécu furent arrachés sous la Restauration.

Goetsbloets, illustration du Tydsgebeurtenissen t. IV. Arbre de la liberté érigé à Anvers. Bruxelles, Bibliothèque royale Albert Ier.

Vue de la Place Royale de Bruxelles avec l'arbre de la Liberté (cat. 966).

Panneau destiné à être accroché
à un arbre de la Liberté (cat. 965).

Projet d'un char pour le transport d'un arbre de la Liberté (cat. 964).

Depuis la hauteur du Mont-Alban,
vue de Nice avec un arbre de la Liberté (cat. 967).

(cat. 967, détail).

Fête de nuit à La Chaux-de-Fonds autour d'un arbre de la Liberté (cat. 969).

Serment à la nouvelle Constitution helvétique (cat. 968).

Cérémonie de la plantation de l'arbre de la Liberté sur la place
de la cathédrale de Bâle (cat. 970).

L'Érection d'un arbre de la Liberté à Cologne (cat. 971).

L'Arbre de la Liberté à Mayence (cat. 972).

Érection d'un arbre de la Liberté à Spire (cat. 973).

enclos, décoré du bonnet de la Liberté fut le cadre des démonstrations civiques, comme ici le serment à la nouvelle Constitution, vraisemblablement formulé à Berne.

Témoin incomparable de la décennie, Dunker semble ne jamais prendre parti dans ses représentations gravées des événements de la République helvétique. Pourtant, certaines œuvres allégoriques révèlent clairement qu'il était hostile à la Révolution.　　　　　J.Be.

969
Fête de nuit à La Chaux-de-Fonds

par Alexandre GIRARDET

Eau-forte coloriée. H. 0,182 ; L. 0,250.
Inscription : « Jouissant de la Liberté nous en avons arboré le simbole/Fête Célèbrée à la Chaux de Fonds le 3 xᵇʳᵉ 1792. »
Bibliographie : Boy de la Tour, 1928, p. 64.

Neuchâtel, musée d'Art et d'Histoire (inv. MHN. 19736).

Connue sous le nom de *La Carmagnole* cette estampe due à Alexandre Girardet, alors maître de dessin à Neuchâtel, fut saisie comme séditieuse par les autorités.

Elle montre une foule dense, coiffée de bonnets rouges (placés parfois au-dessus du chapeau) qui danse autour d'un arbre de la Liberté, simple mât, auquel est suspendu un panneau, sommé d'un bouquet de feuillage et d'un bonnet de la Liberté. Peu de représentations sont aussi évocatrices de l'animation joyeuse de la population d'une petite ville par une belle nuit d'hiver.

970
Cérémonie de la plantation de l'arbre de la Liberté
sur la place de la cathédrale de Bâle

par Ludwig Friedrich KAISER

Aquatinte. H. 0,294 ; L. 0,394.
Inscription : en bas (bilingue) : « Cérémonie de la Plantation de l'Arbre de la Liberté/sur la Place de la Cathédrale à Basle,/le Lundi 22 Janvier 1798 en signe de l'Union et de l'Egalité établies/entre les citoyens de la Ville et les Citoyens de la Campagne » ; au-dessus du médaillon, en bas : « I. Corinth. Capit. III, V. 7 à 8 » ; dessous : « Publié par Chr. de Mechel Graveur et se trouve chez lui à Basle. »

Prégny-Chambésy, musée des Suisses à l'étranger, château de Penthes (inv. Aq. 639).

Le 22 janvier 1798, on planta devant la cathédrale de Bâle, transformée en temple de la Raison pour la circonstance, un arbre de la Liberté, pour célébrer l'union entre les bourgeois citoyens de la ville et les paysans jusquelà exclus de la vie politique.

Deux jours plus tard les petites villes du pays de Vaud se soulevèrent, prétexte à l'intervention française des troupes du général Brune contre Berne. Le territoire qui vivait des temps particulièrement troublés s'était donné une constitution démocratique sous l'impulsion de Pierre Ochs. La référence à la première épître de saint Paul aux Corinthiens, versets 7 et 8 — « Celui qui plante n'est rien ; celui qui arrose n'est rien. Seul Dieu compte, lui qui fait croître. Celui qui plante et celui qui arrose sont égaux ; et chacun recevra sa propre récompense selon son propre travail » —, éclaire dans un pays aussi fortement religieux que l'évêché de Bâle, comment le message révolutionnaire a pu s'intégrer à la thématique chrétienne, et susciter une telle adhésion populaire.

Ludwig Friedrich Kaiser fut l'élève de Chrestien von Mechel, le célèbre éditeur de cette gravure.

971
L'Érection d'un arbre de la Liberté à Cologne

par un auteur anonyme

Huile sur toile. H. 0,48 ; L. 0,85.
Expositions : 1981, Mayence, n° 59 ; 1988, Cologne, n° 6.16.

Cologne, Stadtmuseum (inv. 1883/534).

Le tableau de ce peintre anonyme représente l'érection d'un arbre de la Liberté au Neumarkt de Cologne, qui eut lieu le 9 octobre 1794, trois jours après l'occupation de la ville par l'armée révolutionnaire. Il s'agit d'une manifestation officielle éloignée de l'effervescence accompagnant toute fête populaire.

L'arbre en forme de mât devient le centre d'une revue militaire. Le décor alentour est en effet caractérisé par la présence des baïonnettes et des drapeaux. Au fond du tableau à droite, on voit sur une tribune les édiles de la ville, discernables à leurs chapeaux. Au premier plan à droite, officiers et soldats s'ordonnent autour d'un canon. La scène qui se déroule à gauche fait apparemment allusion à des incidents qui se sont déroulés pendant la cérémonie : à côté d'un groupe de trois citoyens, cocarde au chapeau, bavardant tranquillement, un soldat maintient à terre un homme — menacé par un autre portant chapeau à cocarde qui tire son épée — pendant qu'une femme visiblement essaie de le secourir. Règlement de compte et apologie de l'arbitrage français ?

Dans cette peinture, les soldats français ne sont ni diffamés ni adulés comme émissaires de la Liberté. L'armée révolutionnaire est surtout présentée comme force de l'ordre qui se met elle-même en scène à l'occasion de l'érection de cet arbre de la Liberté.　　　K.Ku.

972
L'Arbre de la Liberté à Mayence

par un auteur anonyme

Gravure. H. 0,367 ; L. 0,250.

Inscription : en haut : « Gespräch eines Juden zu Cassel bei Mayntz mit einem eingebildeten Freyheits-Mann über den Freyheitsbaum, im Jänner 1793 » (conversation entre un juif de Cassel près de Mayence et un homme très imbu de liberté à propos de l'arbre de la Liberté) ; à droite : « 146 ».
Historique : collection Dr W. Troll ; acquis en 1952.
Bibliographie : Drugulin, 1863, n° 5539.

Vienne, Heeresgeschichtliches Museum (inv. BI 29.324).

Des personnages nombreux sont rassemblés autour d'un arbre de la Liberté couronné d'un bonnet phrygien et d'où le vin coule à flots ; ils dansent et lancent leurs chapeaux en l'air. Le texte relate une conversation entre un juif et un ardent partisan de la Révolution. Le juif, sceptique, pense que l'arbre de la Liberté n'a pas de racines et qu'il ne vivra pas longtemps.

Le comte Adam Philippe de Custine était général de l'armée française du Rhin ; en 1793, il s'empara de Landau, de Spire et de Francfort ; mais après sa défaite contre les Prussiens en 1793, il fut rappelé à Paris, soupçonné de collusion avec l'ennemi et envoyé à la guillotine. Certains tracts allemands montraient à la fois l'arbre de la Liberté qu'il avait dressé à Mayence et sa propre exécution.　　L.Po.

973
Érection d'un arbre de la Liberté à Spire

par Johannes RULAND

Eau-forte. H. 0,38 ; L. 0,315.
Expositions : 1981, Mayence, n° 60 ; 1982, Neustadt, n° 11.
Bibliographie : Kuhn, 1978 ; Klotz, 1962, pp. 140-144 ; Schoch, 1988, n° 208.

Spire, Historisches Museum der Pfalz (inv. BS 622).

La gravure du peintre Johannes Ruland, de Spire, est l'un des quelques témoignages illustrés positifs sur l'époque de la Révolution française en Allemagne. Elle illustre les éléments caractéristiques des fêtes de la Liberté, connues depuis 1792 avec la première avancée des troupes révolutionnaires en Rhénanie, célébrées par les amis allemands de la Révolution. La date de référence est le 28 mars 1798, premier anniversaire de l'annexion de la ville de Spire à la République française. Spire devint ce jour-là chef-lieu d'arrondissement du département de Donnersberg. Pour cette occasion, le cercle constitutionnel de Spire, dont le peintre Johannes Ruland était membre, avait souhaité la mise en place d'un arbre de la Liberté.

Le spectateur a une vue plongeante dans la rue principale de Spire et sur la place de la cathédrale. Une foule importante et joyeuse s'est massée autour de l'arbre dressé. Quelques personnes finissent de planter et de décorer l'arbre. Des jeunes filles se tiennent par la main et improvisent une ronde. Des enfants et des chiens se mêlent à la foule. À gauche, à côté de l'arbre, on distingue une tribune d'orateur et un groupe de musiciens. Les soldats français, certains à cheval, ne se présentent pas comme forces de l'ordre mais s'intègrent à l'assistance. Seulement à l'arrière-plan, ils dégagent le chemin pour des fifres qui descendent la rue principale où vient d'être planté un second arbre de la Liberté. La personne qui se trouve sur le devant de la gravure à gauche, et qui semble regarder l'observateur, a souvent été interprétée comme un autoportrait de l'artiste.

La légende de la gravure qui fait de ce jour un «triomphe de la Liberté» confirme qu'il s'agit là de la représentation positive d'une fête joyeuse et sans façon que le peuple peut célébrer sans respect visible des distinctions hiérarchiques. K.Ku.

974
Fête de la Liberté

par R. VINKELES et D. VRIJDAG, d'après J. Kuyper
Gravure. H. 0,415; L. 0,505.
Bibliographie: Muller Atlas, 1879, t. III, nº 5349a.
Amsterdam, Rijksprentenkabinet, Rijksmuseum (inv. F. M. 5349a).

Immédiatement après la révolution du 19 janvier 1795, un arbre de la Liberté fut érigé sur le «Dam» par un certain nombre de citoyens d'Amsterdam. Mais ce n'est que le 4 mars que les autorités municipales organisèrent la fête de la Liberté. Un nouvel arbre de la Liberté fut donc solennellement planté devant l'hôtel de ville, sur la place de la Révolution qui s'appelait autrefois le «Dam». B.K. et M.J.

975
Médaille commémorant la révolution
à Amsterdam le 19 janvier 1795
ainsi que la plantation du grand arbre
de la Liberté le 4 mars 1795

par LAGEMEN
Argent. D. 0,039.
Inscription (traduite): sur l'avers: «liberté, égalité, fraternité grâce à l'aide des Français, le 19 janvier 1795»; sur le revers: «érigé et parachevé par une fête populaire à Amsterdam le 4 mars 1795, hauteur 86 pieds.»
Bibliographie: Vervolg Van Loon, nº 829.
Amsterdam, Rijksmuseum (inv. V.G. 3048).

Sur l'avers, on voit une allégorie féminine représentée avec les armes de la ville d'Amsterdam, le bonnet de la liberté, le fil à plomb (l'Égalité) et deux jeunes garçons (la Fraternité). Sur le sol gisent les armes du stathouder. Le revers de la médaille montre un arbre de la Liberté. B.K. et M.J.

976
Arbre de la Liberté

par J. ROBIJN
Gravure sur bois illustrant un livre destiné aux enfants. H. 0,42; L. 0,33.
Amsterdam, archives municipales (inv. M.131-28).

Cette illustration d'un livre pour enfants reprend le vocabulaire de l'imagerie traditionnelle de la Révolution appliquée à la fête avec l'arbre de la Liberté et la devise «Liberté-Égalité-Fraternité» accrochée en banderoles. Le texte fait référence à l'aide de l'armée française pour l'instauration de la liberté batave. B.K. et M.J.

977
Fête sur la place Saint-Marc
à Venise

Gravure. H. 0,255; L. 0,363.
Inscription: «Vue de la grand place de Venise dans le iour/qu'on a diresse L'arbor de Liberte-Veduta della gran piazza di Venizia nel giorno/che fu drisatto l'Albero di Libertà 4 giugno 1797.»
Exposition: 1978, Venise.
Bibliographie: Brunetti, 1936; Brusatin, 1980.
Venise, musée Correr (inv. Cicogna 854).

Un dessin signé «Guardi fils» et représentant la fête de la Liberté sur la place Saint-Marc est conservé au cabinet des Dessins et Estampes du musée Correr de Venise. Cette estampe populaire, sans doute inspirée du dessin de Giacomo Guardi (1764-1835), reproduit de façon très simplifiée les scénographies du peintre vénitien. Au centre de la place se dresse l'arbre de la Liberté qui fait resurgir, dans le style révolutionnaire, un ancien symbole de la tradition populaire: l'arbre, évocation de la nature dans la cité, image de force vitale et de fécondité. L'artiste a associé dans la même allégorie un élément naturel (portant l'empreinte de la réflexion des Lumières) et des statues de la Révolution placées sur des piédestaux, de part et d'autre des gradins. Le caractère populaire de cette représentation est souligné par les rondes joyeuses des danseurs vénitiens; on remarque le ton pacifique choisi pour représenter l'invasion française: canons et baïonnettes deviennent de purs éléments décoratifs. Des architectures éphémères de style exotique ont été installées sur la place Saint-Marc. Ce goût oriental évoque la régate historique du 14 juillet 1799 avec gondoles et gondoliers masqués à la chinoise, témoignage d'une mode rococo qui résiste, du moins en ce qui concerne les scénographies, au néo-classicisme français. R.Ci.

978
Fête sur la place Saint-Marc
à Venise

Eau-forte. H. 0,275; L. 0,355.
Inscription: «Festa civica dell'Albero della Libertà es eguita nella Piazza di Venezia li 15 giugno 1797.»
Bibliographie: Arrigoni-Bertarelli, 1932, nº 1763.
Milan, Castello Sforzesco, Raccolta civica di Stampe Achille Bertarelli (inv. Cart. m. 11.25).

Il a paru intéressant de rapprocher cette estampe de la précédente; elles concernent toutes les deux la même fête mais présentent de notables différences dans la représentation des éléments scénographiques: tribunes officielles, pavillons à plan triangulaire pour les musiciens. De chaque côté de l'arbre de la Liberté deux statues portent l'une la pique sommée d'un bonnet, l'autre un attribut indistinct sur l'une et qui paraît un flambeau sur l'autre. La comparaison de tels documents amène naturellement à s'interroger sur la fiabilité de certaines représentations figurées, exécutées très hâtivement à partir de schémas conventionnels et qui visaient moins l'exactitude que la diffusion rapide et bon marché auprès d'une clientèle relativement populaire.

979
Plantation d'un arbre de la Liberté
à Sondrio

Eau-forte. H. 0,200; L. 0,245.
Inscription: «Dal Popolo di Sondrio nella Valtellina fú piantato l'Albero della/Liberta il *giorno*. 14 Giugno 1797 — Proprieta di Cosmo Binda/nella Contrᵈᵃ del Capello Milano.»
Bibliographie: Arrigoni-Bertarelli, 1932, nº 1784.
Milano, Castello Sforzesco, Raccolta civica di Stampe Achille Bertarelli (inv. Cart. p. 2-73).

Sondrio, petite capitale de la Valteline, au confluent de l'Adda et de son affluent le Torrente Mallera, était, comme toute la région, vassale du canton suisse des Grisons. Lorsque l'arbre de la Liberté y fut planté, la Valteline n'était pas encore rattachée à la République cisalpine (9 juillet 1797).
L'image due peut-être à Cosmo Binda présente plusieurs aspects intéressants; ainsi l'arbre que transporte un groupe d'hommes d'âges et de conditions divers est un arbre véritable pourvu de racines; au centre un jeune homme élève un vaste bonnet phrygien — celui-là même sans doute qui va être placé au sommet de l'arbre — dont la vue paraît effrayer quelques personnages parmi lesquels un aristocrate en habit et un moine (?). L'accent est mis aussi sur la beauté du cadre naturel, les hautes montagnes et les arbres. Dans l'angle inférieur droit la figure de la femme assise à terre avec son enfant est une curieuse réminiscence classique qui incarne peut-être l'indigence face au luxe de l'aristocrate.

FEEST DER VRIJHEID.
Gevierd, bij gelegenheid der INWIJING van den VRIJHEIDSBOOM,
te Amsterdam, op het Plein der Revolutie
den 4den Maart, 1795.
HET EERSTE JAAR DER BATAAFSCHE VRIJHEID.

FÊTE DE LA LIBERTÉ,
Célebrée, à l'occasion de l'INAUGURATION de l'ARBRE de la LIBERTÉ,
à Amsterdam, à la Place de la Revolution
le 4ieme de Mars, 1795.
LA PREMIÉRE ANNÉE DE LA LIBERTÉ BATAVE.

Te Amsterdam bij C.S. ROOS, Kunsthandelaar.

Fête de la Liberté à Amsterdam (cat. 974).

*Médaille commémorant la révolution
à Amsterdam ainsi que
la plantation du grand arbre
de la Liberté le 4 mars 1795* (cat. 975).

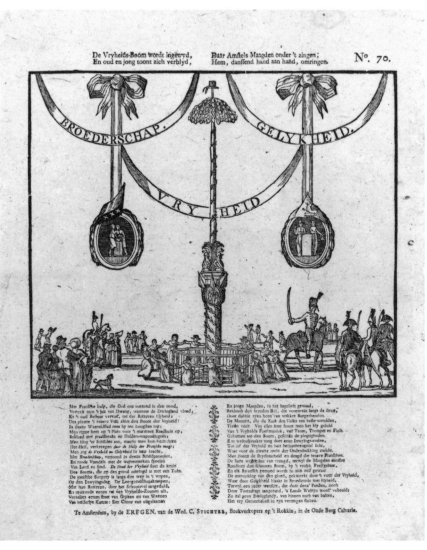

Arbre de la Liberté, illustration d'un livre pour enfants néerlandais (cat. 976).

*Fête sur la place Saint-Marc
à Venise* (cat. 977).

*L'Arbre de l'Égalité, emblême conçu par Ranza,
patriote de la République piémontaise* (cat. 980).

*Fête sur la place Saint-Marc
à Venise* (cat. 978).

Plantation d'un arbre de la Liberté à Sondrio, capitale de la Valteline (cat. 979).

980
L'Arbre de l'Égalité

par le citoyen RANZA

Aquaquinte. H. 0,400; L. 0,265.

Inscription : sur la banderole : «L'albero dell'Egua-glianza, guardato/dal Corraggio della Libertà»; dans les médaillons à gauche : «Viva la Republica/ Piemontese-Felicita/al Popolo — O l'Eguaglianze/Ça ira»; *id.* à droite : «Alleata Perpetua/della Francese — Esterminio/a suoi nemici — O la Morte/Ça ira»; «Invenzione e Proprieta del Citadino Ranza/si vende soldi dieci di Milano.»

Traduction de l'explication : «Une fois plantée l'Égalité, la Liberté reste plantée : il ne faut que du courage pour les maintenir toutes les deux. L'emblème conçu par le citoyen Ranza, représentant des Révolutionnaires piémontais pour la république du Piémont est à cette fin le plus expressif. Un oranger annonce parfaitement l'Égalité républicaine avec son fruit, à cause de l'égalité, de l'unité et de l'indivisibilité des tranches d'orange. S'y ajoute la douceur du fruit pour annoncer la douceur du gouvernement républicain. Les deux drapeaux piémontais et français attachés ensemble au tronc de l'arbre avec un serpent se mordant la queue indiquent l'alliance perpétuelle des deux Républiques. Le lion avec le bonnet sur la tête, debout au pied de l'arbre montre aux Piémontais le courage nécessaire pour conserver l'Égalité et la Liberté.»

Bibliographie : Arrigoni-Bertarelli, 1932, n° 1689.

Milan, Castello Sforzesco, Raccolta civica di Stampe Achille Bertarelli (inv. Cart. m. 10.65).

Le «citoyen Ranza» qui fit exécuter ce curieux «emblème» était un patriote piémontais qui au moment de l'offensive victorieuse de Bonaparte en Piémont (Millesimo, 13 avril 1796), avait révolutionné les régions d'Asti et d'Alba et y avait proclamé une République piémontaise. Son insistance sur le principe d'Égalité, considéré comme la meilleure garantie de la Liberté est sans doute à rapprocher du succès des théories de Babeuf chez les patriotes italiens, à commencer par le plus illustre d'entre

eux, Filippo Buonarotti, qui fut compromis dans la conspiration des Égaux.

Mais, dès le 28 avril Bonaparte, par l'armistice de Cherasco, livrait les patriotes piémontais à la vindicte du roi de Sardaigne.

981
Habitant de l'Unterwald fuyant l'érection d'un arbre de la Liberté

par Martin USTERI

Estampe. H. 0,273; L. 0,213.

Inscription : «Die Revolution ist auch in Unterwaldens friedliche Thäler eingedrungen; /das Gerücht der täglich vorgehenden Neuerungen verbreitet sich auf den /Alpen; unglaubig eilt der Vater mit seinem Enkel in's Thal, und kömmt/gerade zur Errichtung eines Freiheitsbaum; — traurig überzeugt, eilt' er auf/Seine Alpe zurück, und Seufzt : /Zu uns komme dein Reich!»

Zurich, Musée national suisse (inv. BS. 1916.202.2).

Cette gravure est extraite d'un ouvrage de Usteri, qui fut également poète, publié en 1798 et intitulé *Das Vaterunser eines Unterwaldners* (Le *Notre Père* d'un habitant de l'Unterwald). Très marqué par le sentimentalisme de la fin du siècle, issu de Rousseau, le livre et l'illustration n'évitent pas une espèce de sensiblerie, caractéristique d'un certain état d'esprit romantique.

Ici (planche n° 2) le père de famille quitte avec effroi la vallée, où la Révolution a pénétré et où l'on aperçoit un arbre de la Liberté en train d'être érigé, pour retourner tristement avec son jeune fils dans la montagne en disant «Que ton règne vienne».

J.Be.

982
Monument à la Révolution française

par Hieronymus LÖSCHENKOHL

Gravure en taille-douce. H. 0,35; L. 0,231.

Inscription : en bas : «Denkmal auf die französische Revolution von 1789.90.91 und 1792.»

Expositions : 1959, Vienne, n° 251; 1969, Vienne, n° 12; 1980-1981, Hambourg, n° 326; 1982, Vienne, n° 217.

Bibliographie : Witzmann, 1980, pl. 44.

Vienne, Historisches Museum (inv. 62.055).

Cette gravure de 1792 qui n'est pas signée et n'est répertoriée nulle part est sans conteste de Löschenkohl; ce dernier fut l'interprète en effet de la propagande antirévolutionnaire tolérée par la censure. Dès 1791, il avait gravé une série de douze planches intitulées *Sammlung der niederländischen Unruhen* (collection des émeutes aux Pays-Bas); durant les guerres de la première et de la deuxième coalition, il réalisa des scènes de bataille et également des caricatures.

Cette œuvre fustige en une allégorie très inventive les excès de la Révolution. Sur un socle portant l'inscription «Barbarei statt Freiheit» (la barbarie à la place de la liberté) s'élève, tel un arbre de la Liberté, un de ces réverbères qui, maintes fois, servirent de potence. Une tête piquée sur une épée en dépasse; au-dessus on peut lire sur une banderole «Weder Licht noch Finsternis» (ni lumière ni obscurité). Sur le poteau sont accrochés des mentions de victimes et un assignat géant de cinq livres, billet qui était déjà dévalué à la fin de 1792.

Les figures allégoriques de l'anarchie et de la dictature populaire foulent aux pieds un livre de lois et le ruban d'une décoration. Les spectateurs, une poissonnière, des bourgeois et des nobles gagnés au jacobinisme poussent des cris de joie devant ce monument. L'interprétation antirévolutionnaire de cette scène est indiquée par la figure de la royauté, assise devant sur un lion assoupi, au-dessous de l'inscription du

Habitant du canton suisse d'Unterwald
fuyant l'érection d'un arbre de la Liberté (cat. 981).

Masques italiens autour d'un arbre de la Liberté,
caricature contre-révolutionnaire vénitienne (cat. 983).

Monument à la Révolution française »,
caricature autrichienne (cat. 982).

L'Arbre de la Liberté avec le Démon tentant John Bull
(The Tree of Liberty, with The Devil Tempting John Bull) (cat. 984).

socle « Barbarei statt Freiheit » ; elle montre de
son sceptre les mots « Nur im Gesetz ist Heil
zu finden » (ce n'est que dans la loi que se trouve
le salut). L.Po.

983
Masques italiens autour d'un arbre de la Liberté

par un auteur anonyme

Eau-forte coloriée. H. 0,293 ; L. 0,365.
Inscription : en dialecte vénitien.
Bibliographie : Arrigoni-Bertarelli, 1932, n° 1957.

Milan, Castello Sforzesco, Raccolta civica di Stampe
Achille Bertarelli (inv. Cart. m. 13.22).

Autour d'un arbre de la Liberté les masques
les plus célèbres de la comédie italienne font
des commentaires qui mettent l'accent sur la
folie des Républicains. Pierrot blâme la destruction des armoiries, Pantalon ironise sur
l'héroïsme des patriotes, Arlequin vante les
fruits « bon marché » de la Liberté tandis que
le Docteur montre son front du doigt et dénigre,
en le montrant du doigt, le Républicain empa-
naché qui s'incline devant l'arbre de la Liberté

au pied duquel s'enroule un serpent. A l'arbre
lui-même est suspendu un cartel portant la liste
des vices républicains (Cruauté, Simonie,
Athéisme, Paresse, Tyrannie, Vol, Débauche,
etc.).
Très caractéristique de la production contre-
révolutionnaire vénitienne, cette gravure date
sans doute de 1799, au moment de la grande
offensive de la deuxième coalition, Venise étant
alors sous contrôle autrichien. Mais le sens de
l'estampe est assez ambigu car à l'extrémité
gauche, on voit un personnage qui observe la
scène avec un face-à-main et ressemble singulièrement à Bonaparte.

984
L'Arbre de la Liberté avec le Démon tentant John Bull
(The Tree of Liberty, with The Devil Tempting John Bull)

par James GILLRAY

Gravure coloriée. H. 0,343 ; L. 0,348.
Bibliographie : cat. British Museum, n° 9214.

Londres, British Museum (inv. 1851-9.1.921).

Partout où les armées françaises établissaient
leur camp, on plantait l'arbre de la Liberté avec
guirlandes et emblèmes ; il s'agissait là d'un
symbole dérivé de la Révolution américaine.
Ici Fox, sous l'aspect du Serpent enroulé
autour d'un chêne dénudé et flétri, dont le
tronc, l'Opposition, est prolongé par les racines
de l'Envie, l'Ambition et la Déception, est en
train de tenter la Grande-Bretagne (représentée par John Bull) en lui offrant un fruit « réfor-
mateur » dangereux. Cet arbre, avec ses fruits
pourris, contraste avec le chêne couvert de
feuilles à l'arrière-plan, enraciné dans les
Communes, le Roi et les Lords, et chargé de
beaux fruits sains, tels que la Liberté, le Bonheur et la Sécurité.
En 1793 le roi de France montait sur l'échafaud et l'Angleterre entrait en guerre avec la
France. Fox jugea que son soutien à la cause
révolutionnaire française devenait de jour en
jour plus impopulaire. Par ailleurs, ses partisans politiques aspiraient à une réforme politique modérée en Angleterre. Dans cette caricature éditée le 23 mai 1798 par H. Humphrey,
ils sont identifiés aux groupes révolutionnaires
qui faisaient leur apparition dans les villes
industrielles d'Angleterre, s'intitulant « Cor-
responding Societies » et directement inspirés
de la France. C.B.-O.

Télégraphe Ambulant ou de

Ce Télégraphe dont les developemens peuvent être sentis la nuit comme le jour à
Cinq Mille #, donne Cent quatrevingt seize signaux primitifs; Il peut être monté
d'une heure et son exécution ne coutera pas Seize cent Livres, y compris
propres à l'observation f.# dans les tems ordinaires.

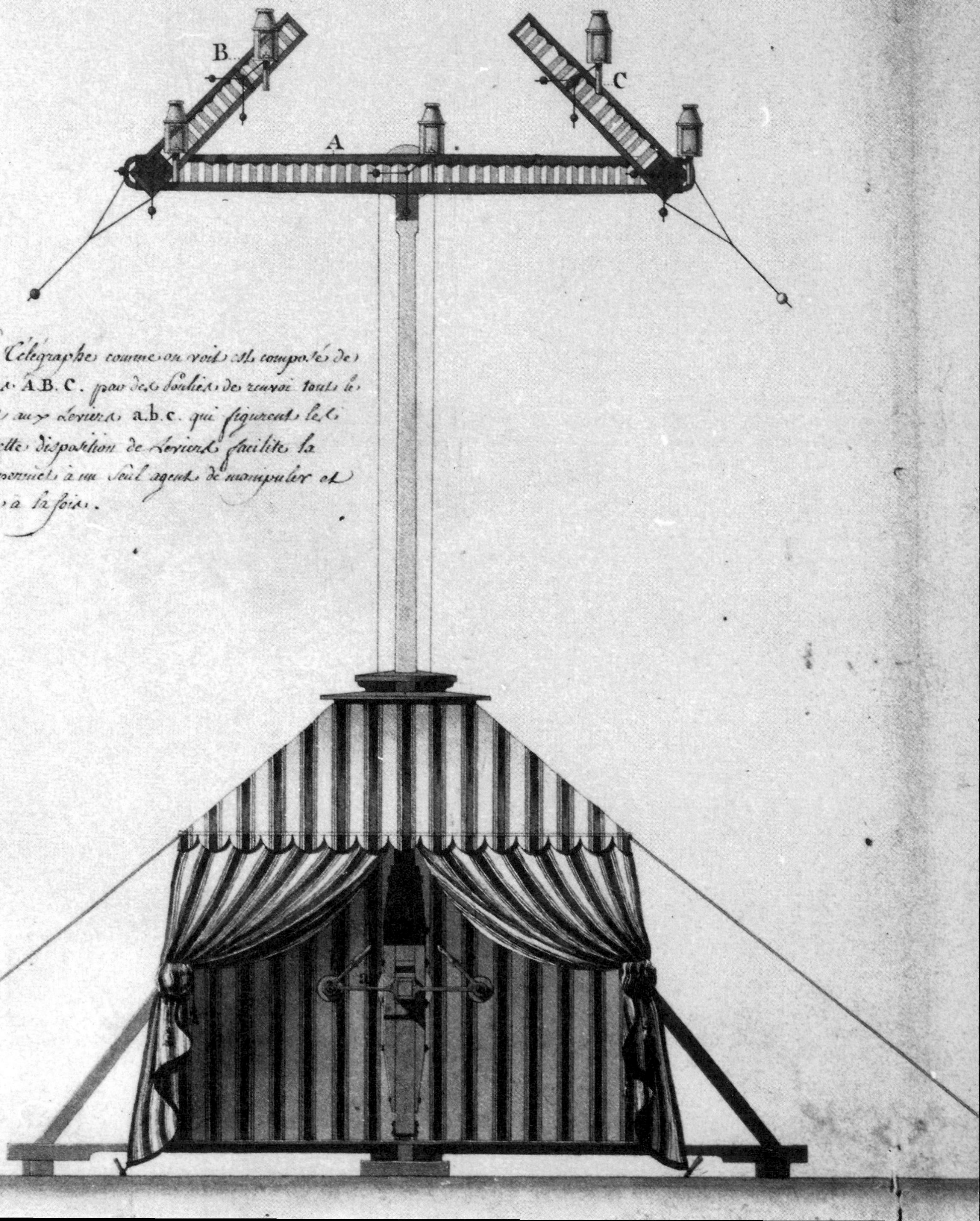

Fig. 1.re Le Télégraphe comme on voit est composé de
trois indicateurs A.B.C. par des boulles de renvoi tous le
sistême aboutit aux Leviers a.b.c. qui figurent les
Indicateurs; Cette disposition de Leviers facilite la
manœuvre et permet à un Seul agent de manipuler et
d'observer tous à la fois.

XXVI
SCIENCE
ET RÉVOLUTION

L'exécution de Lavoisier avec pour épitaphe « La République n'a pas besoin de savants » a pesé d'un grand poids dans le procès quasi ininterrompu qui se plaide pour ou contre la Révolution depuis près de deux siècles. Ses défenseurs peuvent aisément faire valoir (et le contenu de ce chapitre de l'exposition montre quelques éléments du dossier) que ce que l'on appelle à présent la « recherche scientifique » a été intense sous la Révolution, associée d'ailleurs, de façon toute aussi actuelle, à l'effort de guerre. Héritiers des Lumières, les hommes de la Révolution se devaient de respecter et d'honorer les savants. De l'élection de Bailly comme maire de Paris à la visite rendue par Bonaparte, après son retour d'Égypte, au vénérable Daubenton, il y a une continuité certaine : l'appel aux talents, aux compétences et déjà une foi très vive dans l'avenir de la science.

Mais ce qui se passa durant les deux premières années de la République et plus particulièrement de l'élimination des Girondins à celle des Hébertistes révèle un autre aspect de la Révolution : la connaissance, perçue comme une aristocratie de l'esprit, devient suspecte. Parce que le peuple, siège du Souverain, est assimilé par la fraction la plus active à ce qui ne se nomme pas encore le prolétariat, tout ce qui ne vient pas de lui est senti comme une menace. L'exaltation de la Nature n'est par ailleurs guère compatible avec une démarche scientifique de plus en plus critique et élaborée. Le langage du Père Duchesne, l'hostilité de Marat (fortifiée par sa propre expérience) à toute science « officielle » vont dans le même sens. Si les sans-culottes de l'an II restaient pour la plupart en deçà de cette position extrême, elle affleure dans certaines attitudes et certains discours : la pique, arme archaïque et purement manuelle, mais qui avait révélé en certaines circonstances sa redoutable efficacité pourrait, autant que le niveau lui-même, passer pour le symbole de ce nivellement absolu. La réalité fut autre et la période révolutionnaire ne marque pas une rupture dans l'histoire de la pensée scientifique et des progrès techniques : l'usage des ballons et l'amélioration de l'artillerie se révélèrent plus efficaces que la pique pour lutter contre la première coalition.

Télégraphe ambulant (cat. 1010, détail).

« VOIR » LES SCIENCES ET LES TECHNIQUES DE LA DÉCENNIE RÉVOLUTIONNAIRE

Un premier coup d'œil : les récits disponibles

S I LA RÉVOLUTION, pour beaucoup d'historiens français, est d'autant moins terminée que ses enjeux restent inscrits au cœur de notre société de la fin du XXᵉ siècle, du moins les campements étaient jusqu'à présent si clairement installés, comme au cordeau, les bastions restaient si bien délimités que même les âmes innocentes reconnaissaient drapeaux, faisceaux et emblèmes. Le situation n'est pas moins tranchée lorsque l'on évoque les sciences et les techniques de la période révolutionnaire, à deux originalités près cependant, suffisamment fortes pour troubler quelquefois profondément la vision que les générations présentes peuvent se faire du phénomène.

La première originalité est un constat de faiblesse souvent affligeante. Ce qui touche les savants et les ingénieurs – leurs œuvres comme les blocages épistémologiques ou pratiques qu'ils ont rencontrés, voire provoqués – reste dans l'historiographie non spécialisée comme embuée sous la vague dénomination de « progrès ». Une notion qui fut forte et pleine de sève à l'époque des Lumières, mais qui est devenue molle, et sans contours apparents aujourd'hui. En gros, les meilleurs historiens ne parvenant pas à faire entrer le mouvement des sciences dans la périodisation de la décennie révolutionnaire préfèrent le mythifier ou l'évacuer. Un premier coup d'œil embrassera quelques exemples suffisamment significatifs. Jacques Godechot, dans la *Grande Nation,* offre tout juste trois pages et demie aux sciences, dans un chapitre consacré à l'expansion intellectuelle française et dans un livre qui sans lasser le lecteur s'enfle de 541 pages. L'historien évoque l'avance mathématique considérable que la France aurait acquise vers 1795... en citant Fourier qui n'avait à l'époque aucun texte scientifique publié ! Notre auteur aurait-il laissé passer une phrase sur la contribution marquante de Bonaparte à la stratégie militaire en 1795 ? Nous n'en saurons pas plus en tout cas sur les sciences, alors qu'un luxe de détails constitutionnels fourmille dans les pages précédentes[1]. En comparaison avec les cas anglais, allemands ou italiens, puisque tel est le parti pris européen de l'auteur, n'y aurait-il donc rien d'original à dire sur l'esprit analytique à l'œuvre dans la *Théorie des fonctions analytiques* de Lagrange, ouvrage publié en 1798, ou dans la *Mécanique céleste* de Laplace dont les premiers volumes sortirent en 1799 ? Remontons plus loin dans le temps

pour les textes historiques de référence, et considérons l'édition intégrale du cours de Georges Lefèbvre sur le Directoire. S'il n'y a guère plus de pages consacrées aux sciences, sur un total de 937 pages, du moins l'information est plus fouillée et surtout on y ressent la volonté d'une synthèse idéologique dont les conclusions, souvent fines et justes, relèvent malheureusement plus de l'intuition que de la saine analyse déployée dans tant d'autres parties[2]. En tout cas, la curiosité est aiguisée. Serons-nous comblés alors par l'indéniable nouveauté que constitua *la Révolution française* de François Furet et Denis Richet[3] ? De fait, non : les sciences se faufilent en gros dans une ou deux pages... et les expressions utilisées sont exactement celles des prédécesseurs déjà cités. Fidélité qui confine au mimétisme puisqu'en unissant leurs efforts à quatre mains, nos derniers auteurs n'ajoutent ni ne retranchent aucun nom à la liste bien courte de savants dressée par Lefèbvre, suivi par Godechot. Le mot clef, après celui d'idéologie, est celui de « rationalisme expérimental » que Lefèbvre affectionnait. Ses successeurs ne pouvaient-ils pas affiner ?

L'expression paraît très bien adaptée aux travaux d'un Lazare Carnot dans son *Essai sur les machines en général* de 1783, ouvrage dont l'esprit fut maintenu par Carnot en 1803 lors de la publication des *Principes fondamentaux de l'équilibre et du mouvement.* Mais l'expression de « rationalisme expérimental » ne peut certainement pas être appliquée au maître ouvrage de mécanique de la période, la *Mécanique analytique* de Lagrange parue en 1788 et dans une seconde édition en 1811, tant y dominent les mathématiques en général, tant s'y expose la voie déductive déroulée à partir de quelques principes abstraits, et surtout tant s'y déploie la synthèse d'une grande méthode issue du calcul des variations par le remarquable jeu des formes différentielles. L'adjectif « expérimental » paraît incongru et il suffira, par exemple, de signaler que la force,

---

1. Jacques Godechot, *la Grande Nation, l'expansion révolutionnaire de la France dans le monde de 1789 à 1799*, Paris, 2ᵉ édition, 1983, pp. 505 à 508.

2. Georges Lefèbvre, *la France sous le Directoire (1795-1799)*, édition intégrale du cours sur le Directoire, présentée par Jean-René Suratteau, Paris, 1977, pp. 560 sqq. pp. 570-572.

3. François Furet et Denis Richet, *la Révolution française*, Paris, 1979, pp. 467-468.

chez Lagrange, n'apparaît pas comme un donné expérimental, éventuellement conceptualisé pour les lois de la mécanique, mais bien plutôt comme coefficient devant une différentielle ! Par contraste, il ferait beau voir les réactions qui fuseraient si ces historiens de première grandeur avaient qualifié de la même façon la *Critique de la raison pure*.

Après avoir pris la mesure de cette absence de vision sur les sciences de la période révolutionnaire, tournons-nous vers l'historiographie spécialisée. Nous y trouvons aussitôt la deuxième originalité de l'histoire des sciences de cette période où les spécialistes adoptent un comportement en deux temps qui, consciemment ou non, frise la schizophrénie ! Le spécialiste utilisera d'abord un accent lyrique pour décrire l'implication des savants français en 1793 et 1794, alors que « la République est en péril », que la « Patrie est menacée par l'Europe coalisée contre elle ». Le rythme généralement repris pour le balancement de l'expression est celui fixé en 1803 par le physicien Jean-Baptiste Biot : « La France touchait à sa perte ; Landrecies, Le Quesnoy, Condé, Valenciennes étaient au pouvoir de l'ennemi ; Toulon s'était livré aux Anglais... Tout annonçait que la République allait périr avant d'avoir eu une année d'existence...[4] » Notre savant écrivain, ayant fixé le décor du drame, pouvait soudain lancer sur la scène les héros qui le dénoueraient : « On recréa partout [les anciennes manufactures] avec une activité jusqu'alors inconnue. Des savants furent chargés de décrire et de simplifier leurs procédés, la fonte des cloches donna tout le cuivre nécessaire. L'acier manquait, on n'en pouvait tirer du dehors, l'art de le faire était ignoré ; on demanda aux savants de le créer. Ils y parvinrent, et cette partie de la défense publique devint indépendante de l'étranger[4]. » Après avoir comme Biot sacrifié au lyrisme, dans un deuxième temps — et quelquefois sans aucune transition — le même spécialiste s'attaquait à l'analyse de l'œuvre proprement scientifique. Il plaidait alors à l'inverse pour la neutralité du savant face aux courants et idéologies révolutionnaires, magnifiait sa sagesse politique plutôt opportuniste sinon conservatrice, s'employait finalement à réduire à bien peu de chose son engagement. Il s'agissait de montrer qu'avant toute autre chose celui-ci tentait de survivre et que, s'il hurlait avec les loups, c'était bien sûr à son corps défendant, ou par aveuglement momentané. Celui qui maniait quelques mois plus tôt avec tant d'aisance les concepts novateurs de la chimie ou jonglait avec les équations aux dérivées partielles des surfaces développables était devenu en l'an II un pantin désarticulé et manipulé. Tel est le portrait qui nous est laissé, mais est-ce bien crédible ?

Il y a une trentaine d'années, l'auteur qui a conçu la meilleure histoire des sciences pendant la Révolution, Joseph Fayet,

développait sans s'émouvoir ce double registre. L'historien tentait de le justifier par une « philosophie » générale. Au hasard, on peut citer quelques lignes : « Pendant un certain temps, l'esprit qui prédomine est celui de la rupture totale avec le passé. Cet esprit n'exclut pas, d'ailleurs, une certaine volonté de réorganisation des institutions scientifiques et scolaires ; assez naïvement, quelques révolutionnaires pensent qu'il faut, pour pouvoir créer, détruire d'abord. La passion les aveugle, bien sûr ! C'est le règne de la destruction, contre lequel, même au plus fort de la Terreur, ne cessent de protester quelques hommes courageux et raisonnables. Ce sont ces voix que la Révolution finit par entendre. Alors, elle renoue avec la Tradition ; alors elle s'attache à conserver, à construire, à créer, à partir des matériaux légués par le passé[5]. » Bien sûr, de cet exorde on ne pouvait que conclure : le savant véritable ne donne sa mesure que dans les temps de reconstruction, dans la mesure où il s'affiche dans le droit fil du passé. Mais on ne peut manquer de se demander quelle motivation pouvait bien pousser l'historien à se pencher avec tant d'érudition sur les sciences pendant la Révolution, alors que le sous-titre même de son livre inscrivait dans ses limites chronologiques : 1789-1795. Or les mesures institutionnelles « constructives » pour la science ne furent le fait que de la Convention thermidorienne, dans la seconde moitié de l'an III, et la première classe de l'Institut, tribunal majeur de la science française, ne commença à fonctionner qu'en 1796 !

Cessons de nous plaindre. Grâce à ces constatations préliminaires, nous pouvons utiliser à meilleur escient la grande richesse de matériaux réunis depuis deux siècles pour mieux orienter le regard... Car enfin, plusieurs des grands noms de la science française ont honoré cette époque et fourni l'occasion de solides études biographiques, aussi bien dans l'ordre intellectuel qu'institutionnel, voire pour ancrer l'insertion de destins individuels dans le grand charriage de l'histoire. Au fond nous bénéficions de tous ceux qui ont déjà utilisé la loupe, sinon le microscope, pour visionner cette période. Que souhaitons-nous distinguer de plus, sachant qu'il est évidemment exclu d'utiliser la lunette astronomique et de se placer sur Micromégas, c'est-à-dire qu'il est impossible de tenter de dresser en quelques pages une fresque, même synthétique, de l'esprit scientifique et technique de cette période. Alors quoi ?

Sans ambages, et profitant du fait que nous suivons une exposition qui « donne à voir », nous proposons de parcourir la science telle qu'elle se donnait à voir, d'abord dans les musées, ensuite dans les écoles, enfin dans les livres. Chemin faisant, nous aurons bien sûr rencontré quelques acteurs, ces savants et ces ingénieurs qui firent la science en France. Nous n'aurons certes pas pris la mesure de toutes les institutions scientifiques nouvelles instaurées par la Révolution, et encore moins scruté les lignes de force des différentes disciplines, de la cristallographie à l'anatomie, de la mécanique à la géologie. Au moins pouvons-nous espérer avoir incité à en savoir plus.

4. Jean-Baptiste Biot, *Essai sur l'histoire de sciences pendant la Révolution française*, Paris, 1803, pp. 42-43.

5. Joseph Fayet, *la Révolution française et la Science, 1789-1795*, Paris, 1960, p. 203.

La science se donne en spectacle : objets, musées... et savants

Prenons la mesure du spectacle en consultant le règlement de l'École normale, qui fut ouverte le 20 janvier 1795. Le texte était formel et s'appliquait aux centaines de futurs enseignants que la République entendait couler dans un moule « révolutionnaire » avant de les disperser dans tous les départements : « Les Écoles normales vaqueront les *décadi*. Les élèves se répandront dans les bibliothèques, les observatoires, les *muséum* d'histoire naturelle et des arts, les conservatoires d'arts et métiers, et dans tous les dépôts consacrés à l'instruction, tous ces dépôts leur seront ouverts sur le vu d'une carte marquée au timbre du comité d'instruction publique, et signée des deux représentants du peuple près les Écoles normales[6]. » Si l'emphase politique se lisait dans la multiplication des pluriels, alors qu'il n'existait à Paris, en ces premiers mois de l'année 1795, qu'un seul Muséum d'histoire naturelle et que l'unique Conservatoire des arts et métiers était encore abrité dans des locaux provisoires, du moins ceux qui présidaient aux destinées de l'École normale, un Lakanal par exemple, insistaient pour que les jeunes — et les moins jeunes — voient de leurs propres yeux les collections scientifiques ou techniques.

Ce regard devait d'abord être d'étonnement. Ainsi le disait avec passion l'abbé Grégoire dans un discours prononcé devant la Convention le 29 septembre 1794. Au double nom du Comité d'agriculture et des arts et du Comité d'instruction publique, il présentait un rapport visant à établir le Conservatoire des arts et métiers : « La nation possède pour les divers arts et métiers une quantité prodigieuse de machines dont une partie n'est que peu ou point connue : je dis prodigieuse, car quiconque ne les a pas vues, aura difficilement une idée de leur nombre, de leur richesse, de leur perfection et de leur importance[7]. » Impossible pour le regard de rester passif, car les yeux de l'esprit étaient excités. En éveillant la curiosité et l'intérêt, le musée des Machines devait conduire « dans tous les genres des progrès très rapides » et « mettre sur la route de nouvelles découvertes ». Il ne s'agissait pas là de simple rhétorique de tribune. Le décret de fondation stipulait un rôle actif du Conservatoire : « On y expliquera la construction et l'emploi des outils et machines utiles aux arts et métiers[8]. » Des démonstrateurs qualifiés étaient programmés. Un règlement du 15 thermidor an IV (2 août 1796) assignait la mise en marche des machines à exposer. Le musée, conservatoire de formes et d'idées, ne les momifiait pas : « Indépendamment des galeries, le Conservatoire établira dans des salles particulières, sous la surveillance d'un chef instruit dans la fabrication des étoffes, les machines et métiers qu'il est nécessaire de mettre en activité journellement tant pour les conserver en bon état que pour en démontrer les effets et provoquer le génie des artistes aux recherches et moyens de perfectionner nos manufactures[9]. »

Après de longues péripéties, au printemps 1799, le Conservatoire put s'installer dans les murs de l'ancienne abbaye Saint-Martin-des-Champs. En février 1799, l'un des démonstrateurs prévus, Molard, s'il parlait encore au futur, n'en maintenait pas moins un objectif d'insertion du Conservatoire dans l'activité nationale : « On rassemblera les matériaux nécessaires pour former une technologie fixe et uniforme. On préparera une géographie industrielle et manufacturière de la République[10]. »

Le regard porté sur toutes ces machines en activité était rempli des visions révolutionnaires. Il visait en premier lieu la fonction de standardisation nationale des outils, qui poursuivait à grande échelle la mise en place du système métrique, cette division décimale et radicalement nouvelle de toutes les mesures de poids, de longueur, d'aire, de capacité ou de volume, décrétée le 1er août 1793. Pour résumer à ce propos le rôle des savants, rappelons que ce fut une étoile de première grandeur dans le ciel scientifique, Pierre Simon Laplace, qui donna au système métrique la force d'une loi, fin 1799. Une autre fonction non moins révolutionnaire était dévolue aux visiteurs des musées scientifiques ou techniques. Ce regard devait transformer les esprits et porter la culture technique à un niveau de reconnaissance sociale : « Celui qui le premier réussit les douves d'un tonneau ou qui forma la première voûte, celui qui trouva le van ou qui rendit le pain plus digestif par le moyen du levain... ceux-là, dis-je, méritèrent mieux de l'humanité que celui qui soixante siècles plus tard écrivit *la Henriade*[11]. »

À n'en point douter, on retrouvait l'esprit de l'*Encyclopédie*, parue presque deux générations plus tôt, grâce à la conjugaison des efforts de Diderot et de d'Alembert. Mais, chose nouvelle, cet esprit conduisait à des mesures dont le concret révolutionnaire était indéniable. Il justifiait la confiscation des collections privées, celles des émigrés, celles des couvents, voire celles des suspects après les décrets de Saint-Just du 8 et 13 ventôse (26 février et 3 mars 1794). Tout au long de l'an II, une commission fonctionna avec fébrilité, spécialisée dans la collecte, le tri, la répartition des objets. Un décret du 18 août 1793 ordonnait d'inventorier tous les objets utiles à l'instruction publique qui appartenaient à la Nation. Le 18 pluviôse, la Convention nomma quarante-trois commissaires qui siégèrent à peu près deux fois par décade. C'était la Commission temporaire des arts. Un travail considérable commençait, tout d'exécution. Ce travail impliquait directement les savants auxquels un véritable pouvoir était attribué dans l'État, et préci-

6. Article 5 du règlement, *Séances des Écoles normales recueillies par des sténographes et revues par les professeurs*, Paris, an III, Régnier, tome I.

7. Abbé Grégoire, *Rapport sur l'établissement d'un Conservatoire des arts et métiers*, 8 vendémiaire an III (29 septembre 1794). Voir J. Guillaume, *Procès-verbaux du Comité d'instruction publique de la Convention*, Paris, t. V, p. 61.

8. Décret de la Convention du 19 vendémiaire (10 octobre 1794). Voir par exemple *le Moniteur* du 13 octobre 1794.

9. Règlement sur l'organisation générale et la discipline intérieure du Conservatoire des arts et métiers, 15 thermidor an IV, *Recueil des lois*, pp. 16-27.

10. Cité par A. de Monzie, *le Conservatoire du peuple*, Paris, p. 51.

11. *Op. cit.*, note 7.

sément dans le cadre des mesures révolutionnaires qui portaient désormais le label de la Terreur.

Les savants se donnaient à voir sur le plan politique. Des académiciens célèbres sous l'Ancien Régime, comme Vicq d'Azyr, spécialiste de zoologie et d'art vétérinaire, ou comme le physicien Charles qui avait fait la première ascension en aérostat, s'avérèrent particulièrement actifs. Beaucoup d'autres les assistaient, comme Dufourny de Villier, un des fondateurs du Lycée en 1786, membre de l'administration des poudres et salpêtres, montagnard farouche et bientôt examinateur d'admission à l'École centrale des travaux publics, chargé de juger les qualités morales et civiques des candidats. Il remplit cette tâche avec partialité. Si l'engagement des savants dans les rouages de la Terreur (comme cette Commission des arts) ne provenait pas toujours d'un militantisme politique exhibé dans les clubs ou à l'Assemblée, il paraît indéniable que le but révolutionnaire — faire voir la science pour changer le rythme du progrès — était approuvé par la majorité des scientifiques. Ce but constitua un puissant facteur mobilisateur, facteur dont on constate qu'il n'est pas directement lié à la défense militaire — à laquelle on a trop souvent réduit l'action de ces mêmes savants et que je ne vais pas décrire à nouveau, puisque les mémoires en ressassent l'épopée.

Mobilisation civile d'autant plus nette qu'il avait fallu, dès brumaire an II, que la Convention fît défense expresse de mutiler aussi bien les monuments que les livres ou objets de collections qui portaient les « signes de royauté ou de féodalité ». Au cœur de la Nation, mais aussi face à elle, pour son « bien », le savant pouvait concevoir sa mission comme une tâche d'éducation civique grâce à la science. Il dépassait ainsi les simples préoccupations, usuelles dans les académies, de préservation des riches collections, et il s'engageait dans la mise en place d'un monde nouveau.

On ne donnait pas toujours dans le délicat. Le 25 floréal, la Commission temporaire des arts récupéra, après une quête minutieuse et quelques interrogatoires, une « montre à longitude » que l'astronome Bochard de Saron avait portée juste avant d'être monté sur la charrette le conduisant à la guillotine[12]. Ses instruments d'astronomie furent répertoriés par Charles. La commission attribua les pièces recueillies aussi bien au Muséum d'histoire naturelle créé le 10 juin 1793 qu'à l'École centrale des travaux publics, la future École polytech-

nique, envisagée à la Convention le 11 mars 1794 lors d'un discours de Barère, et créée le 28 septembre de cette même année. Ce fut elle aussi qui prépara les livres scientifiques pour le compte du Comité de Salut public, car les décemvirs qui gouvernaient la France estimaient avoir besoin de tels documents pour conduire les affaires de l'État ! Les chimistes Guyton de Morveau et Fourcroy les sélectionnèrent au début 1794. Guyton de Morveau avait d'ailleurs été le premier président du Comité de Salut public, dont il était sorti à l'entrée de Robespierre.

La quête des objets destinés à l'exhibition nationale devint vite systématique. La commission publia en quelque soixante-dix pages une *Instruction sur la manière d'inventorier et de conserver, dans toute l'étendue de la République, tous les objets qui peuvent servir aux arts, aux sciences et à l'enseignement*[13]. L'affaire avait pris une ampleur nationale, était dirigée par l'État et servie effectivement par des savants, qui la considéraient comme naturelle et en tout cas la continuèrent bien après que la Terreur eut cessé d'être à l'ordre du jour. À tel point que ces procédures furent maintenues lorsque la France révolutionnaire commença à occuper des territoires nouveaux. Sur invitation du Comité de Salut public, le 4 thermidor, quelques jours avant la chute de Robespierre, le Muséum d'histoire naturelle désigna deux de ses professeurs pour faire partie d'une commission chargée de relever et de réquisitionner des objets d'art et de science aux Pays-Bas, désormais ouverts à l'armée du Nord grâce à la victoire de Jourdan à Fleurus (26 juin). Fut ainsi requis le nouveau professeur de géologie, Barthélemy Faujas de Saint-Fond (1741-1819) qui en 1787 avait été nommé adjoint à la garde du Cabinet d'histoire naturelle, près du jardin du Roi, chargé de la correspondance. De même, il y eut dans cette commission André Thouin (1747-1824), un membre de l'Académie des sciences depuis 1786, professeur de culture au Muséum, et qui aurait dû enseigner l'agriculture à l'École normale en l'an III s'il n'avait pas précisément été en mission à l'armée du Nord[14]. L'année suivante, le mathématicien Gaspard Monge (1746-1818) et le chimiste Claude Louis Berthollet (1748-1822) ne firent aucune difficulté pour se joindre à la Commission des arts et des sciences qui, questionnant en particulier les savants italiens, réquisitionnait à tour de bras grâce aux victoires de l'armée d'Italie menée par Bonaparte.

Les deux savants rencontrèrent ainsi le général qui les séduisit : la science française venait d'entrer en relation directe et précise avec le pouvoir montant. Elle en fut bénéficiaire, grandement, sous l'Empire. Trop souvent occultée, cette histoire, qui fut nouée pendant la période révolutionnaire et engagea tout le système scientifique français pour des décennies, sortirait des limites chronologiques de notre propos. Après avoir « vu » l'entrée des savants dans l'organisation politique, tournons maintenant notre regard vers un autre lieu.

---

12. *Procès-verbaux de la Commission temporaire des arts*, septembre 1793-décembre 1795, Paris, éd. L. Tuetey (1912-1917).

13. Paris, Imprimerie nationale, an II. Une seconde édition a lieu le 15 messidor an II et comporte un texte supplémentaire relatif aux ouvrages imprimés.

14. Revirement des succès, lorsque la France fut envahie après la faillite napoléonienne, les occupants demandèrent au Muséum la restitution d'un herbier pris à La Haye. Mais celui-ci avait été réparti pour compléter les collections. Au nom de « l'intérêt de la science », grâce à l'entregent bienveillant d'Alexandre de Humboldt auprès du roi de Prusse et par la force de Georges Cuvier, l'herbier resta à Paris.

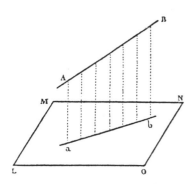

Fig. 1 : projection orthogonale d'un segment AB sur un plan.

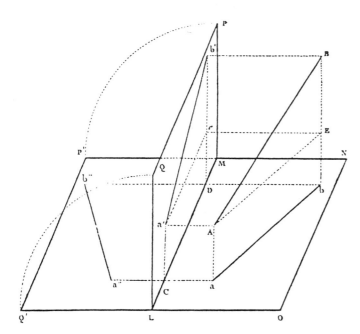

Fig. 2 : projections orthogonales ab et a'b' de la droite AB sur deux plans, horizontal et vertical. Rabattement de la projection a'b' sur le plan horizontal en a"b". De ce fait, ab et a"b" sont les représentations de AB sur la feuille de papier : c'est le principe de base de la géométrie descriptive. On dit droite (ab, a"b") pour signifier droite AB ; tel est le dictionnaire.

Les moyens de la mise en scène de la science : le dessin dans les Écoles... et les séances de l'Institut

Avec la fin du XVIIIᵉ siècle français, avant donc l'invention de la photographie dont les premiers jours survinrent avec Niepce en 1816, on assiste à une efflorescence des représentations d'objets, tant pour les besoins de l'œil que pour ceux de l'esprit. Il ne s'agit pas seulement de satisfaction esthétique, puisque le dessin de machines et le dessin scientifique prennent une réelle extension. Le besoin s'affiche partout.

Ainsi, dans les écoles centrales créées dans chaque département par le décret Lakanal du 25 février 1795, les choix des élèves pour les différentes matières proposées se font très majoritairement en faveur du dessin : plus de 95 % des inscriptions dans la Haute-Marne et une moyenne nationale de 60 %. Plus significatif sans doute est, dans plusieurs départements, l'engouement simultané pour le dessin et les mathématiques (Côtes-du-Nord, Loire-Inférieure, Yonne et Loir-et-Cher[15]). Plus net encore est le rôle de la représentation des figures à l'École polytechnique. Cette figuration organise même le mode d'appropriation des connaissances et les responsables intellectuels qui présidèrent à la mise en place de l'établissement tinrent à faire connaître explicitement leur « philosophie ». On peut en trouver un exposé dans les *Développemens sur l'enseignement adopté par l'École centrale des travaux publics*. Nous allons les parcourir, non sans quelque étonnement.

Les objets, dont il faut se rendre maîtres en les décrivant, sans toujours pouvoir les exhiber, se divisent en deux catégories, nous disent Monge et ses confrères.

15. Voir les cartes et les commentaires de l'*Atlas de la Révolution française*, tome II, l'enseignement 1760-1815, par Dominique Julia et al., Paris, 1987. Notamment les chiffres relatifs à l'École royale de dessin de 1792.

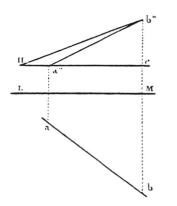

Fig. 3 : on voit sur la feuille ab et a"b", projections de AB. Naturellement, a et a" sont sur la même verticale à l'horizontale LM, de même b et b". La construction donnée sur cette figure a pour but de mesurer la longueur de AB à partir de ses seules projections. Le dictionnaire doit pouvoir renseigner sur des distances exactes. Cette longueur se lit effectivement sur le segment Hb" : il est obtenu en portant à partir de e (situé sur la verticale de b" et l'horizontale de a"), et sur l'horizontale, une longueur eH égale à la longueur ab. La justification de cette construction tient au triangle rectangle AEB (fig. 2) dont le côté AE est donné en grandeur sur la feuille par ab et dont le côté BE est connu en grandeur sur la feuille par b"e. L'hypoténuse AB se lit donc en grandeur par l'hypoténuse Hb".

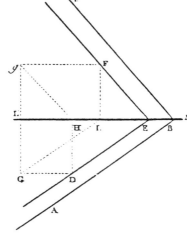

Fig. 4 : un plan est déterminé par son intersection AB avec le plan horizontal et par son intersection BC avec le plan vertical. Sur la feuille de papier, ces deux droites AB et BC se coupent en B sur la ligne horizontale LM.

Un problème consiste à faire passer par un point représenté par (G,g) un plan parallèle au plan représenté par AB et BC. Voici la solution.

On mène par G la parallèle à AB. Elle intersecte LM en I. On élève la verticale en I qui intersecte en F l'horizontale menée par g. La droite passant par F et parallèle à BC intersecte en E l'horizontale. On mène ED en parallèle à AB. Le plan cherché est représenté par EF et ED.

Cette construction se justifie en imaginant une horizontale du plan cherché. Ses représentations sont gF et GI. Bien sûr, les droites représentatives du plan cherché sont parallèles à celles du plan donné.

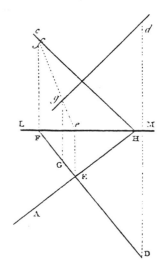

Fig. 5 : construction d'une droite représentée par (DG,dg) orthogonale à un plan donné (représenté par AH, HC) et passant par un point donné D,d).

Il y a d'abord ceux dont les formes « ne sont pas assez simples pour pouvoir être définies ». Dès lors « on ne peut les décrire que par l'imitation qui a aussi ses règles, et qui constitue l'art du dessin[16] ». La méthode pédagogique n'est pas originale, mais il faut noter l'insistance avec laquelle elle est requise dans un établissement conçu pour un enseignement supérieur. Il s'agit pour les élèves de s'exercer à copier d'après l'original. Cette pratique, certes fastidieuse, permet à ces élèves « d'acquérir la facilité d'exprimer tout ce qu'ils conçoivent » en étant « attentifs aux formes ». Le dessin est une langue qui facilite la transmission, mais aussi sollicite la création en soutenant l'attention. Car le but final est de rendre les futurs ingénieurs ou savants capables « d'en faire l'emploi le plus avantageux dans les travaux publics[17] ». Les trois étapes de la formation sont le copiage d'après les dessins, puis d'après la bosse, enfin d'après nature. Notons bien cette formation, classique pour des architectes, mais moins pour des ingénieurs... et abandonnée aujourd'hui.

Mais existent aussi des objets dont les « formes sont susceptibles d'une définition rigoureuse ». L'auteur très probable du descriptif, Gaspard Monge, indique aussitôt que des « règles certaines » abondent pour les représenter et constituent un corpus doté d'une rigueur pratique : il s'agit de la géométrie descriptive. C'est « une langue nécessaire et commune à

l'homme de génie qui conçoit un projet, aux artistes qui doivent en diriger l'exécution, et aux ouvriers qui doivent l'exécuter[18] ». Le principe en est simple : il s'agit de dessiner les projections d'un objet sur deux plans orthogonaux, le second (plan vertical) étant ensuite rabattu sur le premier (plan horizontal) pour donner la représentation sur une feuille de papier divisée en deux par un trait horizontal (l'intersection des deux plans). Ainsi peut-on comprendre la représentation d'une droite de l'espace (fig. 1, 2 et 3). Un plan de l'espace est déterminé par deux droites qui s'intersectent (fig. 4 et 5) : on imagine dès lors le jeu de la géométrie descriptive qui, comme un dictionnaire, passe des objets à leur représentation et réciproquement. Voici les constructions requises (fig. 6) pour trouver la droite qui est l'intersection de deux plans. Nous les donnons sans commentaire puisque le dessin, d'après Monge, devait parler par lui-même. Une dernière figure, plus élaborée, fournit l'intersection de deux surfaces cylindriques (fig. 7).

On conçoit l'automatisme qui se dégage de telles constructions et la connaissance précise qui en résulte : « C'est dans ces constructions graphiques, c'est dans des dessins que consis-

16. *Développemens sur l'enseignement adopté par l'École centrale de travaux publics*, Paris, an III, imprimerie du Comité de Salut public [Ce document est reproduit en annexe I dans J. Langins, *la République avait besoin de savants*, Paris, 1987] (premier genre, première partie des connaissances mathématiques, de l'art de décrire les objets).

17. *Op. cit.*, note précédente, « Du dessin », page 245 de l'édition dans J. Langins.

18. *Op. cit.* note 16, « De la géométrie descriptive », p. 230.

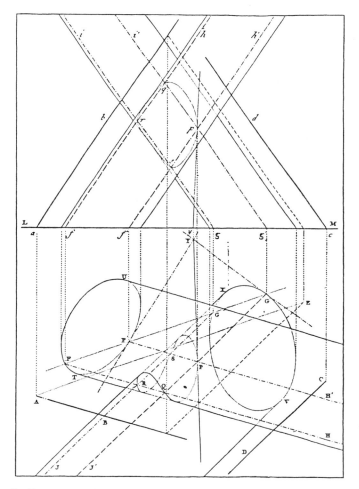

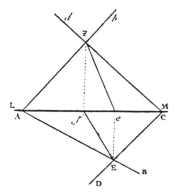

Fig. 6 : deux plans étant donnés de position au moyen de leurs traces AB et Ab pour l'un, CD et Cd pour l'autre, construire les projections de la droite suivant laquelle ils se coupent. La droite cherchée est représentée par (fE, eF).

Fig. 7 : intersection de deux surfaces cylindriques (planche 34 dans la Géométrie descriptive *de Monge). La première surface est donnée par son intersection avec le plan horizontal (courbe TFUF') et la direction de sa génératrice sur le plan vertical (droite donnée par ses projections AB,ab) ; la seconde surface cylindrique, de façon similaire, est donnée par la courbe XGUG' et la droite CD, cd. Pour réaliser les projections de la courbe intersection des deux surfaces, Monge envisage une série de plans parallèles aux deux génératrices, plans qui coupent les deux surfaces cylindriques selon des droites dont on détermine les intersections sur le dessin. On construit point à point, ce qui donne la suite des points P, Q, R, S sur le plan horizontal (projection horizontale de la courbe intersection), puis les points p, q, r, s sur le plan vertical (projection verticale de la courbe intersection).*

tera tout le travail ostensible des choses[19]. » Afin de minorer le caractère répétitif de tels exercices, il était convenu de faire travailler les élèves, répartis en petits groupes, sur des objets différents afin que la variété représentée favorise une connaissance plus étendue du monde réel. Dès 1768, pour une petite cohorte d'étudiants, Monge enseignait ces méthodes à l'École royale du génie de Mézières, les ayant constituées en un corps de doctrine cohérent. Mais c'est début 1795 qu'il put, publiquement et devant un auditoire nombreux, les donner à voir dans ses leçons de l'École normale et en faire la base d'un enseignement structuré, destiné à modifier toute l'appréhension du réel.

Car s'il participait activement à ce dévoilement de la science, s'il en escomptait des résultats intellectuels et la poursuite accélérée du mouvement scientifique, Monge en espérait aussi une révolution dans les esprits qui permettrait « de tirer la Nation française de la dépendance où elle a été jusqu'à présent[20] ». L'exactitude acquise par les artisans et les ingénieurs deviendrait bientôt prisée par les consommateurs qui « pourront l'exiger dans les divers ouvrages, y mettre le prix nécessaire » de sorte que « nos artistes familiarisés avec elle [l'exactitude] dès l'âge le plus tendre, seront en état de l'atteindre[20] ». Le savant mathématicien dépassait à l'évidence le cercle restreint de sa discipline : avec ces préoccupations d'économie politique, ce souci de la qualité du marché pour stimuler les inventions et la recherche de machines destinées à diminuer la main-d'œuvre, Monge s'incorporait aux décideurs de l'État et il se donnait en spectacle — au sens le plus civique du terme.

Le corps savant décida bien vite d'en faire autant pour devenir un des rouages de l'État. Supprimée en août 1793, l'Académie des sciences fut reconstituée en première classe de l'Institut le 25 octobre 1795, et désormais ses membres étaient des fonctionnaires de l'État, que celui-ci consultait à titre d'experts mais aussi bien chargeait de missions techniques pouvant conduire à des prises de décision. Un pouvoir nouveau se profilait, celui des savants, de sorte que ce fut le ministre de l'Intérieur, Bénézech, qui installa l'Institut le 6 décembre 1795, à six heures du soir, au Louvre. Pour manifester solennellement l'alliance nouvelle, il lut une lettre de Reubell, alors président du Directoire, c'est-à-dire chargé de l'exécutif. L'année suivante, Laplace alla présenter les travaux de l'Institut et les lignes d'une politique scientifique devant le Corps législatif, formé par le conseil des Cinq-Cents et le conseil des Anciens. Entre-temps, le 21 janvier 1796, le porte-parole de l'Institut, le naturaliste et ex-comte de Lacépède, rappelait que « la liberté fera fleurir la science » et trouvait l'occasion du troisième anniversaire de la mort du roi pour, au nom de ses collègues, « jurer haine à la royauté[21] ».

La plus grande visibilité fut donnée aux travaux de la classe des sciences. Séance publique fut tenue le 4 avril 1796 dans la salle des Antiques du Louvre dont on garde le souvenir grâce au dessin de Charles de Wailly (1730-1798), conservé au cabinet des Dessins du musée du Louvre (inv. R.F. 29454) et à la gravure de Pierre-Gabriel Berthault (1737-1831) d'après un dessin de Girardet (Paris, B.N., Est.). On renouait certes avec la tradition des grandes assemblées de l'Académie des sciences, mais dorénavant les travaux étaient inscrits dans la trame quotidienne de la vie de l'État. La meilleure preuve n'en était-elle pas la louange, par des parlementaires, des opérations géodésiques alors en cours et leur utilisation pour établir un système uniforme des poids et mesures ? Car la mise en place du système touchait de facto tous les citoyens, du vigneron de Loire-Inférieure qui ne pouvait plus jauger le muscadet en feuillettes mais devait parler hectolitres, au pharmacien que les prescriptions données en grammes affolaient, en passant par le maître de forges contraint de dresser ses bilans dans le système décimal. L'astronome Lalande, au nom de ses confrères, rappelait non sans exagération que ce système exigeait la réunion de toutes les connaissances scientifiques : « Théorie de la terre, dilatation des métaux, lois des réfractions ; tout ce que le génie des observations réclame de délicatesse ; tout ce que le choix des instruments et la fidélité des opérations suppose de sagacité, est réuni dans le grand système des poids et mesures. » Lalande signait ainsi une admirable mise en scène de la science, utile à tous.

En rendant visible la science, l'État pouvait éventuellement en profiter pour montrer sa sagacité et étaler sa munificence en faveur d'œuvres utiles aux citoyens : le Premier consul fut attentif à cette forme de propagande qui rencontrait d'ailleurs son admiration non déguisée pour les savants et l'esprit positif. Il décerna une médaille d'or à Alessandro Volta qui présenta en novembre 1801, devant l'Institut rassemblé et donc devant Bonaparte qui en était membre, la pile faite d'un empilement de rondelles de métaux conducteurs distincts (cuivre et zinc), entourés de linge humide. Il y avait production d'un courant continu. Si Volta détruisait la théorie de l'électricité d'origine animale de Luigi Galvani, il inaugurait surtout l'électricité du XIXᵉ siècle (qui occupa d'abord les chimistes, Davy, Carlisle, Nicholson, Berzelius ou Gay-Lussac) et Bonaparte offrit un prix considérable pour qui donnerait une théorie du phénomène et saurait en tirer des applications utiles. Les acteurs de la science — français ou autres — étaient rendus visibles.

Les acteurs

Puisque les savants donnaient à voir la science, ils façonnaient un système où le professorat serait le vecteur porteur de tout le mouvement. A n'en pas douter, le modèle était l'École polytechnique dont les cours réguliers débutèrent au lendemain

19. Procès-verbaux des séances du conseil d'administration de l'École centrale des travaux publics, 20 pluviôse an III (8 février 1795), intervention de Monge (président). (Cité par J. Langins, op. cit. note 16, p. 117.)

20. Première leçon de Monge, 1ᵉʳ pluviôse an III (20 janvier 1794), op. cit. note 6, t. I, p. 49.

21. Le Moniteur, 27 janvier 1796. Voir aussi archives de l'Institut, Académie des sciences pour 1796.

des journées de Prairial, en mai 1795. Fait des plus notables, dès ses premières années, l'École réunit à Paris pratiquement tous ceux qui comptaient dans le monde des sciences exactes ou appliquées[22]. Monge y enseignait la géométrie descriptive, aidé de J.-N. Hachette. La chimie était représentée par Fourcroy, aidé de Vauquelin ; Guyton de Morveau aidé de Pelletier ; Berthollet aidé de Chaptal, sans mentionner plusieurs jeunes préparateurs de chimie. La physique était servie par Hassenfratz qui avait débuté comme mousse et était devenu ingénieur des mines. Lamblardie puis Sganzin, deux ingénieurs, veillaient aux cours de travaux civils ; Baltard et Durand à ceux d'architecture. En analyse et en mécanique, il y avait Lagrange, le professeur le plus respecté, Ferry député à la Convention et Prony, ingénieur de formation. Il y avait aussi Fourier, Garnier, Dinet, etc., et il faudrait mentionner les examinateurs, tel le mathématicien Legendre, qui participaient à la vie de l'École. Les enseignants avaient des laboratoires et conduisaient à l'École leurs recherches, y associant des assistants et des élèves. Un nouveau mode de relation de maître à élève s'instaurait dans la pratique scientifique.

De la même façon, le Muséum d'histoire naturelle rassembla les têtes marquantes et, fait tout aussi remarquable, donna assez vite une place aux jeunes générations. Bien sûr étaient maintenus des naturalistes déjà affiliés au jardin du Roi, tels le botaniste René-Louiche Desfontaines âgé de 45 ans en 1795, l'anatomiste Antoine Portal âgé de 53 ans, le grand classificateur de la botanique, Antoine-Laurent de Jussieu, âgé alors de 47 ans ou André Thouin, âgé de 48 ans, devenu professeur de culture, traduisons en fait d'agronomie. Il y avait bien sûr le vieux Daubenton, chargé dorénavant de la minéralogie, et le vieux Jean-Baptiste Monet, chevalier de Lamarck, âgé de 51 ans, passé malgré la gloire de sa *Flore française* de la botanique à la zoologie des invertébrés où il allait opérer une révolution intellectuelle. Mais on avait nommé des plus jeunes, tel Étienne Geoffroy Saint-Hilaire, âgé de 23 ans en 1795, qui occupait la chaire de zoologie des mammifères et oiseaux ; il y avait aussi Antoine François de Fourcroy, âgé de 40 ans, chargé de la chimie, et il y avait surtout Georges Cuvier inséré dès la fin de 1795 et qui prit en 1802 la succession du professeur d'anatomie des animaux, Mertrud, consacrant sa chaire à l'anatomie comparée qui lui procurait la gloire.

On devrait signaler pour continuer la présence professorale à l'École des mines de l'abbé René Just Haüy, le père fondateur de la minéralogie moderne, ou celle de Jacques Élie Lamblardie à l'École des ponts et chaussées, et mentionner tant d'autres savants plus jeunes dans les écoles centrales comme Georges Cuvier déjà cité, le mathématicien Gergonne dans le Gard ou le physicien Jean-Baptiste Biot à Beauvais. Mais ne poursui-

vons pas cette énumération et dressons le constat de la vitalité nouvellement acquise du corps professoral. En France, la plupart des savants de l'Ancien Régime n'étaient liés en aucune façon à un poste professoral, et beaucoup de ceux qui enseignaient le faisaient à un niveau assez élémentaire, pour gagner leur vie. D'Alembert n'avait jamais été professeur et Laplace ne le fut à l'École militaire que pour assurer une soudure financière. La Révolution changeait la donne : le savant était désormais un professeur, enseignant la science à laquelle il contribuait et le faisait généralement par un exposé des recherches contemporaines. Dans ce grand dévoilement de la science auquel présida la décennie révolutionnaire, ce ne furent pas les vieilleries qui étaient montrées, mais bien la science en marche, sans toutefois reniement du passé. Il y a là une dynamique didactique tout à fait remarquable.

Les exemples sont nombreux et nous nous contenterons d'un court récit concernant Joseph Fourier qui enseignait l'analyse à l'École polytechnique en 1797. À vrai dire, âgé pourtant de 28 ans, Fourier ne s'était encore signalé par aucune contribution marquante, sinon par une vie politique plutôt agitée à Auxerre. Depuis dix ans, du moins lorsque ses activités de novice bénédictin, de professeur de rhétorique ensuite, puis de chargé de mission et enfin d'élève à l'École normale de l'an III le lui permettaient, Fourier travaillait sur l'algèbre des équations. Son but était de trouver un moyen de décompte et d'encadrement des racines réelles d'un polynôme de degré n, sans que l'on ait besoin de les calculer explicitement. Il s'agissait de voir *a priori*. Fourier avait amélioré notamment la règle, énoncée par Descartes sans démonstration, qui lie le nombre de telles racines aux alternances des signes des coefficients de l'équation. Voilà aussi ce qu'il enseignait, à titre d'exercice, à ses étudiants, sans pour cela négliger le programme officiel qui lui était prescrit. Un témoignage est précis[23] : Dinet avait écrit neuf feuillets en 1796 et 1797, résumant les leçons reçues de Fourier à l'École polytechnique.

Nous ne pouvons qu'évoquer rapidement le cas de la médecine pour laquelle, par contraste, la pratique professorale était traditionnelle. Le décret du 4 décembre 1794 mit en place douze chaires à l'École de santé de Paris, annulant la séparation entre médecins et chirurgiens. Ainsi Desault prenait une chaire de « clinique externe » et Corvisart une autre de « clinique interne ». Baudelocque se spécialisait dans les accouchements, Chaussier également présent à l'École polytechnique prenait une chaire « d'anatomie et de physiologie », Pinel prenait celle de « physique médicale et d'hygiène ».

La science s'écrit dans le futur

La nouveauté faisait partie, nécessairement, de l'enseignement. De la même façon, Haüy donnait le substrat de sa classification des cristaux au moyen des empilements de « molécules intégrantes » par le biais des formes géométriques et la réglementation de quelques lois sur ces empilements.

22. Voir A. Fourcy, *Histoire de l'École polytechnique*, Paris, réédition avec des notes et une introduction par J. Dhombres, Paris, 1987.

23. Voir l'attestation de Dinet, à la page XVII de l'Avertissement de l'éditeur, dû à Navier, dans l'édition posthume du livre de J. Fourier, *Analyse des équations*, Paris, 1830.

Un tel régime - faire voir la science en marche dans la pratique professorale - s'il ne fut pas *a priori* conçu comme élitiste, comportait néanmoins cette conséquence. Le débat à ce sujet fut très fort en l'an II et subsista sous le Directoire. Nous ne pouvons ici nous en faire l'écho, ni en préciser les protagonistes[24], mais constatons effectivement le rôle majeur du concours dans le recrutement des cadres de la Nation, ingénieurs ou savants, rôle manifesté par l'entrée à l'École polytechnique. Il importe toutefois d'ajouter que les places disponibles à cette école étaient assez nombreuses : après les quatre cents places offertes la première année en 1794, il est vrai que les études avaient longtemps été interrompues, il fut établi un régime de croisière autour de cent vingt places pourvues. Par comparaison, l'École royale du génie de Mézières, vers 1788, ne recrutait pas plus de vingt jeunes gens !

Cependant l'élitisme ne réglait pas tout puisque le défi que s'étaient imposé les savants consistait à mener les jeunes ainsi recrutés au niveau de la recherche. Défi quasiment impossible et que, dès 1796, un homme comme Laplace considérait comme dangereux. « L'instruction générale doit porter sur les principes élémentaires et fondamentaux des sciences mathématiques ; elle doit être proportionnée à l'intelligence du plus grand nombre des élèves car dans une école de service public il importe plus d'avoir beaucoup de sujets, suffisamment instruits, qu'un petit nombre de sujets très forts[25]. » Il n'en reste pas moins que ces savants-professeurs eurent à cœur d'aider personnellement quelques-uns de leurs élèves à surmonter leurs difficultés. Laplace convenait tout autant qu'« il est à désirer que ceux qui ont beaucoup d'intelligence puissent trouver dans l'École les moyens de perfectionner leur instruction » et il ajoutait la raison d'innovation, sans cesse ressassée par les gérants du monde scientifique de cette période : « Car c'est d'eux principalement, que les arts auxquels ils sont destinés attendent leurs progrès[26]. » Rarement au cours de l'histoire, au sein d'une génération de savants reconnus, il aura été déployé tant de ferveur pour façonner les successeurs et, avec eux, l'espoir. On peut presque parler de « maternage » à l'égard de jeunes de l'École polytechnique, tels le futur physicien Biot, le futur chimiste Gay-Lussac, le futur mathématicien et mécanicien Poisson, etc. Il est touchant de noter que cette sollicitude – Berthollet logeait dans sa propre maison le jeune Gay-Lussac dont la famille résidait en Limousin – ne s'attachait pas seulement à ceux qui déployaient des dons évidents, tel Poisson que ses camarades consultaient comme un maître et dont la légende veut qu'il soit arrivé en sabots à l'École. Ainsi donnons le témoignage d'un élève qui avait commencé par être serrurier et sans être particulièrement doué dévorait les cours de mathématiques. Il écrivait à sa famille : « Il y a quelque temps, ma bonne étoile m'a favorisé et m'a fait faire la connaissance du célèbre Lagrange. J'ai terminé l'étude de son *Traité des fonctions analytiques,* et comme je trouvai une difficulté dans un passage un peu avancé, je consultai quelques professeurs dont les réponses ne me satisfirent point. Après avoir hésité plusieurs

fois, je fus trouver Lagrange lui-même, à qui je dis ce qui m'embarrassait.

Je ne puis vous exprimer le gracieux accueil qu'il me fit. Il me demanda en quoi consistait cette difficulté et, quand je la lui eus fait voir, il parut étonné de ce que j'avais été jusque-là, attendu que le cours n'était pas encore arrivé à ce point. Il me pressa la main dans les siennes, me fit asseoir auprès de luï, m'entretint pendant une demi-heure, en attendant le moment où il devait donner sa leçon, et me dit de venir le voir tous les décadis pour exposer toutes les difficultés que je pourrais rencontrer. Enfin, il me quitta en me disant qu'il ferait tout ce qu'il pourrait pour m'être utile.

J'y vais tous les décadis et je cause mathématiques avec lui pendant environ deux heures. La dernière fois que j'y fus, comme il avait à sortir, il s'habilla près de moi, en me disant : "Pour vous prouver que vous ne me gênez pas, je vais m'habiller en votre présence ; alors, bien convaincu que je ne me gêne pas avec vous, vous viendrez me voir plus souvent." Quand il fut prêt, nous sortîmes tous deux, et je le quittai. Voudrez-vous le croire ? Il eut la bonté de descendre jusqu'à m'embrasser ! Je pense vraiment que j'ai fait un rêve. Moi, embrasser Lagrange[27] ! »

L'œil analytique

S'il devenait possible de « présenter les plus importantes découvertes que l'on ait faites dans les sciences[28] », selon l'expression utilisée par Lagrange et Laplace devant leurs élèves de l'École normale réunis le 20 janvier 1795 dans l'amphithéâtre du Muséum, c'est que l'on croyait disposer de « la marche qu'il faut suivre pour s'élever à de nouvelles découvertes[29] ». Une méthode existait donc pour les sciences, et elle devait promouvoir le progrès ; telle était la méthode analytique : « Cette méthode de décomposer les objets, et de les recomposer, pour en saisir parfaitement les rapports, se nomme *analyse*. L'esprit humain lui est redevable de tout ce qu'il sait avec précision sur la nature des choses[30]. » Ainsi s'exprimait encore Laplace.

24. Voir par exemple J. Dhombres, « Formation des cadres scientifiques et techniques : la marque des débats de la Révolution », *Cahiers d'histoire de l'Institut de recherches marxistes*, vol. XXXII : *la Révolution française, modèle ou voie spécifique ?* pp. 189-200, 1988.

25. Cité par J. Langins, « Sur l'enseignement et les examens à l'École polytechnique sous le Directoire : à propos d'une lettre inédite de Laplace », *Revue d'histoire des sciences*, tome XL-2, avril-juin 1987, pp. 145-177.

26. Lettre de Laplace mentionnée dans le texte référencé à la note précédente.

27. Lettre du 24 août 1799 de François Joseph Masquelez, élève de la promotion de l'an VII (1798) à l'École polytechnique. Cité dans H. Verly, « l'École polytechnique il y a cent ans : un serrurier lillois polytechnicien en 1798 », *Mémoires de la Société des sciences*, Lille, 1903.

28. Référence à la note 6, première leçon de Laplace et Lagrange.

29. Voir note précédente.

30. Leçon de Laplace du 11 germinal an III, référence à la note 6, t. IV, p. 42.

Indéniablement, le mot « analytique » devint à la mode dans les diverses disciplines scientifiques. Il exprimait la capacité d'une science à casser l'apparence uniforme du réel pour en atteindre non pas les constituants premiers, mais du moins les éléments qui suffisaient à rendre compte des propriétés recherchées. Ainsi, la « molécule intégrante » qu'Haüy imaginait pour rendre compte des cristaux n'était pas l'atome de matière, mais l'élément ultime au-delà duquel le cristal n'était plus cristal. Cette molécule ultime n'avait aucune raison de coïncider avec les particules élémentaires de la chimie, qui pouvaient rendre compte d'autres propriétés, celles recherchées par la chimie précisément. Certes, John Dalton n'avait pas encore formulé la théorie atomique en chimie, mais y conduisait la loi des proportions simples que Proust indiquait pour les oxydes métalliques en 1799. De toute façon, le succès de la méthode analytique en chimie pouvait s'arrêter à une étape bien antérieure de la décomposition en atomes qui nous est si familière. En montrant que l'eau était un corps composé d'hydrogène et d'oxygène, et en montrant réciproquement, par les fameuses expériences de 1785, la recomposition de l'eau à partir de ces constituants, sans perte de masse, Lavoisier et ceux de son école donnaient l'exemple du décorticage analytique du réel chimique, sans qu'il fût besoin d'affiner le modèle pour expliquer comment les éléments de deux corps se combinaient afin d'en constituer un troisième.

Chaque chose en son temps : il fallait d'abord que les chimistes repèrent les corps simples parmi tous les autres. Pendant toute la période révolutionnaire, l'identification du chlore n'était pas encore réalisée et on l'appelait acide marin oxygéné. Bref, l'analyse chimique, à ce seul niveau, avait encore beaucoup à réaliser et cela était compris des chimistes de cette école. Ne transposons pas l'accélération voulue par la « méthode révolutionnaire » dans l'enseignement à une hâte intempestive dans la science.

L'analyse permettait de fournir des « connaissances positives » selon l'expression de Monge, et c'était par l'analyse même que Newton avait pu faire ses grandes découvertes, du moins c'était ce que tenait inlassablement à répéter Laplace.

L'œil analytique était donc plus perçant que l'œil humain et en tout cas beaucoup plus fiable. À n'en pas douter, cet œil humain ne verrait pas dans un avenir proche les « molécules intégrantes » d'Haüy ou les atomes de Dalton. Mais qui cherchait à voir ces éléments imaginés par l'esprit, puisque les considérer portait l'intérêt ailleurs : il s'agissait de manier ces outils « intellectuels » pour classer les corps, manifester des familles analogues et par conséquent suggérer les bonnes questions à résoudre. La science « analytique » n'était pas une compilation de faits expérimentaux ou d'observations : c'était une hiérarchisation des propriétés et par conséquent une structuration rationnelle du réel.

Toute l'attention accordée à l'analytique pouvait aller à l'encontre de l'accent mis sur les représentations figurées à l'École polytechnique. Ce fut assez vite l'analytique qui emporta la suprématie mais il n'était pas question de faire disparaître le dessin et ses méthodes. En l'an IX, le rapport sur la situation de l'École polytechnique, établi par le Conseil de perfectionnement, posait « l'analyse algébrique et le calcul différentiel » comme l'une des parties « les plus essentielles de l'instruction ». L'enseignement de la géométrie descriptive venait ensuite mais était scindé en deux : d'une part « l'application de l'analyse à la géométrie des trois dimensions », ce qui explicitait le rôle de l'analyse, et d'autre part « la géométrie descriptive pure et appliquée » à laquelle était jointe la « perspective et la projection des ombres ». Enfin, la mécanique était traitée comme un domaine propre, ayant son « analyse », à partir de principes mais ayant aussi sa « figuration », notamment par l'étude des machines.

On pourrait rendre compte de la même façon du développement d'autres branches du savoir organisées selon le principe analytique tant prôné. Contentons-nous de nomenclatures en utilisant le titre de quelques ouvrages scientifiques majeurs. À tout seigneur, tout honneur, c'est par la *Théorie des fonctions analytiques* de Lagrange qu'il faut commencer, texte dont le sous-titre est éclairant : « Contenant les principes du calcul différentiel, dégagés de toute considération d'infiniment petits ou d'évanouissans, de limites ou de fluxions, et réduits à l'analyse algébrique des quantités finies. » L'objet de base est une fonction, c'est-à-dire une expression de calcul liant une variable à une autre. L'analyse de toute fonction et sa décomposition sous forme d'une somme de termes de la forme $a_n x^n$, où a_n est un coefficient et x la variable. Comme la somme est infinie, il faut avoir sous forme ramassée ce qui manque à la fonction lorsque l'on s'arrête à la somme de n termes. Lagrange fournit donc une formulation explicite, et très novatrice, du reste.

C'est dans un esprit analogue que Laplace travaillait pour inscrire les probabilités comme méthode mathématique reconnue : il publia en 1812 sa *Théorie analytique des probabilités*. De même, Fourier publia tardivement, en 1822, sa *Théorie analytique de la chaleur* dont l'essentiel était contenu dans ses papiers de 1807. En chimie, l'esprit analytique est évidemment présent dans la *Méthode de nomenclature chimique*, due en 1787 à la collaboration de Guyton de Morveau, Lavoisier, Berthollet et Fourcroy, et bien sûr dans le *Traité élémentaire de chimie* de Lavoisier en 1789. Dans l'adjectif « élémentaire » du titre, il y a aussi bien l'indication d'un apprentissage raisonné que l'allusion analytique à la décomposition des corps chimiques en éléments simples. Cet esprit analytique demeure tout autant dans l'*Essai de statique chimique* de Berthollet, paru en 1801, dont le titre dit assez le parti pris. Pour la géodésie, Delambre, aidé de Legendre, sort en 1799 ses *Méthodes analytiques employées dans la détermination de la longueur définitive du mètre*. L'*Exposition abrégée de la structure des cristaux* d'Haüy, publiée en 1793, l'*Anatomie générale appliquée à la physiologie et à la mort* de Xavier Bichat, publiée en 1801, et la *Nosographie philosophique* de Philippe Pinel, témoignent du même esprit. Ce dernier ouvrage portait comme sous-titre : « La méthode de l'analyse appliquée à la médecine. » Pinel parlait même de « maladies simples », c'est-à-dire ne comptant qu'un ordre de symptômes, par opposition aux maladies compliquées. Ce langage était celui de la chimie analytique transposée à la médecine.

Une science exigeante car conquérante

Si les philosophes des Lumières avaient bouleversé la vision de l'homme en inscrivant sa destinée dans la trajectoire du progrès, dans ce cheminement d'un « perfectionnement indéfini » considéré par Condorcet comme une « loi générale de la nature », ce furent les hommes de la Révolution qui tentèrent d'en tirer les conséquences politiques et sociales. Puisque le moteur du progrès était la science, il était normal que les savants français s'investissent dans la Révolution.

Mais ces savants ne regardèrent pas seulement à l'extérieur de leur sphère car ils inscrivirent le progrès comme le mode propre de la science. Les conséquences pratiques en furent la mise en place d'institutions scientifiques où le progrès pouvait trouver à se manifester : la science transmise devait être la science en marche.

Ce faisant, bien des savants comprirent qu'en intégrant le progrès, ils avaient lancé un mouvement qui modifierait leur rapport au savoir. Bien représentative est la réflexion d'un médecin, responsable du *Journal de physique, de chimie, d'histoire naturelle et des arts*. Il s'inquiétait du développement de toutes les branches scientifiques, de la profusion presque démoniaque des connaissances et, en août 1794, écrivait à propos de certaines sciences ce que bien d'autres ressentaient en général : « Il est deux sciences, la minéralogie et la chimie, qui depuis vingt ans font journellement des progrès si rapides, qui ont une marche si précipitée, que ceux-là même qui les ont cultivées avec le plus de succès, que les savants qui ont contri-

bué le plus efficacement à étendre leur empire, restent bientôt à une distance immense en arrière d'elles, si, se reposant ou s'endormant sur les bornes qu'ils auront eux-mêmes posées, ils deviennent étrangers au mouvement qui les entraîne loin du point où ils pouvaient croire qu'elles s'étaient fixées, si distraits par d'autres goûts ou préoccupations ils cessent de prendre part aux découvertes que firent continuellement ces deux sciences...[31] » Le savant, inscrit dans l'ordre de la Nation comme professeur, était désormais un professionnel.

Dans le même mouvement, embrassant des méthodes nouvelles d'investigation, la science conquérante ne limitait plus son empire, si du moins l'éternité lui était donnée : « Tous les événements, ceux mêmes qui, par leur petitesse, semblent ne pas tenir aux grandes lois de l'univers, en sont une suite aussi nécessaire que les révolutions du soleil[32] », annonçait solennellement Laplace le 21 floréal an III. Quelques années plus tard, il assenait : « Une intelligence qui pour un instant donné connaîtra toutes les forces dont la nature est animée et la situation respective des êtres qui la composent, si d'ailleurs elle était assez vaste pour soumettre ces données à l'analyse, embrasserait dans la même formule les mouvements des plus grands corps de l'univers et ceux du plus léger atome : rien ne serait incertain pour elle, et l'avenir comme le passé, serait présent à ses yeux[33]. » Laplace voyait l'esquisse de cette intelligence dans la perfection acquise en astronomie. En tout cas, un monde différent se profilait : un de ses moteurs majeurs était celui de la science.

Jean Dhombres

31. La Métherie, *Journal de physique, de chimie, d'histoire naturelle et des arts*, août 1794.

32. Référence citée à la note 6, t. VI, p. 32.

33. P.S. Laplace, *Essai philosophique sur les probabilités*, Paris, 1814, réédition, Paris, 1986, pp. 32-33.

ASTRONOMIE

986
Carte des routes de diverses comètes de 1798

---

par Charles MESSIER

Traits de pierre noire, plume et encre noire. H. 0,249 ; L. 0,369.

Inscription : signé en bas à gauche, à la plume et encre noire : « Gravé d'après le Dessin de M. Messier » ; dans le cartouche rapporté en haut à gauche : « CARTE CELESTE qui représente la route apparente de la 11è COMETE observée au mois de décembre 1798. »

Historique : ancienne collection.

Bibliographie : Bigourdan, 1895, p. F. 24.
Paris, Observatoire (inv. MS B 4-8).

Ce dessin fait partie d'un ensemble de cartes astronomiques consacrées aux comètes provenant du dessinateur et copiste puis astronome Charles Messier (*Dictionary of Science Biography*, vol. IX, New York, 1974, pp. 329-331) ; cinq d'entre elles sont manuscrites et datent de 1793 et 1798 ; les autres gravées principalement par John Ingram (1721-?) et Yves-Marie de Gouaz (1742-1816) sont publiées à partir de 1771 dans les volumes des *Mémoires de l'Académie des sciences* dont Messier devient membre en 1770 en remplacement de l'abbé Chappe, mort en Californie. Durant la Révolution, Messier comme beaucoup de savants poursuit ses recherches. Il correspond avec Caroline Herschel (1750-1848), qui collabore au catalogue des étoiles, élaboré par son frère William (1738-1822), découvreur d'Uranus. En 1797, il écrit : « Toutes les comètes que j'ai

observées pendant ces dix années m'ont beaucoup détourné des autres observations ; j'ai encore été plus détourné ces dernières années, par la pénurie des subsistances ; je manquais, dans mon observatoire [situé dans l'actuel musée de Cluny, au-dessus de la tour octogonale], d'huile et de chandelle, et ne pouvais m'en procurer, par la suppression des traitements dont je jouissais, comme fruit de quarante ans de travaux ; mais au mois de juin 1796, on vient de m'en dédommager, en m'attachant au Bureau des longitudes (*Observations astronomiques faites à l'observatoire de la Marine, à Paris, par le citoyen Messier,...* dans *Connaissance des Tems, à l'usage des astronomes et des navigateurs pour l'année sextile VIIᵉ de la République*, Paris, 1797, p. 234). Sur la carte présentée, on voit la route apparente de la comète, le Dauphin, l'Aigle, le Serpent, la Voie lactée, etc. En bas, au centre de la bordure, la croix est le signe de la piété lorraine de Messier.
M.Pi.

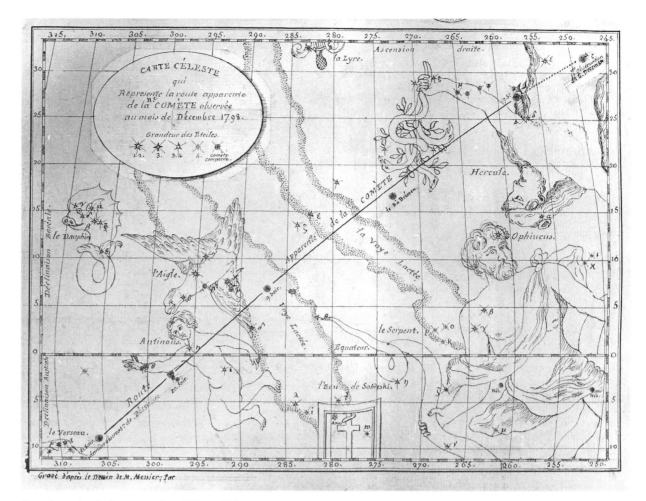

Carte des routes de diverses comètes, 1798 (cat. 986).

L'Optique (cat. 987).

OPTIQUE

987
L'Optique

par Jean-François CAZENAVE, d'après Louis-Léopold Boilly

Gravure. H. 0,550 ; L. 0,455.
Inscription : en bas à gauche : « Peint par L. Boilly » ; à droite : « Gravé par F. Cazenave » ; au milieu : « L'Optique A Paris chez l'Auteur, Rue Jacques nº 13, en face de la rue de la Parcheminerie. Imprimé par Finot. »
Bibliographie : Roux, 1940, t. IV, p. 156 ; Michel, 1977, p. 94.

Paris, Bibliothèque nationale, cabinet des Estampes (inv. AA5).

Cette gravure est exécutée en sens inverse d'après une peinture de Boilly exposée au Salon de 1793 (nº 363) et conservée dans une collection particulière (exp. : Paris, Marmottan, 1984, nº 7). On voit Sébastienne-Louise Gely (1776-1856), seconde femme de Danton et future baronne Dupin, regardant des vues d'optique avec Antoine Danton, fils de la première femme de l'avocat, Gabrielle Charpentier. En dehors du caractère élégant et sentimental de l'œuvre, du rendu brillant du satin, cher à Boilly, de la jupe de la jeune femme, cette œuvre témoigne de l'intérêt des artistes pour les sciences, intérêt qui se concrétise par leur collaboration à des travaux scientifiques, principalement d'optique, science en relation directe avec les beaux-arts. Boilly fait des recherches en optique et construit plusieurs appareils (Harrisse, 1898, p. 32). L'appareil utilisé est aujourd'hui rare mais il est très fréquent, dans les dernières années du XVIIIᵉ siècle, dans les collections d'objets d'art, confirmant ainsi l'intérêt de nombreuses personnes de la noblesse comme de la bourgeoisie pour les instruments scientifiques. Il s'agit d'un appareil qui à travers une loupe et par réflexion sur un miroir incliné provoque chez le spectateur une certaine impression de relief. Une gravure en réduction (Paris, B.N., Est, Oa 38i in-folio) et une miniature, autrefois dans la collection de Mme Achille Fould, sont également connues (Roux, *op. cit.*, p. 156).   M.Pi.

MÉCANIQUE

988
Abrégé de mécanique

par Jean MENU

Manuscrit et dessins. Plume et encre noire, lavis de couleurs. H. 0,253 ; L. 0,383.
Inscription : annotations et cotations manuscrites à la plume et encre noire ; en haut au milieu : « IV. Partie. Planche I » ; à droite à la plume et encre rouge : « n° 99. »
Planche I de la 4ᵉ partie à un manuscrit in-4° intitulé *Abrégé de mécanique*, 105 folios, 26 planches - Reliure en veau brun.
Historique : collection de l'astronome urbain Le Verrier (1811-1877) ; don à la bibliothèque en 1906 par M. Gauthier-Villars, éditeur-libraire à Paris.
Bibliographie : Kohler, 1913, n° 3510.

Paris, bibliothèque Sainte-Geneviève (inv. ms. 3510).

Le recueil de mécanique, daté *11 prairial l'an 2 de la République* (30 mai 1793), est l'œuvre du citoyen Jean Menu, demeurant rue de l'Écritoire à Saint-Omer, et témoigne de l'intérêt de tous, à Paris comme en province, pour les sciences. Menu s'inspire et recopie – sans aucun doute – des textes publiés antérieurement. Son texte se divise en quatre parties traitant des mouvements des corps sans ressort, pesants, fluides, des machines propres à communiquer ou à arrêter le mouvement des corps durs. Dans la planche présentée et le texte correspondant, Menu étudie les problèmes posés par le volume de l'eau placée dans des bassins soit rectangulaires, soit cylindriques.   M.Pi.

989
Traité de mécanique

par THANGEN (?)

Manuscrit. À gauche, figure : plume et encre noire, lavis gris et de couleurs, gouache.
Inscription : en haut à la plume et encre noire : « Fig. 22og, 23r ». A droite, explication de la figure. H. 0,197 ; L. 0,158. Pages 55 v° et 56 r° d'un manuscrit de 160 feuilles intitulé « Abhandlung des Mechanick » ; daté : « Den 24 ter January 1798, Thangen » (fol. 1-112) et « Abhandlung der Hydrostatik » (fol. 114.160), daté : « Den 26 ten marz 1798 ». Demi-reliure en veau et papier marbré.
Historique : Jean-Bernard Dezos de la Roquette ; don pour sa fille, la comtesse de Coessens, en 1868, suivant le vœu de son père.
Bibliographie : Sainte-Geneviève (ms. 3587 (1545).

Paris, bibliothèque Sainte-Geneviève, collection scandinave (inv. ms. 3587).

Ce manuscrit fait partie de l'importante collection (mss 3586-3641) concernant surtout les pays scandinaves formée par Jean-Bernard-Marie-Alexandre Dezos de la Roquette (1784-1868), consul de France à Elseneur, puis à Christiana. Ce manuscrit, écrit en allemand, en gothique cursive, montre de la part de son auteur des préoccupations appliquées très semblables à celles de ses contemporains français (cat. 988). L'auteur étudie notamment les problèmes de résistance et de force. Le modèle présenté dans le folio montre un mécanisme de roues dentées capable de démultiplier le mouvement (communication orale de Mme Marcillaud). Toutes les figures sont dessinées de la même manière : les parties mécaniques sont passées au lavis de couleurs tandis que les éléments naturalistes, herbes, mousses, pierres sont finement exécutés à la gouache et au lavis gris.   M.Pi.

990
Thermomètre métallique

par RÉGNIER l'Aîné

Plume, encre noire, lavis gris. H. 0,315 ; L. 0,209.
Inscription : signé vers la gauche : « Régnier L. ». Nombreuses annotations et cotations à la plume et encre noire. En bas au milieu : « Eschelle de 25 Pieds trois lignes pour pied » ; d'une autre main : « Plan d'un Méridien et thermomètre du Cᵉⁿ Régnier. »
Historique : séance de l'Institut national des sciences et des arts, 1ᵉʳ thermidor an IV.

Paris, archives de l'Académie des sciences, séance du 19 juillet 1796.

Edme Régnier l'Aîné (1771-1825), inspecteur général des armées portatives, écrit au président de l'Institut dans une lettre accompagnant ce dessin, qu'il propose d'élever ce thermomètre métallique « pour l'usage public, surmonté d'un méridien artificiel propre à donner l'heure fixe à une grande ville ». Ce monument pourrait être établi au Pont-Neuf à la place de la statue de Henri IV, détruite. Le piédestal de marbre blanc est surmonté d'une sphère armillaire en bronze qui indique le midi ; la face principale du piédestal présente un cadran circulaire en bronze gradué, sur lequel un index marque l'arc de division de la température. Régnier emploie des bandes de cuivre pour ce thermomètre, ce métal étant très sensible aux variations thermiques. La sphère armillaire est reliée à une détente, placée sur le monument même, capable d'enflammer grâce aux rayons du soleil une amorce. Régnier rappelle qu'il a créé auparavant un méridien à canon de poudre dans son pays, Semur-en-Auxois, qui existe encore en 1796. Cette invention plaît à Buffon qui appelle Régnier à Paris, afin d'établir un cadran identique au jardin du Roi, au-dessus du kiosque chinois. Pendant la construction du petit édifice, Régnier tombe malade et repart pour Semur ; Buffon est à Montbard et les personnes chargées alors de l'ouvrage préfèrent utiliser le modèle du canon du Palais-Royal qui chaque jour tonne à midi (Demoriane, 1974, p. 64).   M.Pi.

991
Dynamomètre de Régnier

par DROMARD

Plume, encre noire, lavis de couleurs. H. 0,467 ; L. 0,630. Double trait d'encadrement à la plume et encre noire.
Inscription : indications manuscrites à la plume et encre noire : « R, S, T » ; en bas au milieu : « D 40 ou Dro. »
Historique : ancien fonds.

Paris, Conservatoire national des arts et métiers, musée national des Techniques (inv. portefeuille n° 303).

Le dossier sur le dynamomètre comprend, outre le dessin présenté, treize dessins concernant les détails de l'appareil et son maniement que l'on connaît par la *Description* que donne Edme Régnier (1771-1825) lui-même dans le *Journal de l'École polytechnique* (II, Paris, an VI, 1796, pp. 160-172), avec une planche anonyme gravée d'après ce dessin (Manuscrit préparatoire de ce texte au C.N.A.M., M.N.T., arch. J.1.) Le dynamomètre est construit « pour connaître et comparer la force relative des hommes ; celle des chevaux et de toutes les bêtes de trait ; enfin pour juger la résistance des machines et estimer les puissances motrices qu'on peut y appliquer ». François Chaussier (1746-1828), dans les leçons qu'il donne à l'École sur la force musculaire des animaux, en fait usage. Régnier, dans la présentation de son appareil, fait une nouvelle fois allusion à Buffon et à Gueneau. Deux manuscrits, un mémoire de Régnier et un rapport de Prony sont en relation avec le dynamomètre et traitent des pesons à ressort et à cadran (Paris, École nationale des ponts et chaussées, bibliothèque, mss 705 et 694). En l'an IV, le ministre de l'Intérieur décide que Régnier doit recevoir pour ses inventions 6 000 livres et déposer un modèle de son dynamomètre et d'un fusil à

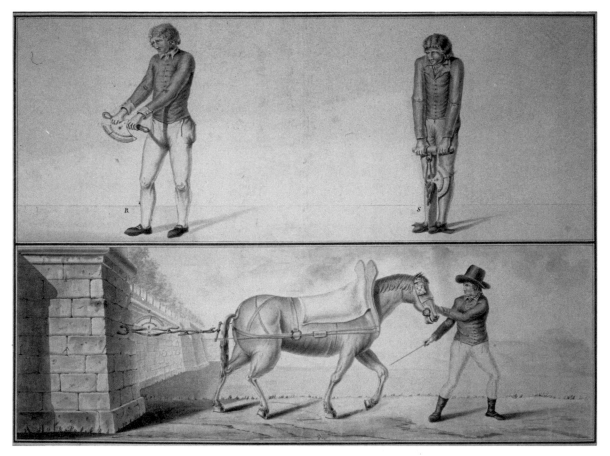

Dynamomètre de Régnier (cat. 991).

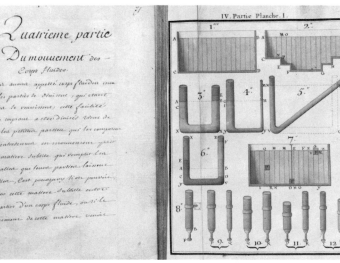

Abrégé de mécanique (cat. 988).

Thermomètre métallique (cat. 990).

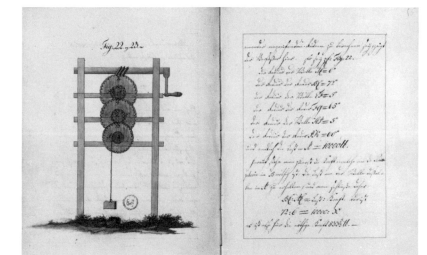

Traité de mécanique (cat. 989).

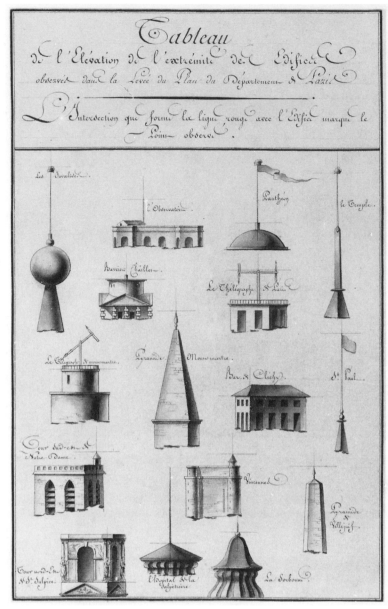

Édifices observés pour la levée de la carte de Paris (cat. 992).

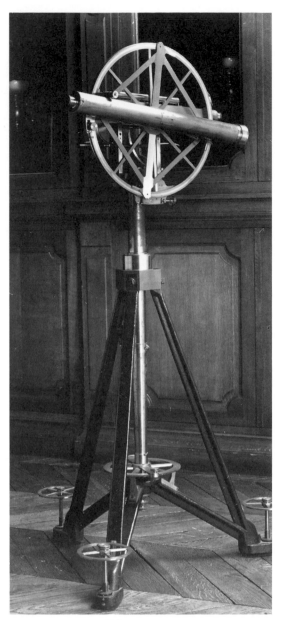

Cercle répétiteur (cat. 993).

Graphomètre (cat. 994).

bassin de sécurité (dessin, portefeuille industriel n° 413) au Conservatoire. En l'an VII, Régnier est indiqué comme étant garde du Dépôt des machines et archives de l'artillerie. Une note des inventions du *Cen Régnier* imprimée donne la liste des nombreuses inventions de cet habile mécanicien : éprouvette portative, cadenas, verrou et serrure de sûreté (pour laquelle il obtient en 1777 le premier prix de la Société libre d'émulation), fusils et pistolets divers, échelles pour les incendies, ou pour les parallélogrammes. Il donne trois modèles de méridien à sonnerie avec ou sans piédestal, proches de celui de Semur. Les appareils de mesure semblent particulièrement l'intéresser : il crée un anémomètre (présenté à l'Académie royale des sciences, archives, séances du 31 mai 1786), un graphomètre (Paris, Observatoire, ms. d5/42), un thermomètre métallique (cat. 990) et un potamètre pour mesurer les chutes d'eau. Un dossier conservé au Conservatoire national des arts et métiers fait état des dons de Régnier à l'établissement (archives, P 103). Ces deux listes montrent bien la diversité des intérêts de ce mécanicien oublié parmi tant d'autres. Comme beaucoup de dessins avec personnages exécutés à cette époque, celui exposé donne des indications précises sur le vêtement porté à l'époque révolutionnaire : veste courte bleu indigo, pantalon clair, chaussures noires à boucles ou bottes, chapeau noir à large bord. Un portrait de Régnier par Jean-Baptiste Mauzaisse (1784-1844) est conservé au musée de Semur-en-Auxois. Régnier tient à la main son dynamomètre (note manuscrite de Mathieu Pinette). M.Pi.

GÉODÉSIQUE ET CARTOGRAPHIE

992
Édifices observés pour la levée de la carte de Paris

par un auteur anonyme

Plume, encres noire, rouge, lavis gris, bleu et jaune. H. 0,452 ; L. 0,282.
Inscription : en haut à la plume et encre noire : « Tableau de l'Elevation de l'extrêmité des Edifices observés dans la Levée du Plan du Département de Paris – L'intersection que forme la ligne rouge avec l'Edifice marque le Point observé. » 1re rangée, de gauche à droite, à la plume et encre brune : « Les Invalides, l'Observatoire » ; au-dessous : « Barrière Chaillot, Panthéon » ; au-dessous : « Le Télégraphe de Paris, le Temple » ; 2e rangée de gauche à droite : « Le Télégraphe de Montmartre, Pyramide Montmartre, Bar. de Clichy, St Paul » ; 3e rangée de gauche à droite : « Tour Sud-Est de Notre-Dame, Vincennes, Pyramide de Villejuif » ; 3e rangée de gauche à droite :

« Tour Nord-Est de St Sulpice, l'hôpital de la Salpêtrière, La Sorbonne » ; en haut à gauche, estampage à l'encre rouge : « II ».
Historique : fonds Marie-Riche, baron de Prony ; don de sa nièce, Mme de Corancez, 1839.
Bibliographie : cat. École nationale des ponts et chaussées, 1886, n° 219.

Paris, École nationale des ponts et chaussées, bibliothèque (inv. ms. Fol. 1744, pl. IIt).

En 1791, l'Assemblée constituante décide de dresser le cadastre général de la France. Prony est chargé de la direction des opérations et entreprend alors l'établissement de tables de logarithmes et trigonométriques, incorporant le système métrique, restées manuscrites (4 500 pages en 18 volumes. Paris, Observatoire de Paris et copie à la bibliothèque de l'Institut) et destinées aux calculs nécessaires pour les cartes. Pour mener à bien cette entreprise, Prony s'entoure d'une équipe dont les méthodes de travail sont inspirées du livre d'Adam Smith, *An Inquiry into the Nature and causes of the Wealth of Nations* (Londres, 1776) traduit plusieurs fois en français, avec au sommet des mathématiciens et à la base les employés qui font les additions (Walckenaer, 1940, pp. 70-71). Dans les derniers jours de fructidor an III, l'ordre de lever la carte de Paris est donné sous la responsabilité de Prony. Plusieurs ingénieurs-géographes de troisième classe et des dessinateurs sont envoyés dans Paris afin de dresser les divers points observés à partir des tours de Notre-Dame et qui sont par ailleurs le plus souvent des stations de télégraphe. Bourgeois, Plagniol et De Vergès vont à la pyramide de Montmartre (exp. : Paris, Louvre, 1984, n° 13 ; Vovelle, t. V, 1986, p. 228), Plagniol et l'architecte Boullée à Notre-Dame, Bouché (ou Boucher) et Cadillon aux Invalides. Un dessin de Bourgeois, *Coupe de la pyramide de Montmartre*, est broché au dessin présenté qui montre les toits des bâtiments utilisés. Des bonnets phrygiens surmontent deux des bâtiments les plus symboliques de l'Ancien Régime, le Temple et les Invalides. Plusieurs liasses de manuscrits complètent cet important dossier iconographique en relation directe avec le tracé de la Méridienne de Paris. M.Pi.

993
Cercle répétiteur

par Nicolas FORTIN

Fonte et cuivre. H. 1,600 ; diamètre au sol : 1,00.
Inscription : signé.
Historique : ancienne collection.
Bibliographie : Daumas, 1953, pp. 246-247 ; *Dictionary...*, vol. V, New York, 1972, p. 78.

Paris, Observatoire (inv. IA 19-5).

Cet instrument spécifique à la géodésie moderne est conçu par Borda et Lenoir. C'est un exemple des progrès instrumentaux réalisés grâce à la collaboration retrouvée à la fin du siècle entre les « artistes » et les savants, même si encore à cette époque la production des ate-

liers anglais reste inégalée (Daumas, *op. cit.,* p. 126). Il a peut-être servi pour les mesures géodésiques effectuées en 1806 en Espagne par Biot et Arago. A.-M.M. de N.

994
Graphomètre

par CLERGET

Laiton. Diamètre 0,230.
Inscription : signé « Clerget-Paris. Au Butterfield ».
Historique : entré au XIXe siècle.
Exposition : 1967, Paris, Observatoire, n° 273.
Bibliographie : Daumas, 1953, p. 345 et note 9.

Paris, Observatoire (inv. IA.18.13).

Cet instrument, décrit pour la première fois en 1597 par Philippe Danfrie, attaché au service de Catherine de Médicis, est jusqu'à la fin du XVIIIe siècle l'instrument fondamental nécessaire aux mesures de l'arpentage ; il est constitué d'un demi-cercle dont le diamètre constitue une alidade fixe à pinnules ; une alidade mobile pivote autour du centre et permet de mesurer l'angle de deux directions, celle du point visé et celle d'une station repère. Au centre du demi-cercle est placée une boussole. L'instrument est monté sur une articulation à rotule. Une quinzaine d'ateliers qui fabriquent des instruments de mathématiques, de topographie et d'astronomie peuvent être répertoriés à Paris au début du XIXe siècle mais ne laissent que peu de traces de leur activité. Cet objet fait partie d'un groupe de trois graphomètres conservés à l'Observatoire de Paris et signés par Grieux, Lasnier et Clerget (Nachet, 1929). M.Pi.

LES TRAVAUX PUBLICS

995
Plan de la machine hydrostatique du curé de Frizet

par un auteur anonyme

Plume et encre brune, lavis de couleurs. H. 0,551 ; L. 0,448. Double trait d'encadrement à la plume et encre brune.
Inscription : en bas, à droite, à la plume et encre brune : « PLAN de la Machine hydrostatique inventée par le Curé de Frizet, pour épuiser les Eaux de la Mine de plomb de Védrin et Frizet » ; en bas au milieu, à la plume et encres noire et brune : « Échelle de 4 toises » ; le long du bord vertical gauche, à la plume et encre brune : « Tube de... 120 pieds. » Annotations manuscrites à la plume et encre brune.
Historique : ancien fonds.
Bibliographie : Mercier, 1987, n° 122.

Paris, Conservatoire des arts et métiers, musée national des Techniques (inv. portefeuille industriel n° 31).

La mine de plomb de Védrin est située près de Namur dans une région riche en mines de charbon et de calamine (Paris, bibl. de l'Arsenal, ms. 2873. Exp. : Paris, Louvre, 1984, n° 107). La mine de Védrin exploitée depuis 1612 est gérée au cours du XVIII° siècle par les annonciades et les jésuites, puis par une société par actions dont fait partie le gouvernement autrichien. À la Révolution, la République la prend en charge selon les lois promulguées à l'encontre des émigrés et la réquisitionne ainsi que les hommes à des fins militaires (Bayer-Lothe, 1967, pp. 1-33). Le décret du 9 vendémiaire an IV (1er octobre 1795) réunit le pays de Liège à la France. C'est à cette date (le bonnet phrygien en fait foi) que le dessinateur exécute ce dessin sur la machine hydrostatique du curé de Frizet. Un plan conservé dans le même dossier (avec cartouche et bonnet phrygien) indique en bleu les filons de plomb exploités pour certains en 1624-1629, les aqueducs pour «démerger» les mines; le grand aqueduc est prolongé en l'an III.

Dès 1795, de nombreuses révoltes ouvrières, dues notamment aux salaires et au leurre des assignats, sont connues par plusieurs rapports envoyés à Paris et réprimées par la force. Au XIX° siècle, Pierre-Matthieu Boüesnel est chargé de remettre en marche les mines de Védrin que Jacques-Constantin Perier équipe d'une machine à vapeur à double effet en 1809 (Lévy-Leboyer, 1964, p. 346, et Bayer-Lothe, 1967, p. 6).   M.Pi.

---

996 A et B
Élévation et coupe du moulin de Harfleur

par un auteur anonyme (DENAYER ?)

A. Crayon noir, plume et encre noire, lavis de couleurs. H. 0,296; L. 0,440.
Inscription : en bas au milieu, à la plume et encre noire, échelle de «15 Toises». Estampage à l'encre rouge, en haut à gauche : «21».

B. Crayon noir, plume et encre noire, lavis de couleurs. H. 0,300; L. 0,440.
Inscription : en bas au milieu, à la plume et encre noire, échelle de «15 Toises». Estampage à l'encre rouge, en haut à gauche : «21».
Historique : fonds Marie-Riche, baron de Prony; don de sa nièce, Mme de Corancez, 1839.
Bibliographie : cat. École nationale des ponts et chaussées, 1886, n° 1098.

Paris, École nationale des ponts et chaussées, bibliothèque (inv. ms. Fol. 1734).

Le problème des subsistances est au cœur des préoccupations des autorités royales en France comme en Europe. Des recherches sont faites pour améliorer la culture et la conservation du blé (*cf.* les travaux de François Sigaut) et réduire ses maladies. Nombre de villes et villages voient la création de moulins (Jaoul-Pinault, 1986, pp. 12-16), de greniers et de halles à blé. La construction de celle de Paris

peut être suivie grâce aux nombreux documents conservés (Deming, 1984 et exp. : Paris, mairie du 1er arrt, 1985-1986). Les travaux se poursuivent de 1763 à 1769. Pierre-Antoine De Machy (1723-1807) en donne une vue dans sa célèbre gouache exposée au Salon de 1765, jugée sévèrement par Diderot (n° 89, Paris, musée Carnavalet, I.E.D. 5196; Seznec et Adhémar, 1960, t. II, p. 130, fig. 41). La coupole de Legrand et Molinos est ajoutée en 1784. En province, on construit également des halles à blé (exp. : Nantes, 1986, n°s 124 à 127).

Au début de la Révolution, les hommes d'affaires suisses et anglais, Daniel-Ferdinand et Jean-Frédéric Osterwald, Abbema, Dewitt et Edouard Milne, fondent à Harfleur des moulins à vapeur destinés à être approvisionnés en blés étrangers et installés dans une ancienne manufacture de coton construite quelques années plus tôt par Augustin-Marie Beudot. Ces moulins sont cédés le 22 floréal et 19 messidor de l'an II par arrêté du Comité de Salut public au gouvernement (Ballot, 1923, pp. 404-405). Plusieurs personnes sont alors chargées de rapports : Parmentier rédige un mémoire sur les avantages du commerce des farines, Sganzin examine la possibilité d'une construction sur un site proche d'une rivière et de la route du Havre à Rouen. Perrier est chargé de remettre en état la machine à vapeur qui comprend six meules et deux chaudières en cuivre. Prony se préoccupe surtout de la rentabilité de cette machine qui peut moudre 150 000 livres de blé par jour, donnant soit 120 000 livres de farine de première qualité, soit 127 000 livres de seconde qualité. Prony se rend à Harfleur pour une inspection en compagnie de l'architecte Mandar, d'Ovide, qui devient par la suite directeur de la meunerie, et de Denayer «secrétaire dessinateur». Un inventaire est dressé et quarante dessins relatifs aux bâtiments et aux machines se rapportant à la filature sont exécutés; il s'agit probablement de ceux conservés à l'École nationale des ponts et chaussées (huit plans, deux élévations de face, une coupe, une élévation et une coupe de profil). On y voit l'emplacement de 38 machines à carder, 38 à doubler, 39 à filer gros, 103 à filer fin, 76 dévidoirs et de 43 mule-jennies. À côté des machines, on prend en compte une longue « table à manger », des tables à écrire et 108 lits pour deux personnes du deuxième au quatrième étage destinés aux ouvriers qui ne quittent pas la filature. Ces chiffres impressionnants par leur sécheresse donnent une idée de ce que peut être l'installation d'une manufacture de moyenne importance à l'aube de la Révolution. Plusieurs plans datés de 1792 de Bosset et Beudot sont consacrés aux travaux de maçonnerie, de construction, des chaudières et des cheminées et préfigurent l'architecture industrielle du XIX° siècle. Un plan et une coupe se retrouvent dans un autre manuscrit (Paris, E.N.P.C., ms. 1271; cat. 1886, n° 2412). Dans l'esprit des hommes de 1792, l'installation de tels magasins à blé doit servir en temps d'abondance à l'approvisionnement des colonies et en temps de disette à l'importation de blé étranger, mais en l'an V la machine à vapeur n'est toujours pas installée.

L'hiver rigoureux de 1788-1789 amène une disette quasi générale en France et surtout à Paris. Le manque de blé n'est pas seul en cause, le gel des rivières empêche le fonctionnement des moulins hydrauliques. Necker prend alors la décision de demander aux frères Perrier, Jacques-Constantin (1742-1818) et Auguste-Charles la construction de 300 moulins à blé à vapeur et autant de bluteries manuelles. Il obtient tout d'abord en 1789 un privilège royal transformé en brevet en 1792. Les premiers moulins construits dès 1790 sur l'île des Cygnes fonctionnent jusqu'en 1793 et de 1795 jusqu'au Consulat. Ils sont ensuite utilisés pour une filature de laine (Payen, 1969, et Daumas, 1980).   M.Pi.

997
Pont de la Révolution

attribuable à AUFDIENER

Pierre noire, plume et encre noire, lavis de couleurs. H. 0,648; L. 0,940. Large bordure à l'encre noire.
Inscription : en haut à gauche, à la plume et encre noire : « Plan de la situation des Travaux du Pont de la Révolution à la fin de la campagne de 1787»; au milieu : «Culée du côté de la Place de la Révolution»; au milieu : «Vis d'archimède, Première Pile»; au-dessous de gauche à droite : « Roue à godets, Pompes à Chapelets, Batardeau» (2 fois); en bas à gauche : «Machine à épuiser et coursier pour conduire l'au à la machine à épuiser», et échelle de 30 metres et 15 toises. En haut à gauche, estampage à l'encre rouge : «20» et «P» au crayon noir.
Historique : fonds de Jean-Rodolphe Perronet; don de 1788.
Bibliographie : cat. École nationale des ponts et chaussées, 1886, n° 1645; Dartein, 1906, pp. 104-105.

Paris, bibliothèque de l'École nationale des ponts et chaussées (inv. ms. Fol. 1699, pl. I).

En octobre 1772, Perronet présente à Louis XV un modèle de pont traversant la Seine à la hauteur de la place Louis-XV et reliant les faubourgs Saint-Germain et Saint-Honoré. Louis XV le charge de la construction, mais Perronet n'est nommé qu'en 1786 et de nombreux projets sont alors exécutés (Paris, E.N.P.C. et musée Carnavalet; Levent, 1954, pp. 9-15; exp. : Paris, Louvre, 1984, n° 133; Archives nationales, 1987-1988, n°s 219-222). Les travaux débutent en 1787 et consistent à établir des batardeaux permettant l'assèchement du terrain nécessaire à la construction des piles. Le dessin exposé, exécuté sans doute vers 1790, fait partie d'un dossier couvrant cette première campagne de travaux et comprenant des notes manuscrites et des dessins consacrés au plan général, au nivellement du terrain, aux machines à draguer et aux sondes; treize dessins se rapportent à la construction des batardeaux. Plusieurs manuscrits sont relatifs aux diverses polémiques établies autour du projet : notamment autour de la construction des piles minces et évidées que Perronet doit finalement concevoir pleines et il surélève de lui-même la flèche des arches (plates dans les ponts de Neuilly et de Sainte-Maxence), en prévision des crues importantes, afin de rassurer l'administration inquiète des hardiesses techniques du premier projet connu par le dessin de Desprez et gravé par Berthault dans la *Description des projets de Perronet* (Paris, 1782). L'évolution du chantier est suivie grâce au *Journal de la construction du pont de Louis XVI* rédigé par Pierre-Charles Lesage (1740-1810) (Paris, E.N.P.C., ms. 231) et par un autre journal fragmentaire conservé dans le même dossier que le dessin exposé (Dartein, 1906, pp. 88-148); on sait que l'équipe technique est composée de Dumoustier, ingénieur, Prony, inspecteur, Lescot, sous-ingénieur, Blondel et Dubois, élèves de l'École des ponts et chaussées, Aufdiener, dessinateur, et de plusieurs commis. La décoration du pont fait l'objet de divers projets qui ne seront jamais exécutés (pyramides en fer forgé destinées à l'éclairage, installation de sculptures). Le passage du pont est livré à l'automne 1791. Pont Louis-XVI, il devient successivement de la Révolution, National, puis en 1795, de la Concorde. Une partie des pierres utilisées dans sa construction proviennent de la démolition de la Bastille « afin que le peuple pût continuellement fouler aux pieds l'antique forteresse » (exp. : Paris, musée Carnavalet, 1982).   M.Pi.

998
Plan du port du Havre-Marat

par un auteur anonyme

Plume et encre noire et rouge, lavis de couleurs. H. 0,578; L. 0,640.

Inscription : en haut à gauche, à la plume et encre noire : « Port du havre Marat; 117me Adj. Ecluses et Bassin de la Barre »; au milieu : « Plan de situation des travaux du 1er Thermidor 2ème année de la République française Une et Indivisible. » Annotations manuscrites à la plume et encre noire.
Historique : fonds ancien. Archives de l'École nationale des ponts et chaussées.

Paris, École nationale des ponts et chaussées, bibliothèque (inv. D. VI 12. 11²).

Jusqu'en 1778, le port du Havre se présente tel qu'il a été conçu sous François Ier; des projets d'expansion sont envisagés vers l'ouest dès 1779 afin d'y aménager un bassin pour la marine du roi et des bassins pour le commerce. Des ingénieurs militaires et civils se succèdent alors jusqu'en l'an VII; on y retrouve Louis de Cessart qui reprend en 1782 le projet d'expansion vers l'ouest en ajoutant un nouveau bassin, mais finalement l'expansion se fait vers le nord selon l'approbation des ingénieurs des Ponts et Chaussées, du 2 février 1787 : un grand chantier de construction navale pour la marine royale est envisagé en bordure du canal d'Honfleur (exp. : Paris, Archives nationales, 1987-1988, nᵒˢ 252-257). En 1787, Lamandé et Lamblardie dirigent les travaux. Jacques-Élie Lamblardie (1747-1797) se fait connaître en proposant la création à Étretat d'un « Port du Roi » permettant aux bateaux royaux d'entrer

et de sortir en basse mer. (*Mémoire sur les côtes de la Haute-Normandie...*, Le Havre, 1789; Lindon, 1969, pp. 365-370). En l'an II, l'écluse et le bassin de la Barre, le bassin d'Ingouville projeté par Lamblardie sont construits. Le port a perdu son nom du Havre-de-Grâce au profit de celui du Havre-Marat. On peut rapprocher le dessin exposé d'un *Précis historique des travaux des portes de la Seine-Inférieure*, de Lamandé et Gayant daté de l'an III (Paris, E.N.P.C., bibliothèque, ms. 3041, cat. 1886, nᵒ 2554) et de notes et documents conservés aux Archives nationales (dont F¹⁴ 10236).
                    M.Pi.

999 A et B
Élévation et coupe du phare de Cordouan

par Étienne GASCHON

A. Traits de crayon noir, plume et encre brune, lavis gris, rose et bleu. H. 0,692; L. 0,517.
Inscription : en haut au milieu, à la plume et encre noire : « TOUR DE CORDOUAN »; en bas à droite, à la plume et encre brune : « Par Gaschon, An 10 »; au milieu : « Echelle de ...15 toises. »

B. Traits de crayon noir, plume et encre noire, lavis gris, rose et bleu. H. 0,695; L. 0,517.
Inscription : en haut au milieu, sur le montage de papier bleu, à la plume et encre noire : « An 10 »; sur le dessus : « COUPE »; en bas à droite, à la plume et encre brune : « Dessiné sur les lieux en l'an 10. par Gaschon. »
Historique : fonds des dessins des élèves. Archives de l'École nationale des ponts et chaussées.
Expositions : 1984, Bourges, nᵒˢ 53 et 54; 1985, Madrid-Barcelone, nᵒˢ 54-55.

Paris, École nationale des ponts et chaussées, bibliothèque (inv. D. 10.6.2).

Le phare de Cordouan, élevé de 1594 à 1611 à neuf kilomètres de l'embouchure de la Gironde est l'œuvre de l'ingénieur Louis de Foix qui bâtit ici une œuvre considérée comme l'une des grandes créations de l'art français à laquelle Belidor consacre tout un chapitre dans son *Architecture hydraulique* (t. II, 2ᵉ partie, Paris, 1753, pp. 151-155). Voir les travaux de G. Labat (1884-1901) et J. Guillaume, 1970, pp. 33-52). De nombreux travaux de consolidation et d'aménagement ont lieu dès 1606; en 1788-1789, les parties hautes situées au-dessus de la chapelle sont démolies, à la demande des commandants de vaisseaux désireux que la partie du phare soit plus puissante et à la suite d'une enquête de Borda remplacées par le couronnement néo-classique haut de vingt mètres qui défigure ce chef-d'œuvre.
Envoyé en 1799 en qualité d'élève sur le chantier du port de Rochefort puis d'ingénieur ordinaire sous les ordres du ministre de la Marine, Gaschon exécute deux vues du phare dont on a oublié à la Révolution le symbolisme monarchique; il demeure un objet d'admiration et fait partie des bâtiments royaux conservés en raison de leur utilité. Seules les effigies royales de Louis XIV et de Louis XV ainsi que celle d'un

inconnu sculptées par Jean-Baptiste Lemoyne (1704-1778) disparaissent en 1793.   M.Pi.

1000
Carte de la nouvelle route du Simplon

attribué à Nicolas CÉARD

Traits de pierre noire, plume et encres noire et rouge, lavis de couleurs. H. 0,896; L. 1,945.
Inscription : en haut, au milieu, à la plume et encre noire : « CARTE de la Nouvelle Route du SIMPLON depuis GLITZ et BRIGG jusqu'à DOMO-D'OSSOLA an llè »; au-dessous : « Echelle de 5 kilomètres... 5000 mètres »; dans la partie droite : « HAUTEURS COMPARATIVES de quelques paysages des Alpes au-dessus des Mers »; en bas : « NIVELLEMENT depuis Brigg à Domo d'Ossola par le Simplon et les points que la nouvelle route doit parcourir »; à droite, à la plume et encre brune : « L'Ingénieur Inspecteur des Travaux du Simplon à Genève le 20 frimaire an ll : Céard. » Au verso, à la plume et encre brune, à gauche : « Carte de la route du Simplon »; à droite : « Simplon Plan de la Nouvelle route du Simplon depuis Glitz et Brigg jusqu'à Domo-d'Ossola par Céard an ll 1 feuille. »
Historique : fonds ancien. Archives de l'École nationale des ponts et chaussées.
Expositions : 1984, Bourges, nᵒ 44; 1985, Madrid-Barcelone, nᵒ 45.
Bibliographie : cat. École nationale des ponts et chaussées, 1886, sous le nᵒ 1380.

Paris, École nationale des ponts et chaussées, bibliothèque (inv. D. II.A.6).

La traversée des Alpes préoccupe depuis longtemps le pouvoir français désireux d'entretenir des passages par la montagne autres que les voies de mulets, entre la France et la Lombardie, afin de lutter contre le pouvoir piémontais. Le sentiment de peur de l'homme devant la montagne se dissipant au profit de celui d'un désir de conquête des sommets, les voyages transalpins étant de plus en plus nombreux, les relations économiques et militaires devenues importantes, les ambitions politiques de Bonaparte (éprouvant de grandes difficultés pour passer les Alpes avec son armée; dessins du *Passage du Saint-Gothard*, Paris, musée du Louvre) vont entraîner la mise en place de chantiers. Celui de la route du Simplon est le plus grandiose avec ses soixante kilomètres de longueur. Nicolas Céard, réfugié en Suisse de 1794 à 1798, devient directeur des travaux qui commencent en 1801 et sont terminés en 1805, d'abord sous l'autorité du ministre de la Guerre puis sous celle du ministre de l'Intérieur. De nombreux ingénieurs des Ponts et Chaussées sont attachés à ce projet : Lescot, l'ingénieur en chef, meurt en 1801 sur le chantier même. Les Alpes sont franchissables en trois passages, le col du Mont-Genèvre est à usage militaire, le col du Mont-Cenis et le Simplon pour les civils; on compte six galeries et plus de cinquante ponts. Céard est sans doute personnellement responsable de ceux de la Saltine et de Crevola. En 1837, son fils fait paraître à Genève des *Souvenirs des travaux du Simplon* avec des vues pittoresques et la carte présentée,

Élévation et coupe du phare de Cordouan (cat. 999).

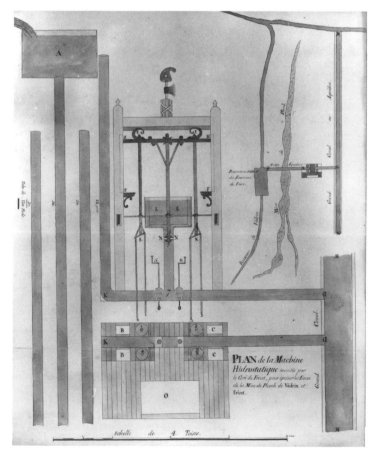

Plan de la machine hydrostatique du curé de Frizet (cat. 995).

Élévation et coupe du moulin de Harfleur (cat. 996).

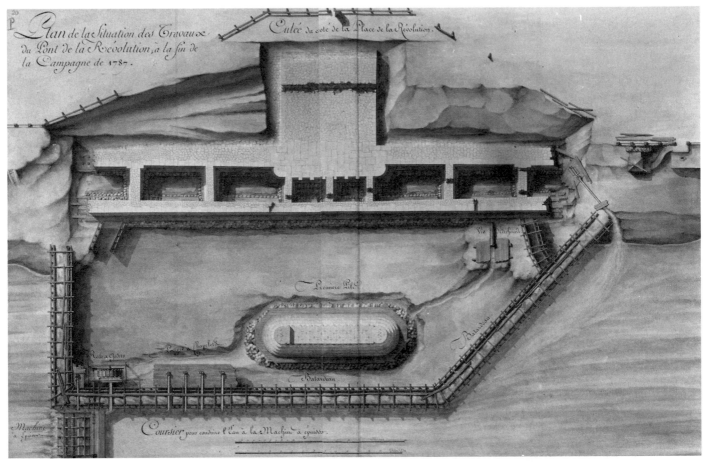

Pont de la Révolution (cat. 997).

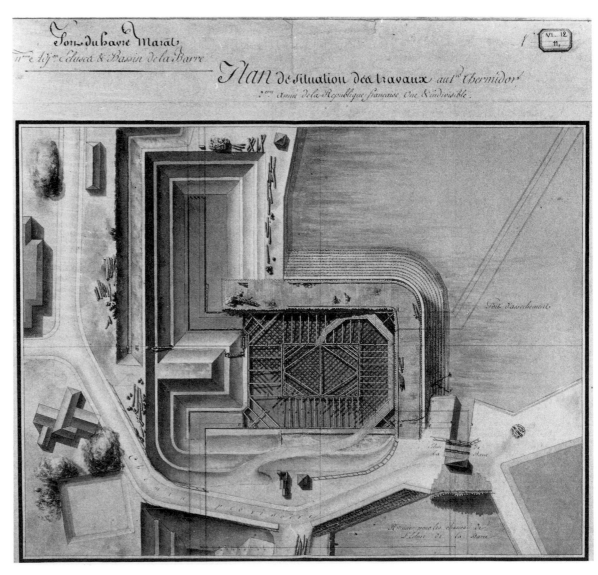

Plan du port du Havre-Marat (cat. 998).

Carte de la nouvelle route du Simplon (cat. 1000).

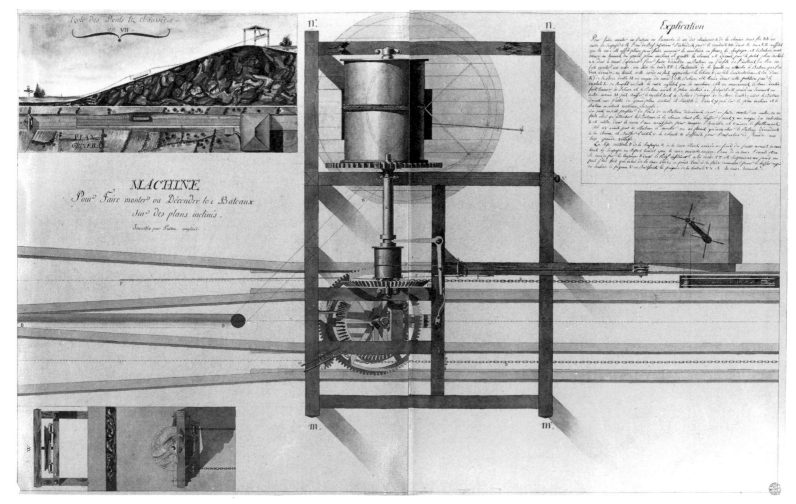

Machine pour faire descendre et monter les bateaux (cat. 1001).

gravée sur pierre, par Engelmann et Cⁱᵉ à Paris. De nombreux projets relatifs à ce chantier sont connus (exp. : Paris, Archives nationales, 1987-1988, nᵒ 208b, et bibliothèque de l'École nationale des ponts et chaussées, cat. 1886, nᵒˢ 568, 1247, 1377-1380).   M.Pi.

1001
Machine pour faire descendre et monter les bateaux

par un auteur anonyme

Crayon noir, plume et encre noire, lavis de couleurs. H. 0,641 ; L. 0,973.
Inscription : en haut à gauche, dans la vignette, à la plume et encre rouge : « École des Ponts et Chaussées an VII » ; à l'encre noire : « PLAN GENERAL ». A gauche de la partie descriptive « MACHINE pour Faire monter ou Descendre les Bâteaux sur des plans inclinés Inventée par Fulton anglais ». En haut à droite : « Explication. » et vingt-quatre lignes manuscrites. Au verso, en haut à gauche, à la plume et encre noire : « An 7. »
Historique : fonds de dessins des concours des élèves.
Expositions : 1984, Bourges, nᵒ 38 ; 1985, Madrid-Barcelone, nᵒ 38.

Paris, École nationale des ponts et chaussées, bibliothèque (inv. D.2.26.2).

Cette feuille a été exécutée par un élève de l'École des ponts et chaussées d'après un modèle de l'ingénieur américain Robert Fulton (1765-1815). On voit à gauche l'ensemble en plan de la machine installée dans son milieu naturel, au centre en grand, une élévation verticale, en bas à gauche, le plan de la machine ; à droite, des explications. Ce dessin représente la machine inventée par Fulton concernant un « nouveau système de canaux navigables sans écluse au moyen de plans inclinés et de petits bateaux de forme nouvelle » pour lequel Fulton reçoit un brevet en 1794 du gouvernement britannique ; l'année suivante il est nommé ingénieur civil et poursuit des travaux sur les écluses. Il propose de substituer aux écluses, des plans inclinés et des machines à vapeur ou à l'eau qui pourraient élever ou descendre les bateaux de faible tonnage. En 1796, il est invité en France par le ministre des États-Unis et propose aux autorités son « nouveau système de canaux navigables sans écluses au moyen de plans inclinés et de petits bateaux de forme nouvelle », qui lui donnent un brevet le 29 pluviôse an VI (*Répertoire général des inventions avec brevets...*, Paris, 1806, p. 80, nᵒ 85). Les travaux de Fulton sont traduits par Récicourt et publiés à Paris, en l'an VII sous le titre *Recherches sur les moyens de perfectionner les canaux de navigation et sur les nombreux avantages de petits canaux* ; six planches gravées par Antoine-Joseph Gaitte (1753-1835 ?) représentent cette même machine. Robert Fulton est l'un de ces nombreux ingénieurs aussi bien scientifique qu'artiste. Il commence par faire un apprentissage chez un bijoutier de Philadelphie, puis se consacre à la peinture,

principalement le portrait qui lui procure une certaine aisance. À Londres, il travaille dans l'atelier de Benjamin West (1738-1820). Il abandonne l'art au profit des arts mécaniques. Trois manuscrits, en relation avec les travaux de Fulton sont conservés à la bibliothèque de l'École nationale des ponts et chaussées : un album de machines (ms. 2881), des expériences de pyrotechnie pour la poudre à canon (ms. 2786) et un rapport concernant le *Nautilus* (ms. 2892, cat. 1886, nᵒˢ 378, 3117, 3122). De son côté, Betancourt donne également un dessin d'une machine identique exécutée en Angleterre dans le comté de Shropshire, près du pont de Coalbrookdale (ms. 1558, cat. 1886, nᵒ 2322) et des projets d'écluses et de machines pour l'entretien des ponts et des canaux également conservés aux Ponts et Chaussées.
                M.Pi.

L'APPLICATION DE LA SCIENCE À LA GUERRE

1002
Maquette du premier bateau à vapeur

d'après Robert FULTON

Bois et métal. H. 0,160 ; L. 0,710 ; ép. 0,202. Construit par Robert Christian sous la direction de Charles Dollfus.
Historique : acquis en 1966 auprès de M. Charles Dollfus par les Amis du musée national de Blérancourt.
Bibliographie : Blérancourt, 1966, repr. nᵒ 71.

Blérancourt, musée de la Coopération franco-américaine (inv. MNB 66c.1).

A partir de 1797, Fulton fait avec plus ou moins de succès plusieurs essais à Brest et au Havre par exemple, avec le *Nautilus*, « bateau-poisson » sous-marin – Monge et La Place s'en-

thousiasment pour le projet mais l'amiral Devrès, ministre de la Marine essaie de neutraliser le projet, pour lequel on connaît de nombreux documents (Paris, A.N., E.N.P.C. ; New York, New York Public Library, Rare Books and Manuscripts Division). En 1803, après les échecs du *Nautilus* et de la navigation sous-marine, Fulton s'attache de nouveau à la navigation à vapeur et se rapproche des recherches de Jouffroy d'Abbans. Il fait construire un bateau, d'après lequel la maquette présentée est construite, qu'il expérimente avec succès sur la Seine (dessins, Paris, C.N.A.M./M.N.T., nᵒˢ 230, 387, 450). Figuier dans son *Histoire des découvertes* relate l'événement. L'Angleterre le rappelle mais les inventions sub et sous-marines de Fulton n'obtiennent pas un grand résultat. Fulton retourne alors en Amérique et améliore ses découvertes : en 1807, il lance sur l'Hudson un bateau à vapeur, un brevet d'invention lui est alors décerné. Fulton poursuit ses recherches jusqu'à sa mort. Il publie en France *De la Machine infernale maritime ou de la tactique offensive et défensive de la Torpille* (Paris, 1812).   M.Pi.

1003
Magasin à poudre projetté à Rennes

par un auteur anonyme

A) Traits de pierre noire, plume et encre noire, lavis de couleurs ; H. 0,301 ; L. 0,460.
Inscription : en haut au milieu, à la plume et encre brune : « Nᵒ 3ᵒ. Coupe ou Profil du Magasin à Poudre Projetté pour la ville de rennes » ; sur le drapeau : « Vive la République ». Nombreuses cotations à la plume et encre brune, en bas au milieu : « Echelle de... 6 toises. »
B) Traits de pierre noire, plume et encre noire, lavis de couleurs ; H. 0,304 ; L. 0,458.
Inscription : en haut au milieu, à la plume et encre brune : « Nᵒ 4. Élévation du magasin à Poudre du Côté de l'entrée ou du midi » ; sur le drapeau : « Vive la République. » Nombreuses cotations à la plume et encre brune, en bas au milieu : « Echelle de... 6 toises. »
Historique : ancien fonds.

Maquette du premier bateau à vapeur (cat. 1002).

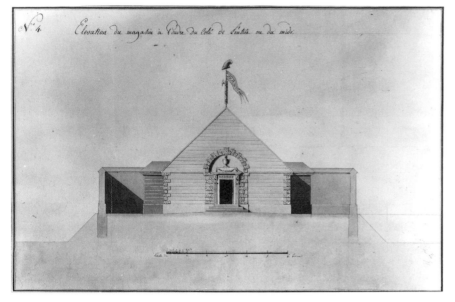

Magasin à poudre projeté à Rennes (cat. 1003).

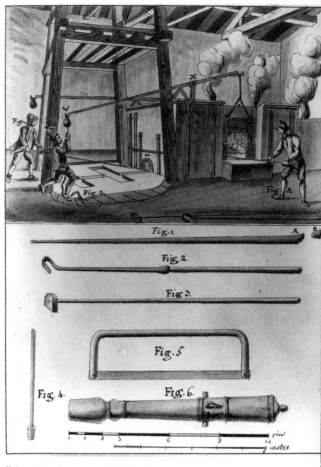

Fabrication des canons (cat. 1006).

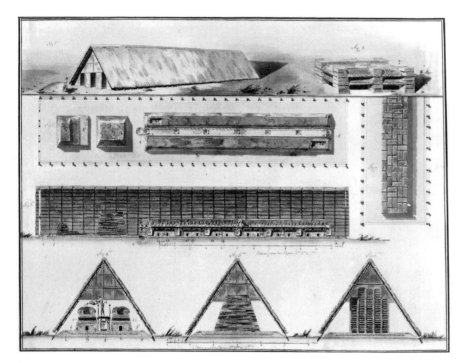

Procédé de nitrification artificielle (cat. 1004).

Haut fourneau de la fonderie de canons de Douai (cat. 1007).

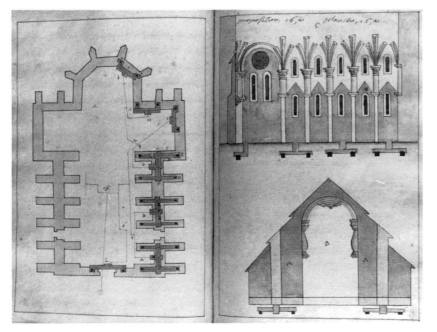

Moyen de faire sauter une église (cat. 1005).

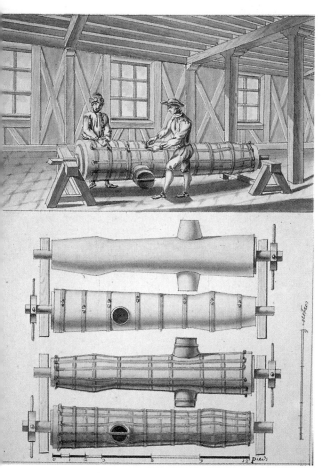

brication des canons (cat. 1006).

Fourneau de la fonderie de canons à Douai (cat. 1008).

pe d'un alésoir pour les canons de fusil installé sur un bateau (cat. 1009).

Paris, Conservatoire national des arts et métiers, musée national des Techniques (inv. portefeuille industriel, n° 454).

« En révolution militaire, après le pain vient la poudre », déclare Barère à la séance de la Convention du 1er février 1794. Le Comité de Salut public décide alors de partager la France en huit départements placés chacun sous la responsabilité d'un inspecteur, qui devra, par tous les moyens, veiller à la recherche du salpêtre et à la fabrication de la poudre à canon (Fayet, 1960, pp. 240-249). De nombreux savants vont se pencher sur cette question et reprendre des travaux antérieurs notamment l'*Instruction sur l'établissement des nitrières et sur la fabrication du salpêtre* de Lavoisier (Paris, 1777). En l'an IV, Fourcroy lit à l'Institut son essai sur l'*Art du salpêtrier*, proche de ses *Instructions sur les moyens que l'on peut employer pour connaître la qualité des salpêtres*, lues à l'Académie royale des sciences le 9 mai 1787 et publiées la même année à Paris. Jean-Antoine Chaptal (1756-1832) joue également un rôle important ; sur ordre de Robespierre, il prend la direction de la raffinerie de Saint-Germain-des-Prés et crée la poudrerie de Grenelle. Un appel est lancé auprès des particuliers demandant à chacun de lessiver « le terrain qui forme la surface de leurs caves, de leurs écuries, bergeries, pressoirs, celliers, remises, étables, aussi que les décombres de leurs maisons ». Une *Instruction publique* est distribuée. L'opération donne d'excellents résultats dont Sébastien Mercier se fait l'écho dans le *Nouveau Paris* (Brunswick, 1800, t. II, p. 100). Une École d'instruction sur le salpêtre est créée à Paris le 2 février 1794 : Guyton de Morveau, Fourcroy, Dufourny, Berthollet, Carny et Pluvinet donnent des cours sur la fabrication des poudres et des salpêtres ; les cours et manipulations ont lieu dans l'amphithéâtre du jardin des Plantes, durant le mois de ventôse (19 février - 19 mars 1794) et sont suivis par huit cents élèves de Paris et de province. Rentrés chez eux, les élèves créent de nombreux ateliers-magasins et leur action permet d'obtenir rapidement de la poudre.
Un magasin à poudre est projeté à Rennes (mais ne semble pas être construit). Deux plans, et les deux vues exposées, dessinés ensemble sur une même feuille sont conservés dans le même dossier. La construction est faite en brique et pierre et la façade reçoit une porte à décoration néo-classique. De nombreux documents concernent la poudre et sa conservation (Paris, A.N., F13 846-850, 888). M.Pi.

1004
Procédé de nitrification artificielle

par François-Antoine-Henri DESCROIZILLES

Pierre noire, plume et encre noire, lavis de couleurs : H. 0,445 ; L. 0,583. Annotations et échelles à la plume et encres noire et brune. Feuille manuscrite à droite (H. 0,447 ; L. 0,283) et à gauche (H. 0,450 ; L. 0,283). *Inscription :* à gauche, à la plume et encre noire très

jaunie : « Procédé de Nitrification artificielle Présenté au Comité de Salut Public, Au commencement du mois de Ventôse, l'An 3ème de la République Française Par Descroizilles. Description Sommaire, D'après Le Mémoire présenté avec les desseins. » *Historique :* ancien fonds.

Paris, Conservatoire national des arts et métiers, musée national des Techniques (inv. portefeuille industriel, n° 340).

Descroizilles est l'un des huit inspecteurs nommés par le Comité de Salut public ; il reçoit l'arrondissement de Rouen et ses recherches s'inscrivent dans les orientations données par le Comité et destinées à accélérer la fabrication du salpêtre et des poudres nécessaires aux canons. A ce titre, il inspecte une nitrière à Dieppe et crée un atelier à Rouen. Il présente en l'an III, toujours au Comité de Salut public, un nouveau procédé de nitrification artificielle dans un hangar en chaume et roseau. Deux manuscrits donnent des explications complémentaires à la légende du dessin. Sur le sol rendu imperméable, on jette des cendres lessivées, des plantes sèches et des débris de légumes d'où découle un suc que l'on arrose de plâtre et que l'on égoutte ; ensuite on coupe la substance obtenue en morceaux mis à sécher sur des claies et qui au bout de sept à huit mois donnent un bon salpêtre. Correspondant de Berthollet, Descroizilles est connu pour être le premier à pressentir que l'alun est un sulfate double (Ballot, 1923, p. 548) et ses travaux sur le blanchiment des toiles sont mis en pratique dans la blanchisserie de Lescure-lès-Rouen (Ballot, 1923, pp. 529-533). M.Pi.

1005
Moyen de faire sauter une église

par DELORME

Manuscrit et dessins. Page de gauche : Plan général de l'église. Plume et encres noire et rouge, lavis gris et rose. H. 0,213 ; L. 0,159. Cotations lettrées et chiffrées à la plume et encre noire. Page de droite : « élévation et coupe de l'église ». Plume et encre noire et rouge, lavis gris, rose et jaune. H. 0,213 ; L. 0,159. En haut au milieu, à la plume et encre noire : « proposition, 16è, planche 16è ». Cotations lettrées et chiffrées à la plume et encre noire. Planche 16 de la première partie d'un manuscrit un 4° intitulé *Traité de la science des mines*, 267 pages, 49 planches dessinées ; relié en veau jaune.
Historique : Comité technique du génie.
Bibliographie : Tuetey, 1911, Comité technique du génie, n° 34.

Vincennes, service historique de l'Armée de terre, bibliothèque du génie (inv. ms. in-4° 13).

Ce manuscrit se compose de six parties consacrées à la manière d'ouvrir les mines et de les faire sauter. Les deux planches présentées, d'un graphisme rudimentaire, montrent les moyens de faire sauter une église gothique avec la quantité de « fourneaux » nécessaires et soulignent la difficulté qu'il y a de bien construire

les mines. La démolition des églises, symbole hautement politique, est partout en France organisée ; cependant des voix s'élèvent pour dénoncer la destruction non pas du monument religieux, mais celle du monument utilitaire surmonté souvent d'un paratonnerre et de ce fait protecteur de la cité ou du village (Mongez, *Archives de l'Académie des sciences, 15 avril, 1er juin, 23 juillet 1791*). Au Salon de l'an VIII (1800), Petit-Radel, inspecteur général des bâtiments civils expose dans la section architecture, un projet de *Destruction d'une église, style gothique, par le moyen du feu.* M.Pi.

1006 A et B
Fabrication des canons

par un auteur anonyme

A. Pierre noire, plume et encre noire, lavis de couleurs. H. 0,324 ; L. 0,226. Double trait d'encadrement à la plume et encre noire.
Inscription : en haut à gauche, au crayon noir : « 23 » ; au milieu « pl. 6 » ; en haut à droite, à la plume et encre noire : « 23 » ; dans le coin droit : « VI » ; en bas au milieu, échelle de « 12 pieds » ; le long du bord vertical droit, échelle de « 9 mètres ».
B. Pierre noire, plume et encre noire, lavis de couleurs. H. 0,323 ; L. 0,233. Double trait d'encadrement à la plume et encre noire.
Inscription : en haut à gauche, au crayon noir : « 23 » ; au milieu : « pl. 21 » ; en haut à droite, à la plume et encre noire : « 23 » ; dans le coin droit : « XXI ». Au-dessous de la vignette, « Fig. 1 à Fig. 6 et A et B » ; en bas au milieu, échelle de « 12 pieds » et de « 6 Mètres ».
Historique : ancien fonds.
Exposition : 1966-1967, Paris, n° 257.
Bibliographie : Payen, 1969, p. 185 ; Deforge, 1981, pp. 36, 37 note 30, et pp. 60, 62 note 16.

Paris, Conservatoire national des arts et métiers, musée national des Techniques (inv. portefeuille industriel, n° 383).

La défense du territoire occupe très tôt le pouvoir politique. Élu président du Comité de Salut public, Louis-Bernard Guyton de Morveau (1737-1816) prend des mesures en faveur de la fabrication des armes. Des ateliers sont créés pour la séparation du cuivre du métal des cloches ; des églises devenues « bâtiments nationaux » sont transformées en fonderies. Destitué de la présidence du Comité, Guyton devient commissaire adjoint de la manufacture d'armes à Paris et son rôle est déterminant dans la défense de la République. Le Comité de Salut public décide la publication d'ouvrages sur la fabrique des armes : Berthollet, Van der Monde et Monge publient alors un *Avis aux ouvriers en fer sur la fabrication de l'acier* (Paris, s.d.) avec cinq planches, après avoir déjà publié un avis dans le cadre de l'Académie royale des sciences, un *Mémoire sur le feu considéré dans ses différents états métalliques* (Paris, 1786). Des enquêtes sont menées dans les différentes manufactures d'armes, dont celle de Saint-Étienne (Fayet, 1960, chapitre IV). Parallèlement aux cours sur les poudres et les salpêtres, le Comité de Salut public fait donner des cours sur la fabrication des canons; les professeurs désignés sont Hassenfratz, Monge et Perrier; les élèves sont réunis dans la salle des Électeurs de Paris à l'évêché où l'on a installé « le tableau noir de la ci-devant Académie des sciences » (*ibid.* p. 248). Ils visitent, comme les élèves salpêtriers, des ateliers ou des pompes à feu, telle celle de Chaillot qui actionne un moteur de fonderie. Le 18 pluviôse de l'an II, un arrêté du Comité de Salut public décide la publication d'une *Description de l'art de fabriquer les canons* confiée à Monge (Taton, 1951, pp. 349-351). L'ouvrage paraît la même année, en trois parties, la première consacrée aux matières nécessaires, la deuxième aux procédés de fabrication, la troisième comprend l'explication des soixante planches gravées par Sellier, Duménil, Coquet et Nicolas Ransonnette (1745-1810). Les premiers dessins préparatoires sont exécutés au bureau des mines du Comité de Salut public, placé sous la direction d'Alexandre Miché qui devient ensuite ingénieur des Mines, par Albaret et Dromard sur les indications d'Hassenfratz. Monge dirige l'entreprise et apporte, avant la gravure, les corrections nécessaires. Les dessinateurs qui pour la plupart n'apparaissent pas dans les dictionnaires d'artistes, La Barre, Héricourt, Goussier, Dillon, Daiteg et Renié rejoignent ce premier noyau et vont sur place « lever les fourneaux ». Albaret succède ensuite à Miché. (Paris, C.N.A.M., bibl. n° 312, M.N.T., arch., 10-221). Les deux dessins exposés font partie de l'important dossier de soixante-dix-sept dessins et deux liasses de manuscrits consacrés à cette publication. Ils représentent des vues d'ensemble de fonderies, des fours, des modèles, etc. Les réminiscences, dans la conception même du dessin, à l'*Encyclopédie* et à la *Description des arts et métiers* sont constantes. La planche VI est gravée dans l'ouvrage de Monge par Sellier et montre le procédé du moulage en terre; la planche XXI, toujours gravée par Sellier est consacrée au fourneau à réverbère et représente les opérations qui précèdent immédiatement le coulage; en bas, on voit les outils nécessaires à ces opérations ainsi qu'un canon coulé. Ces fourneaux à réverbère sont en usage dans les « anciennes fonderies de la République », celles de Douai et de Rochefort. L'ouvrage de Monge obtient un succès considérable dans toute l'Europe où il devient un modèle vite introuvable (Paris, C.N.A.M., bibl. n°s 81, 312, 328, 374 et M.N.T., arch., 10-138). Dans le même esprit, Albaret, Daiteg, Dillon, Dromard et Héricourt exécutent soixante dessins pour un *Art de faire les fusils* par Hassenfratz qui ne paraît pas.

M.Pi.

1007
Haut fourneau de la fonderie de canons de Douai

par un auteur anonyme

Traits de pierre noire, plume et encre noire, lavis

gris et de couleurs. H. 0,684; L. 0,491. Coin gauche abattu. En bas au milieu, à la plume et encre noire, deux échelles.
Historique : ancien fonds.

Paris, Conservatoire national des arts et métiers, musée national des Techniques (inv. portefeuille industriel, n° 352).

Ce dessin provient d'un dossier comprenant quinze dessins et plusieurs manuscrits explicatifs concernant le haut fourneau de Douai construit par Clouet (cat. 1008). Cette cheminée, haute de vingt à trente pieds, en brique, préfigure les grandes constructions industrielles du XIXe siècle.

M.Pi.

1008
Fourneau de la fonderie de canons à Douai

par un auteur anonyme

Plume, encre noire, lavis de couleurs. H. 0,608; L. 0,857.
Inscription : annotations manuscrites à la plume et encre noire; en haut à gauche : « Feuille 12me »; à droite : « Fourneau de Réverbère »; en bas à gauche, dans un cartouche en trompe-l'œil, en haut à gauche à la plume et encre noire : « Feuille 12 bis »; à droite « Fonte » et échelle de « 12 pieds »; en bas à droite : « Douay le 10 thermidor l'an 2è Le Lieutenant du Génie Emy », dans le coin droit : « May le 10 thermidor l'an 2/tenant du Génie : Emy. »
Historique : ancien fonds.

Paris, Conservatoire national des arts et métiers, musée national des Techniques (inv. portefeuille industriel, n° 368).

Vingt-six dessins, en majorité de grande qualité artistique, sont conservés dans ce dossier consacré à la fonderie de canons de Douai : on y voit les diverses étapes de la fabrication des canons (moulage, lessivage), les installafgtions (fourneaux, moulins) et le détail des machines. La longue liste des documents manuscrits imprimés et iconographiques conservés concernant les canons témoigne de l'importance des recherches élaborées dès le début du XVIIIe siècle afin d'améliorer la métallurgie en France (enquêtes du régent, Duhamel du Monceau, Jans, voir les travaux de Bertrand Gille) et dont la *Description des arts et métiers* et l'*Encyclopédie* se font l'écho. Le plus grand établissement de fabrication de l'acier aux machines actionnées par la vapeur en activité à la fin de l'Ancien Régime est celui d'Amboise où le duc et la duchesse de Choiseul viennent assister à des expériences (Ballot, 1923, pp. 491-492). À Douai, la fonderie est créée par Louis XIV, sur un antique site métallurgique (Demolon-Barbieux, 1979, pp. 301-329). Un plan légendé et daté 1756 est conservé au musée de l'Armée à Paris (note de Jacques Payen). On fabrique à Douai des rouages et des pièces fondues nécessaires aux pompes et aux machines utilisées dans les mines de charbon (Ballot, 1923, p. 493). À la Révolution, la fonderie redouble d'activité sous l'impulsion de Clouet.

Jean-François Clouet (1751-1801) étudie à l'école du Génie de Mézières et devient en 1783 le préparateur de Monge alors professeur et auquel il succède de 1784 à 1793. Il y donne aussi des cours de dessin (Hachette, an XI, pp. 97-104). Il travaille aussi avec Lavoisier sur les salpêtres. Membre de l'Institut, ses travaux sur la métallurgie et la chimie sont nombreux : il fait, entre autres des recherches sur le bleu de Prusse et la composition des émaux (Taton, 1952/1, pp. 359-367). À la Révolution, il s'engage politiquement et participe à l'effort de guerre. À ce titre, il fait construire l'établissement de Daigny, près de Sedan qui à lui seul fournit les tôles et fer forgés à plusieurs arsenaux dont celui de Douai (Taton, 1952/2, pp. 6-29). Le dessin présenté conjugue deux planches : dans la partie supérieure, un fourneau de réverbère est représenté en plan et en profil, tandis que la partie inférieure est utilisée en trompe-l'œil, avec une planche consacrée aux divers ustensiles nécessaires à la fonte des canons. L'auteur de ce dessin à un sens très sûr à la fois de la ligne et de la couleur.
Le milieu intellectuel de Douai sous l'Ancien Régime est particulièrement intéressant. Un manuscrit est en relation avec un groupe franco-anglais de personnes éclairées qui semblent jouer à Douai un rôle non négligeable. Il relate un *Demi-tour de France par la Flandre autrichienne, l'Angleterre, le Portugal et l'Espagne* fait par plusieurs d'entre eux en 1780-1781. Textes et planches sont consacrés à l'architecture et aux travaux publics; deux dessins soigneusement exécutés avec des explications très précises sont relatives à la fonderie de Lisbonne (Paris, coll. part.).

M.Pi.

1009
Coupe d'un alésoir pour les canons de fusil installé sur un bateau

par un auteur anonyme

Traits de pierre noire, plume et encre noire, lavis de couleurs. H. 0,409; L. 0,270. Deux feuilles collées verticalement ensemble.
Inscription : en bas au milieu, à la plume et encre noire : « Echelle de... 10 mètres. »
Historique : ancien fonds.

Paris, Conservatoire national des arts et métiers, musée national des Techniques (inv. portefeuille industriel, n° 422).

Un autre dessin montre le bateau, une barge sans moteur, en plan. Ces deux feuilles ne sont pas complétées par des manuscrits, ce qui rend leur étude difficile. On sait cependant par Monge qu'à Paris, une forerie est installée sur la Seine, sur un bateau, un ancien moulin à une seule meule. Les deux dessins se rapprochent sans aucun doute de cette installation. La forge est installée à l'arrière et surmontée d'une cheminée. Monge donne d'ailleurs dans son *Art de faire les canons* trois planches de forerie installée sur un bateau (pl. XXXXII à XXXXIV).

M.Pi.

1010
Télégraphe ambulant

par Augustin de BÉTANCOURT Y MOLINA

Plume et encre noire, lavis de couleurs. H. 0,459;
L. 0,620.

Inscription: annotations à la plume et encre noire;
en haut au milieu: «Télégraphe ambulant vu de face
et de Profil...»; au milieu, à gauche: explication de
la «Fig. 1ère...»; à droite: «Fig. 2è»; en bas au
milieu: échelle de «20 pieds.»
Historique: fonds Marie-Riche, baron de Prony; don
de sa nièce Mme de Corancez, 1839.
Exposition: 1984, Paris, Louvre, n° 145.
Bibliographie: cat. École nationale des ponts et
chaussées, 1886, n° 3061.

Paris, École nationale des ponts et chaussées, bibliothèque (inv. ms. Fol. 1806, fol. 1).

Ce dessin, ainsi que sa copie conservée dans
le même manuscrit illustre un projet de télégraphe de Bétancourt et de Abraham-Louis
Breguet (1747-1823) présenté en l'an V à
Prony. Un autre manuscrit sur le télégraphe
et sa «langue» des deux inventeurs figure dans
le même fonds (ms. 286, cat. 1886, n° 3060).
Ce télégraphe mobile de 196 signaux peut servir jour et nuit et un seul homme est nécessaire
pour le manœuvrer. Prony dans un rapport du
24 nivôse de l'an IX reconnaît sa facilité de
maniement. Jean-Baptiste Delambre (1749-
1822), publie dans les *Mémoires de l'Institut*
(t. III, Paris, an IX, Histoire, pp. 22-32) un
«Rapport sur un nouveau télégraphe de l'invention des citoyens Breguet et Bétancourt».
Trois dessins montrant un appareil très semblable installé sur une petite maison de brique
sont également conservés dans ce dossier. Une
rivalité oppose alors Bétancourt et Breguet à
Claude Chappe (1763-1805), auteur d'un
modèle de télégraphe aérien présenté à la
séance du 22 mars 1792 du Comité de l'ins-

truction publique et promis à un grand succès
(exp.: C.N.A.M., Paris, 1985, pp. 11-17 et Bertho, 1984, pp. 19-21). En effet, grâce au soutien
de Nicolas-Charles Romme (1745-1805) et de
Charles Delacroix, père de peintre, «le moyen
ingénieux d'écrire en l'air» de Chappe est
adopté par le Comité. Dès avril 1794, l'installation d'une ligne se fait de Lille et de Landau
jusqu'à Paris (exp.: Paris, A.N., 1987-1988,
n° 261). On installe les appareils sur les monuments à tour afin de favoriser la visibilité: ainsi
un télégraphe est placé au Louvre. En 1793,
la Convention apprend grâce à lui la prise de
la ville de Duquesnoy. La restitution de Condé
à la France assure le succès définitif de l'invention qui transforme ainsi que celle des ballons la manière de gouverner et l'art de la
guerre. Napoléon, dès 1804, amplifie ces ins-
tallations avec notamment une ligne Paris-
Milan. Bétancourt est l'auteur de la ligne
Madrid-Cadix.   M.Pi.

1011
Détails d'un projet de machine aérostatique

par un auteur anonyme

Plume, encre noire, lavis de couleurs. H. 0,458;
L. 0,589.

Inscription: annotations à la plume et encre noire.
En haut, au milieu: «DÉTAILS D'UN PROJET DE
MACHINE AEROSTATIQUE. Fig. 24ème VUE EN
LONG DE LA GONDOLE ET D'UNE PARTIE DU
BALLON POUR MONTRER COMMENT LES
MOYENS DE DIRECTION OU RAMES TOUR-
NANTES SONT DISPOSEES»; à droite:
«Planche 6ème». Planche 6 d'un album intitulé
*PLANS ET DÉTAILS RELATIFS A LA Construction
d'une Machine Aérostatique*; comprenant 16 plan-
ches et des tables. Reliure moderne.

Historique: ministère de l'Intérieur.
Bibliographie: Tissandier, 1887-1890, pp. 70-72; exp.
Paris, musée Galliéra, 1933-1934, sous le n° 191; Dollfus-Bouché, 1942, fig. 33-34, pl. hors-texte face p. 42,
pl. 9; Duhem, 1964, pp. 110-112, pl. 28-29; Dollfus-
Beaubois-Rougeron, 1965, p. 33, pl. hors-texte face
p. 61; Laissus, 1971, pp. 75-101; exp. Paris, A.N., 1982,
sous les n°s 331-332; Gillispie, 1983, pp. 100-118; exp.
Paris, Louvre, 1984, n° 142; Lavoisier *Corr.*, 1986,
pp. 293-297; Vovelle, 1986, t. V, pp. 230-231.

Paris, Archives nationales, département des Cartes
et Plans (inv. FIV. 1955³³, p. 1-6).

1012
Détails d'un projet de machine aérostatique

par un auteur anonyme

Plume et encre noire, lavis de couleurs. H. 0,451;
L. 0,597.

Inscription: annotations à la plume et encre noire.
En haut au milieu: «DÉTAILS D'UN PROJET DE
MACHINE AEROSTATIQUE - Fig. 27ème VUE EN
LONG DU BALLON ET DE LA GONDOLE, POUR
MONTER les haubans de suspension, l'assemblage
de sangles qui sert de filet, les échelles de cordes,
marchepieds et filets de sûreté»; en haut à droite:
«Planche 9ème»; en bas à gauche: «Echelle de...
60 pieds.» Cotations. Planche 9 d'un album intitulé,
Machine aérostatique par Meunier officier de Génie,
comprenant 16 planches et des tables. Reliure papier
marbré.
Historique: envoyé le 26 fructidor an VII à l'école
du Génie de Metz; archives du Parc aérostatique de
Chalais-Meudon; ministère de la Guerre.
Exposition: 1983, Paris, Grand Palais, n° 770.
Bibliographie: Dollfus-Bouché, 1942, pp. 46-47;
Laissus, 1971, p. 84; Gillispie, 1983, pl. 50; Lavoisier,
Corr., 1986, p. 296.

Le Bourget, musée de l'Air et de l'Espace
(inv. 3798, pl. 9).

Après l'ascension des frères Montgolfier,
l'Académie nomme une commission chargée
de «constater les effets d'une machine aérostatique, inventée par MM. de Montgolfier»
constituée de plusieurs membres dont Lavoisier, Desmaret, Monge, Bossuet, Le Roy;
Condorcet les rejoint peu après. Étienne de
Montgolfier lit devant l'Académie le
15 novembre un mémoire publié par la suite
par Faujas de Saint-Fond qui de son côté fait
connaître les travaux sur le ballon à hydrogène
de Charles et des frères Robert. Charles lit,
toujours à l'Académie le 13 novembre 1784,
une relation sur ses travaux et les résultats de
ses observations météorologiques et physiolo-
giques tandis que Meusnier commence la lecture d'un mémoire sur les ballons à gaz et
démontre par là même leur supériorité. Mais
leur emploi est tributaire du gaz inflammable
utilisé en grande quantité; Lavoisier et Berthollet se penchent alors sur la possibilité
«d'avoir l'air inflammable à meilleur marché».
L'Académie crée le 23 décembre 1783 la
«Commission des aérostats» composée entre
autres de Lavoisier, Berthollet et Condorcet.

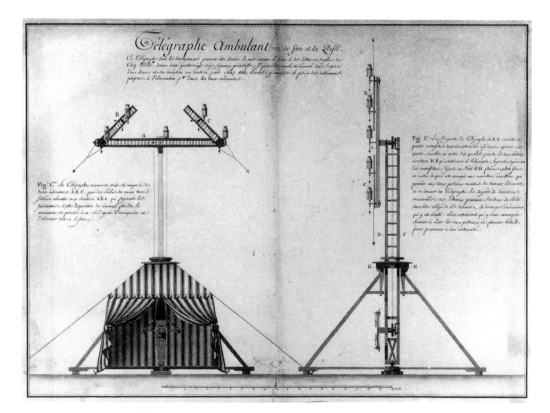

Télégraphe ambulant (cat. 1010).

Lavoisier y nomme quatre problèmes prioritaires : réduire le poids et la perméabilité de l'enveloppe, améliorer le gaz, régler la stabilité et assurer le contrôle des déplacements, et y fait admettre Jean-Baptiste Meusnier de la Place (1754-1793) alors lieutenant du Génie. Cette commission fait appel à des dessinateurs, des « écrivains », à un constructeur d'instruments scientifiques et à un architecte. Meusnier entreprend la conception de deux ballons basés sur les recherches de Lavoisier. Le premier concerne un aérostat de grande taille, « capable de faire le tour du monde », pour vingt-quatre hommes, six officiers, et soixante jours de vivres, capable d'être abrité dans un immense hangar ; le second plus petit destiné à l'entraînement et aux observations scientifiques peut embarquer six hommes. Louis XVI admire les travaux de Meusnier, mais la machine grandiose n'est cependant pas construite, à cause de son prix d'exécution. Sa praticabilité n'apparaît pas immédiatement et l'usage militaire de ces aérostats n'est pas envisagé. Seul un ballon de neuf pieds (trois mètres) construit par Fortin suspendu dans la salle des Académies au Louvre en novembre 1784 concrétise les travaux de Lavoisier et de Meusnier qui aboutissent en 1785 à l'expérience de décomposition et de recomposition de l'eau. (Lavoisier, *Corr.*, t. IV, 1986, pp. 293-197).

Meusnier est l'auteur par ailleurs de nombreux mémoires sur divers sujets scientifiques, sur la détermination du plan d'un site, les expériences sur l'effet des boulets rouges (Paris, E.N.P.C., bibl., mss 1894, 3065), une machine à graver, etc. Il travaille en tant qu'officier, avec Cessart, aux travaux de Cherbourg (Paris, E.N.P.C., bibl., ms. 1000).

La Révolution fait de Meusnier, officier du roi, un héros : Jacobin, il embrasse la Révolution, participe au bureau de consultation des Arts et Métiers fondé en 1791. En 1793, il part pour Mayence, servir dans l'armée de la Moselle, du Rhin et des Vosges, où il se montre actif et courageux. Lors du passage nocturne du Main le 5 juin 1793 il est blessé et meurt le 13 juin. L'armée prussienne lui rend hommage par une suspension d'armes de deux heures. Une fête funèbre est organisée à Tours, ville natale du héros, des arcs de triomphe, des autels sont érigés, l'urne cinéraire est accompagnée des bustes de Franklin, de Rousseau, de Lepeletier et de Brutus, de lauriers, de chêne, de lierres (Laissus, 1968, p. 91). Les cendres du général rapportées en France sont honorées à l'École polytechnique et un hommage est rendu par Gayvernon à ce jeune héros, « génie le plus fécond en découvertes dans les sciences et les arts, l'imagination la plus finement organisée, le courage le plus bouillant et le patriotisme le plus ardent. [Cet éloge] fait par son ami et frère d'armes, tenant à la main le laurier dont il allait couvrir les cendres du héros, a fait sur l'âme sensible du Ministre et sur toute l'assemblée une impression des plus profondes. Tous les yeux étaient mouillés des larmes que les cœurs républicains versent avec tant de plaisir au souvenir des actions des grands hommes morts pour la patrie » (*Journal de l'École polytechnique*, t. II, 6e cahier, Paris, an VII, pp. 261-262).

Les travaux de Meusnier sur les aérostats sont repris sous la Révolution à usage militaire et le rôle des ballons dans plusieurs victoires françaises est bien établi. Ces deux dessins font partie d'un ensemble de documents relatifs au grand aérostat de Meusnier. Trois séries de dessins sont connues : celle des Archives nationales est peut-être l'original de la série, remis le 8 brumaire an VIII à Prieur, considéré comme perdu par plusieurs auteurs et récemment retrouvé et restauré (exp. Paris, Archives nationales, 1982, nos 331-332). Un exemplaire est conservé au musée de l'Air et de l'Espace, le troisième au service historique de l'Armée à Vincennes (Fol. Atlas 165). Ces trois albums représentent l'ensemble de la machine, des plans, des profils, et des détails de la gondole, du ballon, la tente de campement du ballon, les manœuvres et le bâtiment avec globe central et monumental pour abriter la machine. Plusieurs tables sont relatives aux expériences faites sur divers matériaux (baudruche, cuir de vache, carton fin, étoffes, cordes, avec référence à l'*Art de la corderie* de Duhamel du Monceau). Plusieurs indices permettent de penser que ces dessins sont retouchés à la Révolution : sur le fronton de la planche 16 de l'exemplaire du Bourget flotte un bonnet phrygien ; dans le même album le personnage représenté, planche 11 est vêtu civilement tandis que son correspondant dans celui des Archives nationales est gratté et remplacé par un citoyen chapeauté de tricolore. M.Pi.

1013
Fabrication du vernis pour les aérostats

---

par Nicolas-Jacques CONTÉ
Traits de pierre noire, plume et encre noire, lavis de couleurs. H. 0,404 ; L. 0,545.
Historique : envoyé le 26 fructidor an VII à l'école du Génie de Metz où l'ensemble de dessus demeure jusqu'en 1870 ; palais de Fontainebleau où ils sont retrouvés en 1876 par Gaston Tissandier ; archives du Parc aérostatique de Chalais-Meudon ; ministère de la Guerre.
Expositions : 1939, Paris, Carnavalet, no 1348 ; 1978, Münster.
Bibliographie : Duhem, 1964, pp. 165-166 ; Exposition historique, 1933-1934 ; Cornu-Thénard, 1955, pl. XIV ; Stafford, 1984, p. 26, fig. 5, p. 484.

Le Bourget, musée de l'Air et de l'Espace (inv. 3801).

Le corps des aérostiers comprend cinquante à soixante-dix jeunes gens qui apprennent la fabrication et la manœuvre des ballons, les sciences et les arts en relation avec l'aérostation (Paris, Archives nationales, F17 1393 ; Duhem, 1964, pp. 165-167). Quatre ballons sont alors en usage : l'*Entreprenant* dans les armées du Nord, le *Céleste* dans celle de Sambre-et-Meuse ; l'*Hercule* et l'*Intrépide* sont affectés à l'armée de Rhin-et-Moselle, auquel s'ajoute un cinquième ballon destiné aux armées d'Italie. Conté consacre tout son temps à l'école de Meudon. Au cours d'une manipulation dans le laboratoire, il perd l'œil

gauche. Dans sa monographie sur Conté (Paris, 1849) Jomard raconte que le jour Conté enseigne et qu'il écrit et dessine toute la nuit. Jomard cite un traité manuscrit sur l'aérostation (aujourd'hui perdu), auquel se rattachent sans doute les dessins du musée de l'Air et de l'Espace (ainsi que les exemplaires appartenant au service historique de l'Armée à Vincennes, Fol. Atlas 166 et collection particulière). L'exemplaire du Bourget comprend une série de grandes aquarelles représentant les salles de coupe et de couture, le laboratoire pour le vernis, le vernissage, la tente abri pour l'aérostat « en campagne », la manœuvre au siège de Mayence, et plusieurs planches d'appareils d'épurations pour le gaz hydrogène, pour la conduite de l'eau à décomposer, la manière de faire les nœuds (avec un fort souvenir des planches de l'*Encyclopédie*) les fourneaux de brique, le gabarit et la fabrication des fuseaux, la fabrication du moule réduit. Conté représente ici le laboratoire pour la fabrication du vernis, dont la composition est aujourd'hui perdue, et qui assure une étanchéité parfaite au ballon. On voit trois jeunes gens nettoyant la bassine de cuivre, qui doit toujours rester lisse, destinée à la cuisson du vernis que surveille le quatrième aérostier. La qualité artistique des dessins de Conté s'explique par le fait qu'il commence sa carrière comme peintre et pastelliste. À Paris, il rencontre Greuze et travaille dans l'atelier du miniaturiste suédois Peter Adolf Hall (1739-1793). Le métier fini, précis, soigné, demandé pour les miniaturistes se retrouve dans les dessins de Conté dont Monge dit qu'il a « toutes les sciences dans la tête et tous les arts dans la main » (Jomard). Les aquarelles de Conté sont une synthèse parfaite entre les arts et les sciences. L'ampleur de la composition, la précision de l'exécution, la beauté des couleurs n'entravent en rien le souci de vérité et de clarté pédagogique. Conté fait aussi de nombreuses recherches en physique, en chimie (principalement sur les couleurs) et crée les crayons qui portent son nom et qui lui valent une notoriété internationale. Il invente aussi de nombreuses machines. Son rôle dans la campagne d'Égypte est de premier plan : il lance un ballon au Caire (20 frimaire an VII), établit une ligne télégraphique, crée des instruments scientifiques et chirurgicaux pour les blessés et travaille à l'amélioration du pain pour les armées. Il exécute en outre un grand nombre de dessins (collection particulière) destinés à figurer dans la *Description de l'Égypte* (Paris, 1809-1813, 9 vol. in-folio et 12 atlas grand in-folio). Il prend une part importante dans la création du Conservatoire national des arts et métiers. M.Pi.

1014
Vernissage d'un aérostat à l'école de Meudon

---

par Nicolas-Jacques CONTÉ
Traits de pierre noire, plume et encre noire, lavis de couleurs. H. 0,416 ; L. 0,552.

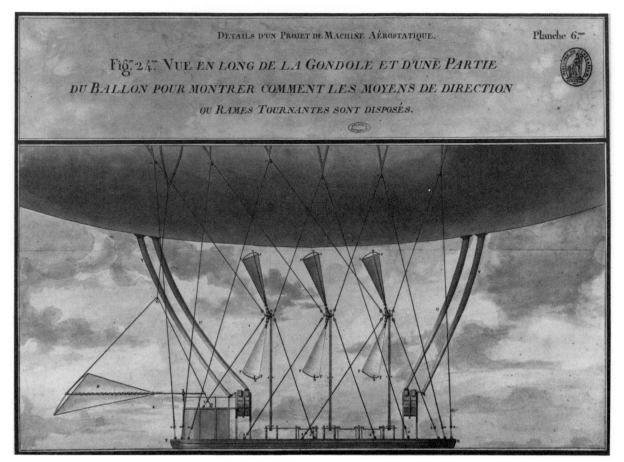

Détails d'un projet de machine aérostatique (cat. 1011).

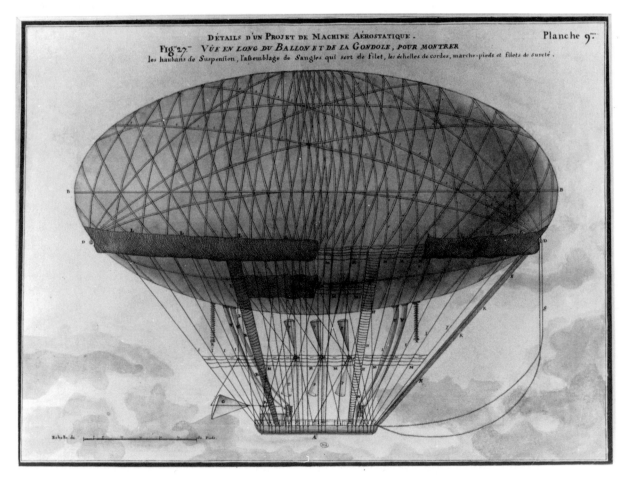

Détails d'un projet de machine aérostatique (cat. 1012).

ernissage d'un aérostat à l'école de Meudon (cat. 1014).

abrication du vernis pour les aérostats (cat. 1013).

Le Ballon d'observation (cat. 1014).

Le Ballon d'observation (cat. 1015).

Paris, École nationale supérieure des Beaux-Arts (inv. M. 1775).

Dirk Langendijk se fait une grande réputation grâce à ses dessins à sujet militaire : mouvements de troupes (*manœuvres militaires de la plaine de Waalsdorp*, Leyde, université), combats et chocs de cavalerie, haltes de soldats et bivouacs nocturnes, explosions de transport de poudre (Haarlem, musée Teyler), bombardement (*Bergen op Zoom*, Hollande, commerce de l'art, 1983), incendies ; tous ces dessins sont traités d'une manière plus ou moins dramatique au lavis, à l'aquarelle ou à la gouache en camaïeu gris (cat. exp. : Rotterdam, 1982). De nombreux dessins sont en relation avec la guerre que mènent contre la France, les Hollandais patriotes, les Russes et les Anglais et qui aboutit à la création de la République batave et dont l'*Assassinat des commissaires français Roberjot et Bonnier par les Hussards Szeklers* est le témoignage. (Haarlem, musée Teyler. Roberjot visite en 1795 le musée Teyler en compagnie de Louis Joubert, député de la Convention et de Faujas de Saint-Fond et sont reçus par Van Marum). Le dessin exposé fait partie d'un groupe de dix feuilles du même artiste provenant tous de la collection Masson. L'événement représenté n'est pas identifié, mais comme dans le *Siège de Mayence* de Conté, il montre parfaitement l'utilisation militaire du ballon.   M.Pi.

1015
Le Ballon d'observation

par Dirk LANGENDIJK

Plume et encre brune, lavis gris : H. 0,247 ; L. 0,340.
Inscription : signé et daté, en bas à gauche, à la plume et encre noire : « Dirk Langendisk 1800. »
Historique : collection Jean Masson ; don à l'École nationale des Beaux-Arts en 1926.
Bibliographie : Lugt, 1950, n° 328, repr. pl. XXXVIII.

Historique : voir cat. 1013.
Expositions : 1939, Paris, Carnavalet, n° 1348 ; 1975, Montrouge, n° 32 ; 1978, Münster ; 1983, Paris, Grand Palais, n° 597.
Bibliographie : voir cat. 1013, Dollfus, Beaubois et Rougeron, 1965, pl. hors-texte, face p. 43 ; Cornu-Thénard, 1955, pl. XVI ; Staffard, 1984, p. 26, fig. 4, p. 484.

Le Bourget, musée de l'Air et de l'Espace (inv. 3803).

L'application du vernis se fait dans une vaste salle voûtée et très aérée, permettant ainsi le bon séchage du ballon gonflé d'air. Plusieurs ouvriers sont occupés à étaler au tampon l'enduit et à éviter les mauvaises adhérences. Le ballon est suspendu par ses deux pôles à des cordes jouant sur des poulies et lui permettant de tourner. Conté atteint ici une sorte de perfection : il y a un jeu très fin de la perspective, de cercles et demi-cercles, d'ovales, d'horizontales et de verticales qui se répondent et qui attestent des connaissances scientifiques profondes de l'artiste. Les ombres et les lumières jouent également un rôle important. Ce dessin se place parmi les plus belles représentations de la sphère que l'on connaisse dans toute l'histoire du dessin.   M.Pi.

L'APPLICATION DES SCIENCES À LA VIE QUOTIDIENNE

1016
Plan d'une charbonnière

par un auteur anonyme

Plume, encre noire, lavis de couleurs. H. 0,460 ; L. 0,627. Double trait d'encadrement à la plume et encre noire.
Inscription : en bas au milieu, à la plume et encre noire, « échelle de 12 pieds ».
Historique : ancien fonds.

Paris, Conservatoire national des arts et métiers, musée national des Techniques (inv. portefeuille industriel, n° 359).

Ce plan est complété par une élévation, une coupe, une demi-coupe, un plan partiel, un détail du four (de même technique que le dessin présenté) et par un grand croquis au crayon noir formant chemise. Une note indique que ces feuilles sont dessinées au Conservatoire national des arts et métiers « d'après les expériences faites dans cet établissement ». Un rapport est alors établi (Paris, C.N.A.M. / M.N.T., arch., n° 79). Plusieurs manuscrits donnent des explications sur cette charbonnière. Son auteur, François Brune (1762-1839), indique qu'elle dure trente ans sans entretien, qu'elle carbonise quatre cents cordes dans l'année, donnant chacune trois sacs de charbon.
Brune veut vendre son procédé au gouvernement, qui selon lui, le divulguera *gratis* auprès des maîtres de forges, propriétaires, marchands de bois. Le gouvernement pourra récupérer cinq millions en leur ordonnant de mettre sur-le-champ ce procédé en usage et de « payer pour le droit une contribution proportionnellement à leur fabrication ou au bénéfice qu'ils en tireront » (lettre du 5 germinal an IX). En l'an VIII, Brune propriétaire des forges de Sorel près de Dreux fait appel à l'ingénieur Anglais Dobson qui y installe des fours à puddler et un laminoir pour le forgeage (Ballot, 1923, p. 507 et notes 1 à 3).   M.Pi.

1017
Échelle pour les incendies

par Louis-Jacques GOUSSIER

Plume et encre noire, lavis de couleurs sur traits de pierre noire. H. 0,424 ; L. 0,602. Double trait d'encadrement à la plume et encre noire. En bas à droite à la plume et encre noire, échelle de « 7 pieds ». Plume verticale.
Historique : ancien fonds.
Bibliographie : Dulac, 1972, p. 108, et note 138.

Paris, Conservatoire national des arts et métiers, musée national des Techniques (inv. portefeuille industriel, n° 136).

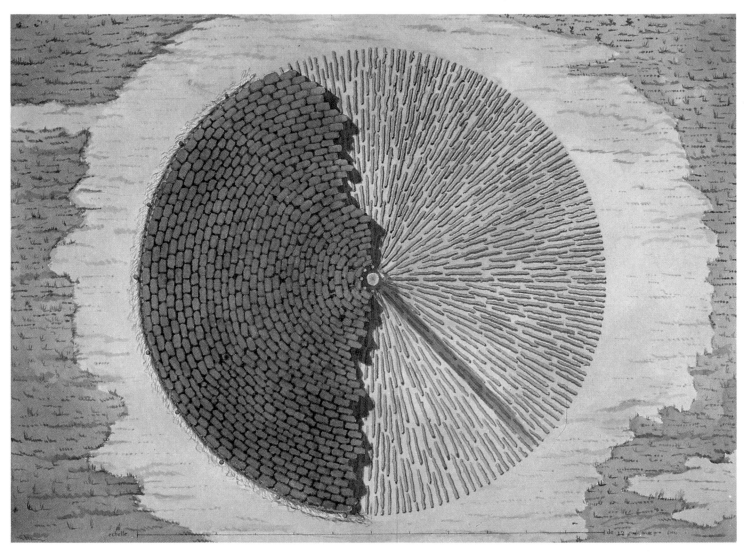

Plan d'une charbonnière (cat. 1016).

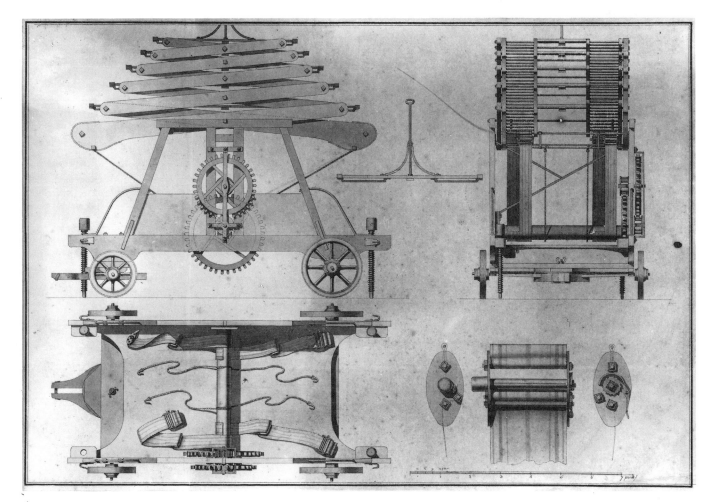

Échelle pour les incendies (cat. 1017).

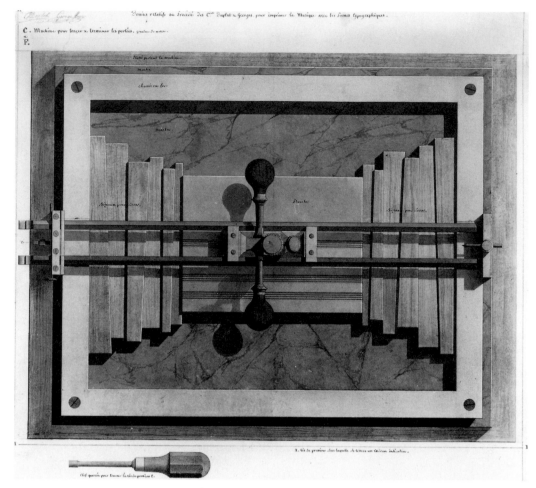

Imprimerie pour le papier à musique (cat. 1018).

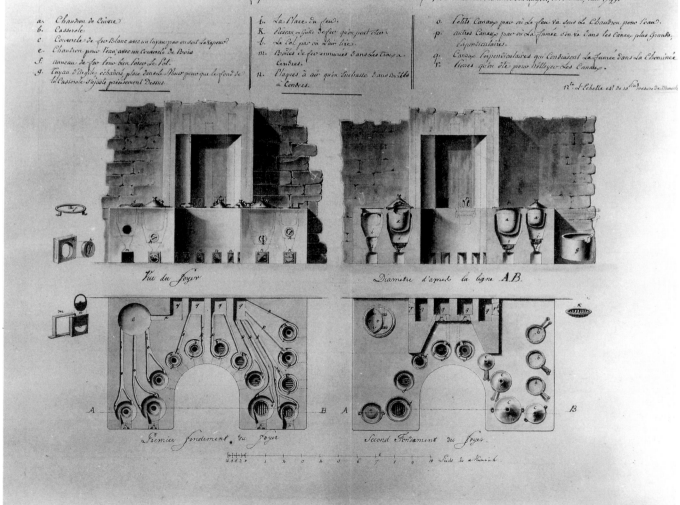

Foyer du comte de Rumford (cat. 1019).

Goussier est de 1747 à 1762 l'un des collaborateurs de Diderot pour l'*Encyclopédie* ; il signe des articles techniques de la lettre *D* et aide Diderot dans la collecte d'informations (Proust, 1967). Il donne également près de neuf cents dessins, dont huit sont aujourd'hui localisés, pour les volumes de planches (Pinault, 1984, pp. 19-21). Il collabore également à la *Description des arts et métiers* et à l'*Encyclopédie méthodique* de Panckoucke et travaille à des problèmes de physique (dont une théorie de la vision des couleurs) avec le baron Étienne-Claude de Marivetz (1731-1794). En l'an II, Goussier est appelé par le Comité de Salut public à faire partie du bureau des dessinateurs (Tresse et Dhombres, 1987). Le ministre de l'Intérieur et le Conservatoire des arts et métiers le choisissent le 27 pluviôse an IV pour collaborer « à la formation du recueil des machines et instruments et des arts » et rend hommage aux nombreux services qu'il a rendus aux arts et à l'instruction en dessinant les planches de l'*Encyclopédie* et des ouvrages de Ferdinand Berthoud (1727-1807) (Paris, C.N.A.M. / M.N.T., arch., 7-134). Goussier occupe son poste jusqu'à sa mort. Il remet les sept dessins sur le *Coton* exécutés pour l'*Encyclopédie* (portefeuille industriel, n° 174) et exécute plusieurs dessins consacrés à la *manière de tracer les vis et les écrous* (portefeuille industriel), *Les détails du tour à portrait de Hulot* (portefeuille industriel, n° 277) et dessins d'échelle à incendie d'après le projet de Charles Gaullard de Saudray, inspiré par le modèle que M. Domaschnef présenté à Saint-Pétersbourg (*Histoire de l'Académie impériale des sciences*, 1777, t. I, planches II et IIb), que connaît de Saudray pour avoir été secrétaire de la légation française. Le premier modèle en grand de cette machine exécuté sur les ordres de Bonaparte a brûlé (Paris, C.N.A.M. / M.N.T., arch., H-171). Un dessin tout à fait identique est conservé à la bibliothèque de l'École nationale des ponts et chaussées (ms. 841 ; note de Michel Yvon, avec plusieurs autres manuscrits sur ce sujet, cat. 1886, n°s 314 à 328). La lutte contre les incendies si dévastateurs entraîne à la fin du siècle de nombreuses recherches partout en Europe ; l'Anglais Joseph Bramah (1749-1814), par exemple, prend des brevets pour des pompes à incendie (C.N.A.M. / M.N.T., portefeuille industriel, n° 27. Exp. : Paris, Louvre, 1984, n° 139.)   M.Pi.

1018
Imprimerie pour le papier à musique

par Jean-Louis DUPRAT et/ou Jean-Louis-Marie GEORGES

Plume, encre noire, lavis de couleurs. H. 0,587 ; L. 0,627.
Inscription : nombreuses annotations et cotations à la plume et encre brune ; en haut à gauche : « 3è partie, 3è feuille C, D, F. » Signatures de « Duplat » et de « George » ; au-dessous : « C et F Machine pour tracer et terminer les portées grandeur de nature » ; en haut au milieu : « Dessins relatifs au

Procédé des Cènes Duplat et Georges, pour imprimer la musique avec les Presses typographiques. »
Historique : ancien fonds.

Paris, Conservatoire national des arts et métiers, musée national des Techniques (inv. portefeuille industriel, n° 317).

Les problèmes techniques concernant l'imprimerie et la musique ont vivement intéressé les inventeurs de la fin du siècle et le début du suivant. Ce dessin particulièrement soigné et proche des trompe-l'œil, fait partie d'un dossier comprenant sept autres feuilles en relation avec un brevet de trois ans accordé le 7 frimaire an X à Duprat et Georges, graveurs à Paris pour leur procédé relatif à l'impression de la musique avec la presse typographique (*Répertoire général des inventions avec brevets...*, Paris, 1806, p. 116, n° 170). Ce procédé semble connaître un grand succès puisqu'il est mentionné dans une lettre datée du 26 février 1817 de François-Emmanuel Molard, frère de l'ancien directeur du Conservatoire au duc de la Rochefoucauld, comme étant gravé avec d'autres dessins, dont la pompe à vapeur de Perrier et la machine de Charpentier par Jean-Nicolas Adam (1786-vers 1840 ?) (Paris, C.N.A.M., bibl. n° 172. Note de J. Payen et A. de Place). Dans le cadre de la musique, dix dessins pour un piano-forte sont également conservés dans le portefeuille industriel (n° 474) et sont contemporains des recherches du facteur Sébastien Érard (1752-1831) qui contribue à perfectionner le piano-forte et la harpe mais est aussi amateur d'art très averti (Devries, 1981, pp. 78-86). Toujours dans le portefeuille industriel deux feuilles sont consacrées à des pupitres portatifs (n° 476), portant tous les deux des partitions de musique sur lesquelles sont inscrites une ariette, *J'entends dans les forêts gémir la tourterelle* de Henri-François Langlé (1741-1807), et *l'Air de Rose et Aurèle* de François Devienne (1759-1803).   M.Pi.

1019
Foyer du comte de Rumford

par DROMARD

Plume, encre noire, lavis gris, bleu et rose. H. 0,456 ; L. 0,582.
Inscription : en haut, au milieu, à la plume et encre noire : « Dessin d'un foyer Construit dans la maison du Baron de Lerchenfeld, sous la Direction du Comte de Rumford, à Munich, l'an 1795 » et trois colonnes d'explications manuscrites.
Historique : ancien fonds.

Paris, Conservatoire national des arts et métiers, musée national des Techniques (inv. portefeuille industriel, n° 336).

Ce dessin est lié aux travaux sur la chaleur et la lumière que mène à Munich à la fin du siècle Benjamin Thompson, comte de Rumford (1753-1814), en 1790 le nombre de mendiants dans cette ville étant particulièrement important. Des mesures d'arrestation sont prises à leur encontre ; deux possibilités leur sont alors

offertes, une vie libre et régulière ou une vie, dans une maison de travail soutenue par une souscription, dans laquelle on leur fournit du travail, un logement et une nourriture saine. C'est précisément pour assurer la subsistance de plus de mille personnes, mais également celle des troupes du roi de Bavière que Rumford, s'inspirant des recherches de Lavoisier, met au point des fourneaux construit et des chaudières consommant le moins possible de combustible et fonctionnant à la vapeur. Il invente également des soupes économiques appelées à un grand succès dans l'Europe entière (Londres, Hambourg, Genève, Lausanne, Marseille, Paris), publie plusieurs textes sur l'établissement pour les pauvres de Munich. Cinq dessins (plan, profil, détails) de Dromard conservés dans le même dossier, un croquis avec annotations manuscrites (C.N.A.M. / M.N.T., arch., N 283) complètent le dessin présenté. Un modèle de fourneau propre à la cuisson des aliments construit toujours d'après ses principes est offert au gouvernement en l'an VIII par Alquier (C.N.A.M. / M.N.T., arch., 10.236 et N 546). De son côté Hassenfratz publie dans le *Journal de l'École polytechnique*, un « Mémoire sur les meilleures proportions à donner sur les chaudières, sur la quantité d'eau évaporée en raison de sa température » (t. II, an VII), dans lequel il étudie les travaux de Lavoisier, de Richard Kirwan (1750-1812) et de Rumford. Les fourneaux utilisés ont trois avantages : ils sont économiques dans leur construction, ils permettent de préparer la nourriture en très grande quantité et de ce fait réduisent la consommation de combustible, de main-d'œuvre et des denrées. A Paris, le Bureau de bienfaisance ouvre une « soupe à la Rumford », rue du Mail, où l'on distribue par jour trois cents rations de soupe à base de légumes, de hareng et de pain grillé. De nombreuses personnes aident, grâce à des souscriptions, à la formation des établissements parisiens (François de Neufchâteau, La Rochefoucauld-Liancourt, Parmentier, Brongniart, la Société d'agriculture, etc.). En fait, « tous les amis de l'humanité font des vœux pour voir se multiplier les établissements et plusieurs rapports leur sont consacrés (Paris, C.N.A.M. / M.N.T., arch., 10.236, n°s 60, 76, 283, 351, 546 ; Roche, 1983, pp. 7-18). C'est là, que le « pauvre honteux et c'est surtout celui qui mérite l'attention du bienfaiteur..., l'ouvrier sans travail..., les pères de familles honteux » trouvent un secours important. Les manufacturiers peuvent aussi établir des chaudières économiques et nourrir leurs ouvriers à un prix très modique ; les hospices, les prisons et les casernes profitent également de cette invention. Le comte de Rumford est l'auteur d'*Essais politiques économiques et philosophiques* (Londres, 1798-1800 ; Paris, 1799-1806). Il est lié aux progrès de l'éclairage. En 1805, il épouse Marie-Anne Paulze, veuve de Lavoisier mais cette union n'est pas heureuse. Ils se séparent en 1809.   M.Pi.

MÉDECINE

1020
Étude du bassin de la femme

par Jacques-Frédéric SCHWEIGHAEUSER et Joseph-Ignace MELLING

Manuscrit et dessin. Page de gauche en haut, à la plume et encre noire : «Analyse des Tables, Table première», et explications manuscrites. H. 0,508 ; L. 0,393. Page de droite : dessin pierre et crayons noir. H. 0,508 ; L. 0,393. En haut à droite, à la plume et encre noire : «Tab. 1ère» ; au milieu ; «Fig. 1ère» ; en bas à droite au crayon noir : «Dessiné par J. Melling». Cotations à la plume et encre noire. Planche I d'un manuscrit de 18 feuilles, 20 p. ms, et 5 planches comprenant 18 figures, intitulé : *Tables anatomiques des ligaments du Bassin par Schweighoeuser, Médecin accoucheur à l'hôpital Civil de Strasbourg p. aux cit. fourcroy, pelletan et Sabathier le 21, pluv. l'an 5e b. g. é. l. Lacépède.*
Historique : séance de l'Institut, 21 pluviôse an V.

Paris, archives de l'Académie des sciences, séance du 9 février 1797.

Les problèmes d'obstétrique ne cessent de préoccuper dans toute l'Europe et durant toute la seconde moitié du siècle, les autorités politiques et les médecins (exp. : Paris, Louvre, 1984, n° 76). Des cours sur l'art des accouchements sont donnés en province (peut-être plus qu'à Paris) aux sages-femmes souvent mal formées.

Ainsi, Jean-François Icart (1734-1803), chirurgien inspecteur des hôpitaux militaires du Languedoc, crée à Castres une école financée d'abord par l'évêque, puis par les états du diocèse et les États du Languedoc et dont l'activité est interrompue à la Révolution (exp. : Gaillac, 1972, n°s 311-317).
L'établissement pour l'art des accouchements de l'hôpital bourgeois de Strasbourg est fondé en 1738, sous la direction de Fried père et c'est ici que se forment un grand nombre d'accoucheurs réputés ; cet établissement prodigue aux femmes comme aux enfants d'excellents soins. Dans son manuscrit, Schweighaeuser présente divers problèmes du bassin et renvoie à de nombreux traités d'ostéologie antérieurs (Weilbrecht, Winslow, Bertin ou Gavard) qu'il connaît bien pour être l'auteur des *Archives de l'art des accouchements, considéré sous ses rapports anatomiques, physiologique et pathologique, recueillies dans la littérature étrangère* (Strasbourg, 1801-1802) dans lequel l'auteur étudie divers points tels que la fièvre puerpérale, l'inoculation de la vaccine, les métastases laiteuses, les césariennes. Il donne de nombreuses références bibliographiques et consacre également plusieurs pages aux établissements qui recueillent les enfants abandonnés.
Le dessinateur du manuscrit de Schweighaeuser est sans doute Joseph-Ignace Melling, fils de Joseph Melling (1724-1796) fondateur de l'école de dessin de Strasbourg. Joseph-Ignace et sa sœur Marie-Louise (1762-1799) secondent leur père. Marie-Louise devient plus tard religieuse. Joseph-Ignace Melling fonde par la suite une école de dessin à Rastatt, où il devient professeur (Kubler, 1954, pp. 106-111). M.Pi.

1021
Traité médico-philosophique sur l'aliénation mentale, ou la manie

par Philippe PINEL, gravé par un auteur anonyme
Imprimé. Taille douce. H. 0,198 ; L. 0,117. En haut au milieu : « Pl. 11ème », à droite : «Traité de la Manie». Six figures (profils et crânes). Planche 2 du *Traité médico-philosophique sur l'aliénation mentale, ou la manie*, par Ph. Pinel, Paris, An IX (1801), 318 p. Reliure veau brun.

Paris, Académie nationale de médecine (inv. 20009).

Aux diverses recherches élaborées dans les dernières années du siècle visant à améliorer les conditions hospitalières et aux personnes incarcérées du fait de leur maladie. Pinel, mathématicien, botaniste et zoologiste collabore à l'*Encyclopédie Méthodique* de Panckoucke. En 1791, il concourt à la Société royale de médecine sur les « moyens les plus efficaces » de traiter les malades dont l'esprit est devenu « aliéné ». En 1793, il est nommé à l'hôpital de Bicêtre et à la Salpêtrière en 1795, où il s'efforce d'améliorer le sort des malades en brisant leurs chaînes et où il a la charge des orphelins malades. Homme des Lumières, Pinel jette les bases de la psychiatrie moderne. Dans sa célèbre *Nosographie philosophique ou la Méthode de l'analyse appliquée à la médecine* (Paris, an VI) il décompose les maladies en cinq catégories : les fièvres, les phlégmasies, les hémorragies, les névroses, les maladies du système lymphatique (Chabert, 1974). Dans l'introduc-

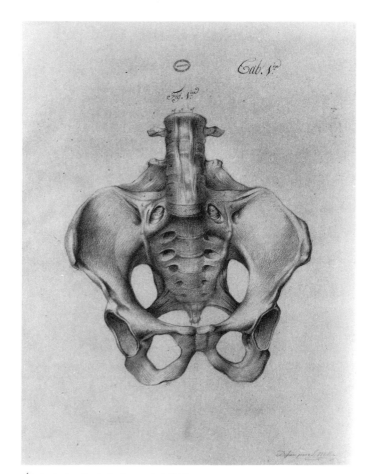

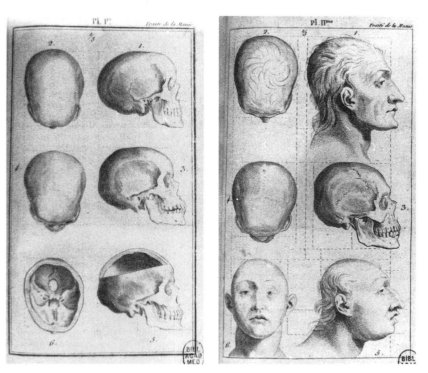

Traité médico-philosophique sur l'aliénation mentale, ou la manie (cat. 1021).

Étude du bassin de la femme (cat. 1020).

tion de son *Traité médico-philosophique*, Pinel cite les travaux de ses prédécesseurs et de ses contemporains notamment Crichton qui publie à Londres en 1798, *An Inquiry into the nature and origin of mental derangement* ou encore Smith, auteur d'une *Théorie des sentiments moraux ou Essai analytique sur les principes des jugemens que portent naturellement les hommes*, traduit par S. Grouchy, « Veuve Condorcet » (Paris, an VI). Il fait également état de Pontion, directeur des aliénés de l'hospice de Manosque et de Pussin, surveillant à Bicêtre. Pinel expose le plan de son ouvrage : la première partie traite de la manie périodique ou intermittente et de la nourriture à donner aux malades, la deuxième du traitement moral des patients, la troisième des recherches anatomiques effectuées sur les « vices de conformation » des crânes des aliénés qu'il étudie sur les spécimens conservés au Muséum et dans le cabinet de l'École de médecine. La quatrième partie du livre traite de l'aliénation mentale divisée en espèces bien distinctes : mélancolie visanique, suicidaire, crétinisme du Valais, (évoqué par Diderot) et étudié par Fodéré dans son *Traité du goitre et du crétinisme* (Paris, an VIII). Les deux dernières parties sont consacrées à la police intérieure, à la surveillance et aux traitements médicaux à apporter aux malades. La planche I montre le crâne d'une jeune fille morte à 22 ans, proche de celui des crétins du Valais ; la planche II représente en haut un « maniaque de 42 ans guéri depuis 7 ans » et en bas en opposition la tête de deux jeunes gens de 21 et 22 ans, dont l'un « réduit à un complet état d'idiotisme » est « un être équivoque qui semble placé par la nature aux derniers confins de la race humaine pour les qualités physiques et morales ».

Il faut rappeler qu'à la même époque, en Espagne, où pourtant de nombreux progrès sont faits, Goya exécute plusieurs œuvres représentant des intérieurs d'hôpital avec des groupes d'aliénés, soulignant ainsi les courants de pensée qui parfois s'opposent à la fin du siècle. Quelques années plus tard, entre 1821 et 1824, Géricault donne une saisissante série de dix portraits de fous exécutés pour son ami le docteur Georget, médecin-chef de la Salpêtrière (Paris, Louvre ; Lyon, musée des Beaux-Arts ; Gand, musée des Beaux-Arts ; Winterthur, coll. Oscar Reinhardt ; Springfield, Springfield Museum of Art).   M.Pi.

1022
Mémoire sur les aiguilles chirurgicales

par Dominique LARREY

Manuscrit. 2 doubles feuilles, 6 p. ms. H. 0,327 ; L. 0,203.
Inscription : en haut à la plume et encre noire : « Mémoire sur les Aiguilles » ; signé : D. Larrey chirurgien aide major de l'armée du Rhin ».
Une aiguille en acier en demi-cercle ; Largeur : 0,075.
Historique : Académie royale de chirurgie.

Paris, Académie nationale de médecine (inv. ARC, Carton 24, dossier 63).

Ce manuscrit est envoyé à l'Académie royale de chirurgie le 31 décembre 1792 pour figurer au concours proposé par l'Académie sur les aiguilles. Le prix n'est pas décerné mais Larrey obtient cependant une médaille d'or d'une valeur de 100 livres comme accessit. Ce concours s'inscrit dans tout un ensemble de mesures prises en faveur de l'armée et destinées à « soulager les défenseurs qui versent leur sang pour le soutien de notre liberté ». Dans un sens les guerres révolutionnaires, tout comme la campagne d'Égypte vont faire progresser considérablement la médecine et la chirurgie. Larrey propose pour les sutures indispensables des blessures le plus souvent affreuses de la face et du ventre, d'abandonner les divers modèles d'aiguilles souvent triangulaires qui accentuent bien souvent les plaies, pour un modèle, présenté en 1790 à Antoine Louis (1723-1792), en acier bien trempé, de différentes grandeurs, en demi-cercle avec une petite cannelure aplatie propre à recevoir le fil, qu'il a expérimenté sur des animaux morts et des cadavres. Larrey soumet également un second modèle plus souple pour les artères. Ces deux modèles sont élaborés grâce aux progrès de fabrication effectués sur l'acier. Larrey, chirurgien major des hôpitaux de l'armée du Rhin à Strasbourg, depuis le 1er avril 1792, consacre tout son temps à de nombreuses recherches pour l'amélioration du service sanitaire des armées : il est à la base de l'organisation du service des ambulances volantes capables de secourir les blessés sur le champ de bataille même. Un concours est organisé en 1793 par l'Académie royale de chirurgie pour le modèle de voitures (ACR 61, dossier 51 ; dessin : Paris, C.N.A.M., M.N.T., portefeuille industriel n° 120). En Égypte, Larrey joue un rôle important autant par son action médicale que par sa personnalité marquée par un profond humanisme. Ce séjour égyptien lui permet également d'étudier diverses maladies, notamment le choléra, l'ophtalmie, le tétanos, la peste qui sévit dans les rangs français (voir les séances de l'Institut, Académie des sciences, archives). On doit plusieurs livres à Larrey dont la *Dissertation sur les amputations des membres, à la suite des coups de feu*, Paris, an XI, écrite après les observations faites dans l'ambulance volante de l'armée du Rhin en 1793.   M.Pi.

L'HISTOIRE NATURELLE ET LES VOYAGES

1023
Projet pour le jardin du Muséum d'histoire naturelle

par Gabriel THOUIN

Plume, encre noire, lavis de couleurs : H. 0,464 ; L. 0,653.
Inscription : en haut à droite, au crayon noir : « Projet pour la distribution générale du Muséum d'Histoire naturelle par Gabriel Thoüin an III de la République » ; en haut à gauche, à la plume et encre noire : « Plantes, Jardin des, an III, 1794 » ; en bas au milieu : échelle de « 50 toises », annotations manuscrites à la plume et encre noire.

Paris, musée Carnavalet (inv. D. 6416).

Gabriel Thoüin, « cultivateur et architecte de jardin », publie un recueil, dédié à son frère André Thoüin (1747-1824), directeur des cultures du jardin du Roi, puis professeur de culture au Muséum national d'histoire naturelle, concernant les *Plans raisonnés de toutes les espèces de jardins* (Paris, 1re éd., 1820, 56 pl.). Vingt-cinq sortes de jardins y sont rangés en quatre classes : économiques ou légumiers, fruitiers ou vergers, botanique ou de plaisance. La planche 37 est consacrée au jardin du Muséum et reprend des projets antérieurs ; le dessin exposé se situe dans la ligne des « jardins anglais », avec des petites rivières, des lacs et présente les transformations proposées par les frères Thoüin, mais qui ne semblent pas avoir été exécutées. On y voit aussi les pavillons construits par le chevalier Jacques Molinos (1743-1831). Gabriel Thoüin est également l'auteur d'un projet pour la reconstruction des serres du Muséum (1810, Paris, musée Carnavalet, D. 6415).   M.Pi.

1024 A et B
La pièce d'eau et l'amphithéâtre du jardin du Roi

par Jean-Baptiste HILAIRE

A. Plume, encre noire, gouache et aquarelle. H. 0,192 ; L. 0,265.
Inscription : signé en bas à gauche à la plume et encre noire : « B. Hilaire ».
B. Plume, encre noire, gouache et aquarelle. H. 0,265 ; L. 0,390.
Inscription : signé en bas à gauche à la plume et encre noire : « B. Hilaire, an IIIe de la République ».
Historique : collection Hippolyte Destailleur ; acquise en 1890.
Bibliographie : Courboin, 1891, p. 33, n°s 745-746 ; Hamy, 1895, n° 7, pp. 263-264 ; Hamy, Paris, s.d.,

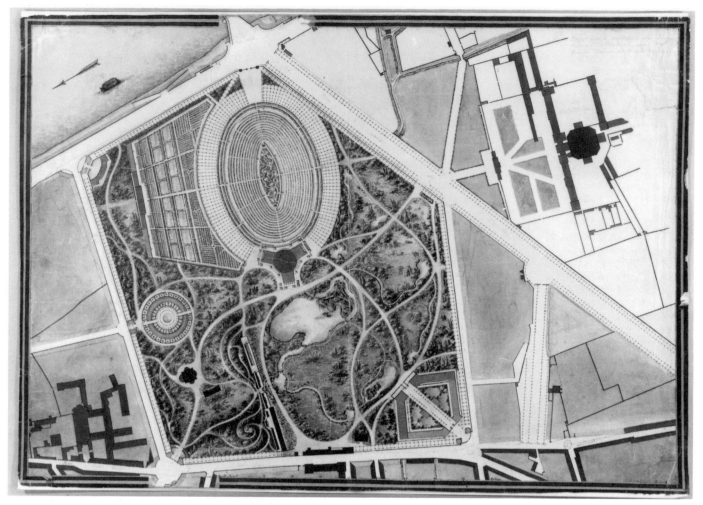

Projet pour le jardin du Muséum d'histoire naturelle (cat. 1023).

La pièce d'eau du jardin du Roi (cat. 1024).

pl. II et X ; Marcel, 1903, pp. 201-216 ; Denise, 1903, nº 382 ; cat. exp., Paris, Louvre, 1984, sous le nº 34.
Paris, Bibliothèque nationale, cabinet des Estampes, collection Destailleur (inv. Ve 53 f, fol. 107).

Le 1er juin 1791, Louis XVI nomme Jacques-Henri Bernardin de Saint-Pierre (1737-1814), l'auteur de *Paul et Virginie* (Paris, 1787), intendant du jardin du Roi. Successeur de Jussieu, Buffon, Bernardin de Saint-Pierre se montre durant la Révolution l'ardent défenseur du jardin, tente d'empêcher les dégradations et la disparition de la ménagerie. Il fait achever les nouvelles serres, visibles sur le plan de Verniquet. De cette époque troublée, 1794, date la série des gouaches poétiques et sereines de Hilaire qui dessine des vues des bâtiments, de l'Orangerie, du cèdre, des nouvelles serres et du labyrinthe (Paris, B.N. Est., Destailleur, nos 735 à 738 - 740 à 745). Le jardin reste toujours un îlot de calme propice à la promenade, à la lecture, au dessin et aux rencontres. Le carré creux destiné aux plantes aquatiques, disparu, se situe aujourd'hui près de l'actuel pont d'Austerlitz. Il est aménagé par André Thouin avec les remblais de la ville, mais il se dégrade assez rapidement. L'amphithéâtre, où se déroulent de nombreuses réunions politiques et les cours sur le salpêtre et les premiers de l'École normale, joue un rôle de premier plan à l'époque révolutionnaire. Il est construit par Verniquet et remanié par le chevalier Molinos et Jacques-Guillaume Legrand (1743-1807/1808) (Jean-Charles Krafft, *Plans, coupes et élévations des plus belles maisons et des hôtels construits à Paris dans les environs*, Paris 1801). De chaque côté, on voit les marronniers plantés par Thouin. Les carrés du jardin, au premier plan, sont plantés en l'an II, sur la proposition de Thouin, de pommes de terre. Les gouaches d'Hilaire donnent aussi de nombreuses indications sur le costume : l'homme à droite porte une redingote « Louis XVI » de couleur indigo et un chapeau, avec cocarde tricolore, sous le bras. La dame fait la charité.　　　M.Pi.

1025
Chariot pour transporter les éléphants de Hollande à Paris

par un auteur anonyme

Plume, encre noire, lavis de couleurs, sur traits de pierre noire. H. 0,411 ; L. 0,591.
Inscription : en bas au milieu, « échelle de 3 mètres. »
Historique : ancien fonds.

Paris, Conservatoire national des arts et métiers, musée national des Techniques (inv. portefeuille industriel, nº 117).

1026
Premières Caresses des éléphants

par Jean-Pierre-Laurent HOUEL

Chariot pour transporter les éléphants de Hollande à Paris (cat. 1025).

Les Éléphants représentés
dans l'instant de premières caresses qu'ils se sont faites
après qu'on leur a fait entendre de la musique.

Premières caresses des éléphants appartenant au stathouder et saisis en Hollande par les Français (cat. 1026).

Imprimé. Burin. H. 0,150 ; L. 0,223 au trait carré. En haut à droite : « Pl. XV » ; en bas à gauche : « Dessiné et Gravé par J.P. Houel » ; au milieu : « Les Eléphants représentés dans l'instant de premières caresses qu'ils se sont faites après qu'on leur a fait entendre de la musique. » Pl. XV de l'*Histoire naturelle des deux éléphants, mâle et femelle, du Muséum de Paris, venus de Hollande en France en l'an VI* par Houel, Paris, chez l'Auteur, Pougens, Treuttel et Wurtz, Mme Huzard, Lamy, les marchands de nouveautés, an XII - 1803, 122 p., 20 pl. reliure demi-cartonnée.
Historique : baron Georges Cuvier.
Bibliographie : Vloberg, 1930, pp. 115-118.

Paris, Muséum national d'histoire naturelle, bibliothèque centrale (inv. 1094).

Houel, qui se dit ici « Naturaliste », dédie à Fourcroy ce volume spirituel et profond sur l'histoire de *Hams* et *Marguerite*, les deux éléphants appartenant au stathouder de Hollande et vivant au parc du Grand Loo en Hollande. Enlevés à l'âge de un an dans les forêts de Ceylan, ils sont offerts par la Compagnie hollandaise des Indes au stathouder lors de la campagne de Hollande. Les deux pachydermes sont saisis par les Français ainsi que d'autres animaux (canard de Chine, faisan doré, pintade tigrée et biche d'Amérique). Amenés triomphalement à Paris en l'an VI, ils sont présentés à la ménagerie du Muséum national. Houel dresse tout d'abord l'historique des divers éléphants connus en Europe depuis le

Sophora (cat. 1027).   *Rose* (cat. 1028).   *Mérendère* (cat. 1029).

XVIIᵉ siècle et notamment celui de la ménagerie de Louis XIV à Versailles, connu par les dessins de Le Brun et de Boel (au Louvre, exp. : Paris, Louvre, 1984, nᵒ 45) et la description qu'en donne Perrault ; puis il relate les différents événements qui marquent le départ de *Hams* qui devient *Hans,* et de *Marguerite* désormais *Parkie :* leur mise en cage, leur départ dans une voiture, tirée par seize chevaux, qui se casse et qui oblige le cortège à revenir au Grand Loo ; on reconstruit alors des voitures plus solides qui tirées par cent chevaux rejoignent Deventer où l'on embarque les deux animaux qui descendent ainsi les canaux hollandais et flamands, puis la mer jusqu'à Gand (où Parkie perd une défense). De Gand à Oudenaarde on les transporte par terre, puis de Oudenaarde jusqu'à Cambrai, par eau ; le trajet Cambrai-Noyon s'effectue par terre ; ils remontent à Noyon, l'Oise, puis la Seine jusqu'à Paris : ils débarquent aux Invalides et sont « voiturés » jusqu'au Muséum. Houel s'émeut des retrouvailles des deux animaux séparés par le voyage et écrit : « Ainsi, après bien des tourments, bien des fatigues et la plus dure privation de l'un de l'autre, se trouvèrent enfin réunis, près de nous, ces deux colosses que l'Inde avait vu naître ». Puis il raconte les « premiers temps de leur vie à la ménagerie du Muséum ; l'influence de la musique sur eux (on leur donne des concerts), sur leurs passions, l'amour, la haine et la vengeance ». Il passe huit semaines « toujours armé du crayon », jour et nuit « secondé par la lune qui daigne [lui] prêter son flambeau » auprès des éléphants qu'il apprend à connaître et à respecter dans leur « ignoble prison ». Il exécute un grand nombre de dessins (collection particulière, Vloberg, 1930, pl. XXVII) dont il se sert pour les vingt planches qui illustrent son volume. Un frontispice allégorique au sépia représente le Temps montrant du doigt une inscription très significative des intentions de l'auteur : « Longtemps on nous parla de l'énorme Éléphant en France, on en eut un qu'on a vu disparaître. Le voici

de retour, saisissons le moment pour le bien observer afin de le connaître. » (collection particulière, Vloberg, 1930, pl. XXVI). Cette inscription est différente dans la gravure publiée. Dans les autres planches, on voit les « Éléphants boire, prendre leur nourriture, jouir du bain, se donner les premières caresses de l'amour, tenter l'acte de la reproduction, on y peut observer la naissance d'un jeune éléphant ; la manière dont il tète. Les animaux y sont aussi représentés dans l'instant du sommeil. Il y a quelques planches de principes pour dessiner facilement et correctement, différentes parties du corps de ce colosse », qui sont très proches des dessins de Le Brun sur la *Physiognomonie* gravés à la même époque par Morel d'Arleux (exp. : Paris, Louvre, 1984, nᵒˢ 71-74). Hans meurt le 16 nivôse an X (6 janvier 1801) et Cuvier en fait la dissection. Sa mort est annoncée à la presse. Parkie lui survit plusieurs années, mais bien tristement. Le séjour des deux éléphants à Paris fait naître plusieurs grands projets architecturaux où cet animal prend une place importante telle la *Fontaine à l'Éléphant* de Jean-Antoine Alavoine (1776-1834) placée au centre de la place de la Bastille (Paris, Louvre, inv. 23 521 à 23 530 et musée Carnavalet et Szambien, 1986). Dans le dossier du portefeuille industriel, deux autres dessins représentent les chariots construits pour le transport des éléphants. Une décision du 19 prairial an VIII prévoit que l'une des deux voitures conservées au Muséum devra être placée au Conservatoire national des arts et métiers en pendant du fardier qui a servi pour le transport des *Chevaux de Marly,* à l'entrée des Champs-Élysées décidé le 29 nivôse an II (18 janvier 1794. Exp. : Carnavalet, 1983, nᵒˢ 27-28 ; Paris, C.N.A.M. / M.N.T., arch., S.40) pour lequel on connaît des dessins (Paris, C.N.A.M. / M.N.T., portefeuille industriel, nᵒ 111). M.Pi.

1027
Sophora

par Pierre-Joseph REDOUTÉ

Plume, encre noire, lavis gris, aquarelle. H. 0,425 ; L. 0,272.

Inscription : signé et daté à l'encre brune, en bas à gauche : « P.J. Redouté pinx. 1790 » ; annoté au crayon noir, en bas à droite : « Sophora ».

Paris, Muséum national d'histoire naturelle, bibliothèque centrale (inv. ms. 5041).

Une autre représentation de *Sophora,* datée 1789, est conservée dans le même manuscrit qui comprend des œuvres exécutées sur vélin ou sur papier, à Londres ou à Paris, de 1787 à 1798 par Pierre-Joseph Redouté, par son frère Henri-Joseph (1766-1852), Pancrace Bessa (1772-vers 1835), Poiteau et Turpin. Redouté fait le lien entre l'Ancien Régime et l'Empire : nommé dessinateur de l'Académie royale des sciences, il est confirmé dans ses fonctions lors de la séance de l'Institut le 6 brumaire an VI. Il collabore à de nombreux ouvrages d'histoire naturelle (*Histoire des plantes grasses* d'Augustin Pyrame de Candolle (1778-1841), (Paris, 1799-1803), reprend des textes antérieurs (*Traité des arbres et des arbustes* de Duhamel du Monceau, Paris, 1800-1819) et illustre des œuvres littéraires (*Botanique* de Jean-Jacques Rousseau, Paris, 1825). Son œuvre dessiné est important et dispersé dans diverses institutions (musées de Luxembourg, Malmaison, Louvre), mais la majeure partie de ses dessins outre les vélins est conservée à la bibliothèque centrale du Muséum national d'histoire naturelle (Boinet, 1914). Peintre du jardin du Roi, puis professeur d'iconographie végétale, il est l'auteur d'un grand nombre de vélins pour la collection royale et continue son œuvre durant l'Empire (Jouin-Stein 1889, pp. 244-264 ; Laissus, 1980). En 1805, Redouté devient le peintre de Joséphine pour lequel il exécute la série des *Liliacées* (468 dessins) dispersée à New York en 1985. Les *Liliacées* sont publiés à Paris, de 1802 à 1816 en huit volumes et les *Roses* de 1817 à 1824, en trois volumes (Jouanin, 1977, pp. 50-59). Dans cette branche de *Sophora*, les cinq pétales de la fleur sont au lavis gris, le bouton de fleur à l'aquarelle. Cette feuille est peut-être préparatoire à un vélin ou une gravure. Redouté exécute un *Sophora Capensis* pour la collection de vélins (vol. LIV, n° 90). Le *Sophora* est connu en France : le premier pied, encore existant, de *Sophora Japonica* est planté en 1747 au jardin du Roi par Bernard de Jussieu (1699-1777) à partir de graines envoyées de Chine par le R.P. d'Incarville. Le *Sophora* nord américain est également connu. François-André Michaux (1746-1802), le fils du naturaliste André Michaux (1770-1855), étudie, à cette époque, sur place les espèces américaines et publie les *Arbres forestiers de l'Amérique septentrionale* (Paris, 1810-1813) pour lesquels Redouté et Bessa donnent 147 vélins (Paris, bibl. du Muséum, ms. 328, C.N.R.S., LXIII, 1956). Les voyages des botanistes autour du monde entraînent l'introduction de divers arbres qui transforment les jardins français : *le cèdre du Liban* en 1734, *le Ginkgo biloba* en 1788, planté à Utrecht dès 1750 (exp. : Paris, hôtel de Sully, 1977). **M.Pi.**

1028
Rose

---

par Pierre-Joseph REDOUTÉ

Aquarelle sur papier. H. 0,41 ; L. 0,29.

Lubembourg, musée d'Histoire et d'Art (inv. 1942-101/2).

À la fois artiste et scientifique, Pierre-Joseph Redouté a défini ainsi son œuvre : «Je crois être parvenu à réussir sous le triple rapport de l'exactitude, de la composition et du coloris, dont la réunion peut seule porter à la perfection l'iconographie végétale.» **G.Th.**

1029
Mérendère

---

par Louis RAMOND de CARBONNIÈRES

Manuscrit et dessin. Double feuille. 3 pages manuscrites. H. 0,317 ; L. 0,204. Signé et daté : «Paris, 11 frimaire an IX. Ramond membre associé de l'Institut». Au-dessous, dessin collé en plein. Plume, encre noire et lavis gris : H. 0,150 ; L. 0,188. Annotations à la plume et encre noire.

Historique : séance de l'Institut national des sciences et des arts, du 11 frimaire an IX.

Paris, archives de l'Académie des sciences, séance du 2 décembre 1800.

Ramond de Carbonnières présente dans ce court texte intitulé *Exposition d'un nouveau genre de plantes découvert en France*, les caractéristiques d'une plante qui croit dans les «pelouses et prairies des Pyrénées», et qui est une variété qu'il situe entre la colchique, le bulbocode et le safran qui fleurit juste après. Le naturaliste René Desfontaines (1750-1833) rapporte cette plante de Barbane où elle est connue sous le nom de *Bulbocodium Vernum* et Ramond de Carbonnières la compare au *Colchicum montanum* de Clusius. Il rapporte ses observations dans plusieurs textes destinés à l'Institut, au Muséum national d'histoire naturelle et à la Société philomatique. Il y fait allusion dans ses *Voyages au mont Perdu...* (Paris, 1801) et remarque : «C'est une singulière bonne fortune, que de trouver en France un nouveau genre de plantes phanérogames, qui ne soit pas le dédoublement d'une autre» (p. 46). Ramond de Carbonnières est le premier auteur à parler des Pyrénées d'une manière lyrique, ce qui le rapproche de Sénancour, mais aussi scientifique. Ses *Observations faites dans les Pyrénées pour servir de suite à des observations sur les Alpes* (Paris, 1789) sont à la fois un récit de promeneur et de naturaliste. Le baron de Dietrich, dont le collaborateur et ami de Ramond, Matthieu de Favières, étudie les mines des Pyrénées, écrit alors : «M. Ramond fixe l'état des glaces des Pyrénées ; il était inconnu avant lui ; à peine croyait-on qu'il existât de véritables glaciers dans ces montagnes» (extrait des *Registres de l'Académie royale des sciences*, publié pp. 443-452). En 1793, Ramond fait l'ascension du pic du Midi. A ses notes, il ajoute des dessins exécutés sur place, d'autres mis au net à son retour dans la vallée ; certains sont gravés par lui-même ou par Baltard (Paris, B.N., Est. ; Toulouse, musée Paul-Dupuy ; Lourdes, Musée pyrénéen ; coll. part.). D'autres artistes suivront ce précurseur bohème et romantique, tel Pierre-Henri de Valenciennes (Mesuret, 1958 et 1959). Comme ses contemporains, Ramond possède divers instruments scientifiques, forme un herbier et une collection de pierres (exp. : Lourdes, 1953). Cuvier prononce son *Éloge* en 1829. **M.Pi.**

1030
Vouacécé, habitant de l'île Fidji

---

par PIROU

Plume noire et sanguine, H. 0,495 ; L. 0,376.
Inscription : annoté à la plume et encre brune, en bas à droite : «Vouacécé habitant de Fidji Atlas du Voyage à la recherche de la Pérouse n° 29 fig. 2.»
Bibliographie : Hamy, 1895, pp. 1-18 et 1895, p. 195 ; Dunmore, 1978, repr. p. 53 ; Richard, 1986, repr. p. 147 ; Pinault, 1987 (à paraître).

Paris, musée de l'Homme, laboratoire d'ethnologie (inv. 54 3339).

Le dessinateur Piron est, avec trois autres dessinateurs, embarqué à bord de la *Recherche*, parti avec l'*Espérance* à la recherche de La Pérouse dont Paris est sans nouvelles depuis 1787. L'expédition commandée par Bruny d'Entrecasteaux, faite sur l'ordre de l'Assem-

Vouacécé, habitant de l'île Fidji (cat. 1030).

blée constituante, est aussi malheureuse que la précédente et ne permet pas de trouver des indices confirmant le sort tragique de La Pérouse et de ses compagnons (Richard, 1986). Piron, protégé par Redouté, dessine au cours du voyage de nombreuses feuilles en partie conservées, des représentations d'histoire naturelle, des paysages à la pierre noire, sombres parfois (Paris, A.N., Marine 6 JJ2 fol. 63 à 122 et musée de l'Homme, 27 dessins, dont la *Danse à l'île d'Amboisie* à la gouache, véritable fresque pompéienne).

On connaît de lui plusieurs portraits de «naturels», proches de celui exposé ; l'artiste, continuant une tradition qui durera jusqu'à Gauguin, ne peut se détacher de l'enseignement académique, accentué encore à l'époque révolutionnaire par l'enseignement de David, selon lequel l'Antiquité reste avant tout le seul modèle possible. Piron donne par exemple à un habitant de la terre de Diemen les proportions du célèbre *Doryphore*. Vouacécé «d'une très belle taille» et «d'un caractère de physionomie très prononcé» (La Billardière, *Voyage à la recherche de La Pérouse*, Paris, an VIII, pp. 164-166) est proche des bustes romains. Ses cheveux sont poudrés de rouge sur le devant. Plusieurs dessins de Piron sont reproduits dans l'atlas de La Billardière : Vouacécé et Touban, fils du roi des îles des Amis sont gravés par Jacques-Louis Copia (1764-1799) à la planche 29. Par la suite Nicolas Petit, dessinateur embarqué avec Le Sueur, dans l'expédition du capitaine Baudin, conserve toujours un côté académique dans ses représentations humaines mais donne à ses portraits plus de vérité et de chaleur (Le Havre, Muséum d'histoire naturelle. Voir les travaux de Jacqueline Bonnemains et pour le côté scientifique des expéditions de Baudin ceux du docteur Thierry Guicheteau). **M.Pi.**

XXVII
LA RÉFORME
DE LA MÉTROLOGIE

L'usage du système métrique est un des héritages les mieux acceptés de la Révolution. Même s'il fut très lent à s'imposer et s'il est encore refusé par un certain nombre de pays, il marque la vie quotidienne de plusieurs centaines de millions d'hommes et de femmes.

Mais cette réforme des unités de mesure qui prend essentiellement en considération l'espace et certaines forces physiques était à l'origine un élément d'un plan infiniment plus vaste qui aurait englobé la totalité des objets que le raisonnement puisse appréhender. De la réforme raisonnable (mettre fin à l'incohérence des systèmes de mesures et à toutes ses conséquences néfastes pour les échanges et la propriété), on était passé à la rationalisation puis à l'intégrisme rationnel.

Car le but recherché par cette réforme allait bien au-delà d'une amélioration technique : en fondant sur une base universelle les unités de longueur, de capacité et de poids, on sapait l'un des fondements du système féodal dans *lequel c'était une des prérogatives du suzerain (entravée il est vrai par l'enchevêtrement des coutumes) de fixer et de vérifier les étalons en usage dans son domaine. En modifiant le calendrier on faisait disparaître toute trace des fêtes religieuses et des fêtes votives. En adoptant l'heure décimale on confirmait la suppression de toute référence aux usages liturgiques : le son de l'angélus cesserait de rythmer la journée des paysans. La réforme totale de la métrologie ne peut donc se séparer de la campagne de déchristianisation, non pas dans ses manifestations violentes et populaires qui ont caractérisé l'an II, mais sous la forme savante et intellectuelle qui persista après Thermidor et qui atteignit son point culminant après le coup d'État du 18 fructidor an V (4 septembre 1797). Mais alors que la création du mètre était une contribution à une plus grande unité, le rejet du calendrier grégorien et du système des vingt-quatre heures du jour, pratiquement en usage dans toute l'Europe occidentale, contribuait à isoler la France. L'abandon sous l'Empire du calendrier révolutionnaire ne semble guère avoir suscité de regrets.*

Cadran solaire (cat. 1037).

LE SYSTÈME MÉTRIQUE

LA DIVERSITÉ des mesures en usage dans le royaume était très grande. Perpétuant les traditions féodales et renforçant les provincialismes, cet état de choses s'était maintenu malgré de nombreuses tentatives d'uniformisation du système. Les avantages techniques d'une réforme devaient d'abord vaincre les obstacles culturels et politiques.

Tant que les principaux circuits économiques demeurèrent locaux, tant que la science ne put fournir une solution objective, tant que la nécessité ne fut pas ressentie par les petites communautés et même par les individus, tant que l'État ne fut pas assez fort et organisé, les conditions indispensables d'une telle rupture ne furent pas réunies. Ceci explique les échecs antérieurs, comme le succès du lancement de l'opération sous la Révolution, et aussi les difficultés ultérieures que rencontra l'application du nouveau système.

Lorsqu'il propose à l'Assemblée nationale (mars 1790), une réforme du système des poids et mesures, le jeune Talleyrand saisit une occasion politique de faire progresser une idée ancienne et forte, porteuse de progrès, en bonne concordance avec l'idéologie du moment.

La question d'une réforme des unités de mesure se posait à l'Académie des sciences depuis sa fondation et, de façon plus insistante, depuis les expéditions astronomiques et géodésiques conduites tant en France qu'en Laponie, au Pérou et aussi au sud de l'Afrique.

L'incertitude sur la longueur exacte des étalons utilisés lors de la première mesure rejaillissait sur les théories issues des comparaisons avec les mesures ultérieures. La notion mathématique d'erreur expérimentale n'étant pas encore définie, l'apparente contradiction entre les mesures et les théories avait conduit à de nouvelles campagnes de mesures mais avait alimenté aussi des polémiques avec les savants étrangers, plus particulièrement anglais. Ces polémiques toutes scientifiques qu'elles aient été, n'en avaient pas moins un caractère politique.

L'Académie des sciences se trouvait ainsi naturellement prête à accepter non seulement une réforme des unités, mais aussi à s'engager activement dans un processus devant y conduire. Elle avait d'ailleurs abordé le sujet antérieurement et il était connu que son choix se porterait sur des unités issues de la nature.

Les « cahiers de doléances » contiennent de nombreuses références à la nécessité de réformer les systèmes de mesures, moyen indispensable à l'application des principes d'égalité et de justice. La diversité régionale des mesures, augmentée de variantes selon qu'il s'agissait de commerce de gros ou de détail, encourageait en effet les abus et les fraudes.

Si les difficultés traditionnelles d'approvisionnement en grains expliquent que ce cas est le plus souvent présent dans les « cahiers », la crise économique générale a sensibilisé toute la population. Aune à drap, aune à soie, aune de Lille, aune de Provins... ne sont pas, elles non plus, adaptées à une situation de crise du textile. L'exécution des traités de commerce avec les pays étrangers a sans doute également fait apparaître la nécessité d'une simplification généralisée.

Confiante dans un dispositif qui, s'appuyant à la fois sur la science et la nature, ne pouvait être alors qu'objectif, égalitaire et universel, l'Assemblée nationale adopte immédiatement le projet présenté par Talleyrand, d'un « système unifié de poids et mesures ». L'étude en est confiée à l'Académie des sciences qui sept mois plus tard présentera son rapport.

Pour l'unité de longueur, l'idée première avait été de choisir la longueur d'un pendule battant la seconde. La Terre n'étant pas sphérique, il était alors nécessaire de préciser la latitude à laquelle cette longueur serait mesurée et le caractère universel recherché en était ainsi amoindri. Pour la même raison, tous les pays n'étant pas traversés par l'équateur, une définition sur la base de la longueur de l'équateur terrestre fut également écartée. Les difficultés d'une campagne de mesures dans ces régions auraient d'ailleurs été considérables.

La proposition de l'Académie des sciences fut donc que l'unité de longueur soit définie comme étant le millionième du quart du méridien terrestre et que l'unité de poids[1] soit le poids d'un volume connu d'eau distillée à 0°.

Dans ce premier rapport, figure déjà le principe de la subdivision décimale des unités. Il s'agit là d'une rupture d'importance avec une pratique remontant à l'Antiquité. Les usages traditionnels avaient en effet conduit à des subdivisions par 2, 3, 4, 6 ou 12 selon les commodités : 12 lignes valaient 1 pouce, 12 pouces faisaient 1 pied, 6 pieds valant 1 toise, tandis que pour l'aune, la demie et le quart étaient des subdivisions courantes.

Antérieurement à ces propositions, dans les textes scientifiques, était déjà apparue la subdivision décimale, pour la « ligne » notamment. On touche ici la frontière entre les nécessités de nature scientifique et l'usage courant, la décimale étant obtenue par calcul tandis que le point (1/12 de ligne) représente

---

1. On ne rencontre pas le terme « masse » dans les textes de l'époque.

LA RÉFORME DE LA MÉTROLOGIE

par lui-même une grandeur adaptée à des domaines concrets, la typographie par exemple.

Les recommandations de l'Académie portaient aussi sur la nécessité, pour la détermination de l'unité de longueur, de faire de nouvelles mesures géodésiques, avec des instruments nouveaux, spécialement construits de façon que la précision atteinte soit à la hauteur des besoins scientifiques. Cette recherche de perfection, autre point de concordance avec l'idéal politique, fut acceptée par l'Assemblée nationale comme toutes les autres conclusions de l'Académie des sciences, et le décret du 26 mars 1791 ordonne les opérations.

Comme celles qui les ont précédées, celles-ci sont confiées à l'Académie des sciences qui a la charge de l'organisation, mais aussi de la réalisation pratique du programme. En effet, depuis l'origine de l'Académie, ses membres sont appointés par l'État comme le seraient des fonctionnaires travaillant à temps complet et, lorsqu'il s'agit de géodésie, c'est à eux d'exécuter le travail sur le terrain. Leur rôle ne sera essentiellement honorifique que plus tard, lorsque l'âge de nomination augmentera et lorsque le traitement n'aura que la valeur d'une indemnité. Le programme comprend : définition et réalisation des unités, définition des unités dérivées, nomenclature, mesures, comparaisons avec les unités anciennes, etc. Chaque question est en soi un vaste sujet. Après la suppression de la ci-devant Académie, et pour assurer la poursuite des travaux, les mêmes savants seront nommés par des comités ou des commissions diverses, placés eux-mêmes sous l'autorité d'autres comités ou commissions qui rendront compte à la succession de gouvernements que l'on sait. Le travail continuera.

Certes, la Terreur et la guerre interrompront les mesures entre la fin de 1793 et le printemps 1795, mais en août 1793, une loi avait défini une unité provisoire de longueur (sur la base d'une mesure d'arc de méridien faite en 1740) et le travail théorique n'avait pas été totalement interrompu puisque, dès avril 1795, la loi du 18 germinal an III tranche la question de la nomenclature et légalise les noms de mètre, kilogramme, are, stère, litre et franc.

L'intérêt politique du nouveau système, symbole et instrument d'un idéal unificateur et égalitaire, n'a fait que croître au cours des événements. Il y a nécessité de mettre rapidement en pratique les nouvelles unités de longueur et de capacité pour définir les limites des départements nouvellement créés et pour tenter de lever les difficultés d'approvisionnement en grains. Les résultats, témoignant d'une persévérance étonnante au cours d'une période si troublée, n'auraient pas été possibles sans la ténacité, le courage et l'abnégation des savants qui ont participé à la construction de l'édifice.

Borda, Condorcet, Lalande, Lavoisier, Haüy, Tillet... ils sont très nombreux et leur « sensibilité politique » est bien loin d'être le facteur déterminant de leur motivation. La recherche de la vérité scientifique est pour eux d'un autre poids.

Est exemplaire le cas des astronomes Delambre et Méchain qui, pour la mesure de l'arc de méridien nécessaire à la définition du mètre, ont parcouru toute la France entre Dunkerque et Barcelone cependant que la Révolution se développait et atteignait son paroxysme. Partis de Paris la veille de la chute de la royauté, ils eurent à résoudre de multiples problèmes scientifiques et techniques, mais aussi à affronter des périls réels : escalades en montagne hors de tout sentier frayé, établissement de signaux-repères sur des échafaudages de fortune implantés sur des lieux accidentés ou peu accessibles, mauvaises rencontres en des régions où régnait l'insécurité. Ils se heurtèrent souvent à l'incompréhension et aux soupçons des populations locales auxquels s'ajoutèrent les tracasseries administratives et la stimulation maladroite de leur zèle par des gouvernements pressés de mettre en place le nouveau système, mais parfois peu conscients des difficultés rencontrées.

Sur les pas de leurs prédécesseurs, Picard, La Hire, les Cassini, La Caille, ils prirent donc les mesures sur le terrain. Après leur jonction à Rodez, à l'automne 1798, ils soumirent les résultats de leurs calculs à un aréopage de savants étrangers convoqués à Paris, par le Directoire. Cette caution internationale s'inscrivait comme suite logique des attendus politiques initiaux que résumera la devise du système métrique « à tous les temps, à tous les peuples ». Delambre et Méchain ne se contenteront pas d'un aval de nature politique mais demanderont expressément à leurs collègues que toutes leurs mesures et tous leurs calculs soient vérifiés avant acceptation. Des vérifications semblables seront faites également sur les mesures relatives à la définition du kilogramme qui avaient été réalisées par Lavoisier et Haüy, perdues après l'exécution de Lavoisier, puis refaites enfin par Lefèvre-Gineau aidé de Fabbroni.

Le 4 messidor an VII (22 juin 1799) les étalons prototypes construits par Lenoir (mètre) et par Fortin (kilogramme) sont présentés par le Corps législatif (conseil des Cinq-Cents et conseil des Anciens), et la loi du 19 frimaire an VIII (10 décembre 1799) annule les dispositions antérieures et légalise les conclusions des savants : « (le mètre) formant la dix-millionième partie de l'arc méridien terrestre compris entre le pôle nord et l'équateur, est définitivement fixé, dans son rapport avec les anciennes mesures, à 3 pieds, 11 lignes, 296 millièmes ». Le kilogramme, lui, n'est défini que par l'étalon matériel qui en a été réalisé ; par construction, il a le poids du décimètre cube d'eau distillée prise au maximum de densité et pesé dans le vide.

L'application du système métrique allait connaître encore bien des vicissitudes et il faudra attendre 1837 pour qu'une nouvelle loi, accompagnée de mesures aussi radicales que la destruction systématique des anciens étalons, l'impose finalement en France comme unique système légal.

Dès lors, les étalons prototypes en platine dont les Archives nationales et l'Observatoire de Paris assuraient la conservation seront dupliqués en de nombreux exemplaires à la demande de gouvernements étrangers. Cette généralisation d'usage conduira en 1875 à la signature de la « Convention du mètre », acte de naissance de la vie internationale du système métrique décimal.

Deux réformes annexes étudiées par les promoteurs du système n'ont pas abouti. Le calendrier républicain, poétique mais irréaliste, n'a eu qu'une brève existence. La décimalisation des mesures d'angle et de temps s'est heurtée aux usages mais aussi aux facilités de la division dodécagonale du cercle ; cependant, elle s'est introduite depuis, dans les travaux scientifiques, avec l'emploi des ordinateurs, les calculs s'effectuant dans le système décimal à partir d'une unité convenable (degré ou radian ; heure, jour ou année).

Aujourd'hui, sous l'autorité de la « Conférence générale des poids et mesures », près de quarante grandeurs ont leur unité fixée et imposée pour l'usage international et les unités fondamentales sont redéfinies à mesure que le progrès de la précision l'exige. C'est là le fruit d'une noble ambition des hommes de la Constituante.

Anne-Marie Motais de Narbonne

1032
Mesure commune pour un même peuple

par Marie-Jean-Antoine-Nicolas CARITAT, marquis de CONDORCET

Manuscrit relié, factice, comprenant trois parties : H. 0,369 ; L. 0,268 - Feuillets simples ou doubles, montés sur onglets de formats divers. Ouvert page 34 recto, puis verso et 35 recto.
Historique : papiers Condorcet ; sa fille, la comtesse O'Connor ; don à l'Institut de France.
Bibliographie : Bouteron et Tremblot, 1928, nᵒˢ 883-884.

Paris, bibliothèque de l'Institut de France (inv. mss 883-884).

La notion d'une mesure commune pour tout le royaume apparaît au cours du règne de Louis XVI, principalement lorsque Turgot est contrôleur des Finances (1775-1776). Condorcet est alors nommé inspecteur des monnaies et, à ce titre, il tente d'élaborer un système unique pour les poids et mesures en France, alors que plusieurs systèmes complexes varient parfois d'une région à une autre. Ses propositions ne peuvent aboutir mais restent cependant constantes dans l'esprit des académiciens. A la Révolution, Condorcet, secrétaire perpétuel de l'Académie royale des sciences depuis la réorganisation de 1785, fait appuyer ses travaux de l'Académie des sciences par Talleyrand et les Assemblées. Condorcet et ses collègues Borda, Laplace, Monge et Lagrange présentent à l'Académie le 23 mars 1791, un rapport sur le choix d'une unité de mesure « où tout arbitraire, tout intérêt particulier est banni de telle manière qu'il soit impossible de deviner par quelle nation, elle a été ordonnée ou exécutée ». Il remarque aussi « combien ce serait utile que tous les sujets d'un même prince, tous les hommes qui vivent sous les mêmes lois, qui parlent la même langue n'employassent dans le commerce qu'une même mesure et un même poids. Si l'exécution de cette idée, si simple, délivrée par tous les hommes éclairés qui se sont occupés de ces matières n'a pas pu jusqu'ici avoir aucune exécution ce ne sont ni les inconvénients qu'on a pu craindre, ni les difficultés de l'entreprise en elle-même qui en ont été cause. Si le projet déjà formé plusieurs fois

a toujours été abandonné, c'est que comme beaucoup d'autres projets utiles, il n'avait besoin pour être exécuté que d'une volonté durable et suivie, volonté qui se devine fortement dans les années révolutionnaires.
Le rôle des savants, en particulier de Condorcet, est décisif, principalement dans la décimalisation et dans la diffusion du système métrique décidé en 1793 dans les départements (Marquet, 1988). La comtesse O'Connor remet à l'Institut de France, trente-trois liasses et cinq manuscrits de son père (mss 848-885) et publie avec François Arago (1786-1853) ses *Œuvres* (douze volumes, Paris, 1847-1849). Le volume présenté contient des textes autographes, des copies signées ou non par Condorcet sur les poids et mesures, les monnaies (ms. 883 A), des textes sur divers sujets scientifiques (mécanique, analyse, calculs, probabilités, ms. 883 B), sur l'éducation et l'instruction publique (ms. 884, sur Condorcet savant voir Brian, 1988). Légataire universel de d'Alembert (1717-1783) dont il prononce l'*Éloge* le 21 avril 1784, Condorcet reçoit le portrait de l'académicien par Maurice Quentin de La Tour (1704-1788) (Paris, Louvre, cabinet des Dessins, inv. RF 3893).   M.Pi.

1033
Étalon du mètre provisoire

par Étienne LENOIR

Laiton. L. 1,00 ; l. 0,027 ; ép. 0,040.
Inscription : signé en bas à droite : « Lenoir ».
Historique : ancienne collection.

Paris, Observatoire (inv. IA. 18.56).

Réalisé par Lenoir, en application du décret du 1ᵉʳ août 1793 qui définit une unité provisoire de longueur. Lenoir exécute le mètre étalon en platine déposé aux Archives nationales ainsi que de très nombreux mètres semblables à celui présenté. L'un d'entre eux, daté 1795, établi par Lenoir, d'après les calculs de Borda et de Brisson est conservé au musée national des Techniques (nᵒ 3313. Exp. : Paris, Observatoire, 1984, nᵒ A 68).   A-M.M. de N.

1034
Système général des mesures républicaines

par un auteur anonyme

Pierre noire, plume et encre noire, lavis gris. H. 0,580 ; L. 0,134.
Inscription : en haut à la plume et encre noire : « SISTEME GENERAL DES MESURES REPUBLICAINES DEDUITES DE LA GRANDEUR DU MERIDIEN TERRESTRE D'APRES LES RAPPORTS ET DECRETS DES ASSEMBLEES CONSTITUANTE, LEGISLATIVE ET CONVENTIONNELLE. De gauche à droite : IER TABLEAU MERIDIEN TERRESTRE SA GRANDEUR ET SA MESURE... ; IIE TABLEAU GENERATION DES MESURES LINEAIRES (METRE, AUNE, MESURES AGRAIRES)... ; IIIE TABLEAU GENERATION DES MESURES DE CAPACITE (MESURES DES GRAINS, MESURES DES LIQUIDES)... ; IVE TABLEAU GENERATION DES POIDS ; VE TABLEAU ANALISE SOMMAIRE DE LA GENERATION DES MESURES PAR LES UNITES ». Daté en bas : « Le 4 Brumaire l'an III de la République. »
Expositions : 1980, Paris, centre Georges-Pompidou, pp. 256-257 ; 1987-1988, Paris, Archives nationales, nᵒ 58.

Paris, Archives nationales (inv. MN 12/17 - nᵒ 3211).

Ce dessin assez rudimentaire d'exécution montre sur une même feuille tout le système décimal, les mesures linéaires, de capacité, de poids et une analyse de ces mesures. Un autre dessin, de conception identique, mais en hauteur est conservé dans le même dossier. Tous deux utilisent le dessin pour faire comprendre un système sans doute difficile à assimiler, plus qu'à accepter, de la part de la population habituée à d'autres systèmes de mesure. Il fait partie de tableaux que le Comité de Salut public subventionne et diffuse. De nombreuses gravures à caractère éducatif sont connues (Paris, B.N., Est. et Carnavalet).
La terre étant conçue comme un ellipsoïde de révolution aplati aux pôles, son intersection par un plan contenant les deux pôles donne une courbe, la méridienne. Il s'agit d'en déterminer la longueur et en fait, grâce à la trigonométrie, il suffit de calculer la longueur correspondant à un degré d'ouverture angulaire. De fait, il vaut mieux prendre plus et l'on choisit de mesurer l'arc de méridienne entre Barcelonne et

Manuscrit de Condorcet élaborant un système unique pour les poids et mesures en France (cat. 1032).

Table de conversion, usitée au Luxembourg, du franc en livres et de la livre en francs (cat. 1035).

Étalon du mètre provisoire (cat. 1033).

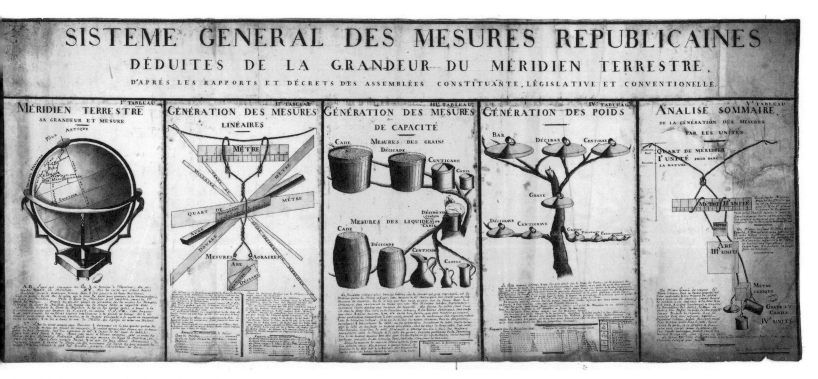

Système général des mesures républicaines (cat. 1034).

Dunkerque, le reliant aux stations de Paris, pour parvenir à la détermination du quart du méridien qui sert lui-même à la détermination de l'unité fondamentale du nouveau système métrique (Paris, E.N.P.C., ms. 1744). Pour réaliser ce travail, beaucoup de savants sont désignés, en particulier Jean-Baptiste Delambre (1749-1822) pour la partie Dunkerque-Perpignan, et Pierre-François Méchain (1744-1804) pour la partie Perpignan-Barcelone. Leur travail, terminé en 1799, fut rendu très difficile par les événements politiques et souvent arrêté. J.Dh. et M.Pi.

1035
Table de conversion du franc en livres et de la livre en francs

Neuer Luetzemburger Handkalender

H. 0,10 ; L. 0,06.

« Auf das Jahr X der fränkischen Republik, 1801 und 1802 der Gregorianischen Zeitrechnung, zum Gebrauche des Stadt- und Landbuergers des Waelder - Departements. Luetzemburg, bei Peter Brück seel. Witwe, in der Constitutionsgasse no 423. »

Luxembourg, musée national d'Art et d'Histoire du Grand-Duché (inv. 1940-18).

1036
Cartes sphériques à l'usage de la navigation

par François-Alexandre HEUDE

Manuscrit. Page de gauche, dessin représentant l'*Astronomie*. Plume, encre brune, lavis de couleurs et gouache ; page de droite, manuscrit à la plume et encre noire.

Inscription : « Cartes sphériques à l'usage de la Navigation pour remplacer les cartes réduites dans les voyages de long-cours... Le tout selon l'ancienne division du quart du méridien terrestre, et selon la nouvelle division décimale, avec des tables pour la conversion des lieux en myriamètres, et des myriamètres en lieux », etc. H. 0,315 ; L. 0,204. Frontispice et page de titre d'un manuscrit petit folio, 133 p., 31 pl. et une carte pliée, reliée.

Bibliographie : Bigourdan, 1895, p.F.25.

Paris, Observatoire (inv. MS B 4.21).

Dans ce manuscrit, daté de l'an X, Heude tente d'expliquer les opérations nécessaires aux calculs des latitudes, longitudes, routes, dérives et variations, selon les anciens modes de mesure et le nouveau calcul décimal. Il mentionne les travaux du chevalier Jean-Charles de Borda (1733-1799). La carte pliée à la fin du volume représente une carte sphérique pour les latitudes de 40 à 48 degrés avec une échelle de 30 myriamètres à 300 kilomètres. Le passage de l'ancien système de mesure au système métrique et décimal n'est en effet pas sans difficulté en ce qui concerne la marine, comme en témoignent les nombreux problèmes rencontrés dans ce domaine par l'expédition de d'Entrecasteaux (Richard, 1986). M.Pi.

1037
Cadran solaire

Manufacture de Sèvres

Porcelaine dure. H. (totale) 0,193 ; H. (de la plaque) 0,036 ; L. 0,311.

Inscription : sur la face : « Égalité, Liberté, Indivisibilité, de la Rep. F^aise [à l'intérieur du cercle formé par le serpent se mordant la queue] ; « Que tout individu qui usurperoit la souveraineté soit à / l'instant mis à mort par les hommes libres. D. de l'H. ar. 27 [dans la banderolle se déroulant de part et d'autre du gnomon] ; « Nivôse Pluviôse Ventôse Germi. Flor. Pr Me. The. Fructi. Vendémiaire Brumaire Frimaire » [le long de l'ellipse analemmatique] ; sur la tranche : « Manufacture Nationale des Porcelaines de Sèvres / en Germinal l'An 2. de la République Française » [face] ; « Au Citoyen J.C. Battellier *(sic)* de Vitry-sur-Marne, Représentant / du peuple / à la [...] de la Convention Nationale de France » [revers].

Historique : réalisé pour Jean-César Battelier (1752-1808) ; déposé au Fine Arts Museum de Boston en 1942 par les parents des trois donatrices Julia Bird, Madeleine Kidder et Sybil Wolcott qui transformèrent le dépôt en don, en 1980.

Bibliographie : Newton Mayall, 1982 ; Burlington Magazine, t. CXXVII, p. 343, fig. 43 ; Arizzoli-Clémentel, 1988, pp. 293-294, fig. 263.

Boston, Fine Arts Museum (inv. 1980. 467).

Les qualités à la fois décoratives et techniques de ce cadran solaire (1794) contredisent, à l'évidence, la légende d'un fléchissement des productions de l'ancienne manufacture royale de porcelaines pendant la période révolutionnaire. Il s'agit, sans doute, d'une œuvre de commande destinée au personnage dont le nom figure sur la tranche du cadran : Jean-César Battellier, ou Battelier qui, selon les propres termes des archives de la manufacture de Sèvres relevé par Mme Tamara Préaud, y exerçait une « mission ». Nous ne connaissons pas le contenu de cette mission qui était sans doute d'ordre politique. Celle-ci dut se terminer en frimaire an IV (1795) date à laquelle Battelier semble quitter l'appartement qui lui était alloué. En tout état de cause Battelier fut à la manufacture un personnage considérable, puisqu'on y modela des bustes et des médaillons à son effigie destinés à lui être offerts en cadeaux. Par ailleurs, on réalisa encore pour lui « une boule... couleurs nationales ». En dehors de ses fonctions à la manufacture, Battelier, qui exerçait le métier d'horloger, fut administrateur du département de la Marne puis, en 1792, député de ce même département à la Convention, où il vota la mort de Louis XVI. Par la suite, il fut nommé administrateur du Directoire dans le département de la Marne, puis procureur impérial près le tribunal civil de Vitry-le-François, poste qu'il occupa jusqu'à sa mort en 1808. La réalisation de ce chef-d'œuvre, qui demanda un mois et demi de travail, fut confiée à un peintre de fleurs de la manufacture : Pfeiffer. Ce cadran solaire permit à ce dernier de mettre en valeur une invention qui, en 1784, lui avait valu une gratification de soixante livres : la mise au point d'une planche à diviser

permettant de centrer parfaitement ses compositions. La méthode de Pfeiffer, se révéla efficace puisqu'on reste, en effet, émerveillé par la rigueur scientifique avec laquelle sont tracés cercles, ovales et graduations.

Ce cadran permet de lire l'heure selon le traditionnel système duodécimal (ovale intérieur inscrit en chiffres romains) et selon le nouveau système décimal adopté en 1794 (ovale extérieur à chiffres arabes). Dans ce dernier système la journée est divisée en dix heures de cent minutes chacune, ces minutes étant elles-mêmes divisées en cent secondes. Chaque dixième d'heure révolutionnaire, marquée sur le cadran par une pique, correspond en fait à 14,4 minutes duodécimales. Par ailleurs, le cercle extérieur entourant ces deux ovales présente encore une nouvelle innovation, puisqu'il est divisé en 400°, et non en 360°, comme on pourrait s'y attendre. Les dix mois inscrits sur l'ellipse analemmatique correspondent également aux nouvelles appellations révolutionnaires. P.En.

1038
Pendule géographique

par Antide JANVIER, horloger, Ferdinand SCHWERDFEGER, ébéniste, Joseph COTEAU, émailleur

Acajou, cuivre doré, acier, émail. H. 0,522 ; L. 0,305 ; Pr. 0,225.

Inscription : sur le balancier, « A. JANVIER 9/91 N°. 180. »

Historique : exécuté en 1791 pour Louis XVI (non acquise par le roi) ; déposée par Janvier au Muséum national en 1793 puis rendue à l'horloger en 1794 ; acquise par la maison de l'empereur en 1806 au prix de 4 400 francs pour le palais de Fontainebleau où elle figura de 1806 à 1867 ; exposée à la Malmaison de 1867 à 1870 puis de 1907 à 1965 (dépôt du Mobilier national) ; transférée à Fontainebleau en 1965 (dépôt *idem*).

Exposition : 1891, Paris, Palais de Champ-de-Mars, n° 128.

Bibliographie : Samoyault (à paraître).

Fontainebleau, musée national du Château (inv. GML 258).

Cette pendule est l'œuvre du célèbre horloger Antide Janvier (1751-1835), auteur de planétaires, de sphères mouvantes, d'une machine à marées, de diverses pendules au mécanisme remarquable. Si grande était sa réputation qu'il reçut des commandes de la part de Louis XVI et qu'il fut même admis à travailler avec lui. La pendule géographique dite aussi départementale (puisqu'elle fait état de la nouvelle carte administrative de la France créée par les lois du 2 décembre 1789 et du 25 janvier 1790) indique à chaque instant l'heure et la minute dans chaque chef-lieu des départements français (la Corse manque). Il n'y a pas d'aiguille sur le cadran. Celui-ci est une projection géographique de la France. En bas se trouve l'échelle des longitudes, mobile de droite à gauche ; elle est divisée en minutes de temps, qui correspondent successivement à tous les méridiens du pays. Ces méridiens, qui forment

...ndule géographique, dite aussi départementale (cat. 1038).

Pendule à concordance décimale et duodécimale (cat. 1039).

Cartes sphériques à l'usage de la navigation (cat. 1036).

le cadran, sont considérés comme les aiguilles des minutes et la minute qu'ils indiquent sur l'échelle mobile des longitudes est pour chaque lieu la fraction de l'heure qui apparaît dans l'ouverture en haut du cadran. Au-dessus des heures se déroulent les secondes.

D'après d'anciens témoignages, Louis XVI aurait refusé d'acquérir l'œuvre de Janvier sur l'intervention de Marie-Antoinette blessée par une parole imprudente de l'horloger. Lorsque celui-ci la proposa au Muséum pour 3 000 francs, après l'y avoir déposée, l'affaire échoua à nouveau, non pas parce que la pendule avait été exécutée pour le roi mais plutôt, semble-t-il, en raison du fait qu'elle donnait l'heure dans l'ancien système de division du temps. En effet c'est la légère objection qu'avait présentée, le 24 nivôse an II (13 janvier 1794) la commission chargée de faire un rapport sur l'objet, tout en concluant en faveur de son achat. On sait pourtant que la division du jour fondée sur le système décimal, créée en même temps que le calendrier républicain, ne fut pas appliquée.

J.-P.S.

1039
Pendule à concordance décimale et duodécimale

Marbre, acier, laiton et émail.
Paris, musée Carnavalet (inv. MB.535).

L'article 11 du décret du 5 octobre 1793 qui instituait le calendrier républicain précisait : « chaque jour, entre minuit et minuit, sera divisé en dix parties égales, chacune d'entre elles étant divisée en dix autres subdivisions et ainsi de suite jusqu'à la limite des unités divisables raisonnablement ».

Cette décision n'avait qu'une faible incidence sur la technique horlogère à proprement parler : le principe de base des mouvements, le système des rouages et de l'échappement restaient les mêmes ; seul le nombre de dents des roues doit être modifié pour les sonneries et aussi naturellement pour les cadrans. La Convention organisa un concours « afin de déterminer la manière la plus satisfaisante et la plus économique pour produire un mécanisme d'horlogerie... en fonction du nouveau système » (Lakanal, 22 août 1794). Des systèmes furent mis au point pour indiquer la concordance entre l'ancienne et la nouvelle division horaire, aussi bien pour les montres que pour les horloges. Bien que le décret ait été suspendu (mais non abrogé) dès le 7 avril 1795, les pendules décimales furent relativement nombreuses et il est parfois malaisé, comme pour les montres, de faire la distinction entre les mécanismes construits sous la Révolution et ceux adaptés à de nouveaux cadrans. De telles transformations paraissaient alors d'autant plus opportunes qu'elles permettaient de faire disparaître aussi, après le nom du fabricant, la mention « horloger du roi », les aiguilles en forme de fleurs de lys ou autres « signes offensants prescrits par la loi », conformément au décret du 3 brumaire an II au sujet des meubles et ustensiles d'usage courant.

Dans la pendule en forme de portique ici présentée, le cadran central est cadran duodécimal. Les deux cadrans latéraux paraissent ajoutés. Celui de droite est un cadran horaire décimal. Celui de gauche est un cadran journalier conforme au calendrier républicain.

1040
Philippe François Nazaire - Fabre, dit Fabre d'Églantine (1750-1794)

par THOMIRE

Huile sur toile. H. 0,650 ; L. 0,540.
Inscription : à droite, « *Thomire 1793.* »
Historique : achat du musée en 1985.

Carcassonne, musée des Beaux-Arts (inv. 1158).

Né à Carcassonne en 1750, Fabre commença une carrière de poète et d'auteur dramatique qui fut récompensée par un lys d'argent, obtenu aux jeux floraux de Toulouse sur présentation d'un *Sonnet à la Vierge*. Ce qui ne l'empêcha pas de préférer l'églantine, premier prix de cette compétition poétique, et de s'en attribuer l'éclat en l'accolant « noblement » à son nom.

Le portrait réalisé par Thomire, artiste de la région bordelaise, représente Fabre avec ses attributs de poète : la lettre et la fleur d'églantine. Comme beaucoup d'hommes de la période révolutionnaire, Saint-Just, Brissot, Hennequin, etc. Fabre porte les cheveux longs et des anneaux aux oreilles. À cette époque, en 1793, Fabre, ami de Danton, était membre de la Convention et avait quelque peu délaissé la poésie et le théâtre pour se lancer dans des spéculations financières véreuses, dont l'affaire de la Compagnie des Indes marqua le terme,

et lui valut la prison dès le 24 nivôse an II (13 janvier 1794), puis la guillotine le 16 germinal (5 avril).

Malgré ses malversations, Fabre demeure l'une des plus belles figures de la Révolution. C'est à lui que l'on doit la chanson *Il pleut, bergère*, et l'admirable calendrier révolutionnaire adopté le 5 octobre 1793.

J.Be.

Fabre d'Églantine (cat. 1040).

1041
Calendrier républicain : ventôse

par Salvatore TRESCA, d'après Louis Lafitte
Taille douce.

Inscription : en bas à gauche : « Lafitte pinx. » ; à droite : « Tresca Sculp. » ; au milieu : « VENTOSE 20/ 21 Février. *Le soleil est au signe des poissons x...* »
Bibliographie : Baczko, 1984, repr. p. 70, fig. 16.

Paris, Bibliothèque nationale, cabinet des Estampes (inv. Qb1 1795).

La création du calendrier républicain correspond au souci de sortir de l'Ancien Régime. La Convention décrète le 5 octobre 1793, l'usage d'un nouveau calendrier basé sur l'équinoxe d'automne. Le calendrier républicain représente un acte politique : l'ère française est « fixée à un jour précis à un événement daté et certain : *la fondation de la République française*, premier fondement jeté de la république du monde. Traduisons ces mots. *L'ère de justice, de vérité, de raison*. Et encore à l'époque sacrée où l'homme devient majeur, *l'ère de la majorité humaine...* (Michelet, 1979, t. II, pp. 623-624, cité par Baczko, 1984, p. 373, texte essentiel). L'année républicaine comprend toujours les quatre saisons. Le printemps est formé par germinal, floréal, prairial, l'été par messidor, thermidor, fructidor, l'automne par vendémiaire, brumaire, frimaire et l'hiver par nivôse, pluviôse et ventôse.

Ces appellations ne peuvent être universellement adoptées car elles concernent exclusivement le climat de la France. Les mois sont formés de trois décades successives, les jours sont nommés par leur ordre : primedi, duodi, tridi, etc. Cinq jours placés après fructidor permettent de reprendre un cycle normal de jours. Le calendrier républicain dura treize ans, il est aboli par décret le 1er janvier 1806 par Napoléon Ier (Couduc, 1970, pp. 75-78).

La gravure exposée correspond au mois de ventôse, février, mois d'hiver propice à la pêche. Tous les mois sont représentés dans ce calendrier peint par Louis Lafitte d'une manière allégorique : ventôse est représenté par une jeune femme portant un panier rempli de poissons. En bas, plusieurs colonnes donnent des explications sur l'année commune à Paris, Rome, Madrid, Londres, Saint-Pétersbourg et Vienne. Le lever, le coucher, l'horizon du Soleil. Au centre un quatrain définit le mois : « la Nymphe du Rivage aux Poissons fait la guerre. Dans ce mois où les vents déchaînés sur les eaux, la font rentrer au Fleuve et ren-

dent à la terre. La Prairie où les Fleurs ramènent les oiseaux. » Lafitte joue avec les draperies, les plis : la draperie gonflée par le vent est l'un des thèmes majeurs de l'art pictural de l'époque révolutionnaire. Dans ce même calendrier, messidor est représenté par une figure de jeune femme endormie, couronnée de blé. De nombreuses personnalités vont participer à l'élaboration du système du nouveau calendrier : Sylvain Maréchal, par exemple (Dommanget, 1970) ou André Thouin, qui propose plusieurs appellations de jours inspirées par la botanique. M.Pi.

Calendrier républicain : ventôse (cat. 1041).

INSTRUCTION PUBLIQUE
DECRETE PAR LA
CONVENTION

XXVIII
L'INSTRUCTION
PUBLIQUE

Sur le monument élevé à Danton au carrefour de l'Odéon à Paris, une inscription rappelle la parole du tribun selon laquelle « après le pain, l'instruction est le premier besoin du peuple ». Le décalage est considérable entre ce principe qu'aucun Conventionnel n'aurait sans doute contesté et la minceur relative des réalisations de la période révolutionnaire en matière d'éducation.

Les projets furent nombreux ; le principe de l'alphabé-tisation gratuite et obligatoire fut adopté en l'an II (19 décembre 1793), mais il était difficile de remplacer sans moyens financiers et humains considérables le réseau, certes peu cohérent et de qualité irrégulière, des institutions religieuses qui, des petites écoles de village tenues par les curés aux universités, assuraient l'édu-cation sous l'Ancien Régime.

La Convention thermidorienne, puis le Directoire, pour des raisons évidentes et qu'il faut mettre en parallèle avec la réduction du corps électoral, s'intéressèrent bien davantage et non sans succès à la formation des élites. Mais pas plus en France que dans les pays conquis, la Révolution n'a réussi à concrétiser l'article 22 de la Déclaration des droits de l'homme de 1793 : « L'ins-truction est le besoin de tous. La société doit favoriser de tout son pouvoir la raison publique et mettre l'ins-truction à la portée de tous les citoyens. »

Allégorie de l'Instruction publique (cat. 1042, détail).

L'ENSEIGNEMENT ET LA RÉVOLUTION

À LA VEILLE de la Révolution, la France compte plusieurs réseaux d'enseignement, qui se juxtaposent les uns aux autres, sans former toutefois une hiérarchie d'établissements.

L'enseignement élémentaire, qui recouvre l'apprentissage de la lecture, de l'écriture et des premiers éléments de calcul, est essentiellement dispensé dans les « petites écoles ». À la campagne, la création d'une école est subordonnée aux ressources que la communauté peut affecter à cet objet, et en particulier au salaire du maître, dont la nomination doit être approuvée par le curé, et qui est soumis à l'inspection de l'évêque. Le rôle du maître, souvent homme d'église, ne se limite pas à l'enseignement ; il apparaît comme un auxiliaire du curé, comme chantre ou fossoyeur. En milieu urbain, une multiplicité d'institutions coexistent, qui représentent les différentes étapes du développement historique de l'école : manécanteries, petites écoles payantes, maîtres-écrivains, écoles de charité gratuites, souvent tenues par les frères des écoles chrétiennes.

L'enquête sur l'alphabétisation menée par le recteur Maggiolo à partir des signatures au mariage donne l'image d'une France partagée en deux par une ligne allant de Saint-Malo à Genève : à une France du Nord et du Nord-Est largement alphabétisée (71 % de signatures pour les hommes, 44 % pour les femmes) s'oppose une France du Midi quasi analphabète (27 % de signatures pour les hommes, 12 % pour les femmes), avec toutefois de larges disparités locales ou régionales.

L'enseignement secondaire est donné dans des collèges de différents types : régences latines, collèges d'humanités, collèges de plein exercice, confiés suivant les cas à des séculiers ou à des communautés enseignantes. L'enseignement, basé sur l'étude du latin, y est essentiellement littéraire. D'autres types d'établissements ont vu le jour au XVIIIᵉ siècle, pour répondre à des besoins spécifiques : pensionnats militaires, écoles gratuites de dessin dont la plus connue est celle fondée à Paris par le peintre Bachelier, chaires et écoles d'hydrographie, pensionnats « techniques » des frères des écoles chrétiennes.

Vingt-quatre universités, bien qu'établies sans souci de cohérence, constituent un réseau assez bien réparti sur l'ensemble du territoire : chacune d'elles, à quelques exceptions près, recrute dans le ressort d'un parlement.

Des écoles « spéciales » forment les cadres de l'armée, de la marine et des grands corps techniques de l'État : École royale militaire et École du génie de Mézières, écoles de cavalerie et écoles d'artillerie, École des ponts et chaussées et École des mines.

L'enseignement dans les cahiers de doléances

La place accordée par les cahiers de doléances à l'enseignement, bien qu'importante, n'y est pas prépondérante. Tous excluent l'idée d'une transformation générale, et présentent souvent des propositions très pragmatiques, destinées surtout à l'amélioration de l'existant.

Pour les petites écoles, tous s'accordent pour réclamer une plus grande diffusion de l'enseignement populaire et une augmentation du nombre des écoles. Quelques cahiers se prononcent pour l'obligation scolaire ; d'autres, plus nombreux, pour la gratuité, totale, ou limitée aux seuls indigents. Beaucoup soulignent la nécessité d'améliorer le sort matériel du maître, ce qui permettrait de recruter des régents plus compétents. Si le clergé insiste pour que le rôle de l'Église soit maintenu et même renforcé, le tiers en revanche réclame une collaboration entre l'autorité civile et l'autorité religieuse. Le tiers et la noblesse critiquent sévèrement l'archaïsme et la routine qui règnent dans les collèges, et beaucoup demandent l'introduction dans l'enseignement des langues, des sciences et de l'histoire.

La législation révolutionnaire : l'enseignement primaire

L'écho de ces préoccupations se retrouve dans l'extraordinaire floraison de plans et de projets d'éducation qui voient le jour dès les débuts de la Révolution et qui proposent la reconstruction totale d'un système d'enseignement, incluant la formation morale et civique. Malgré ces débats nombreux et parfois violents, l'œuvre de la Révolution dans le domaine de l'enseignement est relativement restreinte et assez tardive. Ce n'est qu'en décembre 1792, soit plus de trois ans et demi après la réunion des États généraux, qu'a lieu le premier débat parlementaire sur l'éducation. Il est vrai que l'absence d'un comité spécifique au sein de l'Assemblée constituante, pour l'étude des problèmes d'enseignement, n'en facilite pas la solution. C'est au nom du comité de constitution que Talleyrand présente, en septembre 1791, un premier rapport élaboré à la suite de longues discussions avec Condorcet, Laplace, Monge, Lavoisier, Vicq d'Azyr et La Harpe. Mais faute de temps, il ne peut être examiné, et l'Assemblée constituante se sépare sans avoir statué en ce domaine. À l'Assemblée législative, un Comité d'Instruction publique de vingt-quatre membres, dominé par la figure de Condorcet, secrétaire perpétuel de l'Académie des sciences, est chargé de préparer le travail des législateurs. Mais le débat sur le plan préparé par Condorcet ne peut avoir lieu, en raison de la guerre extérieure et de la chute de la monarchie. L'Assemblée législative, comme l'Assemblée constituante, se sépare en septembre 1792 sans avoir rien arrêté en matière d'éducation.

L'œuvre scolaire de la Révolution est tout entière celle de la Convention. Après les débats autour des projets de Lanthenas (pour les écoles primaires), de Romme (pour l'ensemble de l'instruction) et du plan de Le Peletier de Saint-Fargeau présenté par Robespierre (qui prévoyait des pensionnats d'éducation commune pour tous les enfants de cinq à douze ans), les décrets votés les 30 vendémiaire, 5, 7 et 9 brumaire an II (21 septembre-3 octobre 1793) constituent la première loi scolaire de la Révolution. Ces décrets prévoient la mise en place d'une école par commune de 400 à 1 500 habitants, de deux écoles jusqu'à 3 000 habitants, etc., et le recrutement d'instituteurs publics payés au moins 1 200 livres par an, choisis, après leur examen par une commission, par les pères de famille de la commune. C'est donc un enseignement financé par l'État qui est mis en place. Mais, dès le 29 frimaire an II (19 décembre 1793), cette législation est remplacée par le décret proposé par Bouquier, qui accorde à tous la liberté d'enseigner, les instituteurs recevant une indemnité calculée au prorata du nombre des élèves. Le décret du 27 brumaire an III (17 novembre 1794) prévoit la création d'une école pour 1 000 habitants, avec une section pour les filles et une section pour les garçons, et autorise l'ouverture d'écoles « libres et particulières ». Les instituteurs reçoivent un traitement de 1 200 livres, tandis que les institutrices ne touchent que 1 000 livres. Mais la dernière loi scolaire de la Révolution, le 3 brumaire an IV (25 octobre 1795), préparée et votée par les Thermidoriens, abandonne la création des écoles primaires au bon vouloir des administrations départementales. L'instituteur, logé et pourvu d'un jardin, n'est plus rémunéré que par les rétributions versées par les élèves. La Révolution, abandonnant l'idée d'une instruction pour tous, obligatoire et gratuite, en revient quasiment au système en vigueur sous l'Ancien Régime.

L'enseignement secondaire : les écoles centrales

De même pour l'enseignement secondaire, ce n'est qu'en l'an III que sont votés les premiers textes : le projet de Lakanal adopté le 7 ventôse an III (25 février 1795) prévoit la création d'une école centrale pour 300 000 habitants. L'enseignement, dispensé par quatorze professeurs, y est largement scientifique : mathématiques, physique et chimie expérimentales, histoire naturelle, agriculture et commerce, méthode des sciences, hygiène, arts et métiers, dessin figurent au programme. Dans chacune des écoles est prévue l'installation d'une bibliothèque, d'un jardin, d'un cabinet d'histoire naturelle, d'un cabinet de physique expérimentale et d'une collection de machines et modèles pour les arts et métiers. Ces dispositions sont modifiées le 3 brumaire an IV (25 octobre 1795) : le principe est posé

d'une école centrale par département ; le nombre des professeurs est réduit à neuf ; les cours sont divisés en trois sections. Dans la première, à partir de douze ans, sont dispensés des cours de dessin, d'histoire naturelle et de langues anciennes ; dans la deuxième, de quatorze à seize ans, des cours de mathématiques, de physique et de chimie ; dans la troisième, de seize à dix-huit ans, des cours de grammaire, de belles-lettres et de législation. C'est désormais le cours, et non plus la classe, qui constitue l'unité d'enseignement, chaque élève ayant toute liberté dans le choix des cours qu'il désire suivre.

Les écoles centrales vont fonctionner jusqu'en l'an XIII, où elles sont remplacées par les lycées. Mais leur petit nombre n'a pas permis d'accueillir au total plus de 12 000 à 14 000 élèves, soit un quart des élèves des collèges de l'Ancien Régime. En outre, le vide créé entre les écoles primaires et les écoles centrales (qui ne recrutent qu'à partir de douze ans) a laissé le champ libre à l'initiative de maîtres de pension particuliers.

Les cours révolutionnaires

La grande innovation de la Révolution dans le domaine de l'enseignement est constituée par les « cours révolutionnaires », procédure accélérée de formation de masse, mettant en œuvre une nouvelle pédagogie. Du 1er au 29 ventôse an II (19 février-19 mars 1794), les cours révolutionnaires pour le raffinement des salpêtres, la fabrication des poudres et la fonte des canons rassemblent à Paris un millier de citoyens, choisis dans toute la France à raison de deux par district (et deux par section pour Paris), qui suivent les cours des plus grands chimistes de l'époque : Guyton de Morveau, Fourcroy, Monge, Berthollet et Hassenfratz.

L'expérience est renouvelée de messidor an II à vendémiaire an III (juin-septembre 1794) avec l'École de Mars : celle-ci regroupe près de Paris, dans la plaine des Sablons, 3 000 jeunes gens (six par district) de seize à dix-huit ans qui reçoivent une instruction militaire accélérée. Tous vivent en commun, sous la tente, et s'exercent tour à tour aux différentes manœuvres. Le 30 vendémiaire an III, jour de la fête des Victoires, ils simulent devant la Convention l'attaque et la défense d'un fort.

C'est encore le même principe qui est adopté pour la formation des maîtres : créée par décret du 9 brumaire an III (30 octobre 1794), l'École normale ouvre ses portes à Paris le 1er pluviôse an III (20 janvier 1794). Chaque district a envoyé, à raison d'un élève pour 20 000 habitants, des « citoyens déjà instruits dans les sciences utiles, pour apprendre, sous les professeurs les plus habiles dans tous les genres, l'art d'enseigner ». Les plus grands noms ont été choisis pour y enseigner : Lagrange, Monge, Daubenton, Berthollet, Bernardin de Saint-Pierre, Garat. Les élèves devaient ensuite retourner dans leur département pour y ouvrir à leur tour une école normale. Mais l'expérience fut un échec, en raison du niveau trop disparate des élèves.

L'École polytechnique et les écoles « spéciales »

C'est suivant la même formule que fonctionne les trois premiers mois de son existence l'École polytechnique. La création de l'École centrale des travaux publics, décidée le 7 vendémiaire an III (28 septembre 1794) et organisée par le décret du 6 frimaire an III (26 novembre 1794), répond à la nécessité de former de nouveaux cadres pour la nation. Elle ouvre ses portes le 1er nivôse an III (21 décembre 1794) sous le nom, qu'elle a conservé, d'École polytechnique. Les élèves, recrutés par un concours ouvert en même temps dans vingt-deux villes, sont, à l'issue des cours révolutionnaires de trois mois, répartis entre les trois années d'études. Le décret du 30 vendémiaire an IV (22 octobre 1795) fait des écoles « spéciales » (écoles d'artillerie, des ingénieurs militaires, des mines, des ponts et chaussées, etc.) des écoles d'application de l'École polytechnique et assure donc la prépondérance de celle-ci.

Dans l'enseignement supérieur, c'est également de l'an III que date la création des trois écoles de santé de Paris, Montpellier et Strasbourg, le 14 frimaire an III (4 décembre 1794), la transformation du collège de pharmacie à Paris en école gratuite de pharmacie, le 3 prairial an III (22 mai 1795) et l'installation à la Bibliothèque nationale de l'École des langues orientales vivantes, le 10 germinal an III (30 mars 1795).

De façon paradoxale, le système, qui apparaît maintenant élitiste, des « grandes écoles », reste la principale œuvre de la Révolution en matière d'enseignement : pour les hommes de la Révolution, un concours décentralisé, ouvert à tous, garantit le principe de l'égalité et assure à chacun la reconnaissance de son mérite.

Thérèse Charmasson

1042
Allégorie de l'Instruction publique

Dessin et aquatinte. H. 0,476 ; L. 0,333.
Inscription : sur le décret : « INSTRUCTION PUBLIQUE DECRETE PAR LA CONVENTION. »
Bibliographie : Sagnac-Robiquet, 1934, t. II, p. 407 ; Vovelle, t. V, 1986, p. 216.
Rouen, bibliothèque municipale (inv. Leber 6076 [6]).

Les assemblées révolutionnaires envisagèrent de nombreux projets éducatifs mais jusqu'à la fin 1794 les établissements scolaires ou universitaires fonctionnèrent très mal. L'université avait pratiquement disparu. La Convention instaure par plusieurs décrets successifs une école libre et gratuite, primaire, secondaire et supérieure qui doit assurer à tous les enfants à partir de cinq ans, garçons et filles, une instruction capable de leur procurer une vie meilleure et un métier honorable. Seuls le secondaire (écoles centrales) et le supérieur (grandes écoles) seront mis en place en 1795. L'œuvre présentée, au caractère antique très accentué, montre un couple uni, lisant l'un des décrets de la Convention, suivi de leurs enfants, deux fils et une jeune fille dont les attitudes particulièrement heureuses confirment bien les desseins de la Convention. L'animation du groupe humain contraste singulièrement avec l'austère architecture grandiose, ouverte sur un temple antique. À droite est placée une statue dérivée de l'*Artémis* d'Éphèse. M.Pi.

1043
Tableau de l'organisation et de la répartition des leçons graduées
qu'on pourrait donner dans les écoles primaires, secondaires et centrales

par VAIRIN

Manuscrit 1 feuille - 2 p. ms.. sur papier gris-bleu. H. 0,225 ; L. 0,353.
Inscription : en haut, à la plume et encre noire : « Tableau de la Description particulière des leçons indiquées dans le tableau précédent » ; à gauche : « École primaire »... (1 tableau) ; au milieu : « École secondaire »... (2 tableaux) ; au centre, au-dessous : « École centrale »... (4 tableaux) ; verso : deux tableaux ; au centre à la plume et encre noire : « Tableaux des leçons que chaque Professeur et démonstrateur aurait à donner chaque jour dans les différentes classes indiquées par des chiffres romains. » Signé : « Vairin ».
Historique : séance de l'Institut national des sciences et des arts, 1er ventôse an X.
Paris, archives de l'Académie des sciences, 20 janvier 1802.

Vairin est professeur de mathématiques à l'école centrale des Ardennes, membre de la Société d'agriculture, arts et commerce du même département, après avoir été professeur de mathématiques à l'académie des Beaux-Arts et aux écoles militaires de Saint-Pétersbourg. Il propose dans le manuscrit de quatre pages qui accompagne ces tableaux que dans chaque école primaire l'instituteur donne cinq leçons d'une heure par jour et enseigne la lecture, l'écriture, l'orthographe et les premières règles de l'arithmétique. Cette instruction destinée aux gens de la campagne s'étend aussi à former « celles qui doivent devenir bonnes épouses et bonnes mères de famille, afin de les mettre à même de diriger sans préjugés la première éducation de leurs enfants ». Ces écoles

primaires sont entretenues par les communes. Les écoles secondaires sont « salariées par le gouvernement, afin d'être indépendantes des ministres de tous les cultes », et « utiles aux gens des petites villes et des gros bourgs qui s'attachent à la pratique des arts mécaniques ». L'enseignement s'y fait en deux parties, l'une comprenant l'étude des langues latine et française, l'autre l'arithmétique, l'écriture et le dessin. De très nombreux projets analogues virent le jour... les réalités furent autres.
La géographie de la France est enseignée dans la première classe de cette seconde partie ; la géographie de l'Europe et la géométrie pratique dans la deuxième classe.
Quant aux écoles centrales, dans ce projet, elles ont pour but de former « des sujets qui se destinent aux différents services publics » (lettres, sciences, arts et manufactures, commerce). On y enseigne théoriquement le latin, le grec, le français, la rhétorique, l'idéologie, les belles-lettres et les langues modernes étrangères, la morale, la législation, les arts et métiers, le dessin, les mathématiques, la physique, la chimie, la chirurgie, l'anatomie. L'élève a le choix des matières. Les écoles fonctionnent : le dessin et les mathématiques seront très nettement les matières choisies de préférence par les élèves, ce qui contraste vigoureusement avec les collèges d'Ancien Régime (Julia, 1981). M.Pi.

1044
Tableau d'écriture

par Jean FAGEAU

Plume et encre noire. H. 0,483 ; L. 0,361.
Inscription : au centre, à la plume et encre noire : « Tableau d'Ecriture Les plus communément Pratiquée dans le République française conformément Aux Statuts et Nouveaux Règlements de la Commu-

Tableau d'écriture (cat. 1044).

Allégorie de l'Instruction publique (cat. 1042).

bleau de l'organisation et de la répartition des leçons graduées qu'on pourrait donner
ns les écoles primaires, secondaires et centrales (cat. 1043).

nauté des Maîtres Ecriv[e] arithméticiens Vérificateurs et Teneurs de Livres en Double et Simple partie f[o] de Bordeaux par Jean Fageau Instituteur »; en bas à gauche : « Fecit 27 pluviose »; à droite : « Podensac l'an 2è de la république, une et indivisible »; au centre dans le cartouche : « vivre libre ou mourir. »
Historique : achat en 1955.
Exposition : 1955, Paris, M.N.A.T.P., n° 326.

Paris, musée national des Arts et Traditions populaires (inv. 55.31.8.D).

Ce tableau, destiné à l'enseignement, par l'instituteur Podensac, s'inscrit dans la tradition de l'art de l'écriture dont la vogue remonte au moins au XVIe siècle (Morison, 1962). Les majuscules se tracent le bras levé, les minuscules le bras posé ; diverses encres peuvent être utilisées. Au XVIIIe siècle, plusieurs calligraphes sont réputés : Paillasson, expert écrivain-juré, donne le texte et les planches sur l'*Écriture*, publiés dans l'*Encyclopédie* (Paris, t. V, 1755, pp. 358-372, et t. II, 1763, 16 pl.). Jean-Joseph Bernard (1740-1809), maître d'écriture des pages et des cadets du roi de Pologne, se fait une spécialité de portraits en écriture du roi, de la reine, de la cour et de la société (exp. : Lunéville, 1966 et 1978). Il poursuit son activité sous la Révolution et expose huit « têtes », dont celles de Rousseau et de Voltaire, au Salon de 1796 (n° 852), en même temps qu'une grande pièce sous verre représentant les *Tableaux du commerce passif ou d'importation, et du commerce actif ou d'exportation, de la nation française, en 1716 et 1787, avec chacune des principales puissances ou contrées de l'Europe, leurs possessions lointaines, et y compris l'empire Ottoman, les nations Barbaresques et les Anglo-Américains* (n° 801). Il offre également en 1793 au Corps législatif un portrait de Rousseau. Par la suite, il « écrit » Bonaparte et devient maître d'écriture des pages de Napoléon Ier. Il publie plusieurs recueils et fournit aux écrivains de Paris et de province des modèles tracés sur papier.

Un Bureau d'académie d'écriture est fondé à Paris en 1778, après un premier essai en 1762. Il est composé de vingt-quatre agrégés et de vingt-quatre membres seuls habilités aux vérifications judiciaires qui se réunissent dans des séances au cours desquelles divers problèmes d'écriture sont débattus. Le 17 avril 1788, Bedigis présente un mémoire *Sur l'enseignement de l'Art d'Écrire, considéré dans l'Ordre physique et moral, et sur les qualités que doit avoir l'Instituteur* ; Harger, le secrétaire général, donne une *Réponse à une critique de la partie de l'Ecriture qui est dans l'Encyclopédie* (Paris, 1788. Paris B.N., Impr. Vz 119). En 1793, quelques agrégés dont Bernard fondent la Société académique d'Écriture et de Vérification, qui se réunit ensuite au Bureau d'Académie d'Écriture pour former la Société Libre d'Institution et de Vérification, Arts et Belles-Lettres qui siège au Louvre. Parmi les recueils de calligraphie conservés, on peut citer celui de la bibliothèque d'Avignon (ms. 1070). M.Pi.

1045
Méthode d'écriture

---

par François-Élie GUIRAUT

Taille-douce. H. 0,372 ; L. 0,533 au trait carré.
Inscription : à gauche : « Secrétariat National en Manière d'écrire en toutes lettres aussi vite que la parole, tout ce qui peut être lu, ou prononcé intelligemment dans une assemblée. Dédié à la Ville de Bordeaux par François Elie Guiraut, citoyen de Bordeaux » ; à droite : « Instruction nécessaire pour faire usage du Secrétariat organisé méthodiquement, facilement, praticable et peu dispendieux » ; au verso, à la plume et encre noire : « papiers à classer dans les cartons » ; et au crayon noir : « 24 juillet 1790, Méthode d'écriture. »
Historique : Académie royale des sciences, séance, 24 juillet 1790.

Paris, archives de l'Académie des sciences (séances, 24 juillet 1790).

Dès la fin du XVIIIe siècle, on se préoccupe de trouver un moyen d'écrire le plus vite possible (papiers Duhamel du Monceau, Paris, collection particulière ; Jaoul-Pinault, 1986, p. 20). En 1786, Coulon de Thévenot, correspondant du musée de Bordeaux, soumet à l'Académie royale des sciences un *Tachygraphie et un Mémoire sur l'Art d'écrire aussi vite que la parole* (avec deux tableaux de caractères) et en 1787 un *Art d'écrire avec célérité*. Guiraut lui propose un découpage des tâches des secrétaires : autour d'une table ronde, à pied hexagonal, six personnes prennent place, avec chacune un cahier de demi-feuilles de compte pliées en deux, portant un numéro. Les jambes des participants sont placées de manière à être forcées de communiquer. L'écrivain n° 1 écrit une demi-phrase : « Tous les hommes », avertit, par un coup de genou, son voisin qui poursuit : « naissent et demeurent », donne lui aussi un coup de genou au troisième qui écrit : « libres et égaux en » et ainsi de suite, les trois derniers achèvent la phrase : « droits ; les distinctions sociales ne peuvent être fondées que sur... » À la dernière ligne de la page, les écrivains tournent ensemble la page. Ensuite, le texte entièrement écrit, les cahiers sont placés en ordre et l'on peut ainsi lire le texte sur une seule page formée par les six cahiers. À l'École normale de l'an III, un système de sténographie est mis à l'œuvre pour noter tous les cours des professeurs. Les cours sont publiés aux frais de la République. M.Pi.

1046
Vue du camp de l'École de Mars
à la plaine des Sablons

---

par un auteur anonyme

Plume et encre noire, lavis de couleurs. H. 0,454 ; L. 0,825.
Inscription : en bas au milieu, à la plume et encre noire : « VUE DU CAMP DE L'ECOLE DE MARS A LA PLAINE DES SABLONS » ; sur les panneaux de chaque côté de l'entrée : « LIBRE ».
Historique : collection Hippolyte Destailleur ; acquise en 1890.
Bibliographie : Courboin, 1891, p. 19, n° 418 ; Sagnac-Robiquet, 1939, t. II, p. 294 ; Szambien, 1986, p. 7, note 5, p. 165.

Paris, Bibliothèque nationale, cabinet des Estampes, collection Destailleur (inv. Ve 53e, fol. 34).

1047
Amphithéâtre de l'École de Mars

---

par un auteur anonyme

Plume, encre noire, lavis de couleurs. H. 0,437 ; L. 0,648. Double trait d'encadrement à la plume et encre noire.

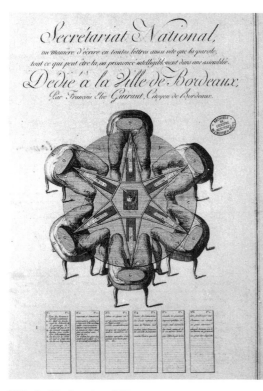

Méthode d'écriture (cat. 1045).

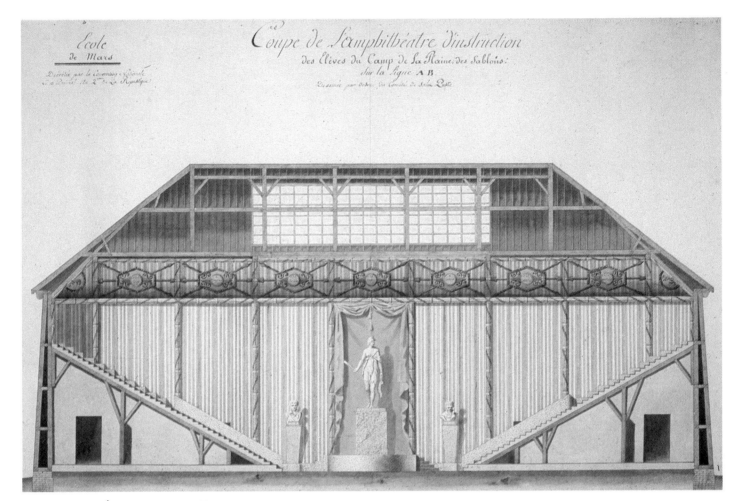

Amphithéâtre de l'École de Mars (cat. 1047).

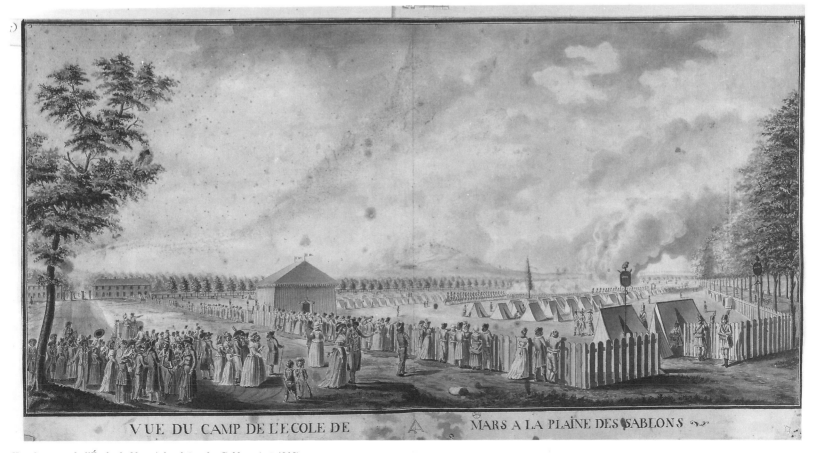

Vue du camp de l'École de Mars à la plaine des Sablons (cat. 1046).

Inscription : en haut au milieu, à la plume et encre noire : «Coupe de l'Amphithéâtre d'instruction des Elèves du Camp de La Plaine des Sablons sur la ligne AB Dessinée par Ordre du Comité de Salut Public»; à gauche; «Ecole de Mars décrétée par la Convention Nationale le 13 Prairial - An 2ᵉ de la République.» Dans les médaillons au-dessous de la charpente : «A LA LOY, A L'INSTRUCTION, A LA VALEUR, A LA LIBERTE, A L'UNION, A LA VERTU, A LA NATURE.»
Historique : ancien fonds du musée.

Paris, Conservatoire national des arts et métiers, musée national des Techniques (inv. portefeuille industriel nᵒ 441).

L'École de Mars est créée par le Comité de Salut public le 13 prairial an II (1ᵉʳ juin 1794) et elle est dissoute le 26 brumaire an III (23 octobre 1794). Un projet installe cette école dans l'ancienne École militaire mais bien vite elle est envoyée en campagne, dans la plaine des Sablons et la région de Poissy. Les jeunes gens portent les cheveux à l'antique et leur costume est dessiné par David : tunique à brandebourgs, pantalon collant, guêtres en toile noire, toque ou bicorne à plumet tricolore, un glaive ou un sabre. Aux vertus énoncées dans le dessin exposé, ils doivent posséder celles que l'on peut lire dans la coupe de l'amphithéâtre également au Conservatoire national des arts et métiers : la fraternité, la légalité, la vengeance et rendre hommage à la vieillesse. Ils reçoivent un enseignement varié, mais essentiellement technique. «Il ne leur suffira pas de *voir* et *d'entendre* il faudra *faire*», leur dit-on. On enseigne aussi à une partie d'entre eux les mathématiques, la physique, la chimie; ils doivent connaître la coupe des pierres, du bois, la perspective, les ombres et la géométrie souterraine. Les cours se font à base d'instruments, d'outils, de livres et de manuscrits, de dessins et de gravures (Paris, C.N.A.M./M.N.T. arch.

9.40). Des programmes imprimés nous apprennent également que des leçons sur l'art de la guerre (qualifications, ordre de bataille, manœuvres, poudre, fabrication des armes), sur l'administration militaire, la subsistance et l'habillement des troupes, ainsi que sur les hôpitaux leur sont données (Paris, C.N.A.M., bibl. nᵒ 295; Vincennes, service historique de l'Armée, ms. 848).
Le dossier du portefeuille industriel comprend une autre coupe déjà citée, l'élévation de la «baraque» surmontée de deux drapeaux tricolores, bien visible sur le dessin de la collection Destailleur, très caractéristique des constructions éphémères de la Révolution.
Cette école constitue une application, à grande échelle (3 000 élèves) de la «méthode révolutionnaire» : efficacité d'une instruction militaire rapide, tournée vers la pratique, gérée par des maîtres éminents n'hésitant pas à faire part des progrès les plus récents de la science, militantisme républicain et apprentissage en commun de la vertu. Les élèves sont choisis «révolutionnairement» à raison de six par district : «Il faut appartenir à une famille républicaine, à des parents, à des habitants utiles des campagnes, à des artisans sans biens, et à des volontaires blessés et défendant notre indépendance.» Il n'y eut aucune sélection des élèves sur critères intellectuels : on cherchait à fabriquer des soldats pluridisciplinaires, dans une utopie égalitaire («Ceux qui commandent apprendront à obéir», Chagnet, 1899).
On peut également signaler un très grand plan du camp de la plaine des Sablons, daté *9 Brumaire, l'an 3ᵉ...*, avec une rose des vents décorée d'un bonnet phrygien, et signé par Bizot, instructeur principal de fortification, et trois cartes des positions du camp de l'École de Mars installée du 14 au 24 vendémiaire an III dans les environs de Poissy. La qualité artistique de ces dessins révèle le talent sûr

Jean-Baptiste-François Frion, inspecteur du Conservato national des arts et métiers (cat. 1049).

d'un artiste, malheureusement non identifié, tandis que le dessin de la collection Destailleur, plus narratif, nous fait découvrir le camp militaire, avec ses tentes bleues, la parade devant des groupes de Parisiens, les décorations républicaines, la palissade de bois tricolore, et l'arbre de la Liberté.   J.Dh. et M.Pi.

1048
Glaive de l'École de Mars

Fer, laiton, bois et drap rouge. L. totale : 0,715; L. de la lame : 0,480.

Paris, musée de l'Armée (inv. J. 480).

Créée par le décret du 13 prairial an II (1ᵉʳ juin 1794), l'École de Mars avait pour mission de «produire des officiers habiles et d'intrépides soldats». Le recrutement s'effectua parmi les enfants des volontaires, âgés de seize à dix-sept ans, et fournit plus de 3 500 élèves. Ceux-ci furent répartis en «milleries», «centuries» et «décuries», sur le mode antique.
Le régime de l'école était établi «à la spartiate». Couchant sous la tente, mal nourris, vêtus et armés de façon disparate, malgré les projets d'uniformes, ces enfants ne goûtèrent guère l'enthousiasme républicain. L'école fut finalement dissoute le 23 octobre 1794.
Ce n'est qu'un mois avant la fermeture que les élèves reçurent un uniforme «à la romaine» et un glaive, inutilisable en tant qu'arme blanche. Le décor de ces glaives, fabriqués en grande série, était constitué d'un bonnet phrygien. Le drap était à la couleur de la centurie.

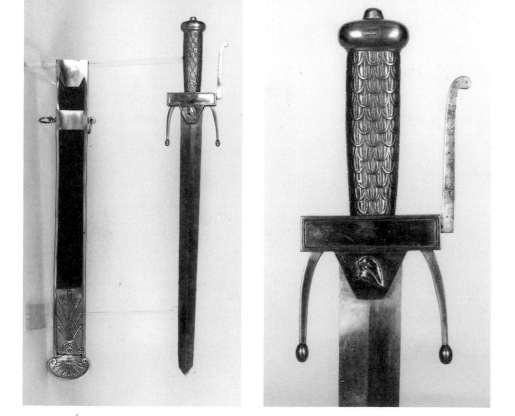

Glaive de l'École de Mars (cat. 1048).

1049
Jean-Baptiste-François Frion (1773-1819)

par Jacques GAMELIN

Huile sur bois. H. 0,400 ; L. 0,260.
Inscription : signé et daté en bas : « Gamelin 1796. »
Historique : collection M. Fraisse, neveu de Frion ; don au musée.
Expositions : 1900, Paris, n° 302, repr. p. 6 ; 1939, Paris, Carnavalet ; 1956, Toulouse ; 1957, Gérone ; 1980, Narbonne.
Bibliographie : Courchandeu, 1884, n° 34 ; Roger-Marx, 1900, p. 20, repr. p. 13 ; Michel, 1900, t. I, p. 450, repr. p. 447 ; David, 1928, pp. 17, 44, 79, 117-118, repr. pl. XV ; Mesplé, 1942, repr. p. 4 ; 1974-1975 (1), exp. Paris, Grand Palais, sous le n° 195 ; Valaison, 1981, p. 136.

Perpignan, musée Hyacinthe-Rigaud (inv. 840.3.1).

On possède peu de portraits des inspecteurs du Conservatoire national des arts et métiers. Jean-Baptiste-François Frion, l'un d'entre eux, est l'une des personnalités les plus en vue du Paris révolutionnaire autant par sa valeur humaine que par sa haute taille (2,24 mètres). Delille lui consacre une *Ode* publiée dans le catalogue de 1842 par Rocamir de la Terre qui mentionne que David en fait l'un des participants des *Funérailles de Patrocle* (ce qui paraît peu vraisemblable. Exp. : Paris, Grand Palais, 1974-1975, n° 195). Gamelin le représente d'une manière élégante, dans un habit gris et rose, celui des Incroyables, et une pose un peu maniérée. Cette peinture s'inscrit dans tout un groupe d'œuvres d'esprit semblable exécutées par David, Delafontaine (exp. : Paris, Grand Palais, 1974-1975, n° 42). Une nouvelle fois, ici encore, les rapports entre Gamelin et Goya s'imposent. Joseph-Marie Vien fils (1761-1848) peint également Frion dans une œuvre très originale, exposée au Salon de 1804 (n° 527) avec pour titre *Portrait de M. Frion sortant de nager et reprenant ses vêtements* (Perpignan, musée ; exp. : Paris, Grand Palais, 1974-1975, n° 195).   M.Pi.

1050
Fonderie de Berlin

par un auteur anonyme

Plume, encre noire, lavis de couleurs. H. 0,426 ; L. 0,550. Trait d'encadrement à la plume et encre noire.
Inscription : au-dessous de l'élévation, à la plume et encre noire : « Élévation de la Fonderie » et échelle de « 50 P.A. » ; au-dessous carte avec dans le coin supérieur : « carte d'une partie du cours de la rivière de Nett et de ses rives, depuis les limites du village de Miesenheim, jusqu'au barrage des Moulins de Mr. Bianky ; appartenant à la ville d'Andernach » ; en bas au milieu : échelle de « 500 Mètres ».
Historique : ancien fonds.

Paris, Conservatoire national des arts et métiers, musée national des Techniques (inv. portefeuille industriel, n° 225).

Ce beau dessin, mal référencé, séparé de son texte explicatif et exécuté sans aucun doute au début du XIXᵉ siècle témoigne de la qualité artistique des feuilles dues aux dessinateurs techniques, et parfois aux ingénieurs eux-mêmes. On connaît le rôle du dessin dans l'enseignement des écoles nationales des Ponts et Chaussées et de Polytechnique. Le dessin technique sous la Révolution et l'Empire suit de près les caractères des dessins d'artistes et d'architectes et souvent la différence ne peut être établie. On y pressent le romantisme malgré les sujets austères représentés. Dans le paysage les ciels sont rarement bleus et le plus souvent animés de nuages plus ou moins gris et lourds ; des nuées, des coups de vent déjà remarqués dans les dessins d'architectes sont fréquents (Pérouse de Montclos, 1984, p. 28). Les arbres et les frondaisons sont distribués selon le « goût anglais », tels ceux dessinés avec talent dans la *Démonstration de Mesures des arbres* faites avec le dendromètre créé par le Hollandais Kircher (n° 466. Exp. : Paris, Louvre, 1984, n° 14). Ici, dans le dessin présenté l'utilisation industrielle du bâtiment est à peine évoquée, si ce n'est la roue à droite et quelques éléments architecturaux, notamment l'entrée et le format des fenêtres, que l'on ne retrouve pas dans les projets de « pavillon de campagne », contemporains. L'éclairage assez fort fait ressortir le contraste entre l'ombre et la lumière. Ce dessin est très proche dans son esprit des gouaches exécutées en 1806 aux Ponts et Chaussées par « les ingénieurs-artistes », pour le projet de pont pour le « Sault du Rhône » (Paris, A.N. F¹⁴ 10983, 3 nᵒˢ 5, 7, 9. Exp. : Paris, Archives nationales, 1987-1988, nᵒˢ 178 a, 178 c). Ces feuilles sont les derniers témoignages d'un style de dessin aussi esthétique que précis, qui est abandonné au XIXᵉ siècle au profit d'un graphisme plus sec et plus linéaire où toute allusion artistique est bannie. Désormais, le dessinateur cesse d'être un artiste pour n'être plus qu'un technicien. « L'empire de l'ingénieur va commencer » (Julia, 1981, p. 309).   M.Pi.

1051
Pendule à système planétaire

par un auteur anonyme

Plume, encre noire, lavis de couleurs. H. 0,780 ; L. 0,584.
Inscription : en bas à gauche, à la plume et encre noire : « Vû par le Préfet du Département du Monttonnerre Mayence le 10. Thermidor an 10 de la Rép. fᶜᵉ Le Conseiller de Préfecture chargé des fonctions de Préfet Mopdorft » ; sous la figure : « A et B la Précipitation avec laquelle le Plan a été dessiné n'a pas permis de figurer les Elipses proportionnelles aux excentricités des Planètes telles quelles le sont dans les cadrans originaux. »
Historique : ancien fonds.

Paris, Conservatoire national des arts et métiers, musée national des Techniques (inv. portefeuille industriel, n° 479).

1052
Plan de l'horloge de Walkers

par un auteur anonyme

Plume, encre noire, lavis gris et de couleur. H. 0,466 ; L. 0,637. Cotations à la plume et encre noire.
Historique : ancien fonds.

Paris, Conservatoire national des arts et métiers, musée national des Techniques (inv. portefeuille industriel, n° 477).

Avec l'École polytechnique, le Conservatoire national des arts et métiers est l'une des grandes créations de la Révolution en matière d'enseignement scientifique et technique (Julia, 1981, chap. VIII). Le Conservatoire national des arts et métiers s'installe à partir de l'an VI au prieuré de Saint-Martin-des-Champs où il demeure encore aujourd'hui. Il « procède de la conjonction de deux perspectives indépendantes l'une de l'autre au départ : l'inventaire du matériel scientifique et technique existant sur l'ensemble du territoire et la volonté d'encourager les inventions et les perfectionnements techniques » (Julia, *op. cit.*, p. 305). Déjà vers 1775, Vaucanson rassemble à l'hôtel de Mortagne un ensemble de maquettes qu'il lègue en 1782 au roi. Après la suppression des académies et sociétés, la saisie des collections des émigrés, la mission de la Commission temporaire des arts, créée le 12 août 1793, est d'inventorier tous les objets « utiles à l'instruction publique » dispersés ensuite dans divers dépôts (hôtel de Mortagne, Louvre – où sont déposés les collections des académies et du duc d'Orléans – hôtel d'Aiguillon). Le Conservatoire national des arts et métiers reçoit ainsi un grand nombre de pièces diverses. Parallèlement les sciences et les arts y sont tout comme dans les dernières années de l'Ancien Régime favorisés. En 1791, le bureau de consultation des arts et métiers reçoit de nombreux projets de citoyens, d'horizons intellectuels très divers, soucieux d'améliorer les arts et métiers. Des récompenses saluent les meilleurs projets. Le conservatoire constitue « un outil de propagande en faveur des arts mécaniques ». Il doit développer la modernisation technologique de la nation, « garante de l'indépendance nationale, face aux résistances qu'elle rencontre », comme le dénonce l'abbé Grégoire le 15 mai 1798. L'établissement est doté le 15 thermidor an IV (2 août 1796) d'un règlement qui souligne particulièrement le rôle éducatif des modèles, demandé soit aux maquettes, soit au dessin. Il précise aussi la tâche des démonstrateurs qui doivent classer, mettre en usage et expliquer les pièces exposées (Julia, *op. cit.*, p. 309). En ce qui concerne le dessin, le Conservatoire des arts et métiers décide la création « d'un recueil des dessins des machines et instruments des arts » destinés à être présentés avec les machines elles-mêmes ; « devant aider à l'intelligence l'un de l'autre, ils seront placés ensemble dans ces galeries et rangés dans un ordre méthodique qui en facilite l'étude et la démonstration » (règlement, Galeries, article premier). Plusieurs dessinateurs de l'ancien bureau des dessinateurs du Comité de Salut

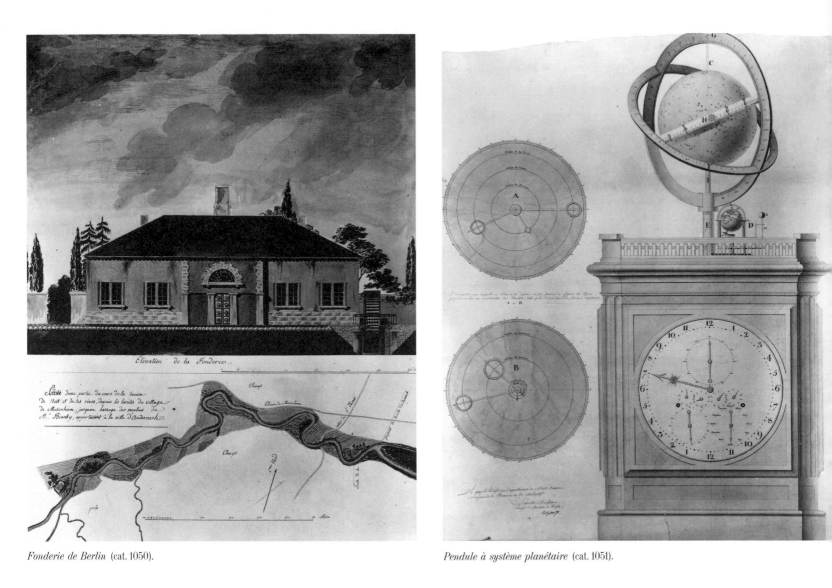

Fonderie de Berlin (cat. 1050).

Pendule à système planétaire (cat. 1051).

Plan de l'horloge de Walkers (cat. 1052).

public (tel Goussier, *cf.* Tresse, 1956) sont appelés à participer à la création d'un recueil connu sous le nom de portefeuille Vaucanson ou industriel. Il comprend dans sa première partie 625 numéros de dossiers composés d'un ou de plusieurs dessins, et regroupés arbitrairement sans doute dans les années 1815-1820 dans de grandes sections ; agriculture, hydraulique, travaux publics, manufactures et machinisme industriel, inventions, armements divers. Les derniers numéros sont occupés par des gravures de Piranèse et de Desprez.

Ces dessins sont essentiellement exécutés par des artistes-artisans de la période révolutionnaire. Plusieurs dossiers proviennent du Comité de Salut public : c'est le cas de celui concernant l'*Art de faire les canons* de Monge ; quelques autres datent de l'Empire. Les dessinateurs de cet ensemble sont peu connus : en dehors de Goussier qui a fait l'objet d'une étude de Georges Dulac (1972), les autres dessinateurs ne sont guère cités dans les dictionnaires et biographies. Les noms d'Albaret et de Dromard apparaissent plusieurs fois. Des feuilles sont très nettement antérieures à la Révolution : tels la *Chèvre à rouleau* dessinée par l'un des Simonneau, Louis le Jeune (1654-1727) ou Philippe (1685-?) dessinateurs de l'Académie royale des sciences (no 134) ou l'important ensemble de dessins de Jean-Claude Pingeron (1720-1795), littérateur, voyageur et ingénieur au service de la Pologne (nos 44, 138, 145, 195, 197 et 548 complétés par ceux conservés aux archives du C.N.A.M.).

Plusieurs dossiers traitent de sujets concernant l'École royale militaire (nos 15, 18 et 471) ; il s'agit là de dépôts faits après les saisies effectuées dans les collections royales. Le Conservatoire des arts et métiers reçoit comme les autres créations révolutionnaires des livres et des dessins provenant des biens royaux, ecclésiastiques et ceux des émigrés et des condamnés (par exemple, des biens provenant de l'abbaye de Saint-Victor sont déposés à la bibliothèque). Parmi les pièces répertoriées dans le portefeuille industriel, il faut citer l'*Album de la machine de Newcomen* présenté dans cette exposition (cat. 283) par les citoyens sur les sujets les plus divers et qui confirment l'intérêt de tous pour l'amélioration des industries nationales. La pendule à système planétaire (au cadran principal portant deux fois douze heures) est envoyée à Paris de Mayence, alors dans le département du Mont-Tonnerre. En revanche l'étude de ces dessins est difficile du fait que le texte explicatif qui les accompagnait a été séparé ; certains d'entre eux sont conservés aux archives et à la bibliothèque du Conservatoire national des arts et métiers, d'autres aux Archives nationales. Enfin, certains de ces dossiers complets, textes et dessins, originaux ou copies identiques à ceux du portefeuille industriel sont conservés à l'Institut national de la propriété industrielle, à Paris.

À aucune autre époque, on n'a jamais autant dessiné. Le portefeuille industriel est l'aboutissement, dans un sens, de l'esprit encyclopédique dans lequel le dessin prend une place importante, tel qu'il a été formulé par Colbert, et dont on voit l'évolution à travers les travaux de l'Académie royale des sciences avec ses

publications : la *Description des arts et métiers* ou les *Machines approuvées*, l'*Encyclopédie* de Diderot et d'Alembert et l'*Encyclopédie méthodique* de Panckoucke. Les artistes de l'époque révolutionnaire choisissent la même présentation, mais en grand format (raisin le plus souvent), que celle adoptée par l'*Encyclopédie*. L'artiste ébauche ses dessins tout d'abord, sur des feuilles séparées soit au crayon noir, soit à la plume et encre noire. Il représente ensuite son sujet dans une vue d'ensemble, dans un décor ou seul, sur la feuille blanche, de face, de profil, en plan ; des détails des pièces sont exécutés à part. La technique adoptée est toujours la même : les figures sont dessinées à la plume et encre noire, et ensuite lavées à la couleur. Les ensembles dans un décor sont traités comme les dessins d'artistes avec des dégradés de couleurs (ce goût est parallèle à l'introduction de l'aquarelle en France), les autres comme des dessins d'architectes avec un lavis uniforme, mais le jeu d'ombre et de lumière est particulièrement important. Le *Plan de l'horloge de Walkers* est de ce point de vue très significatif du code des couleurs employé par les dessinateurs. Ici, le bleu pour l'acier, le jaune pour le cuivre ou le laiton donnent à ce dessin un éclat particulier (complété par trois plans et profils). Les plans permettent des vues saisissantes où le cercle prend une grande part. On note aussi un goût très fort, que l'on retrouve également dans les dessins d'« artistes » et dans ceux exécutés à l'École des ponts et chaussées, pour le trompe-l'œil, les pages retournées, les faux marbres et les faux bois. En revanche, l'époque voit la disparition des techniques auparavant appréciées par les dessinateurs : pierre noire, sanguine, rehauts de blanc. Les papiers de couleurs beiges et bleus disparaissent également. La présentation du prêt exceptionnel de dessins généreusement consenti par le Conservatoire national des arts et métiers – mais aussi par l'École nationale des ponts et chaussées – doit permettre au public le plus large de prendre conscience de la richesse des collections graphiques scientifiques françaises et de la nécessité de les mettre en valeur.   M.Pi.

1053
Machine servant à évaluer la force des bois, du fer et de la pierre

par un auteur anonyme

Plume et encre brune, lavis de couleurs. H. 0,520 ; L. 0,670. Bande de papier rapporté.
Inscription : en haut à gauche, à la plume et encre noir : « JC4 » ; en bas à l'encre rouge : « No 6 » ; à l'encre noire : « MACHINE SERVANT À ÉVALUER LA FORCE DES BOIS, DU FER ET DE LA PIERRE à Levier disposé pour l'expérience de Pression ... disposé pour l'expérience de la Traction, C. Plateau destiné à supporter le Poids. Na Le Levier dans sa plus grande Extension peut produire un Effort. » Fol. 3 d'un recueil factice de 39 dessins et gravures intitulé « TRAVAUX CIVILS 1795-1816. » Reliure moderne.

Historique : dessins utilisés pour divers cours de 1795 à 1816, recueillis et mis en ordre par le conservateur des modèles, M. Gourjon, en 1850.
Palaiseau, École polytechnique, bibliothèque (inv. g III a 97).

Cet album se rapporte au cours de Duhays, professeur de fortification de 1804 à 1832 à l'École polytechnique, de géométrie et d'art militaire en 1816, de Dupaintriel, professeur de géodésie en 1795, de Clerc, professeur de topographie en 1813 et de Sganzin, professeur de travaux publics (1793-1816). La plupart de ces dessins sont antérieurs à la création de l'École polytechnique : la drague pour enlever le sable du fond est datée de 1752 (fol. 4), la sonnette à déclic est exécutée à Mézières (fol. 6). Plusieurs feuilles sont en relation avec Perronet et ses travaux au pont de Neuilly (fol. 7, 8, 26), d'autres avec la création de routes en montagne comme en plaine (28, 29, 30, 31, 32), d'écluses (24, 25, 33, 35, 36). Sous l'influence de Monge, l'enseignement du dessin occupe une place importante à Polytechnique (Fourcy, rééd. Dhombres, 1987) : il est conçu d'une manière identique à celui enseigné à l'École royale du génie de Mézières (Taton, 1964, pp. 559-615). Il sert de moyen de démonstration et d'application et chaque élève est tenu d'exécuter des épures de figures géométriques ou de machines (H. de Ravenel du Bois Teilleul, albums d'épures exécutées à Polytechnique en l'an XII et XIII, Rennes, bibl. municipale, mss 191-204). Un enseignement plus artistique issu de celui donné par l'ancienne Académie royale de peinture, puis par l'atelier de David est enseigné par François-Marie Neveu (1756-1808) qui sera pendant quinze ans l'« instituteur » de dessin, tandis que l'architecte Louis-Pierre Baltard (1764-1846) est « instituteur » d'architecture (Pinet, 1909, pp. 115-180). Neveu donne à Polytechnique des cours très suivis, qu'il publie dans le *Journal de l'École polytechnique* de 1794 à 1799 (t. I à VI). Par la suite, Neveu joue un rôle important, comme commissaire du gouvernement français pour les sciences et les arts, en Bavière (Vauthier, 1910, pp. 208-250). Les élèves disposent également de dessins de maîtres, « modèles à copier », saisis à la Révolution dans les collections des émigrés et des condamnés : on y retrouve une belle collection de dessins du XVIIIe siècle : par exemple une étude pour le *Bélisaire* de David, quatre dessins d'Hubert Robert provenant du marquis de Laborde, onze dessins et gravures de Desprez saisis chez le marquis F. de Clermont, des Fragonard et Le Paon provenant du château de Chantilly, etc. (exp. : Palaiseau, 1983). Dans sa tâche de professeur de dessin, Neveu est aidé par Louis-Marie Morel dit d'Arleux (1755-1827), qui devient en 1797 « garde des dessins et gravures » du musée central, puis en 1802, conservateur du cabinet des Dessins et de la Chalcographie du musée du Louvre (exp. : Paris, Louvre, 1988). De son côté, la bibliothèque de l'École polytechnique reçoit le dépôt du couvent des Cordeliers également nombreuses saisies d'émigrés, mais aussi des saisies faites dans les couvents et abbayes de Paris, notamment Saint-Victor ou dans les académies. Plu-

Machine servant à évaluer la force des bois, du fer et de la pierre (cat. 1053).

sieurs livres proviennent de la bibliothèque du couvent des Jésuites de Leyde tandis que Monge fait en l'an V (1797) un envoi très important d'Italie de manuscrits provenant essentiellement de la Bibliothèque vaticane, mais aussi d'une machine électrique anglaise trouvée dans le cabinet de physique du ci-devant gouverneur de Milan, suivi de quelques autres instruments scientifiques (aujourd'hui non localisés, Palaiseau, École polytechnique, archives, VII.2b.1). De son côté, Baltard forme une collection de dessins et de modèles d'architecture provenant eux aussi de saisies : le modèle du cône de Cherbourg provient des collections du marquis de Castries, trois bandes de marbres blancs incrustés d'échantillons de marbres d'Italie du comte d'Orsay, etc. (*id.* VII.2.C.1) ; des plâtres, gravures et modèles proviennent des Académies de Milan et de Bologne (*id.* VII.2.C.1). Le soin apporté à la création des collections de l'École polytechnique montre bien quel espoir la jeune république met dans cet établissement pluridisciplinaire destiné à former l'élite scientifique de la nation.   M.Pi.

La bibliothèque et les collection de l'École polytechnique création et constitution des premiers fonds (1794-1800)

Pour donner une idée de l'effervescence qui présida à la constitution des premières collections de l'École polytechnique, citons Ambroise Fourcy[1] : «... le jour de l'ouverture des cours approchait, et l'on manquait encore d'une grande partie du matériel nécessaire à quelques branches principales de l'instruction. Il fallut recourir à l'énergique assistance du Comité de Salut public. Ce n'était plus, il est vrai, la formidable oligarchie, qui, avant le Neuf-Thermidor, disposait souverainement des biens et de la vie des Français. Mais le nouveau comité jouissait encore de pouvoirs assez étendus, et n'avait pas entièrement épuisé les ressources extraordinaires amassées par son terrible devancier. Quelques arrêtés, aussitôt exécutés que rendus, pourvurent largement aux premiers besoins[2]. »

La bibliothèque

Dès l'origine, les moyens documentaires furent conçus par la direction de l'École comme un support de l'instruction : la bibliothèque fut créée dans les deux mois qui suivirent la fondation de l'École[3], par un arrêté du Comité des travaux publics, le 26 novembre 1794. Le premier fonds était constitué par environ 500 volumes provenant de l'École du génie de Mézières, qui fut un peu la « matrice » de l'École

polytechnique. Le 22 décembre 1794, Lamblardie, directeur de l'École, soumit à l'approbation de la Commission des travaux publics un « État des livres qu'il est nécessaire de rassembler pour compléter la bibliothèque actuelle de l'École centrale des travaux publics qui doit servir à l'instruction des élèves ». La Commission approuva. Les Comités de Salut public, d'Instruction publique et des travaux publics donnèrent, par arrêté, les moyens d'agir.

C'est donc muni de cet « État », composé d'environ 1 800 ouvrages, que Pierre Jacotot, secrétaire du conseil de l'école et conservateur de la bibliothèque, alla s'approvisionner dans les neuf « dépôts littéraires » de Paris[4], et tout particulièrement dans celui des Cordeliers.

Le premier catalogue de la bibliothèque daté du 19 janvier 1795 fait état de 564 volumes.

Les butins des conquêtes constituèrent le second apport essentiel. ▶

1. Bibliothécaire de l'École de 1818 à 1842.
2. Histoire de l'École polytechnique. Paris, 1828, pp. 37-38.
3. L'École centrale des travaux publics, qui devint « l'École polytechnique » un an après sa création, fut fondée par la loi du 28 septembre 1794.
4. Ces dépôts, institués par la Commission temporaire des arts, rassemblaient en l'an II près de deux millions de volumes provenant de mille cent bibliothèques privées (couvents, émigrés, académies).

▶ Un fonds de 80 ouvrages « provenant de la Belgique » a été inventorié le 11 octobre 1795. Puis, lors de la campagne d'Italie, le traité de Tolentino, imposé le 17 février 1797 au pape Pie VI, le contraignit à payer une contribution de guerre « dont une partie pouvait être soldée en... livres ». À cet effet, une commission de savants et d'artistes fut envoyée en Italie. Monge, l'un des fondateurs de l'École et membre de cette commission, choisit pour l'École 101 ouvrages (principalement des traités d'architecture en éditions rares) dans les bibliothèques privées du pape et du bibliothécaire du Vatican, le cardinal Albani.

Mais l'enrichissement de la bibliothèque n'était pas fait que de « récupérations »... Sporadiquement, l'administration allouait des sommes pour l'acquisition d'ouvrages scientifiques. En outre, l'intérêt pour les périodiques se manifesta quatre ans après la fondation : le 8 décembre 1798, le conseil de l'École affecta à la bibliothèque un budget de 400 francs par an pour l'abonnement à des « journaux français et étrangers qui traitent des sciences et des arts[5] ».

Les dessins

Le peintre François Neveu, élève de David, « instituteur » de dessin, fut « chargé de pourvoir au rassemblement des objets nécessaires à l'instruction des élèves de l'École centrale des travaux publics dans la partie du dessin », par un arrêté des Comités de Salut public, d'Instruction publique et des travaux publics réunis le 25 novembre 1794.

Il sélectionna notamment. dans les « divers dépôts de dessins et d'estampes », une trentaine de dessins de maîtres du XVIIIe siècle pour servir de modèles aux élèves. Parmi ceux-ci, des œuvres de Fragonard, David, Hubert Robert, Louis-Jean Desprez. Les onze dessins de Desprez, dont la *Grotte du Pausilippe* (cat. 311), livrés le 14 décembre 1794 par le Dépôt national de la rue de Beaune, avaient été saisis en juin 1793 à l'hôtel du marquis de Clermont-d'Amboise.

Les collections scientifiques

Carny, responsable de l'équipement des laboratoires, utilisa lui aussi les ressources offertes par les confiscations révolutionnaires. La base des collections d'instruments indispensables à l'enseignement scientifique fut constituée des éléments des cabinets de physique et de chimie de l'École royale du génie de Mézières, ainsi que d'objets tirés du Dépôt national. Le reste fut acquis ou réalisé sur place par des « artistes » qui étaient attachés aux différents cours afin d'entretenir ou de construire les appareils nécessaires.

Claudine Billoux

5. Le premier véritable catalogue, par ordre alphabétique d'auteurs et d'anonymes, établi par Peyrard en l'an IX, totalisera 7 555 volumes.

Note bibliographique

Albert de Rochas, « Notice historique sur la bibliothèque de l'École polytechnique », dans *Premier supplément décennal ou catalogue de la bibliothèque de l'École polytechnique*, Paris. 1892.

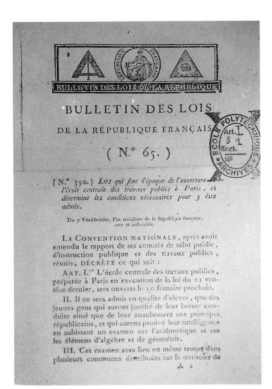

Loi du 7 vendémiaire an III (28 septembre 1794), extrait du *Bulletin des Lois* (Palaiseau, bibliothèque de l'École polytechnique). « Loi qui fixe l'époque de l'ouverture de l'École centrale des Travaux Publics à Paris, et détermine les conditions nécessaires pour y être admis. » Il s'agit du texte fondateur de la future École polytechnique.

Vue du Palais Bourbon prise du côté de la rue, par Jean-Baptiste Rigaud, d'après Jacques Rigaud, estampe (Palaiseau, bibliothèque de l'École polytechnique). À sa création en septembre 1794, l'École centrale des Travaux Publics, devenue un an plus tard École polytechnique, fut installée au Palais Bourbon dans les dépendances de l'hôtel de Lassay. Elle y demeura jusqu'à son transfert sur la montagne Sainte-Geneviève le 11 novembre 1805.

XXIX
LA RÉVOLUTION
ET LES BIENS CULTURELS

Dans l'histoire des monuments et des œuvres d'art, la période révolutionnaire est souvent assimilée à une phase de mutilation, voire d'anéantissement total : inventeurs du mot « vandalisme », les hommes de 1789 auraient d'abord expérimenté l'acte avant de le stigmatiser d'un nom infamant. Mais par ailleurs, toutes les institutions destinées à conserver les ouvrages de l'art et de la pensée furent créées ou considérablement développées durant la même période. Les destructions furent incontestablement considérables mais elles furent de natures diverses. Il y eut d'abord les actes spontanés ou délibérés : les monuments érigés pour des raisons politiques (ou identifiées comme telles) furent abattus, en France et dans les pays conquis, pour des raisons politiques antinomiques, et l'on peut assimiler à ces gestes antimonarchiques et anti-féodaux les destructions liées à la grande vague déchristianisatrice de 1793-1794.

Il y eut ensuite les destructions liées aux énormes besoins financiers des gouvernements révolutionnaires déjà héritiers du déficit de l'Ancien Régime, face à l'effort de guerre : fonte des métaux précieux, récupération des métaux non ferreux, y compris le plomb des cercueils ou des toitures, vente à l'encan des biens meubles ou immeubles appartenant aux corporations supprimées ou saisis sur les émigrés et les condamnés. Mais les bâtiments ainsi vendus furent victimes d'une troisième forme de vandalisme, de loin la plus durable, celle liée à la spéculation qui entraîna la disparition de monuments illustres pour le profit de la vente des matériaux ou d'opérations de lotissement en général sans grand intérêt urbanistique.

Par un paradoxe qui n'est qu'apparent, ces destructions innombrables coexistent avec le souci de préserver : on détruisit les statues royales mais on épargna souvent les ornements de leurs socles. La recherche des objets intéressants pour les sciences et les arts fut le fait de plusieurs commissions dont l'action fut subordonnée aux conditions difficiles et aussi aux préjugés esthétiques de la période, dont le goût était peut-être plus étroitement sélectif que celui de la génération précédente.

C'est évidemment dans son action hors des frontières françaises que l'action de ces commissions a été le plus contestée. Les motivations de l'enlèvement (subreptice, par droit de guerre ou par clause négociée) de chefs-d'œuvre en Flandre, en Allemagne et en Italie ont été analysées par de nombreux auteurs (Saunier, Boyer, Pommier) : l'obsession du modèle antique (Rome dépouillant la Grèce et l'Orient pour orner ses triomphes), le désir de faire du Muséum central une encyclopédie artistique universelle, la conviction que la France « terre de liberté » était la vraie patrie des chefs-d'œuvre ont joué leur rôle à des degrés divers. Mais la politique ainsi amorcée sous la Convention et poursuivie sous le Directoire ne trouvera son aboutissement que sous le pouvoir personnel de Napoléon lorsque Bologne, Mayence, Genève et (en projet) Milan entreprendront, à leur échelle, d'accueillir les œuvres laissées sans emploi par les grands bouleversements sociaux et religieux dans un cadre institutionnel, celui du musée au sens moderne du terme.

Projet de salles pour un muséum idéal (cat. 1063, détail).

RENOUVEAU MUSÉOLOGIQUE 1793-1797 : L'EXEMPLE DES COLLECTIONS DE DESSINS DU LOUVRE

S'IL EST VRAI que l'idée de musée préexistait à la Révolution, il n'en demeure pas moins que celle-ci en a fait « sa » création achevée en permettant au public de concevoir, dans ce qui jusqu'alors était « collections » réservées à la « curiosité », le « patrimoine universel de l'humanité ».

Cette conception idéaliste sera rendue possible grâce à la mise en place d'un pouvoir administratif qui, du Muséum national créé en 1793 dans la fièvre révolutionnaire, au Musée central des arts de 1797 dont la structure administrative est le prototype de l'organisation actuelle, s'exercera principalement au sein des collections de dessins.

Par tradition européenne l'Ancien Régime localisait dans la « galerie », un espace politico-pédagogique[1]. Colbert par exemple, invitait les académiciens à donner des conférences aux artistes en s'appuyant sur les collections royales. Réservées à une élite éclairée, d'un accès public relatif, ces collections sont donc le lieu d'une opération culturelle bien faite pour servir le prestige de leur propriétaire[2]. De François Ier à Louis XIV puis au Régent, et de Richelieu à Mazarin, tous les hommes de pouvoir se donnent à voir à travers leurs galeries d'art[3].

Louis XV et Louis XVI quant à eux, indifférents à ce moyen de propagande, se soucient peu d'assurer l'accès aux collections de leurs prédécesseurs, ceci au moment même où le goût pour l'art gagne un public plus large.

Les Encyclopédistes et plus encore Diderot[4] contribuent à transformer ce mouvement en nouveauté socio-culturelle que l'univers de l'Encyclopédie nous restitue.

Avec ses 11 500 exemplaires vendus dans la France prérévolutionnaire, l'Encyclopédie est un « best-seller dans le pays où elle est née ». Elle s'adresse à un vaste public qui va de l'académicien au maître ouvrier et prend ainsi en compte l'élargissement du public des grands amateurs d'art à la classe de la bourgeoisie moyenne. Conduite à donner une définition du concept de musée[5], elle se réfère à la « fondation par les Ptolémées du musée d'Alexandrie, lieu de travail des sages, des philosophes et des hommes de lettres », mais elle mentionne également que « le mot a acquis une signification plus étendue et s'applique à tout endroit où sont conservés des objets ayant un rapport avec l'art et les muses ». Ici est fait allusion à ces lieux d'une sociabilité érudite et cultivée, désignés du terme de « musée » ou « lycée », qui apparaissent dans la seconde moitié du XVIIIe siècle.

Ajoutons que « description des arts », l'Encyclopédie fait une large part aux artisans. Diderot précise dans le prospectus de l'Encyclopédie : « On a trop écrit sur les sciences, on n'a pas assez bien écrit sur la plupart des arts libéraux, on a presque rien écrit sur les arts mécaniques. » Et de renverser les anciennes hiérarchies à l'article « art » où les « arts mécaniques » viennent au premier plan.

Cette valorisation des arts mécaniques est, elle aussi, à mettre en rapport avec ce goût nouveau pour les métiers d'art qui, en province d'abord, à Paris ensuite, a mené à la création d'écoles gratuites du dessin[6]. Enseignement organisé à l'identique de celui perpétré par l'Académie royale, il sacrifie à la copie d'après les dessins, les gravures, ou la « bosse ». Pour servir à l'enseignement, des collections sont constituées qui, à Rouen, Reims ou Dijon par exemple, seront les bases des futurs fonds muséaux. Michelet écrira « l'art devient social. Il crée une société ». Un lieu, propre à l'accueil du public et propre à l'exposition de collections, est à concevoir.

De fait « si la distinction entre public et privé ne fut longtemps qu'accessoire à la définition du musée », il appartint à la Révolution de ne concevoir de musée qu'ouvert à tous les publics. Au-delà de l'espace politico-pédagogique qu'y décelait l'Ancien Régime, l'espace muséal se donne dès lors à concevoir comme le « musée universel » de l'humanité, où « la terre entière s'empresse d'y venir déposer ses trésors[7] ». Les collections nationales doivent y être :

– conservées et inventoriées,

– exposées au public.

1. G. Bazin, le Temps des musées, Liège, 1967.

2. N. Sainte Fare Garnot, le Décor des Tuileries sous le règne de Louis XIV, Paris, 1988.

3. A. Brejon de Lavergnée, l'Inventaire de Le Brun de 1683. La collection des tableaux de Louis XIV, Paris, 1987.

4. J.-C. Bonnet, Diderot textes et débats, Paris, 1984.

5. D. Poulot, « les Finalités des musées du XVIIe au XIXe siècle », dans Quels Musées pour quelles fins aujourd'hui ?, Séminaires de l'École du Louvre, Paris, 1983.

6. A. Birembaut, « les Écoles gratuites de dessin », dans Enseignement et diffusion des sciences en France au XVIIIe siècle, 1964, cité par M. Pinault, dans cat. exp. Dessin et Sciences XVIIe-XVIIIe siècle, Paris, Louvre, cabinet des Dessins, 1984.

7. Boissy d'Anglas, Idées sur les arts.

Là se situe le projet propre à la Révolution. Soutenu par une volonté politique tumultueuse, sa réalisation se heurte à de multiples difficultés.

S'il est vrai que la sans-culotterie parisienne qui conduit la Révolution à son profit, se recrute pour l'essentiel dans la petite et moyenne bourgeoisie, il est également vrai que cette sans-culotterie prononce des discours officiels d'où la souveraineté du peuple n'est point exclue. Naît dès lors l'obligation – pour s'assurer l'adhésion des masses populaires – de trouver des espaces de propagande où d'écrire les « gestes » dont la symbolique serait lisible pour tous. Le musée, déjà politiquement inscrit dans la société prérévolutionnaire, s'impose aux esprits et plus précisément à celui de J.-L. David, député du département de Paris depuis septembre 1792. Toutefois, en faire un lieu de propagande révolutionnaire commande qu'au préalable, une réflexion sur la notion de « patrimoine national » ait été menée.

En effet, par le biais de saisies de biens des ecclésiastiques, des émigrés, du roi et des académies, la Révolution s'empare de 1790 à 1793 d'une quantité prodigieuse d'objets d'art qui vont à Paris s'accumuler dans les dépôts d'art – couvents des Petits-Augustins, des Capucins, des Jésuites, des Cordeliers, hôtel de Nesle.

« L'héritage artistique venait de passer brusquement [...] au domaine de la puissance publique que rien ne préparait à en assumer la conservation et l'utilisation[8]. » En 1790, Puthod de Maison Rouge relève « l'orgueil de voir un patrimoine de famille devenir un patrimoine national » ; et d'ajouter : « quels superbes musées on pourrait élever des dépouilles de nos églises ». Mais dans le même temps il stigmatise dans les mentalités « la haine bien mal fondée de tout ce qui annonce et rappelle des idées dont on craint l'influence ». Dès 1790, l'Assemblée nationale est placée devant cette alternative : conserver l'héritage de l'Ancien Régime en l'intégrant à a culture nationale ou le livrer aux iconoclastes et confondre dès lors le patrimoine national avec les institutions du régime aboli.

Elle décide donc le 13 octobre de cette même année, de créer un comité spécialement chargé d'étudier le sort des « monuments des sciences et des arts ». Un authentique dépôt de fondation de la culture démocratique se constitue où Musée et Monuments historiques sont les deux pièces maîtresses. Créer ce musée que le surintendant des Bâtiments du roi avait réclamé en vain de la monarchie était aisé, tant les futurs fonds muséaux affluaient vers la capitale.

Mais assurer la protection de ces objets d'art, mieux, en permettre l'accès à tous les publics, était délicat. C'était en quelque sorte offrir au régime déchu un lieu où s'exprimait « le puissant langage des symboles ».

Le 15 décembre 1791, A.-G. Kersaint propose une vision nouvelle de l'objet d'art en lui assignant un rôle politique qui contribuerait à asseoir la pérennité du nouveau régime. Et Kersaint d'énumérer les monuments dans lesquels il reconnaît le « patrimoine de tous » ; parmi eux le muséum : « Réunion de tout ce que la nature et l'art ont produit de plus rare et de plus parfait [...] sa création doit être soutenue par la volonté ferme de la nation [...] que la capitale des abus [...] régénérée par la liberté devienne [...] la capitale des arts. » Le Muséum, volonté nationale exprimée, devient temple de la Liberté.

Parviendrait-on à étendre ce caractère de liberté à l'objet muséal et par là même, parviendrait-on à le soustraire à son référent Ancien Régime ?

Ce propos trop... révolutionnaire pour être admis par l'imaginaire collectif commandait de passer par la destruction effective des symboles. « Gestes » d'exorcisme, sans doute « régénéraient »-ils la mémoire collective ?

L'Assemblée nationale décrète donc le 14 août 1792 la destruction des « monuments élevés à l'orgueil ». La liberté destructrice s'empare des esprits et commande par exemple, en « holocauste expiatoire » à la mémoire de Marat, que soient brûlés les portraits royaux du château de Fontainebleau, « images naguère vénérées par l'esclavage ». C'est un acte liturgique qui a lieu le 27 octobre 1793.

L'intervention de Thibaudeau à la tribune de la Convention en 1794 – « Les arts [...] sont depuis longtemps en arrière de la Révolution – trouve un écho au sein même du conservatoire du Muséum où Varon[9] s'exclame : « De quelque côté qu'on se tourne [...] [l'art de l'Ancien Régime] n'est rien pour la Révolution. »

Mais dans le même temps un courant contraire se forme et s'enfle. A l'Assemblée législative une voix se fait entendre au sujet de la porte Saint-Denis : « Elle mérite toute la haine des hommes libres mais c'est un chef-d'œuvre. » Une fois encore, le législateur intervient et l'Assemblée décrète le 14 septembre 1792 – un mois donc après le décret iconoclaste – la conservation des monuments « utiles pour l'instruction et la gloire des arts ».

La permanence de la coexistence dans les mentalités de ces deux concepts antinomiques, liberté-destructrice et liberté-protectrice, est attestée au sein des mêmes assemblées et dans les mêmes temps. L'abbé Grégoire fixe les attitudes et crée le terme de vandalisme : « Je créai le terme pour tuer la chose. » Des voix se font entendre avec plus d'insistance : l'héritage de l'Ancien Régime « ne saurait [être] répudié sans honte » (Boissy d'Anglas) et dans une lettre à David, publiée dans le Moniteur, Roland sait en 1792 définir la vocation politique du Muséum : « Il sera l'un des plus puissants moyens d'illustrer la République française. »

8. E. Pommier, « Idéologie et Musée à l'époque de la Révolution », dans les Images de la Révolution française, publications de la Sorbonne, sous la direction de M. Vovelle, Paris, 1988.

9. Y. Cantarel-Besson, la Naissance du musée du Louvre, Paris, 1981.

Survient la Constitution[10] du 24 juin 1793 et son article : « L'instruction est le besoin de tous. La société doit favoriser de tout son pouvoir les progrès de la raison publique et mettre l'instruction à la portée de tous les citoyens. »

Le Muséum où les encyclopédistes voyaient un lieu de savoir s'inscrit donc dans la perspective de l'article 22. Son ouverture s'impose avec plus d'acuité. Elle est décrétée par la Convention et fixée au 10 août 1793, jour de la fête de l'Unité et de l'Indivisibilité de la République, premier jour anniversaire de la chute de la royauté.

Il est à remarquer que les « gestes » définis les jours de commémoration sont à étudier avec attention. Ils sont autant de messages à décrypter d'un « processus actif au cours duquel se modifie le système de représentation du passé et donc la perception du présent[11] ». Ce qui paraît être signifié le 10 août, c'est la royauté abolie et la souveraineté du peuple donnée à voir dans la « République une et indivisible » à l'instant précis où ce peuple est convié à se réconcilier avec l'héritage de l'Ancien Régime exposé dans le Muséum national, aux regards de tous les publics. Pour situer sans ambiguïté le niveau symbolique, il est décidé qu'une coupe d'agate – calice d'un type nouveau – et « un morceau de jaspe taillé en forme de deux mains faisant l'emblème de la concorde employés dans la fête du 10 Août à la cérémonie de la régénération seront déposés au Muséum national ».

Mais cette ouverture du musée à l'ensemble du public n'est qu'une semi-réussite. Bien vite en effet, elle est limitée aux artistes. Entre-temps la critique, soulignant « la variété pittoresque » de la présentation, proche de celle des cabinets d'amateurs d'Ancien Régime, a montré combien il convenait d'être vigilant. Image « médiatique », l'image muséologique devait rendre sensible la rupture politique avec l'Ancien Régime.

En effet, pour les esprits, la nécessité d'une rupture affirmée était telle que la Convention avait été amenée à adopter le calendrier révolutionnaire[12] en septembre 1793. « Nous ne pouvions plus compter les années où nos rois nous opprimaient comme un temps où nous avons vécu » (Fabre d'Églantine).

Au printemps suivant, l'intervention de David dans le monde muséologique est déterminante. Au cours d'une séance publique il déclare : « Vous ignorez citoyen, vous et moi-même tout le premier qui ne les ai jamais pu voir, que la République possède une immense collection de dessins des plus grands maîtres. Eh bien à peine si l'on sait où ils sont ! Cachés dans les portefeuilles des vils satrapes à qui nos tyrans en avaient autrefois confié la garde [...] on les dérobait avec inquiétude aux regards des artistes et du peuple, comme si l'on eût craint que les sublimes conceptions des grands hommes n'eussent rivalisé de puissance avec le génie si jaloux des despotes. »

Les dessins deviennent le centre de l'attention générale. On propose pour la première fois en France d'en faire l'unique objet d'une exposition publique. Complément indispensable à l'enseignement artistique, elle serait de plus un outil précieux pour les participants aux concours de peinture, de sculpture, d'architecture, lancés par la Convention et le Comité de Salut public, en floréal an II (24 avril 1794). Les concurrents y sont appelés « aux armes et aux arts[13] » afin de créer l'image des « époques les plus glorieuses de la Révolution française » telle que le conçoit le pouvoir. Or l'œuvre achevée se doit à l'époque d'appartenir au « grand genre », mode académique obligé. Une iconographie précise s'y déploie, ses allégories codifiées par de célèbres traités. Le vocabulaire traditionnel se révèle assez vite inapte à symboliser le temps historique de la Révolution[14]. Malgré la volonté du pouvoir, l'art de propagande reste hermétique et « les solutions apportées par les artistes apparaissent en décalage par rapport au quotidien ».

Tous – David plus encore – sont convaincus qu'une étude de l'œuvre dessiné des grands maîtres permettrait d'adapter les modèles anciens à l'idéologie révolutionnaire[15]. Le tableau « À Marat-David-l'an II » aux multiples citations inspirées de l'iconographie christique en est, en vendémiaire (octobre 1793), l'exemple accompli. Maître certain de « l'allégorie réelle » de surcroît, David sait y dépasser l'idéologie, aussi, « cruel comme la nature, ce tableau a tout le parfum de l'idéal[16] ».

L'exposition des dessins mettra trois ans à se monter. Le temps en fait que s'organise le pouvoir administratif dont l'exposition sera l'image médiatique.

Le fonds de dessins que l'on se propose d'exposer a été, sous l'Ancien Régime, constitué par l'acquisition, en 1671, de 5 542 dessins. Le banquier Everard Jabach les cède alors à Louis XIV. Cette date marque l'organisation particulière d'une section des dessins[17], placée sous la responsabilité du premier peintre du roi.

10. J. Tulard, J.-F. Fayard, A. Fierro, *Histoire et Dictionnaire de la Révolution française 1789-1799*, Paris, 1987.

11. P. Garcia, « la Révolution momifiée », dans *Concevoir la Révolution*, Espaces Temps, 1988 - 38/39.

12. F. Furet et M. Ozouf, *Dictionnaire critique de la Révolution française*, Paris, 1988.

13. W. Szambien, *les Projets de l'an II : concours d'architecture de la période révolutionnaire*, cat. exp. Paris. École nationale supérieure des beaux-arts, 1986.

14. J. Benoit, « Temps historique et temps artistique durant la Révolution », dans *les Images de la Révolution française*, op. cit.

15. Ph. Bordes, *le Serment du Jeu de paume de Jacques-Louis David*, Paris, 1983.

16. Ch. Baudelaire, « le Musée classique du bazar Bonne-Nouvelle », dans *le Corsaire Satan*, 21 janvier 1846, cité d'après les *Œuvres complètes*, Paris, 1961, par A. Serullaz, cat. exp. *David et Rome*, Académie de France à Rome, 1981.

17. R. Bacou, *les Collections de Louis XIV. Dessins, albums, manuscrits*, cat. exp. Paris, Orangerie, 1977.

En partie, « cottez et paraphez de la main du Sr. Jabach », les dessins sont rangés dans « une grande armoire peinte, en bois veiné avec des filets d'or », dans « la seconde des salles qui composent » le Cabinet de l'ancien hôtel de Gramont, en face de l'aile nord du vieux Louvre.

À la mort du premier peintre du roi, Le Brun, un inventaire très succinct des dessins est dressé. Ceux-ci sont alors transportés dans un local exigu[18], proche du logement du nouveau premier peintre du roi, sous la Grande Galerie du Louvre, à côté de l'Imprimerie royale[19]. C'est là que la Révolution les trouve augmentés des entrées successives.

Lors de la saisie des biens de la couronne – par une commission de huit membres dont J.-L. David – un inventaire général en est dressé (24 septembre 1792). Il est, entre autres intervenants, signé de Vincent, garde des dessins du roi nommé par l'Assemblée nationale et membre de la commission qui a la responsabilité du Muséum. Le rapport de David du printemps 1794 met donc Vincent directement en cause. Accusé d'un « patriotisme sans couleur » il est démissionné et la commission du Muséum avec lui.

David propose alors : « Le mot de Commission était devenu insignifiant parce qu'il signifiait tout, je vous présente l'idée et la dénomination d'un Conservatoire du Muséum des arts [...]. Plusieurs des membres du Conservatoire seront attachés à la peinture, plusieurs à la sculpture, quelques-uns à l'architecture et d'autres aux antiquités. » Comme le remarque avec humour F. Furet, la Révolution, paradoxe sémantique, « a inventé le beau métier de conservateur ». On aura noté que les dessins sont apparemment assimilés aux peintures. Ils sont, deux mois plus tard, le moyen même de l'expression du pouvoir administratif.

Dans le courant de ventôse an II (mars 1794), le Conservatoire doit recevoir des mains de Vincent l'ensemble des dessins du Cabinet Royal. Prudent, le Conservatoire exprime le désir que ce transfert se déroule en présence de tous ses membres. Finalement il est convenu que Fragonard, Picault et Bonvoisin termineront seuls le pointage, aux côtés de Vincent. Pour entourer de toutes les garanties cette délicate opération, il est décidé que Vincent apposera un timbre sur chaque dessin « conjointement » avec celui du Conservatoire.

« Le timbre qui doit servir à marquer les dessins de la République en les recevant de l'ancienne commission, entre les deux lettres R.F. a pour reconnaissance particulière une petite marque au jambage de l'F. » Difficile à repérer à l'œil nu, cette petite marque est, vraisemblablement pour cette raison, complétée d'un point au niveau supérieur du R·. Fidèle à l'esprit qui préside à la création des sceaux, le Conservatoire personnalise son timbre. En effet, l'utilisation des deux initiales R.F.

18. J.-F. Blondel, *Architecture française*, Paris, 1756.
19. O. Merson, « les Logements d'artistes au Louvre », dans *Gazette des Beaux-Arts*, 1882.

– République Française – commence à se répandre dans l'univers des « signes » politiques. Paré, ministre de l'Intérieur, les avait déjà suggérées en octobre 1793 à Vincent : celui-ci inquiet, cherchait à dissimuler les armoiries royales frappées sur les portefeuilles des dessins du roi. C'est encore vraisemblablement Paré qui fournit le sigle au Conservatoire. Ce dernier en avait fait la demande au ministre de l'Intérieur quelque temps auparavant. Par la suite, en avril 1794, le sigle R.F. est associé à la figure d'Hercule et proposé par Dupré, Graveur Général des Monnaies et Médailles, afin d'en composer le filigrane du papier destiné à l'impression des lois éditées par la Convention. Ainsi dans le corpus des signes de l'identité de l'État le recours à la convention figurative s'altère-t-il peu à peu.

Vincent, pour sa part, utilise un timbre humide de « trois lignes de diamètre, dans lequel on peut sans hésitation reconnaître le timbre M.N., Muséum National (L.1899), visible sur des centaines de dessins du Louvre à côté du timbre R·F. Le timbre R·F., signe d'identité de l'État, légitime l'appropriation des collections royales par la République. Appliqué par les conservateurs à titre collectif, l'esprit de cette méthode s'apparente à l'application des sceaux de l'Ancien Régime.

En outre, il est décidé de transporter les dessins du cabinet royal dans un entresol situé au-dessus de la salle des séances du Conservatoire. Le Conservatoire se déclare « en permanence » : l'œil de la vigilance cher à la symbolique révolutionnaire ne saurait être étranger à la scène. Composé de trois pièces dont une dite « chambre obscure », cet entresol est fermé par une porte sur laquelle des scellés sont apposés, brisés et réapposés par les conservateurs toutes les fois que l'ouverture de la porte le nécessite et, toujours, en présence de plusieurs conservateurs.

Depuis la salle des séances du Conservatoire, un escalier permet l'accès à cet entresol. Cet escalier, enfermé dans une cloison de chêne, est complété par « la porte aux trois clefs ». L'accès de ce que l'on appelle par extension « Le Cabinet aux trois serrures », est régi par une police précise. Trois conservateurs possèdent chacun une clef, l'ouverture ne peut être effectuée qu'en présence des trois responsables mensuels, voire de tout le Conservatoire. Là encore c'est une volonté collective qui s'exprime et l'individu n'a pas le pouvoir de décision.

À dire vrai, en dépit de la modicité de son apparence, le « Cabinet aux trois serrures » est un lieu emblématique. En effet, outre les dessins et des petits tableaux, il renferme les bijoux de la couronne et le Trésor de Saint-Denis. Or celui-ci a été présenté solennellement à la Convention lors de la fête de la Liberté et de la Raison ; ainsi donc, dans le même temps où Notre-Dame devenait le temple de la Raison, le Muséum national, par trésor interposé, devenait-il cathédrale républicaine !

Dans la logique inhérente à l'usage des sceaux, les conservateurs conçoivent en 1796 la possibilité d'exercer leur pouvoir administratif hors de l'enceinte du Muséum. Et, grâce à l'application du timbre R˙F. sur des collections de dessins, le moyen de frapper d'inaliénabilité et d'imprescriptibilité le domaine privé.

Le 15 prairial an IV (3 juin 1796) : «Les conservateurs Pajou et Fragonard, après avoir travaillé pendant plusieurs séances au dépôt de Nesle en qualité de commissaire du Conservatoire à trier les dessins qui sont dans ce dépôt, ont fait transporter hier au Muséum le résultat de leur opération. Les dessins choisis par eux, qui ont été marqués en présence du C^n Naigeon de l'estampille du Conservatoire reçue du Conservatoire précédent, portent en petits caractères les deux lettres R.F. »

La confrontation des registres d'entrées et sorties des saisies déposées à l'hôtel de Nesle, avec les procès-verbaux des séances du Conservatoire, a permis l'identification de la première entrée au Muséum d'une partie des 12 000 dessins environ de Charles, Paul, Jean-Baptiste de Bourgevin Vialart de Saint-Morys (1743-1795), saisis[20] au château d'Hondainville après l'ouverture de la cache où ils étaient dissimulés (13 mai 1793).

Si l'apposition en 1794, du timbre R˙F. sur la collection royale, trouve sa légitimité dans le transfert de propriété résultant du transfert de souveraineté du roi à la République, cette même apposition, deux ans plus tard, peut paraître arbitraire. Elle signe en effet, le transfert d'un bien privé dans le domaine public qui ne s'accompagne d'aucune indemnité financière. La légitimité d'une telle opération n'était sans doute pas évidente aux yeux mêmes des conservateurs puisqu'on les voit mettre au point un procédé prudent et subtil.

Le mode d'intégration de la collection Saint-Morys dans le domaine public se fera en deux temps, permettant ainsi d'assimiler la totalité de ce fonds important tout en se ménageant une possibilité de repli si le courant politique venait à s'inverser. Environ le quart des dessins de la collection Saint-Morys est entré au Muséum en 1796. À partir du moment où il devient impératif de protéger de toute saisie « accidentelle » par les créanciers ensemble ou partie des 10 000 dessins que l'on décide de maintenir à l'hôtel de Nesle, il devient urgent d'utiliser le symbole, évocateur pour tous, des initiales R.F. Le timbre se substitue alors au «M» – muséum –, marque effaçable qui exprime le droit de préemption de l'administration. Le cachet R˙F. précise la volonté de l'administration de conférer un caractère de patrimoine national inaliénable et imprescriptible à une propriété privée. Avec la deuxième entrée de 1797, la collection sera en effet reconstituée au Muséum.

Évoquons rapidement la situation politique du moment. En réaction à 1796 qui avait vu la montée du pouvoir contre-révolutionnaire, 1797 est l'année de la « guillotine sèche » où la déportation en Guyane exile un nombre conséquent de royalistes. Au sein du Directoire demeurent Barras, La Revellière-Lépeaux et Reubell tandis que Barthélemy et Carnot sont remplacés par Merlin de Douai et F. de Neufchâteau.

À l'extérieur, Bonaparte après une suite de victoires parvient lors des préliminaires de paix signés à Campoformio (17 octobre 1797) à obtenir ce qui n'avait encore pu se faire : la reconnaissance de la République par l'empereur d'Autriche. Le Corps législatif organise, dans la Grande Galerie du Muséum, un banquet pour fêter le jeune général.

Il nous paraît à ce propos intéressant d'associer à cette scène, un dessin du XVIIIe siècle autrefois attribué à E.-L. Boullée (cat. 254).

Dessin d'une rotonde à l'architecture précisément décrite, une sculpture en pierre de Louis XVI en occupe le centre tandis qu'à l'extérieur un groupe de visiteurs, et parmi eux Louis XVI en personne, paraît regarder l'effigie de pierre : « Musée français projeté contenant les chefs-d'œuvre des arts en tout genre, tant antiques que modernes, également les statues en marbre des hommes célèbres de la Nation et celle du Roi Louis XVI régnant, fixée au centre du monument », telle en est l'inscription dédicatoire.

Proposant une approche iconologique du dessin, J.-R. Mantion écrit : « De Panthéon, le musée est devenu mausolée de la Monarchie[21]. »

Dans le prolongement de cette remarque nous serions tenté d'ajouter que : ce Louis XVI statufié nous invite à voir au centre du musée, tout à la fois un lieu de pouvoir, l'absence de représentant en ce point et la tentation pour le pouvoir politique demeuré à l'extérieur de s'emparer de la place.

Les temps sont proches où Napoléon inscrira son nom au fronton de l'édifice : « Les jacobins [...] et les modérés [...] las de s'affronter autour de conceptions différentes de la Liberté, se réconcilieront en Brumaire pour aider à son étranglement par Bonaparte[22]. »

À dire vrai, la montée du pouvoir de Bonaparte, n'affecte pas l'autonomie du Muséum, car le 3 pluviôse an V (22 janvier 1797), est placée au centre muséal une cellule administrative : le Conseil dont Léon Dufourny est l'administrateur général. La bureaucratie centralisatrice jacobine imprime sa marque et le décret portant création n'en fait pas mystère. « On propose la dénomination de Musée central des arts [...] pour indiquer celui de Paris comme le centre des arts dans la République plutôt que comme un établissement du département de la Seine et pour fonder le choix de demander aux autres départements ce qui serait nécessaire à la splendeur du grand musée de la République française. »

20. F. Arquié-Bruley, J. Labbé, L. Bicart-Sée, la Collection Saint-Morys du cabinet des Dessins du musée du Louvre, 2 vol., Paris, 1987.

21. J.-R. Mantion, «Déroutes de l'art : la destination de l'œuvre d'art et le débat sur le musée», dans la Carmagnole des muses. L'homme des lettres et l'artiste dans la Révolution, [direction J.-C. Bonnet], Paris, 1988, dessin repr. fig. 7.

22. J.-L. Margolin, «Une révolution mais de longue durée», dans Concevoir la Révolution, op. cit.

Cette centralisation outrancière explique sans doute le décalage observé entre la date de création de tel ou tel musée de province, voisine le plus souvent de 1793, et la date d'ouverture publique officielle reculée au Directoire, au Consulat, voire plus tard[23].

Dans cette mise en place administrative, les collections de dessins se donnent à voir comme un tout à l'évidente cohésion. Aussi le 25 prairial an V (13 mai 1797) le Conseil prend-il l'initiative de les organiser en un authentique département administratif.

Le « Cabinet aux trois serrures » est réservé exclusivement aux dessins. Un homme, L.M.J. Morel d'Arleux, est désigné « garde des dessins et des planches gravées » par le Conseil pour en assurer la gestion et dresser l'inventaire[24].

Les collections resteront à cet emplacement vraisemblablement jusqu'en 1855/1857. Quant à L.M.J. Morel d'Arleux sa nomination au poste de conservateur des dessins sera reconduite de 1802 jusqu'en 1827, date de sa mort. La création administrative du Conseil reçoit donc l'aval des régimes politiques qui, jusqu'en 1827, se succèdent à la tête du pays.

S'imposera également, d'un régime à l'autre, la première image « médiatique » de l'administration muséale qui, par le truchement d'une exposition des « desseins des grands maîtres », est offerte, galerie d'Apollon, depuis le 28 thermidor an V (15 août 1797).

Ouverte six jours par décade aux artistes et trois jours au public, elle est tout à la fois – dans un style grave et sévère – la première exposition publique des collections de dessins de l'Ancien Régime et l'exposition du Patrimoine national où sont illustrés les divers types de saisies révolutionnaires. Elle sacrifie au type pédagogique de la « galleria progressiva » chère à Vasari. Le modèle offert est repris en l'an X (1802) sous la direction de Vivant Denon comme l'atteste un dessin de Constant Bourgeois[25] qui montre l'accrochage des dessins dans la galerie d'Apollon (1802-1811).

Il est vrai que l'exposition connaît un succès certain. Pour l'anecdote rappelons qu'au 377, rue Saint-Lazare, dans le « jardin de plaisir » du Tivoli, parmi les plantes rares et sous une tente, se joue l'opérette de Maillot : *Mme Angot et le Muséum*. Personnage de poissarde enrichie, créée en l'an V, elle dessine dans les nuits de Paris une silhouette savoureuse.

Visiteur de l'an V, le polygraphe L.-S. Mercier s'exclame « que d'idées fines que d'intentions dans toutes ces études. Je

suis aux sources de la faculté qui invente » : spectateur et artistes confondus dans une dimension où Malraux situera « la notion universelle de l'homme ».

Au-delà de cette dimension intemporelle il ne faut pas oublier avec B. Deloche que si la Révolution fait du musée « l'officine où se fabrique à coup de symbolisation, l'image prométhéenne d'une divinisation de l'homme », elle assigne également aux conservateurs cette autre vocation : dresser l'inventaire des richesses artistiques de la nation.

Sur le modèle encyclopédique, un authentique outil de rationalisation se crée. Vicq d'Azyr dans son *Instruction sur la manière d'inventorier et de conserver* précise la rédaction de fiches capables de fournir l'identification rapide des pièces recensées : la conception de catalogues – et pour les dessins celui de l'an V en sera le point de départ –, de tableaux systématiques, en découle. Une typologie s'élabore.

Mieux encore. Exigeant un contrôle tant des entrées que de la publicité de l'objet d'art, la méthode introduit dans l'univers rationnel du musée, l'attribution et la critique d'art. L'attribution qui identifie, ventile, décode des formes, fait surgir des parentés et la critique qui évalue le pouvoir dynamique, conduiront ainsi à une schématologie de ces mêmes formes.

L'histoire des formes dont le musée est l'instrument d'analyse scientifique objective se superpose peu à peu à l'histoire de l'art.

Ainsi le renouveau muséologique révolutionnaire a-t-il tout à la fois créé le musée de la culture humaniste et l'outil de traduction de l'activité artistique en banques de données. L'art est désacralisé mais l'esthétique y gagne en objectivité.

« Un humanisme nouveau, humble et lucide mais conscient et responsable[26] » règne désormais.

Lina Propeck

23. G. Barnaud, *Répertoire des musées et collections publiques de France*, Paris, 1982.

24. M.-A. Bisseuil, « De l'an V au second Empire : le cabinet des Dessins de Morel d'Arleux et de Reiset », *le Petit Journal des grandes expositions*, Paris, Louvre, cabinet des Dessins, 1988.

25. Dessin du cabinet des Dessins du Louvre (RF. 29.455) repr. cat. exp. *L'an V. Dessins des grands maîtres*, p. 27, fig. 19. Paris, Louvre, cabinet des Dessins, 1988.

26. B. Deloche, « Logique et contradictions du musée », dans *Quels Musées pour quelles fins aujourd'hui ?* op. cit.

Porte d'entrée du Muséum (cat. 1054).

1054
Porte d'entrée du Muséum

par Charles de WAILLY

Pierre noire, plume et encre noire, lavis gris brun, aquarelle. H. 0,463 ; L. 0,840.
Inscription : signé et daté en bas à droite : « DWLY l'an 2 de la R. »
Historique : acquis en 1951.
Expositions : 1796, Paris, Salon, n° 715 ; 1972, Paris, Louvre, n° 58.
Bibliographie : Bellier de la Chavignerie - Auvray, t. II, 1785, p. 709.

Paris, musée du Louvre, cabinet des Dessins (inv. R.F. 29.893).

Le livret du Salon de 1796 indique que les quatre dessins présentés par de Wailly représentent « l'intérieur des salles au-dessous de la galerie d'Apollon au Muséum ; ces salles étant destinées à la sculpture, chacune d'elles porterait le nom de la statue principale qui en occuperait le centre ». On voit dans ce projet, à l'éclairage très contrasté qu'affectionne particulièrement l'architecte, la porte d'entrée, avec au-dessous, dans l'ombre, deux figures de Renommée encadrant un médaillon sur lequel on lit *Muséum*. Les six statues sont identifiées de gauche à droite avec le d'*Aguesseau* de Berruer (marbre, Salon de 1779, n° 215 ; château de Versailles), l'*Énée et Anchise* de Le Pautre (marbre ; jardin des Tuileries), l'*Amour taillant son arc* de Bouchardon (marbre, musée du Louvre, MR 1761), la *Psyché abandonnée* de Pajou (marbre, musée du Louvre, 1790, plâtre exposé au Salon de 1785, n° 199), l'*Arria et Pœtus* de Théodon et Le Pautre (marbre, jardin des Tuileries), et sans doute le *Descartes* de Pajou

(marbre, Institut de France, Salon de 1777, n° 214).
De Wailly exécute plusieurs dessins en relation avec la création du musée : deux autres dessins pour la porte d'entrée sont également conservés au Louvre (Inv. R.F. 29.890 et R.F. 29.891) avec une élévation et coupe de la Grande Galerie du Louvre (Inv. R.F. 30.638 ; exp. : Louvre, 1972, n° 57). Un projet pour l'aménagement du Salon Carré est au musée Carnavalet (I.E.D. 5185, Aulanier, 1948, pl. 16). L'utilisation de statues, comme exemple de vertu, continuant ainsi l'esprit de la commande d'Angiviller, se poursuit dans les autres salles du Louvre. Dans le dessin, également de Charles de Wailly, *La Salle des Assemblées au Louvre,* exposé au Salon de 1796 (n° 714 qui figurera à l'exposition *Les Architectes de la Liberté,* Paris, École des Beaux-Arts, 1989, avec le dessin sur le même sujet aujourd'hui au musée Carnavalet), on peut voir, issus de la série des *Hommes illustres,* le *Corneille* de Caffieri (marbre, Salon de 1779, n° 202, Louvre, R.F. 3.002), Le *Duquesne* par Monnot (marbre, Salon de 1785, n° 237, musée de Versailles), le *Turenne* de Pajou (marbre, Salon de 1783, n° 216, musée de Versailles). Autour de l'hémicycle, sont placés le *Bossuet* de Pajou (marbre, Salon de 1779, n° 201, Institut de France), le *Condé* de Roland (marbre, Salon de 1787, n° 265, musée de Versailles), le *Pascal* de Pajou (marbre, Salon de 1785, n° 198, Louvre, R.F. 2.181 ; exp. : Louvre, 1972, n° 59, Aulanier, 1957, pp. 56-57, pl. 18). Rappelons qu'à un certain moment, on pense disposer quelques statues de la série des *Hommes illustres* sur le pont de la Concorde (Dartein, 1906, p. 133).   M.Pi.

1055
La Grande Galerie du Louvre

par Hubert ROBERT

Huile sur toile. H. 0,373 ; L. 0,422.
Inscription : à droite sur le carton à dessin : « Robert ».
Historique : coll. Hippolyte Destailleur ? ; Arthur Veil-Picard ; David-Weill ; don au Louvre, 1948.
Exposition : 1979, Paris, Louvre, n° 87 (avec bibl. p. 65).

Paris, musée du Louvre, département des Peintures (inv. R.F. 1948-36).

L'état dans lequel apparaît la Grande Galerie du Louvre est à peu près celui que l'on peut déduire des documents d'archives et des descriptions concernant la période qui suit sa première ouverture au public, le 10 août 1793. Toutefois la présence du *Mercure* de Giambologna, qui proviendrait de la saisie du duc de Brissac (avril 1794 ; à moins qu'il ne s'agisse de l'exemplaire transporté du château de Saint-Germain-en-Laye), plaide pour une datation relativement tardive, plutôt après le séjour en prison du peintre (29 octobre 1793-27 juillet 1794), mais avant la fermeture de la galerie pour travaux le 29 avril 1796.
La Grande Galerie apparaît avec son éclairage latéral ; les tableaux sont placés entre les fenêtres ; des sculptures et des objets d'art ornent « l'épine » centrale de la Galerie. Il est possible que le tableau soit lié à la réorganisation de l'accrochage selon le classement par écoles entrepris par le conservatoire du Muséum en 1794 : il semble en effet que la première travée – la seule où l'on puisse tenter d'identifier des tableaux – soit consacrée aux œuvres de Le Sueur.

La Grande Galerie du Louvre en cours de restauration (cat. 1056).

La Grande Galerie du Louvre (cat. 1055).

Le public, relativement clairsemé, comporte une proportion élevée de copistes, ce qui était parfaitement conforme à la vocation pédagogique assignée au Louvre par la presque totalité des nombreux textes consacrés au Muséum sous la Révolution. Il semble que le tableau placé devant la première fenêtre à gauche ait été déplacé pour en permettre la copie ; pratique qui fut formellement prohibée par le conservatoire du Muséum en juillet 1796 (*cf.* Cantarel Besson, 1981, t. II, p. 92) lorsque seul le Salon Carré fut accessible au public.

1056
La Grande Galerie du Louvre en cours de restauration

par Hubert ROBERT

Huile sur toile. H. 0,422 ; L. 0,550.
Historique : donnée par la Société des amis du Louvre en 1946.
Expositions : 1967-1968, Paris, musée de l'Orangerie, n° 373 ; 1979, Paris, Louvre, n° 93 (avec bibl. p. 65).
Paris, musée du Louvre, département des Peintures (inv. R.F. 1946-29).

La présence, dans la première embrasure à droite, de la statue du philosophe antique *Zénon*, provenant du musée du Capitole et arrivée à Paris avec le convoi triomphal des 27 et 28 juillet 1798, permet de dater cette peinture au plus tôt du second semestre de cette même année. Elle illustre donc les problèmes posés par l'intégration à la présentation du musée de nombreux chefs-d'œuvre, butin des guerres en Flandre d'abord et en Italie ensuite. Les travaux furent d'ailleurs, comme on le voit, assez modestes : réfection de la peinture de la voûte et des murs, installation de colonnes portant des bustes, transformation en niches de certaines fenêtres dans lesquelles furent installés des poêles surmontées de statues.
Hubert Robert avait en fait contribué à l'élaboration d'un projet beaucoup plus ambitieux qui aurait consisté à doter la galerie d'un éclairage zénithal. Il avait exposé, sans doute dès 1789, une vue imaginaire de la Grande Galerie avec un système de lanternes, idée reprise dans le célèbre tableau du Salon de 1796 où il propose en outre le sectionnement de la galerie par un système de serliennes et l'animation des murs par des niches flanquées de pilastres. En pendant, Hubert Robert exposa la vue imaginaire de la Grande Galerie en ruines qui, à sa manière, est bien dans l'esprit de Volney et de sa méditation sur la fin des empires.

1057
La Madone du Corrège est enlevée de l'académie de Parme et livrée aux commissaires français

attribué à Charles MEYNIER

Plume et encre noire, lavis gris. H. 0,243 ; L. 0,388.

Historique : collection Vivant Denon ; entré au Louvre en 1895 avec douze autres dessins attribués à Charles Meynier.
Bibliographie : Guiffrey-Marcel-Rouchès, t. X, 1927, n° 9866 ; Vovelle, 1986, t. V, p. 73.
Paris, musée du Louvre, cabinet des Dessins (inv. R.F. 2949).

La campagne militaire d'Italie est le prétexte pour Bonaparte de mettre sur pied une politique de confiscation des biens artistiques, princiers, ecclésiastiques ou privés destinés à être amenés en France et présentés au musée du Louvre. Pour mener à bien cette entreprise, des commissions regroupant des artistes, Berthélemy, Gros, Moitte, Wicar, et des savants, Monge, Berthollet ou Thouin, sont nommées. En mai 1796, les commissaires français enlèvent les tableaux majeurs de l'académie de Parme, notamment la *Madone de saint Jérôme* appelée également le *Jour* exécutée par Corrège vers 1527-1528, acquise par le gouvernement de Parme en 1765 et disposée dans l'une des galeries de l'académie. En même temps que cette œuvre célèbre, les Français emportent également le *Sépulcre* (?) de Bartolomeo Schedone et des sculptures. Sur chaque caisse figurent le nom de l'œuvre, de l'artiste et le lieu de sa conservation. Les deux œuvres sont rendues par la France à l'Italie en 1816. Toujours au Louvre, un dessin à la pierre noire portant l'annotation *Hennequin* représente la partie droite de la scène (R.F. 2.950).
Les savants jouent un rôle important dans la confiscation des biens artistiques et leur répartition dans les collections françaises. Mais la campagne d'Italie a un aspect positif en ce qui concerne la restauration de certaines œuvres amenées en France en mauvais état ou ayant souffert durant leur transport. Ainsi un rapport sur la restauration de la *Vierge de Foligno* de Raphaël (Vatican) par Guyton, Vincent, Taunay et Berthollet est adopté par les classes des sciences mathématiques et physiques, de littérature et beaux-arts, les 1er et 3 nivôse an X (Paris, Académie des Sciences, archives, dossier Berthollet). La restauration qui suit est l'une des premières à être scientifiquement menée. **M.Pi.**

1058
Le Lion de Saint-Marc descendu de sa colonne

Plume et encre, lavis. H. 0,310 ; L. 0,450.
Bibliographie : Arrigoni-Bertarelli, 1932, n° 1764.
Milan, Castello Sforzesco, Raccolta civica di Stampe Achille Bertarelli (inv. AS.11-28).

Ce dessin, sommaire et inachevé, exécuté peut-être sur le vif par un amateur qui observait la scène d'une gondole, a l'avantage, malgré ses imperfections, de donner de la dépose du « lion de Saint-Marc » une image assez vraisemblable. La sculpture de bronze est soulevée à l'aide d'un palan accroché à un échafaudage composé de trois grands mâts. On note le grand déploiement de forces militaires, la présence de tambours et le groupe d'officiels (?) qui ont utilisé la terrasse de la « loggetta » comme tribune à l'abri d'une tente. Après son départ de Venise en 1797 et son arrivée à Paris, le lion de la Piazzetta ne connut pas un sort aussi glorieux que les quatre chevaux de bronze de la basilique. Peut-être à cause de son aspect déconcertant pour un œil habitué aux lions conventionnels mais plutôt naturalistes de l'art antique, ce bronze sassanide (?) fut relégué sur une fontaine près des Invalides. Il revint à Venise en 1815 très endommagé, à la suite d'une chute lors de sa dépose par les Autrichiens, et fut restauré par Bartolomeo Ferrari.

1059
L'Arrivée (?) des chefs-d'œuvre d'Italie dans la cour du Louvre

par Jacques-François SWEBACH, *dit* SWEBACH-DESFONTAINES

Plume et encre brune, lavis brun sur légère esquisse à la pierre noire. Traces de pointe pour la gravure sur les groupes de personnages au premier plan. H. 0,263 ; L. 0,445.
Historique : collection Jean Masson ; vente Paris, 1923, n° 143 ; acquis par D. David-Weill ; don au musée du Louvre en 1924.
Expositions : 1953, Paris, Orangerie, n° 47 ; 1981, Paris, Grand Palais.
Bibliographie : Hautecœur, 1924, pp. 23-24, repr. p. 23 ; Guise, 1983, repr. pp. 84-85.
Paris, musée du Louvre, cabinet des Dessins (inv. R.F. 6.061).

L'arrivée des chefs-d'œuvre d'Italie en France est triomphale ; les chars (connus par deux dessins conservés aux archives du Louvre) sont escortés par la troupe ; à Paris, ils sont salués par les membres de l'Institut de France, du Musée central des arts et de diverses autres institutions. Rangés en cercle autour de la statue de la Liberté au Champ-de-Mars, ils sont remis au directeur du Musée central des arts le 27 juillet 1798, date anniversaire de la chute de Robespierre (Bazin, 1967, pp. 174 et 176). Le dessin exposé représente-t-il l'arrivée des œuvres au Louvre les 28 et 29 juillet 1798 (9 et 10 thermidor an VI) ? L'événement se situe dans la cour devant l'aile Lescot (avant les remaniements d'Hector Lefuel). Au fond à gauche, des chariots attelés sont chargés de caisses ; d'autres caisses sont déchargées dans la cour ou transportées dans le musée. Au centre, on voit le groupe *L'Amour et Psyché* et à droite trois des *Chevaux de Saint-Marc* de Venise, placés par la suite (en 1808) au sommet de l'arc du Carrousel. Parmi les autres pièces célèbres amenées d'Italie, il faut citer l'*Apollon du Belvédère* et le *Laocoon*. Mais la porte d'entrée de la rotonde de Mars au centre du bâtiment est surmontée d'un buste de Napoléon et de l'inscription *Musée impérial*, ce qui place l'exécution de ce dessin après 1804. Et malgré le titre traditionnel donné à ce dessin bien connu, c'est sans doute plutôt le départ des œuvres en 1815 qui est ici évoqué. **M.Pi.**

Madone de saint Jérôme du Corrège est enlevée de l'académie de Parme et livrée aux commissaires français (cat. 1057).

Le Lion de Saint-Marc descendu de sa colonne (cat. 1058).

Projet de salles pour un muséum idéal (cat. 1063).

L'Arrivée (?) des chefs-d'œuvre d'Italie dans la cour du Louvre (cat. 1059).

Les Français en Italie, caricature suisse (cat. 1060)

1060
Les Français en Italie

par Balthazar Anton DUNKER
Eau-forte. H. 0,190 ; L. 0,136.
Inscription : au milieu à gauche : « *D.* »
Berne, musée d'Histoire (inv. 29.791. 1/3).

Caractéristique des gravures de Dunker, très souvent composées sur plusieurs registres nettement différenciés, celle-ci montre un « César » français identifié par un coq, soufflant sur la péninsule italienne : papes, rois, religieux, nobles culbutent. Il reste les œuvres d'art, le butin. Le coq armé d'une loupe fait son choix en amateur. L'étoile Bonaparte rayonne sur l'Italie.   J.Be.

1061
Le Château d'Anet

par Dominique LELEU
Plume et encre noire, rehauts d'aquarelle. H. 0,199 ; L. 0,257.
Inscription : en bas au milieu : « Château d'Anet côté mer(idional) démoli en 1798. »
Historique : musée de Tarbes ; déposé à la suite d'un échange au musée de Dreux.
Dreux, musée d'Art et d'Histoire Marcel-Dessal (inv. 556).

Construit au XVIᵉ siècle par Philibert Delorme pour Diane de Poitiers, le château d'Anet était passé à César de Vendôme au début du XVIIᵉ siècle et à la fin du XVIIIᵉ siècle avait été cédé au duc de Penthièvre qui n'émigra pas et qui mourut en 1793. Le château fut alors mis sous séquestre puis deux ans plus tard décrété bien national (5 septembre 1797) et mis en vente. Il est possible que le dessin de Leleu se situe précisément à cette date. Les murs du château en effet paraissent intacts ; seules les toitures des principaux corps de logis ont disparu, vendues sans doute avec la totalité des métaux contenus dans l'édifice. On voit ici essentiellement l'aile orientale et la chapelle du château.

1062
La Démolition du château d'Anet

par Dominique LELEU
Plume et encre noire, rehauts d'aquarelle. H. 0,185 ; L. 0,257.
Inscription : « 1798, château d'Anet. »
Historique : musée de Tarbes ; déposé à la suite d'un échange au musée de Dreux.
Dreux, musée d'Art et d'Histoire Marcel-Dessal (inv. 555).

Après la vente de tous les éléments mobiliers du château on procéda à l'adjudication en quatre lots du château et de ses dépendances. Le 1ᵉʳ février 1798 les sieurs Driancourt et Baudoin en firent l'acquisition au prix de 3 200 000 francs pour le compte de deux banquiers, Ramsden et Herigoyen. Ceux-ci, afin de vendre les matériaux procédèrent à une démolition systématique, à peine interrompue par quelques prélèvements faits par Alexandre Lenoir au profit de son musée des Monuments français. Le dessin de Leleu montre la destruction des dépendances de l'aile nord, la chapelle demeurant intacte.
L'histoire du château d'Anet est celle de beaucoup d'édifices sous la Révolution : relativement épargné par le vandalisme spontané et populaire des années 1792-1794 (seule la sépulture de Diane de Poitiers fut profanée en 1795 afin de récupérer les métaux précieux ou non ferreux), il fut victime des besoins financiers du Directoire et de la spéculation sur la vente des matériaux de démolition et des arbres des parcs, qui se prolongea fort tard dans le XIXᵉ siècle et que l'opinion attribuait à une mystérieuse « bande noire ».

1063
Intérieur d'un muséum

par Charles PERCIER
Plume et encre brune, lavis gris et rehauts de blancs. H. 0,465 ; L. 0,485.
Inscription : signé en bas à gauche : « Charles Percier ».

Historique : collection de l'artiste ; legs à l'architecte Le Bas ; Alexandre Sorel, petit-neveu de l'artiste qui le lègue au musée.
Expositions : 1796, Paris, Salon, nº 356 ; 1974-1975, Paris, Grand Palais, nº 110 ; 1975, Copenhague, nº 84 ; 1980-1981, Sydney, Melbourne, nº 98.
Bibliographie : Deloynes, t. XVIII, nº 490, p. 958 nº 495, pp. 1125 ; Duportal, 1931, p. 97 ; Serullaz, 1974-1975, pp. 109-110.
Compiègne, musée Vivenel (inv. 5703).

Ce dessin représente un projet de salles pour un muséum idéal où seraient regroupées sans souci d'histoire des antiquités d'origines diverses (d'Égypte, de Grèce, de Rome ou d'Étrurie) et qui seraient même assemblées entre elles pour former des monuments disparates, imaginés par Percier lui-même : par exemple le sarcophage décoré des travaux d'Hercule (musée du Vatican) est surmonté d'un couple (musée du Capitole) dont l'orientation de la tête a été changée. Le groupe à gauche de *Jupiter et Junon* et celui de droite, le *Triomphe de César*, sont également une invention de Percier. L'architecture de l'ensemble, très caractéristique de Percier et de son élève puis collaborateur, Pierre Fontaine (1762-1853), allie plusieurs tendances : les souvenirs de l'architecture civile romaine, du style pompéien particulièrement apprécié dans l'art néoclassique anglais, côtoient des réminiscences de la Renaissance italienne, particulièrement visibles dans le rythme de l'architecture, la perspective et certains détails comme la lunette. Le souvenir de l'*École d'Athènes* de Raphaël est ici encore présent. On retrouve ce même esprit dans la *Vue intérieure pour un muséum* concervée au Louvre (inv. 32.296), projet peut-être pour le palais des Arts destiné à la résidence impériale prévue à Lyon, puis à Paris sur les hauteurs de Chaillot mais jamais réalisée (exp. : Paris, Louvre 1972, nº 65).   M.Pi.

Vue du château d'Anet, décrété bien national en 1797 et mis en vente (cat. 1061).

Démolition du château d'Anet en 1798 après avoir été acheté par deux banquiers (cat.

UN EXEMPLE DE SAISIE DE BIENS D'ÉMIGRÉ

1064
La Comtesse du Barry

par Auguste PAJOU

Buste, marbre. H. 0,720; L. 0,485; Pr. 0,260.

Inscription : au revers : « Portrait de Madame la comtesse/Dubary/par Pajou Seuil/du Roy e Professeur de son Acad. de Pint e Scul. 1773. »

Historique : commandé en 1772, exposé au Salon de 1773; payé en 1777; saisi comme bien d'émigré à Louveciennes en 1793; musée spécial de l'École française à Versailles.

Bibliographie : Stein, 1912, p. 116-134; Bresc-Bautier, 1980, p. 46.

Paris, musée du Louvre, département des Sculptures (inv. MR 2651).

Très admiré lors de son exposition au Salon, ce buste nous restitue l'image de la favorite à l'apogée de sa puissance. Pajou fut le sculpteur attitré de la comtesse dont il fit plusieurs portraits dont l'un, en terre cuite, exposé au Salon de 1770, fut peut-être le modèle de ce marbre.

Après la mort de Louis XV (1774), il exécuta une effigie en pied de la comtesse, en « Fidélité tenant dans sa main le cœur du roi ». Le style du sculpteur, habile à créer des formes élégantes, était tout à fait adapté aux goûts de Mme du Barry, qui sacrifiait volontiers à une certaine simplicité (sensible ici dans le costume) à condition qu'elle ne soit point austère. Il existe d'innombrables répliques tardives de ce buste dont la popularité fut immense au XIXe siècle et ne s'est pas démentie depuis. Mais la comtesse, très satisfaite de son portrait (la tradition veut qu'elle ait fait retirer du Salon de 1773 le portrait peint par Drouais qui lui plaisait moins) avait assuré elle-même la diffusion de l'œuvre, grâce à des répliques en biscuit exécutées par la manufacture de Locré. Elle envoya à Gustave III une réplique en marbre (Stockholm, château de Malmström).

1065
La Cruche cassée

par Jean-Baptiste GREUZE

Huile sur toile. H. 1,085; L. 0,865.

Historique : saisie révolutionnaire de la collection de la comtesse du Barry à Louveciennes.

Bibliographie : Compin-Roquebert, 1986, t. III, p. 287.

Paris, musée du Louvre, département des Peintures (INV 5036).

Ce très célèbre tableau, probablement peint en 1772 ou 1773, est présenté ici comme exemple de la qualité des œuvres collectionnées par la comtesse du Barry. On connaît son rôle dans la propagation du premier néo-classicisme. Les quatre tableaux de Vien, représentant *Les Progrès de l'amour dans le cœur des jeunes filles*, images « néo-grecques » d'une Arcadie noble et simple, ont remplacé les toiles de même sujet par Fragonard, auparavant prévues, jugées d'un style trop rocaille et rendues à l'artiste. Son domaine de Louveciennes fut le réceptacle d'une nouvelle esthétique qui englobait, outre le « sentiment » cher à Diderot (Greuze), le goût pour une nature puissante aux effets changeants (série des quatre parties du jour par Joseph Vernet).

1066
L'Enlèvement de Proserpine

Partie centrale : Gobelins, 1773-1775.
Bordure ajoutée postérieurement : Beauvais, entre 1753 et 1780.
Tapisserie, laine et soie. H. 4,10; L. 3,35.

Inscription : en bas à gauche : « JOS. M. VIEN, 1757 » et dans la lisière : fleur de lys « A.C.C. BEAUVAIS. »

Historique : 3e pièce de la 4e tenture des *Amours des dieux*, d'après Joseph-Marie Vien, tissée pour Mme du Barry; saisie chez Mme du Barry à Louveciennes après sa mort et réservée pour l'État à la

---

La saisie de la collection de Mme du Barry

Les œuvres d'art et pièces de collection saisies chez les émigrés et condamnés ont contribué à enrichir notablement les collections nationales, aussi bien à Paris qu'en province. Mais le but de ces saisies, en dehors de leur aspect vexatoire et coercitif pour les proches et les héritiers, était essentiellement financier : les entrées obtenues sous la Constituante et la Législative grâce à la vente des biens nationaux dits « de première catégorie », c'est-à-dire provenant des corporations supprimées (essentiellement propriétés ecclésiastiques) étaient en voie d'épuisement. Dès le 27 juillet 1792, la vente des biens des émigrés sous séquestre depuis le mois de février est ordonnée. Le 10 mars 1793 cette mesure est étendue aux condamnés par la Convention mais la mesure fut rapportée le 22 fructidor an III et les biens non vendus restitués aux héritiers, indemnisés par ailleurs pour les biens vendus en bons au porteur admis à l'achat des biens d'émigrés. Le séquestre sur les biens d'émigrés non vendus ne fut levé qu'en l'an VIII, mais en l'an X le senatus-consulte amnistiant les émigrés leur faisait défense d'attaquer les actes déjà passés.

Il en résulta cependant d'innombrables et interminables procédures, surtout sous la Restauration à propos des biens incorporés au domaine.

Le cas des biens de Jeanne Bécu, devenue comtesse du Barry par mariage en 1769, est particulièrement intéressant dans la mesure où ils firent l'objet de deux saisies successives : comme biens d'émigré, puis comme biens de condamné.

Le 29-30 pluviôse an II (17-18 février 1793) on apposa les scellés sur les biens de la comtesse qui était à Londres depuis le 14 octobre 1792; elle en revint le 17 mars 1793, affirmant qu'elle n'avait pas émigré mais qu'elle s'était rendue en Angleterre pour affaires comme elle l'avait déjà fait à plusieurs reprises en 1791 et 1792, à la suite notamment du vol de ses bijoux. Arrêtée le 26 juin, relâchée le 13 août, de nouveau

incarcérée le 22 octobre, elle fut condamnée le 7 décembre et exécutée le 8. Il semble que ce soit avec quelque raison que le Tribunal révolutionnaire retint contre elle ses relations avec les émigrés français en Angleterre et l'aide qu'elle leur avait apportée par des subsides et des correspondances; dès 1789 elle avait envoyé au roi 500 000 francs pour l'aider dans ses efforts de propagande; le vol de ses bijoux lui-même n'était peut-être qu'un subterfuge pour faire passer en Angleterre des sommes très considérables.

Le 22 pluviôse an II (10 février 1794) les biens de la comtesse du Barry furent de nouveau saisis et inventoriés. Une semaine plus tard (29 pluviôse/17 février), la Commission des arts de Seine-et-Marne réquisitionnait un grand nombre d'objets qui lui paraissaient dignes d'être réservés « pour la Nation ». Mais elle dut renoncer à la majorité des objets ainsi retenus, notamment dans le domaine du mobilier, et, après l'établissement d'un inventaire estimatif le 21 messidor an II (8 juillet 1794), deux ventes eurent lieu l'une le jour même, une autre le 15 vendémiaire an III (7 octobre 1795). L'essentiel des biens de la du Barry était concentré à Louveciennes (Lucienne) et le contenu du château et du pavillon tel qu'il apparaît dans les inventaires, montre le raffinement de son goût. Les objets ici présentés ne forment qu'une part infime de ses collections mais, par leur célébrité et leur qualité, illustrent assez précisément ce que pouvait être l'ensemble de la saisie. Certaines de ces pièces entrèrent directement dans les collections nationales; d'autres, vendues ou détournées, n'y parvinrent qu'après être passées en de nombreuses mains.

La du Barry avait laissé des héritières qui sous la Restauration et jusqu'au début de la monarchie de Juillet ne cessèrent de faire des démarches afin d'entrer en possession des objets qui n'avaient pas été vendus.

La Comtesse du Barry, par Pajou (cat. 1064).

La Cruche cassée, par Greuze (cat. 1065).

*L'Enlèvement de Proserpine,
manufactures des Gobelins et de Beauvais* (cat. 1066).

vente de son mobilier le 7 fructidor an II (24 août 1794); anciennes collections du Garde-Meuble.
Exposition: 1966, Paris, Mobilier national, n° 29.
Bibliographie: Fenaille, 1907, t. IV, pp. 208-213.

Paris, Mobilier national (inv. GMTT 205/3).

Lors de sa visite à la manufacture des Gobelins, avec la duchesse d'Aiguillon, le 3 octobre 1772, Mme du Barry commanda une tenture des *Amours des dieux* d'après différents peintres. Les modèles avaient été réalisés en 1757 par Boucher, Carle Van Loo, Pierre et Vien et la première tenture fut tissée pour le marquis de Marigny en 1758-1762, selon l'usage qui voulait que le roi accorde une tenture au directeur des Bâtiments. La deuxième tenture fut commandée par Mme de Pompadour qui privilégia surtout les sujets de Boucher et gratifia généreusement les ouvriers chargés du travail; ce que ne manqua pas de rappeler le lissier Cozette qui réalisa les trois pièces en haute lisse destinées à Mme du Barry. Les deux autres pièces, sans bordures également, représentaient *L'Enlèvement d'Europe* d'après Pierre et *Vénus et Vulcain* d'après Boucher.
Les trois tapisseries, exécutées aux dimensions données par l'architecte Ledoux, étaient destinées à la décoration du pavillon de Louveciennes à laquelle participait déjà Vien; et leur sujet, bien que datant de vingt ans, était toujours à la mode. Vingt ans plus tard la Commission des arts qui fit l'inventaire des objets saisis à Louveciennes les choisit encore. *L'Enlèvement de Proserpine* était toujours sur les métiers en 1795; une pièce du même sujet était employée dans les appartements du directeur La Révellière-Lépeaux, au palais du Luxembourg, en l'an IV; une autre, aujourd'hui au palais de Buckingham, fut livrée en l'an V au citoyen Chapeau-Rouge de Hambourg, fournisseur des armées et créancier de la Répu-

blique, une autre encore fut livrée en l'an VI à un autre créancier de la République, le citoyen Boussault.
La bordure ajoutée après l'entrée de la tapisserie dans les collections du Garde-Meuble a été tissée à Beauvais et porte la signature d'André-Charlemagne Charron, entrepreneur de Beauvais de 1753 à 1780. A.Le.

1067
Guéridon

---

par Martin CARLIN

Bâti de chêne, placage d'acajou et d'amarante, sept plaques en porcelaine de Sèvres, bronze doré. H. 0,80; D. 0,80.
Inscription: sur le plateau, estampille «M. CARLIN», accompagnée du poinçon «JME»; sous la grande plaque de porcelaine centrale, marques peintes en bleu: «LL» inscrivant «V» (lettre-date de la manufacture de Sèvres pour 1774)/Dodin K (marque de Dodin) 1774; sous cinq des petites plaques, marques peintes en bleu: «LL» inscrivant «V/K»; sur une des petites plaques, signature «Dodin 1774».
Historique: exécuté pour Jeanne Gomard de Vaubernier, comtesse du Barry (1743-1793); saisi chez Mme du Barry à Louveciennes après sa mort et probablement vendu; collection de l'impératrice Joséphine; des barons Alphonse et Édouard de Rothschild; vente, Sotheby's, Monaco, 21-22 mai 1978, n° 21, repr.; acquis par le musée du Louvre à cette vente.
Bibliographie: Grandjean, 1979.

Paris, musée du Louvre, département des Objets d'art (inv. OA 10658).

La plaque de porcelaine centrale du plateau, représentatif de l'attrait qu'exerçait l'Orient,

illustre *Le Concert du grand sultan*, exécuté d'après une gravure de Claude-Antoine Littret (1766), qui reproduit, en l'inversant, un tableau de Carle Van Loo (1737), aujourd'hui conservé à la Wallace Collection. Autour, les six autres plaques, d'une inspiration très différente, figurent des pastorales dans des réserves à fond blanc, encadrées de bleu céleste. Le plateau, qu'on peut incliner, repose sur un balustre tripode.
Fruit de diverses collaborations, ce meuble fait bien comprendre le rôle de coordinateur que jouaient, au XVIIIe siècle, les grands marchands merciers parisiens à qui appartenait le commerce d'art. L'un des plus importants et des plus imaginatifs fut Simon-Philippe Poirier (vers 1720-1785), établi rue Saint-Honoré, *A la Couronne d'or*. Ses recherches pour satisfaire une clientèle avide d'innovations le conduisirent à commander à la manufacture de Sèvres des plaques de porcelaine destinées à orner des meubles. Le premier meuble ainsi décoré semble avoir été une célèbre commode estampillée par Bernard Van Risen Burgh, qui fut terminée en 1760. Dans les années suivantes, Poirier et son successeur Dominique Daguerre proposèrent des meubles en porcelaine de types très divers — bureaux, tables, guéridons, bonheurs-du-jour, secrétaires à abattant, commodes, coffrets —, dont l'exécution fut confiée, après la disparition de Van Risen Burgh, à Martin Carlin (vers 1730-1785). Cet ébéniste d'origine allemande, beau-frère de Jean-François Oeben, vit sortir de son atelier du faubourg Saint-Antoine un grand nombre des meubles les plus luxueux de la fin de l'Ancien Régime, en particulier, quelques années avant la Révolution, le mobilier en laque commandé par Mesdames, filles de Louis XV pour leur château de Bellevue. Bien que travaillant pour plusieurs marchands mer-

éridon, par Carlin (cat. 1067).

Baigneuse, dite aussi Vénus au bain, par Allegrain (cat. 1068).

L'Amour, par Boizot (cat. 1069).

ciers, Carlin sut préserver son style propre qui apparaît ici dans le pied du guéridon dont les lignes sont caractéristiques de l'ébéniste.

Les plaques de porcelaine portent les signatures et marques de Charles-Nicolas Dodin, le peintre le plus habile de la manufacture à cette époque, capable de s'adapter à des thèmes très divers. C'est en grande partie à lui que sont dues les peintures ornant le service de Sèvres de Louis XVI, commencé en 1783, auquel il travailla jusqu'en 1792.

Le guéridon, l'une des créations les plus spectaculaires de Poirier, fut livré par lui à Mme du Barry quelques mois après la mort de Louis XV et orna le salon ovale de son pavillon de Louveciennes, construit par Claude-Nicolas Ledoux en 1770-1771. Après l'exécution de la favorite, le 8 décembre 1793, ses biens furent saisis afin d'être vendus. Mais le guéridon, par la qualité de la technique de ses porcelaines, la beauté de leur peinture, impressionna certains des commissaires chargés de ces opérations. Il était menacé d'expatriation. Une note du 29 nivôse an III (23 janvier 1795), remarquable par son discernement, signée notamment par Riesener et les marchands Julliot et Lignereux, souligna en vain l'importance de ce meuble, le qualifiant de « morceau le plus hardi et le plus parfait qu'on ait produit en porcelaine fritée » et invoquant la Commission temporaire des arts de « laisser subsister en France une sorte de chef-d'œuvre qui convient absolument à l'histoire de la fabrication de la porcelaine ». Certaines des œuvres d'art de Mme du Barry (des bronzes en particulier) gagnèrent à cette époque les collections nationales, mais le guéridon fut aliéné. Il resta cependant sans doute en France puisqu'on le retrouve sous l'Empire, chez l'impératrice Joséphine, dans la grande galerie du château de Malmaison.　　　D.Al.

1068
Baigneuse, dite aussi *Vénus au bain*

par Christophe-Gabriel ALLEGRAIN

Statue marbre. H. 1,750 ; L. 0,620 ; Pr. 0,675.
Inscription : sur la plinthe, au revers : « G. Allegrain fecit 1767. »
Exposition : 1984-1985, Paris, Hôtel de la Monnaie, n° 125 (et bibliographie).
Bibliographie : Furcy-Raynaud, 1927, pp. 36-37.

Paris, musée du Louvre, département des Sculptures (inv. M.R. 1747).

Cette célèbre statue d'un élève méconnu de Pigalle, Christophe-Gabriel Allegrain — Diderot vit l'œuvre dans l'atelier du sculpteur, en marge du Salon de 1767, et rédigea un long texte dithyrambique —, fut acquise par Mme du Barry. La statue avait été une commande royale, initialement prévue par Choisy ; Louis XV en fit don en 1772 à la comtesse qui la plaça dans le parc de son domaine de Louveciennes. Elle commanda à Allegrain un pendant, une *Diane au bain* (Salon de 1777). Les deux œuvres, confisquées comme l'ensemble de la collection, furent choisies par Boizot comme dignes d'« être mis[es] en réserve pour être transporté[e]s au Dépôt national des muséums de la république » (*N.A.A.F.*, 1902, p. 343) ; elles furent exposées à Versailles, au musée spécial de l'École française (cat. an X, n°ˢ 353 et 354).

1069
L'Amour

par Simon-Louis BOIZOT

Statuette, marbre. H. 0,63 ; L. 0,20 ; Pr. 0,30.
Inscription : sur la plinthe à l'arrière : « Boizot F. 1772. »
Historique : exécutée en 1772 pour Mme du Barry ; payée avec son pendant, la *Nymphe fuyant*, 4 000 livres ; saisi à Louveciennes en 1793 ; au Petit Trianon en 1833, puis dépôt des Marbres.
Exposition : 1974-1975, Paris, Hôtel de la Monnaie, n° 49.
Bibliographie : Picquenard, 1973, n° 16.

Paris, musée du Louvre, département des Sculptures (inv. M.R. 2109).

Boizot, artiste exceptionnellement doué mais étonnamment divers, a donné dans cet *Amour* une interprétation en marbre de l'art fugitif et plein de « sfumato » issu du Corrège et dont on connaît les échos dans la peinture du XVIIIᵉ siècle. Le sujet comme l'interprétation pouvait plaire à Mme du Barry, même si Boizot se montre plus proche de Fragonard que de Vien. L'esquisse en terre cuite de l'*Amour* est conservée au musée des Beaux-Arts de Lille et Boizot qui dirigea les ateliers de sculpture de la manufacture de Sèvres de 1774 à 1785 fit exécuter des réductions en biscuit du marbre et de son pendant la *Nymphe* dont le marbre a disparu.

XXX
LA CRÉATION ARTISTIQUE
SOUS LA RÉVOLUTION

Peut-être cette section consacrée à la politique artistique des gouvernements révolutionnaires n'avait-elle pas de droit sa place dans une exposition qui s'est fixé pour but de replacer les faits et les événements de la Révolution dans leur contexte européen. Le temps, et peut-être plus encore sans doute, la volonté ont fait défaut aux responsables des arts, au sein de la République, pour encourager la création artistique dans les territoires conquis sous une autre forme que celle, éphémère, des fêtes. S'il fut alors question de peintures ou de sculptures, ce fut bien plutôt, comme on l'a vu à propos des biens culturels (chapitre XXIX) parce que sous des formes et avec des justifications diverses certaines étaient menacées de destruction ou de déplacement. Par la force des circonstances politiques, le Salon qui était devenu, à Paris, au cours du XVIIIe siècle, un événement européen, vit sa fréquentation baisser considérablement et les étrangers nombreux jusqu'en 1789, qu'ils soient de passage ou résidents à Paris, cessèrent d'en rendre compte dans leur pays d'origine. Si les nouvelles règles d'admission permirent durant quelques années à un plus grand nombre d'artistes d'exposer au Salon, d'autres artistes en furent absents pour cause d'émigration, d'éloignement de Paris ou d'activité politique trop accaparante.

Mais les gouvernements révolutionnaires se trouvèrent par ailleurs dans une situation relativement inédite : la fin des commandes royales et du mécénat privé de haut niveau mettait les artistes dans une situation matérielle difficile et les condamnait pour vivre à pratiquer essentiellement des genres « mineurs » (scènes de genre, nature morte, portraits ou sculpture décorative), alors que toute la politique du comte d'Angiviller sous l'Ancien Régime et tout le discours sur l'art tenu depuis près d'un quart de siècle avaient eu pour but de donner la priorité à la grande peinture d'histoire. L'application souple et empirique du principe démocratique du concours permit en fait de mettre sur pied une véritable politique de création artistique. Celle-ci fut très brocardée, au temps, point si éloigné, où le terme « école de David » suffisait à condamner une œuvre à demeurer roulée dans quelque dépôt lointain, mais jusque dans ses défauts elle préfigure directement certaines des procédures utilisées aux XIXe et XXe siècles, en France et dans d'autres pays d'Europe pour encourager le développement de l'art contemporain.

Projet de monument à Jean-Jacques Rousseau, 1798 (cat. 1126).

CONCOURS ET PRIX D'ENCOURAGEMENT

*Toute mesure qui sollicite le développement du travail
et le perfectionnement des produits par des récompenses
est un encouragement.* (Littré)

DANS LE DOMAINE artistique, l'encouragement aux artistes instauré par le moyen de commandes d'État apparaît de façon établie avec le comte d'Angiviller nommé en 1774 surintendant des Bâtiments du roi. Chaque année, un fonds de 100 000 livres était consacré aux commandes faites aux artistes, cet « encouragement » à la création ayant été institué dans le but de régénérer la peinture d'histoire. Mais la notion même de *Prix d'Encouragement*, récompense décernée aux artistes à l'issue des Salons ou lors d'un Concours est une institution créée par la Révolution.

Bien qu'il fût abordé par plusieurs auteurs, ce système de « récompenses nationales » n'a jamais été explicité dans sa totalité et les informations données sont toujours restées embryonnaires et comportent souvent, en outre, un certain nombre d'imprécisions et d'erreurs, ce qui est dû en grande partie à l'ambiguïté inhérente à ce système d'encouragements et à sa diversité.

Avant de rentrer dans le détail de chacune des distributions de Prix d'Encouragement que connut cette période, tant dans le cadre des concours de l'an II et de l'an VII que dans celui des quelques Salons à l'issue desquels furent distribués des Prix, il convient d'éclairer le fonctionnement du système.

Le projet initial, très simple, était tout à fait dans la lignée de celui de l'Ancien Régime et consistait à réserver chaque année une somme déterminée pour les créations artistiques. La loi du 29 septembre 1791 « qui accorde un secours annuel pour le soutien des Arts de Peinture, Sculpture et Gravure » nous est connue par les textes des décrets de l'Assemblée nationale en date des 17 septembre, 19 octobre et 3 décembre 1791[1] :

« Sera accordé annuellement pour le soutien des arts de peinture, sculpture et gravure une somme pour les travaux d'Encouragement : elle est fixée provisoirement pour cette année à 100.000 livres dont 70.000 se répartiront entre les peintres et les statuaires ; les autres 30.000 livres seront réparties entre les peintres dits de « genre » et les graveurs tant en taille-douce qu'en pierres fines et en médailles. Sur la dite somme de 30.000 livres il sera pris celle de 10.000 livres pour faire travailler dès cette année à la continuation de la collection des ports de France de Joseph Vernet par l'artiste que le pouvoir exécutif a déjà désigné pour ce travail. » (Il s'agissait du peintre **Hue. Voir cat. 1077.**)

En outre, le procès-verbal de la séance du 30 mars 1792 rappelle que « Les décrets sur les récompenses d'encouragement indiquent spécialement qu'elles seront accordées aux artistes qui annoncent des talents susceptibles d'être perfectionnés et à qui des secours sont nécessaires[2]. » Nous verrons plus loin qu'en accordant à David le premier Prix d'Encouragement en peinture, le jury s'écartait déjà de cette définition...

Dès 1791, la diversité du système, comme son ambiguïté, apparaissent déjà :

« Le Jury des Arts a maintenu pour les ouvrages à comprendre dans les Travaux d'Encouragement les prix qui ont été déterminés par la ci-devant Académie de Peinture et de Sculpture[3]. »

Nous trouvons en effet quelques exemples d'œuvres commandées sous l'Ancien Régime qui furent achevées grâce aux Encouragements de l'époque révolutionnaire. C'est le cas de travaux de sculpture dont la réalisation s'avérait particulièrement longue. Ainsi Julien, qui obtint à l'issue du Salon de 1791 un premier Prix d'Encouragement de 10 000 livres, put-il exécuter sa statue de Poussin commandée en 1788 (cat. 1078) ou Foucou, chargé en 1786 de représenter le connétable Du Guesclin qui mena à bien sa tâche grâce aux fonds accordés par le gouvernement et exposa son œuvre achevée en 1799 où il fut d'ailleurs primé (cat. 1107) ; il en est de même pour Stouf qui avait obtenu en 1787 la commande d'une statue représentant *Saint Vincent de Paul* qui lui fut payée sur des fonds réservés aux Encouragements (cat. 1118). Nous trouvons également pour la peinture des exemples de ce type avec Suvée dont la *Cornélie...*, commande royale de 1790, sera payée sur « le fond d'Encouragement de l'an V » (cat. 428) et avec Vien dont le tableau représentant *Hélène poursuivie par Énée...* commandé en 1788 par le roi fut en partie rétribué par le nouveau régime en 1793[4].

---

1. A.N. F^{17} 1056, dos. 1 et 5.

2. A.N. F^{17} 1056, dos. 1.

3. A.N. F^{17} 1056, dos. 10.

4. *Hélène poursuivie par Énée dans le temple de Vesta, pendant l'incendie de Troie,* Clermont-Ferrand, musée des Beaux-Arts ; voir Thomas W. Gaehtgens-Jacques Lugand, *Joseph-Marie Vien*, Paris, 1988, p. 208, n° 273.

Autre fait significatif de la complexité de cette politique, celui des œuvres payées par l'État toujours sur ces fonds réservés aux Prix d'Encouragement sans que celles-ci n'aient obtenu de Prix ou bénéficié antérieurement de commandes, comme celles que nous venons de voir. Callet sollicita ainsi le gouvernement en 1795 pour l'acquisition de sa *Vénus blessée par Diomède* (cat. 1117) et vit sa requête acceptée, le paiement de son tableau fut alors acquitté sur une somme réservée aux Encouragements ; de même est-ce par la demande de Stouf lui-même que sa statue de *Montaigne* fut acquise par l'État grâce à ces mêmes fonds (cat. 1119).

L'Encouragement tel que l'entendait la loi de 1791 devait donc, théoriquement, être décerné chaque année à l'issue du Salon, mais l'évolution politique et l'institution des deux Concours de l'an II et de l'an VII diversifièrent sensiblement cette notion d'encouragement. On aurait, en effet, pu considérer que le terme d'*encouragement* était réservé aux prix décernés à l'issue des Salons afin d'*encourager* les artistes à présenter d'autres œuvres aux Salons suivants, il aurait été ainsi question d'un *encouragement à la création* assorti d'une aide financière. Mais l'ambiguïté vient du fait que, dans le cadre des Concours, le terme a été employé de façon plus large en tant que prix dans le sens de récompense ; de sorte que l'on trouve « encouragement de 1re classe » ou « de 2e classe » pour prix de 1re classe ou de 2e classe. Par ailleurs, le terme de « Travaux d'Encouragement » déjà apparu dans les décrets de 1791 se retrouvera dans les textes officiels concernant les Concours de l'an II et de l'an VII pour désigner l'œuvre exécutée par l'artiste grâce au prix obtenu. Mais là encore l'ambiguïté perdure. En effet, l'œuvre portant l'appellation d'« Encouragement » peut, selon les cas et les documents, soit être celle sur laquelle l'artiste reçoit son prix, soit celle « d'avance acquise par la Nation » qu'il exécute grâce au prix en question (les « Travaux d'Encouragement » dont nous parlions plus haut). Bien souvent les deux types d'œuvres sont qualifiés de « Prix d'Encouragement », d'où nombre de confusions. Dans la plupart des cas, on connaît parfaitement l'œuvre exécutée grâce au prix, celles-ci, une fois exposées aux Salons, figurant toujours avec la mention : « ce tableau appartient à la Nation » ou « ce tableau est pour le gouvernement ». En revanche, principalement après l'an VII, on trouve fréquemment la mention erronnée de « ce tableau obtint un prix d'encouragement » pour désigner une œuvre qui n'obtint jamais de prix, pour n'avoir figuré à aucun Concours ou autre Salon ; c'est le cas de *La Noce comtoise* de Demarne (cat. 1113) et du *Paysage* de César Van Loo (cat. 1112), tableaux, l'un comme l'autre, exécutés grâce à des prix antérieurement reçus.

À l'inverse des « Travaux d'Encouragement », souvent identifiés, les œuvres primées nous restent parfois inconnues ; ainsi pour les prix de 1791, les documents d'archives ne nous ont pas livré les sujets des tableaux qui obtinrent ces Encouragements.

En 1794, avec le jugement du Grand Prix de Peinture, Sculpture et Architecture apparaît le terme d'*encouragement* dans le sens d'*accessit* ; « Mon avis est qu'il ne doit pas y avoir de prix, mais un encouragement[5]. »

L'introduction du terme d'encouragement dans le jugement des œuvres présentées entraîna un certain nombre de confusions entre ce concours et le grand Concours de l'an II dont il est à distinguer et avec lequel il est parfois confondu. Afin de lever cette confusion, nous aborderons ici brièvement ce concours dont les détails nous sont rapportés par Détournelle dans son journal[6].

« En vertu des décrets des 9 et 25 brumaire an II », un « jury des Arts nommé par la Convention Nationale » composé de cinquante membres s'est réuni « pour juger les ouvrages de peinture, sculpture et architecture mis au concours le 17 pluviôse an II » (25 février 1794). Pour la sculpture, le sujet était *Le Maître d'école de Falaries*. Aucun des quatre concurrents ne fut jugé digne de remporter un prix. Pour la peinture, le programme était « La mort de Brutus ; l'instant où le corps du grand homme, de ce fondateur de la Liberté de son pays, est rapporté dans Rome par les chevaliers romains et reçu par le Sénat qui vient au devant de lui. » Le Grand Prix ne fut pas décerné mais Harriet reçut pour son tableau un second prix ou « encouragement ». Pour l'architecture enfin, les candidats devaient présenter un projet sur « une caserne capable de contenir 600 hommes de cavalerie » ; le Grand Prix ne fut pas décerné non plus, et Protain obtint également un « encouragement[7] ». Ainsi ce concours introduit-il un sens sensiblement différent à la notion d'encouragement en lui donnant valeur d'accessit, mais il est surtout intéressant de noter que l'encouragement prend ici une couleur politique. Dufourny, président du jury, déclara à l'ouverture de la première séance :

« Les artistes vont être jugés aujourd'hui autrement que par l'Académie, il s'agit de savoir si la Révolution leur a donné un caractère qui les distingue, s'ils sont vraiment révolutionnaires. »

Quant à Fleuriot, substitut de l'accusateur public et sans aucun doute le membre le plus exigeant de ce jury, il dira :

« Nous sommes appelés non à juger un Prix mais à régénérer les Arts » et plus loin : « J'ai ici un devoir à accomplir, c'est de ramener les arts à la révolution. »

Ainsi « les Arts devoient prendre un caractère révolutionnaire », faute de quoi le jury ne pouvait accorder de prix et il n'accorda en effet que des encouragements, à savoir des encouragements... à devenir plus révolutionnaires.

L'encouragement et ce par quoi il est obtenu, donc le Concours, furent de fait les moyens d'une propagande active. Le programme du Concours de l'an II en est certainement la plus parfaite illustration. On sait toutefois que cette propagande

---

5. Fleuriot ; séance du Jury national des Arts du 18 pluviôse an II (26 février 1794) rapportée par Détournelle dans *Aux Armes et aux Arts !, Journal de la société populaire et républicaine des arts*, n° 1, pp. 36-47.

6. *Aux Armes et aux Arts !*

7. Troisième séance du Jury National des Arts, 19 pluviôse an II (27 février 1794), Protain est orthographié « Protin » par Détournelle.

révolutionnaire, vivement souhaitée par le gouvernement, se solda par un échec relatif, l'enthousiasme des artistes à se montrer de fervents révolutionnaires fut en effet plutôt modéré.

Les difficultés de vie, souvent dramatiques, dans lesquelles se débattaient certains d'entre eux, l'absence de commandes, le manque de revenus substantiels et soudain cette éventualité providentielle de pouvoir obtenir un prix d'un montant honorable à l'issue d'un Concours, ont dû très certainement aiguillonner plus d'une fibre révolutionnaire. De fait, le gouvernement fut grugé, preuve en est ces artistes qui, une fois primés au Concours de l'an II sur une esquisse présentant un épisode à la gloire de la Révolution, se gardèrent bien de traiter du même sujet ou d'un sujet analogue dans leurs « Travaux d'Encouragement », tableaux qui restaient à leur choix et qu'ils destinaient à l'État. Ce fut même pour certains l'occasion inespérée de pouvoir exécuter soit une œuvre qui leur tenait à cœur, soit un tableau d'envergure que leurs moyens financiers ne leur auraient pas permis de mener à terme sans cette aide pécuniaire. Ainsi Lagrenée put-il, oubliant *La Journée du 10 Août,* peindre son *Ulysse et Alcinoüs* (cat. 1091), Sablet délaissa l'épisode sanglant du *Forgeron vendéen* pour les très champêtres *Joueuses d'osselets* (cat. 1094), Garnier exécuta enfin son grand tableau de *La Consternation de la famille de Priam* (cat. 1093) auquel il songeait depuis 1788 et Peyron composa *le Temps et Minerve* dont l'idée remontait à 1791 mais qu'il modifia toutefois dans un esprit plus patriotique (cat. 1089).

Si, en l'an II, le souhait du gouvernement avait été de faire de chaque artiste un ardent patriote soutenant par ses travaux l'idéologie révolutionnaire, et si ce souhait fut un échec, du moins l'expérience ne fut-elle pas oubliée pour le Concours de l'an VII où l'article premier du décret du 4 messidor stipule :

« Les travaux ordonnés aux artistes en conséquence des prix qu'ils ont obtenus, à titre d'encouragement, ne traiteront que des sujets patriotiques et moraux[8]. »

Un dernier aspect de ces Prix d'Encouragement reste à étudier, et non des moindres puisqu'il s'agit de l'aide apportée par le gouvernement aux artistes nécessiteux. Depuis la loi instituée en 1791 sur les Prix d'Encouragement, nous savons qu'ils s'entendent également comme un secours aux artistes. En effet, ceux-ci adressaient à la Convention des demandes d'aide afin de faire partie des Encouragements. Le Jury des Arts disposait donc, avant les distributions de prix, de listes (« liste des secours et encouragements accordés aux savants, artistes et gens de lettres » ou « liste supplétive des savants, artistes et gens de lettres qui ont un droit à la munificence nationale ») et les artistes se trouvant particulièrement dans le besoin avec des familles à charge devenaient prioritaires. Les archives nous livrent à ce propos un rapport de Thibaudeau en date du 26 pluviôse an III (15 février 1795)[9] ainsi rédigé :

« Au Jury des Arts,
Nous vous faisons passer, Citoyens, une seconde liste des artistes qui demandent à participer aux récompenses nationales. Le Comité vous invite à donner le plutot possible votre avis sur les droits que peuvent avoir ces Citoyens à ces secours sous le rapport du talent ou du besoin. » **Notons que sur le document original le « ou » est recouvert d'un « et » (ou l'inverse). Sont jointes à ce rapport plusieurs attestations, nous en citons ici quelques-unes :**

« Le Cᶜᵉⁿ Bridan, sculpteur.
Professeur depuis 20 ans. il a trois enfants aux frontières. Il est vieux paralytique et très pauvre. »

« Le Cᶜᵉⁿ Vincent peintre.
Artiste de premier mérite. il devoit être sur la première liste. on a dit qu'il etoit riche. j'ai vérifié le fait : j'atteste que Vincent est dans le besoin qu'il manque des objets même les plus necessaires pour l'exercice de son art : il a fait sous la tyrannie les pertes les plus cruelles (entre autres celle de sa malheureuse sœur) il mérite à tous égards d'être replacé dans la première classe des encouragements. »

« Le C. Lemonnier peintre d'histoire resté depuis des ans sans ouvrages ordonnés. il a perdu à l'époque de la révolution pour 35.000 livres d'ouvrages commandés. il est père de famille. »

« Le Cᶜᵉⁿ Boischot sculpteur, père de famille, sans fortune, et connu seulement des artistes qui font le plus grand cas de son mérite. Il fait en ce moment une des figures du péristile du Panthéon. »

« Le Cᶜᵉⁿ Peyron peintre célèbre demande quelque encouragement au Comité (d'Instruction publique) Il a perdu la place d'Inspecteur de la Manufacture des Gobelins et un superbe tableau représentant les filles d'Athènes tirant au sort pour être dévorées par le minautore (sic)[10]. »

« Le Cᶜᵉⁿ Anselin artiste qui a fait les plus grands sacrifices à la Révolution, auteur de belles estampes du siège de Calais, surchargé de famille et dans le besoin demande à participer aux récompenses nationales[11]. »

À la lumière de ces différents aspects des Prix d'Encouragement, on peut se demander quelle pourrait en être la meilleure définition. N'est-il qu'un prix, une récompense ? Est-il, comme nous l'indique la loi de 1791, un encouragement à un talent artistique en devenir ? Une aide aux artistes dans le besoin ? Ou bien est-il un encouragement uniquement favorable à un art engagé dans les voies de la Révolution, et par là même le moyen de faire disparaître des expressions insuffisamment républicaines ?

L'Encouragement répond en fait à toutes ces propositions simultanément ou séparément. Système complexe et très diversifié, la distribution de ces Prix s'entend de façon sensiblement différente selon les époques de la Révolution.

8. A.N. F¹⁷ 1056, dos. 5.

9. A.N. D.XXXVᴵᴵᴵ-4 (LIX).

10. *Les jeunes Athéniens et les jeunes Athéniennes tirant au sort pour être livrés au minotaure,* voir pour l'historique de ce tableau, P. Rosenberg-U. Van de Sandt, *Pierre Peyron*, 1983, nᵒˢ 20 à 31, pp. 81-88.

11. *Procès-verbaux du Comité d'Instruction publique*, t. V, p. 450, nous donne en date du 25 janvier 1795 la liste des artistes ayant, cette année-là, eut droit « à la munificence nationale ».

LES PRIX D'ENCOURAGEMENT DE 1791

Les décrets de l'Assemblée nationale relatifs aux Prix d'Encouragement de l'année 1791 sont en date des 17 septembre, 19 octobre et 3 décembre 1791[12].

« La première séance des délibérations de l'Assemblée des Commissaires Juges élus par les artistes exposant au Salon de 1791 pour la répartition des ouvrages d'Encouragement eut lieu le lundi 27 février 1792 au Grand Salon du Louvre.
– Commissaires juges nommés par le département : Quatremère-de-Quincy, Regnault de Beaucaron, Le Moyne, Bompart, Châtelet.
– Commissaires nommés par l'Assemblée des artistes :
1) Académiciens : David, Renaud, Vincent, Robin, Machy, Taillasson, Bridan, Mouchy, Boizot, Millot, Bervic, Callet, Beauvalet, Forty, Chaudet, Taunay, Moreau le Jeune, Valenciennes, Monot, Vernet (20).
2) Suppléans : Rolland, Monsiau, Pajou père.
3) Commissaires non académiciens : Lefevre, Dardel, Mouchet, Anselin, Bonvoisin, Naigeaon, Budelot, Masson, Dabot, Bauzile, Broche, Lucard, Robert Le Fevre, Frère Montiron, Lortat, Petit, Landon, Duret, Laneuville, Chierard (20).
4) Suppléans : Sergent, Gilbert, Petit Couprai (sic). »

Nous n'avons pas cru utile de retranscrire ici les textes des procès-verbaux des différentes délibérations dans leur intégralité[13] mais nous nous sommes arrêtée sur certaines dispositions particulières au règlement susceptibles d'éclairer le fonctionnement de cette distribution d'Encouragements :

12. A.N. F[17] 1056, dos. 1 et 5.

13. *Procès-verbaux des assemblées du Jury élu par les artistes exposant au Salon de 1791 pour la distribution des Prix d'Encouragement,* publiés par Furcy-Raynaud, 1906.

14. Lettre de David adressée le 2 mai 1792 au président de l'Assemblée nationale, A.N. F[17] 1056, dos. 5 : « Ayant obtenu de mes Collègues les Commissaires Juges le maximum des Travaux d'Encouragement de peinture, sculpture, décrétée par l'Assemblée Nationale, j'ai éprouvé le vif sentiment que doit produire le suffrage libre de ses compétiteurs, mais lorsque j'obtiens tout ce que peut désirer l'homme dont la gloire est le seul besoin, je m'empresse de prier l'Assemblée Nationale de trouver bon que je renonce à un prix qui n'ajoutant rien à mon encouragement et qui réparti entre plusieurs artistes déjà recommandables par leurs Talents féconderoit en eux des dispositions qu'ils n'ont pu développer faute d'occasions. Convaincu que c'est à ceux-ci seulement que devoit s'appliquer le terme d'encouragement contenu dans ce décrêt, j'ai pensé qu'ayant deja des travaux ordonnés par la Nation, tel que le tableau représentant le *Serment du Jeu de paume*, je ne pouvois en accepter d'autre, parceque ce seroit transgresser la loi qui défend de cumuler sur la même personne plusieurs avantages. Cependant mes collègues malgré ma renonciation formelle et les motifs que je leur ai exposés, m'ont décerné le *maximum* qu'ils ont fixé à 7.000 livres. En persistant dans mon refus, je pense, M. le Président, que l'Assemblée Nationale rendroit un service réel à l'art pour lequel cette somme est destinée si elle autorisait les Commissaires Juges à diviser cette somme de 7.000 livres en 3 portions dont une de 3.000 et deux de 2.000. Cette disposition augmentera le nombre des artistes à encourager et diminuera le regret qu'ont éprouvé les Commissaires de n'avoir pu rendre justice à tous ceux qui le méritoient, le nombre ayant été limité par le décret. »

À la séance du 19 mars 1792, il est arrêté :
« de faire entrer dans les travaux d'encouragement l'achèvement de la colonnade du Louvre. » **Le projet était de Boquet, un des artistes exposant.**
« qu'il y aura un maximum de 10.000 livres pour une statue et que le marbre sera fourni par la nation au sculpteur qui aura obtenu l'ouvrage de 10.000 livres et qu'il sera fait en marbre. »
« que la proposition : y aura-t-il des bas reliefs dans les travaux d'encouragement ? » **fut refusée.**
« qu'il sera accordé 2 groupes en plâtre de chacun cinq mille livres pour les travaux d'encouragement. »
« qu'il sera donné cinq figures en plâtre de chacune 3.000 livres et en même temps que toutes les figures auront au moins 6 pieds de proportion, laissant la liberté aux artistes de faire des statues convenables à la décoration de la colonnade du Louvre. »

À la séance du 20 mars 1792, il est arrêté que :
« les artistes peintres d'histoire chargés des travaux d'encouragement seront entièrement libres sur la grandeur des tableaux, celles de leurs figures et sur le choix des sujets qu'ils traiteront pourvu qu'ils soient historiques. »

À la séance du 23 mars 1792, il est arrêté que :
« Il y aura une somme attribuée pour l'art d'architecture, que l'artiste à qui elle sera déléguée fournira les dessins et de plus le modèle en relief d'un projet d'architecture en telle matière qu'il lui plaira. Le choix du sujet sera à sa volonté. »
« sur la gravure en taille douce. [...] Le sujet sera historique mais pour le choix du tableau d'après lequel la planche sera gravée, il aura pleine et entière liberté pourvu que ce tableau soit composé de plusieurs figures. »

À la séance du 27 mars 1792, il est arrêté que :
« pour les graveurs en médailles, le sujet doit traiter allégoriquement de la Révolution. »
« les artistes chargés des travaux d'encouragement ne pourront donner pour cet objet un ouvrage déjà connu soit en sculpture soit en peinture. »

À la séance du 30 mars 1792, il est arrêté que :
« les ouvrages précédemment exposés avant le Salon de 1791 ne pourront concourir aux travaux d'encouragement. »

La répartition des sommes attribuées fut la suivante : un montant de 35 000 livres fut réservé à la peinture d'histoire comme à la sculpture, la peinture de genre bénéficia d'une somme de 11 000 livres, l'architecture de 3 000 livres et la gravure de 6 000 livres, soit au total 90 000 livres.

À partir de la séance du 13 avril 1792, les votes eurent lieu comme suit :

PEINTURE HISTORIQUE

Le 13 avril 1792, le prix maximum pour la peinture est accordé à David, soit 7 000 livres auquel il renonce comme il l'explique dans sa lettre au président de l'Assemblée nationale en date du 2 mai 1792[14].

Lors de la séance du 24 mai 1792, cette somme est alors répartie entre Mouchet qui reçoit 3 000 livres, Naigeon et Belle fils (cat. 1071) qui reçoivent chacun 2 000 livres.

À la séance du 16 avril, un deuxième prix de 6 000 livres est accordé à Regnault (cat. 828), et un troisième prix d'un montant de 5 000 livres à Vincent (cat. 1072).

Le 17 avril, Taillasson (cat. 1073) reçoit un prix de 4 000 livres et le 24 avril, Vernet également 4 000 livres.

Le 26 avril, Lefèvre, Forty et Bonvoisin reçoivent chacun un prix de 3 000 livres.

SCULPTURE

Huit artistes furent primés à la séance du 17 avril 1792, Julien (cat. 1078) reçoit le premier prix d'un montant de 10 000 livres.

Le 19 avril, Chaudet et Masson reçoivent chacun 5 000 livres.

Le 20 avril, Lucas reçoit 3 000 livres, ainsi que Boizot et Roland (séance du 27 avril), Boichot et Dardel (séance du 30 avril).

PEINTURE DE GENRE

Le 24 avril, Taunay reçoit le premier prix d'un montant de 3 000 livres, Bidault (cat. 1074) et Robert-Lefebvre reçoivent 2 000 livres (séance du 1er mai), ainsi que De Machy (séance du 3 mai), enfin Mlle Bouliar (cat. 1075) et Bertaux (cat. 1076) reçoivent un Prix de 1 000 livres (séance du 3 mai).

ARCHITECTURE

L'architecte primé est Muly avec un Prix de 3 000 livres.

GRAVURE

Les Prix sont distribués le 2 avril, en taille-douce Bervic reçoit 3 000 livres, en pierre fine De Jouy 1 000 livres et pour la médaille Dupré reçoit également 1 000 livres.

Comme nous l'avons dit plus haut, pour cette première distribution de Prix d'Encouragement, nous ne savons pas sur quelle œuvre les artistes reçurent leurs prix, chacun d'eux en ayant souvent exposé plusieurs. En tout état de cause, c'est l'artiste plus qu'une œuvre spécifique que le Jury récompensa, ainsi « David qui n'avait pas mis de nouveaux tableaux d'histoire au Salon de 1791[15] » n'en reçut-il pas moins le premier Prix d'Encouragement pour la peinture d'histoire.

La répartition des Prix d'Encouragement fut bien entendu critiquée. Ainsi un dénommé « Barré, ci-devant Chevalier », dans une lettre insérée dans le journal de Fontenay du 10 juillet 1792[16], s'étonne que certains artistes ne soient pas récompensés comme « M. Ménageot qui avoit de l'aveu général exposé le plus vigoureux tableau d'histoire[17] »

ou encore : « [...] un des plus remarquables, Mr Chery qui par un bon et grand tableau d'Alcibiade devoit avoir part à la distribution, mais il n'a pas de couronne sur le soupçon d'avoir critiqué les ouvrages de ses confrères[18]. »

« [...] Qu'est-il résulté du jugement des artistes ! C'est que loin de remplir le but de leur commission en distribuant les faveurs à ceux qui en avaient le plus mérité dans la dernière exposition publique, ils ne les ont accordé que d'après l'échelle de Républicanisme. »

Son reproche portait sur « l'esprit de parti » auquel selon lui les commissaires juges se seraient laissé entraîner en excluant notamment tous les artistes émigrés[19].

Nous avons pu, pour la peinture d'histoire et de genre, identifier et retrouver un certain nombre des « Travaux d'Encouragement » exécutés à la suite de cette distribution de Prix. Toutefois, les tableaux « pour la Nation » de Naigeon, Carle Vernet et Forty n'ont pu être identifiés de façon certaine. En effet, aucun de ceux présentés par ces artistes aux Salons suivants ne porte la mention spécifique laissant entendre qu'il pourrait s'agir d'un des Travaux d'Encouragement et les documents d'archives sont également restés muets à ce propos[20].

15. Coll. Deloynes, t. LVI, n° 1708. David exposa au Salon de 1791 un dessin sur *Le Serment du Jeu de paume* et cinq tableaux.

16. Coll. Deloynes, t. LVI, n° 1708.

17. *Méléagré supplié par sa famille*, n° 654 du livret (Paris, musée du Louvre), voir N. Wilk-Brocard, *François-Guillaume Ménageot*, 1978, n° 26, pp. 75-76.

18. *La Mort d'Alcibiade*, n° 1 du livret (musée de La Rochelle) ; voir à propos de Chéry cat. 1090 ; Chéry publia effectivement de façon anonyme une *Explication et critique...* du Salon de 1791.

19. Cette lettre reçut une réponse anonyme insérée à son tour dans le journal de Fontenay en date du 13 juillet 1792 (coll. Deloynes, t. LVI, n° 1709).

20. Nous avons eu connaissance, une fois nos recherches sur les Prix d'Encouragement terminées, de la publication de W. Orlander sur les Encouragements de 1791 et de l'an II : *Pour transmettre à la Postérité : French Painting*

Chéry, *Alcibiade*,
musée de La Rochelle.

D'autres sont aujourd'hui perdus mais nous en avons trouvé mention aux livrets des Salons, ainsi en 1793, la *Prise d'une ville* de Taunay (n° 14 du livret)[21], la *Mort de Sénèque* de Lefebvre (n° 624 du livret) et la *Vue d'une partie du Pont-Neuf en face de la rue Thionville, avec la place de la Révolution et un arc de triomphe* de De Machy (n° 111 du livret) ; en 1795, *L'Ordre du Jour* de Mouchet, « esquisse du tableau dont l'artiste est chargé pour la nation comme Prix d'Encouragement par concours. Le Génie de la France, après avoir précipité la terreur dans le fleuve de sang, qu'elle avoit fait couler, rétablit le règne de la Justice ; celle-ci jure de faire observer la Loi et appelle à son conseil la Vérité. » (n° 383 du livret)

Mouchet qui s'était vu récompenser d'un prix de 3 000 livres, grâce au retrait de David, se sentit sans doute investi d'une lourde responsabilité et offrit à la Nation un tableau définitif de plus de trois mètres de haut sur trois mètres de large, très

semblable à l'esquisse ; il fut présenté au Salon de 1799 sous le titre du *Neuf Thermidor ou le triomphe de la Justice*[22].

Enfin, deux œuvres exposées très tardivement, l'une en 1800, *L'Homme délivré de l'esclavage* de Jean Bonvoisin[23], et la seconde, *L'Amour aiguisant ses flèches* de Robert Lefèvre, achevée en 1798 et exposée cette même année, « un amour adolescent aiguisant ses traits, la figure est de grandeur naturelle et la mesure du tableau est de 4 pieds sur 3 pieds 2 pouces[24]. »

En ce qui concerne la sculpture, Chaudet et Masson avaient bénéficié chacun d'un deuxième prix de 5 000 livres leur permettant d'exécuter un groupe en plâtre ; avec leur prix de 3 000 livres, les sculpteurs Lucas, Boizot, Roland, Boichot, Dardel devaient initialement être « chargés de faire des figures pour l'achèvement de la décoration du fameus péristile du Louvre commencé par Girardon[25] ». **Mais Quatremère de Quincy proposa d'autres dispositions comme il l'expose dans son rapport sur les travaux entrepris au Panthéon[26] :**

[...] « En 1791, l'Assemblée Constituante avoit décrété une somme de 100 000 livres [...]. Une partie de cette somme fut répartie en modèles de sculpture, dont le sujet étoit au choix des statuaires. Ces figures pouvoient ne devenir que des objets d'étude inhabiles à toute destination publique. J'ai engagé ceux qui en étoient chargés, à faire tourner leur talent et leurs efforts au profit de la décoration du Panthéon, en choisissant des sujets correspondants aux motifs du péristyle. Ces artistes ont saisi aves zèle l'occasion de donner à leurs modèles une place intéressante et se sont concertés avec moi sur le choix du sujet et sur la proportion convenable. [...] Cinq des six figures qui vont embellir le péristyle sont déjà faites et j'en place ici la description quoique la totalité ne soit pas achevée.

Sous le bas-relief de *L'Instruction Publique* de Le Sueur [...] s'élève un groupe ouvrage de Chaudet, haut de 9 à 10 pieds qui représente *La Philosophie instruisant un jeune homme et lui montrant le chemin de la gloire et de la vertu*, la seconde figure est de Roland : elle représente *La Loi dans l'acte du Commandement* ; elle a 13 pieds de proportion ; la troisième est *La Force*, sous l'emblême d'Hercule ; elle est de Boichot. Le quatrième sujet est un groupe représentant un *guerrier mourant dans les bras de la Patrie*, l'auteur est Masson[27]. Les deux dernières figures (qui se trouvent en avant du péristyle et sur les deux massifs de l'escalier sont *La Liberté* par Lorta et *L'Égalité* par Lucas[28]. »

En note, Quatremère ajoute : « La figure de Lorta ne fait pas partie des Travaux d'Encouragement. cet artiste a désiré faire un hommage presque gratuit de son talent au panthéon : le directoire a accueilli son offre. »

Boizot et Dardel ne participèrent pas à la décoration du Panthéon. En effet, Boizot figura au Salon de 1795, sous le n° 1007, avec une *Minerve en plâtre de six pieds de proportion. Ouvrage d'Encouragement accordé en 1792*, dont il avait déjà présenté le projet au Salon de 1793 (n° 52 du livret). Quant à Dardel, nous n'avons pas retrouvé de document concernant son ouvrage destiné au gouvernement, ses activités au sein de la Commission Temporaire des Arts dont il fit partie en 1793 puis au Conservatoire du Muséum ne lui laissèrent peut-être

and Revolution, 1774-1795, New York, 1983 ; nous avons pu constater que, pour l'essentiel, nos travaux se regroupaient sauf pour certains points que nous contestons ou pour lesquels nous nous montrons prudents comme ici où l'auteur avance des identifications d'œuvres pour ces trois artistes (voir pp. 459-460). Par ailleurs, nous précisons d'autres points de détail dans notre étude qui reste toutefois bien évidemment encore incomplète. Nous apprenons en outre la publication toute récente de Udolpho Van de Sandt dans *Aux Armes et aux Arts !* (Paris, 1988, pp. 137-165) qui recoupe nos informations concernant la peinture au Concours de l'an II.

21. Ce tableau, localisé à la préfecture de Nice, serait détruit.

22. N° 235 du livret : grand tableau allégorique « de 3 mètres deux tiers de haut, sur 3 mètres de large et qui fait partie des travaux d'encouragement décrétés par l'Assemblée Législative ». Voir A. Callet (« Un habitant de l'île Saint-Louis, le peintre Fr. Mouchet, officier municipal », dans *Cité*, Bulletin de la Société historique du 4e arrondissement de Paris, juil.-oct. 1918, pp. 52-53) pour qui ce tableau aurait été « exposé quelques temps au musée de l'Art Français à Versailles [et aurait] disparu au retour des Bourbons ».

23. N° 42 : « Ce tableau est un des Travaux d'Encouragement décrétés par l'Assemblée Constituante. »

24. Ce texte est celui du certificat de Renou attestant de l'achèvement de l'œuvre, le 12 messidor an VI (30 juin 1798), A.N. F17 1056, dos. 15 ; au livret du Salon de 1798, le tableau figurait comme suit : « n° 260. *L'Amour aiguisant ses flèches*. Ce tableau est un prix d'encouragement obtenu dans un concours. »
Cet artiste n'ayant pas figuré au concours de l'an II, il ne pouvait s'agir que du tableau exécuté grâce à son prix obtenu en 1791 ; le tableau aurait été déposé au musée municipal de Varzy (perdu ou détruit ?).

25. Coll. Deloynes, t. LVI, n° 1707.

26. *Rapport fait au Directoire du Département de Paris sur les travaux entrepris, continués ou achevés au Panthéon français [...] le 17 novembre 1792 par Antoine Quatremère de Quincy, commissaire du Département à la direction et administration du Panthéon français.*

27. A.N. O1 1699-116, « Réclamation du Citoyen Masson, 3 frimaire an II », communication de Guilhem Scherf.

28. A.N. F17 1058, dos. 19 : « Le Citoyen Lucas sollicite depuis longtemps le payement d'une figure représentant l'*Egalité* de 14 pieds de l'exécution de laquelle l'administration du Panthéon le chargea en 1792 [...] D'abord cette figure lui avoit été commandée comme encouragement et de la hauteur de 6 pieds pour le prix de 3.000 livres. Par des délibérations postérieures, l'administration lui proposa d'en doubler la proportion pour 2.000 livres de plus, ce qu'il accepta en 1793. »
Le même document nous indique que : « la figure a été complètement finie, placée et exposée aux regards du public dans le courant du mois de vendémiaire an six » (sept. - oct. 1797).

pas le temps de se consacrer à son art ; il n'expose du reste pas au Salon entre 1793 et 1800.

Nous n'avons pas identifié les Travaux d'Encouragement des graveurs qui furent primés, que ce soit De Jouy en pierre fine ou en médaille avec Dupré – ces deux artistes ne figurent pas au Salon entre 1793 et 1800 –, Bervic pour la gravure en taille-douce expose en 1798, sans qu'il y ait d'allusion à son Prix d'Encouragement de 1791, deux gravures (*L'Éducation d'Achille* d'après Regnault, primée au Salon de l'an VII, et *L'Innocence,* d'après Mérimée).

LE CONCOURS DE L'AN II

Ce projet extrêmement ambitieux mis en place par la Convention nationale s'échelonna sur plusieurs mois, de l'été 1793 au printemps 1794. Toutefois, les principaux décrets qui présidèrent à la mise en place des différents concours concernant la sculpture, l'architecture, la peinture et la gravure furent arrêtés en floréal an II (avril-mai 1794) ; furent ainsi ouverts six concours pour la sculpture, seize pour l'architecture, un pour la peinture et un pour la gravure en médaille[29].

« LA LOI DU 9 FRIMAIRE AN TROISIÈME établi qu'il sera nommé un Jury pour juger les ouvrages de peinture, sculpture et architecture, remis aux Concours ouverts par les arrêtés du Comité du Salut Public des 5, 12 et 28 Floréal.

LA CONVENTION NATIONALE après avoir entendu le rapport de son Comité d'instruction publique, DECRETE :

ART. 1er. Il sera nommé un Jury, composé de vingt-sept membres, pour juger les ouvrages de peinture, sculpture et architecture [...]

II. Tous les citoyens qui ont concouru, se réuniront le 20 frimaire dans la salle dite de Laocoon, au Louvre, pour désigner quarante citoyens non-concurrens, dont ils transmettront les noms au Comité d'instruction publique, qui en choisira vingt-sept pour former le jury, et treize pour suppléans [...] »

L'Extrait du Registre des délibérations du Comité d'Instruction publique du 24 frimaire, l'an troisième nous donne la composition de ce jury :

Girault, sculpteur	Julien, sculpteur
Fragonard, peintre	Vien le père, peintre
Quatremère-Quincy	Pajou le père, sculpteur
Le Brun, peintre	Boullé, architecte
Robert, peintre	Leroy, architecte
Sergent, député	Bridan père, sculpteur
Merimé, peintre	Lagrenée l'aîné, peintre
Neveu, peintre	Bonnard, architecte
Ledoux, architecte	Gounaud, peintre
Bervic, graveur	Léon Dufourny, architecte
Isabey, peintre	Dumont, peintre
Renard, architecte	Dejoux, sculpteur
Peyre, architecte	Rondelet, architecte
Pajou fils, peintre	

Suppléans :

Dardel, sculpteur	Giroux, peintre
Moreau, graveur	Soufflot, architecte
Belle fils, peintre	Stouf, architecte
Grégoire, député	Wan Spandonck, peintre
Coiny, graveur	Monvel, homme de lettres
Bourgain, député	Tardieu, graveur
Legrand, architecte	

Le jugement devenu complexe, vu « le nombre et la diversité des ouvrages sur lesquels il falloit prononcer » fut reporté à plusieurs reprises, les changements politiques et la chute de Robespierre ayant aussi considérablement troublé et retardé le jugement, il ne fut finalement prononcé qu'au printemps de 1795.

Les rapports de Dufourny du 21 prairial an III (9 juin 1795) et de Portiez du 13 fructidor an III (30 août 1795) entérinèrent ce jugement[30].

Il fallut débattre « de la nature des prix à accorder,

[...] ainsi libre dans l'acceptation qu'il pouvoit assigner au mot *prix,* le jury a compris que toutes les manières d'encourager les talens, celle qui rempliroit le mieux les vues de la Convention Nationale, devoit être celle qui seroit la plus reproductive pour eux et pour la Nation.

Desséché par six années de stérilité, les Arts demandoient des travaux ; c'eut été mal entendre leurs véritables intérêts que de distribuer de simples récompenses pécuniaires, presque inutiles à leur encouragement. C'est donc à convertir en ouvrages de toute espèce les prix qu'ils devoient distribuer que le Jury a dirigé ses soins et ses pensées. Il a voulu que le prix d'un bon ouvrage devint le germe et la source d'un meilleur ; et si dans l'échelle des récompenses qu'il a établie il s'est déterminé à admettre les prix *purement pécuniaires,* ce n'est qu'au dernier degré et comme un remplacement indispensable en certains cas ou de nouveaux travaux ne pouvoient être commandés.

Tel est l'esprit qui l'a guidé dans la recherche des diverses espèces de prix dont chacun des arts pouvoit être susceptible. » (**Dufourny,** *op. cit.*)

Il fut arrêté que, pour la peinture, la sculpture comme pour l'architecture, les premiers prix verraient le modèle de leur esquisse exécuté aux frais de la Nation comme « Monument National », que pour les seconds prix de sculpture, il y aurait exécution au choix de l'artiste « d'une figure sans aucune entrave de programme, pourvu qu'il soit relatif à la Révolution et à l'instruction publique », pour les peintres, l'exécution « de nouveaux tableaux dont les Sujets seront pris au choix de l'artiste dans le recueil des événements glorieux et des faits héroïques de la Révolution [...] ». Nous avons vu combien cette partie du règlement

29. Pour ne pas alourdir cette étude, nous ne reproduisons pas ici l'ensemble des procès-verbaux des décrets du Jury des Arts, publiés par Guillaume : *Procès-verbaux de la Commission d'Instruction publique de la Convention nationale,* Paris, 1891-1907, 6 vol.

30. *Rapport fait au nom du Comité d'Instruction publique sur les Concours de Sculpture, Peinture et Architecture, ouverts par les décrets de la Convention nationale, par Portiez (de l'Oise), représentant du peuple.* Le rapport de Léon Dufourny est conservé aux Archives nationales, F17 1057, dos. 3.

fut peu appliquée par les artistes qui choisirent librement des sujets autres que révolutionnaires.

Il fut enfin distribué des « encouragements purement pécuniaires [...] gradués selon l'importance ou le mérite des ouvrages à récompenser ».

Une dernière rubrique de prix existait primitivement, il s'agissait de la commande de bustes ou portraits « de personnages célèbres de la Révolution française ou de grands hommes d'autres pays qui se sont illustrés par leurs vertus et leur amour pour la Liberté ».

Dans la conclusion de son rapport Dufourny expose :

« Que sur environ 480 ouvrages de Sculpture, Architecture et Peinture présentés à 25 concours différens 108 ont été jugés dignes de récompenses ; Savoir :

En Sculpture 23
En Gravure de Médaille 3
En Architecture 41
En Peinture 41
    Total 108

Que la totalité des Sommes allouées aux Artistes, non compris les frais qu'occasionnera l'exécution de la statue de J.J. Rousseau, du Temple à l'Egalité et des divers modèles d'architectures s'élève ; Savoir :

Pour les Ouvrages de Sculpture
et Gravure en Médailles à . . . . 128,800 L
Pour ceux d'Architecture à . . . . 109,000 L
Pour ceux de Peinture à . . . . 205,000 L
    Total général . . . . 442,800 L »

31. Ce tableau édité par *la Feuille du Cultivateur* se trouve aux Archives nationales dans F[17] 1056, dos. 5 et 6 et dans coll. Deloynes, t. LVI, n°s 1734, 1735, 1736.

32. Coll. Deloynes, t. LVI, n° 1724.

33 A.N. D*XXXVc-1.

Avant de rentrer plus avant dans le détail des paiements des prix qui se révélèrent particulièrement longs et difficiles et dans celui des commentaires suscités par ce Concours, nous donnerons ci-après un tableau des différents Concours et de leurs résultats. Nous nous sommes efforcés de réunir, dans ce tableau, le plus d'informations possible, celles-ci émanant de sources diverses.

Le « Tableau de la Distribution des Prix des Travaux d'Encouragement des Arts de Peinture, Sculpture et Architecture qui ont été adjugés d'après le jugement des concours par le Jury des Arts conformément aux lois des 9 frimaire et 14 fructidor An Trois » fut imprimé et affiché dans Paris. Ce tableau donnait la nature du Concours, les noms des artistes primés, le numéro de leur esquisse ainsi que le montant et la nature de leur prix[31] ; nous l'avons complété par d'autres documents manuscrits trouvés aux archives. Pour le concours de peinture qui ne comportait pas de programme établi, les sujets traités par les artistes, présentés anonymement, nous sont connus par deux imprimés, l'un donnant le numéro des esquisses présentées et leurs sujets, l'autre seulement le nom des artistes primés accompagné du numéro de leur esquisse[32]. Ainsi avons-nous pu identifier leurs auteurs avec la plupart des œuvres présentées et récompensées. Quant aux sujets des esquisses présentées mais non primées, nous avons pu également les identifier grâce au registre de dépôt des œuvres où elles furent toutes enregistrées avant le Concours[33]. Ce registre nous a permis également de compléter les autres documents quand ceux-ci étaient incomplets.

Enfin, pour ce qui est des Travaux d'Encouragement exécutés après le Concours, et que nous faisons également figurer à ce tableau, certains ont pu être retrouvés par différents documents provenant des archives ou par leur présence éventuelle aux Salons.

TABLEAU DES DIFFÉRENTS CONCOURS DE L'AN II ET DE LEURS RÉSULTATS

PRIX DÉCERNÉS AUX ESQUISSES DE PEINTURE

AUTEURS	ESQUISSES PRÉSENTÉES NUMÉRO ET SUJET	NATURE DES TRAVAUX D'ENCOURAGEMENT	TRAVAUX D'ENCOURAGEMENT	SOMME FIXÉE PAR LE JURY
Gérard 1er PRIX	24. Le peuple français demandant la destitution du tyran à la journée du 10 août. Dessin au bistre rehaussé de blanc. 25 pouces de large sur 25 de haut (cat. 1079).	L'exécution de son esquisse comme Monument National.	idem	20 000 L
Vincent 1er PRIX	66. La Citoyenne de St Milhier entourée de ses enfans et menaçant de faire sauter ; avec la devise « A tout âge et tout sexe on vit la Liberté enfanter l'héroisme et l'intrépidité. » Tableau avec explication. 24 pouces de large sur 17 de haut (voir cat. 1080).	L'exécution de son esquisse comme Monument National.	idem	10 000 L
SECONDS PRIX				
Taunay	4. Trait de bravoure et de patriotisme de plusieurs soldats français détenus en prison. Tableau avec explication. 22 pouces sur 15 de haut. Ou : Les soldats de Chauvain, Dragons, réintégrant la prison après le combat auquel ils avoient obtenus de se trouver, ayant pour devise : «Amour de la patrie ».	Un tableau de son choix.	*Extérieur d'un hôpital militaire provisoire* (cat. 1087).	9 000 L
Bidaut (sic)	5. Dévouement d'une citoyenne de la Vendée. Tableau avec explication. 20 pouces sur 16 de haut.	idem	*Paysage avec Orphée attirant les animaux par les accords de sa lyre.* (A.N. F.[17] 1056, dos. 16).	6 000 L

PRIX DÉCERNÉS AUX ESQUISSES DE PEINTURE (suite)

AUTEURS	ESQUISSES PRÉSENTÉES NUMÉRO ET SUJET	NATURE DES TRAVAUX D'ENCOURAGEMENT	TRAVAUX D'ENCOURAGEMENT	SOMME FIXÉE PAR LE JURY
Vander Burch	9. Trait de vertu et de courage de Philippe Rouzeaud, laboureur à Mont-Senart. Tableau avec explication. 2 pieds 9 pouces de large, 3 pieds 5 pouces de haut, avec la devise : « Si le brave Rouzeau n'eut été qu'un aristocrate l'ours vivroit encore. »	Un tableau de son choix.	*Trait de courage du Cit. Rouzeaud récompensé par la Convention Nationale le 7 floreal an II*[34]...	6 000L
Moitte	21. Le 10 août. La République. Règne de la philosophie. Triomphe de la sagesse. Dessin d'un bas-relief projetté pour décorer le stylobate intérieur de la coupole du Panthéon français, lavé à l'encre de Chine. 6 pieds de long, 5 pouces de haut, avec explication, sous la devise : « Liberté-Égalité. »	idem		6 000 L
Le Thiers	41. Hommage du Peuple français à la Liberté. Dessin allégorique au bistre. 35 pouces de large sur 23 de haut.		*Philoctète dans l'île de Lemnos* (cat. 1088)	6 000 L
Peyron	45. La Patrie reconnaissante couronne la valeur et l'héroïsme républicain. Dessin allégorique à l'encre de Chine. 21 pouces sur 13, avec la devise : « Que tu es puissant amour sacré de la Patrie. » (cat 1081).	idem	*Le Temps et Minerve...* (cat. 1089)	8 000 L
Fragonard fils	48. L'Instruction publique. Dessin allégorique au crayon noir avec explication. 16 pouces de large sur 11 de haut.	idem	*Psyché montrant ses richesses à ses sœurs.* (A.N. F[17] 1056, dos. 15)	3 000 L
Fragonard fils	49. Toulon rebelle ramenée par la Victoire à la République. Dessin allégorique au crayon noir. 17 pouces de large sur 13 de haut.	idem	*Commerçant d'esclaves concluant un marché pour une femme. Effet de nuit.* (A.N. F[17] 1056, dos. 15)	3 000 L
Prud'hon	53. La Sagesse et la Vérité descendant sur le Globe. Dessin allégorique avec explication (cat. 1082).	idem	*La Sagesse et la Vérité descendent sur la terre et les ténèbres qui la couvrent se dissipent à leur approche.* (Paris, musée du Louvre. Inv. 7341.)	5 000 L
Vernet	56. Trois Hussards sortant de Thionville pendant le siège sous la devise : « L'amour de la Patrie ne connoit pas d'obstacles. » Tableau avec explication. 24 pouces de large sur 18 de haut.	Un tableau de son choix.	(Tableau inconnu traitant d'un) *fait historique et militaire de notre Révolution.* (A.N. F[17] 1056, dos. 9).	9 000 L
Legrand	57. Les Bourgmestres de Trèves apportent les clefs de la ville aux représentants du peuple français. Tableau avec explication. 26 pouces de large sur 22 de haut.	idem		8 000 L
Chery	59. L'amour de la République animant Barras à une action d'héroïsme qui lui donne l'immortalité. Tableau allégorique avec explication. 14 pouces de large sur 10 de haut, avec la devise : « Qui sait braver la mort sait braver les tirans. »	idem	*David apaisant Saül* (cat. 1090).	4 000 L
Thevenin	72. Atrocité de Lambesc le 12 juillet 1789. Dessin à l'encre de Chine, rehaussé de blanc. 23 pouces de large sur 17 de haut, avec la devise : « Les excès de la tirannie sont un appel à la Liberté. »		*Œdipe et Antigone*[35].	8 000 L
Vignali	80. Victoire du peuple sur la ligne du midi. Tableau allégorique avec explication. 22 pouces de large sur 23 de haut.	idem		5 000 L
Suvée	81. Dévouement des citoyennes de Paris. Tableau avec explication. 22 pouces de large sur 18 de haut.	idem		9 000 L

34. A.N. F[17] 1056, dos. 7 et 9 : *[...] récompensé par la Convention nationale pour avoir tué un ours de 7 pieds et demi qui ravageoit les bestiaux du Mont Sénard dans le Jura* est le titre exact du tableau donné par le document conservé aux archives. Nous avons déjà fait allusion dans *Les Nouveaux Thèmes dans les Arts plastiques*, chapitre X, à ce tableau de 4 mètres de haut sur 2 mètres de large, déposé au musée de Béziers (INV. Louvre 3092) aujourd'hui ruiné.

35. N° 390 au livret du Salon de 1798 : « Fugitif proscrit par ses fils, errant pendant une violente tempête dans un pays aride et sauvage, Œdipe tourmenté de ses remords, s'écrie dans un accès de désespoir ; écrasez-moi grands Dieux et punissez mes crimes. Sa fille s'efforce de calmer son transport. » Tableau anciennement déposé à l'Assemblée nationale ; voir à propos de cette œuvre J.H. Rubin, « Œdipus, Antigone and Exiles in post-Revolutionary french Painting, in *Art Quaterly*, autumn 1973, p. 145, fig. 4.

AUTEURS	ESQUISSES PRÉSENTÉES NUMÉRO ET SUJET	NATURE DES TRAVAUX D'ENCOURAGEMENT	TRAVAUX D'ENCOURAGEMENT	SOMME FIXÉE PAR LE JURY
Lagrenée Le Jeune	85. Époque du 10 août. Tableau allégorique en grisaille avec explication. 5 pieds 10 pouces de large sur 3 pieds 10 pouces de haut.	Un tableau de son choix.	*Ulysse et Alcinoüs* (cat. 1091).	8 000 L
Taillasson	94. La Liberté ramène au peuple la Justice et la Vertu, la Force les suit, l'Éternel les précède. Tableau allégorique avec explication. 24 pouces de large sur 21 de haut.	idem	*Héro et Léandre* (cat. 1092).	6 000 L
Garnier	98. La République française rend hommage à l'Être suprême. Tableau allégorique avec explication. 4 pieds et demi de large sur 3 pieds et demi de haut.	idem	*La Consternation de la famille de Priam* (cat. 1093).	9 000 L
Meynier	99. La France protégeant les Sciences et les Arts. Tableau allégorique avec explication. 31 pouces de large sur 24 de haut.	idem		8 000 L
Callet	101. La Liberté sortant du sein des ténèbres. Allégorie développée sur une pierre du tableau. 37 pouces de large sur 18 de haut.	idem	*Marcus Curtius se dévouant pour sa patrie*[36].	6 000 L
Sablet	128. Un tableau représentant un forgeron quittant son enclume et volant au combat avec son marteau.	idem	*Les Joueuses d'osselets* (cat. 1094).	4 000 L
Taurel	131. Vue du port de la montagne. La fuite des anglais.	idem	*L'Incendie du port de Toulon* (cat.1095).	6 000 L
Garnier	134. (sujet inconnu).	idem	*La Consternation de la famille de Priam* (cat. 1093).	6 000 L
Lafitte	(Hors concours. Son nom figure avec ceux des artistes ayant obtenu un second Prix. A.N. F¹⁷ 1056 dos. 5).	idem	*L'Odéon d'Athènes*[37].	6 000 L

Thévenin, *Œdipe et Antigone*,
Paris, Assemblée nationale.

36. N° 35 au livret du Salon de 1799 (H. 3 m. ; L. 4 m.) : « Vers l'an 362, la terre s'était entrouverte dans une place de Rome ; l'oracle consulté sur ce prétendu prodige répondit que le gouffre ne pouvait être comblé qu'en y jetant ce que le peuple romain avait de plus précieux. Les femmes y jetèrent leurs bijoux ; l'encens fumait en vain sur tous les autels ; mais Curtius jeune homme plein de courage et de religion, crut que les dieux demandaient une victime humaine ; il se précipita solennellement tout armé avec son cheval dans l'abyme et passa auprès des susperticieux pour avoir sauvé sa patrie par ce sacrifice, la terre s'étant, dit-on, refermée dès qu'elle l'entreçue. » Le tableau ayant reçu un Prix d'Encouragement à l'issue du Salon de 1799 entra dans les collections de l'État : « remis le 7 pluviôse an 9 au ministère de la Guerre » (inv. 1 DD 18, 1810), y figure toujours entre 1824 et 1832 (inv. 1 DD 64 : inventaire des peintures en dépôt), puis mentionné comme perdu (1 DD 65, supplément de l'inventaire précité).

37. Lafitte présenta au Salon de 1798 une « esquisse dessinée : *Périclès instituteur de l'Odéon chez les Athéniens décernant les prix d'encouragement aux artistes qui se sont le plus distingués dans la Poésie, la musique et le cothurne* (Bellier-Auvray).
Lafitte adresse en date du 15 floréal an VII (5 mai 1799) une lettre à François de Neufchâteau, alors ministre de l'Intérieur (A.N. F¹⁷ 1056, dos. 5) : « J'ai été autorisé par votre prédécesseur le Citoyen Bénézech à exécuter pour le Gouvernement d'après mon second dessin composé pour sujet de la toile d'avant scène du théâtre de l'Odéon français, mais qui n'a pu être entrepris, un tableau de quatre mètres sur trois représentant *L'Odéon d'Athènes et la distribution des couronnes et des prix aux vainqueurs dans le Concours de la Poésie lirique de la Musique et de la Tragédie*. Suivant la décision du ministre le Prix provisoire de ce tableau a été fixé à 6.000 f [...] » Lafitte réclame dans sa lettre un premier paiement de 2 000 francs qu'il n'aurait jamais touché. Le rapport joint à la déclaration de l'artiste nous indique que l'on « propose de verser ce 1ᵉʳ paiement sur les fonds destinés à l'achèvement des Travaux d'Encouragement pour l'an VII. » L'ouvrage de Lafitte qui devait comprendre « plus de soixante figures » ne fut semble-t-il jamais achevé.
En tout état de cause, au Concours de l'an II, l'artiste ne figure pas comme lauréat d'un second Prix de 6 000 livres dans les documents officiels qui furent publiés.

PRIX PÉCUNIAIRES
(Dans cette catégorie les artistes n'avaient pas à exécuter de Travaux d'Encouragement)

AUTEURS	ESQUISSES PRÉSENTÉES	SOMME FIXÉE PAR LE JURY
Droling	1. Le don du superflu. Tableau de 12 pouces de large sur 14 de haut.	1 500 L
Moreau l'aîné	2. Fontaine de la régénération élevée sur les ruines de la bastille. 18 pouces de large sur 12 de haut[38].	1 500 L
Swebach des Fontaines	3. La décade. Tableau avec explication. 20 pouces de large sur 14 de haut.	1 500 L
Gérard	7. Trait d'humanité et grandeur d'âme d'un soldat français, carabinier dans l'armée de la Moselle envers un Autrichien blessé. Tableau avec explication. 20 pouces de large sur 16 de haut.	1 500 L
Landon	31. Aux Armes et aux Arts. Tableau allégorique. 21 pouces de large sur 16 de haut.	1 500 L
Devosges	52. Un français se sacrifiant pour sa patrie. Dessin allégorique [...] (cat. 1085).	1 500 L
Prud'hon	54. Dessin allégorique avec explication. 17 pouces de large sur 14 de haut (cat. 1082).	2 000 L
Gérard (la Citoyenne)	67. L'héroïne de St Milhier. Tableau avec explication. 26 pouces de large sur 33 de haut (cat. 1080).	2 000 L
Forty	96. Tous les peuples du monde rendant hommage à l'Être suprême. Tableau avec explication. 23 pouces sur 18 (cat. 1086).	2 000 L
Courteille	100. Tableau allégorique de 3 pieds 6 pouces de large sur 2 pieds 8 pouces[39].	2 000 L
Dunouy	113. Des citoyens faute de chevaux traînent même des voitures de fourrage au camp. Tableau peint sur bois. 26 pouces sur 18.	2 000 L
Taurel	126. L'incendie d'un fort. Tableau de 18 pouces sur 10.	1 500 L
Landon	129. Le traître Delaunay.	1 500 L
Demarne	130. La fuite des anglais de Toulon.	1 500 L
Sauvage	132. La Liberté et l'Égalité précédés de la Vérité et de la Justice et de la Force.	1 500 L
Walaert	138. Les traits sublimes des citoyens formant l'équipage du vengeur[40].	2 000 L

(Nous trouvons, en outre, pour la peinture, le nom de deux artistes qui ont bénéficié de «Prix d'Encouragement» hors concours pour exécuter les œuvres suivantes[41].)

Nivard	L'exécution de deux tableaux des *Vues de Lyon*.	14 000 L
Réattu	L'exécution d'un tableau représentant *Le Triomphe de la Liberté*.	10 000 L

Sauvage, *La Liberté et l'Égalité précédées de la Vérité, de la Justice et de la Force*, collection particulière.

Réattu, *Le Triomphe de la République*,
Arles, musée Réattu.

38. Moreau l'aîné avait déposé trois tableaux destinés au Concours, seul celui-ci obtint un prix, les deux autres étaient: *Démolition de la Bastille* et *La France régénérée*, tous les trois déposés au Louvre le 8 prairial an II (27 mai 1794) et enregistrés sous le n° 1314 (A.N. D*XXXVc-1).

39. Le registre de dépôt des œuvres (A.N. D*XXXVc-1) nous a permis d'identifier le tableau: «Courtel (sic) *Un maire qui quitte son écharpe pour s'enrôler et donne l'exemple aux jeunes gens de la commune*, sous la devise "La Liberté ou la Mort"», déposé le 10 prairial an II (29 mai 1794) sous le n° 1389.

40. Ce tableau exposé au Salon de 1795: «n° 503. Vallaert (de Lille) Un tableau représentant le vaisseau *le Vengeur*, Prix du Jury des Arts», est peut-être à rapprocher de celui exposé ici, cat. 816, comme «Anonyme»; en effet, Vallaert, d'après le descriptif de son tableau primé au concours, insiste, comme l'auteur du tableau de Versailles sur l'attitude des marins de l'équipage. Bonneville participa également au Concours de l'an II avec une esquisse représentant *Le vaisseau le Vengeur* qui ne fut pas primée (A.N. D*XXXVc-1 n° 1953).

PRIX DÉCERNÉS AUX ESQUISSES DE SCULPTURE

AUTEURS	NATURE ET NUMÉRO DES ESQUISSES PRÉSENTÉES	NATURE DES TRAVAUX D'ENCOURAGEMENT	TRAVAUX D'ENCOURAGEMENT	SOMME FIXÉE PAR LE JURY
CONCOURS POUR LA FIGURE COLOSSALE DU PEUPLE À ÉRIGER SUR LA POINTE DU PONT-NEUF[42]				
Lemot	1. Modèle en plâtre de 20 pouces de haut sur un piédestal composé de divers débris.	Le modèle de son esquisse.		10 000 L
Ramey	19. Esquisse en cire de 12 pouces de haut.	idem		10 000 L
Michallon	22. Figure en cire bronzée de 13 pouces de haut sur une portion de globe environnée d'emblêmes et de débris.	idem		10 000 L
Dumont	9. Modèle en plâtre de 15 pouces de haut sur un socle carré et uni.	Le modèle d'une figure de son choix.		6 000 L
Boichot	11. Figure en cire bronzée de 15 pouces de haut.	idem		6 000 L
Lorta	3. Modèle en cire bronzée de 20 pouce de haut élevé sur un piédestal d'architecture gothique.	idem	*La Paix* (cat. 1096).	6 000 L
Baccarit	8. Figure d'un pied de haut en cire bronzée.	idem		6 000 L
Chaudet	5. Figure en cire bronzée de 20 pouces de haut élevée sur un rocher de même hauteur accompagnée de débris et de fragments.	Un prix pécuniaire.		1 500 L
Lesueur	6. Modèle en plâtre de 27 pouces de haut sur une plinthe exhaussée de fragmens.	idem		1 500 L
Boizot	12. Modèle en plâtre de 14 pouces de haut sur une plinthe en forme de rocher portée par un piédestal circulaire orné de palmiers et de bas-reliefs en bronze.	idem		1 500 L
CONCOURS POUR LA STATUE DE LA NATURE RÉGÉNÉRÉE SUR LES RUINES DE LA BASTILLE				
Suzanne	28. Modèle en plâtre de 15 pouces de haut.	Un prix pécuniaire.		1 000 L
Cartelier	33. Esquisse en terre composée de trois figures de 9 pouces de haut élevée sur une partie sphérique.	idem		1 000 L

41. Réattu, *Le Triomphe de la Liberté,* Arles, musée Réattu (inv. 868-1-42). Tableau commandé en 1794 pour « décorer la Convention Nationale » ; voir *Jacques Réattu* par Katrin Simons, Paris, 1987, n° 42, pp. 99-100.
Pour Nivard, la commande de ces deux vues de Lyon ne fut effective que beaucoup plus tard. En effet, un rapport en date du 23 vendémiaire de l'an VII (14 octobre 1798) nous apprend que « le citoyen Nivard, peintre, est chargé par François de Neufchâteau de deux tableaux du port de Lyon [...] le prix des deux tableaux est fixé à 14.000 frs » (A.N. F17 1056, dos. 15). Les deux œuvres se trouvaient au musée de Lyon en 1912 (cat. musée par Paul Dissard, p. 44) mentionnées comme envois de l'État de 1896.

42. J. de Caso, *David d'Angers : l'avenir de la mémoire*, 1988, pp. 34-37 et notes 36 à 40, signale quelques faits intéressants à propos de ce Concours dont l'idée revient à David et signale surtout un très beau dessin que Moitte présenta comme projet et qui ne fut pas retenu.

Moitte, *Projet de monument au peuple français*, Paris, B.N., cabinet des Estampes.

CONCOURS POUR LA STATUE DU PEUPLE TERRASSANT LE FÉDÉRALISME

Michallon	40. Groupe en plâtre de 18 pouces de haut sur un rocher de même hauteur.	Le modèle de son esquisse [43].	10 000 L
Dumont	44. Groupe en plâtre de 18 pouces de haut sur un rocher de 14 pouces.	idem	10 000 L
Suzanne	41. Groupe en plâtre de 17 pouces de haut sur un rocher de 12 pouces.	Le modèle d'une figure de son choix.	6 000 L
Roland	36. Groupe en terre de 20 pieds de haut.	idem	6 000 L

Depuis le jugement de ce Concours, la Convention Nationale ayant ordonné la destruction de tous les monuments relatifs au Fédéralisme, le Jury s'est hâté de se conformer à l'esprit du Décret, en arrêtant que les Citoyens Michallon et Dumont, auxquels il avoit été accordé d'exécuter en grand le Modèle de leur Esquisses qui représentoient le Peuple auroient la Liberté de faire en place tout autre groupe, dont le sujet seroit à leur choix.

CONCOURS POUR LA STATUE DE JEAN-JACQUES ROUSSEAU DESTINÉE POUR LES CHAMPS-ÉLYSÉES[44]

Moitte	54. Figure assise en terre de 12 pouces de haut.	Exécution en bronze de son esquisse comme Monument National.	Vu l'impossibilité d'estimer au juste la dépense que pourra occasionner cette statue de Rousseau, qui, aux termes du Décret de la Convention Nationale doit être exécutée en bronze, pour être placée aux Champs-Élysées, le Jury n'a fixé aucune somme, ni pour les frais d'exécution, ni pour les honoraires de l'Artiste ; il a pensé qu'il convenoit de laisser au Gouvernement le soin de la récompenser suivant son mérite.	
Chaudet	59. Figure assise en terre de 11 pouces de haut avec plinthe ornée de bas-reliefs sur un piedestal de 9 pouces.	Le modèle d'une figure de son choix.	*Cyparisse pleurant un jeune cerf* (cat. 1097)	6 000 L
Monot	68. Figure assise en plâtre de 11 pouces de haut sur un piedestal de 9 pouces orné de bas-reliefs en bronze.	Un prix pécuniaire.		1 800 L

CONCOURS POUR LA FIGURE DE LA LIBERTÉ SUR LA PLACE DE LA RÉVOLUTION

Morgan	88. Modèle en plâtre de 26 pouces de haut sur un socle quarré. Figure debout.	Le modèle de son esquisse[45].	7 000 L
Dumont	103. Figure en terre de 22 pouces de haut.	Le modèle de son esquisse[46].	7 000 L
Espercieux	105. Figure en plâtre de 30 pouces de haut.	Le modèle d'une figure de son choix[47].	6 000 L
Castex	110. Figure de la Liberté assise, soutenue par quatre grouppes de figures et quatre taureaux.	Un prix pécuniaire.	2 500 L

CONCOURS POUR LA PENDULE DE LA SALLE DES SÉANCES DE LA CONVENTION NATIONALE
pas de prix

---

43. « Attendu le décret qui a ordonné la destruction de tous les monuments relatifs au fédéralisme, les artistes qui ont obtenu un prix sur ce dernier concours ont la faculté d'exécuter un autre sujet à leur choix. [...] Le C. Michallon désirant faire servir autant qu'il lui serois possible ses premières études à l'exécution du groupe qu'il doit substituer à son esquisse sur le fédéralisme, a fais choix d'un sujet allégorique qui conserve à la figure principale de l'esquisse son attitude et son caractère, *Le courage héroïque du peuple français ayant vaincu la discorde l'expulse de son territoire* » (A.N. F17 1056, dos. 9, rapport en date du 26 prairial an VI, 14 juin 1798).

44. Nous renvoyons à l'étude effectuée dans le présent catalogue par Mme Gisela Gramaccini.

45. Le Travail d'Encouragement de Morgan fut terminé par Suzanne et exposé au Salon de l'an VII (1799) : « n° 443. Suzanne. *La Liberté*, modèle en plâtre de 2 m de proportion, s'appuyant de la main droite sur un faisceau tenant dans sa main les emblèmes de la force et de l'agriculture ; de la gauche elle maintient la table des lois, posée sur un cube emblème de la stabilité ; elle a sur la tête le symbole du Génie des Arts et du Commerce. »
« Cette figure est le prix d'un concours national donné au C. Morgant (sic) en l'an 2 de la République ; mais la mort l'ayant frappé pendant l'ébauche de cet ouvrage, il fut nommé, en vertu d'un ordre du ministre de l'intérieur, une commission pour examiner si cette figure méritait d'être achevée : cette

commission ayant été pour l'affirmative, le C. Suzanne fut choisi par elle, et autorisé par le ministre pour terminer entièrement cet ouvrage. »
Lorsque Morgan déposa son esquisse pour la faire figurer au Concours de l'an II, celle-ci était décrite comme étant « appuyée sur un faisceau tenant d'une main une bêche et un javelot et de l'autre deux ailes du milieu desquelles sort une flamme » (A.N. D*XXXVc-1, n° 2067).

46. Sur les six concours ouverts en sculpture, Dumont obtint des prix à trois d'entre eux, « pour l'exécution dans la proportion de 6 pieds de trois modèles différents » (A.N. F17 1056, dos. 9) ; le modèle de *La Liberté* nous est connu pour avoir figuré au Salon de l'an VIII (1800) sous le n° 426 : « Elle tient d'une main, pour attribut, une pique surmontée d'un bonnet, emblème de la liberté conquise par la valeur ; de l'autre, elle s'appuie sur une petite statue de Minerve, symbole des vertus et de la Sagesse. »

47. Libre d'exécuter « le modèle d'une figure de son choix », l'artiste choisit le sujet du concours et présenta une *Liberté* au Salon de l'an VI (1798) : « n° 523. Modèle en plâtre. Cette figure, assise sur un cube, est coiffée du pileus ; elle foule aux pieds un joug brisé. La petite statue qu'elle tient dans une main représente la Félicité publique. Dans l'autre main sont une épée et le flambeau de la Philosophie. On lit sur la plinthe : la Liberté tient dans sa main la Félicité publique. On acquiert et on conserve la Liberté par la Philosophie et par les armes. »

LA CRÉATION ARTISTIQUE SOUS LA RÉVOLUTION

PRIX DÉCERNÉS AUX GRAVURES EN MÉDAILLE

Duvivier	Le coin de sa médaille sera acquis par la Nation (il avait présenté 4 médailles de bronze relatives aux 10 août 1792 et 1793).	(aucun prix ne figure à l'imprimé)
Dumarest	Le coin de sa médaille sera acquis par la Nation (il avait présenté une *Tête de Rousseau*).	(aucun prix ne figure à l'imprimé)
Dumarest	L'exécution d'une médaille à son choix (il avait présenté une *Tête de Brutus*).	6 000 L

PRIX DÉCERNÉS AUX ESQUISSES D'ARCHITECTURE[48]

AUTEURS	NATURE DES TRAVAUX D'ENCOURAGEMENT	SOMME FIXÉE PAR LE JURY
CONCOURS POUR L'ARC DE TRIOMPHE, EN MÉMOIRE DE LA JOURNÉE DU 6 OCTOBRE		
Moitte	Le modèle en relief de son projet.	6 000 L
Sobré	Le medium des Prix Pécuniaires.	2 000 L
Rousseau	Le minimum des Prix Pécuniaires.	1 000 L
Voinier	Le minimum des Prix Pécuniaires.	1 000 L
CONCOURS POUR LA COLONNE À ÉRIGER AU PANTHÉON		
Percier	Le maximum des Prix Pécuniaires.	4 000 L
Meunier	Le maximum des Prix Pécuniaires.	3 000 L
Durand et Thibault	Le medium des Prix Pécuniaires.	2 000 L
Vignon	Le medium des Prix Pécuniaires.	2 000 L
Lefebvre	Le minimum des Prix Pécuniaires.	1 000 L
CONCOURS POUR LES ARÈNES OUVERTES SUR LE LOCAL DE L'ANCIEN OPÉRA, RUE DE BONDI		
Lahure	Le medium des Prix Pécuniaires.	2 000 L
CONCOURS POUR LE MONUMENT À ÉRIGER PLACE DES VICTOIRES		
Sobré	Le maximum des Prix Pécuniaires.	2 000 L
Allais	Le minimum des Prix Pécuniaires.	1 000 L
Vignon	Le minimum des Prix Pécuniaires.	1 000 L
Suzanne, Sculpteur	Le minimum des Prix Pécuniaires.	1 500 L
CONCOURS POUR LE TEMPLE DE L'ÉGALITÉ, SUR L'EMPLACEMENT DU JARDIN BEAUJON		
Durand et Thibault	L'exécution de leur projet comme Monument National[49].	7 000 L
Lemercier	Le medium des Prix Pécuniaires.	2 000 L
Villers	Le medium des Prix Pécuniaires.	2 000 L
CONCOURS POUR L'ARCHITECTURE RURALE		
Damesme	Le minimum des Prix Pécuniaires.	1 000 L
Benoit	Le minimum des Prix Pécuniaires.	1 000 L
CONCOURS POUR LES ASSEMBLÉES PRIMAIRES		
Durand et Thibault	Le modèle en relief de leur projet.	5 000 L
Durand et Thibault	Le modèle en relief de leur projet.	4 000 L
CONCOURS POUR LES TEMPLES DÉCADAIRES		
Durand et Thibault	Le modèle en relief de leur projet.	6 000 L
Durand et Thibault	Le modèle en relief de leur projet.	4 000 L
Lafosse	Le maximum des Prix Pécuniaires.	3 000 L
Cochet	Le maximum des Prix Pécuniaires.	4 000 L

48. Nous ne donnons ici qu'un tableau très succinct des résultats des différents concours d'architecture, ceux-ci ayant fait l'objet d'une étude approfondie de Werner Szambien, *les Projets de l'an II : Concours d'architecture de la période révolutionnaire*, Paris, 1986, à laquelle nous renvoyons pour plus de précisions.

49. Salon de l'an VII (1799), n° 504. « Durand. *Modèles d'un temple à l'Egalité et d'un temple décadaire*, prix obtenus au Concours de l'an 3 par Durand et Thibault. »

PRIX DÉCERNÉS AUX ESQUISSES D'ARCHITECTURE (suite)

CONCOURS POUR LES MAISONS COMMUNES

Durand et Thibault	Le modèle en relief de leur projet.	5 000 L
Durand et Thibault	Le modèle en relief de leur projet.	4 000 L
Protain	Le medium des Prix Pécuniaires.	2 000 L

CONCOURS POUR LES TRIBUNAUX

Durand et Thibault	Le maximum des Prix Pécuniaires.	3 000 L
Bien Aimé	Le maximum des Prix Pécuniaires.	3 000 L

CONCOURS POUR LES JUSTICES DE PAIX

Bien Aimé	Le modèle en relief de son projet.	4 000 L
Vignon	Le modèle en relief de son projet[50].	4 000 L
Durand et Thibault	Le minimum des Prix Pécuniaires.	1 000 L

CONCOURS POUR LES PRISONS ET MAISONS D'ARRÊT

Destournelles	Le minimum des Prix Pécuniaires.	1 000 L
Florence	Le minimum des Prix Pécuniaires.	1 000 L

CONCOURS POUR LES THÉÂTRES NATIONAUX

pas de Prix

CONCOURS POUR LES BAINS PUBLICS

Durand et Thibault	Le minimum des Prix Pécuniaires.	1 000 L

CONCOURS POUR LES FONTAINES PUBLIQUES

Durand et Thibault	Le minimum des Prix Pécuniaires.	1 000 L

PROJETS D'EMBELLISSEMENS POUR PARIS

Percier et Fontaine	Le maximum des Prix Pécuniaires.	3 000 L
Percier et Fontaine	Le maximum des Prix Pécuniaires.	4 000 L (sic)
Bien Aimé	Le medium des Prix Pécuniaires.	2 500 L
Gisors	Le minimum des Prix Pécuniaires.	1 000 L

DU JUGEMENT DES CONCOURS DE L'AN II

On observera avec intérêt que les artistes ne se cantonnèrent pas dans leur spécialité. Ainsi, pour le Concours d'architecture concernant le monument à ériger place des Victoires, le sculpteur Suzanne proposa un projet qui lui fit obtenir un prix de 1 500 livres ; moins chanceux, le peintre Dreppe ne fut pas primé mais avait déposé pour ce même Concours un « modèle de tombeau surmonté d'une pyramide »[51]. Quant à Moitte il se présenta au Concours de peinture avec un dessin de bas-relief pour le Panthéon avec lequel il obtint un prix de 6 000 livres.

En ce qui concerne les esquisses de peinture, nous ne ferons pas figurer ici les sujets de toutes celles qui ne furent pas primées[52] ayant déjà évoqué plus haut dans le chapitre X, *Les nouveaux thèmes dans les arts plastiques* les sujets revenant le plus souvent sous le pinceau des artistes et ceux qui apparais-

saient comme étant le plus digne d'intérêt dans le cadre de cette étude. Nous avons, à ce propos, fait allusion au fait que le fameux *Recueil* de Sébastien Bourdon se révéla être, sinon l'unique, du moins la principale source d'inspiration des artistes devant évoquer « les époques les plus glorieuses de la Révolution française ».

À propos du jugement des esquisses de peinture, Amaury-Duval rappelle dans *la Décade philosophique*[53] que « sur 140

50. Salon de l'an VII (1799), n° 520. « Vignon. *Tribunal de Paix pour les divers communes de la République.* » A la fois « Travail d'Encouragement » du Concours de l'an II et « Prix d'Encouragement » du Salon de l'an VII.

51. A.N. D*XXXVc-1, n° 1507.

52. Elles figurent au registre D*XXXVc-1 ; voir aussi W. Orlander, *op. cit.*, note 20.

53. *La Décade philosophique*, 20 fructidor an III, n° 50, pp. 458-465, et 30 fructidor an III, n° 51, pp. 536-540.

esquisses présentées, 22 artistes ont obtenu les seconds prix, c'est à dire que chacun d'eux doit donner un tableau à son choix et qui est d'avance acquis par la nation » **et il ajoute cette réflexion intéressante et quelque peu en avance sur son temps :** « Sans doute que l'on distribuera ensuite entre les départemens les tableaux qui sont demandés aux artistes et qui seront payés par le trésor Public. Il est trop juste d'envoier dans les différentes communes de la République des ouvrages qui puissent servir de modèles. On y possède fort peu de tableaux, encore moins de statues. Il est tems que le bon goût dans les arts se répande comme un fleuve fécond sur tout le sol de la République : il ne doit pas être relégué dans une seule cité [...]. »

Sur les jugements de quelques-uns des Concours proposés aux sculpteurs, on trouve les commentaires suivants[54] :

« La figure colossale du peuple, statue à ériger à la pointe du Pont-Neuf. Le Jury des Arts a senti toutes les disparates que renfermait le programme qui offrait ce sujet au Concours ; la gigantesque puérilité de la plupart des accessoires, les disconvenances du piédestal sur lequel on voulait l'asseoir, il a surtout observé combien il y a d'invéniens à dicter des conditions ou des données plus propres à refroidir l'imagination qu'à en régler la marche : en conséquence, il a déclaré qu'il aurait égard dans son jugement aux difficultés et aux entraves qui ont pu comprimer le génie des artistes. Il n'a trouvé aucune esquisse digne de l'exécution... »

« Quant au programme de la Nature régénérée sur les ruines de la Bastille, il a paru au jury si obscur et si inintelligible que n'ayant pu offrir à l'imagination de l'artiste qu'un de ces êtres abstraits et métaphysiques qui, échappant aux sens, sont peu propres à être traités en Sculpture [...]. » « Aussi n'a-t-il accordé que des prix pécuniaires. »

Sur « La figure de la Liberté à élever sur la place de la Révolution, le programme assujetissoit les artistes à faire appercevoir les ruines de l'ancienne base au milieu de la composition d'un nouveau soubassement. Cette idée bizarre et extraordinaire n'a point échappé à la censure de l'Assemblée [...]. »

Enfin, en manière de conclusion sur les commentaires faits sur les jugements des différents Concours : « Nous pouvons dire à la gloire du Jury qu'il a montré dans ses décisions la plus rigoureuse justice, elles ont été approuvées même par les artistes qui n'avoient pas à s'en féliciter[55] [...]. »

Une fois le jugement prononcé, le 13 germinal an III (2 avril 1795) et les résultats placardés dans Paris, il fallut envisager de débloquer les fonds nécessaires aux paiements des différents prix[56]. Ces paiements devaient être effectués « par tiers et dans le cours de 18 mois ». Mais le système fut loin de fonctionner aussi bien que chacun l'avait escompté. En effet, six mois plus tard aucun prix n'avait encore été distribué et le 11 vendémiaire an IV (2 octobre 1795) le jury se réunit de nouveau pour essayer de hâter les paiements.

Mais la situation s'aggrava encore avec la chute de la valeur des assignats, ceux-ci ayant été supprimés en mars 1796. On s'efforça de trouver une solution et le 5 frimaire an V (25 novembre 1796) « Le ministre invita ces mêmes artistes qui composaient ce juri des arts à s'assembler de nouveau pour déterminer le taux réel des sommes allouées pour les divers ouvrages[57]. »

On décida alors de convertir en numéraire les sommes fixées en assignats, les seconds prix, à savoir les tableaux d'histoire, furent réduits d'un tiers et les tableaux de genre de moitié, seul le montant les premiers prix resta inchangé. Toutefois, le gouvernement ne disposant pas des fonds nécessaires, les paiements furent encore retardés et, durant l'année 1797, les réclamations et les pétitions d'artistes se succédèrent, certains se retrouvant dans des situations extrêmement difficiles. Le premier tiers des prix réduits fut enfin distribué à partir du 16 germinal an VI (5 avril 1798), soit plus de trois ans après le jugement du Concours !

On comprend sans mal que la lenteur des paiements et la réduction des prix durent décourager plus d'un artiste et fléchir les enthousiasmes à offrir à la Nation un témoignage de patriotisme.

Gérard, dont l'ambitieux tableau sur le 10 Août bénéficiait pourtant d'un premier prix, se découragea devant le peu d'aide apportée par le gouvernement à hâter les paiements et à lui donner un atelier suffisamment vaste pour réaliser un tableau qui devait faire huit à neuf mètres de long[58]. L'absence de document sur l'œuvre de Vincent, qui avait également obtenu un premier prix, peut sans doute aussi s'expliquer par un abandon de l'artiste face aux promesses non tenues du gouvernement.

Ce Concours sut mobiliser les énergies mais se solda en définitive par un échec, du moins quant à son but de propagande ; de plus les difficultés rencontrées par le gouvernement pour parvenir à payer la totalité des prix empêcha la distribution d'autres Encouragements à l'issue des Salons qui suivirent le Concours. L'État s'essouffla à payer ces prix jusqu'à la fin de l'année 1798 et le Salon de 1799 fut le premier Salon, après celui de 1791, à être suivi d'une distribution d'Encouragements.

En 1808, Le Breton dira, à propos du Concours de l'an II : « Cet encouragement ne produisit pas sans doute tout ce qu'on avait bien voulu en attendre ; mais du moins il rendit l'espérance et redonna de l'activité aux artistes découragés et souffrans. Il s'y déploya beaucoup de mérite et l'on put se flatter qu'aussitôt que la tempête politique serait calmée, les Beaux-Arts se montreraient avec plus de vigueur et d'éclat qu'avant la Révolution[59]. »

54. Coll. Deloynes, t. LVI, n° 1737 et A.N. F¹⁷ 1057, dos. 3.

55. Coll. Deloynes, t. LVI, n° 1737.

56. Voir note 30.

57. A.N. F¹⁷ 1056, dos. 13, rapport au ministre en date du 3 ventôse an V (21 février 1797).

58. A.N. F¹⁷ 1056, dos. 15, rapport au ministre en date du 30 fructidor an VI (16 septembre 1798).

59. J. Le Breton, *Présentation à Sa Majesté l'Empereur et Roi, en son Conseil d'Etat, du rapport historique sur l'Etat et les progrès des Beaux-Arts en France, lu le 5 mars 1808*, Paris, 1808, p. 56.

LE CONCOURS DE L'AN VII

On se souvient que, par la loi du 29 septembre 1791 et les différents décrets l'entérinant, devait « être accordé annuellement pour le soutien des arts de peinture, sculpture et gravure, une somme de 100.000 livres pour les Travaux d'Encouragement ». Or, aucun encouragement ne fut distribué à l'issue des Salons de 1793, 1795, 1796 et 1798, cause en est, comme nous l'avons vu, l'étalement des paiements des prix obtenus par les artistes à l'issue du Concours de l'an II.

En 1798, le 9 vendémiaire an VII (30 septembre), les artistes adressèrent au ministre de l'Intérieur, François de Neufchâteau, une pétition pour :

« 1. que l'on accorde des encouragemens aux Beaux-Arts conformément aux lois rendues par l'Assemblée Constituante.

2. que soit ouvert, pour la distribution des sommes destinées à ces Encouragemens, des concours tels que ceux qui ont eu lieu dans l'an II de la république.

3. que les jugements sur les ouvrages envoyés aux concours, ne soient pas rendus par l'Institut, mais par un Jury choisi par les concurrens, toujours intéressés à être jugés par des hommes éclairés et impartiaux[60]. »

Cette requête des artistes fut entendue et par l'arrêté du 10 nivôse an VII (30 décembre 1798) le ministre « appelle à un nouveau concours solennel tous ceux des artistes qui depuis le concours de l'an II, ont présenté quelques productions aux expositions publiques qui ont eu lieu au Musée, l'administration du Musée Central des Arts prévient :

— qu'à compter de ce jour septidi 27 nivose (17 janvier 1799) jusqu'au nonidi 9 pluviose (29 janvier) inclusivement, elle recevra celui de leurs ouvrages exposé depuis l'an deux qu'ils jugeront le plus digne de concourir [...]

— chacun des artistes qui d'ici au 9 pluviose aura envoié un de ses ouvrages, est invité à se rendre le même jour à quatre heures et demi précises du soir, dans la salle du Laocoon, pour y concourir à la nomination du jury qui devra les juger [...][61]. »

Les membres du jury élus par les artistes concurrents furent les suivants :

David	Morel-Darleu	Suppléants :
Gérard	Vernet	Moitte
Bien-Aimé	Vincent	Ramey
Redouté	Naigeon	Auger
Thibault	Fragonard père	Le Brun
Meynier	Girauld	Julien
Allais	Berthélemy	

La somme de 100 000 francs fut répartie entre :

les peintres . . . . 63 000 francs
les sculpteurs . . . . 20 000 francs
les graveurs . . . . 7 000 francs
les architectes . . . . 10 000 francs

Le jury réunit à partir du 19 pluviôse an VII (8 février 1799), prononça son jugement le 23 ventôse an VII (13 mars 1799).

Nous donnons ici les résultats tels qu'ils figurent dans la collection Deloynes en ajoutant, lorsque nous avons pu le retrouver, le Salon auquel figura l'œuvre primée[62].

PEINTURE

Prix de Première classe :

— Girodet, *Le Sommeil d'Endymion* (Salon de 1793, n° 296, cat. 1098).
— Lethière, *Philoctète* (Salon de 1798, n° 278, cat. 1088).
— Peyron, *Bélisaire* (Salon de 1796, n° 370, cat. 409).

Prix de Deuxième classe :

— Regnault, *Le Génie de la Liberté* (Salon de 1795, n°s 421 et 424, cat. 828).
— Garnier, *Dédale et Icare* (Salon de 1795, n° 214).
— Topino-Lebrun, *La Mort de Caïus Gracchus*, (Salon de 1798, n° 254, cat. 843).

Prix de Troisième classe :

— Le Barbier, *Un père et un fils s'entretenant sur l'urne de la mère* (ne figure pas aux livrets des Salons entre 1793 et 1798).
— Serangeli, *La Mort d'Eurydice* (Salon de 1798, n° 368).
— Taunay, *Scène villageoise*.

Prix de Quatrième classe :

— Bidauld, *Paysage, soleil levant*.
— Pajou fils, *Le Départ de Régulus pour Carthage* (Salon de 1793, n° 388 bis, cat. 835).
— Boilly, *Une réunion d'artistes* (Salon de 1798, n° 39, cat. 1099).
— Taillasson, *Héro et Léandre* (Salon de 1798, n° 383, cat. 1092).
— Elisabeth Chaudet, *Une Femme à sa toilette, portrait en pied* (Salon de 1798, n° 88).

Prix de Cinquième classe :

— Ansiaux, *Sujet de composition*.
— Monsiau, *La Mort de Darius* (ne figure pas aux livrets des Salons entre 1793 et 1798).
— Le Roy de Liancourt, *Un aveugle jouant de la vielle, accompagné d'enfants qui l'écoutent* (Salon de 1798, hors livret ?).
— Jacob Sablet, *Scène familière*.

Prix de Sixième classe :

— Demarne, *Marche d'animaux* (Salon de 1798, n° 110).
— Lesueur, *Le Siège de Granville* (Salon de 1795, n° 349).
— De La Fontaine, *Etude représentant un déluge* (Salon de 1798, n° 106).
— Mérimée, *Une Bacchante jouant avec un jeune faune* (Salon de 1795, n° 362).
— Honnet, *Télémaque séparé de Mentor* (Salon de 1798, n° 212).

---

60. *La Décade philosophique*, 20 vendémiaire an VII, p. 117.

61. Coll. Deloynes, t. LVI, n° 1754.

62. Les résultats du concours sont consignés dans la coll. Deloynes, t. LVI, n°s 1755 et 1758, sans le détail des sommes accordées à chacun des artistes.

Prix de Septième classe :

– Baltard, dessin de *Paysage* (peut-être le n° 13 du Salon de 1795).
– Schall, sujet de composition.
– Bonnemaison, *Un Enfans étudiant sa leçon* (Salon de 1798, n° 43).
– Dandrillon, *Vue de Florence* (Salon de 1796, n° 116).
– Denouy, *Paysage*.

SCULPTURE

Prix de Première classe :

– Chaudet, *Cyparisse...* (Salon de 1798, n° 510, cat. 1097).
– Espercieux, *La Liberté* (Salon de 1798, n° 523[63]).

Prix de Deuxième classe :

– Blaise, *Cléopatre...* (Salon de 1793, n° 158[64]).
– Petitot, *Le Génie de la Guerre* (ne figure pas aux livrets des Salons entre 1793 et 1798, cat. 1100).

Prix de Troisième classe :

– Lorta, *La Liberté* (Salon de 1795, n° 1052 bis[65]).
– Cartellier, *L'Amitié* (Salon de 1796, n° 605, cat. 1101).

ARCHITECTURE

(Le classement des Prix ne nous est pas connu, seul le nom des artistes figure au manuscrit.)
– Percier sur un Museum de sa composition.
– Fontaine sur une restauration du forum romanum.
– Sobré sur un arc de Triomphe de sa composition.
– Vieux sur un modèle de trait ou coupe de pierres.

GRAVURE

Prix de Première classe :

Le juri a déclaré qu'il n'y avait pas lieu a décerné un premier prix.

Prix de Deuxième classe :

– Bervic, *L'Education d'Achille* (Salon de 1798, n° 702).

Prix de Troisième classe :

– Blot, *Une femme jouant avec des colombes* (ne figure pas aux livrets des Salons entre 1793 et 1798).

---

63. Voir note 47.

64. Le texte du livret du Salon de 1793 est le suivant : « Cléopâtre vaincue et en puissance d'Auguste dont elle doit orner le triomphe, se donne la mort pour se soustraire à l'esclavage. » L'œuvre exposée en 1793 était sans doute le modèle du « plâtre original, signé et daté 1798. Don de M. Dameron, 1895 » encore en 1960 au musée des Beaux-Arts de Dijon (*Musée des Beaux-Arts de Dijon, Catalogue des sculptures*, 1960, p. 42, n° 221).
Le Prix d'Encouragement obtenu par l'artiste au Concours de l'an VII lui permit d'exécuter un *Phocion, général des Athéniens*, qui figura au Salon de 1802, n° 402 du livret.

65. Il s'agit du même sujet que la figure dont Lorta fut chargé en 1792 pour le péristyle du Panthéon, et sans doute un modèle pour celle-ci.

66. A.N. F¹⁷ 1056, dos. 5, *La Décade philosophique*, 10 ventôse an VII, n° 16, p. 440.

67. *La Décade philosophique*, 20 pluviôse an VII, n° 14, pp. 241-242.

À l'issue du Concours de l'an II, les artistes, libres quant au choix des sujets de leurs Travaux d'Encouragement, se gardèrent bien pour la plupart d'entre eux de réaliser les œuvres patriotiques que le gouvernement souhaitait. Fort de cette leçon qui avait marqué d'un échec la politique de propagande souhaitée par l'État, le ministre de l'Intérieur prit pour ce Concours de l'an VII des dispositions permettant d'avoir droit de regard sur les travaux des artistes et institua, le 10 ventôse an VII (1er mars 1799), « Un Jury de Savans, d'Artistes et d'Hommes de Lettres (auquel) tous les Artistes qui auront obtenu des Prix d'Encouragement, soummetront les esquisses des travaux qu'ils se proposeront d'exécuter et qui prononcera sur le mérite ou l'utilité des compositions sous le rapport seulement de la Politique et de la Morale[66]. »

À cet égard, *la Décade philosophique* nous livre un texte éclairant quant à un esprit de propagande toujours bien présent :

« [...] Que les tableaux qui seront commandés par (la République) soient tous propres à réchauffer l'amour de la patrie ou l'amour de la vertu, lequel n'est pas moins utile à la patrie. Ne serait-il pas ridicule que les sacrifices que fera la Nation ne produisissent qu'une représentation insignifiante de l'*Enlèvement d'Europe par Jupiter* ou de *Télémaque racontant ses aventures à Calypso*. Il faut donc que les productions du génie de nos Artistes commandés par la République puissent se placer convenablement, soit dans les salles publiques des Palais des Conseils, ou de celui du Directoire, soit dans les Temples Décadaires, soit enfin se répandre dans nos départements et orner les lieux d'assemblées, écoles, etc. Ce n'est point à dire qu'il faille choisir des sujets révolutionnaires ; il sera toujours utile sans doute de retracer un trait d'héroïsme national, de dévouement civique puisé dans nos annales ou celles d'une autre nation ; mais un exemple de bonne-foi, d'humanité, de désintéressement, de générosité servant à former nos mœurs servira aussi la République[67]. »

Nous n'avons pu juger dans le cadre de cette étude des sujets traités par les artistes pour leurs Travaux d'Encouragement, la plupart d'entre eux ayant été offerts au gouvernement bien après 1800. Seuls Petitot qui exécuta une *Concorde* (cat. 1110) et Baltard un *Projet de monument commémoratif à l'assassinat des plénipotentiaires de Rastadt* (cat. 1106), tous deux exposés dès le Salon de l'an VII, qui ouvrait ses portes quelques mois plus tard, peuvent laisser entendre la réussite des mesures gouvernementales quant à la réalisation d'œuvres « utiles à la République ».

On notera par ailleurs que l'artiste ayant bénéficié du premier prix de peinture ne fut pas libre de choisir le sujet du tableau qu'il destinait à l'Etat mais que celui-ci lui fut imposé, en effet :

« L'arrêté du Directoire Exécutif du 4 Messidor an VII (23 juin 1799) porte que l'artiste qui a obtenu le 1er Prix de Peinture sera chargé de peindre l'Assassinat des Ministres près de Rastadt. »
Girodet ayant reçu un premier prix fut chargé de l'exécution de ce tableau et Bervic, premier prix de gravure devait graver

un dessin de même sujet[68]. Le projet avorta et Girodet n'exécuta jamais son tableau (voir à ce propos Baltard, cat. 1106).

La majorité des artistes choisirent leur dernière création, à savoir celle exposée au Salon de 1798, parmi les œuvres exposées par eux depuis l'an II, et qu'ils jugeaient la plus digne de concourir..

Un grand nombre de prix furent accordés aux peintres, en regard de ceux dont bénéficièrent les sculpteurs et les scènes de genre ne furent pas les moins récompensées, ce qui atteste manifestement d'une évolution des goûts.

En dernier lieu, nous ajouterons que plusieurs artistes obtinrent leur Prix d'Encouragement sur des œuvres qui se trouvaient être des Travaux d'Encouragement. C'est le cas notamment de Regnault, pour 1791, et de Lethière, Taillasson et Chaudet qui avaient exécuté les œuvres ici primées grâce à leurs prix obtenus au Concours de l'an II.

LES SALONS SUIVIS DE DISTRIBUTION DE PRIX D'ENCOURAGEMENT

Nous terminerons cette étude par les Prix d'Encouragement distribués à l'issue du dernier Salon du XVIIIᵉ siècle en l'an VII (1799) et ceux distribués au Salon de l'an VIII (1800) qui débutait le siècle suivant.

LE SALON DE L'AN VII

Le 23 brumaire an VIII (14 novembre 1799),

« Dufourny, Commissaire du gouvernement près de la Commission d'artistes chargée de distribuer les Travaux d'Encouragement aux artistes qui ont exposé au dernier Salon (adresse) au Citoyen Ministre de l'intérieur, le résumé des opérations du Jury des arts[69]. »

Les membres composant le Jury sont les citoyens :

Regnault	Meynier	Chaudet
David	Taunay	Espercieux
Gérard	Bidault	Allais
Girodet	Thibault	Percier
Le Thiers	Redouté	Fontaine

PEINTURE

Prix de Première classe, 6.000 frs :

– Guerin, *Le Retour de Marcus Sextus*[70] (cat. 842).
– Hennequin, *Allégorie du 10 Août* (cat. 826).
– Prud'hon, *La Sagesse et la Vérité* (cat. 1082).

Prix de Deuxième classe, 4.000 frs :

– Debret, *Aristomène, général des Messéniens* (cat. 1102).
– Vandaël, *Offrande à Flore.*
– Dubost, *Les Adieux de Brutus et de Porcie.*
– Ommeganck, *Un paysage sur le dessus d'un clavecin*[70 bis].
– Gounod, *Un chasseur nu, étude.*
– Caraffe, plafond de l'école clinique.
– Landon, *Dédale et Icare* (cat. 1103).
– Bouillon, *Œdipe et Antigone.*

Prix de Troisième classe, 3.000 frs :

– Potain, *Une Académie.*
– Swebach Desfontaines, *Les Derrières d'une armée au moment d'une attaque générale.*
– Hue, *Vue de Rouen, clair de lune,* « a renoncé » [71].
– Callet, *Marcus Curtius se dévouant pour sa patrie*[72].

68. A.N. F¹⁷ 1056, dos. 13.

69. A.N. F¹⁷ 1056, dos. 6, les montants des prix et les noms des artistes récompensés y sont donnés, les titres des œuvres se trouvent dans la coll. Deloynes, t. LVI, n° 1761.

70. Outre ce Prix d'Encouragement "officiel", « les artistes eux-mêmes couronnèrent d'un mouvement spontané ce tableau et décidèrent de placer une palme attachée par Hennequin au bas du tableau avec cette inscription "laurier donné par les artistes" » : *La Décade philosophique*, 10 vendémiaire an VIII, n° 1, p. 94.

70 bis. Cet artiste exposera son « Travail d'Encouragement » au Salon de l'an X (1802) sous le n° 215 : *Un paysage orné d'animaux et de figures.*

71. Cette mention ne figure que dans le document conservé aux Archives, A.N. F¹⁷ 1058, dos. 6 ; Deloynes n'y fait pas allusion.

72. Voir note 36, ce tableau étant le « Travail d'Encouragement » exécuté par Callet grâce à son Prix obtenu au Concours de l'an II.

Prud'hon, *La Sagesse et la Vérité...,*
Paris, musée du Louvre.

Prix de Quatrième classe, 2.000 frs :

– Bonnemaison, *Une femme surprise par un orage* (cat. 1104).
– Droling, *Une blanchisseuse*, sur porcelaine.
– Vanderbruch, *Un paysage historique* [73].
– Bertin, *Un paysage et des baigneuses* [74].
– Denouy, plusieurs études faites d'après nature.
– Crépin, esquisse terminée du *Combat de la corvette « la Bayonnaise »* (cat. 689).
– Guyard, citoyenne, *Un portrait* (il s'agit d'Adélaïde Labille-Guiard).
– Cesar van Loo, *Un paysage de neige* (cat. 1112).
– Perrin, quelques études de femmes effrayées [75].
– Belle fils, *Un portrait de famille* [76].
– Taurel, *L'Entrée de l'armée française dans Naples* (cat. 1105).
– Boucher, *Une étude, d'après le p. Quesnel, modèle*.

73. Ce tableau qui est son « Travail d'Encouragement » de l'an II, en obtenant ici un prix, lui permit d'exécuter *Paysage avec figures et animaux, coucher de soleil, rentrée des bergers* exposé au Salon de l'an IX (1801) sous le n° 344.

74. Comme tableau destiné au gouvernement, cet artiste exécuta *Vue de la ville de Pheneos et du temple de Minerve Caphyes* exposé sous le n° 23 au Salon de l'an IX (1801).

75. Il s'agit en fait très certainement du n° 251 du livret : *Sujet tiré de Lucrèce lorsqu'il parle des premiers habitants de la terre*. « Ils se retiraient dans les antres comme les animaux féroces qu'ils étaient obligés de combattre pour leur conservation. Ils n'avaient pas encore eu l'intelligence de se construire des cabanes ni même de se vêtir des dépouilles de leurs ennemis. L'action du tableau est le combat. Sur le devant, les femmes, inquiétes du succès, fuient effrayées, emmenant leurs enfans. » L'auteur faisait allusion à la dernière phrase du descriptif.

76. Le prix obtenu par Belle lui permettra d'exécuter, comme « Travail d'Encouragement », *L'Emblème de la Paix*, « Mars recevant les caresses de Vénus et couronné par elle de myrte et de lauriers » (texte du livret du Salon de l'an IX [1801], n° 15).

Belle, *Allégorie de la paix*.
Rouen, musée des Beaux-Arts.

Prix de Cinquième classe, 1.000 frs :

– Kinson, *Un portrait de femme appuyée sur une harpe*.
– Isabey, un dessin représentant *La Citoyenne Campan dans un jardin* [77].
– Hilaire Le Dru, *La Marmotte ou la Fortune perdue*.
– Robert Lefevre, *Un portrait de chasseur*.
– la citoyenne Charpentier, *La Veuve d'une journée, la Veuve d'une armée* [77 bis] (deux tableaux faisant pendant).
– la citoyenne Gérard de Grasse, *Une jeune fille effeuillant une margueritte* [78].
– la citoyenne Villers, *Un portrait, femme se peignant*.
– Le Guay, une miniature en porcelaine.
– Baltard, *projet de monument consacré à rappeler l'assassinat des ministres de Rastadt* (cat. 1106).

SCULPTURE

Pas de Premier Prix de 4.000 frs

Prix de Seconde classe, 3.000 frs :

– Foucou, *Duguesclin à la journée de Cocherel* (cat. 1107).
– Gois fils, une *Vénus* et le grouppe des *Trois Horaces* qu'il termine [79].

Prix de troisième classe, 2.000 frs :

– Bridan fils, une figure représentant *Pâris*.
– Lucas, une figure de *Vestale* en terre cuite.
– Lange, une figure représentant *Philopomène* [80].

ARCHITECTURE

Pas de premier prix de 4.000 frs

Prix de seconde classe, 3.000 frs :

– Vignon, modèle d'un tribunal de Paix [81].

Pas de troisième Prix de 2.000 frs

77. La vente Charpentier des 15-16 décembre 1958 mentionne par Isabey « un dessin à la pierre noire rehaussé de gouache : *Madame Campan dans le parc de Saint-Germain où elle avait installé son école* » (avec la fille d'Isabey), H. 1,04 ; L. 0,79.

77 bis. Cet artiste exécuta comme « Travail d'Encouragement » un tableau exposé au Salon de l'an IX (1801) sous le n° 58, il s'agit de *La Mélancolie*, déposé au musée d'Amiens en 1864 où il se trouve toujours.

78. Ce Prix lui permit d'exécuter comme « Travail d'Encouragement » *Deux jeunes époux lisant leur correspondance d'amour*, n° 152 du Salon de l'an IX (1801).

79. Ces *Trois Horaces* « qu'il termine » en 1799 figureront au Salon de 1800 sous le n° 434, on les retrouve à la vente de l'artiste en 1838. Le « Travail d'Encouragement » exécuté grâce à son prix obtenu en 1799 figure également au Salon de 1800 sous le n° 435 : *La Victoire, grande figure*, et un autre sera exposé en 1802 : « n° 426, *Jeanne d'Arc*, figure de 2 m de proportion ». Deux plâtres de cette *Jeanne d'Arc* existaient encore au début du siècle, l'un déposé au musée d'Orléans, l'autre à Montpellier.

80. Lange obtint son Prix sur la présentation d'un plâtre représentant *Philopoemen à Sellasie* de 1,02 mètre de haut ; il s'agit de la tête de *Jupiter-Soleil* dont le marbre sera offert par l'artiste au musée de Toulouse en 1805 ; Lucas, maître de Lange, en donne un descriptif : « Il a un diadème de rayons en bronze doré dont la naissance font des flammes comme une émanation du foudre dont les poètes ont armé ce dieu […] » (*cf.* Paul Mesplé, *Notes et documents sur le sculpteur Bernard Lange*, Toulouse, 1960, pp. 11-13).

81. Voir note 50.

Prix de quatrième classe, 1.000 frs :
– Gisors, projet d'une bibliothèque nationale.
– Norry, plan d'un lazaret projetté à Alexandrie d'Egypte.
– Thierry, monument à élever en l'honneur de la république sur l'emplacement de la madeleine.
– Baltard, projet de métairie.

GRAVURE

Pas de premier ni de second prix[82]

Prix de troisième classe, 3.000 frs :
– Godefroy, *Portrait gravé de la citoyenne Barbier-Walbonne.*
– Massard fils, *Assemblée des dieux pour les noces de Psiché et de l'Amour.*
– Roger, *Sujets des amours de Daphnis et de Chloé*, d'après Prud'hon.
– Desnoyers, *Vénus désarmant l'Amour*, d'après Robert Lefebvre (cat. 1108).

Le public ne sera pas surpris de ne point trouver dans cette énumération plusieurs artistes recommandables dont les productions cette année ont été exposées au salon, tels que la C. Chaudet, les C. Sablet, Lethiers, Bidault, Serangeli, etc. Mais n'ayant point encore fourni les prix qu'ils ont eu l'année dernière, ils n'ont pu concourir[83]. »

LE SALON DE L'AN VIII

« Liste des artistes qui ont obtenu des Prix pour les Travaux d'Encouragement d'après le jugement du jury nommé à cet effet[84].

PEINTURE

– Hennequin, *Les Remords d'Oreste* (cat. 844) . . . . 6.000 frs
– Meynier, *Télémaque*[85] . . . . 6.000 frs
– Broc, *L'Ecole d'Apelle* (cat. 1114) . . . . 3.000 frs
– Bouché, *Une femme spartiate et son fils*[86] . . . . 2.500 frs
– Berthon, *Hyppolite* . . . . 1.000 frs
– Madame Chaudet, *Déjeuner d'enfans*[87] . . . . 1.000 frs
– Van Loo [César], *Tableau de neige* (cat. 1112) . . . . 2.000 frs

SCULPTURE

– Roland, *Buste en marbre de Pajou* (cat. 1115) . . . . 6.000 frs
– Cartellier, *Figure de la Guerre* (cat. 1101) . . . . 5.000 frs

GRAVURE EN TAILLE DOUCE

– Morel, *Belisaire*, d'après David . . . . 3.000 frs

GRAVURE EN PIERRE FINE

– Jeuffroy[88] . . . . 1.500 frs »

Il existe fort peu de commentaires contemporains sur ces deux Salons suivis de Prix d'Encouragement. Le système semble être rentré dans les mœurs et faire partie d'une normalité qui ne provoque plus guère de réactions. « Il paraît décidé qu'il y aura un Salon tous les ans et que ce sera d'après les ouvrages exposés qu'une Commission d'Artistes indiquera au gouvernement quels sont ceux qu'il convient d'encourager[89]. »

Au Salon de l'an VII, pour un montant de 86 000 francs, contre 63 000 francs au Concours de l'an VII, la peinture est très largement récompensée par rapport à la sculpture qui ne bénéficie que de 12 000 francs, l'architecture 7 000 francs et la gravure 12 000 francs, mais pour ces trois dernières disciplines, les premiers et seconds prix ne furent pratiquement pas distribués.

La peinture de genre est moins présente que quelques mois plus tôt au Concours de la même année ; en revanche, le paysage et surtout le portrait firent remporter à leurs auteurs un nombre conséquent de prix.

On retrouve à nouveau des exemples de « Travaux d'Encouragement » de l'an II bénéficiant ici de Prix d'Encouragement, avec notamment les tableaux de Prud'hon (cat. 1082) et de Van der Bruch (*Trait de courage du citoyen Rouzeau*).

Le Salon de l'an VIII présente très peu de prix en regard de ceux distribués en l'an VII, seulement sept peintres (contre trente-six l'année précédente) pour un montant de 21 500 francs de Prix d'Encouragement, cinq artistes primés en sculpture pour 12 000 francs, cinq artistes en architecture pour 7 000 francs, quatre artistes en gravure pour 12 000 francs. Toutefois, si les prix sont moindres du moins « le nom de ceux qui auront été distingués et honorés par des Travaux d'Encouragement seront proclamés au Champ-de-Mars[90]. »

Vu l'importance des Prix d'Encouragement distribués en l'an VII entre ceux du Concours et ceux du Salon, les caisses de l'État se trouvèrent vides dès avant la fin de l'année 1799 et les artistes ne reçurent souvent pas leur prix dans les temps voulus, ceci explique le peu d'Encouragements accordés en l'an VIII à l'issue du Salon.

---

82. Le document conservé aux Archives nationales (F17 1058, dos. 6) nous indique pour les premiers et seconds prix de gravure non distribués des montants étonnamment élevés (les mêmes que ceux accordés aux premiers et seconds prix de peinture, soit 6 000 et 4 000 francs) en regard de ceux, beaucoup plus bas (4 000 et 3 000 francs) accordés aux premiers et seconds prix de sculpture nécessitant pourtant des travaux plus longs et plus coûteux que ceux des autres disciplines.

83. Coll. Deloynes, t. LVI, n° 1761, commentaire figurant comme ici à la suite des résultats des prix.

84. Coll. Deloynes, t. LVI, n° 1763, le document ne nous donne pas les noms des membres du jury.

85. N° 266 du livret : *Télémaque pressé par Mentor, quitte l'île de Calypso.*

86. Selon le livret du Salon, n° 47 : « *Un spartiate, donnant des armes à son fils lui fait jurer devant ses Dieux pénates de défendre sa patrie* » et non d'*Une femme spartiate…*
Bouché avait déjà obtenu un « prix de quatrième classe » au Salon de 1799. Il exposera un de ses « Travaux d'Encouragement » au Salon de l'an X (1802), n° 28 : *Arie et Pétus.*

87. « On assure que Mme Chaudet a obtenu le prix sur son tableau représentant *Une femme occupée à coudre* [n° 92 du livret] et non sur celui du *Déjeuné d'enfans* » (coll. Deloynes, t. LVI, n° 1763).

88. On trouve au Salon de l'an IX (1801) : « n° 618 : Un cadre renfermant le portrait du Premier Consul, camée sur calcédoine orientale et le portrait de Mme Bonaparte, camée sur agathe onix. Celui du Premier Consul est un Prix d'Encouragement. » À savoir le « Travail d'Encouragement » exécuté grâce au « Prix d'Encouragement » de l'an VIII.

89. *La Décade philosophique*, 10 fructidor an VII, n° 34, « Variétés ».

90. Coll. Deloynes, t. LVI, n° 1756.

Nous avons à ce propos une lettre intéressante du ministre de l'Intérieur en date du 19 frimaire an VIII (10 décembre 1799)[91] :

« Mon Cher Collègue, l'insuffisance des fonds décadaires et les besoins urgents des divers Etablissements ont fait ajourner depuis plusieurs mois une partie interessante, celle relative au payement des Travaux d'Encouragement exécutés et livrés au Gouvernement par les artistes pour la peinture et la sculpture. plusieurs ont été obligés de suspendre les nouveaux travaux qui leur ont été adjugés à la suite des Concours par le Jury des Arts et quelques-uns sont réduits à demander des secours extraordinaires après avoir produit des ouvrages qui ont été proclamés à la dernière Exposition. La nature de ces Travaux, le but infiniment précieux vers lequel ils sont dirigés exigent qu'il soit pris des mesures pour que les artistes n'aient pas à se plaindre d'y avoir épuisé le fruit de leurs économies et de leurs privations et de languir dans la détresse tandis qu'ils ont enrichi les collections de l'Ecole Française. Une réclamation que je reçois en ce moment de l'auteur du tableau du 10 août, le Cᵉⁿ Hennequin m'apprend que cet artiste est réduit à vendre ses meubles et à abandonner son atelier tandis qu'il lui est dû une somme de trois mille francs pour complément du prix de ce Tableau National. Je vous prie, mon Cher Collègue, de proposer dans la prochaine répartition des fonds décadaires, une somme de douze mille francs au moins pour être expressément employée au payement d'accomptes que j'ordonnerai par urgence aux noms des artistes qui ont livrés leurs ouvrages. Je recommande cet article important à votre attention parcequ'il est digne de la sollicitude du gouvernement. »

Il y eut après 1800 d'autres distributions d'Encouragements puis finalement, le 11 septembre 1804, Napoléon proclama par décret qu'il y aurait tous les dix ans le jour anniversaire du 18 Brumaire une distribution de grands prix « pour l'encouragement des Sciences, des Lettres et des Arts[92] ».

Sur les Encouragements de la période révolutionnaire, on trouve écrit en l'an V : « Jamais on a fait autant de sacrifices en faveur des artistes, jamais on ne leur a témoigné plus d'égards et d'intérêt[93]. » Jugement quelque peu excessif si l'on se souvient d'une part, des commandes non négligeables faites sous l'Ancien Régime et d'autre part, des difficultés particulièrement aiguës et de la lenteur des paiements que connurent les concurrents de l'an II... Mais la formulation s'entendait comme une manière de propagande en faveur des bienfaits apportés par la République.

L'époque voulut, et on ne peut l'oublier, que le principe même de l'Encouragement et du Concours serve de propagande d'État, ce à quoi nous avons fait allusion à plusieurs reprises, nous avons vu également que les résultats furent peu probants.

On notera par ailleurs que, curieusement, les sujets récompensés aux Salons de l'an VII et de l'an VIII attestent certainement plus du goût du temps que d'une volonté de propagande. Propagande qui aurait souhaité, dans un juste retour des choses, que la République récoltât les fruits des graines qu'elle avait semées en aidant les arts. L'appel aux artistes de François de Neufchâteau en l'an VII est à cet égard un modèle du genre :

« Que ces honneurs qui n'ont lieu que dans les Républiques rappellent aux artistes le sentiment de leur propre dignité et tout ce qu'il doivent à un gouvernement libre ; qu'au moment où ils saisissent leur crayon, le pinceau et le ciseau, ils assistent par la pensée à cette proclamation solennelle qu'ils croient entendre la voix de la Patrie même leur dire :

Artistes, honorés une Nation qui vous honore[94]. »

Pour porter un jugement global sur ces différentes distributions d'Encouragements, on peut en tout état de cause affirmer qu'elles eurent sur les artistes un effet particulièrement puissant d'émulation, de celle « qui développe et fortifie les talens naissans[95] ». Ajoutons toutefois que, attisée par l'émulation, cette création artistique fut par trop abondante, chacun pouvant présenter une ou plusieurs œuvres aux Concours institués ou exposer aux Salons devenus libres ce que bon lui semblait. D'où le nombre important d'œuvres de plus ou moins grande qualité parmi lesquelles le Jury dut peut-être parfois s'égarer un peu.

« C'est au Génie seul que doivent être accordés les encouragements publics, sans quoi l'on n'aurait bientôt que des artistes ; bientôt le peintre le plus froid croirait servir aussi utilement l'Etat avec son pinceau que le militaire avec son épée ; d'ailleurs ce serait entraîner les arts à une prompte dégénération. Il est dangereux d'ouvrir une porte aux honneurs et aux récompenses ; une multitude ignorante et présomptueuse s'y jette en foule et vient rivaliser fièrement avec le talent : la médiocrité inonde le public de ses vaines productions et la société perd ainsi un grand nombre de bras qui auraient pu lui être utiles ailleurs. »

Telles sont les judicieuses réflexions publiées par G.M. Raymond en 1799[96].

Mais l'essentiel reste pourtant que, même si aujourd'hui certains prix peuvent sembler avoir été accordés de manière surprenante, ce système d'Encouragements qui est une innovation particulièrement originale de la Révolution ait pu atteindre son but à la fois d'aide financière à des artistes pour la plupart dans des situations critiques et de réel encouragement à la création.

Brigitte Gallini

91. A.N. F¹⁷ 1058.

92. Coll. Deloynes, t. LVI, n° 1797.

93. *La Décade philosophique*, 20 pluviôse an VII, n° 14, p. 312.

94. Coll. Deloynes, t. LVI, n° 1756.

95. Étienne Eynard, « *Considérations sur l'Etat actuel des Arts, sur les concours de peinture, sculpture, architecture et gravure et sur le mode de Jugement*, publiées par la Société Républicaine des Arts et présentées à la Convention Nationale », s.d.

96. G.M. Raymond, *De la peinture considérée dans ses effets sur les hommes en général et de son influence sur les mœurs et le gouvernement des peuples* [1799].

97. Voir note 95.

« *Des encouragemens sagement répartis opéreroient bientôt ce que ne feront jamais des volumes de théorie*[97]. »

AVERTISSEMENT

Pour des raisons diverses, n'ont pu figurer à cette exposition l'ensemble des « Prix » et des « Travaux d'Encouragement » aujourd'hui localisés. Ces œuvres bénéficient toutefois d'une notice (la liste des « absents » de l'exposition se trouve page LI du volume I).

Nous espérons, par ailleurs, qu'à la lumière des informations que nous avons pu réunir un certain nombre de Prix encore considérés comme perdus pourront être identifiés et localisés.

Plusieurs tableaux ayant reçu des Prix d'Encouragement ne se trouvent pas regroupés ici mais figurent dans d'autres sections (Engagement des artistes, Guerre extérieure, Guerre intérieure...); nous avons pour chacun d'entre eux communiqué les renseignements que nous détenions quant à la nature de ces prix et, pour plus de clarté, nous les avons mentionnés dans le classement chronologique que nous avons choisi avec le renvoi au numéro de catalogue sous lequel ils figurent.

B.Ga.

LES TRAVAUX D'ENCOURAGEMENT DU SALON DE 1791

1071
Anaxagore et Périclès

par Augustin-Louis BELLE

Huile sur toile. H. 2,26; L. 3,43.
Inscription : en bas à droite : «AugBelle Fᵗ à Paris l'an 5 de la République française une et indivisible.»
Historique : entré dans les collections de l'État après le Salon de 1796; envoyé aux Gobelins puis à la chambre des Députés, fut ensuite déposé au musée de Coutances en 1872, avant de rentrer au Louvre en 1957.
Exposition : an V (1796), Paris, Salon, n° 20.
Bibliographie : cat. Louvre, 1972, p. 27; Rosenberg-Reynaud-Compin, 1974, n° 14; Compin-Roquebert, 1986, t. III, p. 50.

Paris, musée du Louvre, département des Peintures (INV. 2497).

En 1791, Augustin-Louis Belle expose au Salon *Le Mariage de Booz et de Ruth* (n° 678); ce tableau lui valut un Prix d'Encouragement de 2 000 livres (Prix de 7 000 livres qu'il partagea avec Naigeon et Mouchet) lui permettant d'exécuter pour la nation un tableau dont le sujet restait à son choix. Ce fut *Anaxagore et Périclès*, présenté au Salon cinq ans plus tard, après qu'il eut montré, en 1793 sous le n° 386 du livret, une petite version de même sujet.
Nous donnerons ici le texte, plus complet et plus explicite, figurant au livret du Salon de 1793 : « Anaxagore ayant abandonné sa patrie

et ses biens pour se fixer à Athènes et s'y livrer à la Philosophie, y devient l'ami, le maître et le conseiller de Périclès, qui, tout aux affaires de la République, parut oublier Anaxagore. Ce Philosophe réduit à l'indigence et se croyant abandonné de son ami, s'enveloppe de son manteau, et couché sur son lit se détermine à mourir de faim. Périclès averti, accourt au point du jour, s'assied auprès du lit du Philosophe, embrasse ses genoux et lui reproche de vouloir mourir dans le moment où ses conseils lui sont les plus utiles. Anaxagore se découvrant la tête lui répond : "Quand on a besoin de la lumière d'une lampe, on y met de l'huile." » En 1796, le texte du livret du Salon était suivi de la mention : «Travail d'Encouragement national, donné à la suite de l'exposition de 1791.»
Ce tableau, bien que théoriquement exécuté grâce au prix de 1791, n'était cependant toujours pas payé à l'artiste en 1796. En effet, une lettre de Belle du 9 brumaire an V (30 octobre 1796) atteste qu'il n'avait touché, à cette date, qu'un tiers de son Prix de 2 000 livres (A.N., F¹⁷ 1056, dossier 16).
Le sujet est tiré d'une des *Vies des Grecs* de Plutarque, celle de Périclès qui inspira également Perrin en 1791 pour son *Amitié de Périclès et d'Anaxagore*. On notera la composition en frise d'inspiration toute davidienne. Le personnage d'Anaxagore, tant par sa nudité que par son attitude, assis, le bras droit tendu en direction de la lampe à laquelle il fait allusion, le bras gauche replié, l'index levé, nous apparaît comme directement issu du *Socrate* du même David présenté au Salon de 1787 (New York, The Metropolitan Museum of Art).
Ajoutons que Belle reçut de nouveau un Prix d'Encouragement d'un montant de 2 000 francs à l'issue du Salon de l'an VII grâce auquel il exécuta *L'Emblème de la Paix*, «Mars recevant les caresses de Vénus et couronné par elle de myrte et de lauriers», exposé sous le n° 15 au Salon de l'an IX (1801). B.Ga.

La Liberté ou la Mort
par Jean-Baptiste REGNAULT
Voir cat. 828

1072
Guillaume Tell renversant la barque sur laquelle le gouverneur Gessler traversait le lac de Lucerne

par François-André VINCENT

Huile sur toile. H. 0,674; L. 0,805.
Historique : esquisse préparatoire au grand tableau exécuté pour l'État et présenté au Salon de 1795 (n° 528); vente Poulet de Marcilly en 1892, acheté par la Société des sciences naturelles et archéologiques de la Creuse et placé au musée de Guéret.
Bibliographie : Cuzin, dans cat. exp. 1974-1975 (1), p. 661.

Guéret, musée municipal (inv. LAB. 714).

A l'issue du Salon de 1791, Vincent reçut un Prix d'Encouragement d'une valeur de 5 000 livres (A.N. F¹⁷ 1056, dos. 1), somme qui devait lui permettre d'exécuter un tableau «à son choix». L'artiste choisit de représenter un épisode particulièrement mouvementé de l'histoire de l'indépendance helvétique où l'on voit le héros, Guillaume Tell, renverser la barque du bailli impérial Hermann Gessler.
Nous présentons ici non le grand tableau définitif montré au Salon de 1795 (n° 528) (Toulouse, musée des Augustins) mais l'esquisse inédite découverte par Jacques Foucart il y a quelques années. Le 18 brumaire an V (8 novembre 1796), un rapport au ministre nous livre ce commentaire on ne peut plus explicite et révélateur quant à l'importance accordée au tableau de Vincent : « Le sujet du tableau a été regardé comme le plus important que l'histoire peut offrir à la France au moment où le peuple français a conquis sa Liberté; et l'on doit ici convenir que bien différemment des artistes qui ont substitué des sujets allégoriques aux sujets historiques exigés par le jugement du jury, le C. Vincent a traité pour ce travail beaucoup au-delà des cinq mille francs qui lui ont été assignés...» (A.N. F¹⁷ 1056, dos. 16).
Enfin, la *Décade philosophique* du 28 messidor an VII (29 juin 1799) nous apprend que : «[...] le Ministre [François de Neufchâteau] a écrit à l'administration centrale de la Haute-Garonne, une lettre flatteuse dans laquelle il la prévient que le Directoire Exécutif l'ayant chargé de témoigner à cette commune [Toulouse] sa satisfaction du patriotisme qu'elle n'a cessé de manifester depuis le commencement de la Révolution, et de l'intérêt avec lequel elle a toujours célébré les fêtes nationales, il n'a cru pouvoir mieux remplir ses intentions qu'en lui envoyant cette production patriotique du pinceau de l'un de nos meilleurs Artistes.»
L'arrivée du tableau de Vincent à Toulouse fut inaugurée solennellement dans le temple décadaire (l'église Saint-Étienne), le 10 brumaire an VIII (1er novembre 1799). A cette occasion, fut composé un hymne contenant une description enthousiaste du tableau et qui débutait par ces vers :
« Le voilà ce tyran, dont le cruel génie
Fit verser tant de sang, fit couler tant de pleurs,
Du trône où son orgueil écrasait l'Helvétie,
Il tombe en ces gouffres vengeurs...» B.Ga.

1073
Pauline femme de Sénèque ramenée à la vie

par Jean-Joseph TAILLASSON

Huile sur toile. H. 1,47; L. 1,905.
Historique : entré dans les collections de l'État après le Salon de 1793; déposé au musée de Nantes en 1872 puis transféré à Blaye en 1952; de retour au Louvre en 1989.
Exposition : 1793, Paris, Salon, n° 112.
Bibliographie : J. Lacambre, 1974-1975 (1), p. 617; Locquin, 1912, rééd. 1978, pp. 135-136.

Paris, musée du Louvre, département des Peintures (INV. 8081).

Pauline, femme de Sénèque, ramenée à la vie, Travail d'Encouragement exécuté grâce au Prix d'Encouragement décerné à l'issue du Salon de 1791 (cat. 1073).

...naxagore et Périclès, Travail d'Encouragement exécuté grâce au Prix d'Encouragement ...cerné à l'issue du Salon de 1791 (cat. 1071).

Guillaume Tell renversant la barque sur laquelle le gouverneur Gessler traversait le lac de Lucerne, esquisse du Travail d'Encouragement exécuté grâce au Prix d'Encouragement décerné à l'issue du Salon de 1791 (cat. 1072).

Prise du palais des Tuileries, le 10 août 1792, Travail d'Encouragement exécuté grâce au Prix d'Encouragement décerné à l'issue du Salon de 1791 (cat. 1076).

Aspasie, Travail d'Encouragement exécuté grâce au Prix d'Encouragement décerné à l'issue du Salon de 1791 (cat. 1075).

Vue de l'île de Sora dans le royaume de Naples, Travail d'Encouragement exécuté grâce au Prix d'Encouragement décerné à l'issue du Salon de 1791 (cat. 1074).

Au Salon de 1791, Taillasson expose trois tableaux : *Cléopâtre feignant de céder le trône à Antiochus...* (n° 3 du livret), *Sapho ne pouvant se faire aimer du jeune Phaon se précipite du rocher de Leucate dans la mer* (n° 14 du livret, musée de Brest) et *Rodogune. Esquisse* (n° 357 du livret) qui, d'après le descriptif donné au livret pour *Cléopâtre...* devait être une esquisse préparatoire à ce tableau.

L'une de ces œuvres valut à l'artiste, dans la catégorie de la « Peinture historique », un Prix d'Encouragement de 4 000 livres qui lui fut décerné par le jury lors de la séance du 17 avril 1792.

Ce prix correspondait à un « quatrième prix » dont bénéficia également Vernet (A.N. F^{17} 1056, dos. 1).

Grâce à cette somme, Taillasson exécuta « pour la Nation » le tableau que nous présentons ici, achevé en avril 1793 comme le prouve une lettre de l'artiste en date du « 20 avril 1793, l'an 2e de la République » : « Dans la distribution des travaux d'encouragement accordés aux artistes par l'Assemblée Constituante j'ai été chargé d'un tableau du prix de 4 000 livres sur lesquelles j'ai reçu un tiers à compte. Le tableau est terminé ; j'ignore entre les mains de qui je dois le remettre ; j'imagine que vous pourriez autoriser le Commissaire du Museum à le voir et à constater que j'ai rempli mes engagemens. C'est à vous, Citoyen Ministre, à choisir ce mode ou l'autre qu'il vous plaira. Je suis bien flatté d'offrir à la nation le premier tableau commandé par elle, et de le remettre entre les mains d'un ministre philosophe ami et protecteur des arts, mon compatriote et mon antique Voisin. J'ai l'honneur d'être [...] » (A.N., F^{17} 1056, dos. 1). Le 10 août suivant Taillasson présente au Salon son tableau et une esquisse de celui-ci (n° 148 du livret).

Le descriptif figurant au livret était le suivant : « Pauline, femme de Sénèque, ne voulant pas survivre à son Epoux, s'étoit fait ouvrir les veines ; Néron apprenant sa résolution, envoie des ordres pour la sauver ; elle avoit perdu connoissance ; on arrête le sang, on la rend à la vie. Haut. 5 pieds 8 pouces, sur 6 pieds de large » (n° 112 du livret). **B.Ga.**

1074
Vue de l'île de Sora dans le royaume de Naples

par Jean-Joseph-Xavier BIDAULD

Huile sur toile. H. 1,13 ; L. 1,44.
Inscription : « J. Bidauld 1793. »
Historique : entré dans les collections de l'État dès 1793 ; successivement placé au château de Rambouillet, au musée royal du Luxembourg et au château de Saint-Cloud ; déposé à l'Élysée en 1959 et de retour au Louvre en 1969.
Expositions : 1793, Paris, Salon, n° 658 ; 1939, Paris, musée Carnavalet, n° 1009 ; 1971, Vannes-Brest, n° 5 ; 1978, Carpentras-Angers-Cherbourg, n° 29.
Bibliographie : Villot, 1855, t. III, n° 13 ; Brière, 1924, n° 19 ; cat. Louvre, 1972, p. 32 ; Compin-Roquebert, 1986, t. III, p. 61.

Paris, musée du Louvre, département des Peintures (INV. 2588).

Exposé sous ce titre au Salon de 1793, ce paysage représente en fait le village d'Isola del Liri, à sept kilomètres de Sora, avec sur les hauteurs le château de Buoncompagni qui s'élève au milieu des cascades. Ce site particulièrement séduisant inspira d'autres artistes contemporains de Bidauld comme J. Sablet et Dunouy ; Bidauld le traita lui-même à plusieurs reprises. Nous sommes ici en présence d'un des premiers grands paysages de Bidauld et un des plus beaux exemples de son art raffiné. On notera le bel équilibre de la composition baignée d'une superbe lumière froide.

Dans la rubrique « Peinture de genres », Bidauld obtint un Prix de 2 000 livres à l'issue du Salon de 1791. Ceci lui permit d'exécuter pour le gouvernement le présent tableau qu'il exposera au Salon de 1793 avec au livret la mention : « appartient à la Nation. » Au salon de 1791, le paysage fut récompensé de plusieurs Prix d'Encouragement avec Bidauld, Taunay et De Machy. Ce « petit genre » par rapport au « grand genre » représenté par la peinture d'histoire n'en est pas moins proche du cœur d'un public nourri de Rousseau et dont la sensibilité reste très proche de la nature. Le goût pour le paysage ira du reste grandissant des années 1790 jusqu'à la moitié du XIXe siècle.

Bidauld reçut par la suite deux autres Prix d'Encouragement, l'un au concours de l'an II d'un montant de 6 000 francs qui lui permit d'exécuter un *Grand paysage avec Orphée attirant les animaux...* présenté au Salon de l'an VI (1798) sous le n° 34 ; il obtint à nouveau un Prix de quatrième classe au concours de l'an VII sur un *Paysage, soleil levant* (qui est sans doute le *Paysage avec Orphée*). **B.Ga.**

1075
Aspasie

par Marie-Geneviève BOULIAR

Huile sur toile. H. 1,63 ; L. 1,27.
Inscription : à mi-hauteur, à droite : « Mlle Bouliar 1794. »
Historique : entré au Louvre après le Salon de 1795 ; en 1837, envoyé au palais de Fontainebleau jusqu'en 1875 ; rentré au Louvre à cette date (INV. 2765) ; déposé au musée d'Arras en 1876.
Expositions : 1795, Paris, Salon, n° 51 ; 1975-1977, Calais-Arras-Douai-Lille, n° 17 ; pp. 47-48 ; 1976-1977, Los Angeles-Austin-Pittsburg, n° 65, pp. 203-204 et p. 348 ; 1981-1982, Mont-de-Marsan, n° 8, p. 24.
Bibliographie : cat. Arras, 1880, n° 11 ; cat. Arras, 1907, n° 27 ; Maison, 1973, n° 34.

Arras, musée des Beaux-Arts (inv. 376.2).

En 1791, Marie-Geneviève Bouliar expose pour la première fois au Salon ; elle y présente deux tableaux, une *Tête de femme couronnée de roses* et un *Portrait de femme*. A l'issue de ce Salon, elle reçoit un Prix d'Encouragement de 1 000 livres dans la catégorie des « Peinture de genres ». C'est ce prix qui lui permet d'exécuter le présent tableau qu'elle n'exposera au Salon qu'en 1795 avec au livret la mention de « Travail d'Encouragement ».

Aspasie est un des rares tableaux de cette artiste qui soit parvenu jusqu'à nous. Tout à fait dans la tradition du portrait allégorique tel qu'il est pratiqué depuis la fin du XVIIe siècle, cette *Aspasie* put de fait apparaître quelque peu anachronique au Salon de 1795 auprès d'œuvres comme *La Liberté ou la Mort* de Regnault (cat. 828) ou d'autres sujets « patriotiques », tels *Le Génie de la France* de Mouchet ou le *Guillaume Tell...* de Vincent (cat. 1072), tous deux également exécutés grâce à des Prix d'Encouragement obtenus en 1791. Mais, à sa décharge, Mlle Bouliar fut primée parmi les peintres de genre et non parmi les peintres d'histoire. On peut cependant penser, de par le choix du modèle, à une sorte « d'engagement » ou du moins à une prise de position féministe. En effet, Aspasie qui, dit-on, fut « la femme la plus célèbre d'Athènes au Ve siècle », est connue pour avoir été la compagne de Périclès, qui ne négligeait jamais ses conseils (Périclès est du reste présent ici par son buste figuré dans une niche au fond du tableau). Aspasie fut réputée autant par sa remarquable beauté – le miroir qu'elle tient y fait allusion – que par la vivacité de son intelligence et sa grande culture, rappelées par le globe encerclé d'un zodiaque, symbole de la science.

Au travers de cette toile, M.-G. Bouliar nous renvoie très certainement à elle-même et à sa position de femme cultivée exerçant un métier plutôt réservé aux hommes. De là, peut-elle faire allusion à la place tenue au XVIIIe siècle par une femme à la fois belle et érudite. **B.Ga.**

1076
Prise du palais des Tuileries, Cour du Carrousel, le 10 août 1792

par Jacques BERTAUX

Huile sur toile. H. 1,24 ; L. 1,92.
Inscription : « Bertaux Fecit. »
Historique : entré dans les collections de l'État après le Salon de 1793 ; figure à l'inventaire Villot (INV. 2521) puis dans M.R. 1182 ; déposé au musée national du château de Versailles.
Expositions : 1793, Paris, Salon, n° 125 ; 1955, Versailles, n° 425 bis.
Bibliographie : Bellier-Auvray, t. I, 1868, p. 77 ; *les Arts*, 1906, n° 55, p. 3 ; Peraté et Brière, 1931 (comme Jacques Berteaux), n° 475, p. 84 ; Constans, 1980, p. 47, n° 1430 (comme Duplessi-Bertaux).

Versailles, musée national du Château (inv. M.V. 5182).

L'œuvre de Jacques Bertaux (parfois confondu avec Duplessi-Bertaux) essentiellement composé de sujets militaires et de scènes de bataille, comme l'attestent ses participations aux différents Salons jusqu'en 1801, reste bien mal connu. Jacques Bertaux exposa au Salon dès 1791, fait non mentionné par les différents dictionnaires le citant car il ne figurait pas au livret ; il obtint pourtant un Prix d'Encouragement de 1 000 livres à l'issue de ce Salon dans la catégorie des peintres de genre. L'œuvre exécutée comme «Travail d'Encouragement» grâce à ce prix fut exposée dès le Salon de 1793 sous le n° 125: «Un tableau représentant la journée du 10 août 1792, 6 pieds de long sur 4 de haut. Ce tableau appartient à la Nation.»

La journée du 10 août 1792 est une des journées symboles de la Révolution française; elle marque en effet, avec la prise des Tuileries et l'emprisonnement de Louis XVI et de sa famille au Temple, la fin de la monarchie française. De fait, cette journée inspira de nombreux artistes, en particulier au concours de l'an II ou pas moins de cinq d'entre eux présentèrent des esquisses sur ce sujet, parmi ceux-ci, Gérard qui obtint le Premier Prix (cat. 1079), Lagrenée le Jeune et Regnault; Hennequin, enfin, s'inspira également de ce sujet pour en faire un immense et célèbre tableau allégorique primé au Salon de l'an VII (cat. 826).

Bertaux, en peintre de batailles, n'eut pas recours à l'allégorie comme le firent Hennequin et d'autres artistes pour traiter ce thème; il nous livre là un témoignage cruel et comme pris sur le vif de cette prise des Tuileries et du massacre des gardes suisses qui figure au premier plan.   B.Ga.

1077
Vue du port de Lorient
prise des anciennes cales de Caudant, en 1792

par Jean-François HUE

Huile sur toile. H. 1,52; L. 2,59.
Inscription: «J.F. HUE, l'an 1er de la république française.»

Historique: commandé à l'artiste en 1791 pour faire suite à la série des ports de France commencée par Vernet; déposé au Luxembourg en 1812 puis au musée de la Marine en 1832 et en 1974 au Sénat.
Exposition: 1793, Paris, Salon, n° 251.
Bibliographie: Miger, 1812; Brière, n° 410 D; Delouche, 1977, p. 75.

Paris, Sénat, dépôt du département des Peintures du musée du Louvre (INV. 5394).

Le 17 septembre 1791, un décret de l'Assemblée constituante instituait pour les Travaux d'Encouragement de cette même année la somme de 100 000 livres sur laquelle devait être «pris 10 000 livres pour faire travailler dès cette année à la continuation de la collection des ports de France de Joseph Vernet» (A.N. F[17] 1056, dos. 5). Hue, élève de Vernet, avait sollicité cette faveur qui lui fut alors accordée, il entreprit aussitôt à cet effet un voyage en Bretagne en 1791. Hue exécuta en tout six tableaux qui furent exposés aux Salons de 1793, 1795, 1796, 1798 et 1800. Cette *Vue du port de Lorient,* payée sur les fonds réservés aux Prix d'Encouragement est donc la première de la série. En 1795, l'artiste exposa au Salon deux *Vues du port de Brest* (dont l'une est également présentée ici, cat. 686).

Notons, par ailleurs, que Hue bénéficia d'un Prix d'Encouragement de troisième classe à l'issue du Salon de l'an VII (1799) (coll. Deloynes, t. LVI, n° 1761) où une *Vue de Rouen au clair de Lune* lui fit alors obtenir 3 000 francs (A.N. F[17] 1058, dos. 6).

Enfin, en 1801, ayant dû interrompre sa suite des ports de France «à cause de l'insuffisance des fonds destinés aux arts», Hue sollicita l'État pour l'acquisition de sa *Famille naufragée* exposée au dernier Salon; la proposition fut alors faite (mais, n'aboutit pas, semble-t-il) «de faire cette acquisition à titre d'Encouragement et pour indemnité de l'interruption de deux années de travail dont a été chargé le C[en] Hue pour la continuation des Ports maritimes» (A.N. F[17] 1056, dos. 14).   B.Ga.

1078
Nicolas Poussin

par Pierre JULIEN

Statue, marbre. H. 1,64; L. 1,015; Pr. 1,235.
Historique: 1787, commandé par le comte d'Angiviller, directeur des Bâtiments du roi; transféré du Louvre au collège des Quatre-Nations, devenu Institut de France par décret du 20 mars 1804; 1970, dépôt de l'Institut au musée du Louvre.
Exposition: 1804, Paris, Salon, n° 642.
Bibliographie: Landon, 1833, p. 11; Lami, 1910, p. 15; Furcy-Raynaud, pp. 171-172; Vitry, 1929, pp. 213-215; Dowley, 1957, pp. 266-267; de Caso, 1967, pp. 196-198.

Paris, musée du Louvre, département des Sculptures (inv. R.F. 2984).

Commandée en 1787 par la direction des Bâtiments du roi afin de compléter la série des *Hommes illustres,* la statue de Poussin par Julien – seule effigie d'artiste dans le panthéon prévue avant la Révolution – fut exposée en plâtre au Salon de 1789 et en marbre à celui de 1804; une esquisse en terre cuite est conservée au Louvre (inv. R.F. 1364).

Julien put terminer ce *Poussin* commandé en 1787 grâce au Prix d'Encouragement de «première classe» d'un montant de 10 000 livres obtenu à l'issue du Salon de 1791. Selon les termes de l'artiste (lettre en date du 26 frimaire an VII, 16 décembre 1798 - A.N. F[17] 1056, dos. 10) son modèle était achevé en 1789 et «il

Vue du port de Lorient, payé sur les fonds réservés aux Prix d'Encouragement de l'année 1791 (cat. 1077).

Nicolas Poussin, commande de l'Ancien Régime, Travail d'Encouragement exécuté grâce au Prix d'Encouragement décerné à l'issue du Salon de 1791 (cat. 1078).

y a environ six mois le gouvernement m'en procura le marbre » ; soit si Julien ne fait pas erreur, à l'été 1797. Dans cette même lettre, il demanda à exposer au Salon de 1799 « le monument que les arts doivent à la mémoire de ce grand homme » (rapport du ministre du 5 nivôse an VII, 25 décembre 1798, A.N., *op. cit.*). À cette date Julien a déjà perçu le deuxième tiers de son prix. Le marbre ne sera en fait achevé que quatre ans plus tard et exposé au Salon de 1804.

Le sujet est décrit longuement dans le livret de 1804 : « [...] l'usage à Rome, dans la saison des chaleurs, est de coucher nu. Le Poussin est censé préoccupé de la composition de son beau tableau du Testament d'Eudamidas [aujourd'hui au musée de Copenhague, que l'on peut reconnaître esquissé sur la tablette de la statue]. Une idée heureuse lui est venue pendant la nuit, il s'est levé précipitamment pour la fixer et s'est contenté de se couvrir de son manteau. » Cet artifice sera repris par Cartellier avec sa statue de *Vergniaud* improvisant une harangue au milieu de la nuit (1804, plâtre, château de Versailles). Le sujet de Poussin était exemplaire, et particulièrement proche de la sensibilité du dernier quart du XVIIIe siècle – deux amis acceptant de prendre en charge la mère et la fille d'Eudamidas, ce dernier tombé dans la pauvreté et à l'article de la mort –, illustration de la nécessité de bienfaisance dont la Convention fera un mot d'ordre.

Comme l'a rappelé Jacques de Caso, reprenant Landon, cette « image de la ferveur contemporaine pour Poussin » était envisagée dès 1802 pour être « l'icône centrale d'un Monument à Poussin », prévu aux Andelys par un comité d'artistes comprenant entre autres David, Girodet, Lethière, Chaudet et Percier. La construction à l'antique aurait été placée dans un environnement suggérant l'univers des tableaux de Poussin. L'œuvre en effet surprend dans la série de d'Angiviller par son caractère néo-classique – moins appuyé bien sûr que le *Montaigne* de Stouf – tempéré par la présence des cheveux longs, conformément aux autoportraits connus – ils furent gravés – du peintre (concession faite à l'historicisme) ; la fable du Poussin insomniaque permit à Julien d'amener le drapé à l'antique aux belles chutes de plis, et de laisser nus bras et jambes. La présence du terme au double visage de Minerve (casque aux têtes de béliers, comme celui du célèbre antique de la collection Giustiniani, *cf.* Haskell et Penny, *Taste and the Antique*, Yale, 1981, fig. 140) et de Mercure (bien reconnaissable à son pétase ailé) est un emprunt direct au tableau de Poussin, *Bacchanale d'enfants* (Rome, coll. part.), gravé par Saint-Non d'après Fragonard (Thuillier, *Tout l'œuvre peint de Poussin,* Paris, 1974, no 27) qui est un répertoire de motifs d'après l'antique.

G.Sc. et B.Ga.

LE CONCOURS DE L'AN II

1079
Le 10 Août

par François GÉRARD

Plume, encre brune et rehauts de blanc. H. 0,668 ; L. 0,917.
Inscription : en bas à gauche : « F.G. »
Historique : acquis par Louis-Philippe en 1837, à la mort du peintre.
Expositions : Concours de l'an II, no 24 ; 1931, Paris, no 196 ; 1972, Londres, no 611, pl. 88a ; 1980-1981, Sydney-Melbourne, no 42.
Bibliographie : Ephrussi, 1890, p. 459, Guiffrey-Marcel, t. V., p. 119, no 4139 ; Moulin, 1983, pp. 197-202 ; Vovelle, 1986, t. III, p. 151.

Paris, musée du Louvre, cabinet des Dessins (inv. 26713).

Le 14 Messidor an VII (2 juillet 1799), le Directoire, inquiet de la situation militaire et de l'agitation royaliste, désirant sans doute aussi relancer la production artistique, commanda trois tableaux à David, Gérard et Girodet, pour commémorer les époques glorieuses de la Révolution et remobiliser les esprits. David était chargé de reprendre son *Serment du Jeu de paume,* abandonné depuis 1791, Girodet en tant que premier Prix d'Encouragement au concours de l'an VII devait peindre l'assassinat des plénipotentiaires français à Rastadt. Quant à Gérard, il se vit confier *Le 10 Août,* qu'il avait dessiné cinq ans auparavant. En effet, lorsque le Comité de Salut public lança en floréal an II (mai 1794) le fameux concours dit de l'an II, Gérard s'empressa d'y participer en présentant deux esquisses l'une sous le no 7, *Trait d'humanité et grandeur d'âme d'un soldat français,* et l'autre sous le no 24, *Le peuple français demandant la destitution du tyran à la journée du 10 Août* (coll. Deloynes, t. LVI, nos 1724 et 1736). Bien que les événements de Thermidor eussent retardé l'examen des œuvres proposées, lorsque le Jury délibéra, Gérard obtint pour la première esquisse un prix pécuniaire de 1 500 livres et pour son dessin sur *Le 10 Août* un premier prix d'un montant de 20 000 livres qu'il partagea avec Vincent qui ne remporta que 10 000 livres pour son esquisse représentant *L'Héroïne de Saint-Milhier.* Chargé de réaliser en grand son tableau comme « Monument National », Gérard ne commença à peindre qu'en 1796. Mais les paiements prirent fin en 1798, et l'artiste abandonna alors sa toile longue de huit à neuf mètres, aujourd'hui disparue. C'est dans ce contexte que le Directoire relança l'affaire en 1799.

Mais à ce moment, Hennequin, au courant des projets du gouvernement, estimant que seul un véritable républicain était en droit de peindre un tel sujet, décida de réaliser son *Allégorie du 10 Août.* Le Directoire capitula, Gérard ne reprit pas son travail.

L'œuvre de l'artiste est aujourd'hui connue par des dessins préparatoires, une esquisse peinte sur papier (exposée à Corpus Christi, 1976, Art Museum of South Texas ; H. 0,211 ; L. 0,324) et une étude mise au carreau (huile sur toile, H. 1,070 ; L. 1,430, exposée à Houston, 1973-1975, no 26). Mais la composition définitive nous est fournie par le dessin présenté ici. Gérard a choisi, contrairement à beaucoup d'artistes de l'époque, de représenter la scène elle-même sous l'aspect d'une émeute populaire. La pression de la rue est rendue par la direction des personnages qui portent le regard vers la famille royale réfugiée dans la loge du logographe à l'Assemblée, auprès du président, Vergniaud.

Par ce dessin, Gérard, peu assidu au Tribunal révolutionnaire, où David avait réussi à le faire nommer juré, rachetait sans doute le dangereux désintérêt qu'il manifestait pour la politique.

J.Be. et B.Ga.

1080
Héroïsme d'une femme prête à faire sauter sa maison plutôt que de tomber au pouvoir de l'ennemi, dit *L'Héroïne de Saint-Milhier*

par un auteur anonyme

Plume et lavis. H. 0,305 ; L. 0,440.
Historique : ancienne collection Hennin ; légué au cabinet des Estampes de la Bibliothèque nationale en 1863.
Bibliographie : Bourdon, 1794, p. 25, no 28 ; Duplessis, 1882, t. IV, p. 133, no 11.859 ; Orlander, 1984, p. 468.

Paris, Bibliothèque nationale, cabinet des Estampes (collection Hennin, no 11.859).

« Une jeune femme entourée de ses enfans, etoit assise tranquillement sur un baril de poudre ; elle tenoit deux pistolets à la main, disposée à faire sauter sa maison et toute sa famille plutôt que de tomber au pouvoir des brigands. Son courage et cette mâle contenance leur en imposèrent, et son asyle fut respecté. » Cet épisode devenu extrêmement célèbre est considéré comme un événement réel s'étant produit le 15 brumaire an Ier, soit le 5 novembre 1792 ; il est consigné à cette date dans le *Recueil des actions héroïques et civiques des Républicains français* de Sébastien Bourdon. Notre propos n'est pas de faire ici la part entre la réalité et celle de la légende dans l'histoire de cette jeune mère de famille vendéenne qui inspira plus d'un pinceau d'artiste. En effet, au concours de l'an II, cinq peintres présentèrent des esquisses sur ce sujet. Trois d'entre eux ne reçurent pas de prix, il s'agit de Fanny Ferray, Jacques Le Brun et Martin Drolling qui déposèrent leurs esquisses au Louvre, le 10 prairial an II (29 mai 1794), enregistrées respectivement sous les numéros 1394, 1416 et 1427 (A.N. D*XXXVc-1) ; celle de Jacques Le Brun portait la devise « La Liberté ou la Mort ». Marguerite Gérard et François Vincent furent les deux artistes primés sur ce même sujet. La

Le 10 août 1792, Prix d'Encouragement décerné à l'issue du Concours de l'an II (cat. 1079).

L'Héroïne de Saint-Milhier, sujet primé au Concours de l'an II (cat. 1080).

première reçut un prix pécuniaire d'un montant de 2 000 livres; quant à Vincent, son tableau fut gratifié d'un premier prix de 10 000 livres, il devait de fait exécuter «son esquisse comme Monument National». Le tableau de Vincent, «de 24 pouces de large sur 17 de haut» (soit, L. 0,64; H. 0,46) portait la devise : «A tout âge et tout sexe on vit la Liberté enfanter l'héroïsme et l'intrépidité » (AN. D*XXXV c-1, n° 1421).

Gérard bénéficia comme Vincent d'un premier prix et, même si l'immense tableau destiné à l'État ne fut jamais achevé, du moins connaissons-nous des dessins et des esquisses préparatoires à sa *Journée du 10 Août* (cat. 1079). De Vincent, aucun dessin, aucune esquisse ne semble avoir subsisté. L'artiste aurait-il, dès le jugement, renoncé à son prix et par là même à son engagement vis-à-vis de l'État ? Nous n'avons pas retrouvé de documents d'archives permettant d'avancer une quelconque hypothèse à ce propos et le tableau présenté au concours a également disparu. W. Orlander a cru pouvoir identifier la main de Vincent dans le dessin que nous présentons ici, ajoutant que ce devait être l'œuvre présentée au concours. Jean-Pierre Cuzin, spécialiste de cet artiste, rejette l'éventualité d'une attribution à Vincent; d'autre part, l'artiste présenta au concours non un dessin mais un tableau, comme l'atteste le registre de dépôt des œuvres. Sur ce même sujet, que ce soit par Le Sueur (gouache), par Casenave (dessin), par R. Vinkeles et D. Vrydag (gravure) ou encore par Boilly qui réalisa un superbe dessin sur ce thème, tous les artistes ont adopté un schéma de composition identique; le dessin de la collection Hennin s'en démarque totalement de par une composition très différente, en frise, où la jeune femme est représentée debout et non plus assise sur ses barils de poudre. La conception générale en devient tout autre, plus originale et surtout d'un esprit plus héroïque, moins marquée par l'anecdote. Peut-on de fait envisager qu'il puisse s'agir là d'un dessin exécuté par un artiste anonyme d'après l'original de Vincent présenté au concours de l'an II ?
B.Ga.

1081

La Patrie reconnaissante couronne la valeur et l'héroïsme républicain

par Pierre PEYRON

Plume, encre noire, lavis gris sur papier beige. H. 0,330; L. 0,517.
Historique : présenté au concours de l'an II; coll. Mathias Polakovitz; don de ce dernier à l'École nationale supérieure des Beaux-Arts en 1987.
Exposition : concours de l'an II, n° 45.
Bibliographie : Rosenberg, 1974-1975, p. 558; Rosenberg, 1983, p. 136, n° 144.

Paris, École nationale supérieure des Beaux-Arts (inv. P.M. 409).

Peyron participa au concours de l'an II en présentant sous le n° 45 : « *La Patrie*

reconnaissante couronne la valeur et l'héroïsme républicain. Dessin allégorique à l'encre de Chine. 21 pouces sur 13 pouces.» (Coll. Deloynes, t. VI, n°ˢ 1724 et 1736.) Il permit à l'artiste d'obtenir un deuxième prix d'un montant de 8 000 livres pour l'«exécution d'un tableau de son choix» (A.N. F¹⁷ 1056, dos. 5 et 6). Ce tableau sera *Le Temps et Minerve...* (cat. 1089).

Les dimensions de l'œuvre présentée au concours (H. 0,351; L. 0,567) peuvent correspondre à ce dessin si l'on considère que celui-ci dut être encadré pour figurer à l'exposition. Comme la plupart des artistes (voir ici Devosge, cat. 1085), Peyron préféra, pour représenter une des «époques les plus glorieuses de la Révolution» comme l'exigeait le décret de la Convention, le mode allégorique qui lui permit une transcription de son sujet dans l'Antiquité. À droite de la composition, la Patrie, sur un piédestal, vêtue à l'antique et casquée, telle Minerve, tient une couronne de laurier dont elle s'apprête à coiffer le héros porté en triomphe; derrière celui-ci un autre personnage auquel l'héroïsme coûta quelques blessures est porté dans des linges jusqu'à la Patrie; sur la droite, la Renommée inscrit sur ses tablettes les noms et les hauts faits de ces héros.

Le registre de dépôt des œuvres pour le concours (A.N. D*XXXVc-1) nous indique en outre que Peyron déposa son dessin le 10 prairial an II, sous le n° 1467 et que celui-ci portait pour devise : «Que tu es puissant amour sacré de la Patrie.»
B.Ga.

1082

La Sagesse et la Vérité
descendent sur la Terre et les ténèbres qui la couvrent se dissipent

par Pierre-Paul PRUD'HON

Crayon noir, craie blanche sur papier bleu. D. 0,365; H. 0,379; L. 0,378.
Historique : Ch. de Boisfremont (Lugt 353); coll. Power, vente Paris, 15 et 16 avril 1864, n° 43; vente Van Cuyck, Paris 7 fév. 1866; vente Hulot 9-10 mai 1892, n° 164; coll. Chauffard, Paris en 1922; vente palais Galliera, Paris, 10 juin 1966, n° 11; acheté en 1978 par l'association Städelscher Museum-Verein à un marchand d'art suisse.
Expositions : concours de l'an II, n° 53; 1922, Paris, n° 92; 1986-1987, Francfort-sur-le-Main, n° 161.
Bibliographie : Goncourt, 1876, pp. 173-174; Bricon, 1907, p. 29; Martine, 1922, n° 36; Guiffrey, 1924, pp. 45-46; Hardtwig, 1968, pp. 319-321; cat. Francfort-sur-le-Main, 1986-1987, n° 161, pp. 192-193.

Francfort-sur-le-Main, Städelsches Kunstinstitut und Städtische Galerie (inv. N2 16337).

Ce dessin en *tondo* servit par la suite de modèle à un grand tableau conservé au Louvre, dont l'esquisse peinte est à Munich; on y reconnaît Minerve, déesse de la Sagesse, vêtue d'une large robe flottante et coiffée de son casque, qui accompagne la silhouette fragile et nue de la Vérité vers la terre, où on aperçoit en lettres légèrement tracées le mot FRANCE.

À l'arrière-plan, s'éloignent les démons des Ténèbres.

Comme dans son projet d'allégorie sur la *Constitution Française* (cat. 903), Prud'hon utilise Minerve comme allégorie de la sagesse, de la raison et de l'engagement philosophique. Stylistiquement cette célébration allégorique de la Révolution française se distingue du classicisme sévère d'un David ou d'un Regnault. Avec ses couleurs tendres et crépusculaires et son dessin riche en nuances, cette œuvre reprend la tradition du Corrège; elle est aussi un des maillons qui rattache le XVIIIᵉ siècle au romantisme.
R.Sc.

Le 10 prairial an II (29 mai 1794), Prud'hon fit déposer au Louvre par Copia, son graveur, trois esquisses avec lesquelles il participait au concours de l'an II (enregistrées toutes trois sous le n° 1374, A.N. D*XXXVc-1).

La première, *La Sagesse amenant la Vérité sur le globe, dessin allégorique avec explication*, obtint sous le n° 53 un Prix d'Encouragement de 5 000 livres pour l'exécution d'un tableau de son choix, il s'agit du dessin que nous exposons ici; la deuxième présentée sous le n° 54 comme *Un dessin allégorique avec explication* de 17 pouces de large sur 14 de haut remporta un prix pécuniaire de 2 000 livres; il s'agit sans doute de *La Sagesse* [un mot illisible, *s'alliant ?*] *à la Liberté pour terrasser le tiran* (A.N. D*XXXVc-1); la troisième, est *La République*, dont un croquis serait conservé au musée Bonnat de Bayonne (Orlander, 1983, p. 365). Après le jugement des Prix, Prud'hon entreprit d'exécuter, comme tableau «à son choix», *La Sagesse et la Vérité...* en une grande œuvre de 3,50 mètres de diamètre. Le tableau fut achevé en 1799 et présenté au Salon de cette même année sous le n° 265 du livret, où il obtint un Prix de première classe d'un montant de 6 000 francs (coll. Deloynes, t. LVI, n° 1761 et A.N. F¹⁷ 1058, dos. 6). Cette composition fut donc à la fois un des Travaux d'Encouragement du concours de l'an II et un des Prix d'Encouragement distribués à l'issue du Salon de l'an VII; il rentra alors dans les collections de l'État et fut placé un temps à Versailles puis à Saint-Cloud comme plafond de la salle des Gardes (musée du Louvre, INV. 7341).

La Neue Pinakothek de Munich conserve une étude à l'huile de ce tableau.
B.Ga.

1083

La France triomphante encourageant *les Sciences et les Arts au milieu de la guerre*

par Charles MEYNIER

Plume et encre brune, lavis brun et mine de plomb. H. 0,595; L. 0,758.
Inscription : en bas à gauche, à la plume : «P.P. Prud'hon l'an 2.»
Historique : Lyon, coll. particulière; acquis en 1974 par le musée d'Alençon.
Expositions : 1974-1975 (2), Paris, Grand Palais, n° 95; 1981, Alençon, n° 45.
Bibliographie : Landon, 1833, t. II, pp. 60-61; Cuzin dans cat. exp., 1974-1975 (1), n° 127, pp. 539-540.

La Sagesse et la Vérité descendent sur la Terre et les ténèbres qui la couvrent se dissipent, Prix d'Encouragement décerné à l'issue du Concours de l'an II (cat. 1082).

La Patrie reconnaissante couronne la valeur et l'héroïsme républicain, Prix d'Encouragement décerné à l'issue du Concours de l'an II (cat. 1081).

Alençon, musée des Beaux-Arts et de la Dentelle (inv. 974.0.000).

Charles Meynier participa au concours de l'an II en présentant sous le n° 99 « *La France protégeant les Sciences et les Arts*. Tableau allégorique avec explication. 31 pouces de large sur 24 de haut » (coll. Deloynes, t. LVI, n°s 1724 et 1736) qui lui permit d'obtenir un second prix de 8 000 livres pour l'exécution d'un tableau « à son choix » (A.N. F¹⁷ 1056, dos. 5, 6) ; cette esquisse parfaitement connue et documentée est aujourd'hui conservée à Boulogne-Billancourt, bibliothèque Marmottan (*cf.* J.-P. Cuzin, 1974-1975). Le dessin que nous présentons ici est directement préparatoire à l'esquisse du Concours et, présentant quelques variantes avec celle-ci, nous donne l'idée première de l'artiste. Le monstre vaincu, au premier plan du dessin, qui équilibre parfaitement la composition et lui donne plus de force est supprimé de l'esquisse du concours, rejeté dans l'ombre, à gauche du tableau.

Cette figure hybride ajoute une certaine violence au dessin par ailleurs plus sévère et peut-être plus poussé que l'esquisse. La signification de ce monstre vaincu qui aurait pu être la coalition des pays étrangers contre la France (J.-P. Cuzin, *op. cit.*) semble bien être le fédéralisme si l'on s'en tient au texte donné par l'artiste lors du dépôt de son œuvre pour le concours. Celle-ci est en effet consignée dans le registre (A.N. D*XXXVc-1, le 10 prairial an II, n° 1423) comme « une esquisse allégorique représentant la France qui après avoir terrassé le fédéralisme encourage les Sciences et les Arts ».

Le thème, celui-là même du concours, en cette période troublée nous montre la France triomphante, représentée par une jeune femme, vêtue à l'antique et portant le bonnet phrygien, couronnée par le génie de la Victoire et encourageant les Arts ; on reconnaîtra l'Architecture, la Sculpture, la Peinture et la Musique s'avançant vers elle.

Landon, dans sa description du tableau, ajoute : « Après elles, viennent deux Génies qui célèbrent la gloire de la France ou écrivent l'Histoire de ses hauts faits. Au-dessus de ces groupes, on voit l'Abondance qui répand ses bienfaits et Apollon qui indique aux Muses la récompense promise [...] c'est l'Immortalité, figuré par un chêne auquel plusieurs Génies suspendent des médaillons où est inscrit le nom de ceux qui méritent les suffrages de la postérité. Dans le lointain, l'artiste a placé l'image des combats [...] »

Notons enfin que ce superbe dessin, pourtant très caractéristique du style de Meynier, porte une étrange inscription, apparemment sans aucun fondement, le donnant à Prud'hon.

B.Ga.

1084
Le Maréchal-ferrant de la Vendée

par J.-L. COPIA, d'après J. Sablet

Eau-forte au burin et pointillé. H. 0,376 ; L. 0,275.
Inscription : en bas sous le cadre : « Sablet jeune pinxit - Copia sculpsit. »
Historique : gravé par Copia dès 1795, annonce du *Journal de Paris*, 15 nivôse an IV (5 janvier 1796), n° 105.
Expositions : 1795, Paris, Salon, n° 3018 ; 1985, Nantes-Lausanne-Rome, n° 97.
Bibliographie : Duplessis, 1861, p. 393 ; J. Renouvier, 1863, p. 218 ; Portalis et Beraldi, 1880, t. I, p. 558, n° 109 ; Duplessis, 1882, t. IV, n° 12264 et n° 12266 ; Aubert et Roux, 1921, t. III, p. 704, n° 6381 ; Van de Sandt, 1979, pp. 307-308 ; Orlander, 1980, p. 20 ; Van de Sandt, 1984, n° G26.

Nantes, Société archéologique et historique, dépôt aux musées départementaux de la Loire-Atlantique (musée Thomas-Dobrée) (inv. G.24).

Au concours de l'an II, Sablet présenta une esquisse dont le sujet était tiré du fameux recueil du citoyen Léonard Bourdon répertoriant « les actes héroïques et civiques des républicains français ».

L'épisode choisi raconte l'héroïsme d'un forgeron vendéen « quittant son enclume et volant au combat avec son marteau [...] après la victoire, il a apporté son marteau teint de sang, et le manche écaillé de coups de sabre : c'étoit Hercule portant sa massue fumante encore du sang des monstres qu'il venoit d'écraser ».

Cette esquisse présentée au concours sous le n° 128 lui valut un deuxième prix de 4 000 livres et l'exécution d'un « tableau de son choix » (coll. Deloynes, t. LVI, n° 1736 ; A.N. F¹⁷ 1056, dos. 5) qui sera *Les Paysannes de Frascati* (cat. 1094).

Dans une lettre en date du 12 vendémiaire an III (3 octobre 1794), Sablet réclame son esquisse alors exposée au Louvre pour le concours (arch. Louvre, dos. « Concours an II, 1793 ») afin de la faire graver. Si cette esquisse est aujourd'hui perdue la gravure qui fut très vite célèbre nous est bien connue. La gravure originale de Copia portait sous le titre : « Ce brave homme ayant appris que les Chouans avaient attaqués les patriotes très près de sa Commune quitta sa forge et marcha à leur rencontre sans autres armes que son marteau, en terrassa un grand nombre et revint après la victoire chargé des dépouilles de plusieurs de ces brigands. »

B.Ga.

1085
Un Français mourant pour sa patrie

par Anatole DEVOSGE

Pierre noire et lavis d'encre brune. H. 0,37 ; L. 0,50.
Historique : coll. Anatole Devosge ; légué au musée de Dijon en 1850.
Exposition : concours de l'an II, n° 52.
Bibliographie : notice, Dijon, 1860, n° 1060 ; cat. Dijon, 1869, n° 1107 ; cat. Dijon, 1883, n° 687, p. 201.

Dijon, musée des Beaux-Arts (inv. CA 687).

Le Maréchal-ferrant de la Vendée, gravure de l'esquisse ayant obtenu un Prix d'Encouragement décerné à l'issue du concours de l'an II (cat. 1084).

La France triomphante encourageant les Sciences et les Arts au milieu de la guerre, dessin préparatoire à l'esquisse ayant obtenu un Prix d'Encouragement décerné à l'issue du Concours de l'an II (cat. 1083).

Un Français mourant pour sa patrie, Prix d'Encouragement décerné à l'issue du Concours de l'an II (cat. 1085).

Au grand concours de l'an II, Devosge expose sous le n° 52 : « *Un Français se sacrifiant pour sa patrie*, dessin allégorique avec explication au crayon noir. 23 pouces de large sur 17 de haut » (coll. Deloynes, t. LVI, n°s 1724 et 1736). Ce dessin lui valut un Prix pécuniaire de 1 500 francs.

À ce Concours où les artistes se devaient de représenter les épisodes les plus glorieux de la Révolution, Devosge, comme beaucoup d'autres préférera l'allégorie pour traiter un sujet qui aurait pu tout autant trouver une illustration dans un épisode contemporain rendu de manière réaliste. L'allégorie est ici transposée dans un décor antiquisant ; ce goût pour l'antique, l'attitude des personnages et leur disposition en frise sont tout imprégnés de l'art de David dont Devosge fut le brillant élève. Le sujet nous montre le héros mourant soutenu par la Vertu héroïque tandis que l'Immortalité s'apprête à le couronner ; la Patrie reconnaissante lui ouvre les bras et, sur la gauche de la composition, la Reconnaissance fait inscrire ses actions au temple de la Mémoire.   B.Ga.

1086
Les peuples du monde rendant hommage à l'Être suprême

par Jean-Jacques FORTY

Huile sur toile. H. 0,46 ; L. 0,63.
Expositions : concours de l'an II, n° 96 ; 1983-1984, Grand Palais, p. 113, n° 93.

Paris, musée Carnavalet (inv. 414).

Cette esquisse, considérée comme anonyme jusqu'en 1983, fut identifiée par Philippe Bordes comme étant vraisemblablement la représentation des *Peuples du monde rendant hommage à l'Être suprême*, sujet original que choisit de peindre l'artiste marseillais J.-J. Forty pour illustrer une des « époques les plus glorieuses de la Révolution » au Concours de l'an II. Les imprimés nous donnant les résultats du concours (coll. Deloynes, t. LVI, n°s 1724 et 1736) nous indiquent que Forty présenta son esquisse sous le n° 96, « tableau avec explication. 23 pouces sur 18 », soit 0,62 mètre sur 0,48 mètre, à peu de chose près les dimensions du tableau du musée Carnavalet. Cette esquisse valut à l'artiste un troisième prix, « prix pécuniaire » d'un montant de 2 000 livres (A.N. F17 1056, dos. 5 et 6). Notons que Forty ne remporte pas ici son premier prix, il fut en effet déjà primé à l'issue du Salon de 1791, avec un Encouragement de 3 000 livres (A.N. F17 1056, dos. 1). Lors de la redécouverte de ce tableau, J.-P. Cuzin souligna la dette de l'artiste envers *L'École d'Athènes* de Raphaël de par la figuration d'une architecture imposante et un intéressant jeu de perspectives. Cet étonnant tableau qui nous révèle un artiste original et talentueux nous présente une des rares scènes qui nous soit conservée en rapport avec les croyances nouvelles.

L'action se passe dans le temple de la Liberté, dont on peut apercevoir la statue, lance à la main, au milieu de la composition ; tous les peuples du monde sont venus adorer l'Être suprême, chacun suivant son culte. Ainsi voit-on, au premier plan, des Noirs – on se souvient que l'abolition de l'esclavage date du 4 février 1794 – rendant hommage à la divinité en dansant ; au fond, sur la gauche, on peut reconnaître des Asiatiques à chapeau chinois ; plus loin, des personnages enturbannés, musulmans (?), se prosternent pour prier. Une foule cosmopolite est réunie tandis que la Raison reconnaissable à ses ailes chasse trois figures dont une femme incarnant le Vice ou le Mensonge, d'où le masque qu'elle tient à la main, l'Ignorance, personnage aux yeux bandés et aux oreilles d'âne et le Fanatisme. La Raison, dont la clairvoyance est symbolisée par l'œil entouré de rayons solaires figuré sur son bouclier, s'avance avec une torche allumée qui éclaire le monde de sa vérité.

Les statues placées dans les niches et au-dessus des pilastres figurent, entre autres, les quatre Vertus cardinales ; on reconnaîtra à leurs attributs, dans la niche de gauche, la Justice, avec le glaive et la balance, dans celle de droite, la Prudence, à double visage, portant un miroir. De gauche à droite, sur les pilastres, la Loi, portant le livre ouvert et le sceptre puis, la Force s'appuyant sur une colonne brisée et, sans doute, l'Espérance, vertu théologale, avec l'ancre, symbole de stabilité, et enfin ce qui pourrait être une représentation de l'Unité, avec à ses pieds, l'urne qui en est le symbole.   B.Ga.

1087
Extérieur d'un hôpital militaire en Italie

par Nicolas Antoine TAUNAY

Huile sur toile. H. 0,460 ; L. 0,653.
Inscription : en bas à gauche au pied de la rampe : « Taunay ».
Historique : legs de M. Godillot en 1930, sous réserve d'usufruit ; entré au Louvre en 1938.
Exposition : 1804, Paris, Salon, n° 449.
Bibliographie : Sterling-Adhémar, t. IV, p. 25, n° 1771 ; Compin-Roquebert, t. IV, p. 231 ; cat. Louvre, 1972, p. 358.

Paris, musée du Louvre, département des Peintures (inv. R.F. 1938-65).

Ce tableau constitue une variante réduite de la peinture exposée au Salon de 1798 (n° 385) conservée au musée de Versailles (inv. 8122). Sans doute composé à partir de croquis dessinés en Italie où l'artiste se rendit en 1784, grâce à Vien et Pierre, et sans avoir obtenu le prix de Rome, l'œuvre apparaît en fait comme un paysage recomposé selon la tradition classique, mais actualisé au moyen des figures peintes au premier plan. La scène représente l'arrivée d'une charrette chargée de blessés dans la cour d'un couvent transformé en hôpital.

Taunay exposa au Concours de l'an II sous le « n° 4, *Trait de bravoure et de patriotisme de plusieurs soldats français détenus en prison.* Tableau avec explication. 22 pouces sur 15 pouces » (coll. Deloynes, t. LVI, n°s 1724 et 1736). Cette esquisse lui valut un deuxième prix de 9 000 livres (A.N. F17 1056, dos. 5, 6) et l'exécution d'un tableau « de son choix » qui sera *L'Extérieur d'un hôpital militaire provisoire* pour lequel il fera plusieurs lettres et pétitions de demandes de paiement.

Le 9 messidor an VI (27 juin 1798) son « tableau est entièrement fini. Il représente l'extérieur d'un hôpital militaire provisoire orné de plus de cent figures, sa dimension est de cinq pieds de large sur trois pieds et demi de haut » (A.N. F17 1056, dos. 9).

Sans avoir lui-même suivi l'armée française en Italie, Taunay fut toujours tenté par les représentations militaires. Napoléon lui commandera de nombreuses peintures de bataille, mais plus que l'événement, c'est la scène quotidienne qui intéresse l'artiste. Son œuvre préfigure ainsi celle des illustrateurs ou peintres du XIXe siècle, Charlet, Detaille, de Neuville, etc.   B.Ga. et J.Be.

1088
Philoctète dans l'île de Lemnos

par Guillaume GUILLON *dit* LETHIÈRE

Huile sur toile. H. 3,15 ; L. 3,15.
Inscription : « Lethière an 6. »
Historique : entré dans les collections de l'État après le Salon de 1798 ; déposé en 1872 au musée Ochier de Cluny.
Exposition : an VI (1798), Paris, Salon, n° 278.
Bibliographie : Landon, 1833, t. II, pp. 40-41 ; Vilain, 1974-1975, p. 532.

Cluny, musée Ochier (INV. 6226).

Au concours de l'an II, Lethière fut primé sur un dessin représentant l'« *Hommage du Peuple français à la Liberté*. Dessin allégorique au bistre. 35 pouces de large sur 23 de haut » (coll. Deloynes, t. LVI, n°s 1724 et 1736) qui lui fit obtenir un prix de 6 000 livres pour réaliser un tableau de son choix qui sera ce *Philoctète*. L'artiste présenta ce tableau au concours de l'an VII et reçut de nouveau un Prix de première classe qu'il partagea avec Girodet et Peyron. Cette œuvre fait donc à la fois partie des Travaux d'Encouragement de l'an II et des Prix d'Encouragement du concours de l'an VII.

Le sujet bien connu est emprunté à la tragédie de Sophocle qui nous conte comment Philoctète (409 avant J.-C.), blessé, fut abandonné dans l'île de Lemnos tant sa plaie répandait une odeur insupportable. Il y resta pendant dix années absolument seul, n'ayant pour subsistance que les animaux qu'il pouvait abattre de ses flèches.

Le livret du Salon de 1798 nous livre ce texte : « J'ai appris à soutenir mes misérables jours. Mon arc, entre mes mains, seul et dernier recours Servit à me nourrir et lorsqu'un trait rapide Fesait du haut des airs tomber l'oiseau timide,

Les Peuples du monde rendant hommage à l'Être Suprême, Prix d'Encouragement décerné à l'issue du Concours de l'an II (cat. 1086).

Extérieur d'un hôpital militaire en Italie, Travail d'Encouragement exécuté grâce au Prix d'Encouragement décerné à l'issue du Concours de l'an II (cat. 1087).

Philoctète dans l'île de Lemnos, Travail d'Encouragement exécuté grâce au Prix d'Encouragement décerné à l'issue du Concours de l'an II, et Prix d'Encouragement décerné à l'issue du Concours de l'an VII (cat. 1088, détail, en cours de restauration).

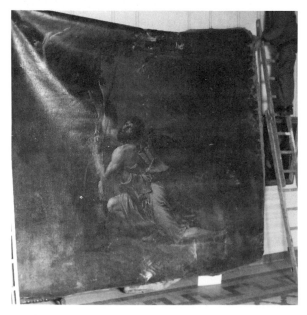

(cat. 1088, avant restauration).

Souvent il me fallait pour aller le chercher,
D'un pied faible et souffrant, gravir sur les rochers
Me traîner en rampant, vers ma chétive proie. »
(Acte premier, scène IV.)
Les Grecs, ayant appris par l'oracle qu'ils ne pourraient vaincre Troie sans l'aide de Philoctète et de ses flèches magiques, vinrent alors rechercher le blessé.

Ce thème du héros victime de l'ingratitude de ses semblables rencontra un certain succès auprès des artistes, déjà traité par James Barry en 1770 (Bologne, Pinacothèque nationale), puis par Drouais auquel on doit un admirable *Philoctète* de 1787 (Chartres, musée des Beaux-Arts) et plus tard par Michallon en 1822 (Montpellier, musée Fabre). D'autres épisodes de l'histoire de Philoctète furent également abordés par Taillasson en 1784 (*Ulysse et Néoptolème enlèvent à Philoctète les flèches d'Hercule*, musée de Blaye) et par Valenciennes en 1789 (*Néoptolème aperçoit Philoctète*).

Le grand tableau de Lethière, roulé pendant plusieurs années, qui avait subi quelques dommages, a pu être restauré pour la présente exposition.

Une belle esquisse préparatoire fut acquise par le musée de Brest en 1972 et exposée à Paris en 1974. On connaît également une autre version présentant quelques variantes autrefois dans la collection de Lucien Bonaparte et un dessin au lavis dans une collection particulière. Peu de temps avant l'achèvement de son tableau, le 15 prairial an VI (3 juin 1798) alors que Lethière réclamait le deuxième tiers de son Prix d'Encouragement obtenu en l'an II pour exécuter ce tableau, Renou venu constater de l'état d'avancement de l'œuvre livra ce commentaire : « Ce sont des morceaux de cette énergie et de ce caractère qui pouront prouver à l'Europe entière que les français se montrent vainqueurs de tous les peuples et par les *arts* et par les *armes* » (A.N. F[17] 1056, dos. 13).

B.Ga.

1089
Le Temps et Minerve
qui n'accordent l'Immortalité qu'à ceux
qui ont bien mérité de leur Patrie

par Pierre PEYRON

Huile sur toile. H. 2,00 ; L. 1,30.
Historique : entré dans les collections de l'État après
le Salon de 1799 ; déposé au ministère de la Guerre
le 1er octobre 1800 (arch. Louvre, 1 DD 18, fol. 556)
ou le 20 février 1801 (arch. Louvre, 3 DD 22, fol. 50).
Expositions : 1799, Paris, Salon, n° 252 ; 1974-1975
(1), Paris, n° 140.
Bibliographie : Bellier-Auvray, 1885, t. II, p. 259 ;
Lapauze, 1903, p. 465 ; Rosenberg, 1974-1975, n° 140,
pp. 558-559 ; Rosenberg-Van de Sandt, 1983, pp. 133-
135.

Paris, ministère de la Défense, dépôt du département
des Peintures du musée du Louvre (INV. 7180).

Peyron, lors de sa participation au concours
de l'an II, présenta sous le n° 45 un « dessin
allégorique à l'encre de Chine. *La Patrie
reconnaissante couronne la valeur et l'héroïsme
républicain* » (cat. 1081) ; ce dessin lui valut un
second Prix d'Encouragement d'un montant
de 8 000 livres (A.N. F¹⁷ 1056, dos. 5). Libre
d'exécuter avec cette somme un tableau de son
choix, il choisit de reprendre l'idée d'un dessin
qu'il avait exposé au Salon de 1791 et qui représentait *Minerve délibérant avec le Temps, sur
l'apothéose des Artistes célèbres*. Le dessin est
aujourd'hui perdu mais sa composition nous
est connue par la gravure qu'en fit Jean-
Antoine Pierron. Contrairement à Lagrenée,
Taillasson, Sablet ou Garnier qui offrirent à la
Nation comme Travaux d'Encouragement des
tableaux dénués de toute idéologie républicaine, Peyron modifia sensiblement son dessin
de 1791 pour lui donner un esprit plus patriotique, et les « artistes célèbres » cédèrent ainsi
leur place « aux grands hommes ». Le tableau,
achevé en 1799, est exposé au Salon de cette
même année ; le livret nous en donne le descriptif suivant : « Le Tems et Minerve, qui n'accordent l'immortalité qu'a ceux qui ont bien
mérité de leur patrie. Solon, comme Sage et
législateur, se présente à leur jugement. Platon,
disciple de Socrate, doit bientôt l'éprouver. La
Sagesse propose et le tems indique la place que
les Grands-Hommes doivent occuper dans le
temple de mémoire. Le Génie de l'Histoire
attend leur décision pour la transmettre à la
postérité. »
On remarquera que Peyron reprendra à son
dessin du concours de l'an II la figure de droite
du « Génie de l'Histoire » (ou Renommée) qui
s'apprête à inscrire sur ses tablettes les noms
des hommes célèbres. Nous avons développé
plus haut les difficultés rencontrées par les
artistes pour obtenir du gouvernement le paiement de leur prix, déjà fortement réduit par la
conversion en numéraire des assignats devenus sans valeur. La plupart d'entre eux obtinrent toutefois le troisième tiers de la somme qui
leur était due, une fois le tableau terminé. Peyron qui, comme ses confrères dut multiplier les
réclamations pour obtenir les deux premiers
tiers, obtint la totalité de son paiement après le

*Le Temps et Minerve qui n'accordent l'Immortalité qu'à ceux qui ont bien mérité de leur Patrie, Travail
d'Encouragement exécuté grâce au Prix d'Encouragement décerné à l'issue du Concours de l'an II* (cat. 1089).

9 ventôse an VIII (28 février 1800) (A.N.
F¹⁷ 1058, dos. 19) soit environ un an après
l'achèvement de son tableau... Il précise même
dans une de ses lettres en date du 24 pluviôse
an VIII (13 février 1800) qu'il n'a rien perçu
depuis messidor an VI (juin-juillet 1798) et
qu'il réclame son troisième tiers, son tableau
étant terminé depuis floréal an VII (avril-mai
1799).   B.Ga.

1090
David apaisant Saül

par Philippe CHÉRY

Huile sur toile. H. 1,04 ; L. 1,38.
Inscription : signé et daté : « P. Chéry 1808. »
Historique : entré dans les collections de l'État après
le Salon de 1808 ; dépôt de l'État au musée de
Soissons en 1872.
Exposition : 1808, Paris, Salon, n° 125.
Bibliographie : cat. Soissons, 1894, p. 41, n° 75 ;
Bordes, 1979, p. 210, n° 20 et p. 211, n° 33 ; Götz Czym-
mock, 1988, pp. 346-348.

Soissons, musée des Beaux-Arts
(inv. 3241 - M.R. 1336).

Philippe Chéry est un artiste fort mal connu qui entre autres talents exerçait aussi celui d'écrivain et de critique (*Explication et critique impartiale de toutes les peintures, sculptures, gravures,... exposées au Louvre au mois de septembre 1791, l'an III de la Liberté, par M.D.* [P. Chéry], *Citoyen patriote et véridique*).

Mais Chéry est surtout connu pour son engagement politique ; républicain ardent, il est ami de Hennequin et de Topino-Lebrun, il connut la prison et ne fut libéré qu'après le 9 Thermidor an II.

Ses activités politiques semblent avoir largement pris le pas sur sa production artistique car nous ne connaissons que très peu de tableaux de lui, hormis une *Mort d'Alcibiade* du musée de La Rochelle (dépôt du musée de Tarbes) qui le fit remarquer au Salon de 1791, et ce *David apaisant Saül* qui ne figurera au Salon que sous le Consulat. Cette œuvre est cependant très certainement le tableau « de son choix » qu'il exécuta grâce au Prix d'Encouragement de 4 000 francs (deuxième Prix) obtenu à l'issue du concours de l'an II (A.N. F¹⁷ 1056, dos. 5, 6).

L'esquisse présentée par Chéry à ce concours portait le n° 59 : *L'amour de la République animant Barras à une action d'héroïsme qui lui donne l'immortalité.* « Tableau allégorique avec explication. 14 pouces de large sur 10 de haut » (coll. Deloynes, t. LVI, n°ˢ 1724 et 1736). Après le concours, Chéry n'apparaît à aucun Salon jusqu'en 1799 où il expose deux portraits. Il est exilé par Bonaparte après le 18 Brumaire an VIII (9 novembre 1799) mais présente de nouveau un tableau au Salon de 1802 (*Mercure amoureux d'Hersé*), puis en 1806, deux portraits, et ce n'est qu'en 1808 qu'apparaît ce *David apaisant Saül* portant la mention : « Ce tableau appartient au Gouvernement, comme Prix d'Encouragement »

Chéry ne reçut aucun autre prix après 1795, il n'exposa par ailleurs pratiquement pas au Salon, plus préoccupé de politique que de peinture, il semble donc raisonnable de penser que ce *David et Saül* puisse bien être le tableau du

concours de l'an II que l'artiste, faute de temps n'avait pu exécuter auparavant.

Le thème, assez rare, est tiré de l'Ancien Testament (Samuel I, 18, 10 et 19, 9) revu par Fleury qui publia en 1681 *Mœurs des Israélites.* On retrouve cet étonnant sujet traité en 1803 par l'Allemand Christian Gottlieb Schick (1776-1812) (Stuttgart, Staatsgalerie), qui fut élève de David en 1798.

Saül, premier roi d'Israël, désobéit à Dieu pour avoir épargné le peuple des Amalécites et leur roi Agag, ennemis d'Israël mais il refusa d'abandonner le pouvoir et Dieu ordonna que l'esprit du mal s'empare de son esprit. Seule la harpe de David pouvait conjurer le sort.

« Pour faire valoir davantage le remède divin et montrer la simplicité des mœurs des Israélites, l'auteur a introduit près de Saül sa jeune fille Michol, le pressant de prendre un breuvage médicinal ; mais frappée elle-même des accords de David, elle en devint éprise, et c'est par elle, qu'en l'épousant, David entre dans la maison de Saül et lui succède » (texte du livret du Salon de 1808). B.Ga.

1091
Ulysse et Alcinoüs

par Jean-Jacques LAGRENÉE *dit* LAGRENÉE le Jeune

Esquisse à l'aquarelle sur toile. H. 0,24 ; L. 0,32.
Historique : ancienne collection P. Fourché, donné au musée des Beaux-Arts de Saintes en 1890.
Exposition : 1791, Paris, Salon, n° 17.
Bibliographie : Villot, 1855, t. III ; Sandoz, 1962, pp. 121-133 ; Schnapper, dans cat. exp. 1974-1975 (1), p. 514.

Saintes, musée des Beaux-Arts (inv. 890-2-1).

Au grand concours de l'an II, Lagrenée le Jeune choisit la journée du 10 Août comme épisode à la gloire de la Révolution ; son tableau

présenté sous le n° 85 « *Époque du 10 août*, tableau allégorique en grisaille avec explication. 5 pieds 10 pouces de large sur 10 pouces de haut » (coll. Deloynes, t. LVI, n°ˢ 1724 et 1736) obtint un deuxième prix de 8 000 francs pour l'exécution d'un tableau de son choix (A.N. F¹⁷ 1056, dos. 5). Si la petite esquisse du concours est aujourd'hui perdue, le tableau définitif est parvenu jusqu'à nous (musée de Narbonne, envoi de l'État en 1876). Fort peu révolutionnaire d'esprit, *Ulysse et Alcinoüs* est un sujet que l'artiste avait à cœur depuis quelques années puisqu'il exposa au Salon de 1791 l'esquisse que nous présentons ici. Le concours de l'an II fut pour lui l'occasion de pouvoir exécuter en grand et aux frais de la nation son projet : « Ulysse sauvé du naufrage par Nausicaa qui vient se jetter, par ses conseils, aux pieds d'Aréthée, femme du Roy Alcinoüs pour obtenir ses secours pour retourner en sa patrie », achevé au printemps 1798 et fini de payer à l'artiste le 23 messidor an VI (11 juillet 1798) (A.N. F¹⁷ 1056, dos. 13). Ce tableau a « six pieds sur quatre », ce qui correspond exactement aux dimensions du tableau du musée de Narbonne.

L'épisode choisit par l'artiste est tiré de l'*Odyssée* d'Homère (chant VII) dont il suit parfaitement le texte : Ulysse s'étant jeté aux pieds d'Alcinoüs et d'Aréthée, le « nuage épais » dont Athéna le protégeait se dissipe alors et « les assistants demeurèrent sans voix », d'où l'attitude étonnée du personnage de gauche. Lagrenée nous offre ici une jolie composition plus attrayante qu'austère et tout à fait dans le « goût antique ».

Ce même thème, assez peu illustré par les artistes, fut également traité par Meynier en 1788 (dessin, collection particulière). B.Ga.

1092
Héro et Léandre

par Jean-Joseph TAILLASSON

Huile sur toile. H. 2,53 ; L. 3,18.
Historique : entré dans les collections de l'État à l'issue du Salon de 1798, faisant partie des Travaux d'Encouragement de l'an II ; placé en 1810 au Corps législatif ; envoyé à Albi en 1872 ; transféré à Blaye en 1952 ; déposé au musée des Beaux-Arts de Bordeaux en 1989.
Expositions : an VI (1798), Paris, Salon, n° 383 ; an VII (1799), Paris, concours ; 1974-1975 (1), Paris, n° 172.
Bibliographie : Landon, 1803, pp. 115-116 ; Bruun-Neergaard, 1809, p. 436 ; Charles, 1921, pp. 213-214 ; Bardon, 1963, p. 229 ; Leith, 1965, p. 127 ; J. Lacambre, 1974-1975, pp. 617-618 ; Mouilleseaux, 1974, pp. 411-416.

Paris, musée du Louvre, département des Peintures (INV. 8080 ; M.R. 2500).

Taillasson participa au grand Concours de l'an II en présentant sous le n° 94 une esquisse représentant « *La Liberté, ramène au Peuple la Justice et la Vertu, la Force, les suit, l'Éternel les précède.* Tableau allégorique avec explication. 24 pouces de large sur 21 de haut » (coll.

Ulysse et Alcinoüs, esquisse du Travail d'Encouragement exécuté grâce au Prix d'Encouragement décerné à l'issue du Concours de l'an II (cat. 1091).

David apaisant Saül, Travail d'Encouragement exécuté grâce au Prix d'Encouragement décerné à l'issue du Concours de l'an II (cat. 1090).

Héro et Léandre, Travail d'Encouragement exécuté grâce au Prix d'Encouragement décerné à l'issue du Concours de l'an II,
et Prix d'Encouragement décerné à l'issue du Concours de l'an VII (cat. 1092).

Deloynes, t. LVI, n°s 1724 et 1736). Cette esquisse lui valut un second Prix d'Encouragement d'un montant de 6 000 livres (A.N. F^{17} 1056, dos. 5) qui lui permit d'exécuter comme « Travail d'Encouragement » destiné à l'État un sujet nettement moins patriotique puisqu'il s'agit de cet *Héro et Léandre* présenté au salon de 1798 avec une réplique réduite de même sujet (n° 384 du livret, collection particulière). « Léandre, jeune homme de la ville d'Abidos, traversait l'Hellespont à la nage, pour aller voir Héro, prêtresse de Vénus : un flambeau allumé au haut d'une tour, lui servait de guide. Longtems, l'Amour couronna ses efforts ; mais enfin, sur le point d'arriver aux bords qui lui étaient si chers, il trouva la mort dans ces flots. Héro ne voulut point lui survivre » (texte du livret du Salon, n° 383).

Ce sujet d'un romantisme déjà exacerbé bien avant l'heure sera effectivement très souvent traité par les artistes français du XIXe siècle, Debucourt en 1801, Monsiau en 1806, Ducis en 1808, Pallière en 1817, Delorme en 1841, avec un penchant marqué pour l'épisode tragique de la mort de Léandre et parfois celui de la séparation des amants ; pour le XVIIIe siècle, on trouve avant Taillasson le nom de Harriet au Salon de 1796, puis plus tard ceux de Briant et de Fabre.

L'histoire d'Héro et Léandre se trouve dans Virgile (*Géorgiques*, III, v. 258-263), Stace (*Thébaïde*, VI, v. 542-547) et Ovide (*Héroïdes*, XVIII, 9). Mais la source principale des artistes semble bien être un poème grec de Musée qui développe la légende et dont on trouve dès 1541 de très nombreuses traductions en français.

Taillasson affectionna particulièrement les épisodes à la fois tragiques et sentimentaux où des êtres déchirés sont confrontés à la mort. L'artiste ne recule pas devant l'effet théâtral de ce personnage éploré aux bras levés dans un geste presque outré de l'expression du désespoir. Le tableau fut dans l'ensemble assez bien accueilli par la critique et l'artiste lui-même considérait suffisamment son œuvre pour la présenter au concours de l'an VII comme étant, parmi ses tableaux exposés depuis l'an II, celui qu'il jugeait le plus digne de concourir. Il obtint ainsi, avec *Héro et Léandre* qui était déjà un Travail d'Encouragement du concours de l'an II, un Prix d'Encouragement de quatrième classe (coll. Deloynes, t. LVI, n°s 1755 et 1758).

B.Ga.

1093
Consternation de Priam et de sa famille
après le combat d'Achille et d'Hector

par Étienne-Barthélemy GARNIER

Gouache vernie sur toile. H. 0,74 ; L. 1,00.
Inscription : en bas au milieu : « Steph. Barth. Garnier Fact./Romæ 1792. »
Historique : acquis à Paris en 1971.
Expositions : an IV (1795), Paris, Salon, n° 217 ; 1974-1975 (1), Paris, Grand Palais, n° 64, pp. 424-425.

Bibliographie : Cuzin, 1972, pp. 463-470 ; J. Lacambre dans cat. exp. 1974-1975 (2), n° 50.

Mâcon, musée des Beaux-Arts (inv. A. 999).

Garnier, pensionnaire de l'Académie, est à Rome depuis 1788 ; c'est là qu'il conçoit cette superbe esquisse très achevée et le non moins beau dessin du musée de Quimper. Nous sommes en 1792, l'artiste, de retour à Paris en 1793, participe au grand concours de l'an II et remporte brillamment deux seconds prix, l'un de 9 000 livres, l'autre de 6 000 livres (A.N. F^{17} 1056, dos. 5 et 6) pour les deux esquisses qu'il présente sous les numéros 134 et 98 ; seul le sujet de cette dernière nous est connu : « *La République française rend hommage à l'être Suprême.* Tableau allégorique avec explications de 4 pieds et demi de long sur 3 pieds et demi de haut » (coll. Deloynes, t. LVI, n°s 1724 et 1736).

Au Salon de l'an IV, ouvert en septembre 1795, Garnier présente cette esquisse de *La Famille de Priam* peinte à Rome en 1792.

Le 9 pluviôse an VI (28 janvier 1798), dans sa lettre au ministre de l'Intérieur, nous apprenons que « [...] chargé d'exécuter deux tableaux à mon choix, l'un pour la somme de 9 000 francs et l'autre pour la somme de six, j'ai pensé satisfaire aux vœux du jury en me déterminant à exécuter en un seul tableau de la plus grande proportion un sujet historique tiré de l'Iliade, ce sujet représente la consternation de Priam et sa famille à l'instant ou le corps d'Hector est entraîné par le char d'Achille. La grandeur du tableau est de 18 pieds de long sur 13 pieds de haut » (A.N. F^{17} 1058, dos. 16). Les dimensions données par Garnier, 5,83 mètres de long sur 4,21 mètres de haut correspondent à celles du tableau aujourd'hui conservé au musée d'Angoulême et présenté au Salon de 1800 (envoi de l'État en 1872, INV. 4679 ; H. 4,20 ; L. 5,96).

Nous avons avec la *Consternation de Priam et de sa famille* à nouveau l'exemple d'un artiste qui, grâce à un Prix d'Encouragement, put exécuter aux frais de l'État un sujet déjà travaillé et qu'il souhaitait réaliser sur un grand format (voir à ce propos également Peyron, cat. 1089, Lagrenée, cat. 1091 et Sablet, cat. 1094).

Ce tableau pour lequel Garnier a suivi scrupuleusement le texte d'Homère (*Iliade*, chant XXII) est décrit dans le détail aux livrets des Salons de 1795 et de 1800. La scène se passe sur les remparts de Troie ; au centre de la composition, Andromaque, épouse d'Hector, voyant le corps de son mari traîné par le char d'Achille, s'est évanouie dans les bras de ses suivantes, auprès d'elle se tient son fils Astyanax ; au premier plan, à droite, Priam veut réclamer aux Grecs le corps de son fils, il en est empêché par le prêtre Pantheus et sa fille Cassandre agenouillée à ses pieds. On reconnaît dans le groupe de gauche, Hécube, mère d'Hector et ses filles, Laodice et Polyxène ; à l'extrême gauche de la composition, Pâris, responsable de tous ces maux se détourne en se cachant le visage de la main.

Ce tableau de grande envergure fut en général très apprécié des critiques tant au Salon de 1795 qu'à celui de 1800 où Garnier exposa la grande version qui dut fortement impressionner ses contemporains par ses dimensions imposantes et l'ampleur de sa composition. Ce tableau, achevé le 16 nivôse an VII (5 janvier 1799) coûta à l'artiste, selon ses propres termes, « deux ans et demi de travail ininterrompu et de dépenses considérables » (A.N. F^{17} 1058, dos. 16).

On admirera le goût de la mise en scène théâtrale révélé ici par Garnier ; toutefois, la composition assez touffue avec ces différents groupes de personnages tous très autonomes donne une impression d'ensemble assez décousue et, dans sa complexité, la scène en vient à manquer de cohérence. Cette œuvre n'en est pour autant pas moins une belle réussite attestant de l'originalité évidente de cet artiste.

B.Ga.

1094
Les Paysannes de Frascati dans un paysage
ou *Les Joueuses d'osselets*

par Jacques SABLET

Huile sur toile. H. 0,63 ; L. 1,05.
Historique : entré dans les collections de l'État après le Salon de 1796 ; déposé en 1800 au ministère des Finances puis à Compiègne ; envoyé en 1877 à la maison de la Légion d'honneur de Saint-Denis, rentré au Louvre en 1887.
Expositions : an V (1796), Paris, Salon, n° 414 ; 1985, Nantes-Lausanne-Rome, n° 30.
Bibliographie : Rosenberg-Reynaud-Compin, 1974, t. II, n° 761 ; Van de Sandt, 1982, n° 49 ; idem, 1984, n° 50 et 1985, n° 30 ; Compin-Roquebert, 1986, t. IV, p. 203.

Paris, musée du Louvre, département des Peintures (INV. 7804).

L'esquisse présentée par Jacques Sablet au grand Concours de l'an II représentait *Le Forgeron républicain* (gravé par Copia) (cat. 1084). Comme beaucoup d'autres artistes, Sablet renonça à son sujet révolutionnaire pour le tableau qu'il destinait à l'État ; ainsi décida-t-il d'exécuter un paysage d'Italie au soleil couchant, genre dans lequel il excellait. Les paysannes de Frascati sont ici plus un prétexte, l'importance étant donnée au paysage avec son ciel immense et ses effets de lumière particulièrement réussis.

Dans une lettre du 25 brumaire an IV (16 novembre 1795) (A.N. F^{17} 1056, dos. 13), Sablet réclame la fin de son paiement (1 986 francs) : « ayant fini et exposé au Sallon le Tableau d'encouragement qui lui a été ordonné par le jury ». Ceci laisserait entendre qu'il avait fait figurer ses *Paysannes de Frascati* au Salon de l'an IV (1795) où pourtant il n'est pas mentionné. Il figurera en tout cas au Salon suivant où il fut apprécié de la critique pour être arrivé à peindre « même l'atmosphère de ce pays » (*Observations de Polyscope au Salon*). B.Ga.

Consternation de Priam et de sa famille après le combat d'Achille et d'Hector, Travail d'Encouragement exécuté grâce au Prix d'Encouragement décerné à l'issue du Concours de l'an II (cat. 1093).

Les Paysannes de Frascati dans un paysage, Travail d'Encouragement exécuté grâce au Prix d'Encouragement décerné à l'issue du Concours de l'an II (cat. 1094).

1095
Incendie du port de Toulon

par Jean-Jacques François TAUREL
Huile sur toile. H. 0,720 ; L. 1,240.
Inscription : « Taurel AN IV. »
Historique : acquis par l'État en 1796 (inv. M.R. 2517) ; dépôt du Louvre au musée de Bernay en 1872.
Exposition : 1796, Paris, Salon, n° 453.
Bibliographie : Cantarel-Besson, 1981, p. 143.

Bernay, musée municipal (inv. 27-D 872-1-8).

L'insurrection toulonnaise contre la commune jacobine commença en juillet 1793. Menacés par deux armées républicaines, les habitants livrèrent la ville à l'escadre anglaise de l'amiral Hood les 27 et 28 août. La Convention envoya alors le général Carteaux établir un blocus qui dura trois mois. Toulon ne tomba que lorsque Dugommier, remplaçant de Carteaux, adopta les plans du jeune lieutenant Bonaparte, sur le conseil des commissaires Gasparin et Saliceti, eux-mêmes remplacés par Augustin Robespierre et Fréron. Après sa chute le 29 frimaire an II (19 décembre), Toulon devint Port-la-Montagne. La répression qui suivit fut terrible. C'est l'escadre anglaise abandonnant la ville en flammes que Taurel, spécialisé dans les peintures militaires, choisit de peindre pour le Salon de 1796. La vue est prise entre la tour Baragnié et la tour de l'Aiguillette. Du premier coup d'œil Bonaparte avait compris que prendre cette dernière tour, qui barrait la sortie de la rade, c'était prendre Toulon.
Prétexte à montrer plusieurs épisodes anecdotiques, au premier plan, la peinture de Taurel n'apparaît guère que comme un brillant exercice de luminisme, où le drame militaire ne transparaît que fort peu.
À la suite du concours de l'an II, auquel il avait présenté sous le n° 131 deux esquisses représentant une *Vue du port de Toulon prise de la montagne* et *La Fuite des Anglais,* qui lui firent obtenir un deuxième prix d'un montant de 6 000 francs (A.N. F17 1056, dos. 5 et 6), Taurel se devait d'exécuter pour l'État un « tableau de son choix ». Il est permis de penser que ce tableau, l'*Incendie du port de Toulon,* ne fut que la traduction en grand de la seconde esquisse.

J.Be. et B.Ga.

1096
La Paix

par Jean-François LORTA
Statuette, terre cuite. H. 0,36 ; L. 0,16 ; P. 0,185.
Historique : descendants de l'artiste.
Bibliographie : Cournault, 1865 ; Lami, 1911, p. 92.

Lyon, collection particulière.

Jean-François Lorta fut l'un des quelques artistes pour qui la Révolution apporta une certaine reconnaissance officielle et des commandes. Élève d'un académicien, Charles-Antoine Bridan, il n'obtint pas le prix de Rome, même s'il séjourna en Italie par faveur de d'Angiviller, et il ne put envisager une carrière selon le cursus habituel débouchant sur l'agrément puis la réception à l'Académie royale. Sous l'Ancien Régime c'était se résigner à une carrière marginale, hors de toute commande des Bâtiments du roi, avec notamment la privation des blocs de marbre de Carrare mis régulièrement à la disposition des académiciens.
Les débouchés pour de tels artistes étaient minces : professer à l'académie de Saint-Luc (mais elle fut dissoute par d'Angivillier sous la pression de l'Académie royale en 1776), exposer au Salon de la Correspondance (pour Lorta, en 1781 et 1782), obtenir le patronage d'un amateur (le duc d'Orléans pour Defernex, le prince de Condé pour Dardel ; Lorta travailla pour Mesdames à Bellevue, vers 1782). Dès 1791, Lorta exposa au Salon mais ses envois importants datèrent de 1793 (esquisse du bas-relief pour un pendentif du Panthéon sur un bel « exemplum virtutis », les femmes déposant leurs bijoux sur l'autel de la Patrie) et 1795 (modèle en plâtre de la statue colossale de la *Liberté,* également pour le Panthéon). Il présenta cette dernière œuvre au Concours de l'an VII ; elle lui valut tout comme Cartellier (cat. 1101) un prix de troisième classe. Il participa au grand Concours de l'an II, d'une part pour « la Statue de J.-J. Rousseau » (cat. 1124), et d'autre part pour « la figure colossale du peuple à ériger sur la pointe du Pont-Neuf » en présentant sous le n° 3 une esquisse : « modèle en cire bronzée de 20 pouces de haut élevé sur un piédestal d'architecture gothique » pour laquelle il obtint un prix de 6 000 livres (coll.

Deloynes, t. LVI, n°s 1724 et 1734). Ce Prix d'Encouragement lui permettant de réaliser « le modèle d'une figure de son choix », il choisit d'exécuter *La Paix*. Celle-ci fut terminée le 19 messidor an VI (7 juillet 1798) et Lorta réclama à cette date le parfait paiement de son prix (A.N. F17 1056, dos. 8) ; en l'an VII, la statue est demandée pour la décoration du temple décadaire du 10e arrondissement (communication écrite, Christine Riffaut).
Le modèle en plâtre fut exposé au Salon de 1798. Le marbre orna « la salle des séances du Corps législatif » (Landon, *École française, Sculpture moderne,* t. II, pl. 21), c'est-à-dire le palais Bourbon qui accueillait le conseil des Cinq-Cents depuis 1795. La statue n'est plus localisée aujourd'hui.
La maquette en terre cuite, retrouvée récemment chez les descendants de l'artiste, nous permet de juger de cette œuvre, auparavant uniquement connue par l'illustration des *Annales* et de l'*École française* de Landon. Le texte de ce dernier, repris du livret du Salon de 1798, nous donne les clés de l'iconographie : « La Paix est assise, et lève de la main gauche un voile qui couvrait le Génie des Sciences, des Arts et du Commerce, caractérisé par les attributs qu'on voit à ses pieds et par la flamme qui s'élève au-dessus de sa tête. Il paraît se ranimer et reprendre courage à l'aspect de la branche d'olivier que la Paix lui désigne comme la récompense de ses travaux. Elle a près d'elle un bouclier, une épée et une couronne de lauriers. En plaçant dans sa composition ces accessoires [...] l'artiste a voulu faire entendre que la Paix s'obtient par la Victoire. » La composition, certainement monumentale, dégage une froideur à peine égayée par le petit génie. La Paix est une matrone, coiffée et vêtue impeccablement à l'antique, sœur de la *Concorde* de Petitot (cat. 1110) et annonce les allégories féminines qui dès le début du XIXe siècle vont orner les édifices et les places publiques. La carrière de Lorta se poursuivra d'ailleurs avec succès sous l'Empire. Au Salon de 1802 il expose (n° 436) une figure allégorique représentant l'*Unité conduisant le Peuple français à la Victoire.* Il s'agit en fait d'« une Figure assise, tenant d'une main le faisceau sur lequel est placée la statue de la Victoire, et de l'autre des couronnes de chêne et de laurier » ; l'œuvre est reproduite sous le titre la *Force* dans Landon (*École française, sculpture moderne,* t. II, pl. 22) avec le commentaire : « L'unité du peuple français est la cause de sa force. » Cette œuvre fut exécutée grâce au Prix d'Encouragement obtenu par Lorta au concours de l'an VII. Le plâtre acquis par l'État fut détruit en 1830 à l'École des Beaux-Arts (Cournault, 1865).

G.Sc. et B.Ga.

1097
Cyparisse

par Denis-Antoine CHAUDET
Statue, plâtre, H. 1,30 ; L. 0,425 ; Pr 0,425.
Inscription : sur la plinthe, au revers, marque métallique de l'atelier des moulages des musées nationaux.

Incendie du port de Toulon, Travail d'Encouragement exécuté grâce au Prix d'Encouragement décerné à l'issue du Concours de l'an II (cat. 1095).

La Paix, Travail d'Encouragement exécuté grâce au Prix d'Encouragement décerné à l'issue du Concours de l'an II (cat. 1096).

Cyparisse, Travail d'Encouragement exécuté grâce au Prix d'Encouragement décerné à l'issue du Concours de l'an II, et Prix d'Encouragement décerné à l'issue du Concours de l'an VII (cat. 1097, tirage en plâtre récent effectué sur un creux provenant de l'atelier de l'artiste).

Historique : tirage d'après un creux provenant de l'atelier de l'artiste, sans doute surmoulé par Chaudet sur le marbre ; 1928, dépôt du musée du Louvre au château de Compiègne ; 1984, dépôt *ibidem* au château de Malmaison.
Exposition : 1969, Rueil-Malmaison, n° 19.

Malmaison, musée national du Château
(inv. LL 199 A).

Cette épreuve en plâtre (il en existe d'autres, notamment au musée des Beaux-Arts de Dijon), tirée d'après un moule de l'atelier de Chaudet, nous restitue l'image d'une des œuvres les plus célèbres de l'artiste dont le marbre, présenté au Salon de 1810, n° 934 (*cf.* Gérard Hubert, « La collection de sculptures "modernes" réunie par l'impératrice Joséphine dans son domaine privé de Malmaison », dans *La sculpture du XIXᵉ siècle, une mémoire retrouvée*, Rencontres de l'École du Louvre, Paris, 1986, pp. 77-79) se trouve aujourd'hui à l'Ermitage de Leningrad, après avoir appartenu à l'impératrice Joséphine.
Chaudet participa aux concours de l'an II en présentant une esquisse pour le monument à

Jean-Jacques Rousseau : « n° 59 : Figure assise en terre de 11 pouces de haut avec plinthe ornée de bas-reliefs sur un piédestal de 9 pouces » (coll. Deloynes, t. LVI, nᵒˢ 1724 et 1734). Ce modèle lui valut un troisième Prix de 6 000 livres et la possibilité de sculpter « le modèle d'une figure de son choix à exécuter dans la proportion de six pieds » (A.N. F¹⁷ 1056, dos. 8). Ce sera *Cyparisse pleurant un jeune cerf qu'il chérissait et qu'il avait tué par mégarde* (d'après *les Métamorphoses* d'Ovide) dont Chaudet avait déjà exposé un dessin au Salon de 1793. L'artiste reprit donc ce projet pour le Travail d'Encouragement qu'il destinait au gouvernement et dont le plâtre fut exposé au Salon de l'an VI (1798) sous le n° 510. Ce même plâtre figura au concours de l'an VII (1799) (coll. Deloynes, t. LVI, nᵒˢ 1755 et 1758) où Chaudet obtint un premier prix qu'il partagea avec Espercieux (*La Liberté*). Grâce au prix obtenu au concours de l'an VII, il pourra exécuter en tant que Travail d'Encouragement un *Œdipe enfant rappelé à la vie par le berger Phorbas*, dont le plâtre est exposé au Salon de 1801 (n° 411) ; le marbre monumental

terminé par Cartellier et Dupaty après sa mort est au Louvre (inv. N 15.538).
Cyparisse, superbe figure pleine de grâce – le léger contrapposto mettant en valeur la ligne parfaite et l'équilibre du nu, la chute du drapé qui coule contre la jambe, la tendresse du geste caressant la tête de l'animal, le regard attristé de l'adolescent – est le chef-d'œuvre d'une Antiquité – Praxitèle (le *Faune* du Capitole) mais aussi *Antinoüs* (celui du Capitole) – revue et comme adoucie par un styliste privilégiant la ligne et le frémissement de la vie, d'un instant ; l'étreinte de Cyparisse, la délicate approche du papillon/Psyché par *l'Amour* (Louvre), la délivrance de l'enfant Pâris par Phorbas (Louvre) décrivent un geste arrêté dans le temps, un moment privilégié dont le choix amène l'émotion. Ce parti pris de mise en situation du sujet souvent mélancolique, allié à une stupéfiante maîtrise dans l'élégance des corps et des proportions, fait de Chaudet le sculpteur néo-classique (tôt disparu à l'âge de 47 ans) le plus élégiaque de la période.   G.Sc. et B.Ga.

LE CONCOURS DE L'AN VII

1098
Le Sommeil d'Endymion

par Anne-Louis GIRODET-TRIOSON

Huile sur toile. H. 1,98 ; L. 2,61.
Historique : acquis par Louis XVIII avec *Le Déluge* et *Les Funérailles d'Atala* pour 50 000 francs en 1818.
Expositions : 1793, Paris, Salon, n° 296 ; an VII (1799), Paris, Concours ; 1814, Paris, Salon, n° 438 ; 1967, Montargis, n°s 12-13 ; 1982, Stockholm, n° 41.
Bibliographie : Villot, 1883, t. III, n° 251 ; Brière, 1926, n° 361 ; Sterling-Adhémar, 1959, t. II, n° 971 ; F. Boyer, 1967, pp. 241-251 ; cat., 1972, p. 184 ; Rubin, 1978, pp. 47-84 ; Compin-Roquebert, 1986, t. III, p. 282.

Paris, musée du Louvre, département des Peintures (INV. 4935).

Le Sommeil d'Endymion, thème mythologique des amours de Diane et d'Endymion, nous montre le berger Endymion voluptueusement endormi sous un platane ; l'Amour sous la figure de Zéphyr, écarte les feuillages afin que Diane, la lune, puisse caresser de ses rayons le corps de l'adolescent.
Déjà célèbre du vivant de son auteur, ce tableau eut une très grande postérité. Outre les prémices du romantisme, on y entrevoit déjà l'esprit fantastique que Girodet chérira dans ses œuvres postérieures. Mais le succès que ce tableau rencontra au XIXe siècle (Girodet l'exposa de nouveau au Salon de 1814) peut faire oublier que cette œuvre très novatrice date de 1791-1792, conçue à Rome par un jeune peintre alors âgé de 24 ans, pensionnaire à la Villa Médicis. Au Salon de 1793, cet *Endymion. Effet de lune*, comme l'indiquait le livret du Salon, remporta un succès retentissant et l'on célébra l'originalité de cette œuvre qui dut toutefois dérouter ses contemporains par son mystère, le charme ambigu qui s'en dégageait et la façon très personnelle dont Girodet utilisa le « sfumato » inspiré de la Renaissance. Quelque peu à contre-courant de David et de ses suiveurs, Girodet se vit reprocher par la suite son « effet vaporeux et bleuâtre » pour le reproduire sans cesse. En l'an VII, au nouveau Concours qui engageait les artistes à présenter une de leurs œuvres exposées depuis l'an II (coll. Deloynes, t. LVI, n° 1754) Girodet choisit de montrer son *Endymion* du Salon de 1793, ce qui lui valut un Prix d'Encouragement de « première classe » d'un montant de 6 000 francs (coll. Deloynes, t. LVI, n°s 1755 et 1758).
L'arrêté du 4 messidor an VII (22 juin 1799) nous apprend que « l'artiste qui a obtenu le premier prix de peinture prendra pour sujet du tableau qu'il doit livrer au Gouvernement : l'assassinat des Plénipotentiaires français par les troupes autrichiennes » (A.N. F[17] 1056, dos. 5), tableau que Girodet n'exécuta jamais (voir à ce propos cat. 1106). **B.Ga.**

Bélisaire
par Pierre PEYRON
Voir cat. 409.

La Mort de Caïus Gracchus
par Jean-Baptiste TOPINO-LEBRUN
Voir cat. 843.

Le Départ de Régulus pour Carthage
par Jacques-Augustin PAJOU
Voir cat. 835.

1099
Réunion d'artistes dans l'atelier d'Isabey

par Louis-Léopold BOILLY

Huile sur toile. H. 0,715 ; L. 1,10.
Inscription : en bas à droite : « L. Boilly ».
Historique : sans doute commandé par Armand Seguin ; serait encore dans sa famille en 1847 (selon Jules Boilly, fils du peintre) ; coll. Cherubini ; vente anonyme (coll. Cherubini) à Paris, Drouot, 9 mai 1866, n° 3 ; vente, Paris, Drouot, 28 février 1867 ; en 1898 (selon Harrisse), coll. de Mme Monrival qui légua le tableau au Louvre sous réserve d'usufruit à son fils Ph. de Kerhallet mort en 1911 ; le tableau entra alors au Louvre.
Expositions : an VI (1798), Paris, Salon, n° 39 ; an VII (1799), Paris, Concours ; 1930, Paris, n° 5 ; 1934, Venise, n° 134 ; 1935, Paris, n° 92 ; 1939, Paris, n° 1011 ; 1946, Paris, n° 466 ; 1953, Paris, n° 8 ; 1955-1956, Nancy, n° 2 ; 1957-1958, Paris, n° 5 ; 1962, Recklinghausen, n° 6 ; 1972, Londres, n° 31 ; 1972-1973, Anvers, n° 3 ; 1976, Paris, n° 97 ; 1984, Paris, n° 13 ; 1988-1989, Lille, n° 21.
Bibliographie : Gonse, 1874, p. 150 ; Houdoy, 1877, p. 82 ; Harrisse, 1898, pp. 18-19, 54, 75 ; Basily-Gallimaki, 1909, pp. 34, 37 ; Benoit, 1909, p. 460 ; Gauthier, 1911, pp. 484-487 ; Bayle, 1913, p. 177, Marmottan, 1913, pp. 62-64, 200-202, 215 ; Mayor, 1914, pp. 304-306 ; Mayor, 1916, pp. 267-268 ; Brière, 1924, n° 3008 ; Hautecœur, 1929, pp. 52-53 ; Mabille de Poncheville, 1931, pp. 97-101 ; Benisovitch, 1958, p. 371 ; Sterling-Adhémar, 1958, n° 85 ; cat. musée, 1972, p. 35 ; Bordes, 1977, pp. 35-36 ; Bordes, 1979, pp. 206, 208, 211 ; Georgel-Lecoq, 1982-1983, pp. 131-132 ; Eliel, 1984, pp. 11-13 ; Wrighley, 1984, pp. 453-454 ; Eliel, 1985, p. 163 ; Perez, 1986, p. 124 ; Compin-Roquebert, 1986, t. III, pp. 66-67 ; Laveissière, 1988-1989, pp. 14-15 et pp. 52-63.

Paris, musée du Louvre, département des Peintures (inv. R.F. 1290 bis).

Entre le 27 nivôse et le 9 pluviôse an VII (17-29 janvier 1799), Boilly déposait au Louvre la *Réunion d'artistes dans l'atelier d'Isabey*, afin que ce tableau participe au nouveau concours institué par l'arrêté du 10 nivôse an VII (30 décembre 1798) qui invitait les artistes à présenter un de leurs ouvrages « exposés depuis l'an II qu'ils jugeaient le plus digne de concourir ». C'est à partir du 23 ventôse an VII (13 mars 1799) que le jury désigna les artistes primés et, lors de la séance du 1er floréal an VII

Le Sommeil d'Endymion, Prix d'Encouragement décerné à l'issue du Concours de l'an VII (cat. 1098).

...éunion d'artistes dans l'atelier d'Isabey, Prix d'Encouragement décerné à l'issue du Concours de l'an VII (cat. 1099).

(20 avril 1799), Boilly obtint un prix de quatrième classe d'un montant de 2 000 francs qu'il partageait avec quatre autres artistes, dont Pajou fils (cat. 835) et Taillasson (cat. 1092), (coll. Deloynes, t. LVI, nᵒˢ 1755 et 1758).

Quelques années auparavant Boilly avait également souhaité participer au grand concours de l'an II, mais la mouvance politique du moment lui fit retirer ses œuvres le 22 fructidor an II (8 septembre 1794) comme le firent du reste d'autres artistes.

On ne saura donc jamais si le jury qui ne se prononça que le 2 avril 1795 lui aurait accordé un prix.

Le registre de dépôt des œuvres pour le concours de l'an II (A.N. D* XXXVc-1) nous donne en effet à la date du 9 prairial an II (28 mai 1794), sous le nᵒ 1330 : « Le Cᵉⁿ Boilly a déposé au Comité un tableau représentans un *Trait d'héroïsme* et un dessin représentant *Le Triomphe de Marat* portant pour devise : 24 avril. »

La première œuvre est perdue mais connue par la gravure de Petit (Paris, musée Carnavalet) ; la seconde œuvre, restée célèbre, est conservée à Versailles, au musée Lambinet ; Boilly en fit un tableau qui fut achevé par son fils (Lille, musée des Beaux-Arts).

Au concours de l'an VII, Boilly présentait avec le tableau qui nous occupe ici, « le plus ambitieux des portraits jamais peints par lui » (Sylvain Laveissière, 1988-1989, p. 52). Précédemment exposé au salon de l'an VI (1798), le tableau fut très apprécié, peut-être plus encore du public que de la critique. L'œuvre nous présente côte à côte réunis dans l'atelier d'un des peintres les plus célèbres du moment, trente et une figures d'artistes, tous talentueux, la plupart déjà dans la force de l'âge et ayant donc vécu et travaillé durant la période révolutionnaire. Dans un souci d'intérêt documentaire évident nous en donnons ci-après la liste que nous empruntons à l'étude récente et très complète publiée par S. Laveissière (*op. cit.* pp. 52-63) et à laquelle nous renvoyons. On reconnaît de gauche à droite : le musicien E.N. Méhul et l'homme de lettres F.B. Hoffman, P.P. Prud'hon, Ch.L. Corbet, M. Drölling, J. L. Demarne, J.B. Isabey, F. Gérard, N.A. Taunay, J.F.J. Swebach, *dit* Swebach-Desfontaines, Ch. G.A. Bourgeois, peintre en miniatures, Guillaume Guillon *dit* Lethière, Carle Vernet, J. Duplessi-Bertaux, P.F.L. Fontaine, Ch. Percier, Nicolas Anselme *dit* Baptiste aîné, comédien, J.Th. Thibaut, J.F. Van Dael, P.J. Redouté, F.J. Talma, tragédien, Ch. Meynier, L.L. Boilly, S. Chenard, chanteur, J.J.X. Bidauld, A.L. Girodet, A.D. Chaudet, M. Blot, F.F. Lemot, G. Serangeli et J.B.J. Augustin, peintre en miniatures. B.Ga.

1100
Le Génie de la Victoire

par Pierre PETITOT

Statuette, marbre. H. 0,50 ; L. 0,225.
Historique : donné en 1863 par Jules Petitot, petit-fils de l'artiste.
Expositions : an VII (1799), Paris, Concours (?) ; 1900, Paris, Exposition universelle, nᵒ 1760.
Bibliographie : Landon, 1833, p. 69, pl. 40 ; Mettrier, 1867, p. 28 ; cat. Langres, 1886, nᵒ 49, p. 146 ; Lami, 1911, p. 237.

Langres, musées (inv. 863-4-1).

Petitot participa au Concours de l'an VII qui engageait les artistes à présenter « celui de leurs ouvrages exposé depuis l'an deux qu'ils jugeront le plus digne de concourir ». L'artiste exposa un *Génie de la Guerre* qui lui permit d'obtenir un deuxième Prix (coll. Deloynes, t. LVI, nᵒˢ 1755 et 1758). Aucun descriptif de cette œuvre primée n'est conservé et elle n'est pas mentionnée aux livrets des Salons entre 1793 et 1798, mais il se peut — comme d'autres — qu'elle ait figuré à l'un des Salons sans pour autant être indiquée au livret. Au Salon de 1806, Petitot exposa une *Tête de jeune homme en plâtre — Étude représentant le génie français*

Le Génie de la Victoire, identifié hypothétiquement avec le Génie de la Guerre, Prix d'Encouragement décerné à l'issue du Concours de l'an VII (cat. 1100).

vêtu d'un mini-drapé savamment ordonnancé le long des hanches. La jambe gauche en arrière donne à la figure cet aspect de danseur, sans que le contrapposto n'infléchisse la hanche, selon les modèles praxitéliens, par exemple. À la rigueur pourrait-on le rapprocher de l'éphèbe de droite du groupe de *Castor et Pollux* dont un plâtre ornait l'Académie de France à Rome au XVIIIe siècle. Quoi qu'il en soit *Le Génie de la Victoire* est une aberration stylistique : le nu adolescent inspiré du groupe de *Castor et Pollux*, prolongé par une interprétation littérale de la tête de la *Minerve Giustiniani*, est encombré par un drapé à l'agencement fantaisiste et des accessoires de théâtre... Le tout forme une sculpture hybride et fascinante qui nous éloigne des rigueurs doctrinales, et nous oblige à ne pas considérer la sculpture de la période avec un regard théorique trop univoque.   G.Sc. et B.Ga.

1101
L'Amitié

par Pierre CARTELLIER

Statuette, terre cuite. H. 0,70 ; L. 0,225 ; P. 0,175.
Historique : descendants de l'artiste.
Expositions : 1796, Paris, Salon, n° 605 ; 1797, Paris, Salon de l'Élysée, n° 41 ; an VII (1799), Paris, Concours.
Bibliographie : Hubert, 1978, pp. 316-317, fig. 3.

Paris, collection particulière.

Cette œuvre de Cartellier fut publiée par Gérard Hubert, spécialiste de cet artiste. L'activité de Cartellier pendant la Révolution est importante : il réalise un pendentif pour la nef orientale du Panthéon (détruit sous la Restauration), participe au Concours de l'an II pour « la Statue de la Nature Régénérée sur les ruines de la Bastille » en présentant sous le n° 33 une esquisse en terre composée de trois figures de 9 pouces de haut élevée sur une partie sphérique (coll. Deloynes, t. LVI, n°s 1724 et 1734). Cette esquisse lui valut, comme Suzanne, seul autre lauréat de ce concours, un prix pécuniaire d'un montant de 1 000 livres. Au Salon de 1796, Cartellier expose « l'Amitié presse contre son sein un ormeau sec qu'elle arrose en même temps, symbole des secours que l'on doit à un ami malheureux, modèle en terre, deux pieds de proportion » ; la statuette est de nouveau présentée au Salon de l'Élysée en 1797, et l'artiste l'envoie au concours de l'an VII où Cartellier est récompensé par un Prix d'Encouragement de 2 000 francs afin qu'il puisse réaliser un ouvrage de son choix. Une lettre de Chaudet à son ami Cartellier, datée du 9 mars 1799 (publiée par Gérard Hubert, *op. cit.*, p. 328, note 35) lui apprend la bonne nouvelle et l'informe des autres lauréats : Petitot (*Le Génie de la Guerre*, cat. 1010), lui-même (*Cyparisse*, cat. 1097), Espercieux (la *Liberté*, Salon de 1798, n° 523), Lorta (*La Liberté*, Salon de 1795, n° 1052 bis), Blaise (*Cléopâtre*, Salon de 1793, n° 158). L'œuvre est toujours conservée par les des-

avec une esquisse en terre cuite de même sujet (n°s 610-611). Peut-on se permettre d'identifier *Le Génie de la Guerre* du concours de l'an VII avec la terre cuite du salon de 1806, celle-ci étant l'esquisse du marbre de Langres ? Ou bien admettre que ces œuvres, aux titres différents, n'ont rien en commun ? Seuls de nouveaux documents permettront d'étayer ce qui reste une hypothèse de travail.
L'iconographie de l'œuvre est précisée par Landon : « Le Génie de la Victoire, le casque en tête et tenant une épée dans sa main gauche, semble présenter au héros une couronne de laurier. On voit près de lui un bouclier surmonté d'une peau de lion, symbole de la Force. D'un de ses pieds, il écrase la tête d'un monstre. On lit sur la plinthe : *A la gloire des grands Hommes.* »

Cette œuvre curieuse, sophistiquée — l'œil se perd à examiner les nombreux détails et petites fioritures, telles l'attache du drapé sur l'épaule droite, les boucles de cheveux, etc. — est une interprétation très personnelle et singulière de l'Antiquité.
En effet la référence qui semble la plus proche est paradoxalement la *Minerve Giustiniani* (Haskell et Penny, *Taste and the Antique*, Yale, 1981, fig. 140) bien connue et visible à Rome. On retrouve le même casque, les mêmes traits fins et réguliers du visage, le même geste tenant l'arme (une épée, et non la lance de la déesse) ; le Génie écrase la tête d'un monstre saurien comme Minerve écarte de son pied un serpent. Bien entendu, l'aspect final de l'œuvre de Petitot diffère considérablement de cet antique. Le Génie est un adolescent fluet, torse nu et court

cendants du sculpteur avec un dessin préparatoire (Hubert, *op. cit.* fig. 2).

À l'issue du Salon de l'an VIII (1800), Cartellier obtient de nouveau un Prix d'Encouragement pour la «figure de la guerre... 5 000 francs» (coll. Deloynes, t. LVI, n° 1763, n° 412 du livret : «figure de 5 pieds de proportion destinée à être exécutée en pierre à l'extérieur du Palais du Sénat Conservateur»).

L'Amitié eut une grande faveur auprès des sculpteurs de l'Ancien Régime — de Pigalle à Moitte — et fut un des thèmes de prédilection des artistes soucieux de diffuser des statuettes d'amateur. L'iconographie en fut établie par Césare Ripa (nombreuses rééditions au XVIIIe siècle) et par l'*Almanach iconologique ou des arts* (1765), illustré par Gravelot et Cochin, dont une réédition parut en 1791.

Le style de Cartellier ici s'affirme dans une recherche de néo-classicisme raffiné qui s'épanouit avec la *Pudeur* (aujourd'hui au Rijksmuseum d'Amsterdam), exécutée en marbre pour Joséphine Bonaparte (plâtre exposé au Salon de 1801), et qui fut réalisée à la suite précisément de l'Encouragement donné en 1799.

L'Amitié tenant délicatement son amphore, nous paraît comme une des dernières expressions du premier néo-classicisme «à la grecque» qui marqua le style Louis XVI, illustré par les statuettes de Julien, Clodion et Boizot. La personnalité artistique de Cartellier en cette fin du XVIIIe siècle — allongement des figures, drapé au tissu très fin ménageant une multitude de plis, poses légèrement maniérées — est comme le prolongement d'un style ancien bientôt atteint par le dogmatisme théorique et l'influence monolithique de Canova.

G.Sc. et B.Ga.

L'Amitié, Prix d'Encouragement décerné à l'issue du Concours de l'an VII (cat. 1101).

LES PRIX D'ENCOURAGEMENT DU SALON DE L'AN VII

Le Retour de Marçus Sextus
par Pierre-Narcisse GUÉRIN
Voir cat. 842.

Le Triomphe du peuple français au 10 Août
par Philippe-Auguste HENNEQUIN
Voir cat. 826.

1102
Aristomène, général des Messéniens

par Jean-Baptiste DEBRET

Huile sur toile. H. 2,93 ; L. 3,25.
Historique : don de M. Lazard, architecte, au musée des Beaux-Arts de Montpellier en 1842.
Exposition : an VII (1799), Paris, Salon, n° 67.
Bibliographie : cat. Montpellier, 1879, n° 402, p. 103 ; cat. Montpellier, 1904, n° 138, p. 43 ; cat. Montpellier, 1859, n° 101 ; Bellier-Auvray, 1882, t. I, p. 368 ; de Mirimonde, 1966, pp. 211-212.

Montpellier, musée Fabre (inv. 842.2.2).

C'est au Salon de l'an VII que Debret présenta ce tableau qui lui valut, avec sept autres artistes, un Prix d'Encouragement de deuxième classe d'un montant de 4 000 francs (coll. Deloynes, t. LVI, n° 1761 ; A.N. F¹⁷ 1056, dos. 6).

Aristomène, roi et général des Messéniens, vers 684 avant J.-C., fait prisonnier par les Crétois, parvint à s'échapper grâce à l'aide d'une vieille femme et de sa fille qui avaient enivré les archers crétois. Le tableau nous dépeint l'instant où Aristomène, cuirassé et casqué, avance ses deux mains liées vers la jeune fille qui en tranche les liens avec une épée. Derrière eux, une vieille femme les éclaire avec un flambeau dont elle cache la lumière de la main pour ne pas réveiller les gardes endormis. Par la porte ouverte, le clair de lune offre une autre source lumineuse. Ce très curieux nocturne que n'auraient pas démenti les suiveurs de Caravage dut sans doute surprendre les émules davidiens. Il fut en tout état de cause apprécié des membres du jury qui lui attribuèrent un prix tout à fait honorable.

Ce tableau de grandes dimensions, considéré comme perdu en 1966 (de Mirimonde, p. 212) est en fait toujours au musée de Montpellier mais son état nécessitant une très importante restauration, il nous a été impossible de le présenter ici.   B.Ga.

1103
Dédale et Icare

par Charles-Paul LANDON

Huile sur bois. H. 0,54 ; L. 0,44.
Historique : acquis par l'État sans doute peu après le Salon de 1799, orna l'appartement de Mme Bonaparte ; figure dans l'inventaire Napoléon de 1810 (arch. Louvre, 1 DD 18, n° 1900) ; déposé en 1861 au musée d'Alençon.
Expositions : an VII (1799), Paris, Salon, n° 176 ; 1974-1975 (1), Paris, Grand Palais, n° 116, p. 517 ; 1977, Alençon, n° 45, p. 29.
Bibliographie : Landon, 2ᵉ éd., 1873, t. II, pp. 13-16 ; Vilain, 1974-1975 (1), pp. 516-517 ; Foucart, 1987, p. 45.

Alençon, musée des Beaux-Arts.

« Dédale et Icare se sauvent du labyrinthe où Minos les avait enfermer (sic). Ils s'attachèrent des ailes pour en sortir. Le fils s'envole, le père s'élance pour le suivre » (Landon, 1873, p. 13). Landon obtint à l'issue du Salon de l'an VII (1799) un Prix de deuxième classe d'un montant de 4 000 francs (coll. Deloynes, t. LVI, n° 1761 ; A.N. F¹⁷ 1058, dos. 6) sur présentation de cette œuvre.
Ce petit tableau très précieux de par son format et sa technique — il est peint sur bois avec une grande finesse de trait — n'en est pas moins très représentatif de l'art de l'époque par son style épuré et ce rendu lisse des anatomies qui débouchera sur un certain académisme.

B.Ga.

1104
Jeune Femme surprise par un orage

par le chevalier Féréol de BONNEMAISON

Huile sur toile. H. 1,00 ; L. 0,80.
Historique : coll. de l'artiste ; figure à sa vente après décès le 17 avril 1827, n° 88 ; coll. Louis B. Thomas ; entré au musée de Brooklyn en 1924.
Expositions : 1799, Paris, Salon, n° 29 ; 1974-1975 (1). Paris, Grand Palais, n° 11.
Bibliographie : coll. Deloynes, t. XXI, nᵒˢ 560-561, n° 567, n° 580, n° 582 ; Bellier-Auvray, 1882, t. I, p. 119 ; Vilain-Julia (1), 1974-1975, pp. 329-330.

New York, The Brooklyn Museum (inv. 71.138.1).

Si cette jeune femme au regard éploré, à demi

Aristomène, général des Messéniens, Prix d'Encouragement décerné à l'issue du Salon de l'an VII (cat. 1102).

Dédale et Icare, Prix d'Encouragement décerné à l'issue du Concours de l'an VII (cat. 1103).

Jeune femme surprise par un orage, Prix d'Encouragement décerné à l'issue du Salon de l'an VII (cat. 1104).

nue et transie de froid ne nous touche plus guère aujourd'hui, elle ne laissa sans doute pas indifférent le public du Directoire dont le goût s'attachait de plus en plus aux scènes buco-liques et sentimentales. Dans l'ensemble, la critique accueillit favorablement ce tableau dont on loua à l'unanimité le rendu très habile du drapé et la finesse de la touche. Par ailleurs, il est significatif de l'évolution du goût que le jury chargé de la distribution des Prix d'En-couragement à l'issue du Salon de l'an VII ait doté cette œuvre d'un Prix de quatrième classe d'un montant de 2 000 francs (A.N. F¹⁷ 1058, dos. 6), prix dont onze autres artistes bénéfi-cièrent également (coll. Deloynes, t. LVI, n° 1761).

Ce tableau étonnant appartient au XVIIIᵉ siècle de par sa date mais annonce bien plus encore le XIXᵉ siècle et le romantisme naissant.

B.Ga.

Le Combat de la corvette la Bayonnaise
par Louis-Philippe CRÉPIN
Voir cat. 689.

1105
Entrée de l'armée française à Naples, le 21 janvier 1799

par Jacques TAUREL

Huile sur toile. H. 1,59 ; L. 2,57.
Historique : entré dans les collections nationales en 1832, transféré à Versailles sous Louis-Philippe.
Exposition : an VII (1799), Paris, Salon, n° 315.
Bibliographie : Soulié, 1859, t. I, p. 468, n° 1495 ; Pérate et Brière, 1931, p. 34, n° 533 ; Constans, 1980, p. 125, n° 4307 ; Vovelle, 1986, t. V, pp. 282-283.

Versailles, musée national du Château (INV. 8134 - MV 1495).

Entrée de l'armée française à Naples, le 21 janvier 1799, Prix d'Encouragement décerné à l'issue du Salon de l'an VII (cat. 1105).

Commandée par le général autrichien Mack von Leiberich, l'armée napolitaine envahit la République romaine le 23 novembre 1798. La France se raidit à l'annonce de la prise de Rome et du massacre des Jacobins et le 6 décembre le Directoire déclarait la guerre au roi des Deux-Siciles. Naples est bientôt désertée par la famille royale, inquiétée de l'avance des forces françaises conduites par Championnet. La ville a été mise à sac par une partie de la population et Mack von Leiberich, ne pouvant à la fois faire face à l'armée française et aux pillards, demande l'armistice à Championnet le 11 janvier 1799. Ce dernier pénètre dans Naples à la tête des troupes françaises le 21 janvier suivant et proclame, malgré les injonctions du Directoire, la République parthénopéenne qui ne durera que six mois, les envahisseurs français ayant été rapidement repoussés par les paysans insurgés.

Taurel a représenté l'entrée de l'armée française, dont les hussards forment l'avant-garde et devant lesquels fuit le petit peuple napolitain, tandis que les navires brûlent dans le port ou prennent le large ; les soldats combattent les habitants de la ville décidés à se défendre jusqu'au bout, ceux-là même dont la reine Marie-Caroline devait dire : « Le petit peuple est encore ce qu'il y a de moins mauvais. »

Au livret du Salon de 1799, Taurel exposa cette œuvre sous le titre de : *Tableau, marine*, privilégiant ainsi plus le paysage que le sujet historique de la scène qu'il avait choisi de situer non loin du port « au bord de la mer, sur le chemin qui conduit à Portici », comme le pécise le texte du livret.

Les épisodes contemporains illustrent les luttes extérieures auxquelles devaient faire face le gouvernement ne furent pas les sujets de prédilection des artistes. De ceux qui reçurent des Prix d'Encouragement sur de tels sujets, on peut citer ce même Taurel primé au concours de l'an II sur deux esquisses qui lui permirent d'exécuter avec son Prix de 6 000 livres *L'Incendie du port de Toulon* (cat. 1095) et Taunay, autre participant de ce même concours qui réalisa *L'Extérieur d'un hôpital militaire provisoire* (cat. 1087) grâce à un Prix de 9 000 livres.　　　　　J.Be. et B.Ga.

1106
Projet d'un monument commémoratif de l'assassinat des ministres plénipotentiaires à Rastadt, le 28 avril 1799

par Louis-Pierre BALTARD

Huile sur toile. H. 1,30 ; L. 0,97.
Historique : entré dans les collections du musée en 1799 ; quitte le Louvre en 1872 (« province », sans localisation, selon l'inventaire Villot) ; en 1972 au dépôt des œuvres d'art de l'État, rue de la Manutention.
Exposition : an VII (1799), Paris, Salon, n° 11.
Bibliographie : Compin-Roquebert, 1986, p. 40.

Paris, musée du Louvre, département des Peintures (INV. 2405 - M.R. 1165).

Dans un rapport au ministre de l'Intérieur en date du 20 messidor an VII (8 juillet 1799) sur « l'indication des Travaux d'Encouragement », il est exposé que « l'artiste qui a obtenu le premier Prix de Peinture sera chargé de peindre l'Assassinat de nos Ministres près de Rastadt [...] » (A.N., F¹⁷ 1056, dos. 5 et 13).

Ces Prix d'Encouragement furent distribués à l'issue du Concours de l'an VII par l'arrêté du 10 nivôse (30 décembre 1798) qui devait permettre aux artistes de présenter « celui de leurs ouvrages exposés depuis l'an II qu'ils jugeront le plus digne de concourir » (coll. Deloynes, t. LVI, n°ˢ 1754, 1755 et 1758). La distribution des prix par le Jury des Arts se fit à partir du 23 ventôse an VII (13 mars 1799). Girodet obtint, pour la peinture, le premier prix. Chargé de représenter *L'Assassinat des ministres plénipotentiaires à Rastadt*, Girodet posa de multiples conditions (lettre au ministre de l'Intérieur du 24 messidor an VII (12 juillet 1799, A.N. F¹⁷ 1056, dos. 13) qui firent avorter le projet assez vite, le gouvernement n'ayant semble-t-il pu répondre aux exigences de l'artiste ; nous n'avons, en effet, pas trace de dessins ou d'esquisses de l'artiste sur ce vaste projet (le tableau devait mesurer 10 mètres de long sur 5 de haut...).

En revanche, Baltard qui participa également au concours de l'an VII, reçut le 27 ventôse (17 mars) un « prix de septième classe sur un dessin de paysage » (coll. Deloynes, t. LVI, n° 1755) et quelques mois plus tard, il présentait au Salon sous le n° 11 : « un tableau représentant un projet de monument consacré à rappeler la mémoire de l'assassinat des Ministres français à Rastadt », Prix d'Encouragement accordé dans la séance du Jury des Arts, le 27 ventôse an VII de la République.

Lors de la distribution des nouveaux Prix d'Encouragement qui avait lieu à l'issue du Salon, Baltard obtint de nouveau pour ce tableau un prix de cinquième classe d'un montant de 1 000 francs (coll. Deloynes, t. LVI, n° 1761 ; A.N. F¹⁷ 1058, dos. 6).

Ce dramatique épisode de l'assassinat des plénipotentiaires français se situe près de Rastadt où se débattaient les conditions de paix entre la France et l'Empire germanique. Les négociations se faisant dans un climat de plus en plus tendu, les diplomates français, craignant pour leur sûreté, quittèrent Rastadt. Toute escorte leur ayant été refusée, ils furent attaqués à la sortie de la ville par les hussards de Szeckler ; deux d'entre eux, Bonnier et Roberjot trouvèrent la mort, le troisième, Jean Debry (ou De Bry) quoique grièvement blessé, réussit à s'échapper.

Baltard nous présente ici une scène dénuée de tout élément mélodramatique. Sur une route boisée au bord de laquelle une haute colonne commémorative rappelle l'emplacement de l'attentat, deux cavaliers passent, symboles des deux émissaires assassinés. Il ne s'agit pas pour l'artiste de représenter la scène mais d'exposer un projet de monument ; en effet, Baltard, également peintre et graveur, est avant tout architecte — il cessera totalement de peindre après 1800 — et c'est un projet d'architecture qu'il nous présente et non un tableau d'histoire.

Sur le socle de la colonne commémorative se lisent les inscriptions :

A BONNIER   A ROBERJOT
ILS SONT MORTS POUR LA PATRIE
FRAPPÉS PAR LES ASSASSINS GAGÉS
DU GOUVERNEMENT ANGLAIS

sur la partie haute :

A LA MÉMOIRE
GLORIEUSE
DES VENGEURS
DE L'HUMANITÉ
OUTRAGÉE
A RASTADT.

B.Ga.

1107
Du Guesclin

par Jean-Joseph FOUCOU

Statue, marbre. H. 2,14.
Inscription : « J.J. Foucou, L'an. 7 »
Historique : commandé par le comte d'Angiviller en 1788, achevé sous le Directoire ; au musée central des Arts ; transporté en brumaire an VIII au château des Tuileries puis à la Colonnade du Louvre ; 1837, musée historique du château de Versailles.
Exposition : 1799, Paris, Salon, n° 423.
Bibliographie : Clarac, 1832-1834, n° 2661, pl. 369 ; Soulié, 1855, t. II, n° 1834 ; Lami, 1910, p. 352 ; Brière, 1911, n° 1852 ; Furcy-Raynaud, 1927, pp. 144-148.

Versailles, musée national du Château
(inv. M.R. 1855 - M.V. 2795).

Cette statue fut commandée par le comte d'Angiviller à la réception d'une lettre de Foucou, datée du 15 juillet 1787 (citée dans Furcy-Raynaud, *op. cit.*). L'artiste réclamait la faveur d'une commande : « Je suis le seul académicien qui n'ait pas eu cet honneur. » Il est vrai qu'il fut un peu délaissé par les Bâtiments du roi. En 1768 il avait vu son premier Prix de sculpture refusé par l'Académie au profit d'un protégé de Pigalle (Moitte), ce qui avait été l'occasion d'un joli scandale et d'une « insurrection » des élèves de l'Académie en faveur de Foucou ; ce dernier fut consolé le mois suivant en obtenant le Prix de la meilleure figure d'expression (voir C. Michel, « les Conseillers artistiques de Diderot », *Revue de l'Art*, n° 66, 1984, p. 14). Foucou subit de nouveau un affront de l'Académie lorsque, de retour de Rome, son morceau de réception, *Marsyas*, fut refusé : il

dut en proposer un second, un *Fleuve*, grâce auquel il fut définitivement reçu académicien le 30 juillet 1785. On peut penser que ces épisodes marquèrent profondément l'artiste.

Foucou exposa le modèle en plâtre de *Du Guesclin* au Salon de 1789 ; en 1790 le marbre lui fut livré, le gouvernement ayant accepté d'achever de payer à l'artiste cette commande de l'Ancien Régime pour un montant de 10 000 francs, dont le dernier paiement lui fut remis le 15 vendémiaire an VIII (7 octobre 1799) (A.N. F[17] 1056, dos. 9).

Une fois son marbre achevé, il l'exposa au Salon de 1799. Il n'y eut pas cette année-là de premier Prix d'Encouragement en Sculpture ; il obtint un deuxième Prix de 3 000 francs avec Gois fils (coll. Deloynes, t. LVI, n° 1761).

L'œuvre de Foucou, ultime « Homme illustre » de la série décidée par d'Angiviller représente un des plus célèbres chefs militaires de l'Histoire de France, le seul de son état à avoir l'honneur de reposer à Saint-Denis parmi les rois, près de Charles V. Sa présence dans la galerie de portraits rappelait opportunément en 1799 le souvenir de la guerre de Cent Ans et du combat contre l'éternel ennemi, l'Angleterre. Le livret du Salon de 1789 précise l'iconographie : « À la célèbre journée de Cocherel, où du Guesclin remporta la victoire sur les Anglois, il couroit partout les bras nuds & l'épée ensanglantée à la main, criant aux François, vaillants compagnons la victoire est à nous [...] » Le texte fut repris intégralement en 1799, et on doit en mesurer la résonance dans l'actualité militaire de l'époque.

Foucou s'est ici montré fidèle aux lois de la série des « Grands Hommes », privilégiant, dans la majorité des cas, l'exactitude du cos-

Projet d'un monument commémoratif de l'assassinat des ministres plénipotentiaires à Rastadt, le 28 avril 1799, Travail d'Encouragement exécuté grâce au Prix d'Encouragement décerné à l'issue du Salon de l'an VII (cat. 1106).

Du Guesclin, commande de l'Ancien Régime, Prix d'Encouragement décerné à l'issue du Salon de l'an VII (cat. 1107).

tume historique et la description d'un moment privilégié dans l'action. Le visage aux traits épais semble bien différent de celui du gisant de Saint-Denis exécuté au XIVe siècle par Privé et Loisel, que l'artiste dut pourtant connaître avant son installation au musée des Monuments français. On n'y retrouve pas les grosses lèvres et la fine moustache inventées par Foucou ; de même ce dernier a rehaussé le personnage, notoirement petit, et, afin de permettre la torsion volontaire et évocatrice du cou – nous sommes dans le feu de l'action –, et la mise en valeur du beau « morceau de sculpture » qu'est le heaume, il a supprimé le trait que rapportent les chroniqueurs de l'époque soulignant combien Du Guesclin avait la tête ramassée dans les épaules (communication orale de Françoise Baron). Le nez très proéminent est-il une évocation de celui du gisant, martelé sous la Révolution, et maladroitement refait par Alexandre Lenoir ?   G.Sc. et B.Ga.

1108
Vénus désarmant l'Amour

par Auguste-Gaspard-Louis DESNOYERS, ou BOUCHER-DESNOYERS, d'après Henri et Robert Lefèvre

Gravure au pointillé. 1er état : H. 0,521 ; L. 0,354 ; 2e état : H. 0,604 ; L. 0,453.
Inscription : 1er état, à gauche : « Robert Lefevre pinxit » ; à droite : « Aug. Desnoyers Sculpsit » ; et dessous : « Vénus désarmant l'amour » ; 2e état, à gauche : « Robert Lefevre pinxit » ; à droite : « Henri delt Aug. Desnoyers Sculpsit 1799 » ; sous le titre : « A

Paris chez Martin, Md d'estampes / Rue des Fossés Montmartre, no 25, près de la place des Victoires. »
Exposition : an VII (1799), Paris, Salon, no 604.
Bibliographie : Renouvier, 1863, pp. 299-300 ; Beraldi, 1886, t. IV, pp. 200-201 ; Le Blanc, 1888, t. II, p. 118, no 23 ; Adhémar et Lethève, 1953, t. VI, p. 420, no 5.

Paris, Bibliothèque nationale, cabinet des Estampes Ef. 182a Rés).

Dans la distribution des Prix d'Encouragement de l'an VII, la gravure fut assez peu récompensée, si l'on considère que les prix de « première classe » d'un montant de 6 000 francs et les prix de « seconde classe » d'un montant de 4 000 francs ne furent par distribués (A.N. F17 1058, dos. 6). En effet, seuls figurent les prix de « troisième classe » de 3 000 francs. Outre Desnoyers avec la gravure que nous présentons ici, trois autres artistes bénéficièrent d'un Encouragement de 3 000 francs, Godefroy avec le portrait gravé de la *Citoyenne Barbier-Walbonne* (no 605 du livret), Massard fils avec une *Assemblée des dieux pour les noces de Psyché et de l'Amour* (no 617), Roger avec les *Amours de Daphnis et Chloé*, d'après Prud'hon (no 625) (coll. Deloynes, t. LVI, no 1761).
Tous, hormis un portrait, traitent de sujets issus de la mythologie qui revient au goût du jour. Cette *Vénus désarmant l'Amour* fut exécutée d'après un dessin par Henri du tableau de Robert Lefèvre.
Desnoyers, plus connu par ses travaux sous l'Empire, étudia le dessin chez Lethière et débuta vers 1796. Ce Prix de 3 000 francs lui permit d'exécuter *L'Espérance soutient l'homme jusqu'au tombeau* qui figura au Salon de l'an IX (cat. 1109).   B.Ga.

1109
L'Espérance soutient l'homme jusqu'au tombeau

par Auguste-Gaspard-Louis DESNOYERS, ou BOUCHER-DESNOYERS, d'après Caraffe

Gravure au burin. H. 0,297 ; L. 0,360.
Inscription : sous le trait : « d'après l'esquisse d'A. Caraffe » ; à droite : « Aug. Desnoyers » ; au milieu : « enregistré le XXI brumaire an X » / « l'Espérance soutient le malheureux jusqu'au tombeau. » / « Prix d'Encouragement pour la gravure de l'an 7 » / « cette estampe se vend à la Calcographie du Musée central des Arts. »
Exposition : an IX (1801), Paris, Salon, no 608.
Bibliographie : Renouvier, 1863, pp. 299-300 ; Beraldi, 1886, t. IV, pp. 200-201 ; Le Blanc, 1888, t. II, p. 218, no 22 ; Adhémar et Lethève, 1953, t. VI, p. 421, no 8.

Paris, collection particulière.

Desnoyers obtint à l'issue du Salon de l'an VII (1799) un Prix d'Encouragement de 3 000 francs (cat. 1108) qui lui permit d'exécuter cette gravure qu'il présenta au Salon de l'an IX (1801) : « no 608 : L'Espérance soutient l'homme jusqu'au tombeau, d'après une esquisse du Cit. Caraffe. Cette gravure est un Prix d'Encouragement. » Il s'agit de la première gravure en taille-douce dont Desnoyers soit l'auteur. On notera que si c'est un sujet mythologique qui lui permit d'obtenir un Encouragement, il s'essaya dans un genre plus noble pour celle qu'il fit grâce à ce prix.   B.Ga.

Vénus désarmant l'Amour, Prix d'Encouragement décerné à l'issue du Salon de l'an VII (cat. 1108).

L'Espérance soutient l'homme jusqu'au tombeau, Travail d'Encouragement exécuté grâce au Prix d'Encouragement décerné à l'issue du Salon de l'an VII (cat. 1109).

La Concorde, Travail d'Encouragement exécuté grâce au Prix d'Encouragement décerné à l'issue du Concours de l'an II (cat. 1110).

1110
La Concorde

par Pierre PETITOT

Groupe, plâtre. H. 0,65 ; L. 0,965 ; P. 0,35.
Historique : don Pierre ou Louis Petitot, avant 1847.
Expositions : 1799, Paris, Salon, n° 434 ; 1802, Paris, Salon, n° 440 ; 1900, Paris, Exposition universelle, 8ᵉ Exposition centennale, n° 1761 ; 1986, Paris, Grand Palais, pp. 290-291, cat. 178.
Bibliographie : Landon, 1833, pp. 70-71, pl. 41 [le grand plâtre] ; Mettrier, 1869, pp. 26-27 ; cat. Langres, 1886, n° 50, p. 146 ; Lami, 1911, p. 236.

Langres, musées (inv. 847-4-1).

Au Salon de 1799, Pierre Petitot exposa « *la Concorde,* esquisse en plâtre. Projet d'exécution du Prix d'Encouragement obtenu par l'auteur au Concours de l'an VII. » En effet, quelques mois auparavant le jury de ce Concours avait décerné à Petitot un deuxième prix pour un *Génie de la Guerre* (cat. 1100). Grâce à ce prix, ce petit modèle de *La Concorde,* aujourd'hui au musée de Langres, fut présenté de nouveau au Salon de 1802 avec le modèle en grand ; ce dernier mentionné à tort « Prix d'Encouragement » dans le livret est en réalité un « Travail d'Encouragement » : « Si celui-ci n'est pas exécuté en entier, comme le modèle, c'est que l'artiste a désiré connaître l'opinion publique. » (Livret du Salon de 1802.) L'œuvre était destinée à être réalisée en marbre afin d'orner le centre de la place de la Concorde, nouvellement baptisée, et remplacer la statue de la *Liberté* de Lemot détruite après le 18 Brumaire.

De nombreux projets par différents artistes comme Caraffe, Détournelle et Carlo-Luca Pozzi (*cf.* catalogue de l'exp. : *De la place Louis XV à la place de la Concorde,* Paris, musée Carnavalet, 1982, nᵒˢ 136, 137 et 138) avaient été dessinés dès 1796. En mai 1800 eut lieu, à l'instigation de Lucien Bonaparte, un concours afin d'ériger « une grande colonne nationale au milieu de la place de la Concorde » ; le lauréat Charles Moreau exécuta une maquette grandeur nature pour le 14 juillet 1801. Le projet de Petitot était ainsi définitivement écarté.
L'artiste fut clairement inspiré par l'Antiquité romaine : la déesse est impeccablement vêtue du chiton et d'un voile aux longs plis tuyautés ; la ceinture marquant la taille haute lui donne néanmoins une certaine allure Directoire... ; comme le souligne longuement Landon, la Concorde était honorée à Rome où elle est représentée en digne matrone sur plusieurs médailles.
L'idée du cortège est empruntée à l'iconographie révolutionnaire. Le char de la Concorde dérive explicitement des cortèges tirant les statues de la Liberté – comme celui de la fête des soldats de Châteauvieux, le 15 avril 1792, ordonnancée par David – ou les bustes des martyrs de la Révolution – procession de la section du Muséum, 16 octobre 1793 – ; l'idée était belle de réconcilier l'image du triomphe avec l'ensemble des Français, la Concorde étant une divinité immuable et consensuelle : elle devait être sculptée en marbre.
L'iconographie du groupe de Petitot fait appel également aux anciennes représentations du « Bon gouvernement », et plus particulièrement à l'esthétique de Diderot, natif de Langres

comme le sculpteur, et à son goût pour l'allégorie. La présence du lion et de l'agneau, l'« union du fort et du faible pour concourir au bien général » (livret du Salon de 1802) – déjà prévue aux côtés de la Loi par Prud'hon dans son allégorie de la Constitution de l'an I, gravée en 1798 (cat. 903) : Prud'hon, son ami et ancien condisciple à Rome, colauréat des prix dijonnais de 1784 – rappelle le loup et l'agneau du monument royal de Reims sculpté par Pigalle sous l'influence de son ami philosophe, certainement le monument phare du siècle des Lumières. Un tel réseau de références – l'antique, les Lumières, l'iconographie révolutionnaire – alourdit quelque peu cette œuvre symbolique. Mais Petitot ne pouvait être indifférent à cette image réconciliatrice : emprisonné sous la Terreur pour « avoir mal parlé des Jacobins » (Mettrier, p. 20), il fut libéré après Thermidor. Nul doute que le monument de *La Concorde* le concernât tout particulièrement.

G.Sc. et B.Ga.

1111
Une jeune femme allaitant sa mère
condamnée à mourir de faim en prison

par Étienne-Barthélemy GARNIER

Huile sur toile. H. 2,42 ; L. 2,95.
Historique : entré dans les collections de l'État après le Salon de 1801 ; placé chez le comte Mollien, ministre du Trésor ; dépôt de l'État au musée de Pont-de-Vaux en 1872 ; partiellement déroulé en 1971 ; non retrouvé en 1988.

Exposition : an IX (1801), Paris, Salon, n° 143.
Bibliographie : Cuzin, 1974-1975 (1), p. 423.

Pont-de-Vaux, musée des Beaux-Arts
(INV. 4680-M.R.1724).

Déjà primé au concours de l'an II (cat. 1093), Garnier obtint de nouveau un Prix d'Encouragement le 23 ventôse an VII (13 mars 1799) en présentant comme « tableau qu'il jugeait le plus digne de concourir » son *Dédale et Icare* qui avait figuré au Salon de 1795 (n° 214) (coll. Deloynes, t. LVI, n°s 1755 et 1758). Il obtint, tout comme Regnault (cat. 828), un prix de deuxième classe qui lui permit d'exécuter *Une jeune femme allaitant sa mère...* Ce tableau, une fois exposé au Salon, entra dans les collections de l'État comme le voulait le règlement du Concours.

Exemple louable de piété et d'amour filial, cet « exemplum virtutis » féminin trouve son origine chez Valère-Maxime (Lib. V, chap. IV, *ex romani* 7) dont l'artiste fit figurer un large extrait explicatif au livret du Salon et que nous reproduisons ici :

« Une femme de condition libre fut condamnée, pour crime capital, par le préteur, qui, de son tribunal, la livra à l'un des triumvirs chargés d'exécuter les jugemens pour qu'il la fit mourir dans la prison. Lé geolier qui la reçut, touché de compassion, différa son supplice. il laissa même entrer la fille de cette femme ; mais en surveillant attentivement à ce qu'elle n'introduisit aucune nourriture, estimant que, faute d'alimens, elle périrait. Après un intervalle de plusieurs jours, réfléchissant à ce qui pouvait la soutenir si long-tems, il observa avec bien plus de curiosité et remarqua la fille, le sein découvert, calmant avec son lait la faim cruelle de sa mère. Ce spectacle si admirable et si nouveau, dont il fit le rapport au triumvir, puis au préteur, et du préteur aux juges assemblés, obtint la grâce de cette femme. En quel lieu ne pénètre pas la piété filiale et que n'imagine-t-elle pas, puisqu'elle trouve ainsi le moyen de sauver les jours d'une mère au fond même d'une prison !... Rien de plus extraordinaire qu'une femme alaitée par sa fille. On croirait ce fait contraire à l'ordre de la nature, si chérir ceux de qui l'on a reçu la naissance n'était pas sa première loi. »
B.Ga.

1112
Ruines d'une église gothique
avec un pont dans le lointain couverts de neige

par Jules-César-Denis VAN LOO

Huile sur toile. H. 1,37 ; L. 1,75.
Inscription : en bas à gauche : « César Van Loo l'an 99. »
Historique : entré dans les collections de l'État en 1801, déposé à Trianon sous l'Empire et sous la Restauration, puis à Compiègne sous le second Empire, au Louvre en 1875 ; envoyé à la maison de la Légion d'honneur à Saint-Denis de 1877 à 1887 et enfin déposé à Fontainebleau en 1902.
Expositions : an IX (1801), Paris, Salon, n° 348 ; 1974-1975 (1), Paris, Grand Palais, n° 184, pp. 641-642.
Bibliographie : Lossky, 1966, pp. 186-188.

Fontainebleau, musée national du Château
(M.R. 2557, INV. 6392).

César Van Loo, issu d'une longue et brillante lignée de peintres, se fit, après 1799, une spécialité de ce type de paysage hivernal dont, semble-t-il, il était alors le seul représentant en France. Ceci lui valut un succès honorable auprès du public et des artistes. Ses effets de neige lui permirent, en effet, d'obtenir des Prix d'Encouragement à quatre Salons successifs de 1799 à 1802. Ainsi, en 1799, sa *Vue des montagnes du Piémont couvertes de neige* (tableau perdu) lui valut un prix de quatrième classe de 2 000 francs (A.N. F17 1058, dos. 6, et coll. Deloynes, t. LVI, n° 1761) ; au Salon de 1800, il reçoit un nouveau prix de 2 000 francs pour *Soleil couchant. Composition* (tableau perdu) (coll. Deloynes, t. LVI, n° 1763). Grâce à ces prix, il put exécuter deux tableaux, *Un incendie*, exposé en 1802 (n° 291 du livret) portant la mention « Ce tableau est un Prix d'Encouragement » dans le sens « Travail d'Encouragement » et ce tableau-ci, daté de 1799, mais exposé en 1801 avec cette même indication au livret.

Par ailleurs, le texte du livret nous indique avec précision que « cette composition est le résultat de plusieurs études faites d'après nature dans le Piémont ». En effet, ce goût pour les effets de neige gagna l'artiste durant son séjour près des Alpes italiennes entre 1791 et 1795. Il dut ainsi rapporter un grand nombre de croquis qu'il utilisa par la suite pour réaliser des tableaux inspirés de sites italiens.

Le tableau du Salon de 1801, avec la présence imposante des ruines de cette église, est tout à fait dans la tradition du XVIIIe siècle dont on connaît le goût pour les paysages pittoresques avec ruines (Hubert Robert et La Joue nous en ont laissé de superbes exemples) ; mais surtout, avec sa cathédrale quelque peu inquiétante sous le ciel d'hiver, cette œuvre préfigure le paysage romantique du XIXe siècle. En particulier, nous ne sommes pas si éloignés des ruines gothiques et arbres morts sur fond de paysage enneigé d'un Gaspar-David Friedrich.
B.Ga.

1113
Départ pour une noce de village
ou *La Noce comtoise*

par Jean-Louis DEMARNE

Huile sur toile. H. 0,76 ; L. 0,97.
Historique : au musée du Luxembourg en 1810 (M.R.1457) ; déposé au palais de Compiègne en 1922 ; envoyé au musée de Besançon en 1953.
Bibliographie : Villot, 1855, t. III, n° 340 ; C.P. 1924, n° 223 ; Brière, 1925, n° 67 ; Watelin, 1962, p. 199.

Besançon, musée d'Histoire, palais Granvelle
(inv. D.954.13.1).

Cette *Noce comtoise* est très représentative de l'art de Demarne, paysagiste et peintre de genre fécond, influencé par l'art flamand et hollandais du XVIIe siècle.

Cet artiste affectionna particulièrement les scènes champêtres situées en pays comtois, région où il séjourna fréquemment et dont il s'inspira pour plusieurs tableaux exposés régulièrement aux Salons.

Il s'agit ici d'un départ pour une noce où, comme à son habitude, l'artiste mêle animaux et figures campagnardes dans un paysage baigné d'une superbe lumière qui doit beaucoup à la peinture hollandaise du siècle précédent. La scène dépeinte est à la fois rustique, anecdotique et pleine de gaieté campagnarde,

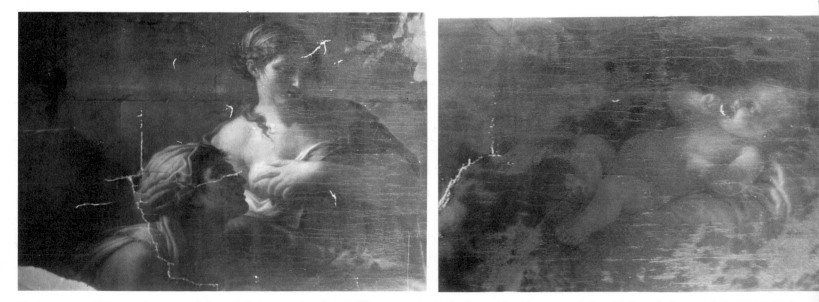

Une jeune femme allaitant sa mère condamnée à mourir de faim en prison, Travail d'Encouragement exécuté grâce au Prix d'Encouragement décerné à l'issue du Concours de l'an VII (cat. 1111, fragmen

Ruines d'une église gothique, Travail d'Encouragement exécuté grâce au Prix d'Encouragement décerné à l'issue du Salon de l'an VII (cat. 1112).

Départ pour une noce de village, Travail d'Encouragement exécuté grâce au Prix d'Encouragement décerné à l'issue du Concours de l'an VII (cat. 1113).

les futurs mariés étant accompagnés dans un chariot par des musiciens jouant du violon et du flageolet.

L'art de Demarne fut particulièrement apprécié de son vivant et ce succès atteste du goût de ses contemporains pour le paysage et en particulier d'un penchant marqué pour le hollandisme.

Cet artiste reçut à deux reprises des Prix d'Encouragement, une première fois à l'issue du concours de l'an II où il bénéficia d'un prix pécuniaire d'un montant de 1 500 livres sur une esquisse représentant *La Fuite des Anglais de Toulon* (n° 130, A.N. F¹⁷ 1056, dos. 15), puis au concours de l'an VII où il reçut un prix de sixième classe pour une *Marche d'animaux* précédemment exposée au Salon de 1798 sous le n° 110.

Le présent tableau figure sur l'inventaire Napoléon avec la mention « Ce tableau obtint un Prix d'Encouragement. » Il semble peu vraisemblable qu'il puisse s'agir du tableau primé au concours de l'an VII, il s'agit là de l'œuvre que Demarne put exécuter grâce à son prix de l'an VII et dont il fit don à l'État en tant que « Travail d'Encouragement ».   B.Ga.

LES PRIX D'ENCOURAGEMENT DU SALON DE L'AN VIII

Les Remords d'Oreste
par Philippe-Auguste HENNEQUIN
Voir cat. 844.

1114
L'École d'Apelle

par Jean BROC

Huile sur toile. H. 3,75 ; L. 4,80.
Historique : don de Mme Dwernicka, née Broc, fille de l'artiste, en 1872.
Exposition : an VIII (1800), Paris, Salon, n° 55.
Bibliographie : Sterling-Adhémar, 1958, n° 141 ; cat. Louvre, 1972, p. 47 ; Levitine, 1972, pp. 285-294 ; Compin-Roquebert, 1986, t. III, p. 92.

Paris, musée du Louvre, département des Peintures (inv. R.F. 27).

Le Salon de l'an VIII est le premier salon de Broc, alors âgé de 29 ans, élève de David et admirateur du « Primitif » Maurice Quay. Dans cette première œuvre d'envergure, l'artiste nous révèle son admiration pour Raphaël dont on retrouve des échos, tant dans le sujet même du tableau que dans la composition rythmée par une architecture imposante et dans les types physiques des personnages.

Bien que cette œuvre obtînt un Prix d'Encouragement d'un montant de 3 000 francs (coll. Deloynes, t. LVI, n° 1763), elle ne fut dans l'ensemble guère appréciée des critiques contemporains qui lui reprochèrent sa dette envers Raphaël et un certain aspect archaïsant. Par ailleurs, aucun n'en identifia le véritable thème : Apelle expliquant à ses élèves le sujet de son tableau *La Calomnie* (*cf.* à ce propos le remarquable article de G. Lévitine, *op. cit.*). Sujet tout à fait intéressant si on le considère comme symbolique de l'image de l'artiste incompris et victime de l'injustice.   B.Ga.

1115
Augustin Pajou

par Philippe-Laurent ROLAND

Buste, terre cuite. H. 0,55 (avec piédouche 0,71) ; L. 0,51 ; P. 0,31.
Inscription : au revers : « Portrait du citoyen Pajou Sᶜᵘˡᵖᵗᵉᵘʳ / par le Cⁿ Roland / son élève de l'an VI / de la Républiqᵘᵉ / et 1797 V.S.ᵀᴵᴸ / tous deux membres de / l'institut National. »

L'École d'Apelle, Prix d'Encouragement décerné à l'issue du Salon de l'an VIII (cat. 1114).

Augustin Pajou, Prix d'Encouragement décerné à l'issue du Salon de l'an VIII (cat. 1115).

Homère, Travail d'Encouragement exécuté grâce au Prix d'Encouragement décerné à l'issue du Salon de l'an VIII (cat. 1116).

Historique : acquis en 1887 de M. de Saint-Germain, descendant de Pajou.

Exposition : 1964, Paris, Louvre, nº 92.

Bibliographie : Lami, 1911, p. 301 ; Vitry, 1922, nº 1477.

Paris, musée du Louvre, département des Sculptures (inv. R.F. 778).

L'œuvre en terre cuite du Louvre est le modèle préparatoire au buste en marbre, conservé aujourd'hui au musée de l'abbaye de Chaalis, qui obtint à l'issue du Salon de l'an VIII (1800) un Prix d'Encouragement : « Roland : le buste en marbre de Pajou nº 449... 6 000 francs » (coll. Deloynes, t. LVI, nº 1763). Un plâtre patiné terre cuite, signé et daté 1797, retouché par Roland, est conservé au musée Fabre à Montpellier.

Roland fut l'élève de Pajou qui l'employa « avec prédilection à tous ses ouvrages en marbre » (Quatremère de Quincy dans sa biographie de Roland) ; il collabora avec Pajou sous l'Ancien Régime au Palais-Royal et surtout à l'Opéra de Versailles. Roland eut une activité militante sous la Révolution, projetant en particulier un monument à Simoneau, maire d'Étampes, martyr de la Liberté.

Le portrait, l'un des plus beaux de Roland, se situe dans la veine du portrait d'artiste au col ouvert qui s'était développé en France dès la fin du XVIIᵉ siècle. Il humanise les traits du vieux sculpteur – le regard est doux et familier – qui avait conservé d'importantes charges administratives sous la Révolution.

G.Sc.et B.Ga.

1116
Homère

par Philippe-Laurent ROLAND

Statue, marbre. H. 2,12 ; L. 1,17 ; P. 0,98.

Inscription : sur la plinthe à droite : « ROLAND F. 1812. »

Historique : commandé par l'État et entré au musée du Louvre.

Expositions : 1812, Paris, Salon, nº 1139 ; 1814, Paris, Salon, nº 1129.

Bibliographie : Clarac, 1832-1834, p. 337, nº 2667 ; Landon, 1833, p. 96 ; Lami, 1911, p. 302 ; Vitry, 1922, nº 1478.

Paris, musée du Louvre, département des Sculptures (inv. M.R. 2088).

Le buste en marbre de Pajou qui valut à l'artiste un Prix d'Encouragement de 6 000 francs au Salon de l'an VIII (cat. nº 1115) lui permit d'exécuter comme œuvre destinée à l'État un *Homère chantant ses poèmes* dont il présenta le plâtre au Salon de l'an X (1802) sous le nº 444. Une esquisse en terre cuite est conservée au musée des Beaux-Arts de Valenciennes et présente d'intéressantes variantes par rapport au marbre ici exposé : Homère est assis, tenant sur son genou gauche une tablette, le regard tourné vers la droite, cherchant l'inspiration ; à ses pieds figurent les accessoires – lyre, rouleaux de parchemin. L'attitude générale de l'œuvre de Valenciennes, de même que le style

menu et précis, rappelle fortement la statuette de *Buffon* par Pajou du Louvre (terre cuite, R.F. 1065) ; Roland a simplement dénudé le torse de l'écrivain et conçu un beau drapé à l'antique, alors que Pajou avait représenté *Buffon* en vêtement contemporain.

La référence de Pajou – qui fut constamment son ami et protecteur – peut également se déceler sur le grand marbre ; le monumental *Buffon* (1776) du Muséum, en effet, est très proche de l'*Homère,* jusque dans le détail de l'attitude, la lyre pour ce dernier remplaçant la tablette du naturaliste. La différence essentielle, bien entendu, réside dans le choix de représenter Homère complètement nu ; l'anatomie athlétique de l'écrivain, à l'image des héros antiques d'âge mûr (par exemple *Pompée* du palais Spada, à Rome) est une réfutation complète du vérisme de Pigalle qui sculpta un *Voltaire* au physique dégradé par l'âge. L'emprunt littéral de la tête d'Homère au modèle hellénistique bien connu le proclame ouvertement : Roland fait une œuvre purement néo-classique, conforme aux théories de Quatremère de Quincy (qui rédigea après son décès une *Notice* lue à l'Académie), ce que soulignent les impeccables plis du manteau et les objets (lyre et couronnes de laurier).

Cette figure monumentale, un peu emphatique dans la recherche du sublime, eut un grand retentissement, et annonce la suite des héros virils de la Restauration.

G.Sc.

ŒUVRES PAYÉES SUR LES FONDS D'ENCOURAGEMENT

1117
Vénus blessée par Diomède

par Antoine-François CALLET

Huile sur toile. H. 2,70 ; L. 3,60.
Historique : acquis par l'État en 1798 ; transporté aux Gobelins en 1799 pour y être tissé ; déposé au musée de Bourges en 1872 (inv. 0872.1.9) ; revenu au musée du Louvre en 1972.
Exposition : an IV (1795), Paris, Salon, nº 60.
Bibliographie : Rosenberg-Reynaud-Compin, 1974, nº 86 ; Compin-Roquebert, 1986, t. III, p. 94 ; Gallini (à paraître).

Paris, musée du Louvre, département des Peintures (INV. 3098).

Le sujet de Vénus blessée par Diomède, tiré d'Homère (*Iliade*, livre V), également traité par Doyen en 1761, ne fait certes pas partie des sujets à l'honneur dans ces années où les *Brutus,* les *Bélisaires* et les *Horaces* triomphent aux Salons bien plus que les sujets mythologiques quelque peu passés de mode et chers à « l'Ancienne École », comme la qualifiaient les critiques de l'époque.
Le texte du livret explicite le tableau de la façon suivante : « Venant au secours d'Enée déjà blessé par Diomède, Vénus blessée elle-même abandonne son fils au soin d'Apollon, qui oppose un nuage au Vainqueur. Celui-ci ne voyant plus que Vénus, lui jette un regard menaçant, en insultant à son malheur. Iris, Messagère de Junon, la prend dans ses bras pour l'enlever de la mêlée et la conduire au Palais de sa mère. »
Il est un fait que le voisinage de ce tableau avec *La Liberté ou la Mort* de Regnault, exposé au même Salon, ne laisse pas de nous surprendre mais devait être coutumier des contemporains de Callet : « Cet ouvrage semble placé là pour contraster avec les bas-reliefs que nous donnent au lieu de tableaux les artistes de la nouvelle école », nous dit *Polyscope* (coll. Deloynes, t. XVIII, nº 473).
Cette « Vénus flamande blessée par un Diomède enluminé de vermillon » (*Mercure de France,* coll. Deloynes, t. XVIII, nº 470) déplut en partie à la critique et laissa sans doute indifférent un public recherchant des sujets correspondant plus à la sensibilité du moment et à la fibre républicaine. Ce tableau n'en fut pas moins rapidement acheté par l'État sur les fonds réservés aux Prix d'Encouragement. En effet, le 30 fructidor an VI (16 septembre 1798), dans un rapport au ministre de l'Intérieur, nous apprenons que Callet a proposé son tableau au gouvernement. « David, Vincent, Regnault, Robert et Berthélemy, chargés de décider, le jugèrent digne d'être acquis pour la somme de 10 000 francs, somme qui fut trouvée excessive. On propose donc au ministre d'approuver l'acquisition du tableau du citoyen Callet, mais de ne lui accorder que la somme de 5 000 francs payable sur les fonds destinés pour l'an VI, aux travaux d'encouragement. »
Ce même rapport nous informe un peu plus loin qu'« une deuxième décision du ministre accorde au Cen Callet pour ce tableau un supplément de 1 500 francs » (A.N. F17 1056, dos. 14).
Vénus blessée par Diomède fut donc acquis pour 6 500 francs et transporté à la manufacture nationale des Gobelins le 20 mars 1799 (arch. Louvre, P.12, « Mutations peintures Gobelins ») où il fut effectivement tissé en 1800.
Outre ce Prix d'Encouragement pour ainsi dire « détourné », notons que Callet obtint à deux reprises des Encouragements ; primé au Concours de l'an II, il reçut 6 000 livres pour son esquisse représentant *La Liberté sortant du sein des ténèbres* et à l'issue du Salon de 1799, il bénéficia d'un prix de troisième classe d'un montant de 3 000 francs pour son *Marcus Curtius se dévouant pour sa patrie,* réalisé grâce à son prix de l'an II.   B.Ga.

Vénus blessée par Diomède, payé sur les fonds réservés aux Prix d'Encouragement (an VI) (cat. 1117).

1118
Saint Vincent de Paul

par Jean-Baptiste STOUF

Groupe, marbre. H. 1,80; L. 0,73; Pr. 0,81.
Inscription : sur la marche, à gauche, « STOUF ».
Historique : 1786, commande du comte d'Angiviller;
1799, placé dans l'église de l'ancien monastère de
Port-Royal de Paris, occupé par les Enfants-Trouvés;
actuellement, cour-jardin du Centre d'accueil Saint-
Vincent-de-Paul (Assistance publique de Paris),
72, avenue Denfert-Rochereau.
Exposition : 1798, Paris, Salon, n° 546.
Bibliographie : Fosseyeux, 1910, p. 82; Lami, 1911,
p. 345; Furcy-Raynaud, pp. 349-353.

Paris, Assistance publique.

On peut s'étonner que saint Vincent de Paul
figure parmi les *Hommes illustres* choisis par
d'Angiviller. Cette série de vingt-sept statues
en marbre, dont l'exécution fut décidée en mars
1776 et dont les derniers exemplaires furent
réalisés sous l'Empire, brillait en effet plus par
ses sujets militaires, politiques ou littéraires,
voire scientifiques (Cassini) ou artistiques
(Poussin), que par l'apologie de la philanthro-
pie. La présence, chronologiquement au tout
début de la série, d'un homme aussi éminent
que Bossuet, figure quelque peu dogmatique de
l'autorité ecclésiastique sous Louis XIV, était
déjà une indication de la part du surintendant
de ne pas oublier l'Église. Saint Vincent de
Paul (1581-1660), fondateur de la Société des
prêtres de la Mission – ou lazaristes – et des
filles de la Charité, apôtre du secours aux
nécessiteux, canonisé en 1737, offrait comme
une contrepartie généreuse à la figure solennelle de l'évêque de Meaux, qu'il reçut d'ailleurs dans son prieuré de Saint-Lazare comme
aspirant à la prêtrise.
En outre, l'attention qu'il apportait à guérir les
maux les plus élémentaires des hommes – la
misère et la maladie –, ainsi que son action en
faveur de l'enfance abandonnée, ne pouvaient
laisser indifférents les lecteurs de Diderot et de
Rousseau, et plus généralement la sensibilité
des Lumières. D'autre part, Vincent était très
attaché aux structures de l'Église, et il fut toujours soutenu par le pouvoir politique, ce qui
ne pouvait déplaire à d'Angiviller.
La commande fut réservée à Stouf en 1786.
Le plâtre fut exposé au Salon de 1787 (n° 263).
Le sculpteur eut ensuite des difficultés à tailler
le modèle dans le marbre. Selon la lettre du 23
mai 1797, publiée par Furcy-Raynaud, Stouf,
après avoir souligné qu'en 1787 (sic) il avait
obtenu « l'un des ouvrages d'encouragement
donnés aux artistes sculpteurs par l'ancien gouvernement », signala que son modèle en plâtre
avait été « pendant la tyrannie du vandalisme
révolutionnaire totalement brisé » dans son atelier. En 1795, il s'était adressé en vain à la
Commission temporaire des arts afin de tenter
de substituer à son saint Vincent de Paul une statue
de la *Vérité découvrant l'Innocence opprimée.*
Stouf réclama – c'était le but de la lettre – la
délivrance d'un bloc de marbre afin de réaliser
un nouveau groupe. L'œuvre fut exposée au
Salon de 1798. Le livret du Salon indique en
outre : « Statue en marbre grandeur nature –

*Saint Vincent de Paul, commande de l'Ancien Régime, payée sur les fonds réservés
aux Prix d'Encouragement (an VI)* (cat. 1118).

Prix d'un concours national. » Cette dernière
mention est inexacte dans la mesure où Stouf
ne participa ni au concours de l'an II ni à celui
de l'an VII. En revanche, le gouvernement
accepta de payer les 10 000 francs accordés
sous l'Ancien Régime à ce type de commande
sur les fonds réservés aux Travaux d'Encouragement.
En effet, le 4 prairial an V (23 mai 1797) Stouf
dans une lettre adressée à Bénézech, alors
ministre de l'Intérieur, demande « à exécuter
en marbre la statue du philosophe Vincent de
Paule [cette indication est reprise dans le livret
du Salon : « Vincent de Paule, fondateur des
Hospices des Enfants-Trouvés, considéré
comme philosophe » – l'absence de toute référence religieuse et la récupération philosophique sont ici bien soulignées]. La destruction
de son modèle n'est point pour lui un obstacle
à la gloire qu'il se promet d'un travail pour
lequel il a longtemps médité » (A.N. F¹⁷ 1856,
dos. 9).
Sa requête est acceptée le 16 prairial an V
(4 juin 1797). Le 15 messidor an VI (3 juillet
1798) la statue est achevée et Stouf réclame le
dernier tiers de son paiement (A.N., *op. cit.*).

L'assistance publique fut proclamée par l'Assemblée constituante « un des devoirs les plus
sacrés de la nation »; après la Constitution
civile du clergé, il fallut séculariser et organiser
la bienfaisance. La Convention créa un Comité
des secours publics et diverses lois furent
votées, en particulier prévoyant l'assistance
aux filles-mères et aux enfants trouvés (28 juin
1793); en 1796 le Directoire organisa un
réseau d'hospices civils et de bureaux de bienfaisance gérés par les municipalités.
L'œuvre, exemplaire dans son histoire, l'est
également par son esthétique. La figure de
l'homme enveloppant dans son manteau un
orphelin en pleurs, et s'avançant alors que gît
à ses pieds le corps d'un enfant mort, est d'une
grande force plastique. Le visage de l'homme,
figure d'expression de la compassion, est admirablement mis en valeur par le mouvement des
deux bras formant berceau; la chute du lourd
manteau aux plis parallèles est une référence
à l'antique dans ce qu'il présente de plus monumental; les pieds nus dans des sandales (en
hiver !) sont un discret appel au stoïcisme du
philanthrope et en cautionnent la « philosophie ».

Montaigne, payé sur les fonds réservés aux Prix d'Encouragement (an VII - an VIII) (cat. 1119).

La popularité de l'effigie – l'état de conservation du marbre est alarmant, notamment le visage du saint et le nouveau-né à ses pieds – est bien attestée par le nombre important de plâtres conservés, en particulier dans les églises parisiennes, de réductions en terre cuite ou en bronze, et est devenue l'archétype de la piété secourable. G.Sc et B.Ga.

1119
Michel Eyquem de Montaigne

par Jean-Baptiste STOUF

Statue, marbre. H. 1,60 ; L. 0,91 ; P. 0,86.
Inscription : sur le socle, à droite : « QUE SAIS JE. »
Historique : commandé par le Directoire ; transféré du Louvre au collège des Quatre-Nations, devenu Institut de France, par décret du 20 mars 1804 ; placé dans le vestibule de la salle des séances du palais de l'Institut ; envoyé entre 1830 et 1837 au musée historique du château de Versailles ; 1988, dépôt au musée du Louvre, département des Sculptures.
Exposition : 1800, Paris, Salon, n° 450.
Bibliographie : Lami, 1911, p. 346 ; Furcy-Raynaud, pp. 409-410.

Paris, musée du Louvre, département des Sculptures.

La statue de *Montaigne* par Stouf est une commande tardive de l'État, complétant la série des *Hommes illustres* de d'Angiviller. En mai 1792, une nouvelle distribution de commandes fut projetée en vue du Salon de 1793. Le choix des personnalités est éloquent : pour un homme de guerre (Duguay-Trouin), deux peintres (Le Brun et Puget) et un écrivain (Boileau) furent choisis. La remise en valeur du patrimoine culturel de la France à travers ses artistes, quelque peu négligés par d'Angiviller qui préférait mettre l'accent sur les serviteurs de l'État (hommes politiques ou chefs militaires), fut encore plus soulignée par le Directoire qui choisit deux écrivains « des Lumières » : d'Alembert (par Lecomte) et Montaigne. L'affiliation de ce dernier à l'esprit des Lumières peut surprendre. Elle est soulignée dans le livret du Salon de 1800 : « Bernardin de Saint-Pierre l'a justement appelé le père de la philosophie en France, le Plutarque français. » Montesquieu, son compatriote et « frère de classe », a plusieurs fois fait référence à ses écrits. En effet, Montaigne s'attachait déjà – en pleines guerres de religion ! – aux grands problèmes de la raison et de la science expérimentale, jusqu'à se marquer d'un déisme prudent. Il se distingua par son action contre le racisme dans les colonies (particulièrement en vue après l'abolition de l'esclavage en février 1794) et par son courage lorsque, seul parlementaire, il adressa des remontrances au roi de France de passage à Bordeaux.
L'indication de « Montaigne le restaurateur de la morale et de la Philosophie en France » se trouvait déjà dans un rapport présenté au ministre de l'Intérieur le 15 thermidor an VI (2 août 1798) dans lequel Stouf faisait part de son désir d'« être chargé pour l'an VII pour le gouvernement de l'exécution de la statue en marbre » (A.N. F17 1056, dos. 9). La demande

de l'artiste fut acceptée et nous apprenons par une lettre de Stouf adressée à F. de Neufchâteau, le 9 vendémiaire an VII (30 septembre 1798) : « J'ai déjà fait plusieurs esquisses propres à rappeller le caractère de ce grand homme [...] je me suis arrêté à une esquisse que j'adopterai pour modèle après vous l'avoir présenté. Elle caractérise l'homme de la nature, sa morale et sa devise favorite – Que sais-je ? – Cette terre est au four depuis quelques jours (...) » (A.N., *op. cit.*). Stouf obtint son marbre le 30 vendémiaire an VII (22 octobre 1799) et les différents paiements concernant cette œuvre furent prélevés, entre l'an VII et l'an VIII, sur les fonds réservés aux Travaux d'Encouragement.
Le livret du Salon donne la description détaillée de la statue : « L'artiste a représenté le philosophe français dépouillé des habits de son siècle. Montaigne occupé toute sa vie à la recherche de la vérité, et appliqué à la connaissance de l'homme, qu'il étudia dans lui-même, est caractérisé par le miroir, symbole de la vérité, de la prudence et de la science, et par sa devise favorite, surmontant la balance du *scepticisme,* QUE SAIS-JE ? [la balance pourrait-elle également être celle de la justice, allusion à sa fonction de parlementaire ?]. Montaigne a dit, en parlant de lui, qu'il aimait à se voir *nu,* et que la coutume d'aller *nu* n'a rien de contraire à la nature ; l'artiste en a profité pour la statue, qui est son apothéose : les Grecs et les Romains ont consacré cet usage par des chefs-d'œuvre. Montaigne est appuyé sur les livres qu'il a écrits. Son traité de l'amitié a donné lieu à l'emblème de la vigne mariée à l'ormeau, que l'on voit en bas-relief sur l'un des côtés du piédestal auquel la statue est adossée ; et son éducation a motivé le principal bas-relief [au revers], où l'on voit une femme réveillant, au son de la guitare, l'enfant dormant au berceau. »
La nouveauté plastique d'une telle figure est prodigieuse. Stouf se démarque complètement des statues de la série des « Grands Hommes » de l'Ancien Régime en bannissant tout effet de costume contemporain, qui aurait donné à l'œuvre une connotation pittoresque et anecdotique. Il représenta ici Montaigne résolument en héros antique, le torse nu et musclé d'un athlète, le drapé chutant noblement des reins aux pieds nus. Le visage, en revanche, est inspiré de portraits célèbres de l'écrivain, et est bien reconnaissable. Cette œuvre surprenante, qui se souvient du *Voltaire* de Pigalle, du *Buffon* de Pajou, voire du premier *Montesquieu* de Clodion, est néanmoins tout à fait originale : ce n'est ni une démonstration du vérisme anatomique appliqué à la vérité de l'âme, ni un pastiche d'un penseur antique, comme les deux premiers, ni un maladroit mélange des deux conceptions, comme semble l'avoir été le troisième. Le *Montaigne* de Stouf est l'image de la modernité du message philosophique, hors contexte historique, de la présence puissante d'une personnalité. Chef-d'œuvre génial de l'artiste, il mérite de figurer parmi les œuvres phares de la mémoire du meilleur des sculpteurs historicisants du XIXe siècle, David d'Angers, son successeur à l'Académie. G.Sc. et B.Ga.

GRAVURES MENTIONNÉES COMME PRIX D'ENCOURAGEMENT

1120 A
Junius Brutus condamnant ses fils à mort

par Pierre-Charles COQUERET, d'après Lethière
Gravure au lavis et à la roulette. H. 0,625 ; L. 1,005.
Historique : gravé d'après un original de Lethière qui figura au Salon de l'an IV (1795), n° 553, puis au Salon de l'an IX (1801), n° 229.
Exposition : an VI (1798), Paris, Salon, n° 710.
Bibliographie : Renouvier, 1863, pp. 130-131, 270 ; Portalis et Beraldi, 1880, p. 591 ; Le Bland, 1888, t. II, p. 47 ; Roux, 1946, pp. 255-256.

Paris, Bibliothèque nationale, cabinet des Estampes (inv. AA6).

Selon Jules Renouvier et Marcel Roux l'ensemble formé par les trois estampes de Coqueret (voir les deux numéros suivants), exposées toutes trois au Salon de l'an VI, valurent à leur auteur un Prix d'Encouragement. Mais, d'une part, il n'y eut pas de distribution de Prix en l'an VI, d'autre part le nom de Coqueret ne figure à aucun des deux Concours de l'an II et de l'an VII, ni aux Salons suivis de distribution d'Encouragements avec la mention d'un prix qui lui aurait été attribué. Par ailleurs, nous n'avons pas retrouvé de documents d'archives (mais peut-être en existe-t-il ?) attestant cette affirmation, que nous remettons en cause faute de preuve. Toutefois l'importance iconographique des sujets et la représentation spectaculaire que Lethière en a donnée nous ont semblé légitimer largement la présence dans l'exposition des estampes de qualité laissées par Coqueret.
Cette estampe fut annoncée dans le *Moniteur* du 26 floréal an III (15 mai 1795) : « *Junius Brutus condamnant ses fils,* estampe... gravée en manière noire, par le Citoyen Coqueret, d'après le dessin fait à Rome, en 1788 par le Citoyen Lethière. A Paris, chez Gamble et Coipel, marchand d'estampes, rue des Piques [...] »
Un « rapport » sur une nouvelle estampe représentant *Junius Brutus* fut publié dans le *Journal du Lycée des Arts,* thermidor an III-brumaire an IV (juillet-octobre 1795), p. 159.
Outre l'esquisse exposée par Lethière aux Salons de 1795 et de 1801, cet artiste exécuta également deux très beaux dessins sur ce sujet, l'un daté de 1788 (musée de Pontoise), l'autre plus tardif et sans doute préparatoire à la gravure (musée de Château-Gontier). Lethière exécuta plus tard un grand tableau (dans le même sens que la gravure de Coqueret) exposé au Salon de 1812 pour lequel il supprima le motif sanglant du personnage exhibant la tête tranchée du fils de Brutus (Paris, musée du Louvre, INV. 6228). B.Ga.

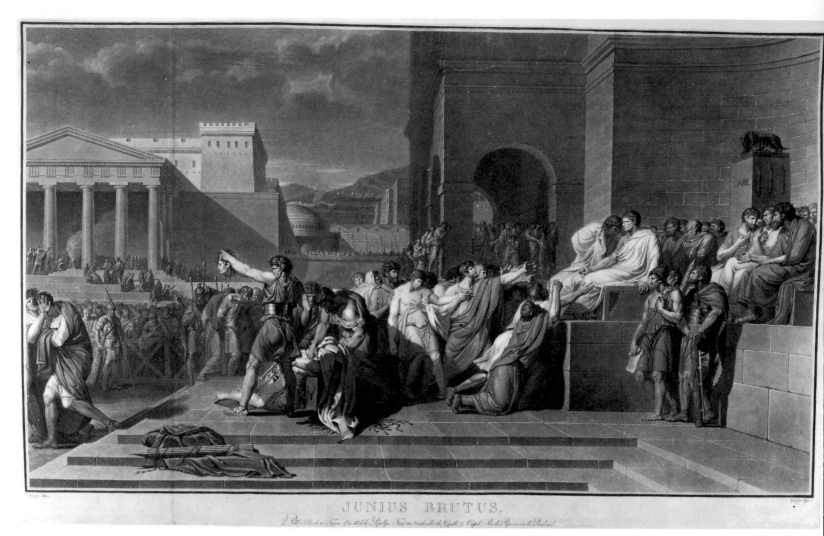

Junius Brutus condamnant ses fils à mort, mentionné sans doute à tort comme Prix d'Encouragement (an VI) (cat. 1120 A).

Le Neuf Thermidor, mentionné sans doute à tort comme Prix d'Encouragement (an VI) (cat. 1120 C).

1120 B
*Virginius, capitaine de légion tue sa
fille pour lui sauver l'honneur et la liberté*

par Pierre-Charles COQUERET, d'après Lethière
Gravure au lavis et à la roulette.
Bibliographie : gravé d'après un dessin original de
Lethière (musée de Pontoise, signé et daté 1795) qui
figura au Salon de l'an IV (1795), n° 354.
Exposition : an VI (1798), Paris, Salon, n° 711
Bibliographie : voir n° précédent.

Citée comme «Prix d'Encouragement en
l'an VI» avec le numéro précédent et le suivant, cette estampe, pendant de la précédente,
fut annoncée au *Moniteur* du 30 messidor
an IV (18 juillet 1796) et du 25 pluviôse an V
(13 février 1797) et exposée comme celle-ci au
Salon de l'an VI. Autrefois conservée à la
Bibliothèque nationale, elle est mentionnée par
Marcel Roux comme étant absente du fonds
en 1946.

Le grand tableau de Lethière (H. 4,58;
L. 7,78) fut exécuté très tardivement par rapport à son dessin de 1795 puisqu'il ne sera
achevé qu'en 1828 et présenté au Salon de 1831
(Paris, musée du Louvre, INV. 6229). B.Ga.

1120 C
Le Neuf Thermidor

par Pierre-Charles COQUERET, d'après Lethière
Gravure au lavis et à la roulette. H. 0,227; L. 0,865.
Inscription : voir *infra*.
Historique : gravé d'après un dessin original de
Lethière exposé au même Salon de l'an VI (1798),
sous le n° 282.
Exposition : an VI (1798), Paris, Salon, n° 712
Bibliographie : voir cat. 1120 A.

Paris, Bibliothèque nationale, cabinet des Estampes
(inv. AA5).

Cité avec les n°ˢ 1120 A et 1120 B comme
«Prix d'Encouragement» en l'an VI (1798)
(cat. 1120 A), cette estampe allégorique en
forme de frise est accompagnée d'un long texte
explicatif qui se lit en marge, de part et d'autre
d'une couronne de chêne où est inscrite la date
du «IX thermidor an II» : «Un Génie tutélaire
sort du sénat, armé d'un glaive flamboyant, il
extermine les oppresseurs de la France. l'af-
freux Tribunal révolutionnaire, renversé dans
la poussière, laisse entrevoir sa figure sous le
masque de la Justice, ses satellites fuyent le
poignard à la main, et s'empressent d'emporter
les fruits de leurs rapines, le force terrible, mais
aveugle qui / brisoit les plus belles productions
du Génie, s'arrête et cesse de détruire. La
Tirannie, farouche et toujours inquiétée, tourmente les lettres et les Beaux-Arts ; elle assas-
sine la Chimie et la Phisique qu'elle arrache à
leurs utiles travaux, elle traîne la Peinture dans
des cachots ; elle y jette la vieillesse et l'enfance
qui gémissent dans l'attente de la mort.»
B.Ga.

SUR LE PROJET D'ÉLEVER UN MONUMENT
EN L'HONNEUR DE ROUSSEAU

L E BICENTENAIRE de la Révolution française permet de
rappeler les efforts faits par le gouvernement révolutionnaire pour embellir la capitale et faire suivre la régénération
politique d'une régénération des arts. L'un des projets les plus
chers à la Révolution est l'élévation d'un monument à Jean-
Jacques Rousseau. En égard à sa signification politique et
pédagogique, il nous faut éclaircir ici, à l'appui d'œuvres et de
sources nouvelles, le projet et l'échec de cet important monument national[1].

Avant que le Comité de Salut public ait décrété, dans le
cadre du grand concours de l'an II, l'exécution de la statue de
J.-J. Rousseau, il y avait déjà eu plusieurs initiatives, privées

et officielles, pour élever un monument public en l'honneur du
«bienfaiteur du genre humain». En France, l'auteur du premier projet de statue est La Harpe. Il date de 1778, l'année de
la mort du philosophe. Dans la conception de La Harpe, la
statue «élevée au premier Homme de notre siècle» représen-
terait l'auteur de l'*Émile*. C'est grâce à lui que l'enfant jouit
«de cette douce liberté» et «n'est plus intimidé et contraint
sous les gênes et les entraves de toute espèce». C'est à lui que
«les générations naissantes [...] devront le bonheur de leurs
premières années». Le motif proposé par La Harpe, un groupe
idyllique de plusieurs figures, se ressent de l'esprit du rococo :
«J'aime à me représenter un Groupe, dans lequel la Statue de
l'Éloquent Génevois serait couronné par les mains d'un Enfant,
que sa Mère soulèverait jusqu'à lui, tandis qu'il sourirait à une
autre femme qui allaiterait le sien ; & peut-être l'entourerais-
je encore d'un chœur d'Enfants qui s'amuseraient à tous les
jeux de leur âge[2].»

La réalisation d'un monument à Rousseau reste cependant

---

1. Cet article est l'extrait d'un chapitre de ma thèse de doctorat consacrée
à la vie et l'œuvre de Jean-Guillaume Moitte (université de Hambourg,
1988). Il se fonde sur l'étude principale de P. Vitry, «les Monuments à
J.-J. Rousseau de Houdon à Bartholomé», dans *G.B.A.*, juillet-décembre,
1912, pp. 97-117.

2. *Cf.* d'Acquin, *Almanach littéraire ou étrennes d'Apollon*, 1778, pp. 32-33.

réservée à la Révolution. Jusqu'à cette époque-là, Houdon semble avoir été le seul sculpteur à honorer le souvenir de Jean-Jacques en exécutant plusieurs bustes. En 1778, dans la nuit du 2 au 3 juillet, il put mouler le visage du philosophe mourant[3]. Avec ce masque mortuaire, il s'était, pour ainsi dire, assuré le droit d'exécuter le monument à Rousseau.

Le 12 février 1790, une souscription pour l'élévation d'une statue de Rousseau, proposée par les *Révolutions de Paris,* est ouverte. Ce journal publiait les listes des souscripteurs et rendait compte de l'entreprise – interrompue, semble-t-il, par le décret officiel de l'Assemblée nationale – d'élever un monument au philosophe. Plusieurs sculpteurs, dont Baccarit, Dejoux, L.-P. Deseine, Julien et Moitte participaient à la souscription.

Le 21 décembre 1790, l'Assemblée nationale décrète « qu'il sera élevé une Statue à la mémoire de l'Auteur du *Contrat social* et de l'*Émile* ; que sur une des faces du Piédestal il sera écrit ces mots : "A la France libre, à J.-J. Rousseau" et sur l'autre, ceux-ci : "Vitam impendere vero". » Sur la motion du député d'Eymar, la statue est destinée à la salle des séances de l'Assemblée nationale[4]. Cependant, cette proposition n'est pas mentionnée dans le décret. En février 1791 encore, quand le projet de statue est mis en concours par un décret supplémentaire, l'Académie royale de peinture et de sculpture, s'occupant des conditions du concours, insiste sur la nécessité d'indiquer aux artistes participants l'endroit prévu à son élévation[5].

Il est possible que le concours annoncé n'ait pas eu lieu en raison de l'opposition de Houdon qui, étant propriétaire du masque mortuaire, se croyait le seul à avoir la vocation pour l'exécution du monument[6]. Il n'existe pas de modèle susceptible d'être mis en relation avec ce premier concours de la Révolution, à l'exception d'une petite statuette en terre cuite de Houdon montrant le philosophe assis dans un fauteuil. Ce dernier porte une perruque et le caftan arménien doublé de fourrure (*cf.* note 1).

Jusqu'au printemps de l'an II, trois décrets pour l'érection d'un monument à Rousseau se suivent. Cependant, malgré les protestations publiques et les initiatives de plusieurs institutions, son exécution est constamment ajournée – soit à cause des discussions entre l'Académie royale et la Commune des arts sur la compétence à développer un système démocratique de concours, soit à cause des événements politiques qui se précipitent. En septembre 1791, l'Assemblée constituante décrète de nouveau l'élévation d'une statue à Rousseau. Pour la première fois, son emplacement est indiqué : les Champs-Élysées. Quoique ce décret soit confirmé par l'Assemblée législative, il semble que ce soit à nouveau le sculpteur Houdon qui ait réussi à disposer favorablement les députés pour son esquisse sans qu'il y ait eu de concours[7]. Par deux lettres de Houdon, nous savons qu'en avril 1792, il s'occupait d'un monument à Rousseau en bronze destiné à être mis en place contre l'un des quatre piliers sous la grande coupole du Panthéon. On ignore tout de l'apparence de cette figure faite d'après les instructions de Quatremère de Quincy. Les événements du 10 Août empêchèrent l'exécution de cette statue[8].

Depuis 1789 environ, différents maîtres s'occupaient d'une statue en l'honneur de Rousseau : Baccarit, Chaudet, Dardel, Demars, les frères Deseine, J.-P. Dumont, J.-R.-N. Lucas, Ricourt, Ramey et Stouf. Plusieurs de leurs projets, aujourd'hui disparus pour la plupart, sont exposés aux salons de 1791 et de 1973[9]. Deux modèles seulement en sont connus : le petit modèle en plâtre de C.-A. Deseine datant de 1791 (fig. 1) et le modèle en terre cuite de Stouf exposé au Salon la même année (cat. 1121). Le dernier, « un joli motif de biscuit, ... plus dans l'esprit nouveau de l'art révolutionnaire et davidien[10] », semble inspiré par le monument conçu par La Harpe. L'esquisse de Deseine, en revanche, montre clairement l'influence des figures de la série des « Grands Hommes ». Seul le bonnet phrygien enfilé sur la main gauche du philosophe, renvoie à une date postérieure à 1789. L'artiste inconnu d'une maquette en terre cuite, conservée également au musée Jacquemart-André à Chaalis, semble plutôt avoir été influencé par le *Voltaire* assis de Houdon (fig. 2).

Après la chute de Louis XVI, une année s'écoula encore avant que la Convention nationale ne reprenne, le 15 brumaire de l'an II (5 novembre 1793), le projet de monument. Maintenant, il faut que « le plus promptement possible [...] soit élevé dans une des places publiques de Paris une statue de Jean-Jacques Rousseau, en bronze, et de la faire établir à la place d'une de celles des anciens tyrans des Français renversées par le peuple le 10 août[11] ». Quelques mois plus tard, le projet, complété quant à l'emplacement, fait partie du grand concours de l'an II décrété par le gouvernement en avril 1794 : « Le comité de salut public, en exécution du décret de l'Assemblée constituante, qui décerne une statue de bronze à J.-J. Rousseau, appelle tous les artistes de la République à concourir

3. *Cf.* Vitry, *op. cit.*, pp. 98-102 ; L. Réau, *Houdon, sa vie et son œuvre*, vol. I, Paris, 1964, p. 150.

4. *Cf.* d'Acquin, *op. cit.*, 1792, pp. 110-111.

5. *Cf.* le « Mémoire de l'Académie de peinture et de sculpture sur le concours ordonné par l'Assemblée nationale pour la Statue de J.-J. Rousseau envoié au Comité des Pensions », dans *Procès-verbaux de l'Académie royale de peinture et de sculpture*, vol. X (1789-1793), Paris, 1892, pp. 103-109.

6. *Cf.* Vitry, *op. cit.*, pp. 105-106.

7. *Cf.* la lettre de Houdon aux députés du peuple du 18 février 1795 publiée par L. Réau (*op. cit.*, vol. I, p. 68). Dans ce contexte, *cf.* également les *Réflexions sur les concours en général et sur celui de la statue de J.-J. Rousseau en particulier* par Houdon (Paris, 1791).

8. *Cf.* les deux lettres de Houdon du 11 avril 1792 et du 18 février 1795 publiées par L. Réau (*op. cit.*, vol. I, pp. 67 et 68).

9. *Cf.* J.-J. Guiffrey, *Collection des livrets des anciennes expositions depuis 1673 jusqu'en 1800*, Paris, 1869-1871, vol. XXXVI et XXXVII ; F. comte de Girardin, *Iconographie de J.-J. Rousseau*, s.l., 1909, pp. 274-279.

10. Vitry, *op. cit.*, p. 107.

11. J. Guillaume, *Procès-verbaux du Comité d'instruction publique de la Convention nationale*, Paris, 1894-1907, vol. II, p. 752.

Fig. 1: C.-A. Deseine, *Jean-Jacques Rousseau*, musée Jacquemart-André, abbaye de Chaalis.

Fig. 2: auteur anonyme, *Jean-Jacques Rousseau*, musée Jacquemart-André, abbaye de Chaalis.

pour ce monument, qui sera placé dans les Champs-Élysées[12] ».

Grâce au *Registre du Comité des inspecteurs de la salle de la Convention* retrouvé récemment aux Archives nationales nous connaissons les noms des sculpteurs participant au concours où figurent les plus grands maîtres de l'époque : Baccarit, Blaise, Boizot, Chaudet, Espercieux, Foucou, Houdon, Lesueur, Lorta, Marin, Michallon, Moitte, Monnot, Ramey, Suzanne et Taunay. On y trouve aussi d'autres sculpteurs dont les noms sont presque inconnus : Budelot, Bouillet, Monterny, Morgand, Pochon et Martin avec une œuvre commune et Thiérard[13]. En majeure partie sans travail, ils saluent le concours dont ils attendent l'issue avec impatience.

Les explications concernant l'apparence des modèles donnés par le « Registre » sont maigres. Cependant, on nous informe que Houdon présente trois projets de monument ainsi que plusieurs bustes : une statue isolée, une « esquisse bronzée adossée à un entre-colonnement[14] » et la description d'un projet dont le modèle ne fut pas terminé à temps. Ce programme proposait le sujet de l'éducation de l'*Émile* : Rousseau serait assis sur un rocher et contemplerait avec satisfaction son jeune Émile. Celui-ci, un garçon de dix ans, serait en train de saisir un bonnet phrygien, prix d'une course « qui a le but à la fois de développer ses forces physiques et d'élever son âme[15] ». Plusieurs projets de monuments anonymes à la gloire du célèbre Genevois furent attribués à Houdon, dont une esquisse conservée au musée de Chaalis, remarquable par une forte expression psychologique, le représentant debout, comme l'auteur du *Contrat social* (cat. 1125), une terre cuite d'une collection particulière parisienne, montrant un Rousseau assis, revêtu d'une toge romaine et une troisième terre cuite d'assez grandes dimensions conservée au Louvre qui représente le philosophe dans un costume moderne, assis sur un tertre de verdure (cat. 1122). Mais l'attribution de ces trois projets de statue à Houdon, proposée au début du siècle, demanderait à être revérifiée en présence d'une trentaine d'esquisses qui furent envoyées au grand concours de l'an II ou exposées aux Salons de 1791 et 1793.

Un autre projet de monument qui fut envoyé au grand

12. Décret du 5 floréal an II (24 avril 1794), *cf. le Moniteur*, n° 261, 21 prairial an II (9 juin 1794), p. 676.

13. Arch. nat. D* XXXVc¹.

14. C'est le numéro 53 de la « Notice des ouvrages de sculpture, architecture et peinture, exposés au concours de la Convention nationale, et des arrêtés du Comité de Salut public, soumis au jugement du jury des Arts, Paris, l'an II » (collection Deloynes, t. LVI, n° 1724, p. 214) qui est sans doute identique au projet de Houdon exécuté sous la direction de Quatremère de Quincy pour l'un des quatre piliers sous la coupole du Panthéon. Pour les autres informations, *cf.* note 8.

15. *Cf.* le « Programme d'un monument de Jean-Jacques Rousseau, destiné aux Champs-Élysées », publié par L. Réau (*op. cit.*, vol. I, p. 68).

concours décrété par le Comité de Salut public est celui de J.-F. Lorta provenant de la collection des descendants du sculpteur (cat. 1124). Le philosophe est assis dans un fauteuil et porte un costume moderne. Cette figure posée sur un piédestal carré orné de bas-reliefs est conçue comme celle de C.-A. Deseine en s'inspirant des statues de la série des « Grands Hommes ».

Pendant près d'une année, les vingt-cinq modèles de statues présentés au concours de l'an II sont exposés au public dans la « Salle du Laocoon » au Louvre avant d'être jugés par le nouveau jury des Arts : la chute de Robespierre au 9 thermidor de l'an II retarde une nouvelle fois la réalisation du projet. Le modèle choisi finalement pour être exécuté aux frais de la République comme monument national est celui de Moitte : « J.-J. Rousseau méditant sur les premiers pas de l'enfance » (cat. 1123). La décision de couronner le modèle de Moitte est prise presque à l'unanimité. Le deuxième Prix est décerné à Chaudet, le troisième à Monnot[16]. En ce qui concerne la réaction publique quant au résultat du concours les informations sont maigres. On sait simplement que les suffrages du public aussi se réunissaient en faveur de Moitte[17] et que la décision du jury des Arts fut comprise comme la marque de la présence jacobine en son sein[18].

« Le succès peu ordinaire de l'esquisse du Cⁿ. Moitte » dont parlent les sources est dû en particulier au contraste évoqué entre le grand bébé pâteux et informe qui fait ses premiers pas et la stature musculeuse du philosophe composée d'après le modèle du torse de Belvédère. Ce contraste qui illustre à la fois les efforts du petit garçon et l'autorité protectrice de l'homme chargé de l'éducation émut les contemporains. Dans le procès-verbal de la séance du jury des Arts on lit sur l'œuvre de Moitte : « C'est au milieu des Champs-Élysées, c'est dans ce rendez-vous des plaisirs innocens de la jeunesse, des mères de famille et des enfants, que la Convention nationale a voulu placer le législateur de l'éducation, le bienfaiteur de l'enfance. La figure à laquelle vous avez décerné la couronne est bien appropriée à cette destination. L'auteur, en faisant observer par son philosophe l'enfant qui essaie ses premiers pas auprès de lui, a rendu cette touchante idée de la manière la plus heureuse et la plus vraie. C'est l'auteur d'Émile qu'il représente particulièrement ; et sous ce point de vue l'artiste a fait un ouvrage vraiment éloquent[19]. »

Non seulement la figure de Rousseau, « l'homme de la nature et de la vérité », fait reconnaître le réalisme de l'école de Pigalle dont l'influence sur le groupe de Moitte fut justement mise en évidence par B. de Montgolfier et G. Bresc-Bautier[20]. C'est également dans la figure d'Émile dont la chair est animée par d'innombrables rides et des fossettes qu'apparaissent clairement les références au style de Pigalle[21]. En représentant son « Émile » comme un vrai bébé et non pas adolescent, comme l'avait proposé Houdon ou trois ans plus tard F. Masson, Moitte réussit à exprimer trois pensées fondamentales du philosophe qui influencèrent considérablement la conception jaco-

bine de l'instruction publique : le commencement de l'éducation dès l'âge tendre de l'enfant, l'égalité dans l'éducation et l'instruction de tous les enfants, riches ou pauvres, et l'innocence de l'enfant dont la dégradation morale rejaillit sur la société[22].

Le sculpteur se met à l'œuvre avec enthousiasme. Un rapport au ministre de l'Intérieur nous informe qu'« il fonde principalement sur cette statue ses titres à la gloire[23] ». Cependant, appelé par le Directoire à la Commission pour la recherche des objets des sciences et des arts en Italie, il interrompt le travail déjà avancé. Quand il revient deux ans plus tard, le régime et les politiques ont sensiblement évolué dans l'esprit plus autoritaire de la fin du Directoire. Il continue à travailler à son Rousseau, mais, en novembre 1798, il est contrarié par un nouveau projet d'embellir les Champs-Élysées mis en concours en l'an VII. Une lettre au ministère de l'Intérieur nous renseigne qu'il « eut désiré qu'on eut rappellé dans le programme la loi portant érection de la statue de Rousseau et invite les architectes à y faire coïncider leurs plans[24] ».

Le désintérêt soudain pour la statue de Moitte coïncide avec un détachement très marqué des principes de l'éducation prônés par Rousseau et appliqués par les Jacobins : « [...] les plus puissants de tous les moyens moraux et auprès desquels les autres sont presque nuls, sont les lois répressives et leur parfaite et entière exécution[25] ».

En présence de ce changement d'état d'esprit, on le comprend aisément, l'érection de la statue de Rousseau par Moitte n'est plus d'actualité. En choisissant le moment de « l'éducation de la marche » il exprime, semble-t-il, d'une manière trop « éloquente » la demande de Rousseau de préparer l'enfant dès le début au « règne de sa liberté », à « l'usage de ses forces », et de le mettre « en état d'être toujours maître de lui-même, et de faire en toutes choses sa volonté sitôt qu'il en aura une[26] ».

16. *Cf.* Vitry, *op. cit.*, pp. 108-109.

17. *Cf.* le « Rapport présenté au ministre de l'Intérieur » du 3 germinal, l'an IV (Arch. nat. F¹⁷ 1056, dos. 9).

18. *Cf.* Guillaume, *op. cit.*, vol. VI, p. 101.

19. « Extrait du procès-verbal de la séance du jury des Arts, du 27 pluviôse, l'an 3 de la République française », dans *Mercure de France*, vol. XV, mars, 1795, pp. 40-41.

20. B. de Montgolfier, « Dons récents de la Société des amis de Carnavalet », dans *Bulletin du musée Carnavalet*, n° 2, novembre 1953, pp. 2-4 ; G. Bresc-Bautier, *Sculpture française du XVIIIᵉ siècle*, Paris, 1980, n° 56.

21. *Cf.* J.-R. Gaborit, *J.-B. Pigalle, Sculptures du musée du Louvre*, Paris, 1985, pp. 48-55.

22. *Cf.* M. Revault d'Allonnes, « Rousseau et le jacobinisme », dans *Annales historiques de la Révolution française*, octobre-décembre 1978, pp. 584-607.

23. *Cf.* note 17.

24. Lettre de A. Lavallée à A. Duval du 22 brumaire an VII (Arch. nat. F¹⁷ 1056, dos. 9).

25. *Cf.* Destutt de Tracy, *Quels sont les moyens de fonder la morale d'un peuple*, an VI (Reprint, Genève 1970), p. 454 (cité d'après Revault d'Allonnes, *op. cit.*, p. 607).

26. J.-J. Rousseau, *Émile ou de l'éducation*, dans *Œuvres complètes*, vol. III, t. I, Paris, 1827, pp. 81-82.

En automne 1798, le conseil des Anciens décide de consacrer un nouveau monument à Rousseau. Destiné aux Tuileries il est confié, sans concours, directement au sculpteur F. Masson. Il existe encore au musée du Louvre un modèle en plâtre du dernier projet en l'honneur de Rousseau à avoir été réalisé sous la Révolution (cat. 1126)[27].

La composition de Masson, « compliquée et sentimentale » selon P. Vitry, change entièrement le sens politique et pédagogique de l'œuvre de Moitte, conçue à la demande du Comité de Salut public. La pensée de la liberté exprimée dans le projet de Moitte est remplacée par une glorification idyllique du philosophe dont la représentation est destinée à apaiser les demandes du public pour un monument à Rousseau, mais en même temps à cacher le plus possible l'actualité politique de sa vénération. À gauche du philosophe est assise une mère qui contemple, selon une description contemporaine, « avec atten-

drissement l'homme qui lui rappela les devoirs de la maternité ; son jeune enfant [...] semble sourir au vertueux philosophe[28] ».

Il ressort du nouveau monument de Masson une critique implicite de Moitte particulièrement visible dans le traitement d'Émile. Masson en effet, dont le Rousseau reste très fidèle à celui de Moitte, substitue au jeune enfant qui hésite sur ses jambes un adolescent distingué, plein de grâce, la tête auréolée de boucles. Il se tient debout auprès de son mentor qui l'écoute. Autant le projet de Moitte est vivant, autant le modèle en plâtre de Masson peut sembler, en comparaison, inexpressif et froid. L'intensité psychologique et la raideur dans la composition du premier ont laissé place chez le second à un langage formel et lisse où transparaît déjà la délicatesse glacée du classicisme du premier Empire. Tandis que Moitte montre en Rousseau « l'apôtre de la liberté », Masson déploie un sentimentalisme qui édulcore les grands principes de l'Émile. Ainsi la comparaison de ces deux œuvres indique que les premiers pas hésitants du petit Émile de 1794 reflétaient les espoirs de la jeune République française qui, tel le jeune enfant, refusait « les bourrelets, les chariots, les lisières[29] », pour se retrouver, quatre ans plus tard, en 1798, complètement prisonnière d'un carcan intellectuel et politique.

C'est la chute du Directoire, le 18 brumaire de l'an VIII, qui, cette fois, empêche le projet de Masson de voir le jour.

Gisela Gramaccini

27. *Cf.* P. Vitry, « Une maquette de monument à J.-J. Rousseau par François Masson », dans *Beaux-Arts*, 1928, pp. 327-328 ; J. Lejeaux, « François Masson, sculpteur, 1745-1807 », dans *Revue de l'art ancien et moderne*, juin, 1932, p. 6 et novembre, 1932, pp. 130-132.

28. *Cf.* Ch.-P. Landon, *Annales du Musée et de l'École moderne des beaux-arts*, t. III, Paris, 1802, p. 47, pl. 20.

29. « Émile n'aura ni bourrelets, ni paniers roulants, ni chariots, ni lisières [...]. Le bien-être de la liberté rachète beaucoup de blessures » (Rousseau, *op. cit.*, p. 113).

1121
Projet d'un monument à Jean-Jacques Rousseau

par Jean-Baptiste STOUF

Maquette, terre cuite. H. 0,360 ; L. 0,335 ; P. 0,45.
Inscription : sur la plinthe : « Stouf 1790 » ; sur la colonne : « Émile./ La Nouvelle/ Heloïse./ Contrat/ Social/.&. »
Historique : don au musée des Arts décoratifs par M. Jules Maciet ; entré au musée en 1882.
Expositions : 1791, Paris, Salon, n° 527 ; 1962, Paris, Bibliothèque nationale, n° 503.
Bibliographie : Vitry, 1912, t. II, pp. 106-107.
Paris, musée des Arts décoratifs (inv. 792).

Sur la plinthe carrée s'élève un fût de colonne qui porte le buste de Jean-Jacques Rousseau coiffé et drapé à l'antique. Un Génie gracieux qui a une flamme sur sa tête, s'appuie sur la colonne et couronne le buste du philosophe. Aux pieds du célèbre Genevois se prosternent deux femmes à genoux dont une élève son enfant vers lui. De l'autre côté, la figure allégorique d'un vice, le Préjugé très probablement, est foulé aux pieds par un autre petit enfant dont la force semble lui être insufflée par le Génie de l'auteur d'*Émile*. Dans ce projet de 1790, Jean-Baptiste Stouf, en s'inspirant de la sculpture funéraire de la seconde moitié du

XVIIIᵉ siècle, développa un nouveau type de monument, hétérogène et compliqué, qui deviendra caractéristique du langage allégorique de la sculpture française à l'époque révolutionnaire.   G.Gr.

1122
Projet d'un monument à Jean-Jacques Rousseau

Maquette, terre cuite. H. 0,598 ; L. 0,360 ; P. 0,495.
Historique : acquis par le musée du Louvre en 1905.
Expositions : 1956, Paris, Musée pédagogique ; 1962, Paris, Bibliothèque nationale, n° 481.
Bibliographie : Girardin, 1909, pp. 274-275 ; Vitry, 1912, t. II, p. 109 ; Buffenoir, 1913, pp. 224-225 ; Suppl. Michel, 1907, n° 1072 ; Vitry, 1922, n° 985.
Paris, musée du Louvre, département des Sculptures (inv. R.F. 1380).

Ce projet de monument d'assez grandes dimensions fait par un artiste inconnu représente Rousseau en costume moderne, assis sur une sorte de tertre de verdure. En s'appuyant sur ce tertre, la tête un peu penchée en avant, exprimant une méditation profonde mêlée d'une tristesse indéfinissable, cette figure ressemble beaucoup à celle de *La Fontaine* par Pierre Julien (1785). Une demande indirecte

faite par les *Révolutions de Paris* à l'occasion du Salon de 1791 proposait que Julien, grâce à son *La Fontaine*, soit choisi pour faire la statue de J.-J. Rousseau. La terre cuite à base ovale surchargée de livres aux pieds du philosophe montre Jean-Jacques en grand travailleur, fatigué, qui se repose. La tête est une réduction assez exacte du buste fait par Houdon d'après le masque mortuaire de Rousseau. Cependant, l'attribution à Houdon, contestée depuis longtemps, ne peut plus être soutenue en présence des détails donnés par les sources. En ce qui concerne la date de la terre cuite, son caractère général, conforme au style des statues de la série des « Grands Hommes », fait supposer plutôt les années 1790-1791 que l'an II.   G.Gr.

1123
Jean-Jacques Rousseau observant les premiers pas de l'enfance

par Jean-Guillaume MOITTE

Maquette, terre cuite. H. 0,34 ; L. 0,19 ; P. 0,19.
Inscription : sur le devant de la plinthe : « 1412 ».
Historique : exécutée en 1794 et envoyée au concours ouvert par l'arrêté du 5 floréal, an II ; collection de l'artiste ; vente Mme Moitte, Paris, 20-21 août 1807,

Projet de monument à Jean-Jacques Rousseau, 1790 (cat. 1121).

Projet de monument à Jean-Jacques Rousseau (cat. 1122).

n° 52; vente E. Hédouin, Paris, 15 mars 1889; collection Henri Rouart; don au musée Carnavalet par la Société des amis de Carnavalet en 1953.

Expositions: 1794, Paris, salle de la Liberté (10 au 15 prairial, an II); 1794-1795, Paris, salle du Laocoon (jusqu'au 28 pluviôse an III); 1878, Paris, palais du Trocadéro, n° 535 (attribuée à Houdon); 1978, Tokyo et Nagoya; 1981, Paris, musée Carnavalet.

Bibliographie: Vitry, *G.B.A.*, 1912, t. II, pp. 107-109; Montgolfier, 1953, pp. 2-4; Bresc-Bautier, 1980, n° 56; Gramaccini, voir étude *supra*.

Paris, musée Carnavalet (inv. S. 3314).

Le 28 pluviôse an III (16 février 1795), le jury des Arts décidait que le projet de monument en l'honneur de Rousseau par Moitte serait exécuté en bronze aux frais de la nation. Son groupe en terre cuite, couronné parmi vingt-cinq esquisses envoyées au grand concours de l'an II, représente Jèan-Jacques Rousseau méditant le plan de son ouvrage, l'*Émile*, et examinant les premiers pas de l'enfance. L'œuvre était destinée à être placée sur les Champs-Élysées. Rousseau est assis sur un rocher, revêtu d'une toge à la romaine qui laisse voir le torse nu composé d'après le modèle du torse de Belvédère. Derrière lui, la petite statuette de la Nature (dont la partie supérieure est cassée), copie fidèle de la Diane d'Éphèse, renvoie, comme un attribut, à «l'Homme de la Nature». Celui-ci se penche en avant pour observer, avec une vigilance prononcée, un tout petit enfant nu, faisant seul ses premiers pas. La main droite du philosophe, très expressive, posée sur les feuilles d'un manuscrit, est

prête à écrire tandis que l'autre main est disposée à aider l'enfant qui hésite sur ses jambes. Stylistiquement la maquette se rapporte au vérisme de l'école de Pigalle visible dans la facture vivement modelée du Rousseau et du petit garçon. Quant au type de figure, en revanche, le Rousseau de Moitte se distingue clairement des figures fines et gracieuses de son maître Pigalle. Un torse massif et des jambes très larges donnent à la silhouette de sa composition une forme anguleuse et sèche. Le piédestal de la statue devait être accompagné de bas-reliefs, dont les dessins, inconnus jusqu'à aujourd'hui, furent vendus à la vente de Mme Moitte (20-21 août, 1807, n° 22). Moitte demandait une somme de 50 000 livres pour ce travail qu'il estimait devoir durer trois ans. Dans une longue lettre au ministre de l'Intérieur Bénézech, Moitte repousse l'emploi du bronze, considérant qu'«il ne faut employer aucune matière métallique susceptible de changement quelconque» et qu'«à cet égard le vandalisme nous a donné une leçon assez forte pour nous en ressouvenir». Le marbre, en revanche, échappe davantage aux tentatives de destructions; d'ailleurs et surtout, il «est véritablement bien plus susceptible de perfection». Enfin, l'exécution en marbre épargnerait à la république des frais énormes puisqu'il y a, appartenant au gouvernement, de très beaux blocs au dépôt de la Chaussée-d'Antin. Sa proposition fut acceptée. La statue, avancée jusqu'à l'achèvement du grand modèle en plâtre, fut abandonnée sous le climat politique autoritaire à la fin du Directoire. En octobre 1802,

Joseph Farington, visitant l'atelier de Moitte au Louvre, accompagné de J.H. Füssli et de W. Turner mentionne le modèle en plâtre: «The best of his works in our opinion was a model large as life of a French Philosopher [...] The drapery particularly good.» Encore un an plus tard, dans une séance publique de la classe des Beaux-Arts de l'Institut de France, Moitte regrette la perte de cette œuvre sur laquelle il voulait fonder sa gloire.

G.Gr.

1124
Projet de monument à Jean-Jacques Rousseau

par Jean-François LORTA

Maquette, terre cuite. Statue: H. 0,22. Socle: H. 0,19; L. 0,15; P. 0,18.

Inscription: au-devant du socle: «LA RÉPUBLIQUE FRANÇAISE, A JJ. ROUSSEAU»; sur le bas-relief à droite du socle: «Les droits de l'Homme»; au-dessous du socle, écrit au crayon: «1480».

Historique: exécuté en 1794 et envoyé au concours, ouvert par l'arrêté du 5 floréal, an II, pour une statue de J.-J. Rousseau aux Champs-Élysées; collection de l'artiste; collection des descendants de l'artiste.

Expositions: 1794, Paris, salle de la Liberté (10 au 15 prairial, an II); 1794-1795, Paris, salle du Laocoon (jusqu'au 28 pluviôse an III).

Paris, collection particulière.

Projet de monument à Jean-Jacques Rousseau, lauréat du concours de l'an II (1794) (cat. 1123).

Projet de monument à Jean-Jacques Rousseau, présenté au concours de l'an II, 1794 (cat. 1124).

L'esquisse anonyme en terre cuite dont la provenance atteste qu'il s'agit d'une œuvre du sculpteur Jean-François Lorta (1752-1837) porte au-dessous du socle un numéro d'enregistrement prouvant que nous avons affaire à un projet envoyé au concours pour un monument en l'honneur de Rousseau décrété par le Comité de Salut public le 24 avril 1794. Le philosophe, assis sur un rocher et s'appuyant sur un trépied médite sur un texte qu'il est en train d'écrire sur une feuille de papier enroulée. Il est habillé négligemment d'un costume moderne dont le désordre pittoresque reflète sa prédilection pour les «goûts simples» et les «affections naturelles». Le projet de monument, par les bas-reliefs du socle et les attributs ajoutés à la statue, représente plusieurs aspects de la gloire de Rousseau. Le bonnet phrygien attaché à l'arbre derrière lui le désigne comme «l'apôtre de la Liberté»; la lyre à ses pieds fait allusion à ses ouvrages musicaux; le bas-relief gauche représentant des jeunes mères et leurs enfants souligne son mérite de pédagogue tandis que celui du côté droit, représentant le Temps, la Renommée et l'Histoire écrivant «Les droits de l'Homme» sur une pierre, immortalise «le premier fondateur de la Constitution française». Derrière, sur le bas-relief du socle deux piques croisées, le triangle et le bonnet phrygien entourés par la couronne civique symbolisent les grands principes de la Révolution dont Rousseau fut le précurseur. G.Gr.

1125
Projet de statue à Jean-Jacques Rousseau en costume d'Arménien

Maquette, terre cuite. H. 0,385; L. 0,23. P. 0,14.
Inscription: au-devant de la plinthe: «J.J. Rousseau»; aux quatre faces de l'autel: «A l'Égalité»; «A la Nature»; «A la Philosophie»; «A la Fraternité.»
Historique: léguée par Mme Édouard André à l'Institut de France.
Bibliographie: Girardin, 1909, p. 275. n° 1183; Vitry, 1912, t. II, pp. 110-111; Buffenoir, 1913, pp. 225-226; guide Chaalis, 1913, n° 476 (attribué à Chinard).

Chaalis, musée Jacquemart-André.

Les inscriptions sur la terre cuite non signée et non datée montrent qu'elle fut exécutée pendant l'époque révolutionnaire. Plusieurs noms de sculpteurs ont été avancés pour être l'auteur de cette esquisse: en dehors de celui de Houdon, attribution défendue par H. Buffenoir, fondée sur «l'analogie frappante» du «foulard entrecroisé, sans nœud, et retombant harmonieusement», avec celui du buste de Molière, on pensa à Sébastien Chardin, élève de Michel-Ange Slodtz, et à Edme-Étienne Gois (1765-1836). P. Vitry, ne croyant pas à l'attribution à Houdon, parce qu'il ne trouvait pas dans cette œuvre la «familière et géniale simplicité de Houdon», la compara au *Général Vergniaud* de Pierre Cartellier. Cependant, aucun de ces sculpteurs, à l'exception de Houdon n'a participé, d'après l'état des recherches

d'aujourd'hui, à la réalisation du fameux projet de statue.
La finesse de l'exécution, l'expression vivante et la signification complexe, observées maintes fois, font de cette terre cuite une œuvre de premier ordre. Coiffé du bonnet de fourrure et enveloppé du caftan arménien, Rousseau est debout «comme un conquérant», dit H. Buffenoir, «dans l'attitude de l'apôtre et du législateur», dit L. Gillet. Ce caractère «de solennel et d'apprêté», souligné par P. Vitry également, s'allie à une allure inquiète et nerveuse. L'expression du visage, qui est tourné vers la gauche, est craintive. On est tenté de supposer qu'il s'agit d'une esquisse d'un «monument consacré à l'auteur du *Contrat social*» qui fut exposé au salon de 1791 et qui fut critiqué sévèrement par les *Révolutions de Paris*: «L'artiste a fait prudemment de mettre ce livre sans titre dans les mains de la figure; sans cette précaution, elle eût été méconnaissable; on l'eût prise pour un esclave; elle en a l'attitude basse, l'air craintif; la physiognomie paroît flétrie. Ce n'est pas ainsi qu'il falloit transmettre à la postérité les traits de l'homme de génie qui rendit au genre humain ses droits à la liberté, perdus depuis tant de siècles.»
Dans ce projet de monument, Rousseau incarne non seulement l'auteur du *Contrat social* et, par cela, «le fondateur de la Constitution française»; mais en même temps il représente une autre idée chère aux Lumières: l'honneur rendu à l'intellectuel poursuivi pour ses idées politiques, cachant ses écrits et jetant

Projet de statue à Jean-Jacques Rousseau en costume d'Arménien (cat. 1125).

Projet de monument à Jean-Jacques Rousseau, 1798 (cat. 1126).

des regards inquiets autour de lui. L'ouvrage en deux volumes, pressés par la jambe contre une des faces de l'autel carré, est très probablement l'*Émile*. Cet autel est orné de quatre figures allégoriques représentant la Nature, la Philosophie, la Fraternité et l'Égalité. Une tablette que le philosophe tient de la main gauche est recouverte de plusieurs feuillets du *Contrat social*. G.Gr.

1126
Projet de monument à Jean-Jacques Rousseau

par François MASSON

Maquette, plâtre. Statue : H. 0,96 ; L. 0,49 ; P. 0,403. Socle : H. 0,442 ; L. 0,487 ; Pr. 0,489.
Inscription : au socle, côté droit : «pigmalio/le devin/du vilage [sic]/botanique» ; côté gauche : «sur/l'iné-gali[té]/politique/lettre à D'alembert» ; sur un rouleau tenu par Rousseau de la main gauche : «o mon emille [sic] je ne/supporterai jamais/la douleur de t être odie[ux]» ; sur un rouleau tenu par Émile de la main droite : «o mon ami/mon protecteur/mon maître/je crois donc que/le monde est gouv[ern]é/par une volonté puiss[ant]e/et sage.»

Historique : commandé à Masson par le conseil des Anciens qui ordonna, par un arrêté de 29 vendémiaire an VII, qu'il sera élevé, dans le jardin des Tuileries, un monument à la gloire de Jean-Jacques Rousseau ; acquis par le musée du Louvre dans une vente composite faite à la galerie Georges-Petit, le 26 novembre 1928.
Expositions : 1799, Paris, Salon ; 1939, Paris, musée Carnavalet, nº 1159 ; 1962, Paris, Bibliothèque nationale, nº 565 ; 1968, Paris, Archives nationales, nº 224 ; 1972, Londres, nº 405.
Bibliographie : Landon, 1801, pp. 97-98 ; Landon, an X, 1802, t. III, p. 47, pl. 20 ; Vitry, 1912, t. II, pp. 111-112 ; Vitry, 1928, pp. 327-328, repr. ; Lejeaux, 1932, t. II, pp. 3-16 et 127-138 ; Suppl. Vitry, 1933, nº 1839 ; Boyer, 1934, pp. 239 et 257 ; Hubert, 1964, p. 72, fig. 33, 34 ; Gramaccini, étude *supra*.

Paris, musée du Louvre, département des Sculptures (inv. R.F. 1984).

Par un arrêté du **29 vendémiaire an VII (20 octobre 1798)**, le conseil des Anciens décida qu'il serait élevé dans le jardin des Tuileries un monument à la gloire de J.-J. Rousseau. Sans concours public, le monument fut confié directement à François Masson dont la maquette, appartenant aujourd'hui au musée du Louvre, fut exposée au Salon de 1799. D'après un programme précis imposé au sculp-

teur, l'œuvre devait comprendre un groupe de quatre figures ainsi que plusieurs bas-reliefs autour du piédestal. Rousseau devait être représenté assis et enveloppé d'un manteau, Émile, déjà adolescent, debout ; à gauche du philosophe, une femme assise allaiterait son enfant. Les bas-reliefs rappelleraient le *Contrat social*, *Héloïse*, ses succès à l'académie de Dijon et ses goûts de musicien et de naturaliste. La maquette du Louvre, qui remplit le programme fidèlement, fut agrandie plus que nature en plâtre. Ce grand modèle en plâtre, terminé en 1801, ne fut jamais érigé dans le jardin des Tuileries, comme F. Boyer a su le montrer (le *Rousseau* des Tuileries qui est mentionné par les guides anciens était très probablement la statue éphémère exécutée en 1794 pour la panthéonisation de Rousseau). Il fut transféré la même année au palais du Sénat conservateur (palais du Luxembourg). Deux descriptions publiées par Ch.-P. Landon nous transmettent l'état définitif du groupe qui ne fut jamais exécuté en marbre. L'artiste y avait ajouté une cinquième figure, un enfant de cinq ans qui offrait des fleurs au philosophe. Cette figure renforce le caractère «compliqué et sentimental» (Vitry) de cet ensemble idyllique. Par ce sentimentalisme le projet de Masson se distingue nettement des projets de la première moitié des années 1790. Il fut jugé, par la critique contemporaine, «le plus considérable de ceux qu'a produits la Sculpture depuis bien des années ». G.Gr.

1127 A
Monument édifié aux Tuileries à la mémoire de Rousseau : vue diurne

par Hubert ROBERT

Huile sur toile. H. 0,65 ; L. 0,805.
Inscription : au revers «H. Robert, 1794.»
Historique : acquis à Paris en 1927.
Bibliographie : Réau, 1927, pp. 219-220 ; Montgolfier, 1964, p. 21.

Dublin, National Gallery of Ireland (inv. 896)

La translation des cendres de Jean-Jacques Rousseau dans l'église Sainte-Geneviève devenue Panthéon fut proposée dès 1790. Mais alors que le déplacement du corps de Voltaire, inhumé dans l'église de l'abbaye de Scellières, devenue bien national et mise en vente, était devenu inévitable et que celui qui se considérait comme l'héritier des droits moraux du philosophe, le marquis de Villette, proposait lui-même la translation au Panthéon, le cas de la tombe de Rousseau était bien différent. Le marquis de Girardin affirmait que Jean-Jacques avait fixé lui-même à Ermenonville sa sépulture ; le site choisi, sur l'île des Peupliers, au milieu de l'étang du parc était admirablement conforme à l'image de «l'ami des hommes et de la vérité» et était devenu un lieu de pèlerinage.

En 1794 néanmoins, sur un rapport de Lakanal, et en pleine réaction antiterroriste et antijacobine, la décision fut prise et le 18 vendémiaire an III (9 octobre 1794) le corps fut transporté d'abord à Montmorency dans un sarcophage surmonté d'une urne, puis le 19 à Paris où il fut abrité durant l'après-midi et la nuit dans un édifice spécialement construit à cet effet sur une île artificielle plantée de peupliers et située au centre du bassin circulaire du jardin des Tuileries afin de rappeler sans doute le site primitif de la sépulture.

C'est cette construction en forme de petit temple d'ordre toscan qu'a représentée Hubert Robert.

L'architecte en était peut-être Jean-Charles Alexandre Moreau (1762-1810) «membre architecte du comité d'embellissement du Jardin national» ou plus vraisemblablement Auguste Cheval de Saint-Hubert dit Hubert (1755-1798), membre du même comité, mais chargé, à partir de 1794 de coordonner l'ensemble des travaux d'architecture dans les Tuileries. Bernard de Montgolfier et Michel Gallet (*Bulletin du musée Carnavalet*, nov. 1960, p. 23, n° 55) ont signalé un dessin (autrefois dans la collection Victor Sardou) qui pourrait être un projet pour cet édifice dont la forme annonce de façon remarquable un certain nombre de monuments funéraires de la première moitié du XIXᵉ siècle (en particulier la tombe du *Général Foy*, par Vaudoyer et David d'Angers, au cimetière du Père-Lachaise).

Monument édifié aux Tuileries à la mémoire de Rousseau en 1794 ; vue diurne (cat. 1127 A).

Monument édifié aux Tuileries à la mémoire de Rousseau en 1794 : vue nocturne (cat. 1127 B).

1127 B
Monument édifié aux Tuileries à la mémoire de Rousseau : vue nocturne

par Hubert ROBERT

Huile sur toile. H. 0,65 ; L. 0,805.
Historique : vente après décès de l'artiste, 1809, n° 133 ? ; acquis en 1926.

Bibliographie : Réau, 1924, pp. 219-220 ; Montgolfier et Gallet, 1960, p. 21 ; Montgolfier, 1964, p. 21 ; Bresc-Bautier et Pingeot, 1986, t. I, p. 63 et fig. 30.

Paris, musée Carnavalet (inv. P 1438).

Le sarcophage de Jean-Jacques Rousseau demeura exposé aux Tuileries durant la nuit du 19 au 20 vendémiaire sous un temple construit à cet effet (cat. 1127 A). Hubert Robert ne fut semble-t-il pas le seul artiste qui ait été intéressé par cette étrange veillée noc-

Jean-Jacques Rousseau dans le parc de Rochecardon, Salon de 1795 (cat. 1128).

turne puisque De Machy exposa au Salon de 1795 (n° 113) un tableau intitulé *Cénotaphe de Jean-Jacques Rousseau, effet de lumière.* Ici l'effet de clair de lune se mêle à celui de la lumière artificielle des candélabres et des lampes placés autour du temple. Les photophores posés sur la margelle du bassin éclairent à contre-jour les spectateurs dont les silhouettes pittoresques se découpent en ombres chinoises.

Même si la scène peinte par Hubert Robert correspond à des faits bien réels et précisément datés, elle atteint par le génie du peintre à une sorte de fantastique qu'accentue encore le contraste avec la vue diurne du musée de Dublin.

rendu minutieux des différentes essences, Dunouy construit son paysage autour des éléments d'architecture constitués par le bassin, l'aqueduc et la terrasse à demi ruinée.

1129
Buste élevé au Lycée de la Patrie à la mémoire de Rousseau

---

attribué à Abraham-Louis GIRARDET

Eau-forte sur papier. H. 0,105 ; L. 0,072.
Historique : gravure détachée de l'*Abrégé de l'histoire*

de Genève..., rééd. par Mr B.B., Neuchâtel, chez les frères Girardet, 1798 ; don à la bibliothèque publique et universitaire de Genève, en 1966.
Bibliographie : Rigaud, 1876, p. 189 ; Baud-Bovy, 1915, p. 3 ; Fatio, 1919, p. 3 et suiv. ; Herdt, 1978, t. XXVI, p. 229 et suiv.

Genève, bibliothèque publique et universitaire, département iconographique et cartographique (inv. Sup Gir 473/1 [3ᵉ ex.] 1966/827/58).

La gravure de Girardet nous transmet l'image d'un monument à Rousseau commandé par le gouvernement révolutionnaire genevois et exécuté par le sculpteur Jean-Jaquet (1754-1839) d'après les dessins du peintre Jean-Pierre Saint-Ours. L'Assemblée de la république de Genève décidait, le 23 novembre 1793, l'élévation « d'une colonne de vingt pieds de hauteur et sur six pieds de largeur, d'une forme quarrée propre à recevoir le buste de Jean-Jacques Rousseau ». C'est exactement d'après ces ordonnances que le monument, entouré d'une barrière circulaire en bois et d'arbres en demi-cercle, fut placé dans la promenade du Bastion national, devenu le « Lycée de la Patrie ». Le 28 juin 1794, jour anniversaire de la naissance de Rousseau, le monument fut inauguré par une fête nationale. À la différence des artistes français qui réalisèrent, presque en même temps, dans le cadre du grand concours de l'an II, des projets très ambitieux, l'Assemblée genevoise imposa une conception plus modeste : « Plus ce monument sera simple », décréta-t-elle, « plus il se rapprochera des principes de Jean-Jacques Rousseau » ; et « qu'en adoptant un genre composé pour ce monument il resterait toujours au-dessous de la reconnaissance que Rousseau a méritée de ses compatriotes ». En 1817 le monument disparut lors de la transformation du Bastion national en jardin botanique.   G.Gr

1128
Jean-Jacques Rousseau dans le parc de Rochecardon

---

par Alexandre-Hyacinthe DUNOUY

Huile sur toile. H. 0,63 ; L. 0,95.
Inscription : sur une pierre : « Vitam impedere vero. »
Exposition : 1795, Paris, Salon, n° 168.
Bibliographie : cat. Marmottan, 1934, p. 145, n° 595.

Paris, musée Marmottan (inv. 1040).

Ce paysage, sans doute exact sur le plan topographique car le peintre avait des liens avec la région lyonnaise, fait allusion à un épisode de la vie de Jean-Jacques Rousseau qui séjourna quelque temps à la Rochecardon (commune de Saint-Didier-au-Mont-d'Or) durant la période qui sépare son retour d'Angleterre en mai 1766 et son installation à Paris en 1770. Très représentatif du « culte » de Rousseau durant la période thermidorienne, ce tableau est aussi caractéristique de la difficulté qu'éprouvent alors les peintres à exprimer le sentiment de la nature.

Malgré l'importance donnée aux arbres et le

Buste élevé au Lycée de la Patrie à la mémoire de Rousseau, commande du gouvernement révolutionnaire genevois, 1793-1794 (cat. 1129).

LES GOBELINS ET LE JURY DES ARTS DE 1794

L E 30 MESSIDOR AN II (18 juillet 1794), il fut arrêté par le Comité de Salut public :

« Il sera incessamment formé un Jury d'Artistes pour examiner les tableaux existans aux manufactures Nationales des Gobelins et de la Savonnerie, et déterminer ceux qui, à raison de leur perfection, méritent d'être exécutés par les ouvriers de ces manufactures » (Article premier).

Ce Jury était composé de dix membres parmi lesquels on comptait Belle, directeur des Gobelins et Duvivier, directeur de la Savonnerie ; il comprenait en outre trois hommes de lettres, un architecte, un sculpteur et trois peintres. Le Jury entra en fonction le 26 fructidor an II (12 septembre 1794) et se prononça en une dizaine de jours sur un nombre considérable d'œuvres du milieu du XVIIᵉ siècle jusqu'à l'époque contemporaine. Le jugement fut expéditif et quelque peu sommaire. Plus que sévère, le Jury se montra bien évidemment injuste dans son désir de trop bien faire et élimina radicalement non seulement « les tableaux présentans des emblêmes ou des sujets incompatibles avec les idées et les mœurs républicaines » mais aussi toute une production très représentative de l'art français de la fin du XVIIᵉ siècle et du début du XVIIIᵉ siècle mais totalement contraire au goût du jour et qui fut de fait éliminée, le plus souvent sans commentaire. Parmi ces sujets, quelques-uns eurent droit à un jugement moins catégorique et, bien que « rejettés sous le rapport de l'art », furent toutefois qualifiés « d'agréables », ainsi la *Clitie...* de Belle père, *Le Sommeil de Renaud* de Coypel ou le *Triomphe d'Amphitrite* de Taraval. D'autres, dont les sujets furent rejetés comme les précédents, furent cependant achevés en tant que tapisseries, lorsque celles-ci étaient déjà très avancées ou pour compléter une tenture, comme les *Fêtes à Bacchus* de Callet.

Les comptes rendus des différentes séances du Jury nous livrent parfois des jugements pour le moins étranges et quelque peu contradictoires ; ainsi ceux portés sur des œuvres « rejettées sous le rapport de l'art » mais dont les sujets furent conservés comme étant « moraux » ou « d'un esprit républicain » : ce fut le cas du *Courage des femmes de Sparte* de Le Barbier, de *La Mort de Sénèque* de Perrin, de deux tableaux de Brenet, *Générosité des dames romaines* et *Caïus Furius Cressinius accusé de magie*, sujet qualifié de « vraiment philosophique et républicain », du *Départ du Régulus pour Carthage* de Lépicié et de *Manlius Torquatus condamnant son fils* de Berthélemy ainsi que de quelques autres qui bénéficièrent de ce traitement de faveur.

Il y eut des cas plus simples, ceux des œuvres rejetées car « contraires à l'esprit républicain », sort d'un grand nombre de sujets parmi lesquels on peut citer *Le Siège de Calais* de Berthélemy, *La Toilette d'Esther* de J.F. de Troy, *Henri IV laissant entrer des vivres dans Paris* de Vincent ou encore le *Méléagre* de Ménageot et *La Mort de Priam* de Regnault.

Il y eut enfin les sujets rejetés pour des raisons extrêmes, parmi ceux-ci, *Mathatias tuant les impies* de Lépicié et *Eléazar...* de Berthélemy rejetés « sous le rapport des idées fanatiques » ; comme « retraçant des idées supersticieuses », nous trouvons *Corésus et Calhiroé* de Fragonard ou *Albinus offrant son char aux vestales* de Lagrenée le Jeune et *La Piété de Fabius Dorso* de Lépicié ; le *Métellus sauvé par son fils* de Brenet est rejeté « parce qu'il rappelle des idées de despotisme » ; *La Mort de Bayard* de Beaufort se vit qualifié de « sujet inadmissible », *La Vénus du Malabar* de Lagrenée l'Aîné fut refusé « comme présentant des idées atroces », *Achille traînant le corps d'Hector* de Callet est aussi rejeté comme « sujet atroce », et *Cléopâtre au tombeau de Marc-Antoine* de Ménageot est « rejetté comme immoral ». On trouve encore, parmi ces sujets refusés, ceux qualifiés de « nuls » comme les *Jeux d'enfans* de Vien ou un *Tableau d'enfans* de Carle Van Loo et ceux dits « insignifiants » comme *Moïse sauvé des eaux* de Lagrenée le Jeune, le *Déjeuner de la sultane* de Amédée Van Loo ou les *Amours brûlant leurs flèches* de Boucher.

Il y eut finalement quelque 350 modèles mis à l'index, certains d'entre eux ayant été également écartés de par leur mauvais état de conservation, pour une trentaine des sujets retenus que l'on devait reproduire en tapisserie. Parmi les sujets contemporains, outre ceux que nous exposons ici, nous trouvons *Le Combat des Romains et des Sabins apaisé par les femmes sabines* de Vincent, « sujet très intéressant », *La Mort de Socrate* de Peyron, *La Reconnoissance d'Oreste et d'Iphigénie* de Regnault, « sujet et tableau conservés en ce qu'ils rappellent l'instant où fut aboli dans la Tauride, le culte atroce qui offrait aux dieux des victimes humaines ».

Enfin, « les sujets allégoriques à la gloire de la Nation sont acceptés » ; en outre, *La Liberté ou la Mort* de Regnault et le *Serment des Horaces* de David faisaient partie des sujets agréés par le jury et devant être exécutés en tapisserie.

Brigitte Gallini

Sources :
Documents conservés dans les archives de la manufacture des Gobelins et publiés dans leur intégralité en 1897 par J.-J. Guiffrey, dans N.A.A.F., 3ᵉ série (pp. 349-389).

Les Saturnales ou L'Hiver, sujet retenu par le Jury des Arts, 1794 (cat. 1130).

1130
Les Saturnales ou *L'Hiver*

Gobelins, 1792 ou vers 1794.
Tapisserie, laine et soie. H. 3,10 ; L. 3,25.
Historique : première pièce d'une tenture des *Quatre Saisons,* d'après Antoine Callet.
Bibliographie : Guiffrey, 1897, p. 372 ; Fenaille, 1907, t. IV, pp. 362-366.

Paris, Mobilier national (inv. GMTT 1068), en dépôt au ministère de la Marine.

Au Salon de 1783, Antoine-François Callet (1741-1823) exposa le premier modèle pour une tenture des *Quatre Saisons* qui lui avait été commandée pour les Gobelins : *Les Saturnales* ou *L'Hiver.* Le livret du Salon indiquait que « ces fêtes, chez les Romains, se célébraient dans le mois de décembre, en l'honneur de Saturne ; les maîtres servaient leurs esclaves, et le peuple se livrait pendant quinze jours à toutes sortes de débauches ». Tissée en 1792 une première fois et de nouveau sur le métier en 1794, le sujet fut retenu par le jury des Arts de septembre de la même année « comme favorable à l'Égalité », mais le tableau fut rejeté « sous le rapport de l'art » ainsi que les autres modèles qui avaient été livrés par Callet jusqu'en 1791. Cependant, il fut décidé d'achever la tapisserie pour continuer la tenture. Sans que l'on puisse savoir s'il s'agit de la première pièce terminée en 1792 ou de la seconde, *L'Hiver* fut livrée avec une autre pièce représentant *Le Printemps,* datée 1790, au commencement de l'an XI (1802), pour l'ameublement du ministère de la Marine, au pavillon de Flore.

A.Le.

1131
La Fête à Palès

Gobelins, 1802-1804.
Tapisserie, laine et soie. H. 3,20 ; L. 3,25.
Inscription : en bas à gauche : « J.B. SUVEE F. 1783 » et sur le socle : « ΠΑΛΗΣ ».
Historique : placée le 28 mai 1808 dans le cabinet de l'Empereur au palais de Compiègne.
Bibliographie : Guiffrey, 1897, pp. 363, 379 ; Fenaille, 1907, t. IV, pp. 365-367, et 1912, t. V, pp. 67-69.

Compiègne, musée national du Château, en dépôt au département des Sculptures du musée du Louvre (inv. C. 434 C.).

La Fête à Palès qui représente un sacrifice à la déesse des troupeaux fut tissée aux Gobelins comme pièce isolée, d'après un modèle de Suvée présenté au Salon de 1783 sous le titre de *Fête à Palès* ou *L'Été.* À cause de la similitude approximative des titres, elle fut confondue avec l'une des quatre pièces composant la tenture des *Quatre Saisons : Les Fêtes de Cérès* ou *L'Été* de Callet qui se trouvait sur les métiers en 1792 et 1794 et que le jury des Arts de septembre 1794 décida de terminer bien qu'il en eût rejeté le sujet. En revanche, le jury trouva que *La Fête à Palès* était un « sujet intéressant, offrant un usage antique des

La Fête à Palès, sujet retenu par le Jury des Arts, 1794 (cat. 1131).

mœurs agricoles » et que le tableau devait être conservé « comme ayant beaucoup de mérite ». Terminée en 1804, la tapisserie fut livrée à Compiègne avec deux pièces de la tenture des *Quatre Saisons*. Un deuxième exemplaire de *La Fête à Palès* fut offert à la reine Hortense.

A.Le.

1132
L'Assassinat de l'amiral de Coligny

Gobelins, 1790-1791.
Tapisserie, laine et soie. H. 3,20 ; L. 2,60.
Inscription : en bas à droite : « J.B. SUVEE F. 1787. »
Historique : première pièce de la deuxième tenture de *L'Histoire de France,* d'après Joseph-Benoît Suvée.
Bibliographie : Guiffrey, 1897, p. 365 ; Fenaille, 1907, t. IV, pp. 371-373.

Paris, Mobilier national (inv. GMTT 231).

Le tableau de Suvée, présenté au Salon de 1787 sous le titre de *L'Amiral de Coligny en impose à ses assassins,* servit de modèle pour la tenture de *L'Histoire de France* commandée en 1784 par le comte d'Angiviller (cat. 437). Le sujet qui avait impressionné le roi fut néanmoins tissé deux fois et même retenu par le jury des Arts qui examina les modèles des Gobelins en septembre 1794 parce qu'il rappelait « toute l'horreur que doivent inspirer le fanatisme, l'intolérance et la mémoire de Charles neuf et de Catherine de Médicis ». Le jury estima que le tableau était également « à conserver sous le rapport de l'art » ; il fut même présenté à la seconde exposition des produits de l'industrie en l'an IX (1801). A.Le.

L'Assassinat de l'amiral de Coligny, sujet retenu par le Jury des Arts, 1794 (cat. 1132).

1133
Allégorie de la République

par Clément BELLE et Augustin-Louis BELLE

Triptyque. Huile sur toile. Tableau central : H. 3,56 ; L. 2,26 ; tableaux latéraux : H. 3,56 ; L. 1,72.
Historique : ensemble commandé à Belle père en 1788-1789 pour être reproduit en tapisserie par la manufacture des Gobelins et offert au palais de Justice ; transformé en 1794 en *Allégorie de la République* ; déposé au Mobilier national ; entré au Louvre en 1976.
Exposition : 1968-1969, Archives nationales, n° 313, p. 75.
Bibliographie : Engerand, 1895, pp. 378-380 ; Guiffrey, 1897, pp. 375-380 ; Rosenberg, 1965, n°s 4-5, pp. 229-232 ; Compin-Roquebert, 1986, t. III, p. 51.

Paris, musée du Louvre, département des Peintures (INV. 20296 A.B.C.).

Cette allégorie en triptyque était considérée comme « École française du XVIIIᵉ-XIXᵉ siècle » jusqu'à l'article capital de Pierre Rosenberg en 1965.
Commandé à Belle père, ce triptyque fut modifié en 1794 pour être accepté par le Jury des

Arts. La partie centrale semble avoir été particulièrement retouchée, sans doute par Augustin-Louis Belle, fils de l'artiste qui modifia également l'*Allégorie de la Révolution* (cat. 1134).
La différence de style entre la partie centrale, aux lignes un peu lourdes, et les deux panneaux plus petits est ici particulièrement marquée.
Le descriptif du jury des Arts est le suivant : « La France inspirée et dirigée par le Génie de la Démocratie, reçoit des mains de Minerve le code des lois républicaines basées sur les droits imprescriptibles de l'homme, desquelles la nature présente les tables [la figure de la nature est celle de la Nature régénérée dont les deux seins sont des fontaines symbolisant sa fertilité]. Le peuple français représenté par un jeune guerrier applaudit aux nouvelles lois et étouffe un loup qu'il a terrassé, emblème de la cruauté des conjurés et des tirans. Un Génie tient un faisceau de l'union et le drapeau national. L'Histoire écrit sur les annales de la République les époques glorieuses de la Révolution [volet gauche, avec au premier plan la figure du Temps]. La Vigilance foule aux pieds la figure de l'Envie » [volet droit]. B.Ga.

1134
Allégorie de la Révolution

par Clément BELLE et Augustin-Louis BELLE

Triptyque. Huile sur toile. Tableau central : H. 3,56 ; L. 3,86 ; tableaux latéraux : H. 3,56 ; L. 2,20.
Historique : ensemble commandé en 1788-1789 et devant initialement représenter le « Temple de Thémis » ; devait être reproduit en tapisserie par la manufacture des Gobelins et offert au palais de Justice ; transformé en 1794 en *Allégorie de la Révolution.*
Bibliographie : Engerand, 1895, pp. 378-380 ; Guiffrey, 1897, pp. 375-380 ; Rosenberg, 1965, n°s 4-5, pp. 229-232 ; cat. Louvre 1972, p. 27 (partie centrale) ; Rosenberg-Reynaud-Compin, 1974, n° 16 (partie centrale) ; Compin-Roquebert, 1986, t. III, p. 51.

Paris, musée du Louvre, département des Peintures (INV. 20297 A.B.C.).

Cette allégorie en triptyque, comme l'*Allégorie de la République* (cat. 1133), était considérée comme « École française du XVIIIᵉ-XIXᵉ siècle » jusqu'à l'article capital de Pierre Rosenberg en 1965.

La commande du « Temple à Thémis » fut passée à Belle père en 1788-1789 pour être par la suite transcrite en tapisseries qui devaient être offertes au palais de Justice. Selon Engerand, figurait à l'origine, dans la partie centrale de la composition, « sous le pavillon de France... le buste du Roy ».

En 1794, lorsque le jury des Arts décide des modèles à exécuter en tapisseries, nous retrouvons ce triptyque, non encore achevé, modifié pour certaines de ses parties et bien évidemment sans le buste du roi remplacé par une statue de la Loi.

Voici le texte donné par le jury : dans la partie centrale, sous un dais, « Minerve assise aux pieds de la statue de la Loi [reconnaissable au livre ouvert sur ses genoux et au sceptre qu'elle tient de la main droite] remet à Hercule, emblême de la force du peuple, le décret qui aboli les vices de l'ancien gouvernement représenté par les Harpies [figures ailées terrassées par Hercule brandissant sa massue]. A l'aspect de la Loi, les vices prennent la fuite [partie droite du triptyque] et les Vertus viennent les remplacer. La Renommée publie la régénération de la France en proclamant les droits de l'homme et la constitution démocratique [...] » [partie gauche].

Ajoutons, en complément de ce descriptif, que la Loi figure ici entourée de la Justice portant le glaive nu et la balance et d'une allégorie se regardant dans un miroir qui pourrait être la Vérité ; sur le socle de marbre est gravé : « L'An I de la République Une et indivisible. » La partie centrale de ce triptyque fut donc retouchée sous la Révolution et sans doute, comme l'a démontré P. Rosenberg, par la main même du fils de Clément, Augustin-Louis Belle.

On notera en effet la différence de style des figures de Minerve et des trois allégories féminines beaucoup plus massives et statiques, bien différentes des autres groupes très animés.

B.Ga.

Allégorie de la République, triptyque modifié po

Allégorie de la Révolution, triptyque modifié pour être accepté p

accepté par le Jury des Arts, 1794 (cat. 1133).

des Arts, 1794 (cat. 1134).

LA PREMIÈRE EXPOSITION
DES PRODUITS DE L'INDUSTRIE FRANÇAISE
EN L'AN VI (1798)

L'IDÉE d'exposer des produits manufacturés avait déjà été réalisée en France avant 1789, mais c'est au Directoire qu'il appartient d'avoir mis sur pied un système qui allait dominer le paysage industriel pour longtemps. Auparavant, c'est lors des foires que, tant à Paris qu'en province, le public pouvait prendre connaissance des productions industrielles que les gazettes ou les colporteurs, héritiers des « merciers » du Moyen Âge, faisaient également découvrir. Mais la réunion unique d'objets manufacturés présentés, non pas comme de simples marchandises mais comme les témoignages d'une activité créatrice de premier plan n'avait pas été réalisée, sauf pour les œuvres sorties des manufactures royales.

En effet, dès 1699, le directeur des Bâtiments du roi avait profité de la publicité du Salon pour mettre sous les yeux des visiteurs les plus belles tapisseries des Gobelins. Plusieurs fois pendant le cours du XVIIIe siècle des ouvrages importants sortis de la manufacture royale furent employés au même usage. Toutefois le directeur des Bâtiments n'avait jamais voulu laisser exposer parmi les œuvres des académiciens certains objets d'art que leur auteur désirait faire connaître au public. La demande du duc d'Aumont qui sollicitait pour Gouthière la permission de mettre au Salon deux tables de porphyre qu'il venait de monter en bronze fut repoussée en 1771 et 1773. Gouthière fut néanmoins, cette année-là, autorisé à placer ses tables hors du Salon, au rez-de-chaussée, à l'entrée des pièces qui servaient de passage de la cour au jardin de l'Infante.

La préfiguration la plus immédiate des expositions des produits de l'industrie se trouve dans les fameuses ventes de fin d'année des porcelaines de la manufacture royale de Sèvres. Ces ventes avaient lieu chaque année, depuis 1758, dans les appartements du roi à Versailles au cours d'une exposition qui durait deux semaines, de Noël au nouvel an. Quand Louis XVI s'installa aux Tuileries en 1789, l'exposition, étendue à trois semaines, se déroula au Louvre. La dernière fut interrompue par une décision du 9 janvier 1793, douze jours avant l'exécution du roi, prise par le ministre de l'Intérieur, Roland, devant la diminution trop sensible du produit des ventes !

En 1798, le gouvernement du Directoire, en la personne de son ministre de l'Intérieur, Nicolas François dit de Neufchâteau (1750-1828), chargé également de l'Industrie et des Beaux-Arts, décida d'organiser à l'occasion de l'anniversaire de la fondation de la République « un spectacle d'un genre nouveau ». Fixée au 1er vendémiaire an VII (22 septembre 1798) la fête anniversaire, la troisième depuis 1792, devait être précédée d'une « exposition publique des produits de l'industrie nationale ». Établie par une simple circulaire ministérielle du 7 fructidor an VI (24 août 1798), cette exposition eut lieu au Champ-de-Mars, lieu habituel des fêtes républicaines, pendant les cinq jours complémentaires de l'an VI (derniers jours de l'année républicaine, 17-21 septembre 1798) et fut prolongée jusqu'au 10 vendémiaire an VII (1er octobre 1798). L'idée de François de Neufchâteau, qui venait d'organiser avec succès la cérémonie pour la réception des monuments des sciences et des arts conquis en Italie (9 et 10 thermidor an VI - 27 et 28 juillet 1798) était à la fois de créer un courant d'émulation pour l'industrie française face à la concurrence étrangère, essentiellement anglaise, et de donner à la population française les meilleurs exemples des produits des « arts utiles ». Il ajoutait dans sa circulaire : « Les Français ont étonné l'Europe par la rapidité de leurs succès guerriers ; ils doivent s'élancer avec la même ardeur dans la carrière du commerce et des arts de la paix. »

François de Neufchâteau avait pu reprendre l'idée d'un certain Mazade d'Avèze, nommé commissaire du gouvernement près des manufactures nationales (Sèvres, Gobelins, Savonnerie) en l'an V (1797), qui avait souhaité faire une exposition des produits de ces manufactures. François de Neufchâteau avait approuvé le projet et concédé Saint-Cloud pour servir de local, mais le 18 fructidor avait obligé Mazade d'Avèze (ci-devant noble) à quitter Paris. Revenu en 1798, il projeta une nouvelle exposition à la « maison d'Orsay » rue de Varenne, privée et payante, qui semble-t-il n'eut pas lieu. François de Neufchâteau avait peut-être aussi en mémoire l'heureux succès d'une exposition industrielle ouverte à Prague en 1791 et qui eut un grand retentissement.

L'ouverture de l'exposition fut en réalité retardée au troisième jour complémentaire (19 septembre 1798). On avait élevé à la hâte, à la suite de l'amphithéâtre du milieu du Champ-de-Mars, une galerie de soixante-huit arcades entourant une cour rectangulaire au centre de laquelle se dressait un temple dédié à l'Industrie, qui n'était pas encore terminé le jour de l'ouverture. C'est à l'architecte François Chalgrin qu'avait été confiée la réalisation de ces constructions en bois et toiles peintes. Les emplacements étaient mis gratuitement à la disposition des exposants. Mais organisée avec trop de précipitation l'exposition ne réunit que cent dix fabricants recrutés principalement à Paris et dans les départements voisins de la Seine. Le catalogue de l'exposition mentionne du reste que les départements éloignés n'avaient pu être instruits à temps pour pouvoir participer.

Un jury de neuf membres, désignés par le gouvernement, réunissait entre autres le chimiste Darcet, Molard, l'un des fondateurs du Conservatoire des arts et métiers, Chaptal qui rédigea le rapport, le peintre Vien, le sculpteur Moitte et l'horloger Ferdinand Berthoud. Le jury qui avait distingué « les fruits de l'invention, les résultats du perfectionnement et les monuments de l'utilité publique » décerna douze distinctions à Breguet (horlogerie), Lenoir (instruments de précision), Didot (édition de Virgile), Clouet (acier), Dilh et Guerhard (tableaux et porcelaine), Desarnod (poêles en fonte), Conté (crayons de diverses couleurs), Gremont et Barré (toiles peintes), Potter de Chantilly (faïences blanches), Payn de Troyes (bonneterie en coton), Deharme de Bercy (ouvrages en tôle peinte) et Jullien de Luat (coton de Cayenne). Le jury distingua également d'autres exposants : les fabriques de Cholet et de Mayenne (mouchoirs et étoffes), les fabriques du Creuzot et du Gros-Caillou à Paris (cristaux) et les étalons des nouvelles mesures et des nouveaux poids exécutés par ordre de François de Neufchâteau. Le jury n'avait pas admis au concours les manufactures nationales qui recevaient déjà des encouragements de l'État : la manufacture d'armes de Versailles et la manufacture de Sèvres qui à elle seule occupait deux arcades et dont la disposition des productions est connue par un dessin aquarellé conservé aux archives de la manufacture (signalé par M. Pierre Ennès). Ce qui était tout à fait nouveau et symptomatique c'est la place réservée aux produits utilitaires et aux inventeurs dont plusieurs (Deharme, Lenoir) avaient dû, avant la Révolution, soit quitter la France, soit obtenir une autorisation du roi, face aux oppositions des corporations, pour fabriquer leurs produits. De même, on pouvait admirer une statue en pied du *Général Bonaparte*, en bronze, exposée par Martin non pas en tant que sculpteur mais comme fondeur à Paris.

Les objets sélectionnés furent présentés dans le temple de l'Industrie et le jour de la fête anniversaire de la fondation de la République, le 1er vendémiaire (22 septembre), le nom des manufacturiers fut proclamé, en présence du Directoire exécutif puis répété par des hérauts à la foule. Le jour de la fête, il y eut également toutes sortes de jeux : joutes sur l'eau, courses à pied, à cheval, courses de chars dont les vainqueurs se virent offrir des pièces d'orfèvrerie (vase, cafetières, sucrier, fontaine à thé, en argent), des armes de la manufacture de Versailles, une montre, une pendule et deux groupes en biscuit de Sèvres, représentant *Le Sacrifice d'Iphigénie* et *Le Triomphe de l'Amour*. Ces deux groupes furent gagnés par le peintre Carle Vernet, qui remporta le deuxième prix de la course à cheval. Durant la prolongation de l'exposition, il y eut chaque soir un concert d'une heure tandis que les galeries et le temple de l'Industrie étaient illuminés.

Même si l'exposition ne donna pas tous les résultats qu'on pouvait en attendre, elle recueillit l'approbation générale ; et les industriels comprirent l'importance commerciale des récompenses proclamées par le président du Directoire. Ils se plaignirent cependant de l'éloignement du lieu par rapport au centre de Paris.

À peine après la fermeture le 10 vendémiaire an VII (1er octobre 1798), François de Neufchâteau envoya une circulaire aux départements pour une exposition l'année suivante, avec jury d'admission, médailles d'argent et d'or et obligation de déposer un échantillon des produits primés au Conservatoire des arts et métiers. Mais en raison des difficultés financières et de la guerre, il fallut attendre l'an IX (1801) pour voir se réaliser la deuxième exposition des produits de l'industrie. Ce fut Chaptal, alors ministre de l'Intérieur, qui s'en chargea.

Amaury Lefébure

Bibliographie

Catalogue de l'exposition : *la Première Exposition des produits de l'industrie française, Jours complémentaires de l'an VI*, Paris, Champ-de-Mars, 1798.

A. Chevrier, *les Expositions du Champ-de-Mars, 1798 à 1807*, Chartres, 1867.

G. Depping, *la Première Exposition des produits de l'industrie française, en l'an VI (1798) (d'après les documents)*, Paris, 1893.

S. Eriksen et G. de Bellaigue, *Sèvres Porcelain. Vincennes and Sèvres. 1740-1800*, Londres, 1987.

J.J. Guiffrey, *Notes et documents inédits sur les expositions du XVIIIe siècle*, Paris, 1873.

R. Plinval-Salgues, *Bibliographie analytique des expositions industrielles et commerciales en France depuis l'origine jusqu'en 1867*, mémoire INTD-CNAM, Paris, 1960.

ÉPILOGUE
LA PRISE DU POUVOIR
PAR BONAPARTE

La confiscation du pouvoir par un chef militaire fut une des hantises des hommes de la Révolution. Les espoirs placés par la cour dans l'énergie du marquis de Bouillé, les ambitions de La Fayette, la trahison de Dumouriez, les intrigues de Pichegru, l'attitude ambiguë de Moreau montrent que cette crainte n'était pas vaine. Sept ans de guerres presque ininterrompues avaient entraîné la constitution d'une véritable caste militaire encadrée par de nombreux officiers supérieurs (deux cent quatre-vingt-trois généraux en 1799), sincèrement républicaine, souvent jacobine et très anticléricale, mais très hostile aussi aux intrigues du Directoire, aux assemblées et aux « nantis ».

Le 18 Brumaire peut apparaître comme une opération admirablement préparée à l'avance par Sieyès, assez mal exécutée dans le détail et confisquée par Bonaparte. Le projet de Sieyès pour renverser le Directoire et établir la nouvelle constitution qu'il méditait depuis longtemps impliquait le recours à une « épée ». Mais Moreau, Jourdan ou Joubert lui auraient mieux convenu. Bonaparte, rentré d'Égypte un peu trop tard pour être sur le plan militaire l'homme providentiel (les armées de la République avaient déjà repris l'avantage sur celles de la seconde coalition) s'imposa néanmoins.

L'absence de réaction de l'opinion – plus attentiste qu'enthousiaste – est révélatrice de l'impopularité du Directoire. « On était fatigué des déchirements dont on n'apercevait pas le terme ; et, pour se reposer la nation se fut jetée dans les bras d'un homme qu'elle croyait assez fort pour arrêter la Révolution et assez généreux pour en consolider les bienfaits. »

Au soir du 19 brumaire, les grenadiers, qui avaient dispersé à Saint-Cloud le conseil des Cinq-Cents, rentrèrent à Paris en chantant le « Ça ira ». En France, comme à l'étranger (où Bonaparte apparaissait comme le plus redoutable des Jacobins), nul ne pensait qu'il était mis un terme à la Révolution. Ce n'est que près d'un siècle plus tard que Pierre Larousse pourra écrire : « Bonaparte (Napoléon) : général républicain né à Ajaccio le 15 août 1769, mort à Saint-Cloud le 9 novembre 1799 (18 brumaire an VIII). »

Bataille d'Arcole (cat. 1136 D, détail)

Bataille de Montenotte (2 avril 1796) (cat. 1136 A).

Passage du pont de Lodi (10 mai 1796) (cat. 1136 B).

Entrée des Français à Milan (11 mai 1796) (cat. 1136 C).

Bataille d'Arcole (15 novembre 1796) (cat. 1136 D).

Le Général Bonaparte, (cat. 1135).

1135
Le Général Bonaparte

par un auteur anonyme

Buste, marbre. H. 0,610; L. 0,450; Pr. 0,250.
Inscription: sur le cartel du piédouche: «NPL ne Bra PART Gle DELLA ARMta.»
Historique: commandé en 1797.
Exposition: 1967, Coppet, n° 545.

Genève, musée d'Art et d'Histoire (inv. N.7).

Réalisé sans doute par un artiste italien, ce buste est probablement le plus ancien de tous ceux qui représentent Napoléon Bonaparte.
Le résident de France à Genève (qui fut en 1798 le principal artisan de l'annexion de la ville par la France) obtint que ce buste soit placé dans la bibliothèque publique dans l'espoir de flatter le général lors de son éventuel passage par Genève. Bonaparte passa effectivement par Genève et Bâle en se rendant au congrès de Rastadt.
D'exécution assez sèche et médiocrement ressemblante, cette image présente pourtant déjà certaines des caractéristiques qui codifieront l'image napoléonienne: arcades sourcilières très marquées, dessin de la bouche, menton arrondi, cheveux plats. Toute référence à l'antique en est absente.

1136 A à J
«*Fasti di Napoleone*»
d'après Andrea Appiani»

A) *Bataille de Montenotte* (2 avril 1796)

par F. ROSASPINA
Burin et eau-forte, deux planches. H. 0,154; L. 0,565 et 0,570.
(inv. MM 40.47.1867 et 1868)

B) *Passage du pont de Lodi* (10 mai 1796)

par Giuseppe ROSASPINA
Burin et eau-forte, deuxième planche. H. 0,154; L. 0,650 et 0,585.
(inv. MM.40.47.1869)

C) *Entrée des Français à Milan* (11 mai 1796)

par Giuseppe ROSASPINA
Burin et eau-forte, trois planches. H. 0,154; L. 0,387; 0,330; 0,430.
(inv. MM.40.47.1870 à 1872)

D) *Bataille d'Arcole* (15 novembre 1796)

par F. ROSASPINA
Burin et eau-forte, deux planches. H. 0,154; L. 0,585.
(inv. MM.40.47.1874 et 1875)

tailles de Millesimo (15 avril 1796) et de Castiglione (5 septembre 1796).
ddition de Mantoue (2 février 1797) (cat. 1136 E).

E) *Batailles de Millesimo* (15 avril 1796) *et de Castiglione* (5 septembre 1796). *Reddition de Mantoue* (2 février 1797)

par Michele BISI, sous la direction de LONGHI

Burin et eau-forte, une planche de trois médaillons.
H. 0,270 ; L. 0,680.

(inv. MM.40.47.1878)

F) *Serment de la fédération de la République cisalpine* (29 juin 1797)

par G. BENAGLIA
Burin et eau-forte. H. 0,154 ; L. 0,550.
(inv. MM.40.47.1877)

Serment de la fédération de la République cisalpine (29 juin 1797) (cat. 1136 F).

Conquête de l'Egypte (juillet 1798) (cat. 1136 G).

Vision de Bonaparte en Égypte (cat. 1136 H).

Le retour d'Égypte et le débarquement à Fréjus (9 novembre 1799) (cat. 1136 I).

Bonaparte premier consul (25 décembre 1799) (cat. 1136 J).

Expositions : 1969-1970, Milan (n°s 80-101, épreuves de la collection Achille Bertarelli, Castello Sforzesco, Milan) ; 1986, Rome.
Bibliographie : Precerutti Garberi, 1969-1970, p. 53.

Rueil-Malmaison, musée national du château de Malmaison (inv. MM.40.47.1867 à 1872, 1874 à 1877, 1880 à 1885).

En 1803, le peintre Andrea Appiani, figure marquante du néo-classicisme en Italie du Nord et que Napoléon semble avoir tout particulièrement apprécié, fut chargé de décorer la « Salle des Caryatides » du Palazzo Reale de Milan.

Le programme était naturellement une glorification de la première phase de l'épopée napoléonienne, de Montenotte à Friedland (14 juin 1807), puisque l'ensemble ne fut terminé qu'en 1807 et que le peintre fut amené à suivre l'actualité jusque dans ses ultimes développements.

Appiani s'inspira à la fois de la colonne Trajane, des batailles de Raphaël, de Jules Romain et de Le Brun. Le résultat est un étonnant mélange d'allégories (*cf.* les trois médaillons évoquant Millesimo, Castiglione et la reddition de Mantoue ou le cortège de Neptune dans le *Retour d'Égypte*), d'idéalisation à l'antique (costume de certains soldats) et de précision, notamment dans les portraits des officiers de l'état-major lors de l'entrée à Milan (où figurent aussi côte à côte et de trois quarts dos le juriste Roma Gnosi et le peintre Bossi) ou dans le *Serment de la République cisalpine* où l'on reconnaît Melzi. Tout est mis en œuvre pour souligner le caractère exceptionnel de la carrière du général Bonaparte, que le destin protège, qui

---

G) *Conquête de l'Égypte* (juillet 1798)

par F. ROSASPINA
Burin et eau-forte, deux planches. H. 0,154 ; L. 0,490.
(inv. MM.40.47.1880 et 1881)

H) *Vision de Bonaparte en Égypte*

par F. ROSASPINA
Burin et eau-forte. H. 0,154 ; L. 0,572.
(inv. MM.40.47.1882)

I) *Le retour d'Égypte et le débarquement à Fréjus* (9 novembre 1799)

par Giuseppe ROSASPINA
Burin et eau-forte. H. 0,156 ; L. 0,471 et 0,429.
(inv. MM.40.47.1883 et 1884)

J) *Bonaparte premier consul* (25 décembre 1799)

par Giuseppe ROSASPINA
Burin et eau-forte, deux planches. H. 0,150 ; L. 0,465.
(inv. MM.40.47.1885 et 1886)
Historique : gravures exécutées de 1807 à 1816 et non tirées à cette date. Tirages pour Chardon aîné, vers 1860. Ancienne collection Bigard.

à Arcole paraît voler au milieu des nuées, que la France appelle à son secours lorsqu'il est en Égypte et dont les dieux marins facilitent le retour. Toutefois, sur le rivage de Fréjus, c'est le symbole républicain du mât surmonté d'un bonnet phrygien qui signale que ce pays est celui de la Liberté.

Déposées en 1814 par les Autrichiens, les fresques d'Appiani furent remises en place après 1860 lorsque l'Italie eut retrouvé son unité. En 1808, l'empereur avait ordonné qu'elles soient traduites en estampes par un groupe de graveurs (Longhi, Bisi, Benaglia et les frères Rosaspina) qui reçurent pour ce travail 116 205 lires. Quelques planches en furent tirées en 1818 mais l'ensemble ne fut vraiment édité qu'au moment de la remise en place, puis à nouveau en 1896. Les fresques ayant disparu au cours du bombardement du Palazzo Reale en 1943, seules ces estampes gardent le souvenir de ce chef-d'œuvre d'Appiani. Dans le cadre de l'exposition, où sont montrées dix-sept des trente-cinq planches, rien ne pouvait mieux évoquer la version officielle de la prise du pouvoir par Bonaparte que cette étonnante « bande dessinée » néo-classique.

Banquet offert par le Directoire à Bonaparte, signataire du traité de Campoformio, dans la Grande Galerie du Louvre (cat. 1138).

Bonaparte et la Paix sur l'Europe, caricature suisse (cat. 1137).

1137
Bonaparte et la Paix sur l'Europe

par Balthazar Anton DUNKER

Eau-forte. H. 0,185 ; L. 0,135.
Inscription : signé en bas au milieu : « D. »

Berne, musée d'Histoire (inv. 23.791.4/3).

Cette gravure se présente en six vignettes :
1 - Bonaparte abandonne le congrès d'Udine (Leoben, 1797).
2 - La flotte anglo-hollandaise bloquée au Texel est prise par Pichegru (1795).
3 - Voyage en ballon de Blanchard, de Lyon à Paris.
4 - Filière se laisse tomber en parachute.
5 - Bonaparte donne de nouvelles ailes à la Paix.
6 - La Paix couvre la Terre de ses ailes.

J.Be.

1138
Banquet offert par le Directoire à Bonaparte dans la Grande Galerie du Louvre

par Hubert ROBERT

Huile sur toile. H. 0,542 ; L. 0,663.
Historique : vente après décès de l'artiste ? (5 avril 1809, lot n° 101) ; coll. Martin Flammarion ; legs Émile Peyre, 1905.
Exposition : 1979, Paris, Louvre, n° 90, avec bibl. p. 65.

Paris, musée des Arts décoratifs (inv. PE 58).

Le banquet représenté par Hubert Robert se

Le Dix-Neuf Brumaire au Conseil des Cinq-Cents (cat. 1139).

situe à un moment crucial de la carrière de Bonaparte. «Vainqueur de l'Italie», soutenu par quelques journaux à sa dévotion (notamment le *Courrier de l'armée d'Italie* très critique à l'égard du Directoire), Bonaparte qui a outrepassé les instructions reçues en signant le traité de Campoformio, venait d'arriver comme plénipotentiaire à Rastadt quand il reçoit le 26 novembre 1797 l'ordre de regagner Paris.

Il est accueilli avec honneur au Luxembourg le 10 décembre et par les directeurs, mais aussi avec méfiance. Le banquet donné le 20 décembre 1797 dans la Grande Galerie était une manière de rendre hommage à la gloire militaire de l'armée d'Italie tout en affirmant la prééminence du pouvoir civil, et plus encore de celui issu du coup d'État du 19 fructidor (5 septembre). Il réunissait la totalité du Corps législatif (conseil des Anciens et conseil des Cinq-Cents, un peu décimés par les arrestations et les invalidations) autour du Directoire et du général.

Comme l'a montré M.C. Sahut, la comparaison avec le récit paru dans *le Moniteur* prouve l'exactitude du tableau d'Hubert Robert: le banquet avait lieu dans la partie de la Grande Galerie où il n'y avait pas encore de tableaux; les murs étaient garnis de guirlandes de fleurs et de verroteries de couleur, les drapeaux pris à l'ennemi et des transparents installés devant les fenêtres donnaient un caractère militaire à

cette réception; «la table offrait par sa longueur et la variété symétrique qui la décorait le plus étonnant coup d'œil».

Hubert Robert n'a cependant pas voulu peindre un tableau d'histoire, la cérémonie du Luxembourg aurait été un sujet plus indiqué et aucun acteur n'est identifiable; il a fait de ce tableau une variation sur le thème du «tunnel» rémanent dans son œuvre comme chez Boullée (*cf.* Corboz, 1978) et a joué sur la notion d'illimité pour donner à cette scène un aspect quelque peu faux.

1139
«*Le Dix-Huit Brumaire*»

par Jacques SABLET

Huile sur toile. H. 0,470; L. 0,650.
Historique: collection Cacault; vendu à Lucien Bonaparte en 1807; vente Cacault, 3 décembre 1810; collection Bertrand-Geslin; rétrocédé à la ville de Nantes le 18 janvier 1811.
Expositions: 1931, Paris; 1966, Sarrebruck, n° 31; 1967, Paris, n° 863; 1969, Nantes, n° 174; 1985, Nantes, Lausanne, Rome, n° 36.
Bibliographie: cat. 1833, n° 293; Saint-Georges, 1858, pp. 209 et 211; Clément de Ris, 1859, t. II, p. 232; Granges de Surgères, 1888, pp. 58-59; Marmottan,

1927, p. 201; Bovy, 1948, p. 81; Benoist, 1953, p. 183, n° 694; Bessand-Massenet, 1965, p. 27 et pp. 42-43, repr.; Decaux, 1974, pp. 1-2, repr.; Foucart, 1974, p. 593; Van de Sandt, 1982, n° 59, et 1984, n° 61; Vovelle, 1986, t. IV, p. 341.

Nantes, musée des Beaux-Arts (inv. MBA 811.1.2.P).

Préparé en hâte après le retour d'Égypte de Bonaparte, le coup d'État de Brumaire fut entrepris pour éviter les élections du printemps de l'an VIII, qui risquaient une nouvelle fois de briser le fragile équilibre du Directoire. Sieyès avait d'abord pressenti Joubert puis Moreau, mais ce fut sur Bonaparte que se porta finalement le choix de l'exécuteur du régime directorial. Commandant des forces armées, Bonaparte fut chargé d'assurer le transfert des Conseils à Saint-Cloud, un complot ayant été dénoncé (18 brumaire - 9 novembre 1799).

Le lendemain, tandis que les Cinq-Cents se renouvelaient, le jeune général protestait de son dévouement auprès des Anciens. Il fut envoyé aux Cinq-Cents, et pénétra dans la salle malgré la loi; il fut bousculé. On cria: «À bas le dictateur!» Pendant que la discussion se poursuivait dans la plus grande confusion, Lucien Bonaparte finit par décider les troupes à intervenir. Murat et Leclerc dispersèrent les députés. Le Directoire avait vécu. Un Consulat provisoire, composé de Bonaparte, Sieyès et Ducos lui succéda dès le soir du 19.

Le Dix-Neuf Brumaire au Conseil des Cinq-Cents (cat. 1140).

Le tableau de J. Sablet représente la salle du conseil des Cinq-Cents, au soir du 19 brumaire, et non du 18. Bien que le peintre n'ait sans doute pas assisté à la scène, il en donne cependant un témoignage assez fidèle. Dans une salle sans style, triste, se pressent les députés en grande discussion. À la tribune se tient Lucien, président de l'assemblée. Au centre, assis, les trois futurs consuls demeurent indécis sur l'issue du coup d'État. Illustration d'un moment tragique d'hésitation, telle apparaît l'œuvre de Sablet, très différente de l'énergique toile de Bouchot (musée de Versailles) et de l'*Allégorie du 18 Brumaire* de Callet (musée de Versailles). Lucien Bonaparte apparaît comme le véritable héros de la scène esquissée par Sablet. C'est évidemment ce qui explique que le tableau définitif ne vit jamais le jour, justifiant la vente que proposa Pierre Cacault à Lucien en 1807. En fait, la tractation n'eut pas de suite et l'œuvre, achetée par le maire de Nantes, Bertrand-Geslin, à la vente Cacault, entra dans les collections du musée.

Selon une tradition, le peintre lui-même figurerait dans la peinture «donnant le bras à la sœur du Général Bonaparte, la belle Pauline, mariée alors au Général Leclerc», ainsi que l'écrit Clément de Ris.

Si Leclerc se trouve bien représenté sur la toile, aux côtés des consuls, nous savons que Pauline était absente au soir du 19 brumaire. Elle se

trouvait en compagnie de Mme Letizia, mère de Bonaparte, au théâtre Feydeau. J.Be.

1140
Bonaparte devant l'assemblée du Corps législatif à Saint-Cloud,
le 19 brumaire an VIII

par F. BARTOLOZZI, d'après Viecra Portuense (Francisco Vierra)

Estampe. H. 0,655 ; L. 0,664.
Inscription : «F. Vieira Portuensis inv. Engraved by F. Bartolozzi R.A. London. Published Sep. r. 1.st.1800, Messrs. Bartolozzi et Vendranuni.»
Exposition : 1987-1988, Paris, Petit Palais, n° 5.

Porto, Facultade de Ciencas da Universitade (inv. 323 H).

On sait que le coup d'État du 18 Brumaire (9 novembre 1799) se déroula en fait en deux phases, selon un scénario mis au point la veille au cours d'un dîner chez Cambacérès : convoqué d'urgence aux Tuileries et informé de l'imminence d'un complot, le conseil des Anciens décida le 18 au matin le transfert des assemblées aux Tuileries et confia à Bonaparte le commandement des troupes de Paris ; suc-

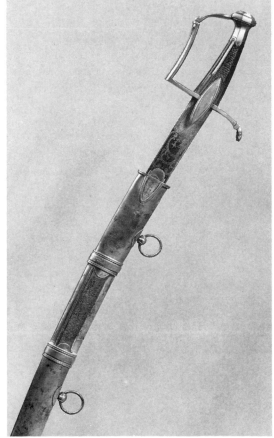

Sabre d'honneur décerné au grenadier Nicolas-François Christophe pour avoir expulsé les députés du Conseil des Cinq-Cents le Dix-Neuf Brumaire (cat. 1141).

cessivement trois des directeurs, Barras d'abord puis Sieyès et Roger Ducos, donnèrent leur démission et les deux autres, Moulins et Gohier, restèrent au Luxembourg sous bonne garde. La seconde journée fut techniquement moins réussie : Bonaparte se montra menaçant devant le conseil des Anciens et se heurta à une résistance inattendue du conseil des Cinq-Cents qu'il ne put quitter sans encombre que grâce à la protection de quelques compagnons d'armes. L'habileté manœuvrière de Lucien Bonaparte, président des Cinq-Cents, et l'intervention musclée des grenadiers de Leclerc et de Murat, qui dispersèrent les récalcitrants, permirent d'achever le coup d'État par un vote du conseil des Anciens qui confia le pouvoir à une commission exécutive de trois membres, Sieyès, Roger Ducos et Bonaparte (cat. 1139). La prestation peu glorieuse de ce dernier au conseil des Cinq-Cents avait été connue de l'opinion et il importait de donner de l'événement une image plus flatteuse. Le jour même, Lucien Bonaparte avait dénoncé devant les troupes les « représentants à stylets, qui menacent de mort leurs collègues ». Bonaparte avait renchéri en parlant « des dangers » qu'il avait trouvés « au sein d'un Sénat d'Assassins... J'ai voulu leur parler, ils m'ont répondu par des poignards. » D'invectives et de menaces verbales, peut-être d'une bousculade, on était passé à une tentative d'assassinat.

L'estampe nous montre quelques députés aux visages déformés par la haine se précipiter le poignard à la main sur le jeune général désarmé. Le schéma est celui du meurtre de César, mais César n'est plus ici le prototype du tyran liberticide, mais celui du général vainqueur victime de la haine des sénateurs intrigants et nantis.

Le plus étonnant est peut-être que cette parfaite illustration de la propagande bonapartiste soit une estampe exécutée par un graveur italien d'après le dessin d'un peintre portugais et publiée à Londres moins d'un an après l'événement.

1141
Sabre d'honneur
décerné à Nicolas-François Christophe

Bronze, acier. L. totale : 1,010 ; L. sabre : 0,970.
Inscription : sur la lame gravée et dorée : « Récompense Nationale » ; et sur un des bracelets du fourreau : « Journée de Saint-Cloud, 19 brumaire an VIII. »
Bibliographie : Wiener, 1887, p. 164, n° 780.

Nancy, Musée lorrain (inv. 95-1129).

Frère des généraux d'Empire, Philippe (1769-1848) et Jean-François Christophe (1772-

1827), Nicolas-François Christophe connut son heure de gloire lors du coup d'État des 18 et 19 brumaire an VIII. Alors que la lutte se faisait de plus en plus âpre entre Bonaparte et les membres du conseil des Cinq-Cents, Murat fit finalement appel aux troupes stationnées à l'extérieur. À la tête d'une compagnie de grenadiers, Christophe participa à l'expulsion des députés, et reçut comme récompense ce sabre d'honneur. Reprenant la politique des armes offertes aux militaires instituée par le Directoire, Bonaparte l'étendit cependant aux officiers, sous-officiers et à la troupe, et non seulement aux généraux (voir cat. 738). Le modèle de ces sabres d'honneur avait été demandé à Nicolas Boutet, directeur de la manufacture d'armes de Versailles.   J.Be.

1142
Plaies de l'Égypte ou *État de la France depuis 1789 jusqu'à l'établissement de la Constitution actuelle*

---

par Nicolas-François-Joseph MASQUELIER
Eau-forte. H. 0,250 ; L. 0,200.

Paris, Bibliothèque nationale, cabinet des Estampes (inv. Ef.126 fol.).

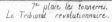

Plaies de l'Égypte ou État de la France depuis 1789 jusqu'à l'établissement de la Constitution actuelle, gravure de propagande bonapartiste (cat. 1142).

« *Le Général Bonaparte, Premier consul de la République* » (cat. 1143).

Cette eau-forte non signée raconte en huit vignettes les effets de la Révolution jusqu'à la Constitution de l'an VIII qui ouvre la période consulaire. En fait, selon Masquelier, la période révolutionnaire se limite au gouvernement révolutionnaire de l'an II. Proconsuls comme Carrier, Collot, Lebon, plus généralement les Jacobins, la guerre, les effets de l'assignat sont mis en parallèle, accompagnés de vers explicatifs et évocateurs. Une telle estampe s'inscrit dans la propagande bonapartiste qui fait endosser par les Jacobins les effets négatifs de la période révolutionnaire, et entretient l'espoir d'une prochaine paix générale (le dernier médaillon).   J.Be.

1143
Le Général Bonaparte

par Charles-Louis CORBET

Buste, plâtre bronzé. H. 0,830 ; L. 0,620 ; Pr. 0,430.
Inscription : au revers : « C.L. Corbet, an VII. »
Historique : commande du Directoire ?
Exposition : 1798, Paris, Salon, n° 513 (?).

Lille, musée des Beaux-Arts (inv. Sc. 160).

Dès l'an VI, en tout cas après le début de 1798 (date de son installation à Paris, 61, rue du Faubourg-Saint-Honoré) mais avant le 4 mai (date du départ de Bonaparte pour Toulon), Corbet modela un buste du jeune général âgé de vingt-neuf ans. Le plâtre original, généra-

lement identifié avec celui en plâtre bronzé du musée de Lille, fut exposé au Salon de l'an VII. Dans le livret du Salon de l'an IX (1800) le marbre (malheureusement disparu) était ainsi décrit : « Le général Bonaparte, premier consul de la République, exécuté par ordre du Directoire pendant l'expédition d'Égypte. » Le caractère officiel de cette commande semble confirmé par les très nombreux exemplaires anciens en plâtre qui subsistent ; mais la plupart des bronzes semblent récents.
Élève de Pierre Berruer, formé par l'Académie royale, Corbet est un modeleur, adepte du réalisme à la fois modéré et sensible qui fait tout l'intérêt des bustes français du XVIIIᵉ siècle. C'est certainement aux plus solennels des bustes de Houdon qu'il a emprunté le manteau aux plis majestueux qui barre la poitrine du

Les Ombres des héros français (cat. 1144).

général. Le contraste entre la puissance de ce drapé et la tête un peu petite, aux traits fins et à l'expression presque mélancolique est une heureuse trouvaille dans la mesure où l'ampleur du col corrige la disproportion. La disposition «en étoile» des mèches sur le front doit retenir l'attention : Corbet avait-il remarqué que depuis la période hellénistique une telle disposition de la chevelure était le signe de l'étincelle divine posée sur le front des héros et des souverains ?

1144
Les Ombres des héros français

par Anne-Louis GIRODET DE ROUCY-TRIOSON
Huile sur bois. H. 0,340; L. 0,290.
Historique : vente posthume de Girodet, Paris, 1825, n° 4 (acquis par M. Coutan); vente Paris, hôtel Drouot, 17 février 1922, n° 51; acquis par le musée.
Expositions : 1927, Paris, n° 882; 1928, Copenhague-Oslo-Stockholm, n° 85; 1936, Paris, n° 318; 1939, Paris, n° 1485; 1954, Bordeaux, n° 65; 1959, Londres, n° 189; 1964, Munich, n° 125; 1967, Montauban, n° 257; 1967, Montargis, n° 25; 1974-1975, (1) Paris, n° 80.
Bibliographie : Coupin, 1829, t. I, pp. LXX-LXXI; Van Tieghem, 1917, t. II, pp. 146, 154; Sterling-Adhémar, n° 972; Okun, 1967, p. 351; Ternois, 1969, p. 211, n° 115; cat. Louvre 1972, p. 184; Vovelle, 1986, t. IV, p. 241.

Paris, musée du Louvre, département des Peintures (inv. RF 2359).

Bien que Girodet eût souhaité peindre une allégorie ayant trait à l'attentat de la rue Saint-Nicaise, perpétré par Cadoudal contre le Premier consul (24 décembre 1800), il fut détourné de ce projet par Percier, architecte de la Malmaison, qui l'engagea à s'inspirer d'Ossian, très apprécié de Bonaparte. Pourtant l'artiste ne renonça pas à la représentation d'un thème historique, sinon politique, et il mêla habilement les figures des héros républicains (Joubert, Dugommier, Hoche, Marceau, Desaix, Dampierre, Kléber, La Tour d'Auvergne, Championnet...) à son sujet ossianesque. Inquiet pourtant de l'accueil qu'une œuvre si étrange recevrait dans le public, Girodet n'hésita pas à proposer à Bonaparte la réalisation d'un autre tableau, plus facile d'accès (lettre du 6 messidor an X - 25 juin 1802). Mais le Premier consul vit et aima la peinture, au contraire de David qui s'écria, selon Delécluze : «Ah ça! il est fou Girodet! [...] avec son beau talent, cet homme ne fera jamais que des folies... » Au Salon de 1802 (n° 907, 3e suppl.), le tableau fut très remarqué, mais aussi très critiqué, particulièrement l'accumulation des figures, et la signification des symboles. Ayant retenu la leçon de David, Girodet transgressa la réalité pour parvenir à une solution proche de l'allégorie, qui lui permit de critiquer Bonaparte, et d'afficher peut-être des opinions républicaines, en tout cas de minimiser la gloire du Premier consul. L'artiste expliquait dans le livret du Salon que l'aigle cédait l'empire des cieux au coq français, ce que souligne l'attitude du général Caffarelli, expliquant le fait à ses collègues. Il s'agit donc d'une allégorie du traité de Lunéville, signé en 1801 et qui mettait fin à la seconde coalition démantelée par les Français. La présence de Joubert et La Tour d'Auvergne, héros de cette guerre à ses débuts, rappelle les engagements républicains de Girodet. Ayant rejoint les généraux tués auparavant, ils vont ensemble à la rencontre du vieux barde Ossian, tandis qu'un soldat transperce de son sabre Starno, chef des guerriers de Loclin (les Anglais), ennemi de Fingal (la France). Girodet cherche ainsi à substituer une nouvelle version du paradis, ossianesque sinon républicain, à la traditionnelle réception à l'Élysée. Cette solution lui permet d'autre part de transgresser le néo-classicisme pour poser les prémices du romantisme, dont il sera sous l'Empire l'un des principaux initiateurs. Tel se présente le grand tableau conservé à la Malmaison, dont notre panneau est une réplique satirique, et non une esquisse comme on l'a souvent écrit. Dans leurs formes comme dans leurs significations, les deux œuvres sont totalement contradictoires. Le ciel orageux, les deuils ont succédé à l'accueil glorieux dans le paradis d'Ossian. La Victoire a cédé la place à un aigle lâchant un lapin qui semble insulter le coq gaulois. Ossian, vieillard chenu, accueille à présent de pauvres soldats. Girodet a substitué au décor des détails inquiétants, nains torses, épouvantails, etc. L'Enfer a succédé au Paradis.
La signification de cette petite peinture est à chercher dans la palme du martyre qu'une ombre décerne au coq vers lequel se réfugie la colombe de la Paix. La République est donc bien morte. L'aigle impériale l'a remplacée. Girodet critique ainsi le régime impérial qui s'est permis de bafouer la Liberté. Peut-être peignit-il cette satire peu après s'être heurté à l'incompréhension du public lors de l'exposition du tableau de la Malmaison? Mais il est possible aussi qu'il l'ait exécutée autour de 1804-1805, au moment de l'instauration définitive du pouvoir personnel de Napoléon.
Girodet était déjà rompu à ce genre de persiflage. Il avait en effet peint en 1799 une allégorie (musée de Minneapolis) insultante pour Mlle Lange, comédienne à laquelle un premier portrait avait déplu et qu'il avait détruit.

J.Be.

L'arbre de la Liberté sur le sol français accueille Bonaparte de retour d'Égypte (cat. 1136 I, détail).

BIBLIOGRAPHIE

OUVRAGES CITÉS EN ABRÉGÉ

Acquisitions, 1976
« Récentes acquisitions des musées nationaux », *La Revue du Louvre*, n° 4, 1976, p. 298.

Acquisitions, 1984
« Récentes acquisitions des musées nationaux », *La Revue du Louvre*, n° 2, 1984, p. 147.

Adhémar, 1964
H. Adhémar, « L'enseigne de Gersaint. Antoine Watteau. Aperçus nouveaux », *Bulletin du Laboratoire des musées de France*, 1964, n° 9, pp. 7-16.

Adhémar, 1933
J. Adhémar, « L'enseignement académique en 1820, Girodet et son atelier », *Bulletin de la Société d'Histoire de l'Art français*, 2e fasc., 1933, pp. 270-283.

Adhémar, 1983
J. Adhémar, « L'exécution de Louis XVI (?). Un dessin davidien », *Gazette des Beaux-Arts*, mai-juin 1983, p. 203.

Adhémar, Lethève, 1953
J. Adhémar et J. Lethève, *Bibliothèque nationale. Cabinet des Estampes. Inventaire du Fonds français après 1800*, Paris, t. VI, 1953.

Agassiz, 1929
D. Agassiz, « Les peintres François Sablet (1745-1819), Jacques Sablet (1749-1803) », *Revue historique vaudoise*, Lausanne, 37e année, 1929, n° 5 , pp. 129-142 ; n° 6 , pp. 161-179.

Aguilera, 1946
Aguilera, *Pintores españoles del siglo XVIII*, Barcelone, 1946.

Agulhon, 1979
M. Agulhon, *Marianne au combat. L'imagerie et la symbolique républicaine de 1789 à 1880*, Paris, 1979.

Ainaud de Lasarte, 1947
L. Ainaud de Lasarte, « Ceramica y vidrio », *Ars Hispaniae*, t. X, Madrid, 1947.

Alauzen, 1962
A.M. Alauzen, *La peinture en Provence du XVIe siècle à nos jours*, Marseille, 1962.

Alcouffe, 1988
D. Alcouffe, « Les objets Artois au Louvre », *La Folie d'Artois*, Paris, 1988.

Ananoff
A. Ananoff, *L'œuvre dessiné de Jean-Honoré Fragonard*, Paris, 4 vol., 1961, 1963, 1968, 1970.

Andresen, 1865
A. Andresen, « Leben und Werke der beiden Kupferstecher Johann Gorrhard von Müller und Johann Friedrich Wilhelm Müller », *Archiv für die zeichnenden Künste*, t. XI, 1865, n° 12, pp. 1-27.

Andrey, 1972
G. Andrey, « Les émigrés dans le canton de Fribourg », *Archives de la société d'histoire du canton de Fribourg*, t. XXI, 1972.

Antal, 1962
F. Antal, *Hogarth and his place in European Art*, 1962.

Antal, 1966
F. Antal, *Classicism and Romanticism*, Londres, 1966.

Antonsson, 1942
O. Antonsson, *Sergels Ungdom och Romtid*, Stockholm, 1942.

Archives Françaises, 1984
Guide des sources de l'histoire de l'Amérique latine et des Antilles dans les archives françaises, Paris, 1984.

Ariès, 1970
C. Ariès, *Armes blanches militaires françaises*, fasc. 4, 1970.

Arizzoli-Clémentel, 1988
P. Arizzoli-Clémentel, « Les Arts du décor », *Aux Armes et aux Arts ! Les arts de la Révolution 1789-1799*, Paris, 1988.

Arnaes, 1975
R. Arnaes, *Catalogo de dibujos*, Madrid, museo del Prado, Madrid, t. I, 1975.

Arnason, 1975
H.H. Arnason, *The sculptures of Houdon*, Londres, 1975.

Arquié-Bruley, 1983
F. Arquié-Bruley, « L'entrée d'une cuiller de jade au Museum pendant la Terreur », *Revue de Gemmologie*, juin 1983, n° 75, p. 16.

Arquié-Bruley, Labbé, Bicart-Sée, 1988
F. Arquié-Bruley, J. Labbé et L. Bicart-Sée, *La Collection Saint-Morys au Cabinet des Dessins du musée du Louvre*, Paris, 1988, 2 vol.

Arrigoni, Bertarelli, 1932
P. Arrigoni et A. Bertarelli, *Le stampe storiche conservate nella raccolta del Castello Sforzesco. Catalogo descrittivo*, Milan (Instituti di Storia e d'Arte), 1932.

Art et Curiosité, 1983
Art et Curiosité, février-avril 1983, pp. 98-111.

Astier de la Vigerie, 1906
E.-R. d'Astier de la Vigerie, *La fabrique royale de tapisserie de la ville de Naples (1738-1799)*, Paris, 1906.

Aubert, Roux, 1921
M. Aubert et M. Roux, *Un siècle d'histoire de France par l'estampe. 1770-1871. Collection de Vinck*, Paris, 1921, t. III, Législative-Convention.

Aulanier, 1957
Ch. Aulanier, *Histoire du palais et du musée du Louvre, la salle des Caryatides, les salles des Antiquités grecques*, Paris, 1957.

Aulard, 1889-1907
A. Aulard, *Actes du Comité de Salut public*, Paris, 1889-1907.

Aulard, 1901
A. Aulard, *Histoire politique de la Révolution française*, Paris, 1901, rééd. 1926.

Aulard, 1919
A. Aulard, *La Révolution française et le régime fédéral*, Paris, 1919.

Auzas, 1986
P.-M. Auzas, « Le trésor de la cathédrale de Vannes », *Congrès archéologique de France, 141e session, 1983, Morbihan*, Paris, 1986, p. 328.

Babelon, 1965
J.-P. Babelon, *Demeures parisiennes sous Henri IV et Louis XIII*, Paris, 1965.

Bachaumont, 1785
Bachaumont, *Mémoires secrets*, t. XXX, 1785.

Bacou, 1971
R. Bacou, *Il settecento francese*, Milan, 1971.

Baczko, 1984
B. Baczko, « Le calendrier républicain, décréter l'éternité », *Les lieux de mémoire. I-La République*, sous la direction de P. Nora, Paris, 1984.

Badin, 1909
J. Badin, *La Manufacture de Tapisseries de Beauvais depuis ses origines jusqu'à nos jours*, Paris, 1909.

Baillio, 1982
J. Baillio, *Elisabeth-Louise Vigée Le Brun. 1755-1842*, Kimbell Art Museum, Fort Worth, 1982.

Bakker, 1974
B. Bakker, *Amsterdam in de achttiende eeuw*, Amsterdam, 1974.

Bakker, 1978
B. Bakker, *Amsterdam getekend*, Amsterdam, 1978.

Ballot, 1923
Ch. Ballot, *L'introduction du machinisme dans l'industrie française*, Paris, 1923.

Baltrusaitis, 1983
J. Baltrusaitis, *Aberrations. Essai sur la légende des formes*, Paris, 1983.

Bandiera, 1983
J.D. Bandiera, « The city of dead : french eighteenth century designs for funerary complexes », *Gazette des Beaux-Arts*, janvier 1983, pp. 25-32.

Bardon, 1963
H. Bardon, « Les peintures à sujets antiques au XVIIIe siècle d'après les livrets des Salons », *Gazette des Beaux-Arts*, 6e période, t. LXI, avril 1963.

Barnave, 1960
A. Barnave, « Introduction à la Révolution française », texte présenté par F. Rude, *Cahiers des Annales*, n° 15, Paris, 1960.

Barousse, 1981
P. Barousse, *Catalogue du musée Ingres*, 1981.

Barruel, 1798
Abbé A. Barruel, *Abrégé des Mémoires pour servir à l'histoire des Jacobins*, Hambourg, C. Fauche, 1798.

Barthélémy, 1978
A. Barthélémy, « Les anciennes mesures à Romenay et dans la région », *Le Romaneyou*, 1978, n° 3, pp. 8-15.

Barthes, 1953, 1972
R. Barthes, « Les planches de l'Encyclopédie », *Nouveaux Essais Critiques*, Paris, 1953, rééd. 1972, pp. 89-105.

Barthes, 1964
R. Barthes, « Image, raison, déraison », *l'Univers de l'Encyclopédie*, Paris, 1964, pp. 11-16.

Barthes, 1979
R. Barthes, *Essais et notes sur l'Encyclopédie de Diderot et d'Alembert*, Milan, 1979, pp. 37-51.

Barthou, 1926
L. Barthou, *Le 9 thermidor*, Paris, 1926.

Baschet, 1942
R. Baschet, « David et Delécluze. Une esquisse inconnue de Lepeletier de Saint-Fargeau de E.-J. Delécluze », *Beaux-Arts*, 30 juillet 1942, p. 5.

Baschford, 1929
D. Baschford, *The Metropolitan Museum of Art : the collection of european court swords and hunting swords of J.-J. Reubell*, New York, 1929.

Basily-Gallimaki, 1909
M. de Basily-Gallimaki, *Jean-Baptiste Isabey*, 1909.

Baud-Bovy, 1903
D. Baud-Bovy, *Peintres genevois, 1702-1817, 1re série*, Genève, 1903, t. I.

Baud-Bovy, 1915
D. Baud-Bovy, « Pradier », *Nos Anciens et leurs œuvres*, 1915.

Baulez, 1978
Ch. Baulez, « Notes sur quelques meubles et objets d'art des appartements intérieurs de Louis XVI et de Marie-Antoinette », *La Revue du Louvre*, 1978, n° 5-6.

Bault, 1987
M.P. Bault, « La leçon de labourage par François-André Vincent (1746-1816) », *Gazette des Beaux-Arts*, juillet 1987, pp. 11-16.

Bayer-Lothe, 1967
J. Bayer-Lothe, *Documents relatifs au mouvement ouvrier dans la province de Namur au XIXe siècle, 1re partie, 1794-1848*, Louvain-Paris, 1967.

Bayle, 1913
P. Bayle, « Les Salons sous le Directoire », *L'Art et les Artistes*, juillet 1913.

Bayle, Mordal, 1978
L.M. Bayle et J. Mordal, *La Marine en bois*, Paris, 1978.

Bazin, 1967
G. Bazin, *Le temps des musées*, Liège-Bruxelles, 1967.

Beaucamp, 1928
F. Beaucamp, « Un portrait inconnu de Robespierre au musée de Lille », *La Revue du Nord*, février 1928, pp. 21-34.

Beaucamp, 1939
F. Beaucamp, *Le peintre lillois Jean-Baptiste Wicar (1762-1834). Son œuvre et son temps*, Lille, 1939, 2 vol.

Beaucour, 1983
F.-E. Beaucour, *La campagne d'Egypte 1798-1801 d'après les dessins inédits de Noël Déjuine, du 20e régiment de Dragons*, Levallois, 1983, Mémoire de la société de Sauvegarde du château impérial de Pont de Brique.

Becker, 1971
W. Becker, *Paris und die deutsche Malerei 1750-1840*, Munich, 1971.

Becq, Magnan, 1987
A. Becq et A. Magnan, « Sur le frontispice de l'Encyclopédie », *Colloque international sur l'Encyclopédisme*, Caen, 1987 (à paraître).

Bedel, 1964
Ch. Bedel, « Les cabinets de chimie », dans Taton, 1964, pp. 647-652.

Bellaigue, 1986
G. de Bellaigue, *The Louis XVI service*, Cambridge, 1986.

Bellec, 1985
F. Bellec, « Le bicentenaire d'une tragique entreprise scientifique : la disparition de l'expédition La Pérouse », *Acta geographica*, 1er trimestre 1985, n° 61-62, pp. 1-13.

Bellec, 1985
F. Bellec, *La généreuse et tragique expédition de Lapérouse*, Paris, 1985

Bellier de La Chavignerie, 1865
E. Bellier de La Chavignerie, « Les artistes français oubliés ou dédaignés », *Revue universelle des Arts*, Paris, 1865.

Bellier de La Chavignerie, Auvray, 1882, 1883, 1885
E. Bellier de la Chavignerie et L. Auvray, *Dictionnaire général des artistes de l'École française depuis l'origine des arts du dessin jusqu'à nos jours*, Paris, 3 vol., 1882, 1883, 1885.

Bellonzi, 1967
F. Bellonzi, *La pittura di storia dell'Ottocento italiano*, Milan, 1967.

Benesch, 1921
O. Benesch, *Laxenburg, Österreichische Kunstbücher*, t. III, Vienne, 1921.

Bénézit, 1966
E. Bénézit, *Dictionnaire...*, nouvelle éd., 1966.

Bénisovitch, 1958
M.N. Bénisovitch, « Une autobiographie du peintre Louis Boilly », *Essays in honor of Hans Tietze*, New York, 1958, pp. 365-372.

Benoist, 1953
L. Benoist, *Ville de Nantes, Musée des Beaux-Arts. Catalogue et guide*, Nantes, 1953.

Benoit, 1897
F. Benoit, *L'art français sous la Révolution et l'Empire. Les doctrines, les idées, les genres*, Paris, 1897.

Benoit, 1909
F. Benoit, *La peinture au musée de Lille*, Paris, 1909, t. III.

Benoit, 1949
F. Benoit, *La Provence et le Comtat venaissin*, Paris, 1949.

Benoit, 1985
J. Benoit, « Une série de bustes de généraux et d'officiers morts sous la Révolution et l'Empire », *La Revue du Louvre*, 1985, n° 1, p. 9-20.

Benoit, 1986
J. Benoit, « Un chef d'œuvre oublié : Les Remords d'Oreste par Ph.-A. Hennequin », *La Revue du Louvre*, 1986, n° 3, pp. 202-209.

Benoit, Grinevald, Laissus, Piveteau, Régnault, 1988
S. Benoit, P.M. Grinevald, Y. Laissus, J. Piveteau et B. Régnault, *Buffon 1788-1988*, Paris, 1988.

Béraldi, 1886
H. Béraldi, *Les graveurs du XIXe siècle*, Paris, 1886.

Berckenhagen, 1967
E. Berckenhagen, *Anton Graff, Leben und Werk*, Berlin, 1967.

Bergier, 1982
J.-F. Bergier, *Une histoire du sel*, Paris, 1982.

Bernier, 1975
G. Bernier, *Anne-Louis Girodet, 1767-1824. Prix de Rome 1789*, Paris-Bruxelles, 1975.

Bertho, 1984
C. Bertho (sous la direction de), *Histoire des télécommunications en France*, Paris, 1984.

Bertschinger, 1987
G.M. Bertschinger, *The portraits of J. Reinhold Forster and George Forster. Tracing their origins*, Los Gator, 1987.

Bessand-Massenet, 1965
P. Bessand-Massenet, *Le 18-Brumaire*, Paris, 1965.

Betz, 1966
J. Betz, « Dem völkerverbindenden Genie : zu einer Apotheose Franklins von Fragonard », *Die BASF* (Aus der Arbeit der badischen Anilin und Soda Fabrik AG), mars 1966, pp. 111-114.

Beulay, 1910
Beulay, *Catalogue du musée de Châteauroux*, Châteauroux, 1910.

Beurdeley, 1974
M. Beurdeley, *Porcelaine de la Compagnie des Indes*, Fribourg, 1974.

Beylié, 1909
Général de Beylié, *Le musée de Grenoble*, Paris, 1909.

Biedermann, 1973
M. Biedermann, *Ferdinand Kobell*, Munich, 1973.

Biehn, 1987
M. Biehn, *En jupon piqué et robe d'indienne. Costumes provençaux*, Marseille, 1987.

Bigourdan, 1895
G. Bigourdan, *Inventaire général et sommaire des manuscrits de la bibliothèque de l'Observatoire de Paris*, Paris, 1895.

Bindman, 1978
D. Bindman, *The complete graphic work of William Blake*, Londres, 1978.

Bindman, 1982
D. Bindmann, *William Blake, his Art and Times*, The Yale Center for British Art, 1982.

Bindman, Beutlev and al., 1988
D. Bindman, C. Beutlev and al., *Kunst um 1800*, Munich, 1988.

Binet, Descargues, 1980
J.L. Binet et P. Descargues, *Dessins et traités d'anatomie*, Paris, 1980.

Birembaut, 1958
A. Birembaut, « Quelques précisions sur l'affaire du paratonnerre », *Annales historiques de la Révolution française*, 1958, n° 3, pp. 82-95.

Birembaut, 1964
A. Birembaut, « L'enseignement de la minéralogie et des techniques minières », dans Taton, 1964, pp. 365-418.

Birembaut, 1964
A. Birembaut, « L'école gratuite de boulangerie », dans Taton, 1964, pp. 493-509.

Birembaut, 1964
A. Birembaut, « Les écoles gratuites de dessin », dans Taton, 1964, pp. 441-476.

Biver, 1970
P. et M.-L. Biver, *Abbayes, monastères et couvents de Paris*, Paris, 1970.

Blaauwen, 1988
A.L. den Blaauwen, *Rijksmuseum catalogus Loosdrechts porselein*, 1988.

Blache, 1937
J. Blache, « La structure parcellaire du terroir lorrain et le problème de l'habitat rural », *Le Pays lorrain*, 1937, n° 2, p. 84.

Blanc, 1854
Ch. Blanc, *Histoire des peintres français au dix-neuvième siècle*, Paris, 1854, t. II.

Blanc, 1884
Ch. Blanc, *Collection d'objets d'art de M. Thiers léguée au musée du Louvre*, Paris, 1884.

Blasy, 1974
G. Blasy, *Catalogue du musée des Beaux-Arts de Dunkerque*, Dunkerque, 1974.

Blérancourt, 1966
Château de Blérancourt, le musée de la coopération franco-américaine, Blérancourt, 1966.

Blum, 1917
A. Blum, *La caricature révolutionnaire*, Paris, 1917.

Bocher, 1882
E. Bocher, *Les gravures françaises du XVIIIe siècle, ou Catalogue raisonné des estampes, vignettes eaux-fortes, pièces en couleur, au bistre et au lavis de 1700 à 1800 : Jean-Michel Moreau le Jeune*, VIe fasc., Paris, 1882.

Boinet, 1914
A. Boinet, *Catalogue général des manuscrits des bibliothèques publiques de France. Paris, t. II, Museum d'histoire naturelle, École des Mines, École des Ponts et Chaussées, École Polytechnique*, Paris, 1914.

Bonnemains, Hausel, 1987
J. Bonnemains et P. Hausel, *Voyage aux terres australes par Pierre-Bernard Milius, second sur le Naturaliste de l'expédition Baudin (1800-1804)*, Le Havre, 1987.

Bonnet, 1988
J.Cl. Bonnet (sous la direction de), *La Carmagnole des Muses. L'homme de lettres et l'artiste dans la Révolution*, Paris, 1988.

Bordes, 1976
Ph. Bordes, « Le Mirabeau de Claude-André Deseine », *La Revue du Louvre*, 1976, n° 2, pp. 61-66.

Bordes, 1977
Ph. Bordes, « Instentions politiques et peinture-Le cas de la mort de Caïus Gracchus », *Guillotine et peinture, Topino-Lebrun et ses amis*, Paris, 1977.

Bordes, 1978
Ph. Bordes, « Antoine-Jean Gros en Italie (1793-1800) : lettres, une allégorie révolutionnaire et un portrait », *Bulletin de la Société d'Histoire de l'Art français*, 1978, pp. 221-240, Paris, 1980.

Bordes, 1979
Ph. Bordes, « Les arts après la Terreur : Topino-Lebrun, Hennequin et la peinture politique sous le Directoire », *La Revue du Louvre*, 1979, n° 3, pp. 199-212.

Bordes, 1980
Ph. Bordes, « Jacques Louis David's Serment du Jeu de Paume : Propaganda a cause », *Oxford Art Journal*, octobre 1980, pp.19-25.

Bordes, 1983
Ph. Bordes, *Le Serment du jeu de Paume de Jacques-Louis David*, Paris, 1983.

Bordes, 1983
Ph. Bordes, dans catalogue de l'Exposition *Autour de David, les dessins du musée des Beaux-Arts de Lille*, Lille, 1983.

Bordes, 1986
Ph. Bordes, « La Patrie en danger par Lethière et l'esprit militaire », *La Revue du Louvre*, 1986, n° 4-5, pp. 301-306.

Bordes, 1986
Ph. Bordes, dans catalogue de l'Exposition *Droits de l'Homme et conquête des libertés*, Vizille, musée de la Révolution française, 1986.

Börsch-Supan, 1980
H. Börsch-Supan, *Die Kunst in Brandenburg-Preussen*, Berlin, 1980.

Börsch-Supan, 1986
H. Börsch-Supan, « Die Bildnisse des Königs », dans catalogue de l'Exposition *Friedrich der Grosse*, Berlin, Geheimes Staatsarchiv-Preussischer Kulturbesitz, 1986, pp. XII-XIV.

Bottineau, 1958
Y. Bottineau, *Musées nationaux. Département des Objets d'art, musée du Louvre et de Cluny, catalogue de l'orfèvrerie des XVIIe, XVIIIe, XIXe siècles*, Paris, 1958.

Bouchot, 1904
H. Bouchot, *P.L. Debucourt*, Paris, 1904.

Boudriot, 1976
J. Boudriot, « Une vue du port de Brest en 1793 », *Neptunia*, n° 122, 1976.

Boulin, 1968
H. Boulin, *Grenoble, musée dauphinois, Trésors du musée dauphinois*, 1968.

Boullée, 1968
E.-L. Boullée, *Essai sur l'Art*, Paris, rééd. 1968.

Bouloiseau, 1962
M. Bouloiseau, *Le Comité de Salut public*, Paris, 1962.

Bouloiseau, 1972
M. Bouloiseau, *La République jacobine, 10 août 1792-9 thermidor an II*, Paris, 1972.

Bourdier, 1971
F. Bourdier, « Frederic Cuvier » et « Georges Cuvier », *Dictionary of Scientific Biography*, t. III, New York, 1971, pp. 520-528.

Bourdon, an II
voir *Recueil des Actes Héroïques*, Paris, an II.

Bourgeois, 1903
E. Bourgeois, « Les destinées d'une figure historique dans l'art du XVIIIe et du XIXe siècle », *Revue de l'Art ancien et Moderne*, 7e année, 10 juillet 1903, t. XIV, n° 76, pp. 43-60.

Bourlard-Collin, s. d.
S. Bourlard-Collin, *Donation Maurice et Pauline Feuillet de Borsat, Musée Borely Marseille*, Marseille, s. d.

Bouteron, Tremblot, 1928
M. Bouteron et J. Tremblot, *Catalogue général des manuscrits des bibliothèques publiques de France. Paris. Bibliothèque de l'Institut, ancien et nouveau fonds*, Paris, 1928.

Bovy, 1948
A. Bovy, *La peinture suisse de 1600 à 1900*, Bâle, 1948.

Boy de la Tour, 1928
M. Boy de la Tour, *le musée des Beaux-Arts de Neuchâtel*, Neuchâtel, 1928.

Boyer, 1934
F. Boyer, « Les Tuileries sous la Convention », *Bulletin de la Société d'Histoire de l'Art français*, 1934.

Boyer, 1967
F. Boyer, « Quelques écrits de Girodet », *Bulletin de la Société d'Histoire de l'Art français*, 1967, pp. 241-251.

Boyer, Menier, Taillemite, 1980
P. Boyer, M. Menier et E. Taillemite, *Les Archives nationales. Etat général des Fonds. III, Marine et Outremer*, Paris, 1980.

Bozal, 1981
V. Bozal, « Prologo » à l'édition fac-similé de Juan de la Cruz Cano Holmedilla : *Colección de trajes de España, tanto antiguos como modernos*, Madrid, 1981.

Bramsen, 1935
H. Bramsen, *Landskabmaleriet i Danmark 1750-1875*, 1935.

Bramsen, 1942
H. Bramsen, *Dansk kunst fra Rokokko til vore Dage*, Copenhague, 1942.

Brandenberger, 1941
F.H. Brandenberger, *Ludwig Hess 1760-1800, zur Zürcherischen Landschafts Malerei der 18 Jahrhunderts*, Zurich, 1941.

Bresc-Bautier, 1980
G. Bresc-Bautier, *La sculpture française du XVIIIe siècle*, Paris, 1980.

Bresc-Bautier, Pingeot, 1986
G. Bresc-Bautier et A. Pingeot, *Sculptures des jardins du Louvre, du Carrousel et des Tuileries*, Paris, 1986.

Brian, 1988
E. Brian, « La foi du géomètre. Métier et vocation de savant pour Condorcet vers 1770 », *Revue de Synthèse*, janv.-mars 1988, pp. 39-68.

Bricon, 1907
E. Bricon, *Prud'hon*, Paris, 1907.

Brière, 1906
G. Brière, « Le musée de l'École Polytechnique », *Musées et Monuments de France*, 1906, pp. 134-135.

Brière, 1911
G. Brière, « Additions au catalogue du musée de Versailles », *Bulletin de la Société d'Histoire de l'Art Français*, 1911, n° 202, pp. 407-408.

Brière, 1924
G. Brière, *Musée national du Louvre. Catalogue des peintures exposées dans les galeries. I, École française*, Paris, 1924.

Brière, 1945-1946
G. Brière, « Sur David portraitiste », *Bulletin de la Société d'Histoire de l'Art français*, 1945-1946, pp. 168-179.

Brink, 1987
G. van den Brink, « De Keeshond als patriottisch symbool op drinkglazen », *Antiek*, n° 21, 1987.

Broc, 1969
N. Broc, *Les montagnes vues par les géographes et les naturalistes de langue française au XVIIIe siècle*, Paris, 1969.

Broc, 1975
N. Broc, *La géographie des philosophes et voyageurs français au XVIIIe siècle*, Paris, 1975.

Brookner, 1980
A. Brookner, *Jacques-Louis David*, Londres, 1980.

Brouillet, 1891
P.A. Brouillet, « Les Girouard, sculpteurs poitevins du XVIIe siècle », *Réunion des Sociétés des Beaux-Arts des Départements*, 1891, p. 331.

Bruand, Hébert, 1970
Y. Bruand et Hébert, *Bibliothèque nationale. Inventaire du Fonds français. Graveurs du XVIIIe siècle*, Paris, 1970, t. XI.

Bruel, 1909
F. Bruel, *Histoire de l'aéronautique par les monuments*, Paris, 1909.

Bruel, 1914
F.L. Bruel, *Collection de Vinck. Inventaire analytique*, t. II, Paris, 1914.

Bruel, 1921
F. Bruel, *Un siècle d'histoire de France par l'estampe. 1770-1871. Collection de Vinck*, Paris, 1921, t. II, Constituante.

Brunet, Préaud, 1978
C. Brunet et T. Préaud, *Sèvres des origines à nos jours*, Paris, 1978.

Brunet, 1861
J.-Ch. Brunet, *Manuel du libraire et de l'amateur de livres*, t. II, Paris, 1861.

Brunetti, 1936
M. Brunetti, *Da Campoformio a Vittorio Veneto*, Venise, 1936.

Brusatin, 1980
M. Brusatin, *Venezia nel Settecento. Stato, Architettura, Territorio*, Turin, 1980.

Bruun Neergaard, 1810
T.C. Bruun Neergaard, « Notice sur M. Taillasson », extrait du *Magasin Encyclopédique*, Paris, février 1810.

Bruun Neergaard, an IX-1801
T.C. Bruun Neergaard, *Sur la situation des Beaux-Arts en France, ou lettres d'un Danois à son ami*, Paris, an IX-1801.

Bruyn, Forbes, 1969
J.G. de Bruyn et R.J. Forbes, *Martinus van Marum. Life and work*, Haarlem, 1969.

Buffenoir, 1913
H. Buffenoir, *Les portraits de J.-J. Rousseau*, Paris, 1913.

Buffon, s.d.
H. de Buffon, « Montbard », *Revue archéologique*, XIIe année.

Bukdhal, 1980
E.M. Bukdhal, *Diderot critique d'art, I, Théorie et pratique dans Les Salons de Diderot*, Copenhague, 1980.

Bull. Soc. Antiq. de l'Ouest, 1867
Bulletin de la société des Antiquaires de l'Ouest, 1er trimestre 1867, p. 247.

Buonarroti, 1957
F.M. Buonarroti, *La conspiration pour l'Égalité dite de Babeuf*, préface par G. Lefèbvre, Paris, 1957, 2 vol.

Burlington Mag., 1985
« Recent ceramic acquisitions by Major Museums », *Burlington Magazine*, t. CXXVII, mai 1985, p. 343.

Busch, Schultze, 1973
G. Busch et D. Schultze, *Meisterwerke der Kunsthalle Bremen*, Brême, 1973.

Busiri Vici, 1963
A. Busiri Vici, « Angelika Kauffmann and the Bariatinskis », *Apollo*, LXXVII/13, 1963, p. 201.

Butlin, 1981
M. Butlin, *The paintings and drawings of William Blake, Printmaker*, Londres, 1981.

Cabane, 1964
P. Cabane, *Les peintres du Midi*, Paris, 1964.

Caillois, 1965
R. Caillois, *Au cœur du fantastique*, Paris, 1965.

Cambon, 1885
A. Cambon, *Catalogue du musée de Montauban. Peintures*, Montauban, 1885.

Cantarel-Besson, 1981
Y. Cantarel-Besson, *La naissance du musée du Louvre, la politique muséologique sous la Révolution d'après les archives des musées nationaux*, Paris, 1981, 2 vol.

Carlson, 1978
V. Carlson, *Hubert Robert, drawings and watercolors*, Washington N.G. of Art, 1978.

Carrete, Diego, Vega, 1985
J. Carrete, E. de Diego et J. Vega, *Catalogo del Gabinete de estampas del museo municipal de Madrid. Estampas españoles. Grabados 1550-1820*, Madrid, 1985.

Caso, 1967
J. de Caso, « Sculpture et monument dans l'art français à l'époque néoclassique », *Stil und Überlieferung in der Kunst des Abenlandes*, t. I, Berlin, 1967.

Caso, 1976
J. de Caso, *Venies ad tumulos. Respice sepulcra*, Remarques sur Boullée et l'architecture funéraire à l'Âge des Lumières », *Revue de l'Art*, 1976, n° 32, pp. 15-22.

Cat. Alençon, 1981
Dessins du musée d'Alençon du XVIᵉ au XVIIIᵉ siècle, Alençon, 1981.

Cat. Amsterdam, 1915
(Catalogue) Rijksmuseum, 1915.

Cat. Amsterdam, 1976
All the paintings of the Rijksmuseum in Amsterdam, 1976.

Cat. Arras, 1880, 1907
Catalogue du musée de la ville d'Arras, 1880, 1907.

Cat. Beziers (1904)
Musée de la Ville de Béziers. Catalogue des peintures, aquarelles, dessins, sculptures, objets d'art, etc., s.d. (1904).

Cat. Bruges, 1973
Catalogue sommaire, Brugge Stedelijke musea, Grœningemuseum, Bruges, 1973.

Cat. Charleville, 1933
Musée municipal, catalogue sommaire, 1ère partie. Peintures, dessins, gravures etc. Sculptures, archéologie, bibliothèque, divers, Charleville, 1903.

Cat. Châteauroux, 1874
Catalogue des tableaux, dessins, gravures, sculptures et autres objets d'art appartenant au musée de Châteauroux, Châteauroux, 1874.

Cat. Châteauroux, 1942
Catalogue sommaire du musée de Châteauroux (musée Bertrand) et du musée lapidaire, Châteauroux, 1942.

Cat. Cologne 1973
Katalog der deustchen Gemälde von 1550-1800 im Wallraf-Richartz Museum, n° 10, Cologne, 1973.

Cat. Copenhague
Kobberstiksamlingen Statens Museum for Kunst, Copenhague.

Cat. Copenhague, 1901
Raadhusstilligen, Copenhague, 1901.

Cat. Copenhague, 1970
Kataloge Aeldre dansk Malerkunst Statens Museum for kunst, Copenhague, 1970.

Cat. Copenhague, 1977
Aeldre Dansk Skulptur Statens Museum for Kunst, Copenhague, 1977.

Cat. Dijon, 1869, 1883
Catalogue descriptif et historique du musée de Dijon, 1869., 1883.

Cat. Dunkerque, 1905
Catalogue du musée des Beaux-Arts de Dunkerque, Dunkerque, 1905.

Cat. E.N.P.C., 1886
Catalogue des manuscrits de la Bibliothèque de l'École nationale des Ponts et Chaussées, Paris, 1886.

Cat. Francfort, 1973
Katalog des Kunsthandwerk des 18. Jahrhunderts, Museum für Kunsthandwerk, Francfort, 1973.

Cat. Frederiksborg, 1943
Frederiksborg Museet, catalogue, 1943.

Cat. Grenoble, 1891
Catalogue du musée de Grenoble, 1891.

Cat. Grenoble, 1909
Catalogue du musée de peinture et de sculpture de Grenoble, Grenoble, 1909.

Cat. Grenoble, 1911
Catalogue des tableaux, statues, bas-reliefs et objets d'art exposés dans les galeries du musée de peinture et de sculpture, Grenoble, 1911.

Cat. Hambourg, 1956
Katalog der Alten Meister, Kunsthalle Hamburg, 1956, 4ᵉ éd.

Cat. Hambourg, 1966
Katalog der Alten Meister der Hamburger Kunsthalle, 5ᵉ éd., Hambourg, 1966, rédigé par D. Roskamp.

Cat. Innsbruck, 1928
Museum Ferdinandeum Innsbruck. Katalog der Gemäldesammlung, Innsbruck, 1928.

Cat. Louvre, 1972
Musée national du Louvre. Catalogue des peintures. Ecole française, Paris, 1972.

Cat. Lyon, 1957
Catalogue du musée Gadagne, Lyon, 1957.

Cat. Madrid, 1985
Museo del Prado. Catalogo de las pinturas, Madrid, 1985.

Cat. Mayence, 1982
Führer durch das Mittelrheinische Landesmuseum, Mayence, 1982, vol. II, Documentation.

Cat. Montpellier, 1879, 1904
Catalogue des peintures du musée de Montpellier, 1879, 1904.

Cat. Montpellier, 1910, 1914
Catalogue des peintures et sculptures exposées dans les galeries du musée Fabre de la ville de Montpellier, Montpellier, 1910 ; 2ᵉ éd., 1914.

Cat. Museo di villa Guinigi, 1968
Museo nazionale villa Guinigi. La villa e le collezioni, Lucques, 1968.

Cat. Nantes, 1843
Catalogue des tableaux et statues du musée de la ville de Nantes, Nantes, 1843.

Cat. Nantes, 1903
Catalogue des peintures, sculptures, pastels, aquarelles, dessins et objets d'art, 9ᵉ éd., Paris, 1903.

Cat. Orléans, 1976
Catalogue des tableaux, statues et dessins exposés au musée d'Orléans, Orléans, 1976.

Cat. Rosenau, 1987
Österreichische Freimaurerlogen, Humanität und Toleranz in 18. Jahrhunderts. Katalog der österreichisches Freimaurermuseum Schloss Rosenau, 5ᵉ éd., 1987.

Cat. Rouen, 1924
Catalogue raisonné des tableaux exposés au musée de Rouen, Rouen, 1924.

Cat. Saint-Omer, 1981
Saint-Omer. Musée de l'Hôtel Sandelin. Catalogue des peintures, Saint-Omer, 1981.

Cat. Saverne, 1872, 1927
Catalogue du musée de Saverne, Saverne, 1872, 1927.

Cat. Société des Antiquités de l'Ouest, 1854
Catalogue de la Société des Antiquités de l'Ouest, supplément manuscrit, 1854.

Cat. Soissons, 1894
Catalogue du musée des Beaux-Arts de Soissons, 1894.

Cat. Stockholm, 1927
Nationalmuseum Stockholm, catalogue, 1927.

Cat. Tarbes, 1874
Catalogue des peintures, sculptures, dessins, gravures, etc. exposés au musée de Tarbes, Tarbes, 1874.

Cat. Tarbes, 1931
Ville de Tarbes. Musée du Jardin Massey. Catalogue du musée de peintures, dessins et gravures, Tarbes, 1931.

Cat. Thouars, 1962
Catalogue dactylographié du Musée de Thouars, 1962.

Cat. Valenciennes, 1825, 1828, 1829, 1832, 1839 à 1931
Explication des peintures, sculptures et gravures Valenciennes, 1825, 1828, 1829, 1832, 1839 à 1931.

Cat. Venise, 1854
Catalogo degli oggeti d'arte esposti al pubblico nella R. Accademia di Venezia, Venise, 1854.

Cat. Versailles, [1845]
Catalogue général des galeries historiques de Versailles... ou Guide du voyageur à Versailles, Paris, (éd. Gavard), s.d. [1845].

Cat. Vienne, 1970
Österreichisches Museum für angewandte Kunst. Wiener Porzellan 1718-1864, Vienne, 1970.

Cat. Vienne, 1984
Katalog der Schausammlung des Historischen Museums der Stadt Wien, Vienne, 1984.

Catello, 1969
N. Catello, *Francesco Celebrano e l'arte nel presepe napoletano*, Naples, 1969.

Caubisens-Lasfargues, 1960
C. Caubisens-Lasfargues, « Les Salons de peinture de la Révolution française », *Information d'Histoire de l'Art*, 1960, t. V, pp. 67-73.

Caubisens-Lasfargues, 1961
C. Caubisens-Lasfargues, « Peinture et préromantisme pendant la Révolution française », *Gazette des Beaux-Arts*, décembre 1961, pp. 367-376.

Causa, 1966
R. Causa, « Piccolo omaggio al barone Camuccini », *Napoletani dell'Ottocento*, Naples, 1966.

Cautelli, Georgel, Passuth, Schleier, Vieville, 1979
M.-L. Cautelli, P. Georgel, K. Passuth, R. Schleier et D. Vieville, « Les écrivains dessinateurs. II - Dictionnaire », *Revue de l'Art*, 1979, n° 44, pp. 19-55.

Cederholm, 1927
C. Cederholm, *Pehr Hilleström som Kulturskildrare*, Uppsala, 1927.

Chabert, 1974
P. Chabert, « L'œuvre médicale de Philippe Pinel », *Comptes rendus du XCVIᵉ Congrès national des sociétés savantes*, Toulouse, 1971, Paris, 1974, pp. 153-161.

Chagny, 1988
X. Chagny, *A propos des Trois ordres* de Nicolas Perseval.

Chaloner Smith, 1883
J. Chaloner Smith, *British Mezzotinto portraits*, 1883.

Chancel, 1988
B. de Chancel, « Un exemple de musée local : le musée Joseph-Denais à Beaufort-en-Vallée », *Destins d'objets*, École du Louvre-École du Patrimoine, Paris, 1988, p. 186.

Chapalain-Nogaret, 1984
Ch. Chapalain-Nogaret, « Les débuts de l'aérostation à Nantes, 1783-1784 », *Mémoires des sociétés savantes de Bretagne*, t. LXI, Nantes, 1984, pp. 165-191.

Chapuisat, 1932
E. Chapuisat, *La prise d'armes de 1782 à Genève*, Genève, 1932.

Chardon, 1909
E. Chardon, *Cahiers des Procès-verbaux des séances de la Société populaire à Rouen (1790-17795)*, Rouen, 1909, pp. 186, 230, 231, 246.

Chardon, 1911
E. Chardon, *Dix ans de fêtes nationales et de cérémonies publiques à Rouen, 1790-1799*, Rouen, 1911.

Charles, 1921
Abbé J.-L. Charles, « Un peintre Blayais, Jean-Joseph Taillasson (1745-1809) », *Revue historique de Bordeaux*, 1921.

Charles-Roux, 1914
J. Charles-Roux, *Arles*, 1914.

Chateaubriand, 1849-1850
F.-R. de Chateaubriand, *Mémoires d'Outre-Tombe*, Paris, Penaud frères, 1849-1850, 12 vol.

Chatelle, 1939
A. Chatelle, *Le musée de la Marine*, Paris, 1939.

Chatreix, 1955
R. Chatreix, *Histoire de la Creuse*, Guéret, 1955.

Chauleau, 1979
L. Chauleau, *La vie quotidienne aux Antilles françaises au temps de Victor Schœlcher*, Paris, 1979.

Chaunu, 1971
P. Chaunu, *La civilisation de l'Europe des Lumières*, Paris, 1971.

Chaussard, an VII
P. Chaussard, «Examen des tableaux du salon de l'an VI», *Décade Philosophique, Littéraire et Politique*, an VII.

Chaussard, an VIII
P. Chaussard, «Examen des tableaux du Salon de l'anVII», *Décade Philosophique, Littéraire et Politique*, 20 vendémiaire an VIII.

Chaussard, an VIII
P. Chaussard, *Journal des arts, de littérature et de commerce*, 20 vendémiaire an VIII.

Chaussard, 1808
P. Chaussard, *Le Pausanias français ou description du Salon de 1806 : état des arts du dessin en France à l'ouverture du XIXᵉ siècle*, Paris, 1808.

Chavagnac, Grollier
X. de Chavagnac et marquis de Grollier, *Histoire des manufactures françaises de porcelaine*, Paris, 1906.

Chennevières-Pointel, 1895
Ph. de Chennevières-Pointel, «Une collection de dessins», *L'Artiste*, 1895, t. IX.

Chennevières-Pointel, 1896
Ph. de Chennevières-Pointel, «Une collection de dessins français», *l'Artiste*, 1896, t. XII, pp. 29-31.

Chesneau, 1934
G. Chesneau, *Musée des Beaux-Arts et Galerie David d'Angers. Les œuvres de David d'Angers, sculpteur d'histoire et mémorialiste*, Paris, 1934.

Chessex, 1986
P. Chessex, *A.L.R. Ducros (1748-1810), Paysages d'Italie à l'époque de Gœthe*, Genève, 1986.

Cheyron, 1981
H. Cheyron, «L'amour de la botanique : les annotations de Jean-Jacques Rousseau sur La Botanique de Régnault», *Littérature*, n° 4, 1981, pp. 53-95.

Choppin de Janvry, 1977
O. Choppin de Janvry, «Nature et raison», *Connaissance des Arts*, août 1977, pp. 16-25.

Chuquet, 1899
A. Chuquet, *L'École de Mars*, Paris, 1899.

Cioffi, 1974
R. Cioffi, «Per una storia del neoclassicismo a Napoli : appunti su Costanzo Angelini», *Arte illustrata*, 1974, pp. 374-382.

Claparède, 1958
J. Claparède, *Musée Atger. Faculté de médecine de Montpellier. Dessins de maîtres français du XVIIIᵉ siècle*, Montpellier, 1958.

Clarac, 1828-1853
Ch. de Clarac, *Musée de sculpture antique et moderne*, 6 vol., 1828-1853.

Clasen, 1924
K. Clasen, *Kant-Bildnisse*, Königsberg, 1924.

Clay, 1980
J. Clay, *Le Romantisme*, Paris, 1980.

Clément, 1872
Ch. Clément, *Prud'hon, sa vie, ses œuvres et sa correspondance*, Paris, 1872.

Clément de Ris, 1859-1861
L. Clément de Ris, *Les musées de Province, histoire et descriptions*, Paris, 1859-1861.

Clément de Ris, 1874
L. Clément de Ris, *Galerie des Beaux-Arts*, 1874, t. II.

Cléremblay, 1901
F. Cléremblay, *La Terreur à Rouen, d'après des documents inédits*, Paris, 1901, t. 3, pp. 318-320 et 433.

Clouzot, [1924]
H. Clouzot, *Dictionnaire des miniaturistes sur émail. Collection des Archives de l'Amateur*, Paris, s.d. [1924].

Clouzot, 1928
H. Clouzot, *Histoire de la manufacture de Jouy et de la toile imprimée en France*, Paris-Bruxelles, 1928.

Clouzot, Follot, 1935
H. Clouzot et Ch. Follot, *Papiers peints à L'Exposition internationale de 1900 à Paris, musée rétrospectif de la classe 68*, Paris, 1935.

CNRS, 1956
«Les botanistes français en Amérique du Nord avant 1850», *Colloques internationaux du C.N.R.S.*, LXIII, 1956, Paris, 1957.

CNRS, 1964
Comité national français d'histoire et de philosophie des sciences (abrégé en CNRS), *Inventaire des instruments scientifiques historiques conservés en France*, Paris, 1964.

Cochet, 1875
Abbé Cochet, *Catalogue du musée des Antiquités de Rouen*, 1875, p. 44.

Cole, Watts, 1952
A. Cole et J.B. Watts, *The handicrafts of France as recorded in the description des arts et métiers, 1761-1788*, Boston, 1952.

Collet, 1894
E. Collet, *Catalogue du musée de Soissons*, Soissons, 1894.

Compin, 1974
I. Compin, *Catalogue sommaire illustré des peintures du musée du Louvre. Ecole française*, Paris, 1974, 5 vol.

Compin, Roquebert, 1986
I. Compin et A. Roquebert, *Catalogue sommaire illustré des peintures du musée du Louvre et du musée d'Orsay. Ecole française*, Paris, 1986, 5 vol.

Compte rendu des musées de Strasbourg, 1927-1931
Compte rendu des musées de Strasbourg, Strasbourg, 1927-1931.

Constans, 1980
C. Constans, *Musée national du château de Versailles. Catalogue des peintures*, 1980.

Conti, 1895
H. Conti, *Catalogo delle Regie gallerie di Venezeia*, Venise, 1895.

Corboz, 1978
A. Corboz, *Peinture militante et architecture révolutionnaire*, Bâle, 1978.

Cornu-Thénard, 1955
F. Cornu-Thénard, *Nicolas-Jacques Conté, curieux autodidacte du XVIIIᵉ siècle, peintre, chimiste, physicien, aérostier et inventeur, 1755-1805*, Paris, 1955.

Cosneau, 1978
Cl. Cosneau, *Iconographie de Nantes*, Nantes, 1978.

Costa, 1967
D. Costa, *La Révolution à Nantes et la Vendée militaire. Catalogue des collections départementales*, Nantes, musées départementaux de Loire, 1967.

Coudenhove Erthal, 1935
E. Coudenhove Erthal, «Die Kunst am Hofe des letzten Kurfürsten im Mainz», *Wiener Jahrbuch für Kunstgeschichte*, 1935, p. 68.

Couderc, 1970
P. Couderc, *Le calendrier*, Paris, 1970.

Coupin, 1829
P.-A. Coupin, *Oeuvres posthumes de Girodet-Trioson, peintre d'histoire, suivies de sa correspondance, précédée d'une notice historique*, Paris, 1829, 2 vol.

Courajod, 1878
L. Courajod, *Alexandre Lenoir, son journal et le musée des Monuments français*, Paris, t. I, 1878.

Courajod, 1894
L. Courajod, *Histoire du département de la sculpture moderne au musée du Louvre*, Paris, 1894.

Courboin, 1891
F. Courboin, *Bibliothèque nationale. Département des estampes. Inventaire de la collection des dessins sur Paris formée par M.H. Destailleurs et acquise par la Bibliothèque nationale*, Paris, 1891.

Courchandeu, 1884
E. Courchandeu, *Catalogue du musée de Perpignan*, Perpignan, 1884.

Cournault, 1865
Cournault, «Jean-François Lorta», *Journal de la Meurthe et des Vosges*, n° 56, 1865.

Cresti, 1983
M.V. Cresti, dans catalogue de l'Exposition *Autour de David, les dessins néoclassiques du musée des Beaux-Arts de Lille*, Lille, 1983.

Crosnier, 1910
J. Crosnier, *La Société des Arts et ses collections*, Genève, 1910.

Crow, 1978
Th. Crow, «The oath of the Horatii in 1785. Painting and pre-revolutionary radicalism in France», *Art History*, vol. I, n° 4, décembre 1978, pp. 424-471.

Crow, 1985
Th. Crow, *Painters and public life in eighteenth century Paris*, New Haven-Londres, 1985.

Crozet, 1941-1944
R. Crozet, «Louis Gauffier (1762-1801)», *Bulletin de la Société d'Histoire de l'Art français*, 1941-1944, (1947), pp. 100-113.

Crozet, 1950
R. Crozet, «Un tableau de Louis Gauffier au musée des Beaux-Arts de Poitiers», *Bulletin des musées de France*, 1950, n° 1, pp. 15-16.

Crozet, 1955
R. Crozet, «Le phare de Cordouan», *Bulletin monumental*, 1955, pp. 153-171.

Cuzin, 1972
J.-P. Cuzin, «Nouvelles acquisitions des musées de Province. Tableaux néoclassiques», *La Revue du Louvre*, n° 6, 1972, pp. 463-470.

Cuzin, 1974-1975
J.-P. Cuzin, dans catalogue de l'Exposition *De David à Delacroix : la peinture française de 1774 à 1830*, Paris, Galeries nationales du Grand Palais. 1974-1975.

Cuzin, 1983-1984
J.-P. Cuzin, dans catalogue de l'exposition *Raphaël et l'Art français*, Paris, Galeries nationales du Grand Palais.

Cuzin, 1986
J.P. Cuzin, «Vincent reconstitué», *Connaissance des Arts*, mars 1986, pp. 38-47.

Czymmeck, 1987-1988
G. Czymmeck, dans catalogue de l'Exposition *Triomphe et mort du héros : la peinture d'histoire en Europe de Rubens à Manet*, Cologne-Zurich-Lyon, 1987-1988.

Dacier, 1921
E. Dacier (introduction et notices), *Catalogues de ventes et livrets de Salons illustrés par Gabriel de Saint-Aubin. XI-Catalogue de la vente L.-J. Gaignat (1769)*, Paris, 1921.

Dacier, 1931
E. Dacier, *Gabriel de Saint-Aubin, peintre, dessinateur (1724-1780), catalogue raisonné*, Paris-Bruxelles, 1931, 2 vol.

D'Allemagne, 1928
H.-R. D'Allemagne, *Musée de la Ferronnerie ancienne*, 1928.

D'Allemagne, 1942
H.-R. D'Allemagne, *La toile imprimée et les indiennes de Traite*, Paris, 1942, 2 vol.

Da Mosto, 1960
A. Da Mosto, *I dogi di Venezia nella vita publica e privata*, Milan, 1960.

Darcel, 1883
A. Darcel, *Musée national du Louvre. Notice des émaux et de l'argenterie*, Paris, 1883.

Darnton, 1968
R. Darnton, *Mesmerism and the end of the Enlightment in France*, Cambridge (Mass.), 1968.

Darnton, 1979
R. Darnton, *The business of Enlightment. A publishing history of the Encyclopédie, 1775-1800*, Cambridge (Mass.), 1979.

Dartein, 1906
M. de Dartein, « La vie et les travaux de Jean-Rodolphe Perronet, premier ingénieur des ponts et chaussées, créateur de l'École des Ponts et Chaussées. Le pont de la Concorde à Paris », *Annales des Ponts et Chaussées*, t. XXIV, 1906, n° 4, pp. 5-148.

Dauban, 1870
Dauban, *La démagogie en 1792*, Paris, 1870.

Daumas, 1950
M. Daumas, « L'élaboration du traité de chimie de Lavoisier », *Archives internationales d'histoire des sciences*, n° 12, 1950, pp. 570-590.

Daumas, 1953
M. Daumas, *Les intruments scientifiques aux XVII*ᵉ *et XVIII*ᵉ *siècles*, Paris, 1953.

Daumas, 1955
M. Daumas, *Lavoisier, théoricien et expérimentateur*, Paris, 1955.

Daumas, 1980
H. Daumas, *L'archéologie industrielle en France*, Paris, 1980.

Davico, 1985
R. Davico, « Un'inchiesta dell'Accademia delle scienze di Torino : Stockage et police des grains (1782-1784) », dans Sigaut, n° 2-3, 1985, pp. 483-534.

David, 1928
H. David, *Gamelin, sa vie et son œuvre (1738-1802)*, Auch, 1928.

David, 1880
J.L.J. David, *Le peintre Louis David (1748-1825). Souvenirs et documents inédits*, Paris, 1880.

David, 1883
J.L.J. David, *Quelques observations sur les 19 toiles attribuées à Louis David à l'Exposition des Portraits du Siècle (1783-1883)*, Paris, 1883.

Davoust, 1891
E. Davoust, *Le comte de Bizemont...Son œuvre et ses collections*, Orléans, 1891.

Dayot, 1896
A. Dayot, *La Révolution française*, Paris, 1896.

Decaux, 1974
A. Decaux, *Plaisir de France*, février 1974, n° 416.

Deforge, 1981
Y. Deforge, *Le graphisme technique, son histoire et son enseignement*, Paris, 1981.

Dehérain, 1908
H. Dehérain, *Catalogue des manuscrits du fonds Cuvier (travaux et correspondance scientifique) conservés à la Bibliothèque de l'Institut de France*, Paris, 1908.

Dehérain, 1922
H. Dehérain, *Catalogue des manuscrits du fonds Cuvier conservés à la bibliothèque de l'Institut de France*, Hendaye, 1922.

Dehousse, Pacco, Pauchen, 1985
F. Dehousse, P. Pacco et M. Pauchen, *Léonard Defrance, l'œuvre peint*, Liège, 1985.

Delécluze, 1855
E.L. Delécluze, *Louis David, son école et son temps. Souvenirs*, Paris, 1855

Delouche, 1975
D. Delouche, *Les peintres de Bretagne*, publication de l'Université de Haute-Bretagne, 1975.

Deloynes, 1796
Collection Deloynes, se rapporte aux critiques de salons réunies par M. Deloynes, 56 vol., 1796, vol. XVIII : « Les Étrivières de Juvénal ».

Deming, 1984
M.K. Deming, *La Halle au blé de Paris : 1762-1813*, Paris, 1984.

Demmler, 1923-1924
Th. Demmler, « Immanuel Kant in den Berliner Sammlungen », *Der Kunstwanderer*, n° 5, 1923-1924, pp. 209-212.

Demmler, 1924
Th. Demmler, « Emanuel Bardous Kantbüste vom Jahr 1793 », *Kant-Studien*, n° 29, 1924, pp. 316-320.

Demmler, 1930
Th. Demmler, *Die Bildwerke in Holtz, Stein und Ton, Grossplastik. Bildwerke des deutschen Museums*, vol. III, Berlin-Leipzig, 1930.

Demolon, Barbieux, 1979
P. Demolon et J. Barbieux, « Les origines médiévales de la ville de Douai. Rapport provisoire des familles de la fonderie de canons », *Revue du Nord*, avril-juin 1979, pp. 301-329.

Demoriane, 1974
H. Demoriane, *L'art de reconnaitre les instruments scientifiques du temps passé*, Paris, 1974.

Denise, 1903
L. Denise, *Bibliographie historique et iconographique du Jardin des Plantes. Jardin royal des plantes médicinales et Museum d'Histoire naturelle*, Paris, 1903.

De Ridder
A. De Ridder, *L'Académie impériale et royale des Sciences et Belles-Lettres de Bruxelles, 1772-1794. Sa fondation, ses travaux.*

Desnais, [1905]
J. Desnais, *Catalogue illustré du musée de Beaufort*, Beaufort-en-Vallée, [1905].

Desnoyers, 1898
M. Desnoyers, *Catalogue du musée historique de la ville d'Orléans*, Orléans, 1884.

Desparmet Fitz-Gerald, 1928-1950
X. Desparmet Fitz-Gerald, *L'œuvre peint de Goya*, Paris, 1928-1950.

Destailleur, Pate, 1878
R. Destailleur et L. Pate, *Musée Denon, Chalon-sur-Saône*, Paris, 1878.

Destombes, 1977
M. Destombes, « De la chronique à l'Histoire : le globe terrestre monumental de Bergevin (1784-1795), château de Versailles », *Archives internationales d'histoire des Sciences*, juin 1977, pp. 113-134.

Destrem, 1909, 1943
J. Destrem, *Catalogue raisonné du musée de la Marine*, Paris, 1909, nouvelle éd. 1943.

Deuchler, Rœthlisberger, Lüthy, 1975
F. Deuchler, M. Rœthlisberger et H. Lüthy, *Schweizer Malerei vom Mittelalter bis 1900*, Genève, 1975 ; éd. en langue française, 1975.

Devernay, 1915
F. Devernay, *Le Vieux Lyon à l'Exposition internationale urbaine, 1914*, Lyon, 1915.

Devigne, 1922
M. Devigne, *Musée royal des Beaux-Arts de Belgique. Catalogue de la sculpture*, Bruxelles, 1922.

De Vos, 1970
D. De Vos, *Stadsgezichten in catalogus van de tentoonstelling Kœsten in het Brugse Stadsbeeld, Groeningemuseum*, Bruges, 1970.

De Vos, 1972
D. De Vos, *Catalogus van de tentoonstelling Schatten voor Brugge, Stedelijke musea Brugge, Aanwinsten 1966-1972*, Groeningemuseum Bruges, 1972.

Devries, 1981
A. Devries, « Sébastien Erard, amateur d'art au début du XIXᵉ siècle et ses conseillers », *Gazette des Beaux-Arts*, février 1981, pp. 78-86.

Dhombres, 1987
A. Fourcy, *Histoire de l'Ecole Polytechnique*, introduction par J. Dhombres, Paris, 1987.

Diderot, 1975
D. Diderot, *Oeuvres complètes*, édition critique et annotée, publiée sous la direction de H. Dieckmann, J. Proust et J. Varloot, Paris, 1975 , V-VIII.

Diderot, 1976
D. Diderot, *Encyclopédie, I-IV*, éd. critique et annotée présentée par J. Lough et J. Proust, Paris, 4 vol., 1976.

Diderot, 1981
D. Diderot, *Oeuvres Complètes, IX-L'interprétation de la nature (1753-1765). Idées III*, éd. critique et annotée, présentée par J. Varloot, avec collaborateurs, 1981.

Diderot, 1984
D. Diderot, *Oeuvres complètes. XIV-Salon de 1765. Essais sur la peinture. Beaux-Arts.I*, éd. critique et annotée, présentée par E.-M. Buckdahl, A. Lorenceau et G. May, 1984.

Didier, 1976
B. Didier, « L'Exotisme et la mise en question du système familial et moral dans le roman à la fin du XVIIIᵉ siècle : Beckford, Sade, Potocki », *Studies on Voltaire and the eighteenth century*, t. LII, 1976, pp. 571-586.

Dix-Huitième siècle, 1977
« Le sain et le malsain », *Dix-Huitième siècle*, 1977, n° 9.

Dollfus, Beaubois, Rougeron, 1965
Ch. Dollfus, H. Beaubois et C. Rougeron, *Aéronautique, Astronautique ; l'homme, l'air et l'espace*, Paris, 1965.

Dollfus, Bouché, 1932
Ch. Dollfus et H. Bouché, *Histoire de l'aéronautique*, Paris, 1932.

Domanget, 1970
M. Domanget, *Sur Babeuf et la conjuration des Égaux*, Paris, 1970.

Dorbec, 1907
P. Dorbec, « David portraitiste », *Gazette des Beaux-Arts*, avril 1907, pp. 306-330.

Dorbec, 1907
P. Dorbec, « Le portrait pendant la Révolution », *Revue d'Art Ancien et Moderne*, février 1907, n° 119, pp. 133-134.

Dowd, 1948
D.L. Dowd, *Pageant master of the Republic, Jacques-Louis David and the French Revolution*, Lincoln University of Nebraska, 1948.

Dowd, 1953
D.L. Dowd, *L'art comme moyen de propagande pendant la Révolution française*, Paris, 1953.

Dowley, 1957
F. Dowley, « D'Angiviller's Grands Hommes and the significant moment », *Art Bulletin*, décembre 1957.

Dreyfus, 1922
C. Dreyfus, *Louvre. Catalogue du mobilier et des objets d'art du XVIIᵉ et du XVIIIᵉ siècle*, Paris, 1922, 2ᵉ éd.

Dreyfus, 1910
Ph.-G. Dreyfus, « Une dernière volonté de N.-B. Lépicié », *Bulletin de la Société d'Histoire de l'Art français*, Paris, 1910, pp. 25-32.

Dreyfus, 1922
Ph.-G. Dreyfus, « Catalogue raisonné de l'œuvre de N.-B. Lépicié », *Bulletin de la Société d'Histoire de l'Art français*, 1922, n° 408.

Drugulin, 1863
W. Drugulin, *Historischer Bilderatlas*, Leipzig, 1863.

DSB, 1970-1980
Dictionary of Science Biography, éd. par Ch.C. Gillispie, New York, 1970-1980, 16 vol.

Dubois, 1975
J. Dubois, « Le cabinet de physique du château de Chenonceau », *Bulletin de la Société archéologique de Touraine*, 1975, pp. 516-518.

Dubois, 1978
J. Dubois, « Jean-Jacques Rousseau, chimiste », *Bulletin de la Société archéologique de Touraine*, 1978, p. 616.

Dubois, 1979
J. Dubois, « Nouvelles acquisitions d'instruments de physique du XVIIIᵉ siècle venant compléter le cabinet de Chenonceau », *Bulletin de la Société archéologique de Touraine*, 1979, pp. 525-540.

Dubois, 1987
Ph. Dubois, *Jean-Jacques Lequeu, une énigme*, Paris, 1987.

Duchet, 1977
M. Duchet, *Anthropologie et Histoire au siècle des Lumières*, Paris, 1971, réed. 1977.

Duclaux, Prache, 1975
L. Duclaux et A. Prache, *Musée du Louvre, Inventaire général des dessins. École française, XII-Nadar-Ozanne*, Paris, 1975.

Du Deffand, 1971
Correspondance complète de la marquise du Deffand avec ses amis, suivie de ses œuvres diverses et éclairées de nombreuses notes par M. de Lescure, t. I, Genève, rééd. 1971.

Dufournet, 1981
P. Dufournet, *L'Art populaire en Savoie*, Le Puy-en-Velay, 1981.

Dugasseau, 1864
M.C. Dugasseau, *Notice des tableaux composant le musée du Mans*, Le Mans, 1864.

Duhem, 1964
J. Duhem, *Histoire de l'arme aérienne avant le moteur*, Paris, 1964.

Dulac, 1972
G. Dulac, « Louis-Jacques Goussier, encyclopédiste et... original sans principes », *Recherches nouvelles sur quelques écrivains des Lumières*, Genève, 1972, pp. 63-110.

Dunmore, 1978
J. Dunmore, *Les explorateurs français dans le Pacifique*, t. I, Papeete, 1978.

Dunmore, Brossard, 1985
J. Dunmore et M. de Brossard, *Le voyage de La Pérouse 1785-1788. Récits et documents originaux*, Paris, 1985, 2 vol.

Duplessis, 1861
G. Duplessis, *Histoire de la gravure en France*, Paris, 1861.

Duplessis, 1882, 1884
G. Duplessis, *Inventaire de la collection d'estampes relatives à l'Histoire de France, léguée en 1863 à la Bibliothèque Nationale par M. Michel Hennin*, 1882, t. IV, 1884, t. V, Paris.

Duplessis, Moureau, 1897
G. Duplessis et A. Moureau, *Bibliothèque nationale. Département des estampes. Inventaire de la collection de dessins sur les départements de la France formée par M. H. Destailleurs et acquise par la Bibliothèque nationale*, Paris, 1897.

Duportal, 1931
J. Duportal, *Charles Percier. Reproductions de dessins conservés à la Bibliothèque de l'Institut*, Biographies et notices par J. Duportal, préface de M. Fenaille, Paris, 1931.

Dureteste, 1948
M. Dureteste, « La donation Laveissière au Département des Peintures », *Musées de France*, 1948 pp. 161-164.

Durieux, 1911
J. Durieux, *Les vainqueurs de la Bastille*, Paris, 1911.

Du Seigneur, 1864
J. Du Seigneur, « Appendice à la notice de P. Chaussard sur L. David », *Revue universelle des Arts*, 1864, t. XVIII, pp. 359-369.

Du Teil, 1907
J. du Teil, « La collection Chaix d'Est-Ange », *Les Arts*, n° 67, juillet 1907, pp. 1-36.

Duveen, 1965
D.I. Duveen, *Supplement to a bibliography of the works of Antoine-Laurent Lavoisier 1743-1794*, Londres, 1965.

Duveen, Klickstein, 1954
D.I. Duveen et H.S. Klickstein, avec une préface de J.F. Fulton, *A bibliography of the works of Antoine-Laurent Lavoisier 1743-1794*, Londres, 1954.

Edwards, 1931
R. Edwards, « The Watercolour drawings of Robert Dighton », *Apollo*, t. XIV, 1931, pp. 98-100.

Eliel, 1984
C.S. Eliel, « Louis Boilly, précurseur de l'art moderne », introduction du catalogue de l'Exposition *Louis Boilly*, Paris, musée Marmottan, 1984.

Eliel, 1985
C.S. Eliel, « Boilly at the musée Marmottan », *Burlington Magazine*, mars 1985, p. 163.

Ellenberger, 1983
F. Ellenberger, « Recherches et réflexions sur la naissance de la cartographie géologique », *Histoire et nature*, 1983, n° 22-23.

Engerand, 1895
F. Engerand, « Les commandes officielles de tableaux au XVIIIe siècle : Clément Belle aux Gobelins », *Chronique des Arts*, 1895, pp. 378-380.

Ephrussi, 1890, 1891
C. Ephrussi, « François Gérard d'après les lettres publiées par M. le baron Gérard », *Gazette des Beaux-Arts*, décembre 1890, pp. 449-466 ; mars 1891, pp. 201-215.

Erffa, Staley
H. von Erffa et A. Staley, *The paintings of Benjamin West*, 1986.

Erichsen Firle, 1973
U. Erichsen Firle, *Wallraf-Richartz Museum. Katalog der deutschen Gemälde von 1550 bis 1800 in Wallraf-Richartz Museum und im Öffentlichenbesitz der Stadt Köln*, Cologne, 1973.

Erichsen Firle, 1973
U. Erichsen Firle avec la collaboration de B. Klessen, *Kunstgewerbemuseums der Stadt Köln. Figürliches Porzellan*, Cologne, 1973.

Ernstberger, 1958
A. Ernstberger, « Nürnberg im Widerschein der französischen Revolution 1789-1796 », *Zeitschrift für bayerische Landesgeschichte*, vol. XXI, 1958, pp. 409-471.

Escholier, 1936
R. Escholier, *Gros, ses amis et ses élèves*, Paris, 1936.

Escholier, 1941
R. Escholier, *La peinture française du XIXe siècle. De David à Géricault*, Paris, 1941.

Escriva de Romani, 1945
M. Escriva de Romani, comte de Casal, *Historia de la ceramica de Alcora*, Madrid, 1945.

Esperandieu, 1911
E. Esperandieu, *Recueil général des bas-reliefs, statues et bustes de la Gaule Romaine*, t. IV, Paris, 1911.

Espinos, Orihuela, Royo Villanova, 1982
A. Espinos, M. Orihuela et M. Royo Villanova, « El Prado disperso », *Boletin del museo del Prado*, n° 8, 1982.

Essers, 1974
V. Essers, « Kant-Bildnisse », *Immanuel Kant, Leben, Umwelt, Werk*, Berlin 1974, pp. 53-54.

Essick, 1980
R.N. Essick, *William Blake, printmaker*, Londres, 1980.

Fabricius, 1973
J.-P. Fabricius, *La description des Arts et Métiers de l'Académie des sciences, 1761-1789*, Paris, 1973.

Fatio, 1919
G. Fatio, « Jean Jacquet, sculpteur 1754-1839. Jeunesse-Etudes-Voyages », *Nos Anciens et leurs œuvres*, 1919.

[Fayet], s.d.
[G. Fayet], *Musée de la ville de Béziers. Catalogue des peintures, aquarelles, dessins, sculptures, objets d'art, etc.*, Béziers, s.d.

Fayet, 1960
J. Fayet, *La Révolution française et la science, 1789-1795*, Paris, 1960.

Fenaille, 1899
M. Fenaille, *L'œuvre gravé de P.L. Debucourt*, Paris, 1899.

Fenaille, 1907, 1912
M. Fenaille, *Etat général des tapisseries de la manufacture des Gobelins depuis son origine jusqu'à nos jours. 1600-1900*, Période du XVIIIe siècle. 1734-1794, t. IV, 1907; Période du XIXe siècle. 1794-1900, t. V, 1912, Paris.

Féraud, 1886
H. Féraud, *De l'industrie des toiles peintes et mouchoirs d'Orange*, mémoire lu à l'académie du Vaucluse, le 1er mai 1886, Paris, 1887.

Feugère, 1909
A. Feugère, « Raynal et son monument de Guillaume Tell », *Revue de Fribourg*, 40e année, 2e série, 1909, n° 8, pp. 561-589.

Feulner, 1929
A. Feulner, *Skulptur und Malerei des 18. Jahrhunderts in Deutschland*, Potsdam, 1929.

Fichman, 1973
M. Fichman, « Jean-Baptiste de Roy », *D.S.B.*, t. VIII, New-York, 1973, pp. 258-259.

Fiege, 1978
G. Fiege, *Bildenisse Verzeichnis der Plastiken, Gemälde, Handzeichnungen Scherenschnitte im Schiller-Nationalmuseum und Deutschen Litteraturarchiv Marbach*, Marbach am Neckar, 1978, t. II.

Filangeri di Satriano, 1883-1891
G. Filangeri di Satriano, *Documenti per la storia, le arti e le industrie delle provincie napoletane*, Naples, 1883-1891.

Fillon, 1854
B. Fillon, « Procès-verbal du moulage de la figure de Charette », *Revue des Provinces de l'Ouest*, n° 11, juillet, 1854, pp. 229-234.

Fillon, 1864
B. Fillon, *L'art de la terre chez les Poitevins*, Paris, 1864.

Fink, 1983
B. Fink, « L'avènement de la pomme de terre », *Dix-huitième siècle*, 1983, pp. 19-27.

Fink, 1974
G.L. Fink, « Wieland und die Französische Revolution », *Deutsche Literatur und Französische Revolution*, Göttingen 1974, pp. 5-38.

Fink, 1983
G.L. Fink, « La littérature allemande face à la Révolution française (1789-1800). Littérature et politique, Libertés et contraintes », *Deutschland und die französische Revolution, Beihefte der Francia*, Munich, 1983, vol. XII, pp. 249-300.

Fleischhauer, Baum, Kobell, 1952
W. Fleischhauer, J. Baum et St. Kobell, *Die schwäbische Kunst im 19. und 20. Jahrhunderts*. Stuttgart, 1952.

Fleurent, 1893-1902
J.-B. Fleurent, « Karpff, peintre et dessinateur de Colmar », *Bulletin de la société Schongauer*, 1893-1902, pp. 85-104.

Flüri, 1917
A. Flüri, *Kulturgeschichtliche Mitteilungen*, Berne, 1917.

Fogolari, 1913
G. Fogolari, « l'Accademia veneziana di pittura e scultura del Settecento », *L'Arte*, 1913.

Folnesics, Braun, 1907
J. Folnesics et E.W. Braun, *Geschichte der K.K. Wiener Porzellanmanufaktur*, Vienne, 1907.

Forget, 1983
M. Forget, *Illustration du vieux Toulon*, Toulon, 1983.

Forrer, 1916
Forrer, *Biographical dictionary of medallists*, Londres, 1916.

Fortier, 1977
B. Fortier, « La maîtrise de l'eau », *Dix-huitième siècle*, 1977, n° 9, pp. 193-201.

Fosseyeux, 1910
M. Fosseyeux, *Inventaire des objets d'art appartenant à l'Assistance Publique à Paris*, Paris, 1910.

Foucart, 1987
B. Foucart, « Catalogues, la forme et le fond », *Connaissance des arts*, juil.-août 1987.

Foucart, 1974-1975
J. Foucart, *Jacob-Henri Sablet (ou Jacques)* dans catalogue de l'Exposition *De David à Delacroix*, Paris, Grand Palais, 1974.

Foucart-Walter, 1986
E. Foucart-Walter, *Catalogue sommaire illustré des peintures du musée du Louvre et du musée d'Orsay. T. V - Ecole française*, Annexes et index, liste des tableaux déposés par Louvre, Paris, 1986.

Foulon de Vaux, 1901
A. Foulon de Vaux, «Antoine Vestier», *Le Carnet historique et littéraire*, Paris, 1901, p. 404.

Fourcy, 1988
J. Fourcy, *Histoire de l'École polytechnique*, préface de Jean Dhombres, Paris, 1988.

Fourest, 1982
H.-P. Fourest, *La céramique européenne*, Paris, 1982.

Fox, 1987
C. Fox, *Londoners*, Londres, 1987.

Fredstrup, 1939
S.B. Fredstrup, *Figurer og andre plastike Arbejder fra den Kongelige Porcelainsfabrik*, Copenhague, 1939, 1949.

Friedlaender, 1952
W. Friedlaender, *David to Delacroix*, Harvard College, 1952.

Frimmel, 1901
Th. von Frimmel, *Geschichte der Wiener Gemälde-sammlungen*, t. IV, Berlin, 1901.

Frond, 1865
V. Frond, *Panthéon des illustrateurs français au XIX siècle comprenant un portrait, une biographie et un autographe de chacun des hommes les plus marquants*, Paris, 1865.

Frykenstedt, 1972
H. Frykenstedt, «Carl August Ehrensvärds svit politiska skifvan», *Gustaf III*, Årsbok för Svenska Statenskonstsamlingar, 1972, Stockholm, pp. 105-139.

Frykenstedt, 1974
H. Frykenstedt, «Idé och verklighet i C.A. Ehrensvärds karikatyrer», *Kungl. Vitterhets Historie och Antikvitets Akademien. Antikvariska*, serien 28, Stockholm, 1974.

Furcy-Raynaud, 1912
M. Furcy-Raynaud, «Les tableaux et objets d'art saisis chez les émigrés et condamnés, et envoyés au Museum central», *Nouvelles Archives de l'Art français*, 1912, pp. 245-343.

Furcy-Raynaud, 1927
M. Furcy-Raynaud, «Inventaire des sculptures exécutées au XVIIIe siècle pour la Direction des Bâtiments du Roi», *Archives de l'Art français*, nouvelle période, t. XIV, Paris, 1927.

Furet, Richet, 1965
F. Furet et D. Richet, *La Révolution française*, Paris, 1965.

Gabillot, 1895
Gabillot, *Hubert Robert et son temps*, Paris, 1895.

Gabory, 1963
E. Gabory, *Les grandes heures de Vendée*, Paris, 1963.

[Gabriel], 1984
[E. Gabriel], *Geschützrohre des 17., 18. und 19. Jahrhunderts heeresgeschichtliches Museum Wien*, 1984.

Gaehtgens, Lugand, 1988
Th. Gaehtgens et J. Lugand, *Joseph-Marie Vien, 1716-1809*, Paris, 1988.

Gagnebin, 1962
Lettres sur la botanique par J.-J. Rousseau présentées par B. Gagnebin, suivies du fragment de dictionnaire des termes en usage en botanique, Paris, 1962.

Gagnebin, 1984
B. Gagnebin, «La chambre de Voltaire à Ferney», *Gazette des Beaux-Arts*, décembre 1984, pp. 217-221.

Gallet, 1964
Gallet, *l'Architecture à Paris sous le règne de Louis XVI*, Paris, 1964.

Gallet-Guerne, 1983
D. Gallet-Guerne, avec la collaboration de Ch. Baulez, *Archives nationales-Versailles-Dessins d'architecture de la Direction générale des Bâtiments du Roi; t. I, le château, les jardins, le parc, Trianon*, Paris, 1983.

Gallini (à paraître)
B. Gallini, *Catalogue raisonné de tout l'œuvre peint et dessiné d'Antoine-François Callet (1741-1823)*, thèse en vue de l'obtention d'un doctorat d'État, Université de Paris-IV, manuscrit (à paraître).

Ganay, 1959
E. de Ganay, «Plaisirs de Trianon», *Jardins des Arts*, août 1959, pp. 612-622.

Gansen, 1886-1887
L. van Gansen,"Herman Pierre François, dernier prélat de l'abbaye de Tongerloo», *Biographie nationale*, Bruxelles, t. IX, 1886-1887, pp. 266-273.

Gardey, 1964/1
F. Gardey, «Notices biographiques des dessinateurs et des graveurs», *Univers de l'Encyclopédie*, Paris, 1964.

Gardey, 1964/2
F. Gardey, «Quelques planches des descriptions des Arts et Métiers de l'Académie des Sciences au Cabinet des Estampes», *Nouvelles de l'estampe*, Paris, 1964, n° 5-6, pp. 166-169.

Garnier, 1881
E. Garnier, *Catalogue de la collection Gasnault*, Paris, 1881.

Gasnault, 1879
P. Gasnault, *Catalogue de la collection Jacquemart*, Paris, 1879.

Gaudillot, 1967
J.-M. Gaudillot, *Le voyage de Louis XVI en Normandie, 21-29 juin 1786*, Caen, 1967.

Gauffin, 1926
A. Gauffin, *Svenska Målningen*, Stockholm, 1926.

Gauguet-Hombron, 1873
Gauguet-Hombron, *Catalogue des tableaux exposés dans les galeries du musée de la ville de Quimper, dit musée Silguy*, Brest, 1873.

Gauthier, 1899
J. Gauthier, «Le sculpteur bisontin Luc-François Breton», *Réunion des sociétés des Beaux-Arts des départements*, 1899.

Gauthier, 1911
L. Gauthier, «Un nouveau Boilly au Louvre», *Gazette des Beaux-Arts*, décembre 1911.

Gautier, 1882
Th. Gautier, *Guide de l'amateur au musée du Louvre*, Paris, 1882.

Gautner, Peinle, 1956
J. Gautner et A. Peinle, *Kunstgeschichte der Schweiz*, Frauenfeld, 1956, t. III.

Gaziello, 1984
C. Gaziello, *L'expédition de La Pérouse (1785-1788), réplique française aux voyages de Cook*, Paris, 1984.

Gengembre, 1988
G. Gengembre, *A vos plumes, Citoyens*, Paris, 1988.

Geoffroy, 1867
Geoffroy, *Gustave III et la cour de France*, 1867, t. II.

George, 1864
George, *Catalogue raisonné des tableaux du musée de Toulouse*, Toulouse, 1864.

Georgel, Lecoq, 1982-1983
P. Georgel et A.M. Lecoq, dans catalogue de l'Exposition *La peinture dans la peinture*, Dijon, 1982-1983.

Gheyn, 1907
J. van den Gheyn, *Catalogue des manuscrits de la Bibliothèque Royale de Belgique*, Bruxelles, t. VII, 1907.

Giacomotti, 1964
J. Giacomotti, «Les manufactures de Limoges et de Paris», *les porcelainiers du XVIIIe siècle français*, Paris, 1964.

Gielly, 1929
L. Gielly, «Le buste de Théodore Tronchin par Houdon, au musée de Genève», *Genava*, 1929, pp. 240-241.

Gillet, 1934
L. Gillet, *Les trésors des musées de Province*, Paris, 1934.

Gillipsie, 1983
Ch.C. Gillipsie, *The Montgolfier brothers and the invention of aviation (1783-1784) with a word on the importance of ballooning for the sciences of heat and the art of building rail roads*, Princeton, 1983.

Ginoux, 1900
C. Ginoux, *Bibliothèque de Toulon. Notices des tableaux, sculptures et autres objets d'art exposés dans les galeries*, Toulon, 1900.

Girard, 1909
J. Girard, *Catalogue des tableaux exposés dans les galeries du musée Calvet d'Avignon*, Avignon, 1909.

Girard, 1924
J. Girard, *Musée Calvet de la ville d'Avignon. Catalogue illustré*, Avignon, 1924.

Girardin, 1909
F. de Girardin, *Iconographie de J.-J. Rousseau*, s.l., 1909.

Girodie, 1927
A. Girodie, *Jean-Frédéric Schall (Strasbourg 1757-Paris 1825)*, Strasbourg, 1927.

Godechot, 1956
J. Godechot, *La Grande Nation. L'expansion révolutionnaire de la France dans le monde, 1789-1799*, Paris, 1956, 2 vol.

Godechot, 1961
J. Godechot, *La Contre-Révolution, doctrine et action, 1789-1804*, Paris, 1961.

Golzio, 1950
V. Golzio, *Seicento e Settecento*, Turin, 1950.

Goncourt, 1876
E. de Goncourt, *Catalogue raisonné de l'œuvre peint, dessiné et gravé de P.-P. Prud'hon*, Paris, 1876.

Goncourt, 1901
E. et J. de Goncourt, *L'art du XVIIIe siècle*, Paris, 3e éd., 1901.

Gonse, 1874
L. Gonse, «Musée de Lille. Le musée de peinture. École française», *Gazette des Beaux-Arts*, avril 1874.

Gonse, 1875
L. Gonse, *Musée de Lille. Le musée de peinture*, Paris, 1875.

Gonzàlez Palacios, 1980
A. Gonzàlez Palacios, *Civiltà del'700 a Napoli*, Naples 1980.

Gonzàlez Palacios, 1981
A. Gonzàlez Palacios, *Mosaici e pietre dure. Firenze. Paesi germanici. Madrid*, 1981.

Gonzàlez Palacios, 1986
A. Gonzàlez Palacios, «Commessi granducali e ambizioni galliche», *Il tempio del gusto. Le arti decorativo in Italia fra classicismi e barocco. Il Granducato di Toscana e gli stati settentrionali*, Milan, 1986, 2 vol.

Gosset, 1902
F. Gosset, *La Franc-Maçonnerie à Reims au début du XIXe siècle*, Braine, 1902.

Göthe, 1927
G. Göthe, *Catalogue des portraits de Gripsholm*, Stockholm, 1927.

Goubert, 1969
P. Goubert, *L'Ancien Régime*, Paris, 1969.

Goulinat, 1930
M. Goulinat, «Hubert Robert, peintre de Paris», *L'Art et les Artistes*, 1930, p. 100.

Gowing, 1985
L. Gowing, *The Originality of Thomas Jones*, s.l., (Thames & Hudson), 1985.

Gradmann, Letto, 1944
E. Gradmann et A.M. Letto, *Schweizer Malerei und Zeichnungen in 17-19 Jarhrhunderts*, Bâle, 1944.

Gramberg, 1961
W. Gramberg, *Johann Gottfried Schadow. Die Gruppe der Prinzessinnen*, Stuttgart, 1961.

Grand-Carteret, Delteil, 1909
J. Grand-Carteret et L. Delteil, *La conquête de l'air par l'image (1495-1909). Ascensions célèbres, inventions et projets...*, Paris, 1909.

Grandjean, 1979
S. Grandjean, « Le guéridon de Madame du Barry provenant de Louveciennes », *La Revue du Louvre*, 1979, n° 1, pp. 44-49.

Grandjean, 1981
S. Grandjean, *Catalogue des tabatières, boîtes et étuis des XVIIIe et XIXe siècles du musée du Louvre*, Paris, 1981.

Granges de Surgères, 1888
Granges de Surgères, *Les Sablet, peintres, graveurs et dessinateurs ; François le Romain, et Jacques le Jeune, le peintre du soleil... Notices biographiques... avec essai d'un catalogue de l'œuvre de ces artistes*, Paris, 1888.

Granges de Surgères, 1888-1889
Granges de Surgères, *Iconographie bretonne ou Liste des portraits dessinés en Bretagne et appartenant à cette province avec notices biographiques*, Rennes et Paris, 1888-1889, 2 vol.

Granges de Surgères, 1898
Granges de Surgères, *Artistes nantais... Notes et documents inédits*, Paris-Nantes, 1898.

Grassi, 1961
C. Grassi, *La villa Manin di Passeriano*, Udine, 1961.

Graulich, 1978-1979
J.-L. Graulich, *Joseph et Louis Dreppe, artistes liégeois (1737-1810), (1739-1782)*, mémoire de licence non publié de l'Université de Liège, 1978-1979.

Greenbaum, 1972
L.S. Greenbaum, « The Humanitarism of Antoine-Laurent Lavoisier », *Studies on Voltaire and the eighteenth century*, t. LXXXVIII, 1972, pp. 651-675.

Greenbaum, 1974
L.S. Greenbaum, « Tempest in the Academy. Jean-Baptiste Le Roy, the Paris Academy of sciences and the project of a new Hôtel-Dieu », *Archives internationales d'histoire des Sciences*, Paris, 1974, pp. 122-140.

Greer, 1935
D. Greer, *The incidence ot the Terror. A statistical interpretation*, Cambridge (Mass.), 1935.

Griffiths, 1987
A. Griffiths, « Notes sur les premières aquatintes en France », *Print Quarterly*, t. III, 1987, pp. 262-263.

Gruyer, 1902
F.A. Gruyer, *Chantilly. Les portraits de Carmontelle*, Paris, 1902.

Guérin, 1968
D. Guérin, *La lutte des classes sous la Première République*, nouvelle éd., 1968, 2 vol.

Guerlac, 1961
H. Guerlac, *Lavoisier, the crucial year, the background and origin of his first experiments on combustion in 1772*, Ithaca, 1961.

Guerlac, 1973
H. Guerlac, « Antoine Lavoisier », *D.S.B.*, t. VIII, New York, 1973, pp. 66-91.

Guerlac, 1979
H. Guerlac, « The Lavoisier papers. A checkered history », *Archives internationales d'histoire des sciences*, 1979, vol. XXIX, pp. 95-100.

Guéroult, 1970
F. Guéroult, *Dessins français des XVIIe et XVIIIe siècles au musée du Louvre*, mémoire de l'École du Louvre, Paris, 1970, manuscrit.

Guide Carnavalet, [1930] et 1932
Guide du musée Carnavalet, Paris, [1930] et 1932.

Guide Chaalis, 1913
Abbaye de Chaalis et musée Jacquemart-André. Notice et guide sommaire des monuments, des collections et de la promenade du Désert, Paris, 1913.

Guiffrey, 1873
J. Guiffrey, *Notes et documents inédits sur les expositions du XVIIIe siècle, recueillis et mis en ordre par...*, Paris, 1873.

Guiffrey, 1877
J. Guiffrey, *Les Caffiéri*, Paris, 1877.

Guiffrey, 1897
J. Guiffrey, « Les modèles des Gobelins devant le Jury des Arts en septembre 1794 », *Nouvelles Archives de l'Art français*, t. XIII, 1897, pp. 349-389.

Guiffrey, 1913
J. Guiffrey, « Le portrait du général Milhaud par David au musée du Louvre », *Revue d'Art ancien et moderne*, juillet 1913, pp. 40-43.

Guiffrey, 1924
J. Guiffrey, « l'œuvre de P.-P. Prud'hon », *Archives de l'Art français*, 1924.

Guiffrey, Marcel, 1907-1921
J. Guiffrey et P. Marcel, *Inventaire général des dessins du musée du Louvre et du musée de Versailles. École française*, 9 vol. Paris, 1907-1921.

Guiffrey, Marcel, Rouchès, 1927
J. Guiffrey, P. Marcel et G. Rouchès, *Inventaire général des dessins du musée du Louvre et du musée de Versailles. École française*, t. X, Paris, s.d. [1927].

Guillaume, 1901
J. Guillaume, *Procès-verbaux de la Commission d'Instruction publique de la Convention nationale*, t. IV, 1901.

Guillaume, 1970
J. Guillaume, « Le phare de Cordouan, merveille du monde et monument monarchique », *Revue de l'Art*, n° 8, 1970, pp. 33-52.

Guillerme, 1974
J. Guillerme, « Entre l'irrégulier et l'éclectique », *Dix-huitième siècle*, Paris, 1974, n° 6, pp. 167-180.

Guillermin, 1872
J. Guillermin, « Guillaume Boichot », *Mémoires de la Société d'Histoire et d'Archéologie de Châlons*, t. V, 3e partie, 1872, pp. 1-74.

Guillon, 1889
L.A. Guillon, *L'École des Mines de Paris, notice historique*, Paris, 1889.

Guinard, 1968
P. Guinard, « La peinture en Languedoc du XVIIe au XIXe s. : acquisitions et orientations », *Information d'Histoire de l'Art*, 1968, pp. 223-239.

Guise, 1983
M. Guise, « Pochettes surprises, le panier de l'État », *Feuilles*, n° 4, printemps 1983, pp. 81-85.

Guth, 1954
P. Guth, « Schall, le peintre des danseuses du XVIIIe siècle », *Connaissance des Arts*, n° 29, juillet 1954, pp. 14-19.

Gutwirth, 1977
S. Gutwirth, « The Sabine Mountains, an early italian landscape by Jean-Joseph-Xavier Bidauld », *Bulletin of the Detroit Institute of Arts*, 1977, vol. LV, n° 3, pp. 147-152.

Guye, Michel, 1970
S. Guye et H. Michel, *Mesures du temps et de l'espace, horloges, montres et instruments anciens*, Paris, 1970.

Haack, 1937
F. Haack, *Die Kunst des 19. Jahrhunderts*, Esslingen, 1913, réed. 1937.

Hachette, an XI
J.N. Hachette, « Notice biographique sur le citoyen Clouet », *Annales de Chimie*, t. VL, Paris, an XI, pp. 97-104.

Hahn, 1964
R. Hahn, « L'enseignement scientifique aux écoles militaires et d'artillerie », dans Taton, 1964, pp. 513-545.

Hahn, 1964
R. Hahn, « L'enseignement scientifique des gardes de la Marine au XVIIIe siècle », dans Taton, 1964, pp. 547-558.

Hahn, 1964
R. Hahn, « Les observatoires en France au XVIIIe siècle », dans Taton, 1964, pp. 653-658.

Hahn, 1971
R.Hahn, *The anatomy of a scientific institution. The Paris Academy of sciences 1666-1803*, Los Angeles-Londres, 1971.

Hahr, 1920
A. Hahr, « Kring Gustaf III s porträtten av Lorenz Pasch d.y. », *Ord och Bild*, t. XXIX, 1920, pp. 401-415.

Haiding, 1979
K. Haiding, « Windmühle und Putzmühle, die Kornfege im obersteirischen Bezirk Liezen », *Sammeln und Sichten. Beiträge zur Sachvolkskunde*, Vienne, 1979.

Hamel, 1859
E. Hamel, *Histoire de Robespierre*, Paris, 1859, 3 vol.

Hamon, 1977
M. Hamon, « La manufacture royale des glaces de Saint-Gobain », *Monuments historiques*, 1977, n° 3, pp. 33-39.

Hamon (à paraître)
M. Hamon, *Du soleil à la terre. Une histoire de Saint-Gobain*, Paris, 1988, (à paraître).

Hamy, 1895
E.-Th. Hamy, « Dix vues du Jardin des plantes peintes en 1794 par Jean-Baptiste Hilaire », *Bulletin du Museum d'histoire naturelle*, 1895, n° 7, pp. 263-264.

Hamy, 1895
E.-Th. Hamy, « Notice sur une collection de dessins provenant de l'expédition de d'Entrecasteaux », *Bulletin de la société géographique*, Paris, 1895, pp. 1-18 ; *Bulletin du Museum d'histoire naturelle*, Paris, 1895, p. 195.

Hamy, 1896
E.-Th. Hamy, « Note sur une boîte en laque japonaise », *Bulletin du Museum d'histoire naturelle*, 1896, n° 4, pp. 1-2.

Hamy, s.d.
E.-Th. Hamy, *Le Museum d'histoire naturelle il y a un siècle. Description de cet établissement d'après des peintures inédites de Jean-Baptiste Hilaire (1794), publiée avec un album de 10 planches phototypiques*, Paris, s.d.

Hardtwig, 1968
B. Hardtwig, *Gemäldekataloge herausgegeben von den bayerischen Staatsgemäldesammlungen*, vol. III, Munich, 1968.

Hardtwig, 1978
B. Hardtwig, *Nach-Barock und Klassizismus- Gemäldekataloge herausgegeben von den bayerischen Staatsgemäldesammlungen*, t. III, Munich, 1978.

Harisse, 1898
H. Harisse, *L.L. Boilly, peintre, dessinateur et lithographe, sa vie et son œuvre, 1761-1845*, Paris, 1898.

Hasquin, 1983
H. Hasquin (sous la direction de), *La vie culturelle dans nos provinces au XVIIIe siècle*, Bruxelles, 1983.

Haug, 1938
H. Haug, *Catalogue des peintures anciennes au musée des Beaux-Arts de la ville de Strasbourg*, Strasbourg, 1938.

Hautecœur, 1912
L. Hautecœur, *Rome et la renaissance de l'antiquité*, Paris, 1912.

Hautecœur, 1924
L. Hautecœur, « Deux dessins intéressant l'histoire du Louvre », *Beaux-Arts*, 15 janvier 1924, pp. 23-24.

Hautecœur, 1929
L. Hautecœur, *La peinture au musée du Louvre. École française. XIXe siècle*, t. I, Paris, 1929.

Hautecœur, 1954
L. Hautecœur, *Louis David*, Paris, 1954.

Hébert, Pognon, Bruand, 1968-1969
M. Hébert, E. Pognon et Y. Bruand avec la collaboration de Y. Sjöberg, *Bibliothèque nationale, département des estampes. Inventaire du fonds français, graveurs du XVIIIe siècle*, t. X, Paris, 1969.

Hébert, Thirion, 1958
M. Hébert et J. Thirion avec le concours de S. Olivier, *Direction des Archives de France. Catalogue général des cartes, plans et dessins d'architecture*, t. I, série N, Paris, 1958.

BIBLIOGRAPHIE

Heirwegh, 1987
J.J. Heirwegh, *La fin de l'Ancien Régime et les révolutions, dans la Belgique autrichienne*, sous la direction de H. Hasquin, Bruxelles, 1987, pp. 467-504.

Helbok, 1968
Cl. Helbok, *Angelika Kauffmann. Eine Biographie*, Vienne, 1968.

Held, 1971
J. Held, *Die Genrebilder der madrider Teppichmanufaktur und die Anfange Goyas*, Berlin, 1971.

Hennequin, 1933
P.-A. Hennequin, *Un peintre sous la Révolution et le Premier Empire. Mémoires de Ph.-Aug. Hennequin, écrits par lui-même, réunis et mis en ordre par Jenny Hennequin*, Paris, 1933.

Herbert, 1972
R.L. Herbert, *David, Voltaire, Brutus and the French Revolution : an essay on art and politics*, Londres, 1972.

Herding, 1970
K. Herding, *Pierre Puget, das bildnerische Werk*, Berlin, 1970.

Herding, 1982
K. Herding, «Diogenes als Burgerheld», *Boreas - Münstersche Beiträge zur Archäologie*, t. V, Münster, 1982, pp. 232-254.

Herding, 1988-1989
K. Herding, dans catalogue de l'Exposition, *La Caricature française et la Révolution*, Los Angeles, Paris, Bibliothèque nationale, 1988-1989.

Herdt, 1975
A. de Herdt, *Dessins d'A.W. Töpffer*, Genève, 1975.

Herdt, 1978
A. de Herdt, «Rousseau illustré par Saint-Ours, suivi du catalogue des peintures et dessins pour le Lévite d'Ephraim», *Genava*, 1978, t. XXVI, pp. 229 sq.

Herlin, 1884
A. Herlin, *Supplément au catalogue de M. Ed. Reynart*, Lille, 1884.

Hermann, 1973
L. Hermann, *British landscape painting of the Eighteenth century*, 1973.

Herval, 1949
R. Herval, *Histoire de Rouen*, 1949, 2 vol.

Hervouët, Bruneau, 1986
F. et N. Hervouët, Y. Bruneau, *La porcelaine des Compagnies des Indes à décor occidental*, Paris, 1986.

Heusinger von Waldegg, 1972
J. Heusinger von Waldegg, «Freiheit oder Tod (1794-1795) ; zu einem Gemälde von Jean-Baptiste Regnault in der Kunsthalle», *Ferdinands-Tor-Blatt*, 17 janvier 1972, pp. 3-4.

Hinderer, 1978
W. Hinderer, *Geschichte der politischen Lyrik in Deutschland*, Stuttgart, 1978.

Hintze, 1937
Ch. Hintze, *Kopenhagen und deutschen Malerei um 1800*, Würtzbourg, 1937.

Hofer, 1947
P. Hofer, *Die Kunstdenkmäler des Kantons Bern*, Bâle, 1947, t. III.

Hofmann, 1908
F.H. Hofmann, *Das europäische Porzellan des bayerischen Nationalmuseum*, Munich, 1908.

Hofmann, 1932
F.H. Hofmann, *Das Porzellan*, Berlin, 1932.

Hofmann, 1980
F.H. Hofmann, *Das Porzellan der europäischen Manufakturen*, Francfort-Berlin-Vienne, 1980.

Hofmann, 1979
W. Hofmann, «Les écrivains dessinateurs. I - Introduction», *Revue de l'Art*, 1979, n° 44, pp. 7-18.

Holma, 1940
K. Holma, *David, son évolution et son style*, Paris, 1940.

Homais, 1944
R. Homais, «À propos du tableau de G. Lemonnier Une lecture chez Madame Geoffrin en 1755», *Précis de l'académie*, Rouen, 1944.

Honour, 1968
H. Honour, *Neo-Classicism*, Londres, 1968.

Honour, (à paraître)
H. Honour, *The Image of the Black in western art*, (à paraître).

Hooykaas, 1972
R. Hooykaas, «René-Just Haüy», *D.S.B.*, t. VI, New York 1972, pp. 178-183.

Hoppe, 1933
R. Hoppe, *Elias Martin*, Stockholm, 1933.

Houdoy, 1877
J. Houdoy, «Les musées de Province. I. Étude sur le musée de Lille. Boilly», *L'Art*, 1877, t. IV, p. 83.

Houin-Perrouillet, 1978
M.Cl. Houin-Perrouillet, «Un domaine caféier à la Guadeloupe», *Ethnologie française*, 1978, n° 1, pp. 21-46.

Huard, 1964
P. Huard, «L'enseignement médico-chirurgical», dans Taton, 1964, pp. 172-236.

Huber, Rost, 1797-1808
M. Huber et C.Ch. Rost, *Manuel des curieux et des amateurs de l'Art*, Zurich, 1797-1808, 9 vol.

Hubert, 1964
G. Hubert, *La sculpture dans l'Italie napoléonienne*, Paris, 1964.

Hubert, 1964
G. Hubert, *Les sculpteurs italiens en France sous la Révolution, l'Empire et la Restauration, 1790-1830*, Paris, 1964.

Hubert, 1978
G. Hubert, «Pierre Cartelier, statuaire, œuvres et documents inédits. Ancien Régime, Révolution, Consulat», *Bulletin de la Société d'Histoire de l'Art français*, année 1976, Paris, 1978.

Hubert, 1986
G. Hubert, «La collection de sculptures "modernes" réunies par l'impératrice Joséphine dans son domaine privé de Malmaison», *La Sculpture du XIXe siècle, une mémoire retrouvée, les fonds de sculpture*, Paris, 1986.

Huchard, 1982
V. Huchard, *Musée d'Angers. Peintures*, Angers, 1982.

Incisa della Rochetta, 1957
G. Incisa della Rocheta, «Il rittrato di Pio VI del Batoni al museo di Roma», *Bolletino dei musei comunali di Roma*, IV, 1957, pp. 1-4.

Indova, 1964
E.I. Indova, «Les activités commerciales de la paysannerie dans les villages du Tsar de la région de Moscou», *Cahiers du monde russe et soviétique*, vol. V, avril-juin 1964, pp. 206-228.

Inventaire général des richesses d'Art, France, 1892
Inventaire général des Richesses d'Art de la France, Province, monuments civils, t. VI, 1892.

Inventaire général des richesses d'Art, France, 1920
Inventaire général des Richesses d'Art de la France. Province, monuments civils, Paris, 1920.

Irwin, 1988
D. Irwin, dans catalogue de l'Exposition *Triomphe et mort du Héros : la peinture d'histoire en Europe de Rubens à Manet*, Cologne, Wallraf-Richartz Museum ; Zurich, Kunsthaus ; Lyon, musée des Beaux-Arts.

Isorla, 1953
G. Isorla, «Hubert Robert», *Connaissance des Arts*, 15 août 1953, n° 18, pp. 28-33.

Jaarverlag Rijksmuseum, 1908
Jaarverslag (rapport annuel) Rijksmuseum, Amsterdam, 1908.

Jacob, 1935
G. Jacob, «Der kupfälzische Hofbildhauer Franz Konrad Linck (1730-1793)», *Zeitschrift des deutschen Vereins für Kunstwissenschaft*, 1935, vol. II, p. 348.

Jacob, 1960
L. Jacob, *Hébert, le Père Duchesne, chef des sans-culottes*, Paris, 1960.

Jacques, Mouilleseaux, 1988
A. Jacques et J.-P. Mouilleseaux, *Les architectes de la Liberté*, Paris, 1988.

Jadart, 1908
E. Jadart, *Nicolas Perseval*, 1908.

Jaffé, 1977
P. Jaffé, *Drawings by George Romney*, 1977.

Jan, 1884
J. Jan, *Catalogue des tableaux, dessins, bas-reliefs et satues exposés dans les galeries du musée de la ville de Rennes*, Rennes, 1884.

Janssens de Bisthoven, 1977
A. Janssens de Bisthoven, *Catalogus van de Brugse stadsgezichten schilderigen XVIIe-XXe eeuw*, Bruges, 1977.

Jaoul, Pinault, 1982
M. Jaoul et M. Pinault, «La collection Description des Arts et Métiers, études des sources inédites de la Houghton Library, Université de Harvard», *Ethnologie française*, t. XII, oct.-déc. 1982, n° 4, pp. 335-3360.

Jaoul, Pinault, 1986
M. Jaoul et M. Pinault, «La collection Description des Arts et Métiers, sources inédites du château de Denainvilliers», *Ethnologie française*, t. XVI, janv.-mars 1986, n° 1, pp. 7-38.

Jaurès, 1901-1908
J. Jaurès, *Histoire socialiste*, Paris, 1901-1908, rééd. 1968.

Jeune, 1988
M. Jeune dans *La Révolution en Haute-Normandie, 1789-1802*, ouvrage collectif, Rouen, 1988.

Johanesson, 1989
L. Johanesson, «Jo-Jon, David et Madame Tussaud, notices relatives à l'univers pictural de la Révolution française», *Franskarevolutionen : myt och verklighet*, Stockholm, 1989.

Joppien, 1978
R. Joppien, «Die Bildillustrationen zum Atlas der Voyage de La Pérouse zur Dokumentation ihrer Enststehung», *Die Buchillustration im 18. Jahrhunderts, Colloquium der Arbeitsstelle 18. Jahrhunderts Gesamthochschule Wuppertal*, Münster,1978, Heidelberg, 1980.

Josephson, 1963
R. Josephson, *Carl August Ehrensvärd*, Stockholm, 1963.

Jouanin, 1977
Ch. Jouanin, «Joséphine and the natural sciences», *Apollo*, juillet 1977, pp. 50-59.

Jouin, 1881
H. Jouin, *Musée d'Angers. Peintures, sculptures, cartons, miniatures, gouaches et dessins*, Angers, 1881.

Jouin, Stein, 1889
H. Jouin et H. Stein, «Histoire et description du Jardin des Plantes et du Museum d'Histoire naturelle», *Inventaire général des richesses d'art de la France. Paris, Monuments civils*, n° 6, 1889.

Journal de Rouen, an II et an III
Journal de Rouen, 2 messidor an II, p. 105 ; 4 brumaire an III, p. 135.

Journal de Rouen, mai 1871
Journal de Rouen, 16 mai 1871.

Joutard, 1986
Ph. Joutard, *L'invention du Mont-Blanc*, Paris, 1986.

Jouve, 1988
M. Jouve, «L'image de la Révolution dans la caricature anglaise (Stéréotypes et archétypes)», *Images de la Révolution française*, Actes du colloque des 25-27 octobre 1985 tenu à l'université de Paris-Sorbonne, Paris, 1988, pp. 185-192.

Joyant, 1937
E. Joyant, «Les Gisors architectes», *Bulletin de la Société d'Histoire de l'Art français*, 1937, pp. 270-293.

Jubinal, 1874
A. Jubinal, *Catalogue des peintures, sculptures, dessins, gravures etc. exposés au musée de Tarbes*, Tarbes, 1874.

Julia, 1981
D. Julia, *Les trois couleurs du tableau noir. La Révolution*, Paris, 1981.

Julia, 1974-1975
I. Julia , dans catalogue de l'Exposition *De David à Delacroix : la peinture française de 1744 à 1830*, Paris, Galeries nationales du Grand Palais.

Juste, 1878
Th. Juste, « Pierre Jean Simon van Eupen », *Biographie nationale*, Bruxelles, t. VI, 1878, pp. 733-737.

Kai Sass, 1986
E. Kai Sass, *Lykkens Tempel. Et maleri af Nicolai Abilgaard*, Copenhague, 1986.

Kaplan, 1984
S.L. Kaplan, *Les ventres de Paris. Pouvoir et approvisionnement dans la France d'Ancien Régime*, Paris, 1984.

Kaspersen, 1986
Kaspersen, « Mål og med i dansk kunsthistorie », *Argos*, 1986, n° 3, p. 5.

Kaufman, 1955 et 1963
E. Kaufman, *Architecture in the Age of Reason. Baroque and post-Baroque in England, Italy and France*, Cambridge, 1955, trad. française, *L'architecture au siècle des Lumières*, Paris, 1963.

Kaufman, 1978
E. Kaufman, *Trois architectes révolutionnaires, Boullée, Ledoux, Lequeu*, Introduction et notes de G. Erouart et G. Teyssot, Paris, rééd. 1978.

Kelly, 1975
A. Kelly, *The story of Wedgwood*, Londres, 1975.

Kerslake, 1977
J. Kerslake, *Early georgian Portraits*, Londres, 1977.

Kiewitz, 1937
W. Kiewitz, *Berlin in der graphischen Darstellung. Handbuch zur Ansichtskunde Berlins*, Berlin, 1937.

Klingender, 1968
F.D. Klingender, *Art and the industrial revolution*, 2e éd. revue par Sir Arthur Elton, Chatham, 1968, (1947).

Klotz, 1962
F. Klotz, « Der Speyer Maler Johannes Ruland », *Pfälzer Heimat*, n° 13, 1962, pp. 140-144.

Knuttel, s.d.
G. Knuttel, *Verbodenbœken*, Amsterdam, s.d.

Kohler, 1913
Ch. Kohler, *Catalogue général des manuscrits des bibliothèques de France. Catalogue des manuscrits de la Bibliothèque Saint-Geneviève*, supplément, Paris, 1913.

Köllmann, Jarchow, 1987
E. Köllmann et M. Jarchow, *Berliner Porzellan*, Berlin, 1987.

Koltz, 1986
J.-l. Koltz, *Peintures et dessins luxembourgeois. Collections du musée d'Histoire et d'Art de Luxembourg*, Luxembourg, 1986, 2e éd.

Kragelund, 1982
P. Kragelund, « Abildgaard, Kunstneren mellem oprørerne », *Kritik*, n° 59, 1982, p. 60.

Kragelund, 1983
P. Kragelund, « The church, the revolution and the peintre philosophe », *Hafnia. Copenhaguen Studies in the History of Art*, n° 9, 1983, p. 25.

Kragelund, 1987
P. Kragelund, « Abildgaard around 1800 : his Tragedy and Comedy », *Analecta Romana Instituti Danici*, t. XVI, 1987, p. 169.

Krönig, 1967
W. Krönig, « Der königliche Jagd-Pavillon im Furaso-See bei Neapel und Philipp Hackerts Jahreszeiten-Bilder », *Wallraf-Richartz-Jahrbuch*, 1967, n° 29, pp. 219-242.

Kryger, 1986
K. Kryger, *Frihedsstøtten*, Odense, 1986.

Kubler, 1954
L. Kubler, « Le peintre Joseph Melling », *Annales de la société historique et littéraire de Colmar*, t. IV, 1954, pp. 106-111.

Kuhn, 1978
A. Kuhn, *Linksrheinische deutsche Jakobiner, Aufrufen, Reden, Protokolle, Briefe und Schriften 1794-1801*, Tübingen, 1978.

Kunz, 1918
G.F. Kunz, « The life and work of Abbé René-Just Haüy », *The American mineralogist*, n° 6, juin 1918, pp. 61-89.

Kuscinski, 1920
A. Kuscinski, *Dictionnaire des Conventionnels*, Paris, 1920.

La Bive, 1832
P.-L. de La Bive, *Éloge historique de M. St. Ours, prononcé en 1809*, Genève, 1832.

Labor, 1890 (?)
C. Labor, *Musée de Béziers*, 1890 (?).

G. Lacambre, 1974-1975 (1)
G. Lacambre, dans catalogue de l'Exposition *De David à Delacroix, la peinture française de 1774 à 1830*, pp. 342-344.

G. Lacambre, 1974-1975 (1)
G. Lacambre dans catalogue de l'Exposition *De David à Delacroix, la peinture française de 1774 à 1830*, Paris, 1974-1975.

J. Lacambre, 1974-1975 (2)
J. Lacambre, dans catalogue de l'Exposition *Le Néoclassicisme français. Dessins des musées de Province*, Paris, 1974-1975.

La Chapelle, 1897
S. de La Chapelle, « Œuvres de Chinard », *Revue du Lyonnais*, janvier 1897.

Lacroix, 1929
A. Lacroix, *Notice sur le 3e fauteuil de la section de minéralogie, lue à l'Académie des sciences le 17 décembre 1928*, Paris, 1929.

Lafuente Ferrari, 1955
E. Lafuente Ferrari, *Catalogo de la esposición Goya*, Grenade, 1955.

Laissus, 1971
J. Laissus, « Le général Meusnier de La Place, membre de l'Académie royale des sciences (1754-1793) », *Comptes rendus du XCIIIe Congrès national des sociétés savantes*, Tours, 1968, Sciences II, Paris, 1971, pp. 75-101.

Laissus, 1964
Y. Laissus, « Le Jardin du roi », dans Taton, 1964, pp. 287-341.

Laissus, 1964
Y. Laissus, « Les cabinets d'histoire naturelle », dans Taton, 1964, pp. 659-712.

Laissus, 1965
Y. Laissus, *Catalogue général des manuscrits des bibliothèques de France. T. LV, Paris, Bibliothèque centrale du Museum d'Histoire naturelle , supplément, Paris, 1965.

Laissus, 1978
Y. Laissus, « Catalogue des manuscrits de Philibert Commerson conservés à la Bibliothèque nationale d'Histoire naturelle », *Revue d'histoire des sciences*, t. XXXI, n° 2, avril 1978.

Laissus, 1980
Y. Laissus, *Redouté et les velins du Museum national d'histoire naturelle*, Paris, 1980.

Lamartine, 1847
A. Prat de Lamartine, *Histoire des Girondins*, Paris, 1847.

Lambert, 1987
S. Lambert, *The image multiplied*, Londres, 1987.

Lami, 1906
St. Lami, *Dictionnaire des sculpteurs de l'École française sous le règne de Louis XIV*, Paris, 1906.

Lami, 1910-1911
St. Lami, *Dictionnaire des sculpteurs de l'École française au XVIIIe siècle*, Paris, t. I, 1910 ; t. II, 1911.

Landon, 1801
Ch.P. Landon, *Précis historique des productions des Arts*, Paris, 1801.

Landon, 1822
Ch.P. Landon, *Salon de 1822*, Paris, 1822.

Landon, 1801-1809, 1823-1835
Ch.P. Landon, *Annales du musée et de l'École moderne des Beaux-Arts*, 1re éd., Paris, 1801-1809, 17 vol. ; 2e éd., Paris, 1823-1835, 44 vol.

Langlois, 1986
C. Langlois, « La déchirure », postface au livre de Timothy Tackett, *La Révolution, l'Église, la France - Le serment de 1791*, Paris, 1986.

Lankheit, 1968
K. Lankheit, *Der Tempel der Vernunft, unveröffentliche Zeichnungen von Etienne-Louis Boullée*, 1968.

Lapauze, 1903
H. Lapauze, *Procès-verbaux de la Commune générale des Arts*, Paris, 1903

Lapparent, 1985
A.M. de Lapparent, *Louis-Pierre Deseine, statuaire, 1744-1822. Catalogue raisonné de son œuvre*, mémoire de l'École du Louvre, Paris, 1985, (à paraître), 2 vol.

La Quérière
E. de La Quérière, *Rouen sous la Révolution*, manuscrit, Rouen, Bibliothèque municipale, (fol. 230 à 235).

Lastic Saint-Jal, 1957
G. de Lastic Saint-Jal, « La reine de la rue Saint-Honoré », *L'Oeil*, septembre 1957, pp. 50-57.

Laussedat, 1898
A. Laussedat, *Recherches sur les instruments, les méthodes et le dessin topographique*, 1898.

La Vaissière, 1983
P. de La Vaissière, « Un adolescent malléable, durci par la Révolution : le peintre Fulcran-Jean Harriet », *Gazette des Beaux-Arts*, t. CI, avril 1983, pp. 141-144.

La Vaissière, 1988
P. de La Vaissière, « Vérité forte, vérité tiède ou de la représentativité des flots d'images (en 1790-1791) et de rares individualités », *Images de la Révolution française*, actes du colloque des 25-27 octobre 1985, tenu à l'université de Paris-Sorbonne, Paris, 1988, pp. 19-27.

Laveissière, 1987
S. Laveissière, « Nouvelles acquisitions, 1983-1986 », *La Revue du Louvre*, 1987.

Laveissière, 1988-1989
S. Laveissière, dans catalogue de l'Exposition *Louis Boilly 1761-1845 - Un grand peintre français de la Révolution à la Restauration*, Lille, musée des Beaux-Arts, 1988-1989.

Lavoisier Corr., 1986
Oeuvres de Lavoisier. Correspondance, publié sous les auspices du comité Lavoisier de l'Académie des sciences, fasc. IV, 1784-1786, Paris, 1986.

Le Blanc, 1888
Ch. Le Blanc, *Manuel de l'amateur d'estampes*, Paris, 1888.

Lebreton, 1808
J. Lebreton, *Rapport sur les Beaux-Arts*, Paris, 1808.

Le Carpentier, 1813
Ch. Le Carpentier, « Notice sur H. Houel, peintre », *Bulletin de la société d'émulation*, Rouen, 1813.

Lechevallier-Chavignard, 1932
A. Lechevallier-Chavignard, *Les œuvres de la Manufacture de Sèvres. T. I. La sculpture de 1738 à 1815*, Paris, [1932].

Leclair (à paraître)
A. Leclair, *Louis-Jacques Durameau 1733-1796* (à paraître).

Le Corbeiller, 1966
Cl. Le Corbeiller, *European and american Snuff boxes 1730-1830*, Londres, 1966.

Lefèbvre, 1932
G. Lefèbvre, *La Grande Peur*, Paris, 1932, rééd. 1953.

Lefèbvre, 1951
G. Lefèbvre, *La Révolution française*, Paris, 1951, rééd. 1963.

Lefuel, 1934
H. Lefuel, *Catalogue du musée Marmottan*, Paris, 1934.

Leith, 1965
J.A. Leith, *The idea of Art as propaganda in France, 1750-1799*, Toronto, 1965.

Leitschuh, 1886
F.F. Leitschuh, « Die Familie Preisler und Markus Tuscher », *Beiträge zur Kunstgeschichte*, Leipzig, 1886, nouvelle série, vol. III, n° 15, p. 70.

Lejeaux, 1932
J. Lejeaux, « François Masson sculpteur. 1745-1807 », *Revue de l'Art*, t. LXII, juin-déc. 1932, pp. 1-16 et 127-138.

Lemonnier, s.d.
H. Lemonnier, *Gros*, Paris, s.d.

Lengellé, 1955
M. Lengellé, *L'esclavage*, Paris, 1955.

Lenglart, 1893
J. Lenglart, *Catalogue des tableaux du musée de Lille*, Lille, 1893.

Lenoir, an V
A. Lenoir, *Catalogue du musée des Monumens français*, an V.

Lenoir, an VI
A. Lenoir, *Description historique et chronologique des monumens de sculpture réunis au musée des monumens français*, Paris, an VI.

Lenoir, an VIII
A. Lenoir, *Catalogue du musée des Monumens français*, an VIII.

Lenoir, an X
A. Lenoir, *Description historique et chronologique des monumens de sculpture réunis au musée des Monumens français*, 6ᵉ éd., Paris, an X.

Le Roy
E. Le Roy, *La société populaire*

Les écrivains dessinateurs, 1979
« Les écrivains dessinateurs », *Revue de l'Art*, 1979, nᵒ 44, pp. 7-56.

Lesage, 1805
P.C. Lesage, *Notice pour servir à l'Éloge de M. Perronet, Premier ingénieur des Ponts et Chaussées de France*, Paris, 1805.

Lescure, 1867
Lescure, *Les palais de Trianon*, Paris, 1867.

Lespinasse, 1929
Lespinasse, *Les artistes suédois en France*, Paris, 1929.

Lethève, Gardey, 1967
J. Lethève et F. Gardey, *Bibliothèque nationale. Département des estampes. Inventaire du fonds français après 1800*, Paris, t. XIV, 1967.

Levent, 1954
M.L. Levent, « La construction du pont Louis XVI. À propos de quelques dons récents », *Bulletin du musée Carnavalet*, nᵒ 1, juin 1954, pp. 9-15.

Lévêque, 1987
J.-J. Lévêque, *l'Art et la Révolution française*, Neuchâtel, 1987.

Levertin, 1893
Levertin, *M. Lafrensen D.G. Svenger Alhmanna Konstförings Publikation*, t. VII, 1893.

Lévis-Godechot, 1988
N. Lévis-Godechot, « L'esprit de l'an II au travers de quelques allégories de P.-P. Prud'hon », *Images de la Révolution française*, Actes du Colloque du 25-27 octobre 1985 tenu à l'université de Paris-Sorbonne, Paris, 1988.

Levitine, 1956
G. Levitine, « L'Ossian de Girodet et l'actualité politique sous le Consulat », *Gazette des Beaux-Arts*, octobre 1956, pp. 39-56.

Levitine, 1963
G. Levitine, « Quelques aspects peu connus de Girodet », *Gazette des Beaux-Arts*, janvier 1963, pp. 9-60.

Levitine, 1972
G. Levitine, « L'École d'Apelle de Jean Broc : un "Primitif" au Salon de l'an VIII », *Gazette des Beaux-Arts*, novembre 1972, pp. 285-294.

Lévy-Leboyer, 1964
M. Lévy-Leboyer, *Les banques européennes et l'industrialisation internationale dans la première moitié du XIXᵉ siècle*, Paris, 1964.

Liebmann, 1963
M. Liebmann, « Gemälde der Angelica Kauffmann im Staatlichen Puschkin-Museum der bildenden Künste in Moskau », *Jahrbuch der Volarlberger Landesmuseumsvereins*, 1963 (1964), p. 62.

Lindon, 1969
R. Lindon, « Le premier tableau peint à Étretat », *Gazette des Beaux-Arts*, décembre 1969, pp. 365-370.

Locquin, 1912
J. Locquin, *La peinture d'histoire en France de 1747 à 1785. Etude sur l'évolution des idées artistiques dans la seconde moitié du XVIIIᵉ siècle*, Paris, 1912, rééd. 1978.

Lorel, Ménétrier, 1926
C. Lorel et H. Ménétrier, *Catalogue guide illustré de la collection Charles Lebeau*, 1926.

Lortholary, 1951
A. Lortholary, *Le mirage russe en France au XVIIIᵉ siècle*, Paris, 1951.

Lossky, 1961
B. Lossky, « Oeuvres d'artistes néo-classiques peu connus au musée de Tours », *Bulletin de la Société d'Histoire de l'Art français*, 1961, p. 52.

Lossky, 1961
B. Lossky, « Une peinture de Jean-Joseph Taillasson au musée de Tours », *La Revue du Louvre*, 1961, nᵒ 1, pp. 35-38.

Lossky, 1962
B. Lossky, *Tours. Musée des Beaux-Arts. Peintures du XVIIIᵉ siècle*, Paris, 1962.

Lossky, 1965
B. Lossky, « Une image religieuse mutée en allégorie révolutionnaire », *Gazette des Beaux-Arts*, septembre, 1965, pp. 181-182.

Lossky, 1966
B. Lossky, « Peintures peu connues du XVIIIᵉ siècle au château de Fontainebleau », *Bulletin de la Société d'Histoire de l'Art français*, 1966.

Lossky, 1976
B. Lossky, « Le projet d'une place Louis XVI à Brest par Claude Jallier de Savault », *Bulletin de la Société d'Histoire de l'Art français*, 1976, pp. 225-260.

Lugand, 1980
J. Lugand, « Béziers, musée des Beaux-Arts, autour de Joseph-Marie Vien : acquisitions de la fin du XVIIIᵉ siècle », *La Revue du Louvre*, 1980, nᵒ 3, pp. 179-182.

Lugt, 1950
F. Lugt, *Inventaire général des dessins des écoles du Nord. École nationale supérieure des Beaux-Arts. Paris, t. I, école hollandaise*, Paris, 1950.

Luna, Reynes, 1984
M.-F. Luna et G. Reynes, « D'Alembert, iconographie », *Dix-huitième siècle*, 1984, nᵒ 6, pp. 171-196.

Lund, 1902
E.F.S. Lund, *Dansk Malede Portraetter*, Copenhague, t. III, 1902.

Lund, 1976
H. Lund, *Mindelunden ved Jaegerpris*, Jaegerpris, 1976.

Luther, 1988
E. Luther, « Johann Friedrich Frauenholz (1758-1822). Kunsthänder und Verleger in Nürnberg », *Nürnberger Werkestücke zur Stadt und Landesgeschichte*, vol. XXXXI, 1988, pp. 112-116.

Lutterotti, 1985
O. von Lutterotti, *Joseph Anton Koch*, Vienne-Munich, 1985.

Lützow, 1899
C. von Lützow, *Katalog der Gemälde Galerie*, Vienne, 1899.

Lützow, Dernjac, Gerisch, 1900
C. von Lützow, J. Dernjac et E. Gerisch, *Katalog der Gemäldegalerie*, Vienne, 1900.

Mabille, 1978
G. Mabille, « L'herbier de Jean-Jacques Rousseau », *Cahiers de l'Union Centrale des Arts Décoratifs*, 2ᵉ semestre, 1978, nᵒ 1, pp. 60-61.

Mabille de Poncheville, 1928/1
A. Mabille de Poncheville, *Louis et François Watteau, dits Watteau de Lille*, Paris, 1928.

Mabille de Poncheville, 1928/2
M. Mabille de Poncheville, « Les Watteau de Lille (Louis et François Watteau) », *Revue d'Art*, 1928.

Mabille de Poncheville, 1931
A. Mabille de Poncheville, *Boilly*, Paris, 1931.

Mabille de Poncheville, 1958
M. Mabille de Poncheville, « Le peintre Louis Watteau dit Watteau de Lille », *Bulletin de l'Académie royale de Belgique*, 1958, t. XI.

MacKie, 1952
D. MacKie, *Antoine Lavoisier, scientist, economist, social reformer*, Londres, 1952.

MacKie, 1961
D. MacKie, *One some pre-publication copies of Lavoisier's Traité*, Ambix, 1961.

Machowsky, 1936
H. Machowsky, *Johann Gottfried Schadow, Jugend und Aufstieg 1764-1797*, Berlin, 1936.

Machowsky, 1951
H. Machowsky, *Die Bildwerke Gottfried Schadows*, Berlin, 1951.

Madec, 1986
Ph. Madec, *Boullée*, Paris, 1986.

Madrazo, 1872
D. P. de Madrazo, *Catalogo descriptivo e historico del museo del Prado*, Madrid, 1872.

Madrazo, 1920
D. P. de Madrazo, *Catalogo de los cuadros del museo del Prado por...*, Madrid, 1920.

Magnin, 1933
J. Magnin, *La peinture au musée de Dijon*, 1933.

Maintenant, 1984
G. Maintenant, *Les Jacobins*, Paris, 1984.

Maison, 1979
F. Maison, « Au musée : de curieuses histoires de tableaux », *Bulletin municipal d'Arras*, nᵒ 34, 3ᵉ trimestre, 1979.

Majaloli, 1960
B. Majaloli, *Notizie su Capodimonte*, Naples, nouvelle édition, 1960.

Mangini, 1974
N. Mangini, *I teatri di Venezia*, Milan 1974.

Manners, Williamson, 1924
V. Manners et G.C. Williamson, *Angelika Kauffmann, Her life and works*, New York, 1924, rééd. 1976.

Mantion, 1988
J.-R. Mantion, « Déroutes de l'art. La destination de l'œuvre d'art et le débat sur le musée », dans J.-Cl. Bonnet, *La Carmagnole des Muses*, Paris, 1988, pp. 97-128.

Mantoux, 1959
P. Mantoux, *La révolution industrielle au XVIIIᵉ siècle, essai sur les commencements de la grande industrie moderne en Angleterre*, Paris, rééd. 1959.

Marcel, 1901
H. Marcel, « Quelques œuvres inédites de Philippe Roland », *Gazette des Beaux-Arts*, 1901, I, pp. 177-187.

Marcel, 1903
H. Marcel, « Petits maîtres du XVIIIᵉ siècle, Jean-Baptiste Hilaire », *Revue de l'Art ancien et moderne*, t. XIV, septembre 1903, pp. 201-216.

Marcel, 1913
P. Marcel, *Mélanges Lemonnier*, Rouen, 1913.

Marcille, 1876
E. Marcille, *Catalogue des tableaux, statues et dessins exposés au musée d'Orléans*, Orléans, 1876.

Marconi, 1949
S. Marconi, *Le Gallerie dell'Accademia di Venezia*, Venise, 1949.

Marcus, 1976
C.-G. Marcus, « Les Watteau de Lille. Louis et François Watteau dits Watteau de Lille », *Art et Curiosité*, nᵒ 60, janv.-fév. 1976, pp. 19-31 ; nᵒ 61, mars-avr. 1976, pp. 13-28.

Marmottan, 1889
P. Marmottan, *Notice historique et critique sur les peintres Louis et François Watteau, dits Watteau de Lille*, Paris, 1889.

Marmottan, 1913
P. Marmottan, *Le peintre Louis Boilly (1761-1845)*, Paris, 1913.

Marmottan, 1927
P. Marmottan, « Les peintres François et Jacques Sablet », *Gazette des Beaux-Arts*, 1927, n° 2, pp. 193-210.

Marmottan, 1928/1
P. Marmottan, *Notice historique et critique sur les peintres Louis et François Watteau dits Watteau de Lille*, 1928.

Marmottan, 1928/2
P. Marmottan, « Les Watteau de Lille (Louis et François Watteau) », *Revue de l'Art*, 1928.

Marmottan, 1929
P. Marmottan, « Le peintre Louis Watteau dit Watteau de Lille », *Bulletin de l'Académie royale de Belgique*, 1929.

Marquet, 1988
L. Marquet, « Condorcet et la création du système métrique », *Colloque Condorcet*, Paris, 1988, (à paraître).

Martin, 1928
A. Martin, *L'imagerie orléanaise*, Paris, 1928.

Martin, 1887, 1899
H. Martin, *Catalogue général des manuscrits des bibliothèques publiques de France. Catalogue des manuscrits de la bibliothèque de l'Arsenal*, Paris, t. III, 1887 ; t. VIII, 1899.

Martin, 1910
J. Martin, *Catalogue du musée de Tournus (musée Greuze)*, Tournus, 1910.

Martin, Chartier, 1984
J.-H. Martin et R. Chartier (sous la direction de), collaboration de J.P. Vinet, *Histoire de l'édition française. T. II. Le livre triomphant 1660-1830*, 1984.

Martine, 1922
Ch. Martine, *Pierre-Paul Prud'hon, soixante-douze reproductions*, Paris, 1922.

Martinez Caviro, 1973
B. Martinez Caviro, *Porcelana del Buen Retiro. Escultura*, Madrid, 1973.

Martius, 1956
L. Martius, *Die Schleswig-Holsteinische Malerei in 19. Jahrhunderts*, Neumünster, 1956.

Mathiez, 1922-1927
A. Mathiez, *La Révolution française*, Paris, 1922-1927, rééd. 1959.

Mathiez, 1923
A. Mathiez, « De la vraie nature de l'opposition entre les Girondins et les Montagnards », *Annales révolutionnaires*, 1923, p. 117.

Mathiez, 1927
A. Mathiez, *La vie chère et le mouvement social sous la Terreur*, Paris, 1927.

Mathiez, 1931
A. Mathiez, *Le 10 Août*, Paris, 1931.

Mathonnot, 1975
P. Mathonnot, *Découvrez le peintre Töpffer (père de Rodolphe)*, 1975.

Matthieu, 1940
M. Matthieu, *Pierre Patte, sa vie, son œuvre*, Paris, 1940.

Mauclair, 1910
C. Mauclair, *Catalogue raisonné de l'œuvre de J.-B. Greuze*, Paris, 1910.

Mayne, 1962
J. Mayne, « English romantic water colors », *Metropolitan museum of Art Bullmetin*, avril 1962, pp. 237-247.

Mayor, 1914
J. Mayor, « Identification des personnages du tableau de Boilly Réunion d'artistes dans l'atelier d'Isabey », *Revue des Études napoléoniennes*, vol. VI, 1914, n° 11, p. 304.

Mayor, 1916
J. Mayor, « À propos de l'Atelier d'Isabey », *Revue des Études napoléoniennes*, vol. IX, 1916, n° 11, pp. 267-268.

Mazauric, 1962
Cl. Mazauric, *Babeuf et la conspiration pour l'Égalité*, Paris, 1962.

Meiners, 1983
U. Meiners, « Die Kornfege in Mitteleuropa », *Beiträge zur Volkskultur in N.W. Deutschland*, Münster, 1983, n° 28.

Méjanès, 1980
J.-F. Méjanès, « Le voyage d'Italie », *Études de la Revue du Louvre*, n° 1, 1980, pp. 81-88.

Memoir of Thomas Jones, 1946-1948
Memoir of Thomas Jones, publ. par la Walpole Society, XXXII, 1946-1948, p. 27.

Mercier, 1987
A. Mercier, *Inventaire manuscrit du Portefeuille industriel*, Paris, Conservatoire national des arts et métiers, 1987.

Mercure de France, 1785
Mercure de France, octobre 1785

Mesplé, 1942
J. Mesplé, *À travers l'art toulousain, hommes et œuvres*, Toulouse, 1942.

Mesplé, 1951
P. Mesplé, « Musée des Augustins de Toulouse », *Revue des Arts*, 1951, n° 2, pp. 118-118.

Mesuret, 1958 et 1959
R. Mesuret, « Les premiers peintres des monts pyrénéens », *Pyrénées*, 1958 et 1959.

Méthivier, 1961
H. Méthivier, *L'Ancien Régime*, Paris, 1961.

Mettrier, 1867
A. Mettrier, *Pierre Petitot (de Langres) et son fils Louis Petitot*, Langres, 1867.

Meusel, 1795-1797
J.G. Meusel, *Neue Miscellaneen artistischen Inhalts für Künstler und Kunstlieberhaber*, Leipzig, 1795-1797, 2 vol.

Michel, 1900
A. Michel, « Les arts à l'Exposition universelle de 1900. L'Exposition centenale, la peinture française », *Gazette des Beaux-Arts*, 1900, t. I, pp. 441-453.

Michel, 1912
A. Michel, « Les bustes d'Helvétius et de Malesherbes au musée du Louvre », *Les musées de France*, 1912, n° 3, pp. 41-42.

Michel, 1987
Ch. Michel, *Charles-Nicolas Cochin et le livre illustré au XVIIIᵉ siècle. Avec un catalogue raisonné des livres illustrés par Cochin 1735-1790*, Genève, 1987.

Michel 1966
H. Michel, *Instruments des sciences dans l'art et l'histoire*, Paris, 1966.

Michel, 1977
H. Michel, *Images des sciences*, Bruxelles, 1977.

Michel, 1982
J. Michel, « Art et création technique. Un ingénieur, un projet, une innovation. La conception de la digue de Cherbourg par L.A. de Cessart », *Les cahiers du SEFI*, 1982, pp. 77-92.

Michel, 1981-1982
R. Michel, dans catalogue de l'Exposition *David e Roma*, Rome, Villa Médicis, 1981-1982.

Michel, 1984-1985
R. Michel, dans catalogue de l'Exposition *Diderot et l'art de Boucher à David - Les Salons : 1759-1781*, Paris, Hôtel de la Monnaie, 1984-1985.

Michel, 1985
R. Michel, dans catalogue de l'Exposition *Jean-Germain Drouais*, Rennes, 1985.

Michel, 1987
R. Michel, « Meynier ou la métaphore parlementaire. Essai sur La sentence de Ligarius », *La Revue du Louvre*, 1987, n° 3, pp. 188-200.

Michelet, 1853
J. Michelet, *Histoire de la Révolution française*, Paris, 1853, rééd. 1952, 2 vol.

Michelet, 1872
J. Michelet, *Histoire du XIXᵉ siècle*, Paris, 1872, t. I.

Mierral-Guérault, 1948
J. Mierral-Guérault, *Carmontelle, son œuvre picturale*, mémoire de l'École du Louvre, ms., 1948.

Miger, 1812
P.A. Miger, *Les ports de France peints par J. Vernet et Hüe dont les tableaux envahissant la galerie du Sénat conservateur au Luxembourg*, Paris, 1812.

Mildenberger, 1984
H. Mildenberger, *Der Maler Johann-Baptist Seele*, Tubingen, 1984.

Milliat, 1972
R. Milliat, « Madame Dupin et Jean-Jacques Rousseau », *Bulletin de la Société archéologique de Touraine*, 1972, pp. 701-712.

Minet, 1890 et 1911
E. Minet, *Musée de Rouen, catalogue*, Rouen, 1890 et 1911.

Minieri Riccio, 1879
C. Minieri-Riccio, *La Real fabbrica degli arazzi nella città di Napoli dal 1738 al 1799*, Naples, 1879.

Minieri Riccio, 1884
C. Minieri Riccio, *Memoria storiche degli scrittori nati del Regno di Napoli*, Naples, 1884.

Mirimonde, 1949
A. Pomme de Mirimonde, « Le Marché aux chevaux de Swebach à Metz », *Musée de France*, juin 1949, n° 5, pp. 128-134.

Mirimonde, 1966
A. Pomme de Mirimonde, « J.-B. Debret, peintre franco-brésilien (1768-1848) », *Bulletin de la Société d'Histoire de l'Art français*, 1966, pp. 209-221.

Mirimonde, 1966
A. Pomme de Mirimonde, « Musiciens isolés et portraits de l'École française du XVIIIᵉ siècle », *La Revue du Louvre*, 1966, n° 4-6, pp. 197-200.

Monnet, 1889
G. Monnet, *Musée de Guéret. Catalogue descriptif des tableaux*, Guéret, 1889.

Montembault, 1967
M. Montembault, *Essai de catalogue des miniatures et émaux. Cabinet des Dessins*, mémoire de l'École du Louvre, Paris, 1967.

Montgolfier, Gallet, 1960
B. de Montgolfier et M. Gallet, « Souvenirs de Voltaire et de Rousseau au musée Carnavalet », *Bulletin du musée Carnavalet*, novembre 1960, n° 2, pp. 2-23.

Montgolfier, 1953
B. de Montgolfier, « Dons récents de la société des amis de Carnavalet », *Bulletin du musée Carnavalet*, novembre 1953.

Montgolfier, 1968
B. de Montgolfier, « Collections révolutionnaires », *Bulletin du musée Carnavalet*, 1968, n° 1-2, pp. 1-48.

Montgolfier, 1977
B. de Montgolfier, « The French Revolution and its art », *Apollo*, décembre 1977, p. 449.

Morel-Fatio, 1853
A.-L. Morel-Fatio, *Notice des collections du musée de la Marine exposées dans les galeries du Musée impérial du Louvre. Iʳᵉ partie, Musée naval*, Paris, 1853.

Morelli, 1822
N. Morelli, « Francesco Celebrano », *Biografia degli uomini illustri de regno di Napoli*, t. IX, Naples, 1822.

Morison, 1962
S. Morison, *Calligraphy*, Milan, 1962.

Mornet, 1933
D. Mornet, *Les origines intellectuelles de la Révolution*, Paris, 1933.

Moschini, 1932
V. Moschini, « Per lo studio di Alessandro Longhi », *L'Arte*, 1932.

Moschini, 1956
V. Moschini, *Pietro Longhi*, Milan 1956.

Moschini Marconi, 1970
S. Moschini Marconi, *Gallerie delle Accademie di Venezia, opere d'arte dei secoli XVII, XVIII, XIX*, Rome, 1970.

Moser, 1981
O. Moser, « Zur frühen Verwendung der Getreidewinde in Steiermark und Kärnten », *Zeitschrift des historischen Vereines für Steiermark*, Graz, 1981.

Moser, 1984
O. Moser, « Materialien zur Geschichte und Typologie der Getreidewinde (Kornfege) », *Mitteilungen des Instituts für Gegenwartsvolkskunde*, Vienne, 1984, n° 13.

Mosser, 1983-1983
M. Mosser, « Le rocher et la colonne. Un thème d'iconographie architecturale au XVIIIe siècle », *Revue de l'Art*, 1982-1983, n° 58-59, pp. 53-74.

Mouilleseaux, 1974
J.-P. Mouilleseaux, « Léandre et Héro de Taillasson : à propos d'un thème iconographique et littéraire », *La Revue du Louvre*, n° 6, 1974, pp. 411-416.

Mouilleseaux, 1983
J.-P. Mouilleseaux, « Les recueil de Jacques Gastambide (1759-1839), architecte bordelais », *Bulletin et mémoires de la société archéologique de Bordeaux*, t. LXXIV, 1983, pp. 34-64.

Moulin, 1983
M. Moulin, « François Gérard, peintre du 10 août 1792 », *Gazette des Beaux-Arts*, avril 1983, pp. 197-202.

Moulton Mayer, 1972
D. Moulton Mayer, *Angelica Kauffmann, R.A., 1741-1807*, 1972.

Moureau, Lebedel, 1988
F. Moureau et Cl. Lebédel, « Note de Jamet à Diderot », *Recherches sur Diderot et sur l'Encyclopédie*, avril 1988, pp. 148-152.

Mousset, 1976
J.-L. Mousset, *Peinture sous-verre, catalogue du musée d'Histoire et d'Art de Luxembourg*, Luxembourg, 1976.

Mülinen, 1916
W.F. von Mülinen, « Von ältern bernischen Porträt und Porträtisten », *Neues Berner Taschenbuch*, 1916, pp. 22-82.

Muller, 1876, 1879
F. Muller, *Frederic Muller Atlas, De Nederlandsche Geschiedenis in platen*, t. II, 1876, t. III, 1879.

Muntendam, 1974
A.M. Muntendam, « Martinus van Marum », *D.S.B.*, New York, 1974, t. IX, pp. 151-153.

Nachet, 1929
A. Nachet, *Instruments scientifiques et livres anciens. Collection Nachet*, Paris, 1929.

Nadault de Buffon, 1863
H. Nadault de Buffon, *Buffon, sa famille, ses collaborateurs et ses familiers. Mémoire par M. Humbert-Bazile son secrétaire (mis en ordre, annoté et augmenté de documents inédits)*, Paris, 1863.

Nadault, 1881
J. Nadault, *Mémoires pour servir à l'histoire de la ville de Montbard d'après le manuscrit inédit de Jean Nadault*, Paris, Dijon, 1881.

Nagler, 1910
Nagler, *Neues allgemeines Künstlerlexikon*, 1910, 17 vol.

Nani Mocenigo, 1898
F. Nani Mocenigo, *Artisti veneziani del secolo XIX*, Venise, 1898.

Neri, 1915
A. Neri, *Museo del Risorgimento*, Rome-Milan, 1915.

Newton Mayall, 1982
R. Newton Mayall, « A bit of Porcelain », *Sky and Telescope*, janvier 1982.

Nicolas, 1924
R. Nicolas, *Balthasar-Anton Dunker*, Genève, 1924.

Nicolle, 1882
F. Nicolle, *Catalogue du musée des Beaux-Arts de Lille*, 1882.

Nicolle, [1920]
M. Nicolle, *Le musée de Rouen*, [1920].

Nicolson, 1968
B. Nicolson, « Current and forthcoming Exhibitions », *Burlington Magazine*, n° 110, juillet 1968, pp. 417, 419.

[Nolhac], 1896
[P. de Nolhac], « Un buste de J.B. Lemoyne au musée de Versailles », *Chronique des Arts*, 1ᵉʳ février 1896.

Nolhac, 1902
P. de Nolhac, *Tableaux de Paris pendant la Révolution française, 1789-1792 : 64 dessins originaux de J.-L. Prieur*, Paris, 1902.

Nolhac, 1908
P. de Nolhac, *Madame Vigée-Le Brun, peintre de la reine Marie-Antoinette, (1755-1842)*, Paris, 1908.

Nolhac, 1910
P. de Nolhac, *Hubert Robert*, Paris, 1910.

Nolhac, 1912
P. de Nolhac, *Les Trianons*, Paris, 1912.

Nolhac, 1914
P. de Nolhac, *Le Trianon de Marie-Antoinette*, Paris, 1914.

Nolhac, 1925
P. de Nolhac, *Etudes sur la cour de France. Le Trianon de Marie-Antoinette*, Paris, 1925.

Nolhac, 1927
P. de Nolhac, *Versailles et la cour de France*, Paris, 1927.

Nolhac, s.d.
P. de Nolhac, *Les grands palais de France. Les Trianons*, Paris, s.d.

Norregaard Nielsen, 1983
H.E. Norregaard Nielsen, *Dansk kunst*, t. I, Copenhague, 1983.

Notice Angers, 1832
Notice des tableaux du museum d'Angers, Angers, 1832.

Notice Dijon, 1860
Notice des objets d'art exposés au musée de Dijon, 1860.

Notice Montpellier musée Atger, 1830
Notice des dessins réunis à la Bibliothèque de la Faculté de médecine de Montpellier, 1830.

Notice Montpellier musée Fabre, 1859
Notice des tableaux et objets d'art exposés au musée Fabre de la ville de Montpellier, 6ᵉ éd., Montpellier, 1859.

Notices sur Paris et la Révolution, 1890
Notices sommaires des monuments et objets divers relatifs à l'Histoire de Paris et de la Révolution française, Paris, 1890.

Notice Versailles, 1837
Notice des peintures et des sculptures du palais de Versailles, Paris, 1837.

Oberreuter Kronabel, 1986
G. Oberreuter Kronabel, *Der Tod des Philosophen*, Munich, 1986.

Observations, 1785
Observations sur les maladies vénériennes, 1785.

O'Donoghue, 1912
F. O'Donoghue, *Catalogue of engraved british portraits preserved in the Department of prints and drawings in the British Museum*, Paris, 1912.

Ojalvo, 1979
D. Ojalvo, « La peinture française au musée d'Orléans », *L'Estampille*, mai 1979, n° 109, p. 15.

Okun, 1967
H. Okun, « Ossian in painting », *Journal of the Warburg and Courtauld Institutes*, vol. XXX, 1967, pp. 327-356.

Ollivier, 1954
A. Ollivier, *Saint-Just et la force des choses*, Paris, 1954.

O'Neill, 1980
M. O'Neill, *Les peintures des XVIIᵉ et XVIIIᵉ siècles de l'École française au musée d'Orléans*, Orléans, 1980, 2 vol.

Ording, 1930
A. Ording, *Le bureau de police du Comité de Salut Public*, Oslo, 1930.

Orlander, 1980
W. Orlander, « French painting and Politics in 1794 : the Great Concours de l'An II », *Proceedings of the Consortium on Revolutionary Europe*, II, Athens (U.S.A.), 1980.

Orlander, 1984
W. Orlander, *Pour transmettre à la postérité : french painting and Revolution. 1774-1795*, 1983, New York, 1984.

Orlando, 1987
A. Orlando, « Wie durch Geduld und Gönnertum aus einer Kunstmappe das Zücher Kunsthaus wurde », *Zuricum*, printemps 1987.

Ortwin Rave, 1955
P.Ortwin Rave (publ.), *Berlin, Ansichten aus alter Zeit nach den Kupferstischen des Johann Georg Rosenberg mit Erläuterungen aus Friedrich Nicolais Beschreibung der Residenzstädte Berlin und Postdam*, Hambourg, 1955.

Oursel, 1984
H. Oursel, *Le musée des Beaux-Arts de Lille*, Paris, 1984.

Ozanam, 1969
D. Ozanam, *Claude Baudrard de Saint James, trésorier général de la Marine et brasseur d'affaires, 1738-1789*, Paris-Genève, 1969.

Ozouf, 1976
M. Ozouf, *La fête révolutionnaire 1789-1799*, Paris, 1976.

Pacelli, 1984
V. Pacelli, « Francesco Celebrano pittore : inediti e precisazioni », *Studi di storia dell'arte in memoria di Mario Rotili*, Naples, 1984.

Paez Rios, 1983
E.Paez Rios, *Repertorio de grabados españoles en la Biblioteca nacional*, Madrid, t. III, 1983.

Palluchini, 1960
R. Palluchini, *La pittura veneziana del Settecento*, Venise, 1960.

Pasquier, 1985
J. du Pasquier, *Bordeaux, musée des Arts décoratifs*, Bordeaux, 1985.

Passavant, 1851
J.D. Passavant, *Galerie Leuchtenberg, Gemälde-Sammlung seine Kaiserl. Hochheit des Herzog von Leuchtenber in München*, Francfort sur le Main, 1851.

Pauli, 1925
G. Pauli, « Die Kunst des Klassizismus und der Romantik », *Propyläen-Kunstgeschichte*, Berlin, 1925, t. XIV.

Paulson, 1965
R. Paulson, *Hogarth's graphic Works*, New Haven, Londres, 1965, éd. abrégée 1970.

Paulson, 1971
R. Paulson, *Hogarth, his art, life and times*, New Haven, Londres, 1971.

Pauwels, 1960
H. Pauwels, *Catalogus Grœningemuseum Stedelijk Museum voor Schone Kunsten Brugge*, Bruges, 1960.

Payen, 1967
J. Payen, « Bétancourt et l'introduction en France de la machine à vapeur à double effet (1789) », *Revue d'histoire des sciences*, avr.-juin 1967, pp. 187-198.

Payen, 1969
J. Payen, *Capital et machine à vapeur au XVIIIᵉ siècle. Les frères Périer et l'introduction en France de la machine à vapeur de Watt*, Paris-La Haye, 1969.

Pérate, Brière, 1931
A. Pérate et G. Brière, *Musée national de Versailles. Catalogue, I, Compositions historiques*, Paris, 1931.

Pérez-Pivot, 1982
M.F. Pérez-Pivot, *Jean-Jacques de Boissieu 1736-1810. Artiste et amateur lyonnais du XVIIIᵉ siècle*, thèse de doctorat d'Etat, Lyon, 1982, 4 vol. ms.

Pérez, 1975
M.-F. Pérez, « L'exposition du « Salon des Arts » de Lyon en 1786 », *Gazette des Beaux-Arts*, 1975.

Pérez, 1986
M.F. Pérez, « Quelques lettres concernant Jean-Jacques de Boissieu », *Archives de l'Art français*, t. XXVIII, 1986, pp. 115-132.

Pérez, 1986
M.F. Pérez, « Les dessins de Jean-Jacques de Boissieu (1736-1810) conservés au Cabinet des Dessins de Berlin-Dahlem », *Jahrbuch der berliner Museen*, 1986, t. XXVII, pp. 83-98.

Pérez, Pinault, 1985-1986
M.F. Pérez et M. Pinault, « Three new drawings by Jean-Jacques de Boissieu », *Master Drawings*, vol. 23-24, 1985-1986, n° 3, pp. 389-395, pl. 51-53.

[Pérez, Ternois], 1980
[M.-F. Pérez et D. Ternois], « La donation Baderou au musée de Rouen ; artistes lyonnais (XVIIIᵉ-XIXᵉ siècle) », *Études de la Revue du Louvre*, n° 1, 1980, pp. 138-147.

Perez Villamil, 1904
M. Perez Villamil, *Artes e industrias del Buen Retiro*, Madrid, 1904.

Pérouse de Montclos, 1969
J.-M. Pérouse de Montclos, *Étienne-Louis Boullée*, Paris, 1969.

Pérouse de Montclos, 1982-1983
J.-M. Pérouse de Montclos, « De nova stella anni 1784 », *Revue de l'Art*, 1982-1983, n° 58-59, pp. 75-84.

Pérouse de Montclos, 1984
J.-M. Pérouse de Montclos, *Les Prix de Rome, concours de l'Académie royale d'Architecture au XVIIIᵉ siècle*, Paris, 1984.

Perrotti, 1978
A.C. Perrotti, *Le porcellane della Real Fabbrica Ferdinandea*, Naples, 1978.

Petit, 1932
L. Petit, « Le décintrement du pont de Neuilly (22 septembre 1772), *Annales des Ponts et Chaussées, Mémoires et documents*, t. J, fasc. I, n.° 6, janv.-fév. 1932, pp. 142-155.

Petit, Théodorides, 1921
G. Petit et J. Théodorides, « Les cahiers de notes zoologiques de Georges Cuvier (Diaria zoologica), œuvre et relations de Georges Cuvier », *Biologie Médicale*, mars 1961, pp. IV-XX.

Philippe, 1929
A. Philippe, *Musée départemental des Vosges. Catalogue de la section des Beaux-Arts, peintures, dessins, sculptures*, Épinal, 1929.

Phillips, Grace, 1975
D.C. Phillips et D.C. Grace, *Ransome of Ipswich*, University of Reading.

Piantoni De Angelis, 1978
G. Piantoni De Angelis, *Vincenzo Camuccini (1771-1844). Bozzetti e disegni dello studio dell'artista*, Rome, 1978.

Picquenard, 1967
Th. Picquenard, *Boizot*, Paris, 1967, mémoire de l'École du Louvre.

Pignatti, 1968
T. Pignatti, *Longhi*, Venise, 1968.

Pignatti, 1974
T. Pignatti, *L'opera completa di Pietro Longhi*, Milan 1974.

Pinault, 1972
M. Pinault, *Les planches de l'Encyclopédie. Catalogue des dessins gravés dans l'Encyclopédie*, mémoire de l'École du Louvre, Paris, 1972, 4 vol.

Pinault, 1984/1
M. Pinault, *Aux sources de l'Encyclopédie. La description des Arts et Métiers*, thèse de l'École pratique des Hautes Études, IVᵉ section, 1984, 4 vol.

Pinault, 1984/2
M. Pinault, « Diderot et les illustrateurs de l'Encyclopédie », *Revue de l'Art*, 1984, n° 66, pp. 17-38.

Pinault, 1986
M. Pinault, « Chutes d'eau merveilleuses », *Corps Écrit*, n° 16, 1986, pp. 71-79.

Pinault, 1987

Pinault, 1987
M. Pinault, « Dessins pour un Art de l'Imprimerie », *112ᵉ congrès national des sociétés savantes, Lyon*, 1987, Histoire des Sciences, t. II, pp. 73-85.

Pinault, 1987
M. Pinault, « L'image du Pacifique. Océan-Terre-Homme », *Colloque d'études franco-australiennes*, Nanterre, 1987 (à paraître).

Pinault, 1987
M. Pinault, « Sur les planches de l'Encyclopédie de d'Alembert et de Diderot », *Colloque international sur l'Encyclopédisme*, Caen, 1987 (à paraître).

Pinault, 1988/1
M. Pinault, « Duché de Vancy, dessinateur de l'expédition de la Pérouse », *Bicentenaire du voyage de La Pérouse*, Actes du colloque d'Albi, 1985, Albi, 1988, pp. 213-223.

Pinault, 1988/2
M. Pinault, « A propos des planches de l'Encyclopédie, un éditeur Diderot », *Studies on Voltaire and the eighteenth century*, n° 254, 1988, pp. 351-361.

Pinelli, 1978
A. Pinelli, « La revoluzione imposta o della natura dell'entusiasmo. Fenomenologia della festa della Roma Giacobina », *Quaderni sul neoclassico*, 4, Miscellanées, Rome, 1978.

Pinet, 1909
Commandant Pinet, « Notice historique des dessins à l'École Polytechnique », *Journal de l'École Polytechnique*, 2ᵉ série, 13ᵉ cahier, 1909, pp. 115-180.

Pinet, 1910
Commandant Pinet, *Trente dessins de maîtres du XVIIᵉ siècle, conservés à l'École Polytechnique*, Paris, 1910.

Pirenne, 1926
H. Pirenne, *Histoire de la Belgique*, t. V et VI, Bruxelles, 1926.

Plan, 1902
D. Plan, « Les collections du Dr. Gosse », *Nos Anciens et leurs œuvres*, Genève, 1902, p. 15.

Plinval de Guillebon, 1972
R. de Plinval de Guillebon, *Porcelaine de Paris, 1770-1850*, Paris, 1972.

Pluchart, 1889
H. Pluchart, *Musée Wicar. Notice des dessins, cartons, pastels, miniatures et grisailles exposés*, Lille, 1889.

Pognon, 1959
E. Pognon, « Boullée, visionnaire monumental », *Connaissance des Arts*, avril 1950, pp. 86-91.

Pognon, Bruand, 1962
E. Pognon et Y. Bruand, *Bibliothèque nationale. Inventaire du fonds français. Graveurs du XVIIIᵉ siècle*, Paris, 1962, t. IX.

Poisson, 1987
G. Poisson, « Un transparent de Carmontelle », *Bulletin de la Société d'Histoire de l'Art français*, année 1984, Paris, 1986, pp. 169-175.

Pomian, 1987
K. Pomian, *Collectionneurs, amateurs et curieux, Paris-Venise, XVIe-XVIIIe*, Paris, 1987.

Pommier, 1988
H. Pommier, « Les martyrs de Prairial, un dessin inédit de Philippe-Auguste Hennequin », *Bulletin des musées et monuments lyonnais*, 1988, n° 1, pp. 20-23.

Pons, 1987
B. Pons, « Un collaborateur de Chalgrin : François-Joseph Duret (1729-1816), sculpteur en ornement et sculpteur figuriste - son livre-journal de 1767 à 1806 », *Bulletin de la Société d'Histoire de l'Art français*, année 1985, Paris, 1987, p. 138.

Popovich, 1978
O. Popovich, *Catalogue des peintures du musée des Beaux-Arts de Rouen*, Rouen 1978.

Port, 1874-1878
C. Port, *Dictionnaire historique, géographique et biographique de Maine-et-Loire*, Paris et Angers, 1874-1878.

Portalis, 1910
R. Portalis, *Henri-Pierre Danloux, peintre de portraits et son journal pendant l'émigration (1753-1809)*, Paris, 1910.

Portalis, Beraldi, 1880
R. Portalis et H. Beraldi, *Les graveurs du dix-huitième siècle*, Paris, 1880.

Pötschner, 1978
P. Pötschner, *Wien und die wiener Landschaft*, Salzburg, 1978.

Poulsen, 1961
E. Poulsen, *Jens Juel*, Copenhague, 1961.

Praz, 1979
M. Praz, *La casa della vita*, Milan 1979.

Precerutti Garberi, 1969-1970
M. Precerutti Garberi, *Andrea Appiani, pittore di Napoleone*, Milan, 1969-1970.

Pressouyre, 1963
S. Pressouyre, « Un ensemble néoclassique à Port-Vendres », *Monuments Historiques*, 1963, n° 4, pp. 199-222.

Previtali, 1964
G. Previtali, « Humbert de Superville in Italia », dans catalogue de l'Exposition *Disegni di D.P. Humbert de Superville*, Florence, 1964.

Prost, 1890
J.C.A. Prost, *Le marquis de Jouffroy d'Abbans, inventeur de l'application de la vapeur*, Paris, 1890.

Proust, 1965
J. Proust, *L'Encyclopédie*, Paris, 1965.

Proust, 1967
J. Proust, *Diderot et l'Encyclopédie*, Paris, 1967.

Proust, 1973
J. Proust, « l'image du peuple au travail dans les planches de l'Encyclopédie », *CAIER du dix-huitième siècle, Images du peuple au dix-huitième siècle*, colloque du centre aixois d'étude et de recherches, Aix-en-Provence, 1969, Paris, 1973, pp. 65-85.

Prown, 1966
J.D. Prown, *John Singleton Copley in England, 1774-1815*, 1966.

Pupil, 1982
F. Pupil, « Architecture de la mort à travers la peinture et la gravure dès 1720 », *Monuments historiques*, nov.-déc. 1982, pp. 78-84.

Quarré, 1954
P. Quarré, « Jean-Baptiste Lallemand, paysagiste du XVIIIᵉ siècle », *La Revue des Arts*, 1954, n° IV, pp. 242-244.

Quarré, Rey-Bourbon, 1895
L. Quarré, Rey-Bourbon, *La vie, l'œuvre et les collections du peintre Wicar d'après les documents*, Paris, 1895.

Queiros, 1987
J. Queiros, *Ceramica Portuguesa*, 2ᵉ éd., Aveiro, 1987.

Raeber, 1979
W. Raeber, *Caspar Wolf 1735-1783. Sein Leben und sein Werk*, Munich, 1979.

Raistrick, 1953
A. Raistrick, *Dynasty of iron founders : the Darbys and Coalbrookdale*, Londres, 1953.

Ramade, 1985
P. Ramade, dans catalogue de l'Exposition *J.-G. Drouais*, Rennes, 1985.

Ramdohr, 1792
F.W.B. von Ramdohr, *Studien zur Kentniss...der schönen Künste...auf einer Reise nach Dänmark*, Hanovre, 1792.

Rapetti, 1987
R. Rapetti, *Le musée des Beaux-Arts de Bordeaux, guide des collections*, Bordeaux, 1987.

Rappaport, 1967
R. Rappaport, « Lavoisier's geologic activities 1763-1792 », *Isis*, 1967, vol 58, pp. 375-384.

Rappaport, 1969
R. Rappaport, « The geological atlas of Guettard, Lavoisier and Monnet : conflicting views of the nature of geology », in C.J. Schneer, *Towards a history of geology*, Cambridge, 1969, pp. 272-287.

Rappaport, 1972
R. Rappaport, « Jean-Etienne Guettard », *D.S.B.*, t. V, New York, 1972, pp. 577-579.

Rappaport, 1973
R. Rappaport, « Lavoisier's theory of the earth », *The British Journal for the History of Science*, 1973, vol. 6, n° 23, pp. 247-259.

Raspail, 1870 ?
F.V. Raspail, Manuscrit de M. Raspail sur le peintre Aubry, 1870 ? (Service d'Étude et de Documentation, département des Peintures.)

Rataouis de Limay, 1907
P. Rataouis de Limay, *Un amateur orléanais du XVIIIe siècle, Aignan-Thomas Desfriches*, Paris, 1907.

Ray, 1957
M. Ray, *Le musée historique international de la marionnette. Lyon, Hôtel Gadagne, guide sommaire*, Lyon, 1957.

Ray, 1988
M. Ray, *Le musée historique. Le musée de la marionnette. Guide sommaire*, Lyon, 1988.

Raynart, 1869 et 1872
E. Raynart, *Catalogue des tableaux, bas-reliefs et statues exposés dans les galeries du musée des tableaux de Lille*, Lille, 1869 et 1872.

Réau, 1923
L. Réau, « Le buste de Buffon du musée de Dijon », *Beaux-Arts*, 1923, n° 4, pp. 57-58.

Réau, 1927
L. Réau, « Hubert Robert, peintre de Paris », *Bulletin de la Société d'Histoire de l'Art français*, 1927, pp. 207-228.

Réau, 1927
L. Réau, « Histoire de la peinture française au XVIIIe siècle », *Bulletin de la Société d'Histoire de l'Art français*, 1927, pp. 207-228.

Réau, 1927
L. Réau, *Une dynastie de sculpteurs au XVIIIe siècle : les Lemoyne*, Paris, 1927.

Réau, 1930
L. Réau, « Musée de Dijon. Un dessin inédit du Lepeletier de Saint-Fargeau de David », *Bulletin des musées de France*, janvier 1930, pp. 17-18.

Réau, 1930
L. Réau, « Un sculpteur oublié du XVIIIe siècle : Louis-Claude Vassé, 1716-1772 », *Gazette des Beaux-Arts*, 2e semestre 1930, pp. 47.

Réau, 1959
L. Réau, *Histoire du vandalisme. Les monuments détruits de l'art français*, Paris, 1959, 2 vol., t. I.

Réau, 1964
L. Réau, *Houdon, sa vie et son œuvre, troisième partie : catalogue de l'œuvre*, vol. II, Paris, 1964.

[Recht, Geyer], 1988
[R. Recht et M.-J. Geyer], *A qui ressemblons-nous ? Le portrait dans les musées de Strasbourg*, Strasbourg, 1988.

Recueil des actes héroïques et civiques, an II
Recueil des actes héroïques et civiques présenté à la Convention Nationale au nom du Comité d'Instruction publique par Léonard Bourdon, Paris, an II, (1793-1794).

Reder, 1952
E. Reder, *Engineer*, n° 193, 22 fév. 1952, p. 268.

Reinach, 1904
S. Reinach, *Répertoire de la statuaire grecque et romaine*, Paris, 1904, t. III, n° 1, p. 194.

Reinhard, 1969
M. Reinhard, *La chute de la Royauté*, Paris, 1969.

Renouvier, 1863
J. Renouvier, *Histoire de l'art pendant la Révolution, considéré principalement dans les estampes*, Paris, 1863.

Repp Eckert, 1988
A. Repp Eckert, dans catalogue de l'Exposition *Triomphe et mort du héros : la peinture d'histoire en Europe de Rubens à Manet*, Cologne, Wallraf-Richartz Museum, Zurich, Kunsthaus ; Lyon, musée des Beaux-Arts.

Revue du Louvre, 1976
« Nouvelles Acquisitions », *La Revue du Louvre*, 1976, n° 4.

Revue du Louvre, 1986
« Les principales acquisitions des musées de province », *La Revue du Louvre*, 1986, n° 6, pp. 433-442.

Revue du Lyonnais, 1843
« Variétés », *La Revue du Lyonnais*, 1843, t. II, pp. 324-326.

Ribemont, 1987
F. Ribemont, « Art, histoire et propagande au temps des guerres de Vendée », *Revue Régionale 303-Pays de Loire*, n° 15, 1987.

Richard, 1986
H. Richard, *Le voyage de d'Entrecasteaux à la recherche de La Pérouse*, Paris, 1986.

Rigaud, 1876
J.-J. Rigaud, *Renseignements sur les Beaux-Arts à Genève*, Genève, 1876.

Ritsema van Eck, 1988
P.C. Ritsema van Eck, *Catalogue Rijksmuseum. Glas*, t. I, 1988.

Rizzi, 1967
A. Rizzi, *Storia dell'arte in Friuli. Il Settecento*, Udine, 1967.

Robertson, 1985
H. Robertson, *The art of Paul Sandby*, the Yale Center for British Art, 1985.

Robinet, Robert, Le Chaplain, 1899
P. Robinet, A. Robert et J. Le Chaplain, *Dictionnaire historique et biographique de la Révolution et de l'Empire. 1789-1815*, Paris, 1899, 2 vol.

Rochach, 1920
E. Rochach, *Catalogue des collections de peinture du musée de Toulouse*, Toulouse, 1920.

Rochat, Le Moël, 1978
Cl.-F. Rochat avec la collaboration de M. Le Moël, *Catalogue général des cartes, plans et dessins d'architecture, série NN*, Paris, 1978.

Roche, 1978
D. Roche, *Le siècle des Lumières en Province. Académies et académiciens provinciaux, 1680-1789*, Paris-La Haye, 1978.

Roche, 1983
D. Roche, « Cuisine et alimentation populaire à Paris », *Dix-huitième siècle*, 1983, n° 15, pp. 7-18.

Roche, 1988
D. Roche, *Les Républicains des Lettres. Gens de culture et Lumières au XVIIIe siècle*, Paris, 1988.

Rocher-Jauneau, 1964
M. Rocher-Jauneau, « Chinard and the Empire Style », *Apollo*, 1964, Septembre pp. 220-225.

Rocher-Jauneau, 1978
M. Rocher-Jauneau, *L'œuvre de Joseph Chinard (1755-1813), au musée des Beaux-Arts de Lyon*, Lyon, 1978.

Rodhe, 1960
H.P. Rodhe, « P.A. Heiberg og Nic. Abilgaard », *Fund og Forskning*, vol. VII, 1960.

Roger-Marx, 1900
Cl. Roger-Marx, *L'Art français*, Paris, 1900.

Roland-Michel, 1987
M. Roland-Michel, *Le dessin français au XVIIIe siècle*, Fribourg, 1987.

Rolt, 1963
L.T.C. Rolt, *Thomas Newcomen, the prehistory of the steam engine*, Londres, 1963.

Roman, s.d.
J. Roman, *Histoire et description du musée-bibliothèque de Grenoble*, Grenoble, [s.d.].

Romanelli, 1977
G. Romanelli, *Venezia Ottocento. Materiali per una storia architettonica e urbanistica delle città nel secolo XIX*, Rome, 1977.

Rondoni, 1870
F. Rondoni, *Catalogo della raccolta di disegni autografi antichi e moderni donata dal prof. Emilio Santarelli alla Reale Galleria di Firenze*, 1870.

Rönnow, 1929
Rönnow, *Pehr Hilleström och hans bruks och bergwerks-mälningar*, Stockholm, 1929.

Rosenau, 1964
H. Rosenau, « Boullée and Ledoux as town-planners, a reassessment », *Gazette des Beaux-Arts*, mars 1964, pp. 173-190.

Rosenberg, 1965
P. Rosenberg, « Le Départ de Régulus pour Carthage par Jacques-Augustin Pajou », *Revue du Louvre*, 1965, n° 2, pp. 81-84.

Rosenberg, 1965
P. Rosenberg, « Une commande à Clément Belle retrouvée (1788-1794) », *Revue du Louvre*, 1965, n° 4-5, pp. 229-232.

Rosenberg, 1966
P. Rosenberg, *Inventaire des collections publiques françaises. Tableaux français du XVIIe siècle et italiens des XVIIe et XVIIIe siècles. Rouen, musée des Beaux-Arts*, Paris, 1966.

Rosenberg, 1970
P. Rosenberg, « Twenty french drawings in Sacramento », *Master drawings*, 1970, n° 1, pp. 31-39.

Rosenberg, 1974-1975
P. Rosenberg, dans catalogue de l'Exposition *De David à Delacroix*, Paris, 1974-1975.

Rosenberg, Reynaud, Compin, 1974
P. Rosenberg, N. Reynaud et I. Compin, *Musée du Louvre. Catalogue illustré des peintures. École française XVIIe et XVIIIe siècles*, 2 vol., Paris, 1974.

Rosenberg, U. Van de Sand, 1983
P. Rosenberg et U. van de Sand, *Pierre Peyron*, Paris, 1983.

Rosenblum, 1965
R. Rosenblum, « Jacques-Louis David at Toledo », *Burlington Magazine*, septembre 1965, p. 473.

Rosenblum, 1967
R. Rosenblum, *Transformations in late eighteenth century art*, Princeton University, 1967.

Rosenthal, 1925
L. Rosenthal, « Une maquette de Chinard au musée de Lyon », *Beaux-Arts*, 1er juillet 1925, pp. 209-210.

Rosenthal, 1928
L. Rosenthal, « Un buste inédit par Chinard », *Gazette des Beaux-Arts*, 1928, avril, pp. 253-256.

Rosenthal, 1928
L. Rosenthal, *l'Art expliqué par les œuvres à l'usage des classes de 3e, 2e et 1re des lycées et collèges...*, Paris, 1928.

Roserot, 1910
A. Roserot, *Edme Bouchardon*, Paris, 1910.

Roskamp, 1966
D. Roskamp, *Katalog der alten Meister der Hamburger Kunsthalle*, Hambourg, 5e éd., 1966.

Rostand, 1936
A. Rostand, *J.-B. Descamps*, Rouen, 1936.

Rostrup, 1937
H. Rostrup, *Nyerhvervelser til Glyptotekets moderne afdeling 1931-1936*, Copenhague, 1937.

Rostrup, 1985
H. Rostrup, *Miranda i Danmark. Francisco de Mirandas danske rejsedagbog 1787-1788*, Copenhague, 1985.

Rouchès, Huyghe, 1938
G. Rouchès et R. Huyghe, *Inventaire général des dessins du musée du Louvre. École française*, Paris, 1938.

Roux, 1930-1955
M. Roux, *Bibliothèque nationale. Département des estampes. Inventaire du fonds français. Graveurs du XVIIIe siècle*, Paris, 8 vol., 1930-1955.

Roux, 1934
Cl. Roux, « Roland de la Platière et son projet d'utilisation industrielle des cadavres humains (1787) », *Lyon médical*, n° 24, juin 1934, pp. 725-730.

Royer, 1951
L. Royer, *Catalogue du musée Stendhal. Galerie des portraits dauphinois*, Grenoble, 1951.

Rubin, 1972
J.H. Rubin, *Ut Pictoria Theatrum, painting as theatre : an approach to neoclassical painting in France*, Cambridge (Mass.), 1972, Thèse de Lettres.

Rubin, 1973
J.H. Rubin, « Oedipus, Antigone and exiles in post-revolutionary french paintings », *The Art Quarterly*, t. XXXVI, n° 3, automne 1973, pp. 141-171.

Rubin, 1976
J.H. Rubin, « Painting and politics. II. J.-L. David patriotism or the conspiracy of G. Babeuf and the legacy of Topino-Lebrun », *The Art Bulletin*, décembre 1976, t. LVIII, n° 4, pp. 547-567.

Rubin, 1978
J.H. Rubin, « Endymion's Dream as a Myth of Romantic inspiration », *The Art Quarterly*, printemps 1978, n° 2, pp. 47-84.

Rückert, 1966
R. Rückert, *Meissener Porzellan, 1710-1810*, Munich, 1966.

Ruiz Alcon, 1969
M.T. Ruiz Alcon, *Vidrio y cristal de La Granja*, Madrid, 1969.

Rychner, 1969
J. Rychner, « Les archives de la société typographique de Neuchâtel », *Musée neuchâtelois*, 1969, pp. 99-122.

Saddy, 1980
P. Saddy, Un élève de Soufflot : Barthélémy Jeanson, architecte ingénieur 1760-1820 », *Soufflot et l'Architecture des Lumières*, Paris, 1980, pp. 192-203.

Sadoun-Goupil, 1974
M. Sadoun-Goupil, « Science pure et science appliquée dans l'œuvre de Claude-Louis Berthollet », *Revue d'histoire des sciences*, t. XXVII, n° 2, 1974, pp. 127-145.

Sadoun-Goupil, 1974
M. Sadoun-Goupil, « Un manuscrit inédit de Claude-Louis Berthollet », *Physis*, t. XVI, fasc. 4, 1974, pp. 347-376.

Sadoun-Goupil, 1977
M. Sadoun-Goupil, *Le chimiste Claude-Louis Berthollet 1748-1822. Sa vie, son œuvre*, Paris, 1977.

Sagnac, Robiquet, 1939
Ph. Sagnac, *La Révolution de 1798*, Iconographie de l'époque réunie sous la direction de J. Robiquet, Paris, 1939, 3 vol.

Saint-Georges, 1858
H. de Saint-Georges, *Notice historique sur le musée de peinture de Nantes*, Nantes et Paris, 1858.

Sainte-Geneviève
Paris, Bibliothèque Saint-Geneviève. Deuxième supplément des manuscrits, Paris, s.d.

Salomon-Bayet, 1978
Cl. Salomon-Bayet, *L'institution de la science et l'expérience du vivant. Méthode et expérience de l'Académie royale des sciences, 1666-1793*, Paris, 1978.

Sambricio, 1946
V. de Sambricio, *Tapices de Goya*, Madrid, 1946.

Samoyault, 1975
J.P. Samoyault, « Note sur un tableau de Louis Gauffier », *Revue du Louvre*, 1975, n° 5-6, pp. 334-337.

Samoyault (à paraître)
J.-P. Samoyault, *Catalogue du mobilier du musée national du château de Fontainebleau. I . Pendules et bronzes d'ameublement entrés sous le Premier Empire* (à paraître).

Samoyault-Verlet, Samoyault, 1986
C. Samoyault-Verlet et J.-P. Samoyault, *Château de Fontainebleau - Musée Napoléon Ier*, Paris, 1986.

Sànchez Canton, 1958
F.J. Sànchez Canton, *Catalogo de las pinturas. Madrid. Museo del Prado*, Madrid, 1958.

Sander, 1880
F. Sander, *Francesco Piranesi. Svensk Konstagent och minister i Rom*, Stockholm, 1880.

Sandoz, 1958
M. Sandoz, « Œuvres de Louis Gauffier nouvellement apparues », *Revue des Arts*, 1958, n° 5, pp. 195-198.

Sandoz, 1960
M. Sandoz, « Nicolas-Guy Brenet, peintre d'histoire (1728-1792) », *Bulletin de la Société d'Histoire de l'Art français*, 1960, pp. 33-50.

Sandoz, 1962
M. Sandoz, « Jean-Jacques Lagrenée, peintre d'histoire (1739-1821) », *Bulletin de la Société d'Histoire de l'Art français*, 1962, pp. 121-133.

Sandoz, 1979
M. Sandoz, *Nicolas-Guy Brenet, 1728-1792*, Paris, 1979.

Sandoz, 1980
M. Sandoz, *Louis-Jacques Durameau, 1733-1796*, Paris, 1980.

Sandrin, 1982
J. Sandrin, *Enfants trouvés, enfants ouvriers. XVIIe-XVIIIe siècle*, Paris, 1982.

Sandt, 1982
A. Van de Sandt, *Jacques Sablet (1749-1803). Biographie et catalogue des peintures*, mémoire de l'École du Louvre, Paris, 1982.

Sandt, 1984
A. Van de Sandt, *Jacques Sablet (1749-1803). Biographie et catalogue raisonné*, thèse de 3e cycle, Université Paris-IV, Paris, 1984.

Sandt, 1979
U. Van de Sandt, « L'art français à la fin du XVIIIe siècle à Rome : index des artistes français cité dans le Giornale delle Belle Arti (1784-1788) », *Bulletin de la Société d'Histoire de l'Art français*, 1977, Paris, 1979, pp. 171-178.

Sandt, 1981-1982
U. Van de Sandt, dans catalogue de l'Exposition *David e Roma*, Rome, Villa Médicis, 1981-1982.

Santos, 1965
R. dos Santos, *Oito séculos de arte portuguesa*, Lisbonne, 1965.

Sarrazin, 1988
B Sarrazin, « Trois peintures de Lemonnier conservées au musée des Beaux-Arts de Rouen : une nouvelle idée de la peinture d'histoire en France », *Destins d'objets*, École du Louvre-École du Patrimoine, 1988, pp. 261-271.

Saulnier, 1945
Ch. Saulnier, *L'imagerie populaire du Val de Loire*, Paris, 1945.

Saunier, 1894
Ch. Saunier, *Augustin Dupré, orfèvre, médailleur et graveur général des Monnaies*, Paris, 1894.

Saunier, 1910
Ch. Saunier, «Joseph Chinard et le style Empire à l'Exposition du musée des Arts Décoratifs », *Gazette des Beaux-Arts*, janvier 1910, p. 32.

Saunier, 1913
Ch. Saunier, « Nécessité de faire connaître, par la voie du "Bulletin" de la société d'Histoire de l'Art français, les mutations d'œuvres d'art envoyées du Louvre dans les galeries provinciales (À propos des Remords d'Oreste de Philippe Hennequin) », *Bulletin de la Société d'Histoire de l'Art français*, 1913, pp. 144-151.

Saunier, 1917
Ch. Saunier, « Ph.-Aug. Hennequin et Les Remords d'Oreste », *Revue des Études napoléoniennes*, t. XI, janv-juin 1917, pp. 5-16.

Saunier, 1922
Ch. Saunier, « Le musée Xavier-Atger à Montpellier », *Gazette des Beaux-Arts*, mars 1922, p. 178.

Saussure, 1776-1779
H.-B. de Saussure, *Voyages dans les Alpes précédés d'un essai sur l'histoire naturelle des environs de Genève*, Neuchâtel, 1776-1779.

Sborgi, 1975-1976
N. Sborgi, dans catalogue de l'Exposition , Naples, 1975-1976.

Sceaux, musée de l'Ile-de-France, 1975
« Sceaux, musée de l'Ile-de-France, quatre ans d'acquisitions », *La Revue du Louvre*, 1975, n° 2, p. 132.

Scheler, 1964
L. Scheler, *Lavoisier choix de textes, bibliographie, portraits, fac-similés*, Paris, 1964.

Scherf, 1988
G. Scherf, « Un buste de l'abbé Raynal à l'académie de Lyon », *Bulletin des musées et monuments lyonnais*, n° 1, 1988, pp. 10-19.

Schiff, 1973
G. Schiff, *Johann Heinrich Füssli, 1741-1825*, Zurich-Munich, 1973.

Schiff, Viotto, 1980
G. Schiff et P. Viotto, *Tout l'œuvre peint de Füssli*, Paris, 1980.

Schmidt, 1922
P.F. Schmidt, *Deutsche Landschaftmalerei von 1750 bis 1830*, Munich, 1922.

Schmitt, 1963
G. Schmitt, « Notice historique sur les enseignes des métiers de la ville de Luxembourg », *Luxemburger Wort*, 2 décembre 1963.

Schnapper, 1974-1975
A. Schnapper, dans catalogue de l'Exposition *De David à Delacroix : la peinture française de 1774 à 1830*, Paris, 1974-1975.

Schnapper, 1980
A. Schnapper, *David, témoin de son temps*, Fribourg, 1980.

Schnapper, 1988
A. Schnapper, *Le géant, la licorne, la tulipe. Collections françaises au XVIIe siècle*, Paris, 1988.

Schneeberger, 1958
P.F. Schneeberger, *Les peintres sur émail genevois aux XVIIe et XVIIIe siècles*, Genève, 1958.

Schneider, 1926
R. Schneider, *L'art français - XVIIIe siècle*, Paris, 1926.

Schnitler, 1920
C.W. Schnitler, *Norges Kunstneriske opdagelse. Maleren Erik Pauelsen Norske Landskaber 1788*, Cristiana, 1920.

Schoch, 1988
voir Schoch Joswig, 1988.

Schoch Joswig, 1988
B. Schoch Joswig, *Die französische Revolution in Spiegel der zeitgenössischen deutschen Bildpropaganda*, Worms, 1988.

Schommer, 1959
P. Schommer, « Un portrait de l'impératrice Joséphine et un tableau de sa collection », *Revue des Arts*, 1959, n° 3, pp. 113-119.

Schubnel, 1977
H.-J. Schnubel, « Pierres précieuses, gemmes et objets d'art de la Galerie de minéralogie du Museum », *Revue de gemmologie*, n° hors série, juin 1977.

Schulte Strathaus, 1910
E. Schulte Strathaus, *Die Bildisse Gœthes. Propyläen-Ausgabe von Gothes sämtlichen Werken*, 1er supplément, Munich, 1910.

Schwab, Rex, 1971-1972
R.N. Schwab et W.E. Rex avec la collaboration de J. Lough, « Inventory of Diderot's Encyclopédie », *Studies on Voltaire and the eighteenth century*, 1971-1972, vol. LXXX, LXXXIII, LXXXV, XCI, XCII, XCIII.

Schwab, Rex, 1984
R.N. Schwab, W.E. Rex avec la collaboration de J. Lough, « Inventory of Diderot's Encyclopédie. Inventory of the plates », with a study of the contributors to the Encyclopédie, *Studies on Voltaire and the eighteenth century*, vol. CCXXIII, 1984.

Schwark, 1937
G. Schwark, *Die Porträtwerk Chinard*, Berlin, 1937.

Schwarzenberg, 1974
A.M. Schwarzenberg, *Studien zu H.F. Füger*, thèse non publiée, Vienne, 1974.

Sciout, 1895-1897
L. Sciout, *Le Directoire*, Paris, 1895-1897, 4 vol.

Scottez, 1980
A. Scottez, « Le néo-classicisme dans les collections de dessins français du musée des Beaux-Arts de Lille », *Revue du Nord*, avril-juin 1980, pp. 431-448.

Sellier, Dorbec, 1903
Ch. Sellier et P. Dorbec, sous la direction de G. Cain, *Guide du musée Carnavalet*, Paris, 1903.

Sells, 1977
Ch. Sells, « Socrate et Alcibiade de J.-B. Regnault au Louvre », *La Revue du Louvre*, 1977, n°s 5-6, pp. 354-357.

Sentenac, 1929
P. Sentenac, *Hubert Robert*, Paris, 1929.
Serbos, 1964
G. Serbos, « L'École royale des Ponts et Chaussées », dans Taton, 1964, pp. 345-363.
Serra, 1914
L. Serra, *Catalogo delle Gallerie di Venezia*, Venise, 1914.
Serullaz, 1972
A. Serullaz, dans catalogue de l'Exposition *Dessins du musée de Darmstadt*, Paris, musée du Louvre, Cabinet des Dessins, 1972.
Serullaz, 1974-1975
A. Serullaz, dans catalogue de l'Exposition *Le Néoclassicisme français. Dessins des musées de Province*, Paris, Grand Palais, 1974-1975.
Seznec, Adhémar, 1957-1967
D. Diderot, *Salons*, texte établi et présenté par J. Seznec et J. Adhémar, Oxford, 1957-1967, 4 vol. ; 2ᵉ éd., Oxford, 1975-1983.
Sheriff, 1983
M.D. Sheriff, « Au Génie de Franklin. An allegory by J.-H. Fragonard », *American Philosophical Society*, 1983, vol. IX, nᵒ 1.
Sigaut, 1985
F. Sigaut, avec la collaboration de O. Buchsenschutz, *Les techniques de conservation des grains à long terme*, Paris, 1985, 2 vol.
Sigaut, Gast, 1981
F. Sigaut, M. Gast, avec la collaboration de A. Bruneton-Governatori, *Les techniques de conservation des graines à long terme, leur rôle dans la dynamique des systèmes de cultures et de sociétés*, Paris, 1979, t. II, 1981.
Siguret, 1968
R. Siguret, « Esclaves d'indigoteries et de caféières au quartier de Jacmel (1757-1791), *Revue française d'histoire d'Outremer*, t. LV, nᵒ 199, 2ᵉ trimestre 1968, pp. 190-230.
Simons, 1985
K. Simons, *Jacques Réattu (1760-1833). Peintre de la Révolution française*, Neuilly-sur-Seine, 1985.
Siren, 1900
O. Siren, *Pehr Hilleström d.ä. Våavaren och maleren, hans liv och hans wårk*, Stockholm, 1900.
Sjöberg, 1974
Y. Sjöberg, *Bibliothèque nationale. Département des Estampes. Inventaire du fonds français, graveurs du XVIIIᵉ siècle*, Paris, t. XIII, 1974.
Sjöblom, 1927
A. Sjöblom, *Nationalmuseum Arsbek*, Stockholm, 1927.
Skovgaard, 1961
B. Skovgaard, *Maleren Abildgaard, Kunst i Danmark*, Copenhague, 1961.
Skovgaard, 1978
B. Skovgaard, *Abildgaard Tegninger . Den Kgl. Kobberstiksamling Billedhefte*, Copenhague, 1978.
Sloane, 1969
J.C. Sloane, « David, Robespierre et la mort de Barra », *Gazette des Beaux-Arts*, nᵒ 74, 1969, pp. 143-152.
Smith, 1960
B. Smith, *European vision and the South Pacific, 1768-1850. A study in the history of art and ideas*, Oxford, 1960.
Smith, 1983
B. Smith, « William Hodges and plein-air painting », *Art History*, nᵒ 6, 1983, pp. 143-152.
Smith, 1920
J.I. Smith, *Life and times of Nollekens*, 1829, éd. 1920, vol. I.
Smith, 1979
S. Smith, dans catalogue de l'Exposition *A view from the Iron Bridge* Ironbridge, Ironbridge Gorge Museum, 1979.
Smolka, 1962
J. Smolka, « B. Franklin, P. Divis et la découverte du paratonnerre », *Actes du Xe congrès international d'histoire des sciences*, Paris, 1962, t. II, pp. 763-767.

Snœp, 1983
D.P. Snœp, « Het kleine bouwen », *Catalogus centraal Museum Utrecht*, 1983.
Snoy, 1971
M.-N. Snoy, *Frère Abraham, moine-peintre (1741-1809)*, abbaye d'Orval, 1971.
Soboul, 1956
A. Soboul, *Les soldats de l'an II*, Paris, 1956.
Soboul, 1965
A. Soboul, *La Révolution française*, Paris, 1965.
Soboul, 1966
A. Soboul, *Le procès de Louis XVI*, Paris, 1966.
Soboul, 1967
A. Soboul, *Le Directoire et le Consulat*, Paris, 1967.
Soboul, 1968
A. Soboul, *Les sans-culottes*, Paris, 1968.
Soboul, 1974
A. Soboul, *La France à la veille de la Révolution. Economie et société*, Paris, 1974.
Soboul, 1978
A. Soboul, *La civilisation et la Révolution française*, Paris, 1978, 2 vol.
Someda De Marco, 1956
C. Someda De Marco, *Il museo civico e le gallerie d'arte antica e moderna di Udine*, Udine, 1956.
Soulié, 1854
E. Soulié, *Notice des peintures et sculptures composant le musée impérial de Versailles*, t. I, Versailles, 1854.
Soulié, 1859-1861
E. Soulié, *Notice du musée impérial de Versailles*, 2ᵉ éd., Paris, 1859-1861, 3 vol.
Soulié, 1881
E. Soulié, *Notice du musée national de Versailles*, t. II, Paris, 1881.
Spinosa, 1979
A. Spinosa, « Le arti figurative a Napoli nel'700 : documenti e ricerche », a cura di N. Spinosa, Naples, 1979, p. 383.
Spinosa, 1970
N. Spinosa, « Pittori napoletani del secondo settecento », *Napoli Nobilissima*, 1970, pp. 73-87.
Spinosa, 1971
N. Spinosa, *L'arazzeria napoletana*, Naples, 1971.
Spinosa, 1975
N. Spinosa, « Francesco Liani, pittore emiliano al servizio della corte di Napoli », *Paragone*, 1975, pp. 38-53.
Spinosa, 1987
N. Spinosa, *La pittura napoletana dal rococo al classicismo*, Naples, 1987.
Stafford, 1976
B.M. Stafford, « Rude sublime : the taste for nature's colossi during the late eighteenth and the early nineteenth centuries », *Gazette des Beaux-Arts*, avril 1976, pp. 113-126.
Stafford, 1977
B.M. Stafford, « Towards romantic landscape perception : illustrated travels and the rise of « singularity » as an aesthetic category », *Art Quarterly*, 1977, t. I, nᵒ 1, pp. 89-124.
Stafford, 1979
B.M. Stafford, « Les météores de Girodet », *Revue de l'Art*, 1979, nᵒ 46, pp. 46-51.
Stafford, 1984
B.M. Stafford, *Voyage into substance : illustrated accounts c. 1760-1840*, Cambridge (Mass.)-Londres, 1984.
Starobinski, 1973
J. Starobinski, *1789. Les emblèmes de la Raison*, Paris, 1973.
Stein Hauser, 1983
M. Stein Hauser, « Etienne-Louis Boullée. Architecture, Essai sur l'art, zur theorischen Begründung einer autonomen Architektur », *Idea, Jahrbuch der Hamburger Kunsthalle*, 1983, t. II : Kunst um 1800.
Stein, 1912
H. Stein, *Augustin Pajou*, Paris, 1912.

Stein, 1974
M. Stein, « Un chef-d'œuvre retrouvé de Peyron », *Bulletin de la Société d'Histoire de l'Art français*, année 1973, Paris, 1974, pp. 229-238.
Stein, 1981
M. Stein, *Idé og form i fransk Kunst. Fra barok til Impressionnisme*, Copenhague, 1981 (le chapitre concernant Peyron est repris : « Et gefundet hovedvaerk af Peyron », *Kunstmuseets Aarskrift*, t. LXIV-LXVII, années 1977, 1980, 1981, pp. 14-31.)
Sterling, Adhémar, 1959-1961
Ch. Sterling et H. Adhémar, *Musée du Louvre. Peinture du XIXᵉ siècle. École française*, Paris, t. II, 1959 ; t. IV, 1961.
Stix, 1925
A. Stix, *H.F. Füger*, Vienne-Leipzig, 1925.
Stolk, 1902-1906
Stolk, *Atlas van Stolk, Katalogus der Historie-, Spot-, en Zinneprenten betreffende de geschiedenis van Nederland*, t. VI, 1902 ; t. VII, 1906.
Strömbom, 1915
S. Strömbom, *Lorenz Pasch d.y.* Stockholm, 1915.
Stuffmann, 1979
M. Stuffmann, *Städel-Jahrbuch* nouvelle série, vol. VII, 1979, pp. 307-308.
Stuffmann, 1986-1987
M. Stuffmann, dans catalogue de l'Exposition *Französische Zeichnungen im Städelschen Kunstinstitut, 1500-1800*, Francfort-sur-le-Main, 1986-1987.
Sueur, 1974
J.-C. Sueur, *Le portraitiste Antoine Vestier (1740-1824)*, Neuilly-sur-Seine, 1974.
Sutton, 1959
D. Sutton, *Christie's since the war 1945-1948*, Londres, 1959.
Sutton, 1977
D. Sutton, « The cunning eye of Thomas Rowlandson », *Apollo*, avril 1977, pp. 277-285.
Swane, 1926
L. Swane, *Abildgaard. Arkitektur og Dekoration*, Copenhague, 1926.
Swane, 1929
L. Swane, *J.F. Clemens*, Copenhague, 1929.
Szambien, 1986
W. Szambien, *Les projets de l'an II. Concours d'architecture de la période révolutionnaire*, Paris, 1986.
Tailhades, 1877
B. Tailhades, « L'œuvre de Prud'hon », *Chronique des arts*, 1877, pp. 328-330.
Taillemite, 1977
Voyages et découvertes. Bougainville et ses compagnons autour du monde 1766-1769, Journaux de navigation établis et commentés par E. Taillemite, Paris, 1977, 2 vol.
Taine, 1876-1893
H. Taine, *Les Origines de la France contemporaine*, Paris, 1876-1893.
Taton, 1951
R. Taton, *L'œuvre scientifique de Gaspard Monge*, Paris, 1951.
Taton, 1952/1
R. Taton, « Quelques précisions sur le chimiste Clouet et deux de ses homonymes », *Revue d'histoire des sciences*, 1952, t. V, pp. 359-367.
Taton, 1952/2
R. Taton, « Jean-François Clouet, chimiste ardennais. Sa vie, son œuvre », *Présence ardennaise*, 1952/2, pp. 6-29.
Taton, 1964
R. Taton (sous la direction), *Enseignement et diffusion des sciences en France au XVIIIᵉ siècle*, Paris, 1964.
Taton, 1964
R. Taton, « L'École royale du génie de Mézières », dans Taton, 1964, pp. 559-615.
Taton, 1970
R. Taton, « Sur l'histoire des relations scientifiques franco-russes », *Revue d'histoire des sciences*, 1970, pp. 257-264.

Teixiera, 1986
J. Teixiera, *D. Fernando II, rei-artista artista-rei*, Fundaçào da Casa de Bragança, 1986.

Ternois, 1965
D. Ternois, *Montauban, musée Ingres. Peintures. Ingres et son temps (artistes nés entre 1740 et 1830)*, Paris, 1965.

Ternois, 1969
D. Ternois, « Ossian et les peintres », *Actes du colloque Ingres, 1967*, Montauban, 1969.

Thieghem, 1917
P. van Thieghem, *Ossian en France*, Paris, 1917, 2 vol.

Thieghem, 1918
P. Van Thieghem, « Napoléon et Ossian », *Revue des Etudes napoléoniennes*, 1918, t. I, pp. 44-64.

Thieme-Becker, 1916-1923
Thieme et W. Becker, *Allgemeines Lexikon der bildenden Künstler*, Leipzig , t. XII, 1916 ; t. XVI, 1923.

Tieretereyn, 1903
L. Tietereyn, « Jeanne Pinaut », *Biographie nationale*, Bruxelles, t. XVII, 1903, pp. 518-520.

Tischbein, 1861
J.H.W. Tischbein, *Aus meinen Leben*, Brunswick, 1861.

Tissandier, 1887-1890
G. Tissandier, *Histoire des ballons et des aéronautes célèbres*, Paris, 1887-1890, rééd. Paris, 1980.

Tocqueville, 1856
A. de Tocqueville, *L'Ancien Régime et la Révolution*, Paris, 1856, rééd. 1964.

Torlais, 1956
J. Torlais, « Une grande controverse scientifique au XVIII⁰ siècle. L'Abbé Nollet et Benjamin Franklin », *Revue d'histoire des sciences*, n⁰ 4, 1956, pp. 339-349.

Torlais, 1964
J. Torlais, « La physique expérimentale », dans Taton, 1964, pp. 619-645.

Torlais, 1964
J. Torlais, « Le collège royal », dans Taton, 1964, pp. 261-286.

Tourneux, 1889
M. Tourneux, « Notes pour servir à l'histoire d'un chef-d'œuvre inconnu : Le Peletier sur son lit de mort par David », *Nouvelles Archives de l'Art français*, 1889, pp. 52-59.

Tourneux, 1912
M. Tourneux, « Lettres de madame de Vandeul, née Diderot sur le Salon de l'an X (1802) », *Bulletin de l'Art Français*, Paris, 1912, pp. 126-127.

Trausch, 1977
G. Trausch, *Le Luxembourg sous l'Ancien Régime, Manuel d'histoire luxembourgeoise*, 4 vol., 1977.

Trébutien, 1836
G.S. Trébutien, « Les frères Haüy », *Portraits et histoires des hommes utiles, hommes et femmes de tous pays et de toutes conditions*, Paris, 1836.

Tresse, 1956
R. Tresse, *Les dessinateurs du Comité de Salut public, les circonstances, les exécutants, les destinataires et les œuvres. Technique et Civilisation*, t. V, 1956, pp. 1-10.

Trochet, 1981
J.-R. Trochet, « Principes d'une typologie de l'habitat rural lorrain », *Etudes rurales*, n⁰ 84, oct.-déc. 1981, pp. 38-39.

Troumüller, 1885
F. Troumüller, *Die Mannheimer meteorologische Gesellschaft (1780-1795)*, Leipzig, 1885.

Truchot, 1879
M. Truchot, *Les instruments de Lavoisier. Relation d'une visite à la Canière (Puy-de-Dôme) où se trouvent réunis les appareils ayant servi à Lavoisier*, Paris, 1879.

Tucoo-Chala, 1977
S. Tucoo-Chala, *Charles-Joseph Panckoucke et la librairie française, 1736-1798*, Pau-Paris, 1977.

Tuetey, 1911
A. Tuetey, *Catalogue général des manuscrits des bibliothèques de la Guerre*, Paris, 1911.

Tuetey, 1916
A. Tuetey, « Inventaire des laques anciennes et des objets de curiosité de Marie-Antoinette, confiés à Daguerre et Lignereux marchands bijoutiers le 10 octobre 1789 », *Mélanges offerts à Jules Guiffrey, Archives de l'Art français*, t. VIII, 1916, pp. 286-319.

Tulard, Fayard, Fierro, 1987
J. Tulard, J.-F. Fayard et A. Fierro, *Histoire et dictionnaire de la Révolution française. 1789-1799*, Paris, 1987.

Turner, 1987
A. Turner, *Early scientific instruments-Europe 1400-1800*, Londres, 1987.

Ussing, 1924
V.Th. Ussing, *Mindestotterne paa Jaegerpris*, Copenhague, 1924.

Vaisse, 1974
P. Vaisse, « Ossian et les peintres du XIX⁰ siècle. Notes à propos d'une exposition », *l'Information d'Histoire de l'Art*, mars-avril 1974, n⁰ 2, pp. 81-88.

Valaison, 1981
M.Cl. Valaison, *Guide catalogue du musée Hyacinthe Rigaud*, Perpignan, 1981.

Valcanver, 1961
F. Valcanver, « Restauri eseguiti nel 1960-61 dalla Soprintendenza alle Gallerie di Venezia », *Arte veneta*, 1961.

Valléry-Radot, 1926
J. Valléry-Radot, « A propos du centenaire de David. Un tableau disparu depuis cent ans : Le Lepeletier de Saint-Fargeau », *Revue de l'Art ancien et moderne*, janvier 1926, pp. 54-60.

Valléry-Radot, 1928
J. Valléry-Radot, « L'exposition de la Révolution française à la Bibliothèque nationale. I. Lepeletier de Saint-Fargeau, gravure de P.-A. Tardieu d'après David », *Les Trésors des Bibliothèques de France*, 1928, t. II, fasc. VII.

Valléry-Radot, 1959
J. Valléry-Radot, « Autour du portrait de Lepeletier de Saint-Fargeau sur son lit de mort par David (d'après des documents inédits) », *Archives de l'Art français*, 1959, pp. 354-361.

Van Boven, Schwartz, Segal, 1980
M. van Boven, G. Schwartz et S. Segal, *Gerard et Cornellis Van Spaendonck. Two brabantse blœmen schilders in Parijs*, Maarsen, 1980.

Vaudoyer, 1946
J.-L. Vaudoyer, *Les peintres provençaux de Nicolas Froment à Paul Cézanne*, Paris, 1946.

Vaughan, 1978
N. Vaughan, *Romantic art*, Londres, 1978.

Vauthier, 1910
G. Vauthier, « une mission artistique et scientifique en Bavière sous le Consulat », *Bulletin de la Société d'Histoire de l'Art français*, 1910, pp. 208-250.

Vente Londres, 1981
Catalogue de la vente du 18 mars 1981, Londres, Sotheby Parke Bernet & Co.

Vente Paris Drouot, 1956
Souvenirs de Lavoisier, Vente, Paris, 7 mars 1956.

Vente Paris Drouot, 1974
Armes anciennes. Armes blanches et armes à feu des XVIII⁰ et XIX⁰ siècle. Souvenirs historiques, Vente Ader-Picard-Tajan, Paris, 18 mars 1974.

Vente Vienne, 1980
Katalog der 629. Kunstauktion des Dorotheums Wien, Vienne, septembre 1980.

Verbraeken, 1973
R. Verbraeken, *Jacques-Louis David jugé par ses contemporains et par la postérité*, Paris, 1973.

Vergnet-Ruiz, Laclotte, 1962
J. Vergnet-Ruiz et M. Laclotte, *Petits et grands musées de France*, Paris, 1962.

Verra, 1986
V. Verra, « Herders Revolutionsbegriff », *Aufklärung, Geschichte, Revolution. Studien zur Philosophie der Aufklärung* de M. Buhr et W. Förster, Berlin 1986, pp. 224-238.

Vervolg van Loon, 1897
Vervolg van Loon, *Beschrijving der Nederlandsche Historieprenningen*, 1897.

Vesly, 1911
L. de Vesly, « Etude d'une statue romaine dite de la Loi du musée des Antiquités », *Bulletin des amis des monuments rouennais*, 1911, pp. 11 et 83-87.

Vichot, 1943 et 1962
J. Vichot, *Musée de la Marine*, Paris 1943 et 1962.

Vierhaus
R. Vierhaus, « "Sie und nicht wir". Deutsche Urteile über den Ausbruch der französichen Revolution », *Beihefte der Francia*, t. XII, pp. 1-15.

Vigée-Lebrun, 1835-1837
E.-L. Vigée-Lebrun, *Souvenirs de Madame Vigée-Lebrun*, Paris, 1835-1837, 3 vol.

Vilain , 1974-1975
J. Vilain , dans catalogue de l'Exposition *De David à Delacroix : la peinture française de 1774 à 1830*, Paris, Galeries nationales du Grand Palais.

Vilain, 1980
J. Vilain, « A propos de quelques dessins français de la période néo-classique », *Etudes de la Revue du Louvre*, n⁰ 1, Paris, 1980.

Villot, 1855
J. Villot, *Notice des tableaux exposés dans les galeries du musée impérial du Louvre*, Paris, 1855, t. III, École française.

Vincent, 1955
M. Vincent, « Le portrait de Saint-Just par Prud'hon au musée des Beaux-Arts de Lyon », *Bulletin des musées et monuments lyonnais*, 1955, n⁰ 3, pp. 49-54.

Vincent, 1956
M. Vincent, *Catalogue du musée de Lyon. VII. La peinture des XIX⁰ et XX⁰ siècles*, Lyon, 1956.

Vincent, 1967
M. Vincent, « Deux œuvres attribuées à Pierre-Paul Prud'hon au musée des Beaux-Arts », *Bulletin des musées et monuments lyonnais*, 1967, n⁰ 1, pp. 1-10.

Vinck, 1877
Baron de Vinck, *Le meurtre du 21 janvier 1793*, Paris, 1877.

Vindry, 1967
G. Vindry, *Musée de Grasse. Musée Fragonard. Musée régional d'art et d'histoire*, Grasse, 1967.

Vissol, 1985-1986
Th. Vissol, « Léonard Defrance : une vision de l'économie et de la société à la fin de l'Ancien Régime », dans le catalogue de l'Exposition *1770-1830. Autour du Néo-classicisme en Belgique*, Ixelles, musée communal, 1985-1986, pp. 347-350.

Vitry, 1912
P. Vitry, « Les monuments à J.-J. Rousseau de Houdon à Bartholémé », *Gazette des Beaux-Arts*, 1912, vol. II, pp. 107-109.

Vitry, 1922
P. Vitry, « Les accroissements du Département des Sculptures au musée du Louvre », *Gazette des Beaux-Arts*, 1922, vol. I, pp. 19-29.

Vitry, 1922
P. Vitry, « Un buste de Hoche par Boizot, nouvellement entré au musée du Louvre », *Revue de l'Art ancien et moderne*, 1922, vol. I, pp. 85-87.

Vitry, 1922
P. Vitry, *Catalogue des sculptures du Moyen Âge, de la Renaissance et des temps modernes*, Paris, 1922.

Vitry, 1923
P. Vitry, « Le spartiate Othryadès par J.T. Sergel », *Beaux-Arts*, 1er octobre 1923, p. 247.

Vitry, 1926
P. Vitry, « Bulletin des musées », *Beaux-Arts*, 1926, p. 117.

Vitry, 1928
P. Vitry, « Une maquette du monument à Jean-Jacques Rousseau par François Masson », *Beaux-Arts*, 1928, pp. 327-328.

Vitry, 1929
P. Vitry, « Les statues des Français Illustres », *Bulletin des musées de France*, n⁰ 9, septembre 1929.

Vitry, 1931
P. Vitry, « Un buste de la collection M.de Camondo, la négresse de Houdon », *Gazette des Beaux-Arts*, 1931.

Vitry, 1933
P. Vitry, *Catalogue des sculptures du Moyen Âge, de la Renaissance et des temps modernes, supplément avec notice historique sur les collections de sculptures modernes*, Paris, 1933.

Vloberg, 1930
M. Vloberg, *Jean Houel, peintre et graveur 1735-1813*, Paris, 1930.

Vogel, 1898
J. Vogel, *Anton Graff, Bildnisse von Zeitgenossen des Meisters in Nachbildungen der Originale*, Leipzig, 1898.

Volle, 1979
N. Volle, *Jean-Simon Berthélémy (1743-1811), peintre d'histoire*, Paris, 1979.

Vovelle, 1972
M. Vovelle, *La chute de la monarchie. 1787-1792*, Paris, 1972.

Vovelle, 1975
M. Vovelle, *Marat. Textes choisis*, Introduction et notes par M. Vovelle, Paris, 1975.

Vovelle, 1986
M. Vovelle, *La Révolution française. Images et récits, 1789-1799*, Paris, 1986, 5 vol.

[Vovelle], 1988
[M. Vovelle], *Les images de la Révolution française*, Actes du colloque tenu les 25-27 octobre 1985, Paris, 1988.

Wagner, 1805
G. Wagner, « Etwas über den Maler Sablet von Morsee, gennant der Römer », *Journal für Literatur und Kunst*, Zurich, 1805, pp. 206-212.

Walckenaer, 1940
M. Walckenaer, « La vie de Prony », *Bulletin de la Société d'encouragement pour l'industrie nationale*, nos 3-4, mars-avr. 1940, pp. 68-78.

Waltard, 1827
R. Waltard, *Description topographique et historique de Berne, de la ville et des environs de Berne*, Berne, 1827.

Watelin, 1962
J. Watelin, *Le peintre J.L. De Marne*, Paris, 1962.

Waterhouse, 1953
E.K. Waterhouse, *Painting in Britain 1530-1790*, Londres, 1953.

Webb, 1954
M.I. Webb, *Michael Rysbrack*, Londres, 1954.

Webster, 1967
M. Webster, dans catalogue de l'Exposition *Drawings from the National Gallery of Ireland*, Dublin, National Gallery of Ireland, 1967.

Webster, 1970
M. Webster, *Francis Wheatley*, Londres, 1970.

Webster, 1976
M. Webster, dans catalogue de l'Exposition *Johan Zoffany, 1733-1810*, Londres, National Portrait Gallery.

Wedgwood, 1984
Josiah Wedgwood & Sons Ltd, *Wedgwood in London*, Londres, 1984.

Weingartner, 1959
M. Weingartner, *Martin Knoller (1725-1804), Ölgemälde und Zeichnungen*, Innsbruck, 1959 (inédit).

Weinkopf, 1875
A. Weinkopf, *Beschreibung der K.K. Akademie der biddenden Künste in Wien 1783 und 1790*, Vienne, 1875.

Wennberg, 1978
B. Wennberg, *French and scandinavian sculpture in the nineteenth century. A study of trends and innovations*, Stockholm-Uppsala, 1978.

Werb, 1957
V. Werb, *Schadow Prinzessinnen Gruppe*, thèse de Lettres, Stuttgart, 1957.

Whinney, 1971
M. Whinney, *Victoria and Albert Museum. English sculpture, 1720-1830*, Londres, 1971.

Whitbread, 1951
S. Whitbread, *Southill, a Regency House*, 1951.

White, 1968
J. White, *National Gallery of Ireland*, Dublin, 1968.

Wichmann, 1966, 1973
S. Wichmann, *Wilhelm von Kobell*, Munich, 1966, 1973.

Wiener, 1887
L. Wiener, *Le musée historique lorrain. Catalogue des objets d'art et d'antiquité*, Nancy, 1887.

Wildenstein, 1956
G. Wildenstein, *Fragonard aquafortiste. Études pour servir à l'Histoire de l'art français du dix-huitième siècle*, Paris, 1956.

Wildenstein, 1929
W. Wildenstein, *Un peintre de paysage au XVIIIe siècle, Louis Moreau*, 1929.

Wilhelm, 1951
J. Wilhelm, « Une peinture de Debucourt. Fête aux Halles en 1782, à l'occasion de la naissance du Dauphin », *Bulletin du musée Carnavalet*, 1951, nº 1, pp. 1-8.

Wilhelm, 1961
J. Wilhelm, « Deux peintures de Jean-Jacques Hauer. Don de Madame la Baronne Elie de Rothschild », *Bulletin du musée Carnavalet*, novembre 1961, nº 2, pp. 2-5.

Wilhelm, 1961
J. Wilhelm, « Une peinture révolutionnaire de l'atelier d'Antoine De Machy », *Bulletin du musée Carnavalet*, 1961, nº 1, pp. 12-13.

Wilhelm, 1963
J. Wilhelm, « Un projet de Charles De Wailly pour l'aménagement du Salon du Louvre », *Bulletin du musée Carnavalet*, 1963, t. XVI, nº 2, pp. 7-10.

Willemse, 1966
D. Willemse, *Antonio Nunes Ribeiro Sanches, élève de Bœrhaave et son importance pour la Russie*, 1966.

Williamson, s.d.
E. Williamson, *Les meubles d'art du Mobilier national*, Paris, 2 vol., s.d.

Wind, 1940-1941
E. Wind, « The sources of David's Horaces », *Journal of the Warburg and Courtauld Intitutes*, 1940-1941, pp. 124-138.

Wirion, 1951
L. Wirion, les familles « Scheffer » et « Seyler », *Biographie nationale*, Luxembourg, 3e fasc., 1951, pp. 112 et 125 sq.

Witzmann, 1980
R. Witzmann, *Hieronymus Löschenkohl, Bildreporter zwischen Barock und Biedermeier*, Vienne, 1980.

Wollin, 1933
N.G. Wollin, *Gravures originales de Desprez ou exécutées d'après ses dessins*, Malmö, 1933.

Wollin, 1935
N.G. Wollin, *Desprez en Italie*, Malmö, 1935.

Woronoff, 1972
D. Woronoff, *Les Thermidoriens et le Directoire. 1794-1799*, Paris, 1972.

Wrighley, 1984
R. Wrighley, « Boilly at the museum Marmottan », *Burlington Magazine*, juillet 1984, pp. 453-454.

Young, 1976
A. Young, *Voyages en France, 1787, 1788, 1789, Journal de voyages*, Paris, 1976.

Yvon, 1987-1988
M. Yvon, « Les concours de l'École des Ponts et Chaussées au XVIIIe siècle », dans catalogue de l'Exposition *Espace français. Vision et aménagement XVIe-XIXe siècle*, Paris, Archives nationales, 1987-1988, pp. 116-117.

Zalh, 1947
E. Zahl, *Danmarks Malerkunst*, Copenhague, 1947.

Zehmish, 1979
B. Zehmish, « Eighteenth century Zurich. Aspects of intellectual and artistic life », *Apollo*, octobre 1979, pp. 280-292.

Zettinger, 1952
L. Zettinger, les « Heldenstein », *Biographie nationale*, Luxembourg, 4e fasc., 1952, p. 478 sq.

Zurlauben, 1785.
Zurlauben, *Tableaux de la Suisse ou voyage pittoresque fait dans les 13 cantons...*, Paris, 1785, 2e éd., t. IX."

CATALOGUES D'EXPOSITION CITÉS EN ABRÉGÉ

1774 Lille
Salon des Arts.
1787 Berlin
Kunstausstellung der Berliner Akademie.
1791 Paris
Ouvrages de peinture, sculpture et architecture, gravures et dessins, modèles, etc., exposés au Louvre.
1793 Paris
Description des ouvrages de peinture, sculpture, architecture et gravure exposés au Salon du Louvre.
1795 Paris
Explication des ouvrages de peinture, sculpture, architecture, gravure, dessins, modèles, etc. Exposés dans le Grand Salon du Museum au Louvre...
1796 Paris
Explication des ouvrages de peinture et dessin, sculpture, architecture et gravure Exposés au Musée central des Arts...
1797 Berlin
Kunstausstellung der berliner Akademie.
1798 Paris
Explication des ouvrages de peinture et dessins, sculpture, architecture et gravure, Exposés au Musée central des Arts...
1799 Lille
Salons des Arts.
1799 Paris
Explication des ouvrages de peinture et dessins, sculpture, architecture et gravure, Des artistes vivans, Exposés au Muséum central des Arts...
1800 Paris
Explication des ouvrages de peinture et dessins, sculpture, architecture et gravure, Des Artistes vivans, Exposés au Museum central des Arts...
1801 Paris
Explication des ouvrages de peinture et dessins, sculpture, architecture et gravure des Artistes vivans....
1802 Paris
Explication des ouvrages de peinture et dessins, sculpture, architecture et gravure des Artistes vivans....
1804 Paris
Explication des ouvrages de peinture et dessins, sculpture, architecture et gravure des Artistes vivans....
1809 Copenhague
Abildgaard.
1810 Berne
Verzeichniss der Kunstwerke und andern Gegenstände..., Berne, schweizerische Kunst und Industrie Austellung.
1814 Paris
Explication des ouvrages de peinture, sculpture, architecture et gravure des Artistes vivans. Exposés au Musée Royal des Arts...
1825 Valenciennes
Explication des Peintures, Sculptures et gravures..., Valenciennes, Académie.
1828 Copenhague
Kunstforeningen.
1829 Paris
Explication des ouvrages de peinture et sculpture exposés au profit de la caisse ouverte pour l'extinction de la mendicité, Paris, Galerie Le Brun.
1843 Copenhague
Universitetsudstillingen.

1849 Paris
Explication des Œuvres présentées au Salon.
1860 Paris
Exposition au profit de la Caisse de Secours des Artistes.
1860 Paris
Tableaux et dessins de l'École française principalement du XVIIIe siècle, tirés de collections d'amateurs, Paris (26, bd des Italiens).
1867 Versailles
Marie-Antoinette, Versailles, Petit Trianon, exposition organisée par l'impératrice Eugénie.
1874 Paris
Exposition des œuvres de Prud'hon au profit de sa fille, Paris, École nationale des Beaux-Arts.
1877 Vienne
Historische Kunstausstellung, Vienne, Akademie.
1878 Paris
Tableaux anciens et modernes exposés au profit du musée des Arts décoratifs, Paris, musée des Arts décoratifs.
1879 Paris
Exposition de dessins de maîtres anciens, Paris, École des Beaux-Arts.
1881 Liège
Exposition de l'art ancien du Pays de Liège, catalogue officiel, première section.
1883 Paris
Portraits du siècle 1783-1882, Paris, École des Beaux-Arts.
1884 Paris
Exposition de dessins de maîtres modernes, Paris, École des Beaux-Arts.
1887 Zurich
Zürcher Künstlergesellschaft. « 100 Jahre Künstlergesellschaft », Zurich, Kunsthaus.
1889 Paris
Exposition universelle, Centennale de l'Art français 1789-1889.
1891 Paris
Société philantropique, catalogue de l'Exposition des arts du début du siècle, Paris, Palais du Champ-de-Mars.
1892 Reims
Centenaire de Valmy.
1900 Paris
Exposition universelle de 1900. Rétrospective de l'Art français des origines à 1800.
1900 Paris
Papiers peints à l'Exposition universelle internationale de 1900 à Paris, Paris, musée rétrospectif de la classe 68.
1901 Copenhague
Raadhusudstillingen.
1902 Copenhague
Kunstforeningen.
1905 Liège
Exposition de l'art ancien du Pays de Liège.
1906 Marseille
Exposition coloniale.
1909 Paris
Chinard, Paris, pavillon de Marsan, Union Centrale des Arts Décoratifs.
1909 Vienne
Erzherzog Carl, Ausstellung zur Jahrhundertfeier der Schlacht bei Aspern.
1910 Berlin
Exposition de l'Art français au XVIIIe siècle, Berlin, Akademie.
1911 Charleroi
Exposition de Charleroi. Groupe des Beaux-Arts. Les arts anciens de Hainaut, catalogue sommaire.
1911 Florence
Mostra del Ritratto italiano
1913 Paris
David et ses élèves, Paris, Palais des Beaux-Arts.
1914 Lyon
Exposition internationale urbaine.
1916 Frederiksborg
Kunstforeningen, Frederiksborgmuseet.

1917 Stockholm
Leuchtenberska Tavelsamlingen, Stockholm, Nordiska Kompaniet.
1918 Valenciennes
Geborgene Kunstwerke aus den besetzten Nordfrankreich, Valenciennes, musée des Beaux-Arts.
1920 Copenhague
Kunstforeningen.
1920 Paris
Debucourt, Paris, musée des Arts décoratifs.
1921 Berlin
L'art suédois au XVIIIe siècle.
1922 Paris
P.-P. Prud'hon, Paris, musée du Petit Palais.
1924 Paris
L'art ancien du pays de Liège, Paris, musée du Louvre.
1925 Arles
Exposition rétrospective Raspal, Arles, musée Réattu.
1925 Bruxelles
Exposition d'art français du XVIIIe siècle, Bruxelles, musées royaux des Beaux-Arts.
1925 Liège
Œuvres des artistes, XXVe anniversaire. Salon de mai. Rétrospective L. Defrance-M. Herman, Liège, Palais des Beaux-Arts.
1925 Paris
L'art suédois ancien et moderne, Paris, musée des Arts décoratifs.
1925 Paris
Le paysage français de Poussin à Corot, Paris, musée du Petit Palais.
1926 Madrid
El antiguo Madrid, Madrid, Sociedad española de amigos del Arte.
1927 Paris
La jeunesse des Romantiques, Paris, maison de Victor Hugo.
1927 Paris
Les grands salons littéraires, Paris, musée Carnavalet.
1928 Copenhague, Oslo, Stockholm
L'art français au XIXe siècle.
1928 Liège
Exposition régionaliste organisée au Palais des Beaux-Arts sous les auspices de la députation permanente de la Province de Liège et des commissions spéciales du tourisme et des loisirs de l'ouvrier.
1928 Paris
L'art danois depuis la fin du XVIIIe siècle jusqu'à 1900, Paris, musée du Jeu de paume.
1928 Paris
La Révolution, Paris, Bibliothèque nationale.
1928 Paris
La vie parisienne au XVIIIe siècle, Paris, musée Carnavalet.
1928 Stockholm
Ut ställing av Gâvor och Adresser i anledning av. H. M. Konung Gustav V : s 70-års jubileum, Stockholm, Nationalmuseum.
1928 Versailles
Centenaire de Houdon, Versailles, Bibliothèque municipale.
1929 Paris
Hubert Robert et Louis Moreau, Paris, Galerie Charpentier.
1929 Reims
Souvenirs de la Révolution française.
1930 Bruxelles
Exemples d'œuvres choisies d'artistes belges du XVIIIe siècle, Bruxelles, musées royaux des Beaux-Arts.
1930 Oldenburg
J.H.W. Tischbein, Gedächtnisausstellung, Oldenburg, Landesmuseum.
1930 Paris
Boilly, Paris, Hôtel de Sagan.
1930 Strasbourg
L'Alsace romantique.

BIBLIOGRAPHIE

1931 Paris
Chefs-d'œuvre des musées de Province, Paris, Orangerie des Tuileries.
1931 Paris
Exposition d'oeuvres importantes de grands maîtres du Dix-neuvième siècle prêtées au profit de la Cité Universitaire de l'université de Paris, Paris, Galerie Paul Rosenberg.
1931 Paris
Paris et la Révolution, Paris, musée Carnavalet.
1932 Londres
Exhibition of French Art 1200-1900, Londres, Royal Academy of Arts.
1932 Paris
L'Encyclopédie et les Encyclopédistes, Paris, Bibliothèque nationale.
1933 Liège
Le visage de Liège. Salon du centenaire de la Société royale des Beaux-Arts de Liège.
1933 Paris
Bicentenaire d'Hubert Robert, Paris, Orangerie des Tuileries.
1933 Paris
Chefs-d'œuvre des musées de Province.
1933 Paris
Exposition historique de l'aéronautique et rétrospective du papier peint, Paris, musée Galliéra.
1933 Paris
Louis de Carmontelle, lecteur du duc d'Orléans (1717-1806). Dessins, aquarelles, gouaches, décors transparents animés, manuscrits, estampes, Paris, Galerie André Weil.
1933 Paris
Portraits et scènes de genre français de 1650 à 1830. Paris, musée Carnavalet.
1934 Paris
Claude Hoin, Paris, Galerie André Weil.
1934 Paris
Les artistes français en Italie de Poussin à Renoir, Paris, musée des Arts décoratifs.
1934 Paris
Paris au XVIIIe siècle. Restif de la Bretonne, Paris populaire. Carmontelle, Paris mondain, Paris, musée Carnavalet.
1934 Venise
XIXe Esposizione Biennale Internazionale d'Arte.
1935 Copenhague
L'art français au XVIIIe siècle, Copenhague, Palais de Charlottenborg.
1935 Nantes
Expositions des souvenirs des Insurrections dans l'Ouest, 1793-1832, Nantes, musée Dobrée.
1935 Paris
Chaillot, Auteuil et Passy d'autrefois, Paris, musée Galliéra.
1935 Paris
Deux siècles d'histoire militaire, Paris, musée des Arts décoratifs.
1935 Paris
Goya, exposition de l'œuvre gravé, de peintures, tapisseries et de cent dix dessins du musée du Prado, Paris, Bibliothèque nationale.
1935-1936 New York
French paintings and sculptures of the eighteenth century, New York, Metropolitan Museum.
1936 Paris
Instruments et outils d'autrefois, Paris, musée des Arts décoratifs.
1937 Berlin
Das Deutsche Sittenbild, Berlin, Nationalgalerie.
1937 Hanovre
Hannoversches Rokoko, Johann Friedrich, Johann Georg, Elisabeth Ziesenis.
1937 Londres
Exposition Agnew.
1938 Carcassonne
J. Gamelin 1738-1803, Carcassonne, musée municipal.
1938 Paris
Bonaparte en Égypte, Paris, Orangerie des Tuileries.

1939 Liège
Œuvre des artistes. Exposition de la légende napoléonienne au Pays de Liège, Liège, musée d'Armes.
1939 Paris
La Révolution française dans l'histoire, dans la littérature et dans l'art, Paris, musée Carnavalet.
1939 Paris
La Révolution française : Estampes et dessins. Collection Edmond de Rothschild, Paris, Orangerie des Tuileries.
1942 Vienne
230 Jahre Akademie der bilbenden Künste in Wien, Vienne, Akademie.
1943 Barcelone
Exposición nacional del Libro del mar.
1943-1944 Paris
Exposition organisée à l'occasion du IIe centenaire de Lavoisier, Paris, Palais de la Découverte.
1945 Paris
Nouvelles acquisitions des musées nationaux.
1946 Berne
Aus der Sammlung, Berne, Kunstmuseum.
1946 Madrid
Exposición commemorativa del centenario de Goya, Madrid, Palacio Real.
1946 Paris
Les Goncourt et leur temps, Paris, musée des Arts décoratifs.
1946 Zurich
Bildwerke Kunst in Zurich, Zurich, Kunsthaus.
1947 Bordeaux
La vie à Bordeaux de 1939 à 1947.
1947 Paris
Beauté de Provence, Paris, Galerie Charpentier.
1947 Paris
La Suède et la France, Paris, musée Carnavalet.
1947 Paris
Vieille Marine, Paris, musée de la Marine.
1947-1948 Bruxelles
De David à Cézanne, Bruxelles, Palais des Beaux-Arts.
1948 Liège
Exposition Velbrück et son temps, Liège, société libre d'Émulation.
1948 Paris
David, Paris, Orangerie des Tuileries.
1948 Rouen
Les peintres normands de Jouvenet à Lebourg, Rouen, musée des Beaux-Arts.
1948 Strasbourg
L'Alsace française, 1648-1948, Strasbourg, château de Rohan.
1948-1949 Londres, Manchester
David 1748-1825, The Arts Council.
1950 Paris
Miranda, Paris, Archives nationales.
1951 Liège
Art mosan et arts anciens du Pays de Liège.
1951 Londres
Early Wedgwood Pottery.
1951 Paris
Bicentenaire de la naissance de Jouffroy d'Abbans, inventeur de la navigation à vapeur, Paris (52, rue Basssano).
1951 Paris
Diderot et l'Encyclopédie. IIe centenaire de l'Encyclopédie, Paris, Bibliothèque nationale.
1951 Zurich
Zurich 1351-1951, Zurich, Kunsthaus.
1951-1952 Paris
Trésors d'art de la vallée de la Meuse. Art mosan et arts anciens du Pays de Liège, Paris, musée des Arts décoratifs.
1952-1953 Londres
The First Hundred Years, Londres, Royal Academy of Arts.
1953 Belgrade
Exposition de l'art belge en Yougoslavie.

1953 Lausanne
Aquarelles de Abraham-Louis-Rodolphe Ducros, 1748-1810, Lausanne, musée cantonal des Beaux-Arts.
1953 Liège
La Révolution liégeoise 1789-1795, Liège, Hôtel de Ville.
1953 Londres
Eposition Agnew.
1953 Lourdes
L.F.E.Ramond, Lourdes, musée pyrénéen.
1953 Paris
Célébrités françaises, Paris, cat. par Claude Roger-Marx, Galerie Charpentier.
1953 Paris
Donations de D. David-Weill aux musées français, Paris, Orangerie des Tuileries.
1953 Paris
Prosper Mérimée, Paris, Bibliothèque nationale.
1954 Bénévent
Achille Vianelli.
1954 Copenhague
Kunstakademiets Jubilaeumsudstilling.
1954 Dijon
J.-B. Lallemand, paysagiste dijonnais du XVIIIe siècle, Dijon, musée des Beaux-Arts.
1954 Paris
Célébrités françaises, Paris, Galerie Charpentier.
1955 Bordeaux
Montesquieu, Bordeaux, bibliothèque municipale.
1955 Lille
Bicentenaire de l'École des Beaux-Arts de Lille.
1955 Londres
European masters of the eighteenth century.
1955 Londres
Exposition de l'art portugais à Londres 800-1800, Londres, Royal Academy of Arts.
1955 Paris
Les mines, les forges et les arts, Paris, musée national des Travaux Publics.
1955 Paris
Nouvelles acquisitions, Paris, Palais de Chaillot, musée national des Arts et Traditions populaires.
1955 Rome
Vincenzo Monti a Roma, Rome.
1955 Toulouse, Montauban
Ingres et ses maîtres, de Roques à David, Toulouse, musée des Augustins ; Montauban, musée Ingres.
1955 Versailles
Marie-Antoinette, archiduchesse, dauphine et reine, Château de Versailles.
1955-1956 États-Unis
French drawings, États-Unis, exposition itinérante.
1955-1956 Nancy
Centenaire de la mort d'Isabey, Nancy, musée des Beaux-Arts.
1956 Bordeaux
De Tiepolo à Goya, Bordeaux, Galerie des Beaux-Arts.
1956 Hazebrouck
Peinture française du XIXe siècle, Hazebrouck, musée municipal.
1956 Lucerne
Barockekunst der Schweiz, Lucerne, Kunstmuseum.
1956 Paris
Benjamin Franklin et la France, Paris, Bibliothèque nationale.
1956 Paris
Jean-Jacques Rousseau, Paris, musée pédagogique.
1956 Toulouse
Chefs-d'œuvre de peinture des musées de la région, Toulouse, musée des Augustins.
1956-1957 Paris
Donation de D. David-Weill au musée du Louvre. Miniatures et émaux, Paris, musée du Louvre.
1957 Bordeaux
Bosch, Goya et le fantastique, Bordeaux, Galerie des Beaux-Arts.

1957 Charleroi
Fragonard, David, Navez, Charleroi, Palais des Beaux-Arts.
1957 Gérone
Campagne internationale des musées. Anniversaire de l'Unesco.
1957 Londres
Pictures from Birmingham City Museum and Art Gallery, Londres, Agnews.
1957 Londres
William Blake, 1757-1827, Londres, Tate Gallery.
1957 Paris
La Fayette, Paris, Archives nationales.
1957 York
Art from Burgundy, York Art Gallery.
1957-1958 Paris
Le portrait français de Watteau à David, Paris, Orangerie des Tuileries.
1958 Bordeaux
Paris et les ateliers provinciaux au XVIIIᵉ siècle, Bordeaux, Galerie des Beaux-Arts.
1958 Charleroi
Art et Travail, Charleroi, Palais des Beaux-Arts.
1958 Paris
L'art français aux XVIIᵉ et XVIIIᵉ siècles et l'Europe, Paris, Orangerie des Tuileries.
1958 Paris
Monuments et sites d'Italie vus par les dessinateurs français de Callot à Degas, Paris, musée du Louvre, Cabinet des Dessins.
1959 Dijon
Pierre-Paul Prud'hon, 1758-1823. Les premières étapes de sa carrière. Commémoration du deuxième centenaire, Dijon, musée des Beaux-Arts.
1959 Florence
Curiosita di una reggia, Vicendo della guardaroba di palazzo Pitti.
1959 Londres
The romantic movement. Fifth exhibition to celebrate the Tenth anniversary of the Council of Europe, Londres, Tate Gallery and the Arts Council Gallery.
1959 Paris
Le théâtre et la danse en France aux XVIIᵉ et XVIIIᵉ siècles, Paris, musée du Louvre, Cabinet des Dessins.
1959 Rome
Il Settecento a Roma, Rome, Palais des Expositions.
1959 Vienne
Hieronymus Löschenkohl 1753-1897, Vienne, Historisches Museum der Stadt.
1960 Londres
Exposition Agnew.
1960 Madrid
El Madrid de Carlos III, Madrid, museo municipal.
1960 Paris
Exposition de 700 tableaux de toutes les écoles antérieures à 1800 tirés des réserves du Département des Peintures, Paris, musée du Louvre.
1960 Salzbourg
Alpen, Salzbourg, Residenz Galerie.
1961 Paris
Exposition de l'Association pour l'encouragement des Études napoléoniennes.
1961 Rome, Turin
L'Italia vista dai pittori francesi dell XVIIIe-XIXe secolo, Rome, Palais des Expositions ; Turin, Galleria civica d'arte moderna.
1961-1962 Paris
Le tabac dans l'art, l'histoire et la vie, Paris, musée des Arts décoratifs.
1961-1962 Rome, Milan
I Francesi a Roma dal Rinascimento agli inizi del Romanticismo.
1962 Dachau
Die Entdeckung der Alpen, Dachau, Kunsthaus.
1962 New York
English drawings and watercolours from British collections, New York Metropolitan Museum of Art.

1962 Paris
André Chénier 1762-1794, Paris, Bibliothèque nationale.
1962 Paris
Emblèmes, totems et blasons, Paris, musée Guimet.
1962 Paris
Jean-Jacques Rousseau, Paris, Bibliothèque nationale.
1962 Recklinghausen
Idee und Vollendung, Recklinghausen, Festival de la Ruhr.
1962 Versailles, New York, Chicago, Toledo, Los Angeles
Treasures of Versailles.
1963 Bruxelles
L'art et la cité, Bruxelles, Palais des Beaux-Arts.
1963 Dijon
Claude Hoin, Dijon, musée des Beaux-Arts.
1963 Ithaca
Antoine-Laurent Lavoisier, an exhibition, Ithaca, the Cornell University Library.
1963 Paris
Les techniques au siècle de l'Encyclopédie et la collection de maquettes de madame de Genlis, Paris, Conservatoire national des arts et métiers.
1963 Paris
Trésors de la peinture espagnole, églises et musées de France, Paris, musée des Arts décoratifs.
1963-1964 Londres
Goya and his time, Londres, Royal Academy of Arts.
1964 Bordeaux
La femme et l'artiste de Bellini à Picasso, Bordeaux, Galerie des Beaux-Arts.
1964 Dublin
Centenary Exhibition, Dublin, National Gallery of Ireland.
1964 Liège
Exposition itinérante du service éducatif des musées.
1964 Munich
Französische Malerei des 19. Jahrhunderts von David bis Cézanne, Munich, Haus der Kunst.
1964 Paris
Dessins de sculpteurs de Pajou à Rodin, Paris, musée du Louvre, Cabinet des Dessins.
1964 Paris
La société française du XVIIᵉ et du XVIIIᵉ siècle vue par les peintres et les graveurs, Paris, musée du Louvre.
1964 Paris
Les grandes heures de l'amitié franco-suédoise, Paris, Archives nationales.
1964 Stockholm
Dansk Guldåder, Stockholm, Nationalmuseum.
1964 Versailles
Les grandes collections autrichiennes au château de Versailles, Versailles, musée national du château.
1964 Vienne
Garten und Park, Vienne, Akademie.
1964-1965 États-Unis, Canada
18th Century France, paintings from the Louvre. Peintures françaises du XVIIIᵉ siècle en provenance du Louvre, États-Unis, Canada, exposition itinérante.
1965 Aldeburgh
Francis Wheatley R.A. (1747-1801), Aldeburgh, City Art Gallery.
1965 Brême
Erwerbringen der Jahre 1961-1965, Brême, Kunsthalle.
1965 Bruxelles
La Belgique sous le Consulat et l'Empire, Bruxelles, bibliothèque royale Albert-Iᵉʳ.
1965 Menton
Art et tabac, Menton, Palais de l'Europe.
1965 Paris
L'Art français au XVIIIᵉ siècle, Paris, École des Beaux-Arts.
1965-1966 Orléans
A.T. Desfriches (1715-1800), Orléans, musée des Beaux-Arts.
1966 Berlin
Höfische Bildnisse des Spätbarock, Berlin, Staatliche Schlösser und Gärten.

1966 Heilbronn
Kunstwerke des Museums zu Béziers, Heilbronn, Festhalle Harmonie.
1966 Lunéville
Bernard (1740-1809), Lunéville, musée du château.
1966 Madrid
Ceràmica española de la Prehistoria a nuestros dias, Madrid, Cason del Buen Retiro.
1966 Mayence
Kunst des 18. Jahrhunderts aus Dijon, Mayence, Altertumsmuseum und Gemäldegalerie der Stadt.
1966 Munich
Gedächtnis-Ausstellung zum 200. Geburstag des Malers W. von Kobell, Munich, Haus der Kunst.
1966 Munich
Meissener Porzellan 1710-1810, Munich, Bayerisches Nationalmuseum.
1966 Paris
Les Gobelins, Trois siècles de Tapisseries, Paris, Mobilier national.
1966 Saarbrück
Saarbrück, Saarland Museum.
1966 Udine
Mostra della pittura veneta del Settecento in Friuli, Udine, Chiesa San Francesco.
1966 Vannes
L'orfèvrerie bretonne et parisienne, XVIIIᵉ siècle, Vannes, Trésor de la cathédrale.
1966 Vienne
L'art et la pensée française, Vienne Oberes Belvedere.
1966-1967 Paris
Histoire et prestige de l'Académie des sciences, 1666-1966, Paris, Conservatoire national des arts et métiers.
1967 Bordeaux
La peinture française en Suède. Hommage à Alexander Roslin et Adolf-Ulrik Wertmüller, Bordeaux, Galerie des Beaux-Arts.
1967 Coppet
Les grandes heures de l'amitié franco-suisse, Coppet, château, fondation Pro-Helvetia.
1967 Dublin
Drawings from the National Gallery of Ireland, Dublin, National Gallery.
1967 Londres, New York
Drawings from the National Gallery of Ireland, Londres, New York (Wildenstein).
1967 Lucques
Pompeo Batoni, catalogue sous la direction de I. Belli Barsali.
1967 Montargis
Girodet, Montargis, musée.
1967 Montauban
Ingres et son temps, Montauban, musée Ingres.
1967 San Diego
French paintings from french museums. XVII-XVIII, San Diego, Fine Arts Gallery.
1967-1968 États-Unis
Visionary architects Boullée, Ledoux, Lequeu, États-Unis, exposition itinérante.
1967-1968 Paris
Vingt ans d'acquisitions au musée du Louvre. 1947-1967, Paris, Orangerie des Tuileries.
1968 Detroit
Romantic art in Britain, paintings and drawings 1760-1780, Detroit, Institute of Art.
1968 Grenoble
Trésors du musée dauphinois, Grenoble, Musée dauphinois.
1968 Londres
France in the Eighteenth Century, Londres, Royal Academy of Arts.
1968 Manchester
Art and the industrial Revolution, Manchester, City Art Gallery.
1968-1969 Bregenz, Vienne
Angelika Kauffmann und ihre Zeitgenossen, Bregenz, Vorarlberger Landesmuseum, Vienne, oberes Belvedere.

1968-1969 Moscou, Leningrad
Le Romantisme dans la peinture française, Moscou, Leningrad (en russe).
1968-1969 Paris
Les Droits de l'homme. Histoire des droits et des libertés en France, Paris, Archives nationales, préface par A. Chamson.
1969 Dijon
Trois peintres bourguignons du XVIIIe siècle. Colson, Vestier, Trinquesse, Dijon, musée des Beaux-Arts.
1969 Nantes
Napoléon au pays de Cambronne et de Fouché, Nantes, bibliothèque municipale.
1969 New York
Semana de Madrid en Nueva York.
1969 Paris
La légende napoléonienne, Paris, Bibliothèque nationale.
1969 Prague, Brastilava, Vienne
Two centuries of British painting from Hogarth to Turner, British Council.
1969 Rueil-Malmaison
Joséphine. Parures, Décors et Jardins, Rueil-Malmaison, Orangerie du château de Bois-Préau.
1969 Stratford-on-Avon
David Garrick and his contemporaries, Stratford-on-Avon, Hall's Croft.
1969 Vienne
Wien 1800-1850, Empire und Biedermeier, Vienne, Historisches Museum der Stadt Wien.
1969-1970 Milan
Andrea Appiani, pittore di Napoleone, Milan, Galleria d'arte moderna; Catalogue par M. Preceratti.
1970 Baden-Baden
Revolutionarchitektur Boullée, Ledoux, Lequeu, Baden-Baden, Staatliche Kunsthalle.
1970 Bruges
Koetsen in Het Brugse Stadsbeeld, Bruges, Groeningemuseum.
1970 Paris
Goya, Paris, Orangerie des Tuileries.
1970 Paris
L'Église de Paris sous la Révolution, Paris, musée Notre-Dame.
1970 Reims
L'art de recevoir, musée Saint-Denis.
1970 Twickenham
Thomas Jones, Twickenham, Marble Hill and Tour.
1970 Vienne
Wiener Porzellan 1718-1864, Vienne, Österreichisches Museum für angewandte Kunst.
1970-1971 Tokyo, Kyoto
English landscape painting of the 18th-19th centuries, British Council, Tokyo, National museum of Western Art; Kyoto, National museum of Modern Art.
1971 Abbaye d'Orval
Frère Abraham, moine-peintre d'Orval (1741-1809), musée de l'abbaye d'Orval.
1971 Berne
Unbekanntes Kunstmuseum - 2. Depotausstellung 19. Jahrhunderts, Berne, Kunstmuseum (ss. cat.).
1971 Liège
Présence de la France à Liège. Musée et collections privées, Liège, Palais des Congrès.
1971 Marseille
Dessins des musées de Marseille, Marseille, musée Cantini.
1971 Paris
Les joies de la nature au XVIIIe siècle Paris, Bibliothèque nationale.
1971 Vannes
Richesses artistiques de la Cornouaille morbihanaise, Vannes, Palais des Arts.
1971 Vannes, Brest
Quelques aspects du paysage français du XIXe siècle.
1971-1972 Pontoise
Aquarelles et dessins du musée de Pontoise.

1972 Bruges
Schatten voor Brugge. Stedelijke musea brugge aanwinsten 1966-1972, Bruges, Groeningemuseum, catalogue rédigé par A. Janssens de Biscthoven, V. Vermeersch, D. De Vos et J. Taeleman.
1972 Castres, Lille
Eugenio Lucas et les satellites de Goya, Castres, musée Goya; Lille, musée d'Art et d'Histoire.
1972 Copenhague
Sorö in Politikens Dansk Kunsthitorie, Copenhague, Vestjaellands Kunstmuseum.
1972 Gaillac
Le baron Antoine Portal, Philippe Pinel et les médecins tarnais de leur temps.
1972 Haarlem
Wybrad Hendriks 1744-1831, Haarlem, musée Teylers.
1972 Londres
Lady Hamilton.
1972 Londres
The Age of Neoclassicism, Londres, Royal Academy of Arts, Victoria and Albert Museum.
1972 Paris
Dessins d'architecture du XVe au XIXe siècle dans les collections du musée du Louvre, Paris, musée du Louvre, Cabinet des Dessins.
1972 Paris
Dessins français de 1750 à 1825, le Néoclassicisme, Paris, musée du Louvre, Cabinet des Dessins.
1972 Stockholm
Gustaf III, Svenska statens konstsamlingar.
1972 Sveaborg Helsingfors
Sveaborg 200 år.
1972-1973 Anvers
Neoklassieke schilderkunst in Frankrijk, Anvers, Internationaal Cultureel Centrum.
1972-1973 Le Mans
Le prêt-à-paraître, ou la psychologie du costume, Le Mans, musée de Tessé.
1973 Anvers
National Scheepvaartmuseum, Anvers.
1973 Bologne
L'arte del'700 Emiliano.
1973 Copenhague
Maegtige Schweiz. Inspirationer fra Schweiz 1750-1850, Copenhague, Thorvaldsen museum.
1973 Londres
Philippe Jacques de Loutherbourg RA, 1740-1812, Londres, Iveagh Bequest Kenwood.
1973 Munich
Das Aquarell, 1400-1950.
1973 Münster
Frankreich vor der Revolution, Münster, Westfälisches Landesmuseum.
1973 Münster
Le dessin français du XVIe au XVIIIe siècle vu à travers les collections du musée des Beaux-Arts d'Orléans, Münster, Landesmuseum.
1973 Paris
La statue équestre de Louis XV, Dessins de Bouchardon, sculpteur du roi dans les collections du musée du Louvre, Paris, musée du Louvre, Cabinet des Dessins.
1973-1974 Londres
Landscape in Britain, 1750-1850, Londres, Tate Gallery.
1974 Bruxelles
Académie Royale de Belgique, Bruxelles.
1974 Clermont-Ferrand
Les fêtes de la Révolution, Clermont-Ferrand, musée Bargoin.
1974 Paris
Louis-Jean Desprez 1743-1804, Paris, centre culturel suédois.
1974 Paris
Ossian, Paris, Galeries nationales du Grand Palais.
1974 Vienne
Wien zur Zeit Franz Anton Maulbertsch, Vienne, Historisches Museum.

1974-1975 (1) Paris
De David à Delacroix : la peinture française de 1774 à 1830, Paris, Galeries nationales du Grand Palais.
1974-1975 Paris
L'URSS et la France. Les grands moments d'une tradition, Paris, Galeries nationales du Grand Palais.
1974-1975 (2) Paris
Le Néoclassicisme français : dessins des musées de Province, Paris, Galeries nationales du Grand Palais.
1975 Bruxelles
De Watteau à David. Peintures et dessins des musées de Province français, Bruxelles, Palais des Arts.
1975 Bruxelles
La décision politique dans le passé et le présent, Bruxelles, bibliothèque royale Albert-Ier.
1975 Bruxelles
Le règne de la machine. Rencontre avec l'archéologie industrielle, Bruxelles, Crédit communal.
1975 Copenhague
Fransk Nyklassicisme : Tegninger fra provinsmuseer i Frankrig, Copenhague, Thorvaldsens museum.
1975 Gênes
1770-1860. Pittura Neoclassica e Romantica in Liguria.
1975 Genève
Dessins d'A.-W. Töpffer.
1975 Londres
Exhibition of french drawing neo-classicism, Londres, Galerie Heim.
1975 Manchester, Londres
Thomas Girtin, Manchester, Whitworth Art Gallery; Londres, Victoria and Albert Museum.
1975 Milan
la pintura inglese 1660-1840, Milan, Palazzo Reale, (British Council/ Birmingham City Art Gallery).
1975 Montrouge, Poitiers
L'air et les peintres, Montrouge, XXe Salon; Poitiers.
1975 Vienne
23. Sonderausstellung der Gemäldegalerie der Akademie, Vienne, Akademie.
1975-1976 Calais Arras, Douai, Lille
Trésors des musées du Nord de la France. II, Peintures françaises 1770-1830.
1975-1976 Naples
Acquisizioni 1960-1975.
1975-1976 Orléans
Dessins français du XVIe au XVIIIe siècle, Orléans, musée des Beaux-Arts.
1975-1976 Paris
Louis XV, un moment de perfection de l'art français, Paris, Hôtel de la monnaie.
1976 Brunswick
Ob Baron Knigge auch wirklich todt ist? Eine Ausstellung zum 225. Geburstag des Adolph Freiherrn Knigge, Brunswick.
1976 Francfort, Brême
Georg Forster 1754-1794. Südseeforscher, Aufklärer, Revolutionär, Francfort, Museum für Völkerkunde; Brême, Überseemuseum.
1976 Hambourg
William Turner und die Landschaft seiner Zeit, Hambourg, Kunsthalle.
1976, Londres
Johann Zoffany, Londres, National Portrait Gallery.
1976 Paris
Dessins du musée des Beaux-Arts de Dijon, Paris, musée du Louvre, Cabinet des Dessins.
1976 Paris
Estampes « au Ballon » de la collection Edmond de Rothschild, Paris, musée du Louvre, Cabinet des Dessins.
1976 Paris
Le Parisien chez lui, Paris, musée de l'Histoire de France.
1976 Paris
Les Français dans la Guerre d'Indépendance américaine, Paris, Hôtel de Ville.
1976 Rennes
Les Français dans la Guerre d'Indépendance américaine, Rennes, musée des Beaux-Arts.

1976 Rome, Dijon, Paris
Piranèse et les Français, Rome, Villa Medicis; Dijon, Palais des États de Bourgogne; Paris, Hôtel de Sully.
1976 Washington
The eye of Thomas Jefferson, Washington, National Gallery.
1976 Washington
Wedgwood portraits and the American Revolution, Washington, National Portrait Gallery.
1976 Zurich
235 Werke aus der Sammlung, Zurich, Kunsthaus.
1976-1977 Cleveland, Paris
L'Amérique vue par l'Europe, Cleveland, museum of Art, 1976; Paris, Galeries nationales du Grand Palais, 1976-1977.
1976-1977 Paris
Joseph Vernet, Paris, musée de la Marine.
1976-1977 Paris
Nouvelles acquisitions du musée d'Orléans, Paris, musée du Louvre, Département des Peintures.
1977 Alençon
Artistes ornais du XIXe siècle, Alençon, maison d'Ozé.
1977 Arles
Antoine Raspal (Arles 1738-1811). Peintures et dessins, Arles, musée Réattu, ancien Grand Prieuré de Malte.
1977 Florence
Onoranze a Filippo Mazzei, Florence Bibliteca Nazionale Centrale.
1977 Londres
Johan Zoffany, Londres, National Portrait Gallery.
1977 Odakyo
Schweizerische Alpen Darstellung in Japon, Odakyo, Grand Gallery.
1977 Paris
Guillotine et peinture, Topino-Lebrun et ses amis, Paris, Centre Georges-Pompidou.
1977 Paris
Jardins en France, 1760-1820. Pages d'illusion, terre d'expériences, Paris, Caisse nationale des Monuments historiques, Hôtel de Sully.
1977 Tokyo, Coire
Les Alpes dans la peinture suisse, Tokyo, galerie Odakyu; Coire, musée des Beaux-Arts des Grisons.
1977-1978 Le Creusot, Chalon-sur-Saône
La représentation du travail, Le Creusot, maison de la culture, Chalon-sur-Saône.
1977-1978 Londres
French landscape drawings and sketches of the eighteenth century, Londres, British museum.
1977-1978 Paris
Collections de Louis XIV, dessins, albums, manuscrits, Paris, Orangerie des Tuileries.
1978 Boston
Visions of Vesuvius, Boston, museum of Fine Arts.
1978 Bourg en Bresse
Voltaire et ses amis à Ferney, Bourg-en-Bresse, musée de l'Ain.
1978 Cambridge
The Pick of the bunch : a fifth selection of drawings of the Broughton collection, an exhibition in the Fitzwilliam Museum University of Cambridge, Cambridge, Fitzwilliam Museum.
1978 Carpentras, Angers, Cherbourg
Jean-Joseph Bidault (1758-1846), peintures et dessins.
1978 Chapell Hill
French XIXe century. Oil sketches : David to Degas, Chapell Hill (Caroline du Nord, U.S.A.).
1978 Copenhague
N.A. Abildgaard, Tegninger, Copenhague, den Kgl. Kobberstiksamling.
1978 Hambourg
Das Bild des Künstlers Selbstdarstellungen, Hambourg, Kunsthalle.
1978 Londres
Josiah Wedgwood, The Arts and Sciences united, Londres, Science Museum.

1978 Lunéville
Portraits calligraphiés par Jean-Joseph Bernard (Lunéville 1740-Saint-Cloud 1809), Lunéville, musée du château.
1978 Münster
Leichter als Luft zur Gechichte der Ballon fahrt, Münster, Westfälisches Landes Museum für Kunst und Kulturgeschichte.
1978 Paris
Présentation de l'herbier de Jean-Jacques Rousseau, Paris, musée des Arts décoratifs.
1978 Paris
Toiles de Nantes des XVIIIe et XIXe siècles, Paris, musée des Arts décoratifs.
1978 Rome
Vincenzo Camuccini 1771-1844 : Bozetti e disegni dello studio dell'artista, Rome Galleria nazionale d'arte moderna.
1978 Sceaux
Voltaire et l'Europe, Sceaux, musée de l'Ile-de-France.
1978 Tokyo
La France de Louis XVI et de Marie-Antoinette.
1978 Venise
Canova nell' età dell'ottocento veneziano, 1780-1830, Venise, Museo del Risorgimento.
1978 Zurich
Zürichen Kunstlertitieren , variüeren und interpretieren, Zurich, Kunsthaus.
1978-1979 Frederiksborg
Faedrelandshistorisske Billeder, Frederiksborg, det Nationalhistoriske Museum.
1979 Bordeaux, Paris, Madrid
L'art européen à la cour d'Espagne au XVIIIe siècle, Bordeaux, Galerie des Beaux-Arts; Paris, Galeries nationales du Grand Palais; Madrid musée du Prado.
1979 Cambridge
Men versus women, a sixth selection of drawings from the Broughton Collection, Cambridge, Fitzwilliam.
1979 Frederiksborg
Arbejder of Abildgaard i Frederiksborgmuseet, Frederiksborg, det Nationalhistoriske Museum.
1979 Heidelberg
Carl Theodor und Elisabeth Auguste. Höfische kunst und Kultur in der Kurpfalz, Heidelberg, Kurpfälzisches Museum.
1979 Londres
A view from the Iron Bridge, Londres, Royal Academy (Ironbridge Gorge museum Trust).
1979 Mâcon
Au fil de la Saône.
1979 Nanterre
Jardins et paysages des Hauts-de-Seine, Nanterre, Archives des Hauts-de-Seine.
1979 Paris
Charles de Wailly et son influence dans l'Europe des Lumières, Paris, Caisse nationale des Monuments historiques et des Sites, Hôtel de Sully.
1979 Paris
Le Louvre d'Hubert Robert, Paris, musée du Louvre, dossier du Département des Peintures.
1979 Paris
Voltaire, Paris, Bibliothèque nationale.
1979 Paris
Venezia e lo spazio scenico.
1979 Zurich
Goethes Reisen in der Schweiz, Zurich, Helmhaus.
1979-1980 Bâle
Caspar Wolf (1735-1783). Landschaft im Vorfeld der Romantik, Bâle, Kunstmuseum.
1979-1980 Dusseldorf
Kurfürst Carl Theodor zu Pfalz, der Erbauer von Schloss Benrath, Düsseldorf, Stadtgeschichtliches Museum.
1979-1980 Madrid
Madrid, testimonios de su historia hasta 1875, Madrid, museo municipal.

1979-1980 Naples, Florence
Civiltà dell'700 a Napoli, 1734-1799, Naples, Florence.
1979-1980 Paris
Le gothique retrouvé, Paris, Caisse nationale des Monuments historiques et des Sites, Hôtel de Sully.
1979-1980 Suède
Pehr Hilleström, Exposition itinérante du Nationalmuseum.
1979-1980 Paris
Les familles de portraits, Paris, musée des Arts décoratifs.
1980 Beauvais
Donation M.-J. Boudot-Lamotte, Beauvais, musée départemental de l'Oise.
1980 Berlin
Bilder von Menschen, Berlin Staatliche Museen Preussicher Kulturbesitz.
1980 Bordeaux
Les arts du théâtre de Watteau à Fragonard, Bordeaux, Galerie des Beaux-Arts.
1980 Bordeaux, Nantes
La vie aux antilles aux XVIIIe et XIXe siècles, Bordeaux, musée des Arts décoratifs; Nantes, musées départementaux de Loire-Atlantique.
1980 Bruxelles
150 ans d'art belge, les collections des musées royaux des Beaux-Arts de Belgique, Bruxelles, musées royaux des Beaux-Arts.
1980 Bruxelles
Sous l'arbre de la Liberté; l'esprit révolutionnaire et l'esprit patriotique en Belgique, Bruxelles, musée d'histoire de la ville.
1980 Grenoble
Saint-Véran, mémoire du Queyras, Grenoble, Musée dauphinois.
1980 Liège
Le siècle des Lumières dans la Principauté de Liège, Liège, musée de l'Art Wallon et de l'Evolution culturelle de la Wallonie.
1980 Lourdes
Clavecin et clavecinistes sous l'Ancien Régime, Lourdes, Musée pyrénéen.
1980 Lyon
Navigation sur le Rhône et la Saône, Lyon, Archives départementales du Rhône.
1980 Marbach am Neckar
Wieland, Schubart.
1980 Munich
Wittelbach und Bayern.
1980 Narbonne
Jacques Gamelin, Narbonne, musée des Beaux-Arts.
1980 Paris
Cartes et figures de la Terre, Paris, Centre Georges-Pompidou.
1980 Paris
Hier pour demain, arts, traditions et patrimoine, Paris, Galeries nationales du Grand Palais.
1980 Versailles
Les musiques du roi à Versailles, Versailles, bibliothèque municipale.
1980 Vienne
Katalog der 629. Kunstauktion des Dorotheums Wien, septembre 1980.
1980 Vienne, Melk
Österreich zur Zeit Kaiser Joseph II, Vienne, Historisches Museum, Melk.
1980-1981 Hambourg
Goya, das Zeitalter der Revolutionen 1789-1830, Hambourg, Kunsthalle.
1980-1981 Sydney Melbourne
French Paintings : the revolutionary decades 1760-1830. Paintings and drawings from the Louvre and other french museums, Sydney, Art gallery of New South Wales, 1980; Melbourne, National Gallery of Victoria.
1981 Alençon
Dessins du musée d'Alençon du XVIe au XIXe siècle, Alençon, musée des Beaux-Arts.

1981 Coblence
Untertan-Citoyen-Stadtsbürger.
1981 Karlsruhe
Barock in Baden-Württemberg vom Ende des dreissigjährigen Krieges zur französischen Revolution, Karlsruhe, Badisches Landesmuseum.
1981 Londres
Auktionkatalog Sotheby Parke Bernet & Co., 18 mars 1981.
1981 Londres
Consulat, Empire, Restauration art in early XIX. Century France, Londres, Galerie Wildenstein.
1981 Mayence
Deutsche Jakobiner, Mainzer Republik und Cisrhenanen 1792-1798.
1981 Paris
Cinquante ans de mécénat. Dons de la Société des Amis de Carnavalet et de ses membres, Paris, musée Carnavalet.
1981 Paris
De Michel-Ange à Géricault, dessins de la collection Armand Valton, Paris, École des Beaux-Arts.
1981 Paris
L'ingénieur artiste. Dessins anciens de l'École nationale des Ponts et Chaussées, Paris, salle d'exposition de l'Union des Banques.
1981 Paris
Les chevaux de Saint Marc de Venise, Paris, Galeries nationales du Grand Palais.
1981 Wolfenbüttel
Gotthold Ephraim Lessing 1729-1781, Wolfenbüttel, Herzog August Bibliothek.
1981-1982 Detroit, Chicago
The golden Age of Naples, art and civilization under the Bourbons 1784-1805, Detroit, Institute of Arts; Chicago, The Art Institute.
1981-1982 Mont-de-Marsan
La femme artiste d'Elisabeth Vigée-Lebrun à Rosa Bonheur, Mont-de-Marsan, Donjon Lacataye.
1981-1982 Rome
David e Roma, Rome, Académie de France à Rome.
1981-1982 Washington, New York, Minneapolis, Malibu
French masters drawings from the Rouen museum, from Caron to Delacroix.
1982 Eisenstadt
Joseph Haydn in seiner Zeit.
1982 Fort Worth
Elisabeth-Louise Vigée-Lebrun, Fort Worth, Kimbell Art Museum.
1982 Lisbonne
Lisboa e o marquès de Pombal, Lisbonne, musée de la ville.
1982 Londres
Souvenirs ot the Grand Tours, Londres, Galerie Wildenstein.
1982 Moscou
L'Antiquité dans la peinture européenne du XVe au XXe siècle, Moscou, musée Pouchkine.
1982 Neustadt
1832-1982. Hambacher Fest. Freiheit und Einheit in Deutschland und Europa.
1982 Paris
Auber et l'opéra romantique, Paris, mairies annexes des XIIIe et IIIe arrondissements.
1982 Paris
De la place Louis XV à la place de la Concorde, Paris, musée Carnavalet.
1982 Paris
La Révolution française. Le Premier Empire. Dessins du musée Carnavalet, Paris, musée Carnavalet.
1982 Paris
Pierre-Joseph Redouté, Paris, Centre culturel de la communauté française de Belgique.
1982 Paris
Verriers français contemporains, art et industrie, Paris, musée des Arts décoratifs.
1982 Rotterdam
Dirk Langendijk en zijn zoon Jan Anthony Rotterdamse Tekenaars rond, Rotterdam, Gemeentelijke Archievdienst.

1982 Stockholm
På Klassik mårk: Målare i Rom på 1780-Talet, Stockholm, Nationalmuseum.
1982 Stockholm
Svenskt landskaps malerei under 1800 Talet, Stockholm, Nationalmuseum.
1982 Vienne
Wien zur Zeit Joseph Haydn, Vienne, Historisches Museum der Stadt.
1982 Zurich
250 Werke aus der Sammlung, Zurich, Kunsthaus.
1983 Bruxelles
De brabants Omwenteling. La révolution brabançonne. 1789-1790, Bruxelles, musée royal de l'Armée et de l'Histoire militaire.
1983 Lille
Autour de David. Les dessins néoclassiques du musées des Beaux-Arts de Lille, Lille, musée des Beaux-Arts.
1983 Lyon
Jouffroy d'Abbans, Lyon, musée historique.
1983 Palaiseau
Dessins français du XVIIIe siècle, Palaiseau, École polytechnique.
1983 Paris
Connaître l'École des Mines. Bicentenaire, 1783. École des Mines, Paris, École nationale supérieure des Mines.
1983 Paris
Guerre d'Amérique et liberté des mers 1783-1983, Paris, Hôtel de Ville.
1983 Paris
La part du rêve. De la montgolfière au satellite, Paris, Galeries nationales du Grand Palais.
1983 Rouen
La sociabilité en Normandie, Rouen, musée des Beaux-Arts.
1983 Tokyo, Yamaguchi, Nagoya, Kamakura
Peintures françaises du XVIIe au XXe siècle.
1983-1984 Paris
Raphaël et l'art français, Paris, Galeries nationales du Grand Palais.
1983-1984 Washington
Flowers of three centuries. One hundred drawings and watercolours from the Broughton Collection.
1984 Bourges
L'ingénieur artiste, dessins anciens de l'École nationale des Ponts et Chaussées, Bourges, musée du Berry.
1984 Cologne
Heroismus und Idylle, Formen der Landschaft um 1800, Cologne, Wallraf-Richartz Museum.
1984 Genève, Dijon
Dessins genevois de Liotard à Hodler, Genève, musée Rath; Dijon, musée des Beaux-Arts.
1984 Lille
Le chevalier Wicar, peintre, graveur, dessinateur et collectionneur, Lille, musée des Beaux-Arts.
1984 Londres
Wedgwood in London, Londres, Josiah Wedgwood and Sons Ltd.
1984 Neuchâtel
Maximilien de Meuron et les peintures de la Suisse romantique, Neuchâtel, musée des Beaux-Arts.
1984 Paris
Dessins et sciences, Paris, musée du Louvre, Cabinet des Dessins.
1984 Paris
Images de la montagne, Paris, Bibliothèque nationale.
1984 Paris
Longueur et temps, de la vitesse de la lumière à la définition du mètre, Paris, Observatoire de Paris.
1984 Paris
Louis Boilly, 1761-1845, Paris, musée Marmottan.
1984 Vienne
Zirkel und Winkelmass. 200 Jahre Grosse Landesloge der Freimaurer, Vienne, Historisches Museum der Stadt.

1984 Vizille
Une dynastie bourgeoise à l'époque de la Révolution: Les Perrier, Vizille, musée de la Révolution française.
1984-1985 Paris
Après la pluie, le beau temps, la météo, Paris, musée national des Arts et Traditions populaires.
1984-1985 Paris
Diderot et l'art de Boucher à David, Paris, Hôtel de la monnaie.
1984-1985 Paris
L'Âge d'or de la peinture danoise, Paris, Galeries nationales du Grand Palais.
1985 Biot
Images du travail. Peintures et dessins des collections françaises, Biot, musée Fernand-Léger.
1985 Londres
John Joseph Merlin: the Ingenious Mechanick, Londres, the Iveagh Bequest.
1985 Madrid, Barcelone
L'ingeniero artista: diseños antiguos de l'École Nationale des Ponts et Chaussées.
1985 Naples
Gouaches napoletane del Settecento e dell' Ottocento.
1985 Nantes, Lausanne, Rome
Les frères Sablet (1785-1815), peintures, dessins, gravures, Nantes, musées départementaux de Loire-Atlantique; Lausanne, musée cantonal des Beaux-Arts; Rome, museo di Roma.
1985 Nevers
Modèles réduits d'un train d'artillerie, système Gribeauval, Nevers, musée municipal.
1985 Paris
Graveurs français de la seconde moitié du XVIIIe siècle, Paris, musée du Louvre, collection Edmond de Rothschild.
1985 Paris
Interférences. Deux siècles de communications à distance, Paris, Conservatoire national des arts et métiers.
1985 Paris
Les Grands Boulevards, Paris, musée Carnavalet.
1985 Paris
Musée du Louvre. Nouvelles acquisitions du département des Objets d'art, 1980-1984, Paris, musée du Louvre.
1985 Paris
Peintures françaises de la Révolution au Second Empire, Paris, Galerie Fischer-Kiener.
1985 Rennes
Jean-Germain Drouais 1763-1788, Rennes, musée des Beaux-Arts.
1985 Sèvres
Villeroy et Boch 1748-1985. Art et Industire céramique, Sèvres, musée national de la Céramique.
1985 Toulon
La peinture en Provence dans les collections du musée de Toulon du XVIIe au début du XIXe siècle, Toulon, musée des Beaux-Arts.
1985 Vigo
Feria de Pesca.
1985 Vizille
Premières collections, Vizille, musée de la Révolution française.
1985-1986 Bruxelles : voir Ixelles
1985-1986 Ixelles
1770-1830. Autour du Néoclassicisme en Belgique, Ixelles, musée communal.
1985-1986 Marseille
Jean-Antoine Constantin, Marseille 1756-Aix en Provence 1844, Marseille, musée des Beaux-Arts.
1985-1986 Paris
De la Halle au Blé à la bourse de commerce, Paris, mairie du 1er arrondissement.
1985-1986 Paris
Projets pour Versailles, dessins des Archives nationales, Paris, Archives nationales.
1985-1986 Washington
The Treasure Houses of Britain, Washington, National Gallery.

1986 Annecy
Découverte et sentiment de la montagne, collection Paul Payot, Annecy, conservatoire d'Art et d'Histoire de la Haute-Savoie.
1986 Berlin
Friedrich der Grosse, Berlin, Geheimes Staatsarchiv Preussischer Kulturbesitz.
1986 Fresnes
Blanchisseuse, laveuse, repasseuse : la femme, le linge et l'eau, Fresnes, écomusée.
1986 Hambourg
Eva und die Zukunft. Das Bild der Frau seit der französischen Revolution, Hambourg, Kunsthalle.
1986 Lausanne
A.L.R.Ducros (1748-1810). Paysages d'Italie à l'époque de Goethe, Lausanne, musée cantonal des Beaux-Arts.
1986 Lisbonne
Fernando II Rei-Artista, Artista-Rei, Lisbonne, Fundação da Casa de Bragança.
1986 Milan
Il progetto domestico, la casa dell'uomo : archetipie et prototipi. XVIIe Triennale de Milan.
1986 Nantes
Mathurin Crucy (1749-1826). Architecte nantais néo-classique, Nantes, musée Dobrée, musées départementaux de Loire-Atlantique.
1986 Naples
Le porcellane dei Borbone di Napoli, Capodimonte e Real Fabrica Ferdinandea, Naples, museo di Capodimonte.
1986 Paris
A.L. Ducros, Paris, Centre culturel suisse.
1986 Paris
Dessins anciens, Cabinet des Dessins et des Estampes de l'Université de Leyde, Paris, Institut néerlandais.
1986 Paris
Prud'hon.La Justice et la Vengeance divine poursuivant le Crime, Paris, musée du Louvre, dossier du Département des Peintures.
1986 Paris
Un canal... Des canaux, Paris, Caisse nationale des Monuments historiques et des Sites, La Conciergerie.
1986 Philadelphie
Drawings by Jean-Baptiste Le Prince for the « Voyage en Sibérie », Philadelphie, Rosenbach museum and library.
1986 Rome
A.Louis Ducros.
1986 Tokyo
Pintura española de los siglos XVIII y XIX.
1986 Valenciennes
L'Académie de Peinture et de Sculpture à Valenciennes au XVIIIe siècle, Valenciennes, musée des Beaux-Arts.
1986 Vizille
Droits de l'homme et conquête des libertés, Vizille, musée de la Révolution française.
1986-1987 Le Havre
Le Bois d'ébène, de l'histoire à l'histoire dessinée, Le Havre, musée des Beaux-Arts André-Malraux.
1986-1987 Paris
La France et la Russie au siècle des Lumières. Relations culturelles et artistiques de la France et de la Russie au XVIIIe siècle, Paris, Galeries nationales du Grand Palais.
1986-1987 Tokyo
Spanish painting of 18th-19th centuries.
1987 Londres
Londoners, Londres, museum of London.
1987 Marseille
Sublime indigo, Marseille, centre de la Vieille Charité.
1987 Marseille
Vivre en quarantaine dans les ports de Marseille aux XVIIe et XVIIIe siècles, Marseille, musée d'Histoire.
1987 Paris
Antoine-René d'Argenson, marquis de Paulmy 1722-1787, Paris, bibliothèque de l'Arsenal.

1987 Paris
Costume-Coutume. Cinquantenaire du musée national des Arts et Traditions populaires, Paris, Galeries nationales du Grand Palais.
1987 Paris
Louis XVII, Paris, mairie du Ve arrondissement.
1987 Paris
Vergennes et la politique étrangère de la France à la veille de la Révolution, Paris, musée-galerie de la SEITA.
1987 Queluz
William Beckford and Portugal, Palais de Queluz.
1987 Stockholm
Sverige - Finland 800 år, Stockholm, Nationalmuseum.
1987 Tokyo, Amagasaki, Fukushima
Spanish paintings of the 18th and 19th centuries. Goya and his time, Tokyo, Seibu museum of Art, Amagasaki, Fukushima.
1987 Vizille
La guillotine dans la Révolution, Vizille, musée de la Révolution française.
1987 Vizille, Paris
Aux armes, citoyens! Les sabres à emblèmes de la Révolution, Vizille, musée de la Révolution française ; Paris, Archives nationales.
1987-1988 Paris
Arts et Traditions populaires. Nouvelles acquisitions. Guérir, choisir, Paris, musée national des Arts et Traditions populaires.
1987-1988 Paris
Espace français. Vision et aménagement, XVIe-XIXe siècle, Paris, Archives nationales.
1987-1988 Paris
Soleil et Ombres. L'art portugais du XIXe siècle, Paris, musée du Petit Palais.
1987-1988 Paris Petit Palais
Cinq siècles d'art espagnol. I. De Greco à Picasso, Paris, musée du Petit Palais.
1987-1988 Paris, New York
Fragonard, Paris, Galeries nationales du Grand Palais ; New York, Metropolitan museum of Art.
1987-1988 Stockholm
Hemma i konsten, Stockholm, Nationalmuseum.
1987-1988 Tokyo
La Révolution française et le Romantisme, Tokyo, musée Fuji.
1988 Atlanta
Two centuries of Swiss painting, Atlanta, the High Museum of Arts.
1988 Brisbane, Tokyo, New Delhi
Chefs-d'œuvre du Louvre : bronzes français de la Renaissance à Rodin, Brisbane (Australie), Queensland Art Gallery (cat. anglais), Tokyo, Metropolitan Art Museum (cat. franco-japonais), New Delhi, Musée national (sans cat.).
1988 Châtellerault
La peinture française du XVIIIe siècle dans les collections du musée du Louvre, Châtellerault, musée municipal.
1988 Cologne
Der Name der Freiheit, Aspekte Kölner Geschichte von Worringen bis heute, Cologne.
1988 Paris
Buffon, Paris, Museum national d'histoire naturelle.
1988 Paris
De l'an V au Second Empire : le Cabinet des Dessins de Morel d'Arleux et de Reiset, Paris, musée du Louvre, Cabinet des Dessins.
1988 Paris
Nouvelles acquisitions du département des Sculptures 1984-1987, Paris, musée du Louvre.
1988 Sully-sur-Loire
André-Gaspard Parfait de Bizemont 1752-1837, l'artiste, le mécène, le collectionneur, Sully-sur-Loire, château.
1988 Vincennes
Mémoire de l'Armée 1688-1988. Trois siècles d'histoire, archives, cartes, tableaux et plans reliefs, Vincennes, service historique de l'Armée.

1988 Zurich
Von Gessner bis Turner. Zeichnungen und Aquarelle von 1750-1850 im Kunsthaus Zurich Graphischesammlung, Zurich, Kunsthaus.
1988-1989 Londres
Panoramania, Londres, Barbican Art Gallery.
1988-1989 Los Angeles, Paris
La caricature française et la Révolution, Los Angeles, Paris, Bibliothèque nationale.
1988-1989 Madrid, Boston, New York
Goya y el nacimiento del liberalismo, Madrid, musée du Prado, 1988 ; *Goya and the spirit of Enlightment*, Boston, museum of Fine Arts ; New York, Metropolitan Museum of Art.
1988-1989 Tours
Les sculptures sortent de leurs réserves, Tours, musée des Beaux-Arts.

INDEX

CRÉDITS PHOTOGRAPHIQUES

Les chiffres seuls se rapportent aux notices du catalogue, ceux précédés de la mention P.T. aux photos d'illustration.

AIX-EN-PROVENCE : Archives nationales d'outre-mer : 323. J. Bernard : 354. P.I.
AMALIENBORG : Majestaet Dronningens Håndbibliotek : 267.
AMSTEL : Tom Hartsen : 377.
AMSTERDAM : Gemeentelijke Archiefdienst : 163, 164, 165, 675, 924, 932, 976. – Rijksmuseum stichting : 31, 32, 33, 47, 266, 374, 375, 376, 378, 450, 453, 454 A, B, 455, 456, 457, 459 A, B, 460, 461, 463, 465, 466, 467, 468, 470, 617, 650, 674, 794, 795, 851, 852, 923, 925, 926, 927, 929, 930, 958, 974, 975. – Universiteitsbibliotheek : 109.
ANGERS : Musées d'Angers : 572, 710, 730, 826 B, C, D, 956.
ANNECY : Musée-château : 316.
ARLES : Musée Réattu : P.I. : p. XXXVI, p. XXXVII, p. 840.
MARRAS : Leroy : 1075.
ÅTVIDABERG : Baron Gösta Adelswärd : 536.
BÂLE : Kunstmuseum : 317.
BARLASTON : Wedgwood Museum : 340, 341.
BAYONNE : Musée Basque : 708 A, B, C, D.
BEAUFORT-EN-VALLÉE : Musée Joseph-Denais : 718.
BEAUVAIS : Musées départementaux de l'Oise : 715.
BERLIN : Deutsches historisches Museum : 6. – Kupferstichkabinett/Jörg Anders : 103. – Staatliche Museen preußischer Kulturbesitz : 69 A, 362. – Verwaltung der staatlichen Schlösser und Gärten/Jörg Anders : 7, 69 B, 166, 631, 696.
BERNE : Bernisches historisches Museum/Rebsanem : 28, 944, 968, 1060, 1137. – Kunstmuseum : 27, 874. – Schweiz. Landesbibliothek : 26, 221, 234, 386, 436, 494, 853, 938, 942, 943.
BESANÇON : Bibliothèque de Besançon : 357. – Musées de Besançon : 428, 906, 952, 1113.
BÉZIERS : Musée des Beaux-Arts : 670.
BIRMINGHAM : Museum and Art Gallery : 91.
BORDEAUX : Archives municipales : 236. – Musée des Arts décoratifs : 174, 733 A, B.
BOSTON : Museum of Fine Arts : 240, 1037.
BOURG-EN-BRESSE : Musée de Brou : 193, 194.
BRANDFORD (USA) : J. Szaszfai : 785.
BREGENZ : Bregenz Landesmuseum : 50.
BRÊME : Kunsthalle Bremen : 588.
BROSELEY : Tom Foxall ABIPP : 819.
BRUGES : Groeninge-Museum : 195, 331.
BRUXELLES : Bibliothèque royale Albert-Iᵉʳ : 474, 476, 477, 480, 481, 622. – Institut royal météorologique : 289. – Musée communal : 966. P.I. : p. 734. – Musées royaux des Beaux-Arts de Belgique : 217. – Speltdoorn et Fils : 475, 478, 479, 482 à 484.
CAMBRIDGE : Fitzwilliam University : 302, 371, 742.
CARCASSONNE : Musée des Beaux-Arts : 1040.
CASSEL : Wilhemhöhe : 10.
CAUNES-MINERVOIS : P. Cartier : 181.
CHALON-SUR-SAÔNE : Laboratoire G. Picard : 610, 847, 879.
CHAMBÉRY : Musée d'Art et d'Histoire : 147, 148.
CHARLEVILLE-MÉZIÈRES : Musées municipaux : 965.
CHÂTEAU-GONTIER : Musée municipal : 615, 616.
CHÂTEAUROUX : Musée Bertrand : 663.
CHOLET : Musée des Arts : 727, 732, 733.
CLERMONT-FERRAND : Musée d'Art et d'Archéologie : 707.
COBURG : Kunstsammlungen Veste : 633.
COLMAR : Musée d'Unterlinden : 866. – O. Zimmermann : 848, 860, 863, 910, 911.
COLOGNE : Rheinbildarchiv, Köln : 105, 971. – Wallraf-Richartz-Museum : 114.
COMPIÈGNE : Studio 60 : 1063.
COPENHAGUE : Bingtason : 8. – Det Kongelige Bibliotek : 440. – Musée royal des Beaux-Arts : 242, 243, 244, 802, 833, 886. – Statens Museum for Kunst : 313, 421, 880, 882.
DAHLEM : Skulpturen Galerie staatliche Museen : 362. P.I. : p. XXIX.

DIJON : Musée archéologique Perrodin : 513. – Musée des Beaux-Arts : 45, 805, 1085.
DORDRECHT : Musée Simon van Gijn : 464, 469, 497, 932.
DREUX : Musée municipal d'Art et d'Histoire : 1061, 1062.
DUBLIN : National Gallery of Ireland : 22, 51, 1127 A.
EDINBOURG : National Gallery of Scotland : 252.
ÉPINAL : Voegtle : 207, 676, 725.
FLORENCE : M. Bertoni : 66. – Biblioteca Nazionale centrale : 898. – Direzione del gabinetto di Disegni e stampe degli Uffizi : 554. – Soprintendenza ai beni artistici e storici, Firenze : 898, P.I. : p. XLVII.
FRANKFORT : Frankfurt am Main Historischesmuseum : 790. – Museum für Kunsthandwerk : 67. – Ursula Edelman : 363, 1082.
FREDERIKSBORG : Nationalhistoriske Museum : 70.
FRIBOURG : Musée d'Art et d'Histoire : 618.
GAP : Musée départemental : 133, 144, 149.
GENÈVE : M. Aeschimann : 168. – Bibliothèque publique et universitaire : 29, 451, 452, 934, 936. – Musée d'Art et d'Histoire : 182, 829, 933. – Musée d'Histoire naturelle : 315. – Patlusch : 30, 168. – J. Pugin : 935.
GÊNES : Istituto Mazziniano : 867. – Museo del Risorgimento : 959, 960.
GRAY : Musée baron Martin : 646.
GRENOBLE : Musée dauphinois : 134, 145, 150, 229. – Photopress : 401. – Piccardy : 2. – Ville de Grenoble : 573.
GUÉRET : Musée Guéret : 418, 435, 1072.
HAARLEM : Gemeentelijke Archiefdienst : 458 A. – Frans Hals Museum/A. Dingjan : 373, 458 B. – Teylers Museum : 285, 286.
HAMBOURG : Hamburger Kunsthalle/R. Kleinhempel : 183, 192, 828. P.I. : p. PXLIX.
HATTEM : Stichting oud Hattem : 662.
INNSBRUCK : Landesmuseum Ferdinandeum : 433.
LANGRES : Musée du Breuil de Saint-Germain : 1100. – Phillyphot : 1110.
LA ROCHELLE : P.I. : p. 834.
LA ROCHE-SUR-YON : Écomusée de Vendée : 724.
LAUSANNE : Musée cantonal des Beaux-Arts : 310.
LE BOURGET : Musée de l'Air : 1012, 1013, 1014.
LEEDS : City Art Gallery : 92.
LE MANS : Musées du Mans : 570, 826 A, B, C.
LIÈGE : Cabinet des Estampes : 422.
LILLE : Musée des Beaux-Arts : 399, 584, 824, 946. – Studio Malaisy : 426.
LIMOGES : Guerhard & Dihl : 62. – Musée Adrien-Dubouché : 60. – Musée national de la Céramique : 885.
LISBONNE : Ediçao da Biblioteca Nacional : 15, 369, 370. – Instituto português do Patrimonio cultural : 14. – Instituto português do Patrimonio cultural/H. Ruas : 53, 56. – Ministero da Cultura : 20, 46, 54, 55, 83, 84, 95, 160, 248 à 251, 288 à D, 746, 899.
LOMME-LILLE : Studio Gérondal : 575, 1143.
LONDRES : British Museum : 271, 282, 327, 347, 442, 625, 691, 694, 774, 775, 776, 786, 787, 788, 791, 792, 801, 812, 854, 884 A & B, 915 A & B, 984. – Coll. part. : 23, 25, 637. – Courtauld Institute of Art : 630. – Guildhall Library : 747. – Museum of London : 24. – National Portrait Gallery Archives : 231, 232, 361, 367, 368, 377. – National Monuments Record : 629. – Science Museum : 345. – Tate Gallery Millbank : 162, 190, 270, 441.
LUCERNE : Historisches Museum : 140.
LUXEMBOURG : Bibliothèque nationale : 748, 749. – Musée d'Histoire et d'Art : 85, 184, 196, 197, 198, 199, 200, 222, 245, 471, 472, 473, 677 A, B, 831, 1028.
LYON : Archives municipales/Gastineau : 216. – Musée des Arts décoratifs : 609. – Musée des Beaux-Arts : 574, 814, 855. – Musée historique : 581, 713, 719, 720.
MADRID : Biblioteca nacional : 161, 246, 247, 356, 389, 547, 638, 668, 669. – Museo Arqueológico : 79, 81, 82. – Museo del Prado : 13, 78, 94, 178. 188, P.I. : p. .XXXV.

MALINES : Marivoet : 922.
MANNHEIM : Städt. Reiß-Museum : 432.
MARSEILLE : J. Belvisi : 843. – Musée Borely : 561, 892.
MASSY-PALAISEAU, Bibliothèque de l'École polytechnique : P.I. : p. 809.
MAYENCE : Landesmuseum, Mainz : 411.
METZ : Musée d'Art et d'Histoire : 177.
MODÈNE : Biblioteca Estense : 44.
MONTAUBAN : Roumagnac : 102, 409, 429, 837.
MONTEGLIANO : R. Viola : 36.
MONTPELLIER : Bibliothèque universitaire/Musée Atger : 822. – Mairie de Montpellier : 836. – C. O'Sughrue : 408, 834, 1102. P.I. Musée Fabre : p. 308.
MULHOUSE : Musée de l'Impression sur étoffes : 448.
MUNICH : Bayerisches Staatsgemäldesammlungen München : 87, 89. – Bayerisches Nationalmuseum : 68.
NANCY : Archives départementales de Meurthe-et-Moselle : 100. – G. Mangin : 889, 890, 1141.
NANTES : Musée des Beaux-Arts : 869. – Musée départementaux de Loire-Atlantique/C. Hémon : 345, 706, 729, 1084.
NAPLES : Soprintendenza ai beni Artistici e storici : 11, 12, 71 à 74, 104, 113, 556, 690.
NEUCHATEL : Musée d'Art et d'Histoire : 969.
NEUILLY : Saint-Gobain Industries : 334.
NEVERS : Musée municipal : 652 A.
NEW YORK, The Brooklyn Museum : 1104.
NICE : Musée de Nice : 967.
NIORT : Musée du Donjon/B. Renaud : 137.
NUREMBERG : Germanisches Nationalmuseum Nürnberg : 235 à 238, 240, 241, 364, 385, 490, 537, 540, 789, 793, 897.
ORANGE : Musée municipal : 333.
ORLÉANS : Musée des Beaux-Arts : 827.
PARIS : Archives nationales : 258, 265, 296, 597, 600, 603, 665, 671, 753, 796 D, H, I, 914, 917, 921, 1011, 1034. – Archives photographiques : 300, 400, 577, P.I. : p. 297, p. 839. – Bibliothèque centrale du Muséum d'histoire naturelle : 77, 260, 280, 298, 299, 306, 321, 1026, 1027. – Bibliothèque nationale : 1, 113, 124, 230, 253, 254, 269, 272, 297, 332, 366, 384, 387, 407, 415, 120, 446, 486 à 489, 491, 492, 496, 498, 504 à 509, 510 A, 511, 512, 514, 515, 519, 520, 522 à 526, 528 à 535, 566, 567, 571, 576, 582, 583, 585, 586, 591, 605, 608, 627, 643, 714 A, B, 723, 726, 741, 758, 759, 761 à 768, 770, 772, 779 à 781, 806, 868, 878, 883, 893, 896, 945, 950, 987, 1024 A, B, 1041, 1046, 1108, 1120 A à C, 1142. B.B. P.I. : p. XXXI, p. XXXIII A et B, p. XXXIV, p. XXXIX B, p. XLIII, p. XLV, p. XLVIII, p. 313, p. 476, p. 728, p. 841. – Bulloz : 38, 39, 312, 328, 416 B, 498, 644, 818, 846, 903, 1117 (Bulloz) P.I. : p. 294, p. 295, p. 314. – Caisse nationale des Monuments historiques et des Sites : 1118, 1132. – CNMHS/Spadem : 900. – Collection du Mobilier national : 437, 1066. – Collection particulière : 731, P.I. : p. 151, p. 294, p. 314. – École nationale supérieure des Beaux-Arts : 187, 255, 257, 329, 1015, 1081. – Laboratoire de recherche des musées de France : 1073, 1095. – Lauros-Giraudon : 99, 173, 185, 186, 203, 227, 228, 416 A, 717, 809, 811, 826 A, 841, 862, 865, 1121, 1122, 1124, 1139. – Monnaie de Paris : 225. – Musée de l'Armée : 606 A, B, 621, 652 B, 653, 6̄, 656 à 660, 684, 686 à 689, 734 à 738, 939, 948, 1048. – Musée de l'Homme/D. Destable : 115, 120 A, B. –Musée de la Marine : 325, 353. – Musée des Arts et Traditions populaires / Beaudenon : 151 / Duchesne : 118 / Guey / 135, 142, 152, 153 / Manziat : 128 / RMN : 106, 119 A, B, 122, 126, 136, P.I. : p. 89. – Musée des Arts décoratifs Sully-Jaulmes : 88, 303, 342, 1138. – Musée des Techniques CNAM : 132, 283, 320, 337 à 339, 991, 995, 1003, 1004, 1006 à 1009, 1016 à 1019, 1025, 1047, 1050 à 1052. – Petit Palais/Bulloz : 427. – Photothèque des musées de la Ville de Paris : 176, 388, 433, 542, 611, 614, 699, 700 à 703, 797 à 799, 877, 887, 894, 901, 916, 1086, 1127 B. – Photothèque des musées de la Ville de Paris by Spadem / Andreani : 796 G, 891 A, B / Buchholz : 641 / Habouzit : 849, 1039 / Ladet : 485, 698 / Louvion : 783 / Svartz : 796 F, 861 /

TABLE DES MATIÈRES

Achevé d'imprimé en mars 1989
sur les presses de l'Imprimerie Moderne du Lion
Composé en Torino et Caslon par L'Union Linotypiste
Photogravure de N.S.R.G.

Maquette de Jean-Pierre ROSIER

Dépôt légal : mars 1989

ISBN : 2-7118-2214-1 (édition complète brochée)
ISBN : 2-7118-2273-7 (édition complète reliée)

EC 10 2214 (édition brochée)
EC 10 2273 (édition reliée)